<u>ACCESO GRATIS</u> *a la Lectura en la Nube*

Para visualizar el libro electrónico en la nube de lectura envíe junto a su nombre y apellidos una fotografía del código de barras situado en la contraportada del libro y otra del ticket de compra a la dirección:

ebooktirant@tirant.com

En un máximo de 72 horas laborales le enviaremos el código de acceso con sus instrucciones.

CRIMINALIDAD ORGANIZADA TRASNACIONAL: UNA AMENAZA A LA SEGURIDAD DE LOS ESTADOS DEMOCRÁTICOS

Procedimiento de selección de originales, ver página web:

www.tirant.net/index.php/editorial/procedimiento-de-seleccion-de-originales

CRIMINALIDAD ORGANIZADA TRASNACIONAL: UNA AMENAZA A LA SEGURIDAD DE LOS ESTADOS DEMOCRÁTICOS

LAURA ZÚÑIGA RODRÍGUEZ
(Directora)

JULIO BALLESTEROS SÁNCHEZ
(Coordinador)

VNiVERSiDAD
Ð SALAMANCA

tirant lo blanch

Valencia, 2017

Proyecto DER2013-44228-R

Director de la Colección:

FERNANDO CARBAJO CASCÓN
Profesor Titular de Derecho Mercantil de la Universidad de Salamanca
Catedrático acreditado de Derecho Mercantil

© Laura Zúñiga Rodríguez
Julio Ballesteros Sánchez

© TIRANT LO BLANCH Y EDICIONES UNIVERSIDAD DE SALAMANCA
EDITA: TIRANT LO BLANCH
C/ Artes Gráficas, 14 - 46010 - Valencia
TELFS.: 96/361 00 48 - 50
FAX: 96/369 41 51
Email:tlb@tirant.com
www.tirant.com
Librería virtual: www.tirant.es
DEPÓSITO LEGAL: V-2911-2017
ISBN: 978-84-9012-577-9 (Universidad de Salamanca)
ISBN: 978-84-9143-721-5 (Tirant lo Blanch)
IMPRIME: Guada Impresores, S.L.
MAQUETA: Tink Factoría de Color

Si tiene alguna queja o sugerencia, envíenos un mail a: *atencioncliente@tirant.com*. En caso de no ser atendida su sugerencia, por favor, lea en *www.tirant.net/index.php/empresa/politicas-de-empresa* nuestro Procedimiento de quejas.

Responsabilidad Social Corporativa: http://www.tirant.net/Docs/RSCTirant.pdf

LISTADO DE AUTORES

Ricardo Posada Maya
Fredy Rivera Veléz
Daniel Sansó-Rubert Pascual
André Scheller D´Angelo
Sylvia Córdoba Moreno
Laura Zúñiga Rodríguez
Cristina Méndez Rodríguez
José Escribano Úbeda-Portugués
Luis Peláez Piñeiro
Germán Guillén López
Lina Mariola Díaz Cortés
Julio Ballesteros Sánchez
Alberto Daunis Rodríguez
Yvan Montoya Vivanco
Patricia Faraldo Cabana
Teresa Aguado Correa
Julia Pulido Gragera
Dino Carlos Caro Coria
Juana Del-Carpio-Delgado
Jerónimo García San Martín
Mª Silvia Velarde Aramayo
Mª Paula Díaz Pita
Alicia González Monje
Joana Falxa

Índice

PRESENTACIÓN 15

LA DELINCUENCIA TRANSNACIONAL: EL CRIMEN SIN FRONTERAS

EL ESPIONAJE INFORMÁTICO EN COLOMBIA 21
Ricardo Posada Maya

ESCENARIO REGIONAL, INSEGURIDAD CIUDADANA Y DE-
LINCUENCIA INTERNACIONAL ORGANIZADA: EL CASO
ECUATORIANO 73
Fredy Rivera Veléz

ASPECTOS CRIMINOLÓGICOS: INTELIGENCIA, PERFILES Y BANDAS JUVENILES

ESTRATEGIAS GEOPOLÍTICAS DE LA CRIMINALIDAD ORGA-
NIZADA: DESAFÍOS DE LA INTELIGENCIA CRIMINAL 105
Daniel Sansó-Rubert Pascual

APROXIMACIÓN A UN PERFIL CRIMINAL DENTRO DE LAS
ORGANIZACIONES TRANSNACIONALES EN COLOMBIA . 141
André Scheller D´Angelo

¿SON LAS BANDAS LATINAS EN ESPAÑA CRIMEN ORGANI-
ZADO? 163
Sylvia Córdoba Moreno

EL TRATAMIENTO JURÍDICO DE LAS ORGANIZACIONES CRIMINALES TRANSNACIONALES

TRATAMIENTO JURÍDICO PENAL DE LAS SOCIEDADES INS-
TRUMENTALES: ENTRE LA CRIMINALIDAD ORGANIZA-
DA Y LA CRIMINALIDAD EMPRESARIAL 197
Laura Zúñiga Rodríguez

ORGANIZACIÓN CRIMINAL TRANSNACIONAL Y CRIMINA-
LIDAD ORGANIZADA TRANSNACIONAL. UTILIDAD DE LA
DIFERENCIACIÓN EN EL CÓDIGO PENAL 247
Cristina Méndez Rodríguez

DESAFÍOS DE LOS ORGANISMOS INTERNACIONALES FREN-
TE A LA DELINCUENCIA ORGANIZADA............................... 287
José Escribano Úbeda-Portugués

EL TRÁFICO INTERNACIONAL DE DROGAS

SITUACIÓN DEL TRÁFICO DE DROGAS EN ESPAÑA: AMENA-
ZA Y RESPUESTAS.. 313
Luis Peláez Piñeiro

LOS CÁRTELES DE LA DROGA EN MÉXICO: ANÁLISIS CRIMI-
NOLÓGICO Y JURÍDICO COMO MODALIDAD DE DELIN-
CUENCIA ORGANIZADA.. 349
Germán Guillén López

LAS RAZONES DE LA LEGITIMIDAD DE LAS POLÍTICAS CRI-
MINALES FRENTE A LAS DROGAS ILÍCITAS: ANÁLISIS A
PARTIR DE LOS MODELOS DE CONTROL JURÍDICO (I)..... 377
Lina Mariola Díaz Cortés

LÍMITES Y CONFLICTOS ENTRE EL LIBRE DESARROLLO DE
LA PERSONALIDAD Y UNA POLÍTICA CRIMINAL LEGALI-
ZADORA DE LAS DROGAS QUE NO CAUSAN GRAVE DAÑO
A LA SALUD: SALUD PÚBLICA VS SALUD INDIVIDUAL........ 421
Julio Ballesteros Sánchez

EL TRÁFICO Y TRATA DE PERSONAS

LA INMIGRACIÓN ANTE LA ENCRUCIJADA: EL TRÁFICO ILE-
GAL DE PERSONAS, LA TRATA DE SERES HUMANOS Y LA
EXPLOTACIÓN SEXUAL... 445
Alberto Daunis Rodríguez

EL DELITO DE TRATA DE PERSONAS COMO DELITO COM-
PLEJO Y SUS DIFICULTADES EN LA JURISPRUDENCIA PE-
RUANA 477
Yvan Montoya Vivanco

CRIMINALIDAD ADYACENTE: TERRORISMO YIHADISTA, DECOMISO Y CUESTIONES CONCURSALES

CUESTIONES CONCURSALES EN LOS DELITOS DE ORGANI-
ZACIÓN O GRUPO CRIMINAL 509
Patricia Faraldo Cabana

NORMAS MÍNIMAS SOBRE DECOMISO DE LOS INTRUMEN-
TOS Y DEL PRODUCTO DE LA DELINCUENCIA ORGANI-
ZADA EN LA UNIÓN EUROPEA (DIRECTIVA 2014/42/UE) Y
SU INCORPORACIÓN AL DERECHO ESPAÑOL 551
Teresa Aguado Correa

NUEVOS RETOS PARA LA INTELIGENCIA ESTRATÉGICA AN-
TE EL DESARROLLO DE LAS AMENAZAS HÍBRIDAS 591
Julia Pulido Gragera

EL BLANQUEO DE CAPITALES Y LOS PARAÍSOS FISCALES

LA IMPUTACIÓN OBJETIVA EN LOS CASOS DE CONTAMINA-
CIÓN/DESCONTAMINACIÓN DEL OBJETO MATERIAL EN
EL BLANQUEO DE CAPITALES 613
Dino Carlos Caro Coria

LA NECESARIA DELIMITACIÓN DEL ÁMBITO DE APLICACIÓN
DEL DELITO DE BLANQUEO DE CAPITALES 645
Juana Del-Carpio-Delgado

LA PRUEBA DEL DELITO ANTECEDENTE EN EL BLANQUEO
DE CAPITALES 689
Jerónimo García San Martín

LA NOCIÓN JURÍDICA DE "PARAÍSO FISCAL" Y LA CUESTIO-
NABLE CONSISTENCIA DE LA LUCHA CONTRA LA EVA-
SIÓN INTERNACIONAL 707
Mª Silvia Velarde Aramayo

ASPECTOS PROCESALES: VALORACIÓN DE LA PRUEBA DEL AGENTE ENCUBIERTO, ARREPENTIDOS

LA DECLARACIÓN DEL "DELATOR" COINVESTIGADO, COEN-CAUSADO, COPROCESADO O COACUSADO COMO MEDIO DE PRUEBA EN LA LUCHA CONTRA LA CRIMINALIDAD ORGANIZADA TRANSNACIONAL 763
Mª Paula Díaz Pita

EL NUEVO MARCO NORMATIVO EN LA INVESTIGACIÓN TRANSFRONTERIZA DEL CRIMEN ORGANIZADO 805
Alicia González Monje

EL AGENTE ENCUBIERTO EN EL DERECHO PROCESAL FRAN-CÉS.. 843
Joana Falxa

PRESENTACIÓN

El Observatorio de la Criminalidad Organizada Transnacional creado por el equipo de investigación de trabajo del Proyecto DER2013-44228-R, financiado por el Ministerio de Economía y Competitividad, presenta el Congreso Internacional sobre *Criminalidad Organizada Transnacional: una amenaza a la seguridad de los Estados Democráticos*, como parte de los resultados obtenidos en el ámbito de la investigación y la docencia.

Naciones Unidas, como organismo internacional que se ocupa de la seguridad de los Estados entiende claramente la amenaza que para la paz mundial supone en estos momentos la criminalidad organizada, por eso insta a los Estados a incorporar normas de armonización legislativa y cooperación policial y judicial. Especialmente, la trasposición de las reglas básicas de la Convención de Palermo, tarea aún inacabada. Puede decirse que la reacción jurídica al fenómeno de la criminalidad organizada ha sido tardía, desorganizada y poco consistente. Tardía, porque es recién en el año 2000 cuando Naciones Unidas logra un consenso intersubjetivo entre los países en reconocimiento del fenómeno y en 2010 cuando nuestro ordenamiento incorpora los delitos de organización criminal. Desorganizada, porque cada país posee su propia legislación y sistema jurídico, situación poco eficaz para hacer frente a la globalización del crimen. Inconsistente, porque los sistemas jurídico-penales de nuestro ámbito cultural se han pivotado sobre la responsabilidad individual, encajando mal delitos cometidos en el ámbito de organizaciones que se dedican de manera permanente y reiterada a la comisión de hechos delictivos.

Como decía Weigend en 1997: "La lucha contra el conceptualmente escurridizo fenómeno del crimen organizado puede provocar en el sistema de justicia penal transformaciones desconocidas en la historia del derecho penal. De la misma manera que el crimen cometido como negocio por grupos y organizaciones antisociales y amorfas se distingue de manera radical del paradigma tradicional del crimen como aberración aislada en la vida del individuo, el sistema penal del futuro puede acabar siendo un mundo aparte respecto del que hoy conocemos... Puede que en un mundo que debe hacer frente a una poderosa economía criminal subterránea que amenaza infiltrar no sólo la economía legal, sino también los centros del poder político, el derecho penal se convierta en algo disfuncional y haya que sustituirlo por un sistema nuevo basado en un conjunto de principios...".

Para re-pensar las respuestas jurídicas y sociales ante el fenómeno de la criminalidad organizada transnacional se presenta este libro, desde una perceptiva interdisciplinar e internacional. Los temas que trata son las más importantes aristas de este fenómeno criminal complejo. Se han diseñado teniendo en cuenta la diversidad de problemas que supone afrontar realmente la criminalidad organizada, a partir de encuestas, *focus group* elaborados con anterioridad con especialistas policías, jueces y fiscales. Estos métodos de investigación nos han proporcionado los insumos para detectar las necesidades formativas para afrontar de manera más eficaz contra la criminalidad organizada transnacional. De manera que combinando teoría y práctica, comprensión del fenómeno y estrategias dentro del Estado de Derecho, intentamos conseguir respuestas que sin abdicar de la eficacia, sean respetuosas de los derechos fundamentales que constituyen la esencia de nuestra civilización occidental.

Los aspectos más internacionales como el Espionaje informático en Colombia (Ricardo Posada), o la Inseguridad Ciudadana en Ecuador (Fredy Rivera), el Perfil criminal de las organizaciones criminales transnacionales en Colombia (André Scheller), o la Trata en la jurisprudencia peruana (Yván Montoya), los cárteles de las drogas en México (Germán Guillén), el tratamiento del agente encubierto en Francia (Joana Falxa), nos servirán para realizar Derecho Comparado y también para comparar realidades. No es fácil transpolar realidades, ni legislaciones a sociedades tan diversas, pero sin duda la tratativa nos enseña a observar diversas situaciones y diversas estrategias. Los aspectos estratégicos, de inteligencia y político-criminales del fenómeno también han tenido su atención: las estrategias geopolíticas de la criminalidad organizada (Daniel Sansó), las bandas latinas en España (Sylvia Córdoba), la situación del tráfico de drogas en España (Luis Peláez), la legitimidad de las políticas criminales frente a las drogas (Lina Díaz), los límites en las políticas criminales legalizadoras de las drogas (Julio Ballesteros), la inteligencia estratégica ante la amenaza yihadista (Julia Pulido), nos brindan una perspectiva de análisis preventiva, donde queda claro que las respuestas proactivas que se encuentran dentro del marco del Estado de Derecho son necesarias para hacer frente a estos fenómenos silentes de organizaciones criminales, sobre todo si no queremos que el fenómeno se convierta en incontrolable. Los aspectos más jurídicos ocupan una parte de este libro, como no podía ser de otra manera. Unas buenas legislaciones son necesarias para que el imperio de la Ley reine como posibles respuestas. El tratamiento jurídico de las sociedades instrumentales (Laura Zúñiga), de las organizaciones transnacionales (Cristina Méndez), de la inmigración (Alberto Daunis), los desafíos de los Organismos Internacionales (José Escribano), los aspectos concursales en los delitos de organización (Patricia Faraldo), el estudio del decomiso (Teresa Aguado), la imputación objetiva en el blanqueo de capitales (Carlos Caro), la delimitación en la aplicación del delito de blanqueo de capitales (Juana del Carpio), la noción jurídica de "paraíso fiscal" (Silvia Velarde), son todos aspectos de obligada atención en el estudio de la criminalidad organizada transnacional, si finalmente se plantean propuestas de reforma legislativa con el fin de contar con instrumentos jurídicos más idóneos. Por último los aspectos procesales no podían faltar en un tratamiento holístico de la criminalidad organizada transnacional: la prueba en el delito antecedente de blanqueo de capitales (Jerónimo García), la valoración de la prueba del "delator" (Paula Díaz), el marco normativo de la investigación trasnfronteriza (Alicia González).

En suma, quien aborde este libro podrá tener a la mano diversos aspectos fundamentales de este fenómeno poliédrico que es la criminalidad organizada transnacional, tratado por especialistas de diversas ramas del conocimiento, con experiencia teórica y práctica.

En Salamanca, junio de 2017
Laura Zúñiga Rodríguez
Profesora Titular y Catedrática acreditada
Universidad de Salamanca
Directora del Proyecto

LA DELINCUENCIA TRANSNACIONAL: EL CRIMEN SIN FRONTERAS

EL ESPIONAJE INFORMÁTICO EN COLOMBIA

RICARDO POSADA MAYA*

Sumario: 1. Consideraciones generales. 2. De la regulación general del dato personal en Colombia. 3. Marco legal de los delitos de "espionaje informático".
4. Conclusiones. 5. Bibliografía.

Resumen: El espionaje informático, entendido como un cibercrimen, es una de
las modalidades que más afectan los derechos de los ciudadanos, debido al alto
nivel de dependencia tecnológica, la velocidad en la transferencia de datos y la
hipervulnerabilidad de las víctimas y los sistemas informáticos en la actualidad.
En Colombia, este fenómeno se castiga mediante los delitos de interceptación de
datos informáticos y la violación de datos personales, como figuras autónomas
que protegen la seguridad de la información, la confidencialidad de las transmisiones de datos y la intimidad y autonomía informática. El presente texto busca
precisar los elementos necesarios para su adecuada aplicación.

Palabras clave: interceptación, violación de datos, datos, comunicaciones, transmisiones de datos, cibercrimen, intimidad.

1. CONSIDERACIONES GENERALES

1. En los diferentes ámbitos de criminalidad informática sancionados por la Ley 1273 de 2009[1], adicionados al título VII *bis* del Código
Penal (Ley 599 de 2000, en adelante C.P.) titulado "De la protección
de la información y de los datos" *y* (agréguese) "de los sistemas informáticos[2]" que los contienen, procesan o transmiten, se advierte, entre

---

[1]   D.O. 47223 del 05.01.2009.
[2]   La directiva 2013/40/UE del Parlamento Europeo y del Consejo de 12/08/2013,
      referida a los ataques contra los sistemas de información y por la cual se sus-
      tituye la decisión marco 2005/222/JAI del Consejo, artículo 2, literal a), define
      los sistemas de información, como "todo aparato o grupo de aparatos interco-
      nectados o relacionados entre sí, uno o varios de los cuales realizan, mediante
      un programa, el tratamiento automático de datos informáticos, así como los

otros[3], el castigo del *espionaje* mediante diversos *ciberdelitos*[4] como *la interceptación de datos informáticos* (C.P., artículo 269C) y *la violación de datos personales* (C.P., artículo 269F)[5]. Todo ello siguiendo

---

datos informáticos almacenados, tratados, recuperados o transmitidos por dicho aparato o grupo de aparatos para su funcionamiento, utilización, protección y mantenimiento".

[3]   POSADA MAYA, "Aproximación a la criminalidad informática en Colombia", pp. 23 y ss. Junto al espionaje se pueden encontrar otros ciberdelitos como el intrusismo informático, el sabotaje, los delitos de defraudación informática y otras conductas punibles tradicionales como los delitos de pornografía y contacto sexual con menores de edad.

[4]   POSADA MAYA, "Aproximación a la criminalidad informática en Colombia", pp. 19 y 20; *id.*, "El delito de transferencia no consentida de activos", p. 214, señala que "la *cibercriminalidad* cubre aquellas conductas punibles realizadas con fines ilícitos, no consentidas (facultadas) por el titular de la información o los datos, o abusivas de este consentimiento (facultad), que se orientan a la indebida creación, procesamiento, almacenamiento, adquisición, transmisión, divulgación, daño, falsificación, interceptación, manipulación y ejecución automática [...] de programas de datos o información informatizada reservada o secreta de naturaleza personal(privada o semiprivada), empresarial, comercial o pública, que pongan en peligro o lesionen (C.P., artículo 11) la seguridad de las funciones informáticas en sentido estricto, esto es, la confiabilidad (calidad, pureza, idoneidad y corrección), la integridad y la disponibilidad de datos o información, y de los componentes lógicos de la programación de los equipos informáticos o de los programas operativos o aplicativos (*software*) [...]. *Por consiguiente, no se trata de delitos comunes sino de tipologías especiales realizadas a través de procedimientos informáticos, que gozan de cierta riqueza técnica, aunque no abandonan los tipos penales ordinarios como referentes dogmáticos y criminológicos*" (énfasis propio); *id*, "El delito de acceso abusivo a sistema informático", pp. 109 y ss. Igualmente, v. PICOTTI, "La tutela penale della persona e le nuove tecnologie dell'informazione", p. 55; ROMEO CASABONA, "De los delitos informáticos al cibercrimen. Una aproximación conceptual y político-criminal", p. 10; ROVIRA DEL CANTO, *Delincuencia informática y fraudes informáticos*, p. 130; SCHPERBERG/BRANCIK, *Cybercrime*, pp. 29 y ss. Por último, el documento CONPES 3701 (2011-2014) define el ciberdelito como una "Actividad delictiva o abusiva relacionada con los ordenadores y las redes de comunicaciones, bien porque se utilice el ordenador como herramienta del delito, bien porque sea el sistema informático (o sus datos) el objetivo del delito. (Ministerio de Defensa de Colombia)", definición que infortunadamente no distingue entre el delito informático en sentido amplio y en sentido estricto.

[5]   El C.P. Español prevé estas figuras en el artículo 197, de la siguiente manera: "1. El que, para descubrir los secretos o vulnerar la intimidad de otro, sin su consentimiento, se apodere de sus papeles, cartas, mensajes de correo electrónico o cualesquiera otros documentos o efectos personales, intercepte sus telecomuni-

el diseño que la normativa internacional y en particular el *Convenio de Budapest* del Consejo de Europa (2001) han previsto para la lucha contra la cibercriminalidad[6]. En otra oportunidad se definió el *espionaje informático* como aquel conjunto de:

> *Actividades dirigidas a obtener, captar y desarrollar sin autorización datos, comunicaciones, programas, licencias, imágenes y sonidos almacenados en ficheros o bases de datos públicos o privados, donde se acumula y procesa información confidencial, exclusiva y valiosa protegida*[7]. En pocas palabras, se trata de actividades dirigidas al tratamiento ilícito y no consentido de información y datos personales informáticos con violación a los principios que ha diseñado la legislación para tal efecto[8].

En realidad las conductas de interceptación, obtención, tratamiento o divulgación de datos personales o impersonales vulneran, además del bien jurídico de la seguridad de las funciones informáticas (la confidencialidad, integridad, disponibilidad y el no repudio[9]), los

---

caciones o utilice artificios técnicos de escucha, transmisión, grabación o reproducción del sonido o de la imagen, o de cualquier otra señal de comunicación, será castigado con las penas de prisión de uno a cuatro años y multa de doce a veinticuatro meses./ 2. Las mismas penas se impondrán al que, sin estar autorizado, se apodere, utilice o modifique, en perjuicio de tercero, datos reservados de carácter personal o familiar de otro que se hallen registrados en ficheros o soportes informáticos, electrónicos o telemáticos, o en cualquier otro tipo de archivo o registro público o privado. Iguales penas se impondrán a quien, sin estar autorizado, acceda por cualquier medio a los mismos y a quien los altere o utilice en perjuicio del titular de los datos o de un tercero". Los demás numerales prevén las agravantes para los delitos anteriores.

6   *The Convention on Cybercrimen* (ETS. n° 185/2001). En: http: //conventions. coe.int/Treaty/EN/ Reports/Html/185.htm. *Rapport explicatif* de la convención, Párr. II sobre los trabajos preparatorios §§ 7-15 En: www.coe.int.

7   POSADA MAYA, *Aproximación a la criminalidad informática en Colombia*, p. 32.

8   PARKER, *Fighting computer crime*, pp. 105-106.

9   *ibid*, p. 221, advierte que: "In this description, authenticity referred to the process of ensuring that messages come from the correct senders and arrive at the correct receivers; integrity mean that the same message arrives as way sent; and confidentiality meant that the message is not disclosed during transmission. [...] then, authenticity concerns the identity of people, integrity concerns changings information during transmission, and confidentiality concerns exposing information to disclosure". Y agrega en la p. 220, que estas funciones son definidas por el CobiT's (Control Objectives for information and related technology framework), así: "Confidentiality. Concerns the protection of sensitive information

sistemas informáticos, los datos allí registrados[10] y al *habeas data*, esto es, al derecho a la libre disposición, almacenamiento y transmisión de datos e información digital de las personas (Const. Pol., artículo 15)[11]. Se trata, entonces, de actuaciones que quebrantan los derechos constitucionales fundamentales a la intimidad personal y familiar de las víctimas (*ibíd.*, inciso 1) y el "*derecho a la protección de datos*" no públicos o transmitidos de manera confidencial[12].

Asimismo, a diferencia de otras figuras delictivas previstas en el C.P. —como por ejemplo *el acceso abusivo a sistema informático* (C.P., artículo 269A), cuya consumación no depende de la clase de datos protegidos o de la confidencialidad de las transmisiones—, la adecuación típica de los delitos de *interceptación de datos informáticos y la violación de datos personales* se caracteriza por su estrecha dependencia a la regulación del tratamiento y la administración de datos personales de terceros prevista en las leyes de *habeas data* números 1266 del 2008 (CConst., Sent. C-1011 de 2008) y 1581 de 2012. Es más, conviene reconocer el papel fundamental que cumple el consentimiento del titular de los datos (C.P., artículo 32, numeral 2) en el contexto del espionaje informático, teniendo en cuenta que esta

---

from unauthorized disclosure. / Integrity. Relates to the accuracy and completeness of information as well as to its validity in accordance with business values and expectations. / Availability. Relates to information being available when required by the business process, now and in the future. It also concerns the safeguarding of necessary resources and associated capabilities".

10   Respecto al bien jurídico protegido, v. POSADA MAYA, "El delito de trasferencia no consentida de activos", pp. 215-217; *id.*, "El delito de acceso abusivo a sistema informático", p. 109; ROVIRA DEL CANTO, *Delincuencia informática y fraudes informáticos*, p. 187. Asimismo: v. CASTRO OSPINA, "Delitos Informáticos: La información como bien jurídico y los delitos informáticos en el Nuevo Código Penal Colombiano", pp. 132 y ss.; REYNA ALFARO, "El bien jurídico en el delito informático", pp. 181-190; ROMEO CASABONA, *Poder informático y seguridad jurídica. La función tutelar del derecho penal ante las nuevas tecnologías de la información*, pp. 19 y ss.; *id.*, "Los datos de carácter personal como bienes jurídicos penalmente protegidos", pp. 160 y ss.; ROVIRA DEL CANTO, *Delincuencia informática y fraudes informáticos*, p. 187.

11   CCONST., Sent. T-559/2007. V. ROMEO CASABONA, "Los datos de carácter personal como bienes jurídicos penalmente protegidos", pp. 181 y ss.

12   Esta última expresión es usadaen la sentencia T-260 de 2012 de la Corte Constitucional.

institución opera de manera muy excepcional frente a bienes jurídicos intermedios y colectivos como el que se estudia.

2. Si bien esta no es la oportunidad para profundizar sobre este tema, es importante indicar que la interceptación de datos informáticos y la violación de datos personales (a pesar de formar parte de los métodos de ataque de la moderna guerra cibernética o *Cyberwarfare*[13]), se pueden distinguir perfectamente del delito de *espionaje común* previsto en el C.P., artículo 463[14], de la siguiente manera:

En primer lugar, aunque ambas clases de delitos protegen fragmentos del bien jurídico "seguridad", los delitos informáticos (propiamente dichos) se concentran en la protección de las funciones informáticas y en la autodeterminación digital (además de proteger otros bienes jurídicos personalísimos o personales), mientras que el punible de espionaje se enfoca en la protección de la existencia y seguridad interior o exterior del Estado, y en particular de su estabilidad colectiva y la protección de los "intereses generales de la República[15]".

En segundo lugar, estas figuras se distinguen por los sujetos. Por lo que incumbe al sujeto activo del tipo de espionaje, tiene razón FERREIRA DELGADO cuando señala que "El espía no es parte de aquel grupo de personas admitidas a enterarse y a manejar lo secreto[16]", aunque no se requiere que tenga una calidad específica[17]; mientras

---

[13]   La protección de datos privados, sensibles y colectivos debería ser parte de los modernos protocolos del derecho penal ciberhumanitario, y en particular la protección de datos hospitalarios, datos de sujetos protegidos por la justicia, información del censo poblacional, registros de personas menores de edad y de grupos vulnerables, entre otros, tal y como lo ha desarrollado en el campo académico el manual TALLINN de derecho internacional aplicable a la ciberguerra, que se puede consultar en http: //www.ccdcoe.org/tallinn-manual.html.

[14]   FERREIRA DELGADO, *DPE*, p. 640. Precisamente, PÉREZ, *DP*, T. III, p. 74, señala que en la legislación penal de 1936 existían diversas modalidades de espionaje: en tiempos de guerra, paz, el espionaje militar y el espionaje como oficio u ocupación. Modalidades que no perviven desde la legislación de 1980. Hoy, el C.P., artículo 463, mod. Ley 890 de 2004, artículo 14, señala como delito la siguiente conducta: "*El que indebidamente obtenga, emplee o revele secreto político, económico o militar relacionado con la seguridad del Estado,* incurrirá en prisión de sesenta y cuatro (64) a doscientos dieciséis (216) meses".

[15]   PÉREZ, *DP*, T. III, p. 75.

[16]   FERREIRA DELGADO, *DPE*, p. 642.

[17]   ARENAS, *Comentarios*, T. II, p. 11.

que en los delitos informáticos el sujeto activo puede ser justamente un *insider*, es decir, un sujeto que por razones de confianza o vínculos contractuales es el responsable de la administración, manejo o control de la información o de los sistemas informáticos. A su turno, en los delitos informáticos el sujeto pasivo será el titular de los datos personales públicos o privados, de las bases o bancos de datos o archivos, o el titular de los equipos informáticos; mientras que en el delito de espionaje el sujeto pasivo es el Estado como titular de la información y como regulador del secreto público.

En tercer lugar, conviene destacar que el espionaje y el delito de violación de datos personales tienen en común la divulgación o revelación total o parcial de los datos reservados o secretos políticos, económicos o militares[18], lo que podría significar que son delitos de consumación permanente[19] a partir de la *indebida*[20]captura, obtención, conocimiento y divulgación de los datos[21]. Sin embargo, la revelación de la información supondría aplicar a la interceptación de datos informáticos (artículo 269 C) la agravante prevista en el numeral 4 del artículo 269 H, por *haber revelado o dado a conocer el contenido de la información en perjuicio de otro (Data Diddling)*. Sea como fuere, la interceptación agravada por la revelación de información no su-

---

[18] FERREIRA DELGADO, *DPE*, p. 644, sostiene que la "Obtención y empleo de lo secreto implican una actividad en el autor: es conseguir la información y entrar en posesión (cognitiva) cognoscitiva de ella (por obtención) o usar la información que ya se tiene de modo indebido, para su provecho personal o de terceros, sacándola de su órbita de lo secreto (por ejemplo). Esta actividad del sujeto activo del delito no necesariamente desemboca en un daño al Estado. El solo hecho de obtenerla o emplearla, aun sin resultados lesivos, es suficiente atentado a su seguridad, por el peligro a que se ha expuesto. El hecho se consuma por la sola circunstancia de sacar lo secreto de su órbita de custodia", y agrega "se revela dando a conocer lo que antes permanece oculto. Es delito, justamente porque se espera que permanezca oculto, y el sujeto activo lo sacó de su órbita de sigilo".

[19] Así lo sostiene ARENAS, *Comentarios*, T. II, p. 10, al afirmar que el espionaje es "un delito permanente que se consuma durante todo el tiempo que el espía permanezca al servicio del enemigo o de nación extranjera [...] aunque nada logre conseguir", con lo cual, el espionaje se concibe como un delito de peligro que no admite tentativa. De opinión diversa: PÉREZ, *DP*, T. III, p. 74, al señalar que el espionaje puede ser tanto fortuito como permanente.

[20] Sobre el concepto normativo de "indebida" obtención, v. PÉREZ, *DP*, T. IV, p. 385.

[21] PÉREZ, *DP*, T. III, p. 77.

pondría estructurar un concurso efectivo con el delito de violación de datos, debido al principio de especialidad.

En cuarto lugar, la interceptación de datos informáticos y la violación de datos personales se distinguen del espionaje (C.P., artículo 463) por el objeto sobre el cual recae la conducta. Obsérvese que los delitos informáticos tienen como objeto inmaterial *los datos informáticos personales*, mientras que el espionaje tiene como objeto del delito el *secreto político, económico o militar relacionado con la seguridad del Estado*[22], que sea *trascendente* y, desde luego reservado al momento de la comisión del hecho o cuando el autor se haya comprometido a obtenerlo[23], tanto si es un secreto contenido en un medio informático o en un documento material. Con todo, el secreto en el delito de espionaje puede ser un dato personal o impersonal, un objeto o un documento.

Así mismo, los secretos en el delito de espionaje pertenecen a la órbita de lo público, mientras que los datos (o la información) en los delitos informáticos pueden ser públicos o privados. En ambos casos no es indispensable que el sujeto activo desempeñe funciones públicas (servidor público).

Para terminar, *en quinto lugar*, el delito de espionaje no es propiamente un *cibercrimen* sino un delito común (incluso político o conexo a estos[24]), que puede ser realizado por el sujeto activo empleando de modo circunstancial medios informáticos, electrónicos o telemáticos, lo que supondría aplicar la agravante genérica prevista en el C.P., artículo 58, numeral 17, cuyo fundamento consiste en un mayor *desvalor de acción objetivo* en la ejecución de la conducta punible. Por el contrario, la *interceptación de datos informáticos* o la *violación de datos personales* se podría agravar cuando las conductas sean cometidas "Sobre redes o sistemas informáticos o de comunicaciones estatales" o cuando sean realizadas "Con fines terroristas o generando riesgo

---

[22]   Define esta clase de secretos: *ibídem* p. 78. Y agrega que el tipo penal resulta en blanco, por la necesidad de acudir a la normativa administrativa que clasifica como secreto de Estado la información reservada de naturaleza política, militar o económica.

[23]   ARENAS, *Comentarios*, T. II, p. 11.

[24]   POSADA MAYA, "Aproximación al concepto jurídico del delito político", pp. 3 y ss.

para la seguridad o defensa nacional" (C.P., artículo 269 H numerales 1 y 6, respectivamente). Es más, corresponde preguntarse si en estas hipótesis se presenta un concurso aparente o efectivo entre el delito de espionaje y el delito informático, aunque todo indica que se trata de tipos alternos con verbos típicos comunes como, por ejemplo: "obtener", "emplear", "revelar" o divulgar información o datos reservados, contraviniendo el orden jurídico y el consentimiento del titular.

3. Dicho lo anterior, el presente escrito examina las figuras delictivas de *interceptación de datos informáticos y violación de datos personales*. Para ello, *en primer lugar*, se realizan algunas consideraciones generales; *en segundo lugar*, se aborda la regulación del dato en Colombia; *en tercer lugar,* se estudian los delitos previstos en el C.P., artículos 269 C y F, y se analizan sus elementos objetivos y subjetivos, sus variantes y sus relaciones sistemáticas; finalmente, *en cuarto lugar*, se presentan algunas consideraciones a título de conclusión. Todo ello con el propósito de ofrecer elementos dogmáticos y político-criminales que permitan una adecuada aplicación de estos delitos.

2. DE LA REGULACIÓN GENERAL DEL DATO PERSONAL EN COLOMBIA

No hay una definición única de los datos en la doctrina o en la jurisprudencia nacional. Sin embargo, una noción técnica inicial que vale la pena citar por su claridad y que tiene amplia influencia en las regulaciones de nuestro entorno jurídico, es la prevista por la Convención de Budapest (2001), que en el Ch. I, artículo 1, dice que el dato es una:

> Unidad básica de información, ello es, cualquier representación de información, conocimiento, hechos, conceptos o instrucciones que pueden ser procesadas u operadas por sistemas automáticos de computadores, y cuya unión con otros datos conforma la información en sentido estricto.

De manera reciente la Directiva 2013/40/UE del Parlamento Europeo y del Consejo de 12/08/2013, también definió el dato informático en el artículo 2, literal b), así:

> b) "datos informáticos: toda representación de hechos, informaciones o conceptos de una forma que permite su tratamiento por un sistema de

información, incluidos los programas que sirven para hacer que dicho sistema de información realice una función".

Por su parte, la Ley 1581 de 2012, artículo 3, literal c, define el *dato personal* por contraposición al dato impersonal, como "*cualquier información vinculada o que pueda asociarse a una o varias personas naturales determinadas o determinables[25]*", sin perjuicio de que esa noción pueda ser aplicada también a las personas jurídicas, pero distinguiendo sus datos de aquellos que pertenecen a las personas naturales que las "conforman".Precisamente, la característica esencial del dato como objeto principal sobre el cual recae la acción cibercriminal, es su *inmaterialidad*, de modo tal que, al no ser susceptible de visualización directa, requiere de un procesamiento digital que haga explícita la señal binaria (bite o bytes) que los integran.

Finalmente, la Ley 1712 de 2014 que regula (artículo 1) "el derecho de acceso a la información pública, los procedimientos para el ejercicio y garantía del derecho y las excepciones a la publicidad de la información, define la *información* en el artículo 6, literal a), como

> [...] *un conjunto organizado de datos contenidos en cualquier documento que los sujetos obligados generen, obtengan, adquieran, transformen o controlen.* Son sujetos obligados (artículo 5) las personas de derecho público, las personas derecho privado que presten función pública, servicios públicos o manejen fondos parafiscales, y los partidos y movimientos políticos.

Además, hay que tener en cuenta que el *sistema penal de protección de datos* depende de la naturaleza de estas unidades de información, bajo los principios de *autodeterminación y prohibición de injerencia informática*, regulación que, a la par del Dto. 1377 de 2013 (artículo 18), propugna por la recolección, almacenamiento, uso y circulación respetuosos de los derechos a la intimidad personal y a la dignidad humana. Y aunque la protección de los datos no depende de su valor económico, la realidad demuestra que estos son una fuente importante de intercambios comerciales en la posmodernidad, que

---

[25]   En sentido similar: Ley 1266 de 2008, artículo 3, literal e). También la CCONST. Sents. C-414 de 1992 y C-748 de 2011. V. PARKER, *Fighting computer crime*, pp. 28 y ss.

hace de ellos un objeto con relevancia particular en el contexto de sociedades mediáticas inmersas en complejos procesos de globalización económica y comunicativa[26].

Está claro que los datos —personales e impersonales— son la base del funcionamiento social, tanto en el sector público como en el privado, alimentando de manera voluminosa sistemas de información inseguros, que producen riesgos incontrolables para sus usuarios[27]; generalmente porque su gestión o tratamiento depende de terceras personas. En tal sentido, la ASAMBLEA DE LAS NACIONES UNIDAS del 20 de noviembre de 2013 (A/C.3/68/L.45/REV.1) observa que:

> […] *el rápido ritmo del desarrollo tecnológico permite a las personas de todo el mundo utilizar las nuevas tecnologías de la información y las comunicaciones y, al mismo tiempo, incrementa la capacidad de los gobiernos, las empresas y las personas de llevar a cabo actividades de vigilancia, interceptación y recopilación de datos, lo que podría constituir una violación o una transgresión de los derechos humanos, en particular del derecho a la privacidad, establecido en el artículo 12 de la Declaración Universal de Derechos Humanos y el artículo 17 del Pacto Internacional de Derechos Civiles y Políticos, y que, por lo tanto, esta cuestión suscita cada vez más preocupación. Y agrega estar: Profundamente preocupada por los efectos negativos que pueden tener para el ejercicio y el goce de los derechos humanos la vigilancia y la interceptación de las comunicaciones, incluidas la vigilancia y la interceptación extraterritoriales de las comunicaciones y la recopilación de datos personales, en particular cuando se llevan a cabo a gran escala*[28].

---

[26]   SANDYWELL, "On the globalization of crime: the internet and new criminality", pp. 38-66; PICOTTI, "La tutela penale della persona e le nuove tecnologie dell' informazione", p. 66, señala que "si trata, pertanto, di garantire condizioni essenziali per la libertà e tutela delle persone, nel contempo per l'esercizio di servizi ed attività economico-imprenditoriali nonché amministrative di grande rilievo sociale […]". Sobre el tema, v. POSADA MAYA. "El derecho penal de la globalización vs. el Derecho penal de la globalización alternativa", pp. 7-36.

[27]   REMOLINA ANGARITA, *Tratamiento de datos personales*, p. 3.

[28]   La misma preocupación se advierte en: HUMAN RIGHTS COUNCIL. *The right to privacy in the digital age*. Report of the Office of the United Nations High Commissioner for Human Rights, A/HRC/27/37 del 30 de junio de 2014, al señalar que: "3. Deep concerns have been expressed as policies and practices that exploit the vulnerability of digital communications technologies to electronic surveillance and interception in countries across the globe have been exposed. Examples of overt and covert digital surveillance in jurisdictions around

Esta inquietud queda ampliamente probada con el incremento de los delitos informáticos en los últimos años, en particular de las conductas punibles que comportan la realización de delitos continuados de transferencia no consentida de activos, violaciones de datos personales, suplantación de identidad informática y de hurtos por medios informáticos[29].

El tratamiento de datos personales no es una actividad libre[30], de manera que quien los trate, capte, recolecte, almacene, use, circule, emplee, divulgue, administre, etcétera, tiene la obligación de cumplir con una serie de principios y reglas fijadas por la ley, la doctrina y la jurisprudencia, justamente en el marco de los derechos constitucionales autónomos al *habeas data*[31] y a la intimidad personal[32]. Conviene recordar con REMOLINA ANGARITA, que:

---

the world have proliferated, with governmental mass surveillance emerging as a dangerous habit rather than an exceptional measure. Governments reportedly have threatened to ban the services of telecommunication and wireless equipment companies unless given direct access to communication traffic, tapped fibre-optic cables for surveillance purposes, and required companies systematically to disclose bulk information on customers and employees. Furthermore, some have reportedly made use of surveillance of telecommunications networks to target political opposition members and/or political dissidents. There are reports that authorities in some States routinely record all phone calls and retain them for analysis, while the monitoring by host Governments of communications at global events has been reported. Authorities in one State reportedly require all personal computers sold in the country to be equipped with filtering software that may have other surveillance capabilities. Even non-State groups are now reportedly developing sophisticated digital surveillance capabilities. Mass surveillance technologies are now entering the global market, raising the risk that digital surveillance will escape governmental controls". TL: En igual sentido se pronuncia la directiva 2013/40/UE del Parlamento Europeo y del Consejo de 12/08/2013, en sus considerandos (2) y (6).

29 PARKER, *Fighting computer crime*, pp. 57 y ss.; WALL, "Criminalising cyberspace: the rise of the Internet as a 'crime problem'", pp. 88-103.

30 Ley 1581 de 2012, artículo 3, literal g): "Cualquier operación o conjunto de operaciones sobre datos personales, tales como la recolección, almacenamiento, uso, circulación o supresión".

31 CCONST. Sent. C-307 de 1999, dice que "[...] el *habeas data* es un derecho fundamental autónomo que tienen la función primordial de equilibrar el poder entre el sujeto concernido por el dato y aquel que tiene la capacidad de recolectarlo, almacenarlo, usarlo y transmitirlo"; Sent. C-284 de 2008.

32   La Ley 1712 de 2014, artículo 18, ratifica la excepción de acceso a la información pública reservada por afectar la intimidad personal.

La protección de datos otorga "facultades positivas de disposición y control" de los datos personales, mientras que el "derecho a la intimidad" confiere facultades negativas de exclusión de terceros de la vida privada y familiar de una persona. Y agrega el autor que: *No toda lesión del derecho a la intimidad implica una afectación al derecho de protección de datos personales, ni viceversa*[33].

Todo lo anterior, sumado a que la CCONST. en Sent. T-592 de 2003, le exige al administrador de datos personales informarle al titular la forma y duración en que su información será utilizada (Ley 1581 de 2012, artículo 12).

El caso es que las reglas de tratamiento de datos personales[34] e impersonales exigen, por una parte, que los datos sean recogidos e incorporados en archivos o bases de datos con una *finalidad constitucional y unos objetivos previos,* por parte de terceros que lo hagan de manera legal, correcta, segura[35] y contando siempre con la autorización expresa, previa y libre[36] del titular del dato —sea este una

---

[33] REMOLINA ANGARITA, *Tratamiento de datos personales*, pp. 35 y 61 y ss. En igual sentido se observa la Sent. de la CCONST. C-1011 de 2008, J. CÓRDOVA. Agrega la Sent. T-729 de 2002 que "el derecho fundamental al *habeas data*, es aquel que otorga la facultad al titular de datos personales, de exigir a las administradoras de datos personales el acceso, inclusión, exclusión, corrección, adición, actualización y certificación de los datos, así como la limitación en la posibilidad de divulgación, publicación o cesión de los mismos, conforme a los principios que informan el proceso de administración de bases de datos personales".

[34] CCONST. Sent. T-414 de 1992, datos personales son aquellos que permiten identificar a la persona en cuanto tal.

[35] CCONST. Sent. T-227 de 2003, afirma respecto al principio de seguridad de los datos, que este "[...] demanda adoptar medidas tecnológicas, administrativas, físicas y humanas tendientes a controlar el acceso no autorizado a la información y evitar su manipulación, alteración o destrucción".

[36] Ley 1581 de 2012, artículo 3, literal a): Autorización: "consentimiento previo, expreso e informado del titular para llevar a cabo el tratamiento de datos personales", y artículo 9. Justamente, el artículo 10 *ibíd.,* establece los casos en los cuales no es necesaria la autorización, así: "[...] cuando se trate de: a) Información requerida por una entidad pública o administrativa en ejercicio de sus funciones legales o por orden judicial; b) Datos de naturaleza pública; c) Casos de urgencia médica o sanitaria; d) Tratamiento de información autorizado por la ley para fines históricos, estadísticos o científicos; e) Datos relacionados con el registro civil de las Personas. Quien acceda a los datos personales sin que medie

persona natural o jurídica[37]—, o con la debida autorización legal o judicial. Además, como lo manda la CCONST. Sent. C-1147 de 2001, es necesario cumplir con la finalidad, los objetivos y el uso que de estos se quiera hacer[38]. De no existir dichas relaciones teleológicas y de necesidad, el tratamiento de datos resultante sería contrario a los derechos constitucionales fundamentales.

Para garantizar estos requerimientos, las leyes vigentes establecen amplios catálogos de derechos y deberes[39] que limitan o prohíben el tratamiento, la divulgación o la administración de datos cuando se trate de información obtenida ilegalmente; esta sea falsa, errónea, inexacta o alterada; no tenga utilidad clara o suficiente; o se trate de datos personales privados o sensibles de los titulares y por ello de circulación restringida, siempre y cuando no estén disponibles para su conocimiento o tratamiento público[40], y no se trate de información pública clasificada o reservada (Ley 1712 de 2014, artículo 6, literales b), c) y d)). A penas ver, se trata de una regla que tiene origen en las sentencias de la CCONST. T-176 de 1995, SU-082 de 1995 E. CIFUENTES, y C-1011 de 2008.

La ley reglamenta las distintas clases de datos personales (que configuran la información) de acuerdo con su sensibilidad, lo que

---

autorización previa deberá en todo caso cumplir con las disposiciones contenidas en la presente ley".

[37] Ley 1581 de 2012, artículo 3, literal f) y CCONST. Sent. C-748 de 2011.

[38] En el mismo sentido se expresa REMOLINA ANGARITA, *Tratamiento de datos personales*, pp. 69-70, y 187. Dto. 1377 de 2013, artículo 11. CCONST. Sents. C-1011 de 2008, afirma que: "Las actividades de acopio, procesamiento y divulgación de la información personal deben obedecer a un fin (constitucionalmente previsto) legítimo y que, a su vez, debe ser definido de forma clara, suficiente y previa. Esto implica que quede prohibida (i) la recopilación de información personal sin que se establezca el objetivo de su incorporación a la base de datos; y (ii) la recolección, procesamiento y divulgación de información personal (sin que se establezca el objetivo de su incorporación a la base de datos) para un propósito diferente al inicialmente previsto y autorizado por el titular del dato" y Sent. T-440 de 2003.

[39] Ley 1266 de 2008, artículo 4; Ley 1581 de 2012, artículos 8 y 17. En igual sentido se expresa el Dto. 1377 de 2013. Respecto a la información pública v. Ley 1712 de 2014.

[40] REMOLINA ANGARITA, *Tratamiento de datos personales*, pp. 71-79.

responde a la pregunta: ¿A quién le interesan los datos?[41] Como se dirá luego, la ley sistematiza los datos públicos, los semi-privados, los privados relacionados con la vida íntima de las personas y los datos personales sensibles respecto de los que existe un mayor nivel de confidencialidad, y en el otro extremo los datos públicos y abiertos[42]. Vale la pena insistir en que no todos los datos personales son privados o reservados, tal y como lo señala la CCONST. en la Sent. T-261 de 1995[43]:

> [...] *Hay datos que específicamente son íntimos y gozan, en consecuencia, de la garantía constitucional en cuanto tocan con un derecho fundamental e inalienable de la persona y de su familia, al paso que otros, no obstante ser personales, carecen del calificativo específico de privados, toda vez que no únicamente interesan al individuo y al círculo cerrado de su parentela, sino que, en mayor o menor medida, según la materia de que se trate, tienen importancia en grupos humanos más amplios (colegio, universidad, empresa) e inclusive para la generalidad de los asociados, evento en el cual son públicos, y si ello es así, están cobijados por otro derecho, también de rango constitucional fundamental, como lo es el derecho a la información.*

Llegados a este punto, es necesario describir brevemente la clasificación de los datos personales[44]:

---

[41]   *Ibídem*, p. 136, afirma que "La sensibilidad de un dato se predica de aquella característica y contenido cuyo uso, en una situación concreta y bajo determinados parámetros socioculturales, representa un riesgo en cabeza del titular del dato o el contexto en que se trate puede convertirse en un factor determinante de los derechos y libertades de las personas". Se advierten otras clasificaciones en: CCONST, Sent. T-729 de 2002 y en la Ley 1266 de 2008, artículo 3.

[42]   Según la Ley 1581 de 2012, artículo 4, literal h, que regula el principio de confidencialidad, "todas las personas que intervengan en el tratamiento de datos personales que no tengan la naturaleza de públicas están obligados a garantizar la reserva de la información, inclusive después de finalizar su relación con alguna de las labores que comprende el tratamiento, pudiendo solo realizar suministros o comunicación de datos personales cuando ello corresponda al desarrollo de las actividades autorizadas". Tal derecho va acompañado del derecho a revocar la autorización del tratamiento y administración de datos, según la Ley 1581 de 2012, artículo 8, literal e.

[43]   Sentencia ratificada, entre otras, por las Sent. C-336 de 2007, C-334 de 2010 y T-729 de 2002 de la CCONST.

[44]   Sobre esta clasificación, tómese como referencia la obra de REMOLINA ANGARITA, *Tratamiento de datos personales*, pp. 140 y ss.

1. **DATO PÚBLICO:** es el dato que no corresponde a otra clasificación, por no tratarse de un dato sensible, semiprivado o privado, como sucede con el estado civil de las personas (casado, soltero, divorciado, etcétera), la profesión u oficio y las calidades de comerciante o servidor público, las contenidas en providencias judiciales o actos administrativos generales (Ley 1266 de 2008, artículo 3, literal f); Dto. 1377 de 2013, artículo 3, n° 2). La característica esencial de estos datos es que *son de libre acceso y no hay reserva para su conocimiento*, porque frente a ellos prevalece el derecho a la información (Const. Pol., artículo 20)[45]. Igualmente, su gestión o administración no requiere autorización del titular del dato, aunque sí debe sujetarse a los principios del tratamiento previstos en la ley[46]. Su protección dependerá entonces de la clase de trasmisión confidencial o no que los incluya.

2. **DATO SEMIPRIVADO:** (Ley 1266 de 2008, artículos 3, literal g) y 6, parágrafo, inciso 2) es el que *"no tiene naturaleza íntima, reservada, ni pública y cuyo conocimiento puede interesar no solo a su titular sino a cierto sector o grupo de personas o a la sociedad en general, como el dato financiero y crediticio de actividad comercial o de servicios"*. La administración de este tipo de datos de contenido limitado requiere del consentimiento previo y expreso del titular[47], y en su caso de autorización judicial.

3. **DATO PRIVADO:** es el dato que por su naturaleza íntima o reservada solo es de interés para su titular (Ley 1266 de 2008, artículo 3, literal h))[48], bien porque se refieran él o a su entorno

---

[45] CCONST. Sents. T-729 de 2011 y Sent. C-1011 de 2008. V. Ley 1266 de 2008, artículo 6, parágrafo, y Ley 1581 de 2012, artículo 10, literal b).

[46] Ley 1581 de 2012, artículo 6, parágrafo, inciso 1.

[47] Ley 1266 de 2008, artículo 3, literal g, numeral 5 y CCONST. Sent. C-1011 de 2008, salvo en el caso del dato financiero, crediticio, comercial, de servicios y el proveniente de terceros países que no requiere autorización del titular y Sent. T-729 de 2011. V. BERNAL CUELLAR/MONTEALEGRE LYNETT, *El proceso penal*, p. 307; REMOLINA ANGARITA, *Tratamiento de datos personales*, p 166.

[48] Por ejemplo, en los casos del número de teléfono que se asocia a una persona determinada, salvo que sea consultado en directorios telefónicos o centros de contacto.

familiar. Por ejemplo, la historia clínica[49], los datos domiciliarios, los datos de las víctimas de trata de personas[50], de testigos y víctimas protegidos[51], la reserva bancaria, cierta información tributaria[52], los libros, papeles y la contabilidad del comerciante[53], la información sobre la identidad de las personas (datos biográficos, filiación y fórmula dactiloscópica[54]), los datos relativos a los censos y encuestas del D.A.N.E[55], la información suministrada por las víctimas al registro único de víctimas[56], la información de personas afectadas por VIH[57], la información en las bases de datos del sistema de seguridad social sobre autoliquidaciones[58], etcétera. Adicionalmente, se trata de datos que solo pueden ser obtenidos *mediante una orden de funcionario judicial competente con todas las formalidades legales*[59]. La ley indica que su tratamiento y administración se rige por las mismas reglas del dato *semiprivado*, lo que significa que se requiere de la autorización del titular.

4. **DATO SENSIBLE:** La Ley 1581 de 2012, artículo 5 define el dato sensible como: "aquellos que afectan la intimidad del titular o cuyo uso indebido puede generar su discriminación, como aquellos que revelen el origen racial o étnico, la orientación política, las convicciones religiosas o filosóficas, la pertenencia a sindicatos, organizaciones sociales, de derechos humanos, que promuevan intereses de cualquier partido político o que garan-

---

[49] Ley 23 de 1981, artículo 34. Sobre estos elementos: REMOLINA ANGARITA, *Tratamiento de datos personales*, pp. 141-145.
[50] Ley 985 de 2005, artículo 18.
[51] Dto. 1843 de 1992, artículo 5.
[52] Estatuto Tributario, artículo 583. Información sobre bases gravables y determinación privada de impuestos en declaraciones tributarias.
[53] C. de Co., artículos 61 y 62, CCONST. Sent. C-10111 de 2008.
[54] Dto. 2241 de 1986, artículo 213.
[55] Ley 79 de 1996, artículo 5 y Dto. 1633 de 1960, artículo 75.
[56] Ley 1148 de 2011, artículo 156, parágrafo 1.
[57] Dto. 1543 de 1997, artículo 20.
[58] Dto. 1406 de 1999, artículo 14. Así como la información reportada al órgano de administración del registro de aportantes del sistema de seguridad social, según el Dto. 889 de 2001, artículo 13.
[59] BERNAL CUELLAR/MONTEALEGRE LYNETT, *El proceso penal*, p. 307 y CCONST. Sent. T-729 de 2011.

ticen los derechos y garantías de partidos políticos de oposición así como los datos relativos a la salud, a la vida sexual y los datos biométricos". REMOLINA ANGARITA agrega que son datos que guardan estrecha relación con la dignidad, la intimidad y la libertad de las personas, de tal suerte que "directa o indirectamente puedan conducir a una política de discriminación o marginación[60]". En estos casos, los datos requieren ser obtenidos *mediante una orden de funcionario judicial competente con todas las formalidades legales*[61].

5. **DATO ABIERTO:** la Ley 1712 de 2014, artículo 6, literal j, señala que "son todos aquellos datos primarios o sin procesar (datos elementales), que se encuentran en formatos estándares e interoperables, que facilitan su acceso y reutilización, los cuales están bajo la custodia de las entidades públicas o privadas que cumplen funciones públicas y que son puestos a disposición de cualquier ciudadano, de forma libre y sin restricciones, con el fin de que terceros puedan reutilizarlos y crear servicios derivados de los mismos" (paréntesis nuestros).

Más allá de esta clasificación legal, es importante no confundir el dato público con *la información que está a disposición del público*[62], bien porque el titular la divulgue o publique, o porque un tercero pueda acceder a ella en registros gubernamentales (por ejemplo los registros de tránsito y transporte, único de proponentes, registro mercantil, etcétera), en medios periodísticos, por disposición legal o en internet[63]. Hay que aclarar que esta información no cambia su natu-

---

[60]   REMOLINA ANGARITA, *Tratamiento de datos personales*, pp. 76 y 149 y ss. BERNAL CUELLAR/MONTEALEGRE LYNETT, *El proceso penal*, p. 307.

[61]   Dto. 1377 de 2013, artículos 3 y 13, literal B. Con excepción de que exista consentimiento del titular, que los datos sean requeridos para asuntos labores, judiciales (CCONST, C-748 de 2011), misiones de interés público o para salvaguardar la vida del titular (física o jurídicamente incapacitado); se trate de datos con fines científicos, estadísticos o históricos con supresión de la identidad del titular; o sean datos sensibles hechos públicos por el titular. Pero incluso en alguno de estos casos es necesario garantizar la reserva y confidencialidad de los datos.

[62]   REMOLINA ANGARITA, *Tratamiento de datos personales*, pp. 140-141, citas 25 y 168.

[63]   En todo caso, según Ley 1581 de 2012, artículo 4, literal f), inciso 2, "Los datos personales, salvo la información pública, no podrán estar disponibles en Internet

raleza privada o semi-privada, o se convierte en información pública por lo fácil que se pueda obtener, lo que de manera evidente limita su tratamiento pero no su conocimiento al carecer de reserva[64]. Este argumento corresponde a lo que precisa el artículo 5 del Dto. 1377 de 2013, al señalar que "[...] *los datos personales que se encuentren en fuentes de acceso público, con independencia del medio por el cual se tenga acceso, entendiéndose por tales aquellos datos que se encuentren a disposición del público, pueden ser tratados por cualquier persona siempre y cuando, por su naturaleza, sean datos públicos"*.

Precisamente la Ley 1712 de 2014, artículo 6, define y clasifica la información pública así:

1. **INFORMACIÓN PÚBLICA**: "Es toda información que un sujeto obligado genere, obtenga, adquiera, o controle en su calidad de tal".

2. **INFORMACIÓN PÚBLICA CLASIFICADA**: (literal c *ibídem*) "Es aquella información que estando en poder o custodia de un sujeto obligado en su calidad de tal, pertenece al ámbito propio, particular y privado o semi-privado de una persona natural o jurídica por lo que su acceso podrá ser negado o exceptuado, siempre que se trate de las circunstancias legítimas y necesarias y los derechos particulares o privados" consagrados en el artículo 18 de esta ley, es decir: a) el derecho a la intimidad personal; b) los derechos a la vida, la salud y la seguridad; c) los secretos comerciales, industriales y profesionales; y d) los proyectos de inversión de las sociedades de economía mixta (Ley 1474 de 2011, artículo 74, parágrafo).

3. **INFORMACIÓN PÚBLICA RESERVADA**: (literal d *ibídem*). "Es aquella información que estando en poder o custodia de un sujeto obligado en su calidad de tal, exceptuada de acceso a la ciudadanía por daños a intereses públicos". Son intereses

---

u otros medios de divulgación o comunicación masiva, salvo que el acceso sea técnicamente controlable para brindar un conocimiento restringido solo a los Titulares o terceros autorizados conforme a la presente ley".

[64]   CCONST. Sent. T-729 de 2011, indica que la información pública puede ser ofrecida y obtenida sin reserva alguna sin necesidad de autorización para ello, y sin importar si la misma es información general, privada o personal; BERNAL CUELLAR/MONTEALEGRE LYNETT, *El proceso penal*, p. 306.

públicos (artículo 19): a) la defensa y seguridad nacional; b) la seguridad pública; c) las relaciones internacionales; d) la prevención, investigación y persecución de los delitos y las faltas disciplinarias mientras que no se haga efectiva la medida de aseguramiento o se formule pliego de cargos, según el caso; e) el debido proceso y la igualdad entre las partes en los procesos judiciales; f) la administración efectiva de la justicia; g) los derechos de la infancia y la adolescencia; h) la estabilidad macroeconómica y financiera del país; e i) la salud pública.

Con todo, hay que reconocer que el tratamiento de datos e información no sigue un principio de *disposición absoluta* (de quien los halla), ni rige de manera incondicional el *principio de propiedad del titular*[65]; de manera que la sola "búsqueda o hallazgo de un dato no significa que se haya producido simultáneamente su apropiación exclusiva y, por tanto, la exclusión de toda pretensión por parte del sujeto concernido en el dato[66]".

Asimismo, es necesario indicar que los principios mencionados y los previstos en la Ley 1581 de 2012 tienen aplicación restringida, cuando se trate de: (i) datos informatizados en bases de datos o archivos de naturaleza personal o domésticos; (ii) datos de circulación interna en "una organización, gremio o grupo corporativo[67]"; (iii) datos que sean obtenidos con ocasión y en desarrollo de actividades de inteligencia o contrainteligencia relativas a la protección de la seguridad y defensa nacional (Ley 162 de 2013), o para el combate del lavado de activos y el terrorismo; y (iv) cuando se trate de datos contenidos en bases de datos que contienen las fuentes o información periodística o editorial[68].

---

[65] La Ley 1712 de 2014, artículo 2, consagra el principio de máxima publicidad para el titular universal.

[66] CCONST. Sent. T-414 de 1992; REMOLINA ANGARITA, *Tratamiento de datos personales*, p. 65.

[67] CCONST. Sent. C-748 de 2011; REMOLINA ANGARITA, *Tratamiento de datos personales*, p. 128.

[68] *Ibíd.*, p. 129, indica que "esta excepción no incluye las bases de datos que tienen los medios de comunicación para fines de marketing o comerciales, publicitarios [...]".

Como breve conclusión, se puede afirmar que la protección jurídico penal del dato, entendido este como una unidad de información con capacidad para ser tratada o transmitida por sistemas informáticos, cubre tanto el dato personal (aquel que se refiere a una persona y permite su identificación) como el impersonal (toda información que no sea un dato personal que se refiere a las personas, pero que tenga la potencialidad de afectar la intimidad de una persona natural o jurídica determinada[69]). A su turno, en el contexto de los datos personales, la protección del delito de *violación de datos* se extiende a aquellos de circulación restringida o reservada, es decir, a los datos semiprivados, privados o sensibles y a la información pública reservada o clasificada, cuyo tratamiento o conocimiento requiera la autorización del titular del dato o de una orden judicial. Sin embargo, hay que reiterar que el conocimiento de estos datos no siempre es reservado, especialmente cuando se encuentran en sistemas de información públicos (de libre acceso), aunque ello no cambie la naturaleza de los datos y las restricciones para efectos de su gestión o administración.

En todo caso, se acepta que el sistema penal solo protege de manera excepcional los datos de carácter público o abierto frente al "espionaje informático", pues su tratamiento es libre y no existe ningún tipo de reserva constitucional para su conocimiento y divulgación, en aras de promover el principio de *libertad de información*[70]. Sin embargo, hay que aclarar que el C.P. sí castiga, en los delitos de interceptación de datos, la vulneración de transmisiones no públicas o confidenciales para las partes, incluso si estas transmiten datos públicos, pues el objeto protegido es la confidencialidad de la comunicación informática. También en los delitos de violación de datos se castiga el hecho de que las autoridades obtengan datos informáticos públicos que se

---

[69]　Ley 1266 de 2008, artículo 3, literal e.

[70]　La ley 1712 de 2014, artículo 7, consagra la regla de disponibilidad de la información pública o de interés público, el artículo 24 precisa el derecho de acceso a la información y el artículo 4, inciso 1, señala que: "En ejercicio del derecho fundamental de acceso a la información, toda persona puede conocer sobre su existencia y acceder a la información pública en posesión o bajo control de sujetos obligados. *El acceso a la información solamente podrá ser restringido excepcionalmente.* Las excepciones serán limitadas y proporcionales, deberán estar contempladas en la ley o en la Constitución y ser acordes con los principios de una sociedad democrática" cursivas propias.

encuentren en bases de datos reservadas, sin que a tal actuación preceda la correspondiente autorización (del titular o del juez penal), o cuando se vulnere la seguridad de un sistema informático protegido de manera ilegal.

3. EL MARCO LEGAL DE LOS DELITOS DE "ESPIONAJE INFORMÁTICO"

En este apartado se estudian los elementos objetivos y subjetivos de los delitos de *interceptación de datos informáticos* y *violación de datos personales*, con la advertencia de que estas figuras criminales usualmente están conectadas, por los fines y los medios, con el delito de *acceso abusivo a sistema informático* previsto en el C.P., artículo 269A[71], pues, para tener la posibilidad de interceptar o violar datos protegidos por la ley, el autor debe tener acceso a ellos manipulando sistemas informáticos, lo que generalmente implica el uso de códigos y/o datos personales previamente obtenidos. Conviene decir que estos delitos suelen ser la antesala de otras figuras cibercriminales, dentro de la cadena de posibles hechos delictivos previstos por la legislación nacional como, por ejemplo, los delitos de *transferencia no consentida de activos* (C.P., artículo 269F).

Al margen, *la interceptación de datos informáticos y la violación de datos personales* no son figuras fáciles de interpretar (i) por cuenta de su pésima construcción legislativa, que se sobrepone a figuras como los delitos de violación de comunicaciones caracterizados por no exigir una forma de ejecución completamente virtual; (ii) por la dificultad que implica traducir un lenguaje técnico a construcciones jurídicas que respeten los principios de taxatividad (C.P., artículo 10) e innovación tecnológica; y (iii) por las incógnitas que surgen al contrastar estos delitos con otros tipos penales, como sucede cuando se comparan las exigencias del delito de interceptación de datos informáticos con las normas del C.P.P. —Ley 906 de 2004— referidas a

---

[71] En general v. POSADA MAYA, "El delito de acceso abusivo a sistema informático". En otros países, como Alemania, el acceso abusivo previsto en el StGB § 202 a se entiende como un delito de espionaje, pues requiere de la obtención de datos personales, lo que no ocurre en el C.P., artículo 269A.

los actos de investigación que, en efecto, no requieren de una orden judicial previa.

También se deben valorar las diferencias sobre el fundamento material de los ciberdelitos, pues, como sucede con la *violación de datos personales*, los expertos afirman que esta norma está diseñada para proteger de manera exclusiva las bases de datos o a los propietarios de bases de datos y archivos, y no directamente a su titular[72], postura que ha generado cierta polémica. Más allá de los problemas dogmáticos de la Ley 1273 de 2009, es posible afirmar, luego de ocho años de vigencia, que esta requiere de profundas modificaciones que le permitan ajustar mejor la técnica informática a la disciplina jurídico-penal, para construir figuras criminales que garanticen la seguridad de los datos y los sistemas informáticos, sin producir impunidad por razones técnicas.

1. Interceptación de datos personales, C.P., artículo 269 C.

ARTÍCULO 269C. INTERCEPTACIÓN DE DATOS INFORMÁTICOS. El que, sin orden judicial previa intercepte datos informáticos en su origen, destino o en el interior de un sistema informático, o las emisiones electromagnéticas provenientes de un sistema informático que los transporte incurrirá en pena de prisión de treinta y seis (36) a setenta y dos (72) meses[73].

Los elementos de la descripción típica son los siguientes:

---

[72] Así REMOLINA ANGARITA, *Tratamiento de datos personales*, p. 338, quien afirma que, "realmente, no encontramos mayor relación entre los motivos del legislador (salvaguardar el derecho protegido a la autodeterminación informativa) y el texto aprobado, porque aquí no se está protegiendo al titular del dato directamente, sino a la información contenida en las bases de datos o archivos del responsable o encargado del tratamiento. No se sanciona la captura ilegal de dato proveniente del titular, sino la toma de datos y otras conductas sobre datos personales que reposan en archivos, ficheros o bases de datos".

[73] La Convención de Budapest de 2001 contra el cibercrimen, señala que las Partes podrá exigir que el delito sea cometido con la intención deshonesta, o en relación con un sistema de ordenador que esté conectado a otro sistema informático" (Traducción libre). Una sugerencia que debería ser acogida por la legislación nacional.

1. Aspecto objetivo: Sujeto Activo. Monosubjetivo y común, "*el que*", en el entendido que puede ser autor cualquier persona natural que realice la acción de interceptación de datos informáticos. El autor no requiere ser un *espía profesional* o tener conocimientos técnicos, aunque todo indica que se trata de un sujeto activo calificado por las circunstancias. Naturalmente, este delito admite la coautoría y otras formas de autoría, y las diversas formas de participación criminal: (i) determinación y (ii) complicidad (C.P., artículos 29 y 30). Además, en estos casos no es viable confundir el sujeto activo del tipo penal con el beneficiario de la información informatizada, pues éste podría ser un verdadero determinador de la conducta delictiva.

Corresponde preguntarse si el sujeto activo puede ser el titular legítimo del dato personal, cuando, en calidad de usuario[74], intercepte datos informáticos cuya transmisión depende de la manipulación de sistemas hecha por terceros, asunto que si bien ha sido negado por la doctrina en los delitos de *violación ilícita de comunicaciones*[75], no puede ser descartado fácilmente en materia de delitos informáticos, pues estas conductas punibles no solo protegen la intimidad personal o el derecho a las propias comunicaciones, sino también la seguridad colectiva de las funciones informáticas y de los sistemas que los procesan. Por el momento queda descartado que, en nuestro medio, el autor pueda ser una organización criminal, como un sujeto autónomo distinto de las personas naturales que las conforman.

---

[74] La Ley 1266, artículo 3, literal c) define la calidad de usuario: "El usuario es la persona natural o jurídica que, en los términos y circunstancias previstos en la presente ley, puede acceder a información personal de uno o varios titulares de la información suministrada por el operador jurídico o por la fuente, o directamente por el titular de la información. El usuario, en cuanto tiene acceso a información personal de terceros, se sujeta al cumplimiento de los deberes y responsabilidades previstos para garantizar la protección de los derechos del titular de los datos. *En el caso de que el usuario a su vez entregue la información directamente a un operador, aquella tendrá la doble condición de usuario y fuente, y asumirá los deberes y responsabilidades de ambos*" cursivas propias.

[75] ARENAS, *Comentarios al Código Penal colombiano*, p. 304, indica que "También es importante observar que el remitente puede sustraer, destruir, extraviar o interceptar su propia correspondencia, antes que llegue a su destinatario, sin cometer delito". En igual sentido PÉREZ, *DP*, vol. IV, p. 386.

Finalmente, se discute si el delito se puede agravar cuando el sujeto que intercepta los datos informáticos es un *insider* (C.P., artículo 269H, numeral 8), es decir, cuando el individuo sea el responsable de la administración, manejo o control de la información informatizada como, por ejemplo, los operadores de los medios informáticos[76]. En este caso, la norma impone como pena principal conjunta la *inhabilitación para el ejercicio de profesión relacionada con sistemas de información procesada con equipos informáticos,* por el tiempo que dure la pena privativa de la libertad. De igual modo, el numeral 2 *ibídem* permite agravar la pena de este delito de la mitad (1/2) a las tres cuartas partes (3/4), cuando el sujeto activo tenga la calidad de *servidor público* y realice la interceptación de datos informáticos *en ejercicio de sus funciones;* incremento de la pena que se fundamenta en la mayor exigibilidad que comportan los deberes que impone la calidad del autor en la protección de los bienes jurídicos.

2. Sujeto Pasivo

Común. En general, los expertos tienden a construir en este delito a partir de un concepto único de víctima (quizá no sea correcto hablar de un concepto unitario de sujeto pasivo[77]), de manera que, además del titular de la seguridad de la información y la sociedad en general (los usuarios), se agrupe a los titulares de los datos interceptados en el sistema informático o de las emisiones electromagnéticas que provengan de los sistemas que transportan datos (por ejemplo, las ondas de telefonía celular son ondas de ultra alta frecuencia (UHF) de 300 MHz a 3 GHz). Es fundamental aclarar que el sujeto pasivo puede ser tanto una persona natural como jurídica de derecho público o privado[78].

---

[76]   Así la directiva 2013/40/UE del Parlamento Europeo y del Consejo de 12/08/2013, considerando (18). Ley 1266 de 2008, artículo 3, literal c).

[77]   ROVIRA DEL CANTO, *Delincuencia informática y fraudes informáticos,* p. 570, aunque en materia de delitos informáticos económicos.

[78]   Ley 1581 de 2012, artículo 3, literal f, en cuanto al titular del dato como persona jurídica v. CCONST, Sent. T-414 de 1992 y C-748 de 2011.

3. Bien Jurídico

Se trata de un delito *pluriofensivo*. El tipo penal exige la lesión no consentida de la seguridad de la información y de las funciones informáticas, y en particular la violación de la garantía de un tratamiento confidencial, disponible e íntegro de los datos que son tratados o transmitidos por sistemas informáticos, con "la reserva y regularidad que debe acompañar su utilización[79]". Asimismo, es usual que la conducta de interceptación de datos informáticos afecte, como lo hacen las conductas de interceptación de telecomunicaciones o de correspondencia, el derecho fundamental a la intimidad de los titulares de los datos informáticos interceptados. Así lo señala la ASAMBLEA DE LAS NACIONES UNIDAS del 20 de noviembre de 2013 (A/C.3/68/L.45/REV.1), al poner de relieve que:

> *la vigilancia y la interceptación ilícitas o arbitrarias de las comunicaciones, así como la recopilación ilícita o arbitraria de datos personales, al constituir actos de intrusión grave, violan los derechos a la privacidad y a la libertad de expresión y pueden ser contrarios a los preceptos de una sociedad democrática. Y 3. Afirma que los derechos de las personas también deben estar protegidos en Internet, incluido el derecho a la privacidad.*

4. Objeto sobre el cual recae la acción

Son varios los objetos protegidos por el tipo penal. En primer lugar, lo serían los sistemas o equipos que resultan manipulados o interceptados para obtener datos informáticos, como también las emisiones electromagnéticas de sistemas que transportan o tratan los datos, que son alcanzadas en el espacio electromagnético[80]. También, habría que añadir como objeto inmaterial particular, a los datos obtenidos como producto de la actividad automatizada de interceptación del sistema informático. Desde luego, este tipo de datos no tienen por qué ser necesariamente comunicaciones; y en caso de que lo sean, salvo

---

[79]   REMOLINA ANGARITA, *Tratamiento de datos personales*, p. 199; ROMEO CASABONA, "Los datos de carácter personal como bienes jurídicos penalmente protegidos", p. 184.

[80]   Según la CCONST. Sents. C-151 de 2004 y C-540 de 2012, el espacio electromagnético es "una franja de espacio alrededor de la tierra a través de la cual se desplazan las ondas radioactivas que portan diversos mensajes sonoros y visuales". Gestionado por las autoridades administrativas y que usualmente es utilizado en actividades de inteligencia y contrainteligencia, Sent. C-540 de 2012.

que la interceptación sea completamente informática, tendrían aplicación preferente los delitos previstos en el C.P., artículos 192 y 196 (violación ilícita de comunicaciones privadas y públicas).

Ahora bien, vale la pena discutir si el delito busca sancionar "cualquier" tipo de interceptación de datos informáticos no autorizada, o si el injusto del delito realmente exige "interceptar" datos personales. Como se puede apreciar, la primera postura implica afirmar que el delito protege también los datos *impersonales*, toda vez que el supuesto de hecho no hace una referencia expresa o (taxativa) a la "interceptación" de datos *personales*. Esta postura defendería la protección de un espectro universal o extendido de los datos en la norma penal, lo que parece contradecir la postura mayoritaria en Colombia[81]. Lo que en realidad protege la norma, son las transmisiones de datos no públicas o privadas, así estas contengan datos de naturaleza pública.

Por el contrario, la segunda teoría plantea, a partir de una interpretación material del bien jurídico, que la "interceptación" solo es punible sobre datos personales[82] o información pública clasificada o reservada, esto es, sobre datos personales de naturaleza privada, semiprivada o reservada. De manera que los datos públicos o abiertos-serían excluidos de la prohibición típica, pues al ser de acceso público su interceptación no supondría una vulneración a la autodeterminación informática. En todo caso, de subsistir alguna vulneración a la seguridad de los sistemas informáticos que contienen esta clase de información, se podría aplicar el delito de acceso abusivo a sistema informático previsto en el C.P., artículo 269A.

En todo caso, incluso si la última postura fuese correcta, en realidad resultaría insatisfactoria porque dejaría de castigar la interceptación de datos impersonales que afecta de manera seria y grave la

---

81   BERNAL CUELLAR/MONTEALEGRE LYNETT, *El proceso penal*, pp. 304; CCONST. Sent. T-729 de 2002.

82   En la doctrina, así lo entiende MEEK NEIRA, *Delito informático y cadena de custodia*, p. 99. ROMEO CASABONA, "Los datos de carácter personal como bienes jurídicos penalmente protegidos", p. 186, advierte que "la protección de datos pasa por el filtro del principio de *ultima ratio*, por ello no se castiga o se protegen siempre los datos públicos limitando el asunto a los reservados de carácter personal o familiar".

intimidad o la seguridad de las personas, o la integridad y el uso de los sistemas informáticos, como ocurre con los datos referidos a las cosas que las personas compran en establecimientos de comercio, información salarial, los metadatos u otra información residual de actividades privadas (conductas como la obtención de datos "basura"), los inventarios comerciales de las empresas, etc. Ello supondría sostener que el delito previsto en el artículo 269 F, no solo se protege datos personales, sino datos informáticos.

Por lo demás, el artículo 269 H, numeral 1, permite agravar la pena para esta conducta punible de la mitad a las tres cuartas partes, cuando la acción de interceptación recaiga "1. Sobre redes o sistemas informáticos o de comunicaciones estatales u oficiales o del sector financiero, nacionales o extranjeros". Ello, con el fin de proteger este tipo de objetos-medio por su importancia político-criminal para la convivencia social y la gestión económica internacional, pues se ponen en peligro otros bienes jurídicos colectivos como la seguridad y la defensa del Estado. Pero igualmente se destaca el mencionado carácter transnacional/trasfronterizo que caracteriza los delitos informáticos, cuya comisión también se da en el seno de organizaciones criminales muy poderosas.

Ya se ha hecho referencia a las diferencias que existen entre la interceptación de datos y el delito de espionaje, y, sin embargo, aún queda por definir la posibilidad de aplicar en concurso ambas figuras, asunto que en principio debe ser descartado por la especialidad que implica la agravante de los cibercrímenes, y porque el desvalor de resultado del delito de espionaje probablemente queda cubierto con igual significado normativo por ésta, en lo que se refiere a la defensa y seguridad nacionales.

5. Verbo típico

El tipo penal de castiga la conjugación "*Intercepte*" datos tratados por sistemas informáticos o emisiones electromagnéticas de manera no consentida, con independencia de si los datos son para el sujeto activo o para un tercero. En el lenguaje usual, *interceptar* significa: "(Del lat. *interceptus*, part. pas. de *intercipĕre*, quitar, interrumpir). 1. tr. Apoderarse de algo antes de que llegue a su destino. 2. tr. Detener algo en su camino. y 3. tr. Interrumpir, obstruir una vía de comunicación[83]", con independencia de la voluntad del sujeto pasivo.

La *interceptación* puede ser realizada por acción, mediante la manipulación de cualquier clase de terminal pública o privada o sistema de comunicaciones, utilizando medios tecnológicos automatizados (se trata de un tipo penal abierto). Agréguese que su realización "equivalente" en comisión por omisión (C.P., artículo 25), requeriría que el sujeto activo tuviese un deber formal de custodia o ser garante de los sistemas informáticos o los datos informáticos[84]. En todo caso, a pesar de la existencia de ataques informáticos pasivos, se infiere que los medios de este delito son particularmente comisivos.

Cabe hacer tres precisiones sobre el verbo rector.

En primer lugar, de la definición del verbo *interceptar* anotada se puede concluir que el legislador comprende dos aspectos que se complementan, pero que conviene distinguir. El primer acto supone entender la *interceptación* como un hecho preparatorio, técnico, idóneo e irregular, que consiste en *interrumpir, obstruir o detener una vía de comunicación[85]*. Ello comporta *manipular funciones informáticas[86]* y

---

[83]   http: //lema.rae.es/drae/?val=interceptar.

[84]   Hay que recordar que el artículo 25, Parágrafo, circunscribe la aplicabilidad de las fuentes materiales de garante a la protección de los bienes jurídicos referidos a la vida, la integridad personal, la libertad y la libertad sexual de las personas.

[85]   Así lo afirma PABÓN PARRA, *Manual*, p. 566, al afirmar que interceptar es "Es la interferencia o ingreso en el contenido de una comunicación, de una información o de las simples emisiones que un sistema de informático puede generar". Sin embargo, esta conducta, por sí misma, no supone una vulneración del derecho fundamental a la intimidad informática.

[86]   *Manipular*: "3. tr. Intervenir con medios hábiles y, a veces, arteros, en la política, en el mercado, en la información, etc., con distorsión de la verdad o la justicia, y al servicio de intereses particulares". Sobre esta noción v. POSADA MAYA, "El delito de trasferencia no consentida de activos", pp. 227-229. Precisamente, FARALDO CABANA, "Los conceptos de manipulación informática y artificio semejante en el delito de estafa informática", pp. 42-47 y 89-90, define la manipulación informática en sentido amplio, como: "la introducción, alteración, borrado o supresión indebidos de los datos informáticos, especialmente datos de identidad, y la interferencia indebida en el funcionamiento de un programa o sistema informáticos. Por tanto, se incluyen tanto la introducción de datos falsos como la introducción indebida, por no autorizada, de datos reales, auténticos en el sistema, pasando por la manipulación de los ya contenidos en cualquiera de las fases del proceso o tratamiento informático, así como las interferencias que

en particular las instrucciones de input/output[87] en un sistema informático de origen (de donde surja la transmisión de datos), dentro del sistema en el que se esté procesando o tratando el dato informático, o finalmente del sistema de destino al cual resulta transmitido el dato, como lo indica el artículo 269 C.

A su turno, el segundo acto implica comprender el verbo *interceptar* en el sentido de *apoderarse de o acceder a los datos informáticos* que se transmiten por el sistema informático de origen, durante la transmisión o tratamiento y, de manera muy discutible, en el sistema de destino. En todo caso, el apoderamiento de datos personales dentro de bases de datos en el sistema informático, en realidad no implica un acto de interceptación, sino una violación de datos personales (C.P., artículo 269F). El tipo solo podría cubrir la interceptación de datos impersonales como parte del supuesto típico, en razón del principio de especialidad, aunque no falta quien asevere que tampoco se trata de un acto de interceptación de datos en movimiento, por lo cual este supuesto quedaría desprotegido y la lesión de los bienes sería impune.

Desde esta perspectiva, se puede afirmar que la interceptación de datos informáticos es un delito de consumación instantánea, cuando la manipulación de la que se vale el sujeto activo conlleva la "interceptación" efectiva de datos informáticos.

La idea que se expone subyace con claridad en la Convención de Budapest de 2001, artículo 3, al definir esta conducta como una *interceptación sin derecho, realizada por medios técnicos, de las transmisiones no públicas de datos informáticos hacia, desde o dentro de un*

---

afectan al propio sistema o programa". Por su parte, ANARTE BORRALLO, "Incidencias de las nuevas tecnologías en el sistema penal. Aproximación al derecho penal en la sociedad de la información", pp. 233-234, señala que: "debe quedar claro que la 'manipulación' no implica una simple alteración de datos o funciones informáticas, sino que conlleva algo más, una actividad modificativa mendaz o subrepticia, una utilización 'irregular' de un sistema informático, de sus presupuestos básico o de las órdenes que recibe de modo que produzca resultados no previstos o que de conocerlos no se habrían autorizado".

[87] Según PABÓN PARRA, *Manual*, p. 566, "La manipulación de datos de salida se verifica fijando un objetivo al funcionamiento del sistema informático, se falsean las instrucciones para la computadora en la etapa de adquisición de los mismos para la cual se usan equipos y programas especializados que codifican la información electrónica falsificada [...]".

sistema de equipo, incluidas las emisiones electromagnéticas de un sistema informático que transporta tales datos[88]. En el sentido expuesto se manifiesta la directiva 2013/40/UE del Parlamento Europeo y del Consejo de 12/08/2013, considerando (9), al señalar que

> *La interceptación abarca, sin limitarse necesariamente a ello, la escucha, el seguimiento y el análisis del contenido de comunicaciones, **así como la obtención del contenido de los datos** bien directamente, mediante el acceso y recurso a ese sistema de información, o indirectamente, mediante el recurso a sistemas de escucha y grabación electrónicos por medios técnicos* (negrillas propias).

La doctrina nacional también expone esta noción, cuando sugiere que el tipo penal es confuso porque en realidad no se interceptan directamente los datos informáticos, sino que la interceptación de estos requiere la *manipulación* directa de un sistema informático del cual se obtienen. Así, por ejemplo, MEEK NEIRA señala que

> [...] *la interceptación de información y datos informáticos puede presentarse* [...] *sí y solo sí, de manera física, se interrumpe el tránsito del hardware donde reposa el software que se encarga de tratar, almacenar y/o transmitir información y datos requeridos por su legítimo usuario. Y agrega este autor que: en fin, tampoco parece acertado que el legislador hable de la interceptación de los datos informáticos porque lo que se interrumpe es el sistema informático mismo* [...][89]. En igual sentido, REMOLINA ANGARITA sostiene que: *el artículo parece problemático, pues si nos atenemos rígidamente a su texto, encontramos difícil interceptar "datos informáticos", como dice la ley. Creemos que lo que se intercepta son sistemas de comunicación para acceder a la información que circula a través de estos*[90].

Según lo dicho, se puede concluir que *la interceptación de datos informáticos es un acto complejo que supone, en primer lugar, desplegar un medio de manipulación informática, y en segundo lugar,*

---

[88]   La directiva 2013/40/UE del Parlamento Europeo y del Consejo de 12/08/2013, artículo 6, define este comportamiento como "[...] la interceptación por medios técnicos, de transmisiones no públicas de datos informáticos hacia, desde o dentro de un sistema de información, incluidas las emisiones electromagnéticas de un sistema de información que contenga dichos datos informáticos, intencionalmente y sin autorización [...]".

[89]   MEEK NEIRA, *Delito informático y cadena de custodia*, p. 100.

[90]   REMOLINA ANGARITA, *Tratamiento de datos personales*, pp. 343-344.

hacerse con o acceder a los datos informáticos sin orden judicial previa, lo que vulnera el derecho fundamental a la intimidad personal.

En segundo lugar, la "interceptación" (y por consiguiente la manipulación previa) para obtener los datos informáticos, tal y como lo señala la ley, debe ser hecha sin una "orden judicial previa", esto es, de manera ilegal[91]. De esta exigencia se derivan dos cuestiones. De una parte, que los sujetos activos que pueden realizar el delito deben tener el deber de solicitar *ab initio* este tipo autorizaciones judiciales, como sucede con los fiscales y defensores durante un proceso judicial, debido a la naturaleza de la información y los datos protegidos. Por la otra, la posibilidad de calificar a los sujetos por las circunstancias, lo que permitiría distinguir de manera objetiva este supuesto típico de la interceptación de datos personales contenidos en bases de datos, ficheros o archivos en sistemas informáticos, previsto en el C.P., artículo 269 F, como un supuesto de violación de datos.

Este aspecto del tipo penal ha generado una enorme polémica, porque la mayoría de actividades de investigación que implican la "interceptación de datos" informáticos, no requieren de una *orden judicial previa*; en realidad solo exigen la orden previa del fiscal, así:

1. La *interceptación de comunicaciones*[92] que se cursen por cualquier red incluyendo el Internet, podrá ser ordenada directa-

---

[91] Como lo afirma MEEK NEIRA, *Delito informático y cadena de custodia*, p. 100, "no es sujeto activo de la conducta el que obra en cumplimiento de mandato de la autoridad judicial en virtud del cual se puede realizar la conducta acriminada". Precisamente, el C.P., artículo 32, numeral 4, consagra expresamente como causal de ausencia de responsabilidad penal (atipicidad por ausencia de imputación objetiva o causal de justificación), el hecho de que *Se obre en cumplimiento de orden legítima de autoridad competente emitida con las formalidades legales*. También es interesante la afirmación que hace ARENAS, *Comentarios al Código Penal colombiano*, p. 304, en materia de violación de comunicaciones: "Por consiguiente, no cometen delito de violación de correspondencia el padre, el maestro o el tutor que por razones morales o educativas interceptan la dirigida a sus hijos, discípulos o pupilos, o la destruyen o se enteran de su contenido, porque proceden con derecho".

[92] Artículo 235: "El fiscal podrá ordenar, con el objeto de buscar elementos materiales probatorios, evidencia física, búsqueda y ubicación de imputados, indiciados o condenados, que se intercepten mediante grabación magnetofónica o similares las comunicaciones que se cursen por cualquier red de comunicaciones, en donde curse información o haya interés para los fines de la actuación. En

mente y con fines determinados por el fiscal investigador. La prórroga de la actividad debe ser sometida a un control previo de legalidad por parte del Juez penal en función de control de garantías (C.P.P., artículo 235, subrogado, Ley 1141 de 2007, artículo 15, mod. Ley 1453 de 2011, artículo 52), quedando prohibidas las interceptaciones arbitrarias o indiscriminadas. CCONST., Sent. SU-159 2012 M. J. Cepeda. El C.P.P., artículo 223 establece aquellas comunicaciones que no pueden ser interceptados en ningún caso como, por ejemplo, las comunicaciones y datos que se dan entre abogados y defendidos, con excepciones cuando exista consentimiento en el registro, o el abogado se convierta en auxiliador, cómplice o coautor en el delito, o se trate de información que compruebe una obstrucción a la justicia.

2. De igual manera, el C.P.P., artículo 236, mod. Ley 1453 de 2011, artículo 53, señala que el fiscal puede ordenar de manera fundamentada *la retención, aprehensión o recuperación de transmisiones o la manipulación de datos a través de las redes de telecomunicaciones hechas por el imputado*[93]. En estos casos

---

este sentido, las autoridades competentes serán las encargadas de la operación técnica de la respectiva interceptación así como del procesamiento de la misma. Tienen la obligación de realizarla inmediatamente después de la notificación de la orden y todos los costos serán a cargo de la autoridad que ejecute la interceptación. / En todo caso, deberá fundamentarse por escrito. Las personas que participen en estas diligencias se obligan a guardar la debida reserva. / Por ningún motivo se podrán interceptar las comunicaciones del defensor. / La orden tendrá una vigencia máxima de seis (6) meses, pero podrá prorrogarse, a juicio del fiscal, subsisten los motivos fundados que la originaron. / La orden del fiscal de prorrogar la interceptación de comunicaciones y similares deberá someterse al control previo de legalidad por parte del Juez de Control de Garantías".

[93] Artículo 236: "Cuando el fiscal tenga motivos razonablemente fundados, de acuerdo con los medios cognoscitivos previstos en este código, para inferir que el indiciado o imputado está transmitiendo o manipulando datos a través de las redes de telecomunicaciones, ordenará a policía judicial la retención, aprehensión o recuperación de dicha información, equipos terminales, dispositivos o servidores que pueda haber utilizado cualquier medio de almacenamiento físico o virtual, análogo o digital, para que expertos en informática forense, descubran, recojan, analicen y custodien la información que recuperen; lo anterior con el fin de obtener elementos materiales probatorios y evidencia física o realizar la captura del indiciado, imputado o condenado. / En estos casos serán aplicables

serán aplicables analógicamente, según la naturaleza del acto, los criterios establecidos para los registros y allanamientos previstos en el C.P.P., artículos 222 y 225 mod. Ley 1453 de 2011, artículo 50, entre los cuales se advierten: 1) Que la orden tiene que ser específica y respecto de lugares y equipos determinados. Están prohibidas las retenciones, aprehensiones o recuperaciones indiscriminadas; y 2) Se debe guardar la cadena de custodia de manera adecuada. Las excepciones a la orden del fiscal se prevén en el C.P.P., artículo 230 mod. Ley 1453 de 2011, artículo 51.

3. Conforme a la CCONST, Sents. C-131 de 2009, N. Pinilla y C-025 de 2009, R. Escobar, todas estas diligencias exigen realizar, dentro de las veinticuatro horas siguientes a la operación, un control posterior por parte del Juez penal en función de control de garantías sobre la legalidad de la orden, su ejecución y los hallazgos, para poder incorporar esta evidencia al proceso judicial. De lo contrario la interceptación o cualquier otra actividad de investigación sería ilegal y, desde luego, nula (Const. Pol., artículo 29).

Todo indica que la retenciones, aprehensiones o recuperaciones ilícitas de equipos terminales, dispositivos o servidores que puedan haber utilizado cualquier medio de almacenamiento físico o virtual, análogo o digital; y las búsquedas ilícitas de bases de datos, deben ser sancionadas mediante el delito de violación de datos informáticos previsto en el C.P., artículo 269 F, que en estos eventos resulta aplicable en virtud del principio de especialidad.

Se advierte que la exigencia legal de una orden judicial se ha convertido en el talón de Aquiles del delito, al punto que pueden estudiarse tres posturas sobre el tema. La primera considera que el tipo penales inaplicable, porque incluye la exigencia de una orden judicial previa que la ley procesal penal, por su parte, no exige para este tipo de actividades de investigación[94]. La segunda cree que el tipo penal es

---

analógicamente, según la naturaleza de este acto, los criterios establecidos para los registros y allanamientos. / La aprehensión de que trata este artículo se limitará exclusivamente al tiempo necesario para la captura de la información en él contenida. Inmediatamente se devolverán los equipos incautados, de ser el caso".

94 Esta postura es asumida por PABÓN PARRA, *Manual*, p. 568.

aplicable, pero define el concepto de orden judicial previa en un sentido amplio, con el fin de cubrir las órdenes que expide el fiscal como funcionario de la rama judicial. Según esta postura, es suficiente la inexistencia de una orden previa del fiscal para dar por satisfecho el presupuesto normativo del tipo penal (lo que abarca tanto los supuestos de la Ley 600 de 2000 como de la Ley 906 de 2004). Sin embargo, para algunos autores[95] esta teoría vulnera el principio de legalidad (al asumir una supuesta analogía contraria al reo). La tercera postura considera que la polémica se debe a una imprecisión superable del tipo penal que, en todo caso, exige una modificación de la legislación para que a futuro las hipótesis mencionadas exijan siempre la existencia de una orden previa expedida por un juez de control de garantías, con matices por lo que respecta a la clase de datos interceptados y la confidencialidad o no de las transmisiones[96]. Postura que olvida la vigencia de la Ley 600 de 2000.

No hay que olvidar que la actuación del sujeto activo *no puede ser consentida* por el titular del sistema informático manipulado (interceptado) y/o de los datos informáticos obtenidos por el autor del delito (C.P., artículo 32, numeral 2). Según la doctrina mayoritaria, la ilegalidad de la interceptación se concreta en la ausencia de facultades jurídicas *ex ante* para realizar el acto.

En tercer lugar, si bien es cierto que la interceptación es una conducta compleja que involucra la manipulación de un sistema informático para obtener datos informatizados (no abiertos o que no se transmitan confidencialmente) sin orden judicial previa, la discusión se centraría en determinar si el tipo penal examinado es de mera conducta[97] o de resultado material, por una parte, y, por la otra, en caso de ser de resultado material (por la necesidad de "interceptar datos"), si el delito admite el dispositivo de la tentativa (C.P., artículo 27).

---

[95] Aunque la considera una opción "atropellada", PABÓN PARRA, *Manual*, p. 567, describe este planteamiento así: "[...] en primer término comprender que se ha extendido la categoría de "funcionario judicial" al fiscal y, con cierta imprecisión técnica y semántica, la norma sustancial ha dado la categoría de autorización judicial a la orden del fiscal, labor en la cual se tendría que "apretar" la indagación sistemática de la ley procesal".

[96] MEEK NEIRA, *Delito informático y cadena de custodia*, p. 191.

[97] PABÓN PARRA, *Manual*, p. 566; REY BOEK/NÚÑEZ DE LEÓN, "De los delitos informáticos", p. 634.

En principio la respuesta es positiva. Es posible afirmar que la sola manipulación del sistema sin la obtención de los datos informáticos da lugar a la figura de la tentativa (o a la consumación de otro delito). Desde luego, se trata de una conclusión que no acoge la doctrina mayoritaria, porque considera que el tipo penal analizado es de mera conducta. Todo dependerá entonces de la interpretación que se haga del verbo típico.

6. Más allá de si el tipo penal es de resultado material o de mera conducta, es claro que los *cibercrímenes* demandan precisar varias relaciones jurídicas. La primera involucra determinar la existencia de un ***nexo de naturaleza lógica***[98], es decir, un diálogo lógico entre el autor y el sistema informático que consiste en la interacción *input-output* (de instrucciones electrónicas respondidas por la máquina) dirigidas a manipular el sistema y a obtener datos informáticos. En este concepto juega un papel trascendental el concepto de conexión informática y la manipulación del sistema informático.

La segunda relación exige que la interceptación de datos informáticos le pueda ser *imputada objetivamente al sujeto activo* (o coautores)[99]. Así, en primer lugar, la manipulación del sistema de origen, tratamiento o 'de destino' debe crear un riesgo jurídicamente desaprobado para la seguridad de la información, y en particular para las funciones informáticas relativas a la disponibilidad, integridad y seguridad de los sistemas y datos informáticos transmitidos. También es necesario que la manipulación abusiva se materialice en el resultado jurídico: la interceptación u obtención informática de datos informáticos, con afectación adicional y eventual de la intimidad personal (la autodeterminación informática), en el caso de que se trate de transmisiones no públicas de datos. Naturalmente, es fundamental acreditar que el "espía informático" haya tenido el dominio del hecho (lógico) sobre la introducción (input/output) de las órdenes dadas al sistema para interceptar los datos informatizados. Esa manipulación

---

[98]   Esta idea subyace en POSADA MAYA, "El delito de acceso abusivo a sistema informático", pp. 130-131.

[99]   En general, VELÁSQUEZ, *DP, PG*, pp. 585 y ss.; *id.*, *Manual*, pp. 361 y ss. 439 y ss. En la doctrina extranjera: ROXIN, *Imputación objetiva en el derecho penal*. En contra: MEEK NEIRA, *Delito informático y cadena de custodia*, p. 101.

del sistema es en realidad lo que crea el riesgo jurídicamente desaprobado para la seguridad de la información.

7. Aspecto subjetivo: Dolo (C.P., artículo 22[100])

Para acreditar el dolo de interceptación de datos informáticos se requiere que el autor conozca y quiera la realización de una conducta dirigida: en primer lugar, a manipular un sistema de tratamiento, procesamiento y transmisión de datos informatizados; y, en segundo lugar, el conocimiento y la voluntad de interceptar (obtener o acceder a) datos informáticos abiertos o públicos (salvo los reservados o clasificados) que se transmitan mediante transferencias no públicas de datos. Dicho conocimiento también abarca la conciencia de que el sujeto actúa "sin orden judicial previa", esto es, que carece de facultades de disposición o acceso a los datos informáticos. El dolo se demuestra por los medios de prueba dispuestos en la legislación procesal vigente (C.P.P., Ley 906 de 1994, artículos 372 y ss.).

El tipo penal no requiere para su perfeccionamiento que el sujeto activo tenga el propósito o la intención de dar a conocer o de transmitir los datos interceptados a otra persona, aunque si llega a hacerlo, la conducta típica se podría agravar con fundamento en el C.P., artículo 269 H, numeral 4, por haberse revelado o dado a conocer el contenido de la información en perjuicio de otro.

1. Violación de datos personales, C. P., artículo 269F

ARTÍCULO 269F. VIOLACIÓN DE DATOS PERSONALES. El que, sin estar facultado para ello, con provecho propio o de un tercero, obtenga, compile, sustraiga, ofrezca, venda, intercambie, envíe, compre, intercepte, divulgue, modifique o emplee códigos personales, datos personales contenidos en ficheros, archivos, bases de datos o medios semejantes, incurrirá en pena de prisión de cuarenta y ocho (48) a noventa y seis (96) meses y en multa de 100 a 1000 salarios mínimos legales mensuales vigentes[101].

---

[100] POSADA MAYA, "El dolo en el Código Penal del 2000", pp. 5 y ss.
[101] Como ya se mencionó, esta figura tiene como referente en la legislación española el artículo 197, ap. 2, frente a las modalidades de apoderamiento, uso, alteración o modificación en perjuicio de un tercero, de "datos reservados de carácter personal o familiar de otro que se hallen registrados en ficheros o soportes infor-

Los elementos de la descripción típica son los siguientes:

1. **Aspecto objetivo: Sujeto Activo.** Monosubjetivo y común, "*el que*", en el entendido que puede ser autor cualquier persona natural que ejecute alguna de las múltiples acciones previstas en el tipo penal, sin que se requiera tener conocimientos técnicos o informáticos. Como se dirá luego, es necesario que el autor realice la conducta sin facultades jurídicas ("*sin estar facultado para ello*"), lo que sucede cuando el acto se realiza sin consentimiento del titular legítimo de los datos o sin la correspondiente autorización legal (Dto. 1377, artículo 13, numerales 10 y 20) o judicial.

En este tipo penal el sujeto activo no puede ser el titular legítimo de los datos y códigos personales, pues el agente no podría ser sujeto activo y pasivo al mismo tiempo[102]. Ello no significa que el comportamiento del autor no pueda causar daños informáticos a terceros y al titular de la base de datos, o incluso configurar otra conducta punible como el acceso abusivo a un sistema informático (C.P., artículo 269 A). Esta conducta punible admite la coautoría y otras formas de autoría, y las diversas formas de participación criminal: (i) determinación y (ii) complicidad (C.P., artículos 29 y 30). Tampoco es viable confundir el sujeto activo del tipo penal con el beneficiario de la información informatizada.

El delito se puede agravar cuando el autor sea un *insider* (C.P., artículo 269 H, numeral 8), esto es, cuando sea el responsable de la administración, tratamiento o control de la información como, por ejemplo, los operadores de los medios informáticos o de la base de datos pública o privada que es objeto de ataque[103]. En estas situa-

---

máticos, electrónicos o telemáticos, o en cualquier otro tipo de archivo o registro público o privado. Iguales penas se impondrán a quien, sin estar autorizado, acceda por cualquier medio a los mismos y a quien los altere o utilice en perjuicio del titular de los datos". MUÑOZ CONDE, *DP, PE*, pp. 260-261; POLAINO NAVARRETE/et al. *Lecciones*, pp. 233-235.

[102] ROMEO CASABONA, "Los datos de carácter personal como bienes jurídicos penalmente protegidos", p. 186.

[103] REMOLINA ANGARITA, *Tratamiento de datos personales*, p. 113. Y agrega en la p. 116 *ibídem*, que el encargado del tratamiento "es la persona natural o jurídica, pública o privada, que por sí misma o con asocio con otros, realice el tratamiento de datos personales por cuenta del responsable del tratamiento", Ley 1581 de 2012, artículo 3, literal d), que solo tiene aplicación a los datos

ciones la modificación impone como pena principal accesoria la *inhabilitación para el ejercicio de profesión relacionada con sistemas de información procesada con equipos informáticos,* por el tiempo que dure la pena privativa de la libertad. De igual modo, el numeral 2 *Ibídem* permite agravar la pena de la mitad (1/2) a las tres cuartas partes (3/4), cuando el sujeto activo tenga la calidad de *servidor público* y lleve a cabo la violación de datos *en ejercicio de sus funciones* (numeral 2); agravante que se fundamenta en la mayor exigibilidad o culpabilidad que se deriva de la infracción de los deberes que el autor debe cumplir actuando en calidad de servidor público.

2. Sujeto Pasivo

Son sujetos pasivos de la conducta típica: en *primer lugar,* el titular de la seguridad de la información y la sociedad en general; *en segundo lugar,* los titulares de los ficheros, bases de datos o archivos vulnerados y de los sistemas informáticos en donde estos se encuentran o son tratados, y, *en tercer lugar,* los titulares de los datos personales de naturaleza privada, semiprivada o sensibles contenidos en ellos, sean personas naturales o jurídicas[104].

3. Bien Jurídico

Se trata de un delito *pluriofensivo.* El tipo penal de violación de datos personales requiere la lesión no consentida de la seguridad de la información y de las funciones informáticas, en particular de la garantía de tratamiento confidencial, de la disponibilidad, la seguridad y la confiabilidad de los datos personales que son tratados por estos sistemas informáticos en bases de datos, ficheros y archivos, conforme al debido uso que debe precederlos[105]. De igual manera, este delito protege el derecho constitucional fundamental a la intimidad de las personas (C.P., artículo 15)[106].

---

personales registrados en cualquier base de datos y archivos de entidades pública o privadas, o de personas naturales. En tal sentido v. directiva 2013/40/UE del Parlamento Europeo y del Consejo de 12/08/2013, considerando (18).

[104]   Ley 1581 de 2012, artículo 3, literal f, en cuanto al titular del dato como persona jurídica v. CCONST, Sent. T-414 de 1992 y C-748 de 2011.

[105]   Sobre el tema, PIÑAR MAÑAS, "La protección de datos personales y ficheros automatizados", pp. 153-166 y en particular 154-155.

[106]   ASAMBLEA DE LAS NACIONES UNIDAS del 20 de noviembre de 2013 (A/C.3/68/L.45/REV.1) y la directiva 2013/40/UE del Parlamento Europeo y del Consejo de 12/08/2013, considerando (30).

4. Objeto sobre el cual recae la acción

Son varios los objetos sobre los cuales recae la acción cibercriminal. En primer lugar, los datos personales y los códigos personales, entendidos. Los últimos como cifras numéricas, alfabéticas o alfanuméricas autorizadas u otorgadas por el titular o administrador del sistema, que permiten al usuario acceder o identificarse (de manera idónea) para el uso de servicios o actividades reservadas, como las claves personales de los cajeros electrónicos o de los portales web[107]. Dentro del ámbito de protección de la norma no quedan comprendidos los datos impersonales o los datos personales públicos o abiertos (que no necesariamente coinciden con los datos personales que están a disposición del público), pues su acceso abierto no permite hablar de una violación de datos punible[108], salvo que se vulneren los principios de tratamiento o administración de datos previstos en la legislación vigente, o se cometa otro delito durante su obtención o interceptación como, por ejemplo, un acceso abusivo a un sistema informático (C.P., artículo 269 A) o una interceptación de datos informáticos (C.P., artículo 269 C).

Como es evidente, la norma tampoco protege cualquier clase de códigos o datos personales, sino solo aquellos que estén registrados en bases y bancos de datos, archivos, ficheros y medios semejantes. Ello permite, en todo caso, muchos supuestos de obtención de datos impersonales queden en la más completa impunidad.

A. **Bases de datos.** Son un conjunto de datos que se encuentran recolectados, organizados y almacenados de manera manual o automática por un software, siguiendo un determinado patrón o contexto, para poder ser utilizados según los fines del administrador o del usuario, mediando la inclusión de hipervínculos.

---

[107] PABÓN PARRA, *Manual*, p. 575, los define como "[...] una regla o secuencia, compuesta por caracteres numéricos o alfabéticos (o alfanuméricos), requerida para la presentación de datos al usuario, la cual ha sido registrada, autorizada u otorgada por el administrador o titular del sistema, fichero o base de datos de que se trate".

[108] BERNAL CUELLAR/MONTEALEGRE LYNETT, *El proceso penal*, pp. 304; ROMEO CASABONA, "Los datos de carácter personal como bienes jurídicos penalmente protegidos", p. 186. CCONST. Sent. T-729 de 2002.

Las bases de datos pueden ser públicas o privadas, estáticas o dinámicas, etcétera. (Ley 1581 de 2012, artículo 3, literal g)[109].

B. **Bancos de datos,** según la CCONST. Sent. T-729 de 2002, estos son "un conjunto de informaciones que se refieren a un sector particular del conocimiento, las cuales pueden articularse en varias bases de datos y ser distribuidos a los usuarios de una entidad (administradora) que se ocupa de su constante actualización y ampliación[110]".

C. **Archivos o ficheros informáticos**[111]. Son un conjunto de bits tratados por los sistemas operativos como una unidad lógica. Cada uno de tales archivos tiene una extensión específica (.dox, pdf, etcétera) que denota la clase y cantidad de información que contienen y que se organiza en paquetes más pequeños llamados registros o líneas. El mejor ejemplo es el conjunto ordenado de información o documentos electrónicos, que puede ser almacenado, modificado, obtenido y en general tratado por un sistema operativo (PC, Tablet, Smartphone, cajero automático, etcétera).

D. **Medios semejantes a estos.** Se trata de una cláusula general que pretende extender el ámbito de protección de los medios de contención y tratamiento de datos, atendido el principio de innovación tecnológica. No obstante, contraría el principio de taxatividad (C.P., artículo 10).

Finalmente, en la violación de datos personales también se vulnera de manera indirecta la integridad de los sistemas informáticos o de los equipos que resultan manipulados con propósitos criminales. Estos

109   PABÓN PARRA, *Manual*, p. 575; REMOLINA ANGARITA, *Tratamiento de datos personales*, p. 123.
110   BERNAL CUELLAR/MONTEALEGRE LYNETT, *El proceso penal*, p. 304.
111   PABÓN PARRA, *Manual*, p. 575; REMOLINA ANGARITA, *Tratamiento de datos personales*, p. 123; CCONST. Sent. C-748 de 2011, n° 2.5.5., habla de depósito ordenado de datos. Ley 594 de 2000, artículo 3: "Conjunto de documentos, sea cual fuere su fecha, forma y soporte material, acumulados en un proceso natural por una persona o entidad pública o privada, en el transcurso de su gestión, conservados respetando aquel orden para servir como testimonio e información a la persona o institución que los produce y a los ciudadanos, o como fuente de historia".

equipos incluyen a los servidores que contienen tales bases o archivos, sean físicos o en la *cloud*.

Hay que tener en cuenta que el artículo 269H numeral 1, permite agravar la pena prevista para estos delitos de la mitad a las tres cuartas partes, cuando la acción de violación de datos personales sea hecha "1. Sobre redes o sistemas informáticos o de comunicaciones estatales u oficiales o del sector financiero, nacionales o extranjeros". Una medida que busca proteger esta clase de objetos-medio por su importancia político-criminal para la convivencia social y el funcionamiento del sector financiero nacional e internacional.

5. Verbo rector

Este supuesto de hecho (mixto de conducta alternativa) se caracteriza por abusar del número de verbos rectores, pues en total prevé doce conductas que pueden consumar la violación de datos personales[112]. Cada uno de estos comportamientos supone un régimen dogmático diferente, que al final implica la existencia un tipo penal tanto de resultado material como de mera conducta. El tipo penal también exige que el sujeto pasivo obtenga *un provecho verificable para sí o para un tercero*, aunque no específica su naturaleza o contenido (incluso se llega a creer que este es el resultado del tipo penal). En fin, tales verbos se pueden clasificar de la siguiente manera:

1. Verbos rectores que implican un delito de mera conducta[113]:

   a. **Compile:** (Del lat. *compilāre*). 1.tr. Allegar o reunir, en un solo cuerpo de obra, partes, extractos o materias de otros varios libros o documentos. En este caso, se trata de reunir datos o códigos personales.

   b. **Ofrezca:** (De un der. del lat. *offerre*).1.tr. Comprometerse a dar, hacer o decir algo. Aunque tiene mucho más sentido como el hecho de exponer u ofrecer al público los datos y códigos personales que el autor ha obtenido previamente.

   c. **Venda:** (Del lat. *venděre*). 1.tr. Traspasar a alguien por el precio convenido la propiedad de lo que uno posee. Esta hipótesis

---

[112] REY BOEK/NÚÑEZ DE LEÓN, "De los delitos informáticos", p. 639.
[113] Las definiciones son tomadas del diccionario de la RAE, http: //lema.rae.es/drae/?val=

consiste en traspasar por un precio los datos o códigos personales de terceros.

d. **Intercambie:** 1.tr. Dicho de dos o más personas o entidades: cambiar entre sí ideas, informes, publicaciones, etcétera.

e. **Compre:** (Del lat. *comparāre*, cotejar, adquirir). 1.tr. Obtener algo con dinero, y en particular datos o códigos personales.

f. **Envíe:** (Del lat. tardío *inviāre*). 2. tr. Hacer que algo [los datos y códigos personales] se dirija o sea llevado a alguna parte.

g. **Divulgue:** (Del lat. *divulgāre*). 1.tr. Publicar, extender, poner al alcance del público algo [los datos y códigos personales]. U. t. c. prnl. Según la Ley 1712 de 2014, artículo 3, literal e), publicar o divulgar: "significa poner a disposición en una forma de acceso general a los miembros del público e incluye la impresión, emisión y las formas electrónicas de difusión". Esta divulgación resulta incompatible, de cara el principio de *non bis in idem*, con la agravante prevista en el CP, artículo 269 H, numeral 4, que castiga la revelación de la información con perjuicio ajeno.

h. **Emplee:** (Del fr. *employer*). b 5. tr.Usar (1.tr. Hacer servir una cosa para algo. U. t. c. intr.) datos y códigos personales de manera individual o colectiva.

2. Verbos rectores que implican un delito de resultado material:

a. **Obtenga:** (Del lat. *obtinēre*). 1.tr. Alcanzar, conseguir y lograr algo [los datos y códigos personales] que se merece, solicita o pretende. Sin embargo, ello exige que la obtención delictiva no se realice mediante sustracción, sino mediante otra modalidad, como la copia de los datos.

b. **Sustraiga:** (De *substraer*, y este del lat. *subtrahĕre*, con —s— epentética, quizá por infl. de *extraer*). 1.tr. Apartar, separar, extraer. 2. tr. Hurtar, robar fraudulentamente. Este verbo rector implica que el sujeto activo se apodere o apropie de los datos personales, extrayéndolos de las bases de datos, archivos o ficheros, desvirtuando o superando el ámbito de seguridad informática o de custodia de los datos del titular o del administrador.

c. **Intercepte:** (Del lat. *interceptus*, part. pas. de *intercipĕre*, quitar, interrumpir). 1.tr. Apoderarse de algo antes de que llegue a su destino. 3. tr. Interrumpir, obstruir una vía de comunicación. Sobre este verbo rector ya se ha hecho referencia en este texto.

d. **Modifique:** (Del lat. *modifkāre*). 1.tr. Transformar o cambiar algo mudando alguno de sus accidentes. La idea es que el sujeto activo cambie o altere los datos personales originales del titular. Modificar supone alterar datos personales. Este supuesto resulta incompatible con el supuesto de alteración del delito de daño informático previsto en el artículo 269D.

Con fundamento en lo dicho, es posible hacer varias precisiones: *en primer lugar*, si se examina con cuidado el tipo penal, las modalidades de resultado mencionadas son comportamientos que pueden ser ejecutados "dentro" de la base de datos, archivos o ficheros (o medios semejantes). Incluso la modificación puede ser hecha una vez los datos personales (privados, semiprivados o sensibles) hayan sido obtenidos, sustraídos o interceptados por el autor. Por el contrario, las modalidades delictivas de mera conducta son comportamientos que solo pueden ser ejecutados una vez el autor haya obtenido los datos personales, pues en general se refieren a su tráfico, difusión o comercialización ilícita. En realidad, este tipo penal pretende castigar todas las fases de la cadena de hechos que puede implicar una conducta de violación de datos personales, según los principios de tratamiento de datos[114]. Incluso, algunos verbos rectores buscan proteger la confidencialidad o reserva de los datos, otros la disponibilidad, la integridad, la circulación, la individualidad, la veracidad, la necesidad, la libertad o la finalidad, etcétera.

En segundo lugar, se trata de un tipo penal de medios abiertos, pues la ley no prevé medios particulares de ejecución, más allá de la tecnología disponible para consumar cada uno de los verbos típicos previstos en la norma penal. A título de ilustración, la *modificación* supone la consumación del delito una vez se hayan alterado, modificado o falseado los datos personales contenidos en bases de datos, ficheros o archivos. Como es evidente, las modalidades de resultado

---

[114] Según la Directiva 2013/40/UE del Parlamento Europeo y del Consejo de 12/08/2013, considerando (5): "Esta tendencia coincide con el desarrollo de métodos cada vez más sofisticados, como la creación y utilización de redes infectadas *(botnets)*, que conllevan fases múltiples del acto delictivo, cada una de las cuales puede por sí sola constituir un grave peligro para el interés público".

material podrían ser amplificadas mediante el dispositivo de la tentativa (C.P., artículo 27). El punto a determinar en cada caso es: ¿cuál sería el comienzo de los actos ejecutivos que darían lugar a la intervención penal? lo que incluso permite estudiar la existencia de actos ejecutivos de naturaleza lógica en esta clase de conductas punibles.

En tercer lugar, las modalidades típicas de resultado material podrían ser realizadas en comisión por omisión (C.P., artículo 25), cuando el sujeto tuviese un deber formal de custodia de los datos personales. Recuérdese que el parágrafo de la norma mencionada circunscribe los deberes materiales de garantía a la protección de los bienes jurídicos referidos a la vida, la integridad personal, la libertad y la libertad sexual de las personas.

En cuarto lugar, todas las conductas previstas en el supuesto de hecho deben ser realizadas por el autor "sin estar facultado para ello", lo que significa que estas actuaciones deben ejecutarse con desconocimiento o en contra de la voluntad del titular del dato personal o del administrador o titular de la base de datos (ya sea el responsable o el encargado del tratamiento en los términos de la Ley 1581 de 2012), ficheros o archivos violados, esto es, en contravía de la legislación de *habeas data* y protección de datos personales vigente.

Hay que tener en cuenta que el C.P.P., artículo 244, le permite a la fiscalía realizar ciertas actividades de investigación judicial referidas a la *búsqueda selectiva en bases de datos* o el cruce o cotejo de información[115]. En estos casos, la Corte Constitucional, Sent. C-1011 de 2008, ha dicho que la ley:

> *(iv) determina que la búsqueda selectiva de información personal o confidencial en bases de datos que no sean de libre acceso, administradas por instituciones o entidades públicas o privadas autorizadas para el tratamiento de datos personales, no se encuentra contemplada, ni es asimilable, a ninguna de las excepciones previstas en la Constitución (art. 250, nº 2), y en consecuencia requieren autorización previa por parte del juez de control de garantías.*

---

[115]   Sobre el tema: BERNAL CUELLAR/MONTEALEGRE LYNETT, *El proceso penal,* pp. 310-312.

En este orden de ideas, la sentencia constitucional demanda un control previo a la actividad autorizada por el artículo 244, inciso 2, que literalmente dice que:

> *Cuando se requiera adelantar búsqueda selectiva en las bases de datos, que implique el acceso a información confidencial, referida al indiciado o imputado o, inclusive a la obtención de datos derivados del análisis cruzado de las mismas, deberá mediar autorización previa del [fiscal] que dirija la investigación y se aplicarán, en lo pertinente, las disposiciones relativas a los registros y allanamientos.*

Esto significa que la orden del fiscal solo es realmente útil para la búsqueda selectiva de datos que no tengan la naturaleza de datos sensibles o privados, información abierta, que no se puedan obtener en bases de datos de libre acceso. En todo caso, la información personal obtenida durante la actividad de investigación también debe ser sometida al control posterior de un juez penal en función de control de garantías, dentro de las 36 horas siguientes, con el fin de verificar los hallazgos y la ejecución de la orden judicial[116]. Agréguese que la misma norma, inciso 1, autoriza a la policía judicial para realizar "comparaciones de datos registrados en bases mecánicas, magnéticas u otras similares", siempre que se trate del cotejo de información de acceso público (no necesariamente datos públicos, como ya sea dicho). Si se trata del cotejo de información reservada o clasificada o de datos privados (sensibles) o semi-privados, se exige orden judicial previa.

6. En las modalidades típicas de resultado material habría que verificar un *nexo de naturaleza lógica*[117](que algunos sustituyen por el nexo de causalidad en los delitos informáticos). Esta implica una interacción *input-output* (instrucciones electrónicas respondidas por la máquina) dirigida a manipular el sistema y obtener datos o códigos personales contenidos en bases de datos, archivos o ficheros.

Asimismo, todas las modalidades exigen comprobar una relación de *imputación objetiva*, de manera que la acción realizada por el autor cree un riesgo jurídicamente desaprobado para la seguridad de la

---

[116] *ibíd.*, pp. 313-314.
[117] Esta idea en POSADA MAYA, "El delito de acceso abusivo a sistema informático", pp. 130-131.

información, y en particular para las funciones relativas a la disponibilidad, integridad y seguridad de los sistemas y datos personales, que se concreta en el respectivo resultado jurídico exigido por las modalidades delictivas previstas en el tipo penal (modificación, obtención, interceptación, intercambio, compra venta, etcétera). Además, es necesario acreditar que el sujeto activo haya tenido el dominio del hecho (lógico o informático) sobre las modalidades típicas enunciadas.

7. Aspecto subjetivo: Dolo (CP, artículo 22[118])

Se requiere que el sujeto activo conozca y quiera la realización de una conducta dirigida a manipular un fichero, archivo o base de datos en un sistema informático, de donde obtendrá (obtener, sustraer, modificar, interceptar, etcétera) datos personales o códigos personales; o que realiza una conducta específica (vender, comprar, intercambiar, etcétera) sobre un determinado dato o código de naturaleza personal. Dicho conocimiento debe cubrir: (i) la previsión del resultado material (en los tipos de resultado material: la obtención, la real modificación de los datos, etcétera); (ii) la previsión del nexo causal o lógico; y (iii) el conocimiento de que actúa sin estar autorizado para realizar el tratamiento de datos personales de terceros. Naturalmente, el sujeto activo debe querer hacerlo. El dolo de violación de datos personales se prueba a través de los medios de prueba dispuestos en la legislación procesal vigente (C.P.P. Ley 906 de 1994, artículos 372 y ss.).

4. CONCLUSIONES

1. Los datos constituyen uno de los elementos centrales de la evolución y el progreso de las modernas sociedades. Por consiguiente, su seguridad y la de los sistemas informáticos que los procesan resulta esencial para el adecuado desarrollo del ser humano y sus derecho fundamentales a la dignidad, el *habeas data* (autodeterminación informática) y la intimidad personal, precisamente en una sociedad mediática inmersa en procesos complejos de globalización.

Esta consideración tiene profundas implicaciones en la transformación del derecho penal moderno. A título de ejemplo, hay que con-

---

[118]   POSADA MAYA, "El dolo en el Código Penal del 2000", pp. 5 y ss.

siderar cambios profundos en el esquema procesal, tal y como se ha visto en los modernos desarrollos de la evidencia digital, pero también en tópicos sustantivos, pues los delitos informáticos implican repensar en clave virtual instituciones como el nexo de causalidad —que debe proyectarse como un nexo de naturaleza lógica y técnica que demuestre la relación virtual entre el sujeto y el sistema informático, a través de un dominio directo o indirecto del primero frente al segundo—, la participación, la complicidad, etcétera. También en materia de punibilidad hay avances importantes, por lo que respecta a las nuevas penas de inhabilitación especial para realizar actividades informáticas.

Recuérdese que los cibercrímenes se caracterizan, justamente, porque su desarrollo se da de manera lógica o virtual, a diferencia de lo que sucede con los delitos informáticos en sentido amplio.

2. La Ley 1273 de 2009, a pesar de ser un avance importante en la protección penal de los datos e información registrada en sistemas informáticos públicos o privados, requiere de profundas modificaciones que ajusten la informática a la técnica penal. Asimismo, no se discute que la ley penal haya consagrado en Colombia el bien jurídico autónomo e intermedio de la seguridad de la información y de los sistemas informáticos y telemáticos. Esta protección busca garantizar las funciones informáticas en sentido estricto, es decir, la confidencialidad, la integridad y la disponibilidad de los datos. Precisamente, uno de los grupos que protegen este bien jurídico es el "espionaje informático", en todo caso diferenciable del delito de espionaje (C. P., artículo 463), pues consiste en actividades de interceptación o de violación dirigidas al tratamiento ilícito y no consentido de datos informáticos personales con transgresión de los principios diseñados por la legislación vigente. Se trata de modalidades cibercriminales estrechamente relacionadas con el *habeas data*.

3. En Colombia, la protección jurídico penal del dato, entendido como una unidad de información con capacidad para ser tratada por sistemas informáticos, se centra primordialmente (aunque no de manera exclusiva) en el dato personal, es decir, aquella información que se refiere de manera a una persona y permite su identificación. Dentro de los datos personales, la protección se acentúa en los datos e información de circulación restringida (reservada o clasificada), es decir, a los datos semiprivados, privados o sensibles cuyo tratamiento

requiere de la autorización del titular del dato o de una orden de autoridad judicial competente. En todo caso, su conocimiento no siempre está reservado, especialmente cuando estos se encuentran en sistemas públicos de información (de libre acceso). Hay que tener en cuenta, que el hecho de que el acceso a los datos de circulación reservada o clasificada sea fácil, no cambia su naturaleza a datos públicos en datos abiertos.

Lo anterior supone aclarar que el sistema jurídico-penal, en principio, no protege del "espionaje" los datos de carácter público o abierto, pues su tratamiento es libre y no existe ningún tipo de reserva constitucional para su conocimiento y divulgación, en aras de proteger el principio de libertad de información y por razones del carácter de *ultima ratio* del derecho penal. Ello no significa que sea impune la obtención de datos abiertos de cualquier modo o con violación de sistemas informáticos.

4. En cuanto al delito de interceptación de datos informáticos (C.P., artículo 269 C), existen varios inconvenientes: *en primer lugar*, se trata de un delito cuya aplicación es discutida por la doctrina nacional, pues la regulación sustantiva exige que la interceptación de datos informáticos sea realizada con una orden judicial previa, demanda que no coincide con las actividades de investigación de la fiscalía que, tratándose de la interceptación de comunicación en la web o de la recuperación de datos dejados al navegar por la internet, solo requieren de una orden previa del fiscal y ser sometidas a un control posterior ante un juez penal de control de garantías. En segundo lugar, existe una enorme dificultad al tratar de distinguir estas conductas punibles de los delitos de violación de comunicaciones. Y, en tercer lugar, el debate dogmático se centra en la interpretación del verbo *interceptar*, que conlleva dos actos: el primero consiste en la manipulación del sistema informático, y el segundo en la obtención/interceptación de los datos o de las ondas electromagnéticas que emanan de ellos. Así mismo, se discute si es un delito de peligro o de resultado material. Finalmente, en cuarto lugar, ya que el delito se refiere de manera expresa a los datos informáticos, y no solo a los datos informáticos personales, la figura extiende su protección a los datos impersonales que puedan afectar la intimidad de una persona.

5. Para terminar, el delito de violación de datos personales se considera el tipo penal base en la cadena material de cibercrímenes que pueden afectar los datos personales. Por ejemplo, esta clase de violación es la antesala de los delitos de acceso abusivo a sistema informático (C.P., artículo 269A) o de los delitos informáticos de naturaleza económica como la transferencia no consentida de activos (C.P., artículo 269 J). El inconveniente más notable del tipo penal es la gran cantidad de verbos rectores que prevé, lo cual lo convierte en tipo mixto de conducta alternativa. La configuración de cada uno de estos comportamientos involucra un reto dogmático importante por lo que se refiere a aspectos como la consumación, la tentativa, la imputación objetiva y el dolo, solo por mencionar algunos ejemplos; y a las relaciones de esta conducta punible con otros cibercrimenes, como sucede con la interceptación de datos informáticos. Finalmente, su mayor defecto es no contemplar la protección de los datos frente a los desafíos informáticos del futuro, y en particular, frente a los desarrollos de la computación en la nube (*cloud computing*), los datos móviles, y los *big data*, etcétera.

5. BIBLIOGRAFÍA

ÁLVAREZ GARCÍA, F. Javier/et al. *Derecho penal español. Parte especial*, Valencia, Tirant lo Blanch, 2011.

ANARTE BORRALLO, Enrique. "Incidencias de las nuevas tecnologías en el sistema penal. Aproximación al derecho penal en la sociedad de la información", en *Derecho y conocimiento* 1, 2010, pp. 191-257.

ARENAS, Antonio Vicente. *Comentarios al Código Penal colombiano. Parte especial*, Bogotá, t. 2, 2ª ed., 6ª reimpresión, Temis, 1991.

BERNAL CUELLAR, Jaime/MONTEALEGRE LYNETT, Eduardo. *El Proceso Penal, Fundamentos constitucionales del nuevo sistema acusatorio*, 6 ed., vol. 1, Bogotá, Universidad Externado de Colombia, 2013.

CASTRO OSPINA, Sandra Jeannette. "Delitos Informáticos: La información como bien jurídico y los delitos informáticos en el Nuevo Código Penal Colombiano", en: *XXIII Jornadas Internacionales de Derecho penal*, Memorias, Bogotá, Universidad Externado de Colombia, Departamento de Derecho Penal, 2002.

CORCOY BIDASOLO, Mirentxu/et al. *Manual práctico de derecho penal*, 2ª ed., Valencia, Tirant lo Blanch, 2004.

DE LA MATA BARRANCO, Norberto/HERNÁNDEZ DÍAZ, Leyre. "Delitos vinculados a la informática en el derecho penal español". En: *Derecho pe-*

nal informático, Universidad del País Vasco, Instituto Vasco de Criminología, Civitas-Thomson-Reuters, 2010.

FARALDO CABANA, Patricia. "Los conceptos de manipulación informática y artificio semejante en el delito de estafa informática". En: *Eguzkilore* 21, San Sebastián, Cuaderno del Instituto Vasco de Criminología, 2007.

FERREIRA DELGADO, Francisco José. *Derecho penal especial*, Bogotá, vol. II, Temis, 2006.

FIANDACA, Giovanni/MUSCO, Enzo. *Diritto penale. Parte speciale* II. (2), I delitti contro il patrimonio, 5ª ed., Bologna, Zanichelli, 2007.

Directiva 2013/40/UE del Parlamento Europeo y del Consejo de 12/08/2013, relativa a los ataques contra los sistemas de información y por la que se sustituye la Decisión marco 2005/222/JAI del Consejo

GONZÁLEZ RUS, Juan José. Protección penal de sistemas, elementos, datos, documentos y programas informáticos(Revista Electrónica de Ciencia Penal y Criminología RECPC, 01-14-1999) (en línea), Granada, CRIMINET, Web de Derecho Penal y Criminología, 2004. http: //criminet.ugr.es/recpc/recpc_01-14.html

GIMÉNEZ GARCÍA, Joaquín. "Delito e informática: algunos aspectos de derecho penal material", *Eguzkilore* 20, San Sebastián, 2006.

HERNÁNDEZ DÍAZ, Leyre. "El delito informático", *Eguzkilore* 23 San Sebastián, Cuaderno del Instituto Vasco de Criminología, 2009.

HUMAN RIGHTS COUNCIL. *The right to privacy in the digital age.* Report of the Office of the United Nations High Commissioner for Human Rights, A/HRC/27/37 del 30 de junio de 2014, En: http: //justsecurity.org/wp-content/uploads/2014/07/HRC-Right-to-Privacy-Report.pdf

MANTOVANI, Ferrando. *Diritto penale. Parte speciale*, II, Delitti contro il patrimonio, 3ª ed., Padova, CEDAM, 2009.

MATELLANES RODRÍGUEZ, Nuria. "Algunas notas sobre las formas de delincuencia informática en el Código penal", En: *Hacia un Derecho penal sin fronteras*, María Rosario Diego Díaz-Santos y Virginia Sánchez López (Coord.), XII Congreso universitario de alumnos de derecho penal, Madrid, Colex, 2000, pp. 129-147.

MEEK NEIRA, Michael, *Delito informático y cadena de custodia*, Bogotá, Universidad Sergio Arboleda, 2013.

MUÑOZ CONDE, Francisco. *Derecho penal. Parte especial*, 19 ed., Valencia, Tirant lo Blanch, 2013.

NACIONES UNIDAS, Asamblea General. *El derecho a la privacidad en la era digital*, A/c.3/68/L45/Rev.1, 20 de noviembre de 2013, Sexagésimo octavo período de sesiones, tercera comisión. En: http: //www.un.org/ga/search/view_doc.asp?symbol=A/C.3/68/L.45&Lang=S

ORTS BERENGUER, Enrique/GONZÁLEZ CUSSAC, José Luis. *Compendio de derecho penal*, Valencia, Tirant lo Blanch, 2004.

PALAZZI, Pablo A. *Los delitos informáticos en el código penal*, Buenos Aires, Bogotá-México-Santiago, Abeledo Perrot, 2009.

PARKER, *Fighting computer crime*, A new framework for protecting information, EE.UU. Wiley, 1998.

PÉREZ, Luis Carlos. *Derecho penal*, 2ª ed., Tomos III y IV, Bogotá, Temis, 1990.

PICOTTI, Lorenzo. "Internet y derecho penal: ¿Un empujón únicamente tecnológico a la armonización internacional?", *El cibercrimen, nuevos retos jurídico-penales, nuevas respuestas político-criminales*, Granada, Comares, 2006.

–   "La tutela penale della persona e le nuove tecnologie dell' informazione". En: *Tutela penale della persona e nuove tecnologie*, a cura di Lorenzo Picotti, Padova, Cedam, 2013, pp. 29-76.

PIÑAR MAÑAS, José Luis. "La protección de datos personales y ficheros automatizados". En: *El cibercrimen, nuevos retos jurídico-penales, nuevas respuestas político-criminales*, Granada, Comares, 2006, pp. 153-166.

POLAINO NAVARRETE, Miguel/et al. *Lecciones de derecho penal. Parte especial*, T. II, Madrid, Tecnos, 2011.

POSADA MAYA, Ricardo. "Aproximación a la Criminalidad informática en Colombia", en *Revista de derecho, comunicaciones y nuevas tecnologías*, n° 2, Cijus-Gecti, Universidad de los Andes, 2006, pp. 13-60.

–   "El delito de acceso abusivo a sistema informático", en *Derecho Penal Contemporáneo*, Revista Internacional n°. 44, Bogotá, Legis, 2013, pp. 97-142.

–   "El delito de trasferencia no consentida de activos", en *Estudios de Derecho* Penal n°. 2, Carlos Andrés Gómez González y Carlos Alberto Suárez López (Coords.), Universidad de Bogotá Jorge Tadeo lozano, Facultad de Relaciones Internacionales y Ciencias jurídicas y Políticas, Bogotá, 2012, pp. 209-250. Versión digital: *Revista de Derecho, Comunicaciones y Nuevas Tecnologías*, n° 8, Cijus-Gecti, Universidad de los Andes, diciembre de 2012.

–   "El derecho penal de la globalización vs. el Derecho penal de la globalización alternativa", en *Cuadernos de derecho penal*, n° 2, Escuela de Derecho/ Facultad de Derecho/ Grupo de Investigación en ciencias penales y criminológicas "Emiro Sandoval Huertas", Fernando Velásquez Velásquez (Dir.), Bogotá, Universidad Sergio Arboleda, 2009, pp. 7-36.

Rapport explicatif del Convenio de Budapest de 2001, Párr. II sobre los trabajos preparatorios §§ 7-15 en: www.coe.int.

REMOLINA ANGARITA, Nelson. *Tratamiento de datos personales*, aproximación nacional y comentarios a la ley 1581 de 2012, Bogotá, Legis, 2013.

REY BOEK, ALBERTO J./NÚÑEZ DE LEÓN, Carlos A. "De los delitos informáticos", En: *Manual de derecho penal. Parte especial*, T. II, Carlos Gustavo Castro Cuenca/et al, Bogotá, Universidad del Rosario-Temis, 2011, pp. 624 y ss.

REYNA ALFARO, Luis. "El bien jurídico en el delito informático". En: *Revista Jurídica del Perú*, n°. 21, Lima, Perú, 2011, pp. 181-190.

ROMEO CASABONA, Carlos María. "De los delitos informáticos al cibercrimen. Una aproximación conceptual y político-criminal". En: *El cibercrimen, nuevos retos jurídico-penales, nuevas respuestas político-criminales*, Granada, Comares, 2006, pp. 1-42.

– "Los datos de carácter personal como bienes jurídicos penalmente protegidos". En: *El cibercrimen, nuevos retos jurídico-penales, nuevas respuestas político-criminales*, Granada, Comares, 2006, pp. 167 a 190.

– *Poder informático y seguridad jurídica. La función tutelar del derecho penal ante las nuevas tecnologías de la información*, Madrid, Tudesco, 1987.

ROVIRA DEL CANTO, Enrique. *Delincuencia informática y fraudes informáticos*, Carlos María Romeo Casabona (Dir.) n°. 33, Granada, Comares, 2002.

ROXIN, Claus. *Imputación objetiva en el derecho penal*, 2ª ed., Manuel A. Abanto Vásquez (trad.), Lima, Grijley, 2012.

SANDYWELL, Barry. "On the globalization of crime: the internet and new criminality". En: Yvone Jewkes/Madij Yar, *Handbook of Internet Crime*, U.K., William Publishing, 2010, pp. 38-66.

SCHPERBERG, Robert/BRANCIK, Kenneth C. *Cybercrime*. Incident response and digital forensics, EE.UU. Information Systems Auditand control Association, 2005.

SERRANO GÓMEZ, Alfonso/SERRANO MAÍLLO, Alfonso. *Derecho penal. Parte especial*, 14ª ed., Madrid, Dykinson, 2009.

SUÁREZ-MIRA RODRÍGUEZ, Carlos. (Coord.) et al. *Manual de derecho penal*, 2ª ed., Madrid, Thomson-Civitas, Madrid, 2004.

WALL, "Criminalising cyberspace: the rise of the Internet as a 'crime problem'", En: Yvone Jewkes/Madij Yar, *Handbook of Internet Crime*, U.K., William Publishing, 2010, pp. 22-103.

VELÁSQUEZ, Fernando. *Derecho penal. Parte general*, 4ª ed., Medellín, Comlibros, 2009.

– *Manual de derecho penal. Parte General*, 5ª ed., Bogotá, Andrés Morales, 2013.

ESCENARIO REGIONAL, INSEGURIDAD CIUDADANA Y DELINCUENCIA INTERNACIONAL ORGANIZADA: EL CASO ECUATORIANO

FREDY RIVERA VELÉZ[1]

Sumario: 1. Introducción. 2. Las tramas conceptuales del crimen o delincuencia organizada. 3. Las conexiones y entornos de la delincuencia organizada y la inseguridad en Ecuador. 4. Las reformas: una de cal y otra de arena. 5. Conclusiones. 6. Bibliografía

Resumen: En los últimos años, el crimen organizado se ha convertido en uno de los principales problemas de América Latina, junto a la corrupción, desigualdad social y debilidad de los Estados. En este contexto, el caso del Ecuador se vuelve relevante y, a la vez polémico, por ser uno de los pocos países que, contrario a la tendencia regional, ha logrado disminuir sus índices de inseguridad en los últimos cinco años; no obstante, la inversión realizada y las transformaciones jurídicas no han podido erradicar prácticas informales y corrupción en la Policía Nacional y en el sistema de administración de justicia. El reciente gobierno aplicó fuertes políticas de seguridad ciudadana, procesos de descentralización del Estado, reformas legales y financieras de los órganos de seguridad, entre otros. Este trabajo intenta aportar al debate sobre el control del crimen organizado por parte del Estado, la implementación de políticas públicas en seguridad, las inconsistencias de algunas reformas y la vulnerabilidad de la seguridad en globalización asimétrica.

Palabras clave: Seguridad ciudadana, crimen organizado, política pública, Estado fallido, Ecuador, Latinoamérica.

---

[1]   Sociólogo, máster y doctor en Ciencias Sociales mención Sociología, Decano del Departamento de Estudios Internacionales, FLACSO Sede Ecuador; Director de la Red Latinoamericana de Análisis de Seguridad y Delincuencia Organizada (RELASEDOR) y director de URVIO, Revista Latinoamericana de Estudios de Seguridad. http://www.relasedor.org

1. INTRODUCCIÓN

El crimen o delincuencia organizada constituye uno de los problemas sociales y políticos de mayor impacto en las agendas públicas de los gobiernos latinoamericanos. Su rápida dinámica de difusión, la capacidad de penetración en las economías e instituciones nacionales y, la función envolvente, manejada bajo lógicas de corrupción compleja, infiltración camuflada y cooptación, coloca a este fenómeno como una seria amenaza a la seguridad nacional y regional de varios países.

El fenómeno delictivo tiene una enorme complejidad porque sus formas de presentación y difusión fenomenológica tiene diversas expresiones. Mucho más si reflexionamos sobre su delimitación teórica y sus contrapartes metodológicas que permanecen todavía difusas y ambiguas porque el concepto de criminalidad organizada, en sí mismo, conlleva dimensiones y acepciones diversas debido a la dificultad de poder explicar de manera integral y vinculante actividades como la producción, distribución y mercadeo de drogas; el tráfico y trata de personas; el contrabando de armas; la falsificación especializada de dinero, medicamentos y arte; el cyber crimen, entre otras muchas actividades. Estas situaciones vuelven más difícil la tarea de encontrar factores subyacentes y características comunes a expresiones disímiles del crimen organizado.

En la actualidad, la mayoría de países de América Latina afrontan grandes desafíos relacionados con la presencia de la delincuencia organizada transnacional, la desigualdad social, la inequidad, la exclusión, la pobreza y el aumento de la violencia en sus ciudades. En los últimos seis años, la percepción de inseguridad en las capitales del continente se ha incrementado en un 60% (CAF, 2014)[2]. Según el Proyecto de Opinión Pública de América Latina de 2014, la percepción promedio de la inseguridad aumentó de 37,6 en una escala de 100 en el 2012, a 43,2 en 2014 (Gurney, 2014)[3]. Esta situación ha determinado que la inseguridad ciudadana no sólo sea abordada

---

[2] CAF. *Por una América Latina más segura: Una perspectiva para prevenir y controlar el delito*, Bogotá, Corporación Andina de Fomento, 2014.

[3] GURNEY, Kyra. "Percepciones de inseguridad aumentan en Latinoamérica: informe". *InsightCrime*, http: //es.insightcrime.org/analisis/percepciones-inseguridad-aumentan-latinoamerica-informe (Consultado el 15 de diciembre de 2015).

desde la visión reactiva frente al daño, sino como una conjunción de factores que incluye a la tradicional mirada policial, el entendimiento sociológico sobre papel de la delincuencia organizada mimetizada con la convivencia social y la calidad de la administración de justicia que se vincula con problemas de impunidad y corrupción de la esfera pública y privada.

El Ecuador no ha permanecido ausente de esta problemática regional. Los últimos diez años estuvo expuesto a diferentes formas de penetración de la delincuencia organizada internacional y sus conexiones locales; no obstante, el nuevo enfoque emanado desde el Estado como garantizador de derechos ciudadanos y, a la vez, reformador de los sectores de seguridad interna y defensa nacional, ha generado una transformación en las políticas públicas de seguridad ciudadana en el período 2011-2014. En este trabajo se presenta un análisis de esta problemática para el caso ecuatoriano.

2. LAS TRAMAS CONCEPTUALES DEL CRIMEN O DELINCUENCIA ORGANIZADA

Definir el crimen organizado nos remite a abordar sus dimensiones jurídicas en primera instancia. Al respecto, Rojas Aravena (2008)[4] afirma que la discusión es principalmente jurídica, amplia y compleja. Aunque no nos detendremos en esta dimensión, entendemos con Serrano (2005:30)[5], que el "crimen o delito es un concepto legal; de ahí que la ley determina lo que se estime como delito o crimen en una sociedad en particular".

También se puede dar cuenta de una conceptualización que contiene un lenguaje policial y que se concentra en el *modus operandi* de las organizaciones criminales contemporáneas. Al respecto, la Procu-

---

[4] ROJAS AVERNA, Francisco. "Introducción", en Luis Guillermo Solís y Francisco Rojas Aravena (ed.), Crimen organizado en América Latina y el Caribe, Santiago de Chile, Catalonia, 2008.

[5] SERRANO, Mónica. "Crimen transnacional organizado y seguridad internacional: cambio y continuidad". En MatsBerdal y Mónica Serrano. *Crimen transnacional organizado y seguridad internacional*. México, Fondo de Cultura Económica, 2005, 1-25.

raduría General de la República de México señala que la delincuencia organizada funciona de la siguiente manera:

1) Tiene un eje central de dirección y mando, que opera en forma celular y flexible, con rangos permanentes de autoridad, de acuerdo a las células que la integran;

2) Alberga una permanencia en el tiempo, más allá de la vida de sus miembros;

3) Tiene un grupo de sicarios a su servicio;

4) Tiende a corromper a las autoridades; y

5) Opera bajo un principio desarrollado de división del trabajo mediante células que sólo se relacionan entre sí a través de los mandos superiores (Velazco Gamboa 2006:18)[6].

El autor estadounidense Howard Abadinsky (1990)[7] incorpora conceptos de académicos y autoridades políticas y judiciales, que van más allá de los debates legales y de los procesos operacionales. Para Abadinski, el crimen organizado:

> Es una empresa no ideológica que implica a varias personas en una interacción social estrecha, organizada de forma jerárquica, con al menos tres niveles o rangos, con el fin de asegurar el beneficio y el poder mediante la participación en actividades ilegales y legales. Las posiciones en la jerarquía y las posiciones que implican la especialización funcional pueden hacerse sobre la base de parentesco o amistad, o racionalmente asignadas de acuerdo a habilidades. Las posiciones no dependen de las personas que las ocupan en un momento determinado. La permanencia es asumida por los miembros que se esfuerzan por mantener la empresa integra y activa en la consecución de sus objetivos. Se evita la competencia y la lucha por el monopolio de un sector o ámbito territorial. Hay una voluntad de utilizar la violencia y/o el soborno para lograr fines o para mantener la disciplina. La membrecía está restringida, aunque los que no son miembros pueden participar en una base de contingencia. Hay reglas explícitas, orales o escritas, que serán aplicadas por las sanciones que incluyen el asesinato(Abadinsky, 1990:6 traducción del autor)[8].

---

6   VELAZCO GAMBOA, Emilio. *La delincuencia en la era de la globalización*. CASEDE. Biblioteca Virtual. Visita en http: //www.seguridadcondemocracia. org/buscada/pagina-2.html?searchword=delictiva (Consultado el 3 de enero de 2016).

7   ABANDINSKI, Howard. *Organized Crime*. Chicago, Nelson Hall, 1990.

8   ABANDINSKI. *Organized Crime*, 6.

Este concepto nos acerca a varios elementos de suma importancia:1) que el crimen organizado tiene una caracterización de empresa; 2) el tipo de interacción social existente; 3) distintos niveles de jerarquía al interior de la organización criminal; 3) distintos tipos de organización —desde la tradicional a la racional o instrumental, siguiendo el modelo weberiano; 4) la participación en actividades legales e ilegales;5) condiciones para el mantenimiento de la organización; 6) uso de la fuerza y la violencia; y 7) reglas escritas y trasmitidas oralmente a través del tiempo a los miembros, y tipo de sanciones.

Otras definiciones pondrán énfasis en el reclutamiento de la mano de obra calificada y el profesionalismo basado en lógicas parecidas a la industria (Ruggiero, 1996)[9]; y otros autores como Duyne and Levi (2005)[10] mencionan que el debate académico aún está abierto para completar un panorama general porque el término crimen organizado "oscila entre discursos sobre *actividades* —como en el uso común del término 'crimen'— y discursos sobre *asociaciones* malvadas, como en el uso común del término ´mafia` (Duyne, Levi, 2005:86)[11]. Con esta aseveración pone en relieve el uso indiscriminado e irreflexivo de ambos conceptos en que cayeron numerosos académicos, políticos, oficiales de Policía, periodistas y por supuesto, gran parte de la sociedad civil; por tales motivos, definiciones como las de Abadinsky (2010)[12] permiten mirar el fenómeno de manera más compleja y menos dicotómica entre lo bueno/ malvado, legal/ ilegal.

La delincuencia organizada opera favorablemente en contextos de globalización, aperturismo comercial desmedido, asimetría regional y en países que han tenido inserciones desiguales y diferenciadas a esta dinámica mundial. Por lo general, las conceptualizaciones observan la conjunción de varios elementos que dan sentido al concepto de crimen organizado; entre los más importantes destacamos a "empresa", "negocios ilícitos", "corrupción", "Estado", "sociedad", "transna-

9   RUGGIERO, Vincenzo. *Organized and Corporate Crime in Europe: Offers that Can't Be Refused*. CoordsAldershot et al, Singapore, Brookfield, 1996.
10   DUYNE, Petrus, LEVI, Michael. *Drugs and Money, managing the drug trade and crime money in Europe*, New York, Routledge, 2005.
11   DUYNE, Petrus, LEVI, Michael. *Drugs and Money, managing the drug trade and crime money in Europe*,86.
12   ABANDINSKI, *OrganizedCrime*.

cionalización", "globalización financiera y comercial", "tecnologías de punta", "mercado", entre otros. Todos estas naciones y conceptos son recurrentes en la mayoría de estudios sobre el fenómeno, lo que demuestra claramente la inmensa complejidad que encierra en sí mismo; por lo tanto, el concepto de crimen organizado se nutre de esas acepciones y a su vez las atraviesa en sus variadas expresiones fenomenológicas.

El investigador ruso YakovGilinskiy define al crimen organizado como "el funcionamiento de asociaciones estables, jerárquicas, implicadas en la delincuencia como una forma de negocio, y en la creación de un sistema de protección frente al control público a través de la corrupción" (Gilinskiy, 2006:278)[13]. Cabe anotar que este tipo de criminalidad aprovecha inteligentemente las debilidades institucionales, los controles estatales débiles y la permisividad del mercado de bienes lícitos. En América Latina, por ejemplo, el problema de la corrupción está ligada en buena medida a la presencia de redes criminales dentro de las estructuras estatales y de las empresas privadas; de hecho, el debate actual sobre inseguridad incluye a las vulnerabilidades de control e impunidad creadas por la corrupción y la afectación al desarrollo (CAF 2014)[14].

El análisis de la organización Transparencia Internacional (2015)[15] que analiza la percepción de corrupción registró a América Latina como una de las regiones más corruptas del mundo. Por tanto, el llamado a la responsabilidad política y administrativa es piedra angular en la relación delincuencia organizada, inseguridad y desarrollo.

---

13 GILINSKI, Yakov. *Organized Crime in Russia*. USA, Pittsburgh University, 2006.
14 CAF. *Por una América Latina más segura: Una perspectiva para prevenir y controlar el delito*.
15 Transparency Internacional. *Índice de percepción de corrupción 2015*. http: // www.transparency.org/cpi2015/#results-table (Consultado el 10 de febrero de 2016).

Tabla 1
Índice de Percepción de la Corrupción en los países de América, 2015

Posición en América	Posición global	País	Puntuación
1	9	Canadá	83
2	16	Estados Unidos	76
3	21	Uruguay	74
4	23	Chile	70
5	40	Costa Rica	55
6	56	Cuba	47
7	69	Jamaica	41
8	72	El Salvador	39
9	72	Panamá	39
10	72	Trinidad y Tobago	39
11	76	Brasil	38
12	83	Colombia	37
13	88	Perú	36
14	88	Surinam	36
15	95	México	35
16	99	Bolivia	34
17	103	República Dominicana	33
18	107	Argentina	32
19	107	Ecuador	32
20	112	Honduras	31
21	119	Guyana	29
22	123	Guatemala	28
23	130	Nicaragua	27
24	130	Paraguay	27
25	158	Haití	17

Elaboración del autor con datos de Transparencia Internacional (2015)[16].

---

[16]   TRANSPARENCY INTERNACIONAL. *Índice de percepción de corrupción 2015*. http://www.transparency.org/cpi2015/#results-table(Consultado el 10 de febrero de 2016).

Tal como se muestra en la tabla 1, donde 100 es muy transparente y 0 es muy corrupto, el 81% de los países de América tienen un resultado inferior al 50% de puntos. Solo Canadá, Estados Unidos, Uruguay, Chile y Costa Rica están por encima de los cincuenta puntos, con índices de transparencia mayores. Ecuador ocupa el puesto 19 en América, o el lugar 8 (de más corrupto a menos) junto con Argentina, con 32 puntos sobre 100.

Como señala la misma organización, Transparencia Internacional (2015)[17], muchos de los países con los índices más altos de corrupción en América poseen grandes recursos naturales (p.e. Argentina, México y Venezuela) y la inversión de dichos países en seguridad, educación y salud es muy baja.

Además, es preciso considerarla fuerte coherencia interna[18] y altos grados de especialización y sofisticación que poseen las organizaciones (Rojas Aravena, 2008:98)[19]. Adicionalmente, este tipo de criminalidad tiende a ser excepcionalmente hábil en identificar y aprovechar oportunidades para nuevas empresas y actividades ilegales.

Entre las características que se han identificado sobre el crimen organizado, se encuentra el hecho de que se trata de actividades continuas, llevadas a cabo por una organización racional y funcional del trabajo que le da una mayor sofisticación en sus recursos empleados para el cometimiento de dichas actividades, como: infiltración institucional a través de la corrupción y tráficos de influencias, control de sitios, rutas y actividades estratégicas que garanticen el normal cumplimento de las actividades ilícitas, empleo de nuevas estrategias y modalidades delictivas apoyado por la tecnología y el avance científico, uso de ejércitos privados destinados a impartir violencia para fines instrumentales, entre otros aspectos.

---

[17]   Transparency Internacional. *Índice de percepción de corrupción 2015.*

[18]   Entre los aspectos que tienden a otorgar un mayor grado de cohesión se encuentran los de carácter étnico, o bien el origen de los integrantes, sea este familiar o territorial. El lugar de origen genera una perspectiva de cohesión, de complicidad, de lazos de confianza importantes. El crimen organizado tiene una fuerte auto identificación, busca desarrollar una potente dosis de credibilidad para de esta forma poder intimidar.

[19]   ROJAS AVERNA, Francisco. "Introducción", 98.

Estas organizaciones tendrían una alta capacidad de corromper a las instituciones de seguridad y de justicia del Estado, y se asocian con el ejercicio de la violencia. Se tiene un amplio consenso académico, jurídico y político en que el Estado es el organismo autorizado para detentar el legítimo uso de la violencia para controlar su territorio y a las poblaciones al interior; sin embargo, el crimen organizado disputa el uso de la violencia con fines racionales y expresivos en una pugna por el control del territorio, población y la circulación de las mercancías que alimentan sus economías.

En contextos de exacerbada presencia de crimen organizado e inseguridad, para Reguillo (2010)[20], la violencia se vuelve un lenguaje con una gramática propia que sirve para confirmar las pautas, reglas y códigos. La violencia en estos contextos cumple con tres características, según señala Reguillo (2010)[21]: es una acción que es impuesta, tiene una intencionalidad y una causalidad. Esta imposición demuestra el poder y jerarquía de unos sobre otros. La intencionalidad implica una conciencia del ejecutor; y la causalidad genera una consecuencia buscada, un disciplinamiento y aprendizajes por parte de los miembros de la organización, de otras organizaciones, del Estado y de la población en general. Por ello, la violencia ya no solo es instrumental sino también expresiva, ya que constituye un código de dominio simbólico sobre cuerpos, territorios y mercancías.

Uno de los aspectos fundamentales en el entendimiento de la expansión del crimen organizado es su conexión con Estados débiles, caracterizados por una escasa coordinación en áreas de seguridad, justicia y contraloría, y poco control de las actividades económicas y financieras. Las organizaciones criminales aprovecharán estos espacios que escapan al control de las autoridades en algunos países caracterizados por lo que Bagley(2003)[22], entre otros autores, denominan "Estados fallidos". No obstante, la categoría empleada se debate en

---

20   REGUILLO, Rossana. "De las violencias: caligrafía y gramática del horror", en *Desacatos* (40), 33-46. http: //www.scielo.org.mx/scielo.php?pid=S1405-92742012000300003&script=sci_arttext&tlng=en (Consultado el 22 de marzo de 2016).

21   REGUILLO, Rossana. "De las violencias: caligrafía y gramática del horror".

22   BAGLEY, Bruce. Globalización y la delincuencia organizada. En *Foreign Affairs en Español*. Abril-Junio, 2003.

muchos espacios académicos y políticos porque la noción de "estado fallido" reviste connotaciones políticas e ideológicas que se propone cuestionar.

En efecto, el surgimiento de la idea del Estado fallido se remonta a principio de los años 90 ya que, en sus inicios, la denominación estaba dirigida a Afganistán y a los países localizados en la región subsahariana de África. Se entendía como Estado fallido a la pérdida de control gubernamental sobre el territorio nacional y un colapso de las instituciones estatales; es decir, se hablaba de un Estado en anarquía. Posteriormente, la lista de Estados fallidos se extendió para incluir aquellos casos en los que el Capítulo 7 de la Carta de las Naciones Unidas permitía una intervención nacional, estos son: Somalia en 1992-1993, Haití en 1994-1995 y Albania en 1997; pero entonces, ¿cuántos otros Estados en el resto del mundo pudieron replicar la historia de estos países? En el actual sistema internacional existen docenas de países débiles, sin embargo, pocos han estado cerca de un colapso total.

Los Estados fallidos se convirtieron entonces en un objeto a ser monitoreado globalmente cuando importantes instituciones internacionales juzgaron que muchos países en desarrollo estaban dirigiéndose al fracaso. En esta dinámica existe un juego interpretativo pendular que pasa por entender al Estado fallido como deficitario en términos weberianos —el uso monopólico de la fuerza; atraviesa por concebir al Estado como un órgano deficitario de legitimidad institucional y limitante de los derechos individuales; y culmina por interpretar al "Estado fallido securitizado" como una serie de entidades desorganizadas, corruptas, riesgosas y débiles, permeadas por la delincuencia y que constituyen, no solo una amenaza para la población local, sino que son una fuente potencial de inseguridades para la sociedad internacional (Serrano, 2012)[23].

El crimen organizado tiene como rasgo particular su carácter transnacional, e incluso global, por las flexibilidades políticas, jurídicas y laborales que abrió la globalización a la circulación de capitales, la posibilidad de ocultamiento de sus operadores bursátiles, la

---

[23]   SERRANO, Mónica. "Crimen transnacional organizado y seguridad internacional: cambio y continuidad".

tolerancia hacia el funcionamiento de los llamados "paraísos fiscales" y la apertura de los países al movimiento de dinero especulativo, aspectos que constituyen escenarios privilegiados para el desarrollo de estrategias criminales internacionales con conexiones locales (Rivera 2012)[24].

Las organizaciones establecen partes de sí mismas en otros países con facilidad, se reproducen de manera heterogénea y mantienen relaciones con oficiales y miembros de otras organizaciones en el exterior, expansiones que aceleran el tráfico ilícito de armas, personas y narcóticos, entre otras actividades. La racionalidad económica que implementan mantiene linderos entre legalidad e ilegalidad y aprovecha las debilidades estatales para anclarse y reproducirse. No se descarta la infiltración en medios de comunicación pública, la interacción o cooptación organismos no gubernamentales (ONG) e iglesias de distinto credo, confesión religiosa y fe. Una mejor descripción en el cuadro siguiente.

---

[24]   RIVERA, Fredy, "Crimen organizado, narcotráfico y seguridad: Ecuador estratégico y la región andina" en Niño C. (ed.), *Crimen organizado y gobernanza en la región andina: cooperar o fracasar*, Quito, FES-ILDIS, 2012.

Tabla 2
Tipos de criminalidad

Tipos de criminalidad[1]						
Tipo	Organización	Afectación territorial	Impacto: social y econónimo	Estrategias de control más adecuadas	Tipos de delitos	Nivel de Intervención
Macro-criminalidad	Compleja	Internacional Nacional Local	Alto impacto	Comunidades de inteligencia internacional/ investigación del delito/ prevención	Crímen organizado (narcotráfico, sicariato, trata de personas, de patrimonio cultural y natural, delitos cibernéticos, hidrocarburos, etc.)	Nacional/ Internacional
Micro-criminalidad	Simple	Regional Local	Pequeño-impacto	Preventiva/ investigación del delito	Robos simples, robos agravados. Asalto y robos, robos a domicilios, robo a automotores, etc.	Local/ Regional

Elaboración propia.

Tal como se señala en el cuadro anterior, la macrocriminalidad es una organización compleja cuya afectación territorial es local, nacional e internacional. Su impacto social y económico es muy alto debido al tipo de actividades ilícitas que realizan, por ejemplo: narcotráfico, sicariato, trata de personas, tráfico de patrimonio cultural y natural, delitos cibernéticos, hidrocarburos, entre otros. Las estrategias de control más adecuadas para el control de la macrocriminalidad implican comunidades de inteligencia internacional, investigación del

---

[25] Esta diferenciación, no implica que no haya conexión entre cada uno de estos niveles pues como dijimos anteriormente existen comprobados vínculos entre tipos de criminalidad local con esferas transnacionales.

delito y prevención, cuyo nivel de intervención debe de ser nacional e internacional.

Mientras que la microcriminalidad es una organización simple, de pequeño impacto social y económico, con afectación territorial local y regional. Los delitos más comunes de este tipo de organizaciones son robos simples, robos agravados, asalto y robos a domicilio, robo de automotores, entre otros. La estrategia de control más adecuada es la preventiva y la investigación del delito y el nivel de intervención local y regional.

Es importante señalar que en la última década ha habido importantes configuraciones en el narcotráfico y crimen organizado (Pontón y Rivera, 2013)[26]. Por ejemplo, hay que considerar que la marihuana es la droga de mayor consumo a nivel mundial, se estima que existen 200 millones de consumidores. Sin embargo, su producción está dispersa, se produce localmente en casi todas las localidades del mundo y se distribuye principalmente a través de redes de microtráfico. Respecto a la heroína cabe señalar que Colombia ha reducido su producción drásticamente mientras que México la ha incrementado de 5,000 hectáreas en el 2000 a 20,000 en el 2010. Finalmente, "la importancia del mercado ilegal de la cocaína cobra mayor relevancia al analizar sus implicaciones en las actividades de la criminalidad en la región andina" (Pontón y Rivera, 2013: 26-27)[27], esto debido a tener casi el total de la producción mundial de hoja de coca, refinamiento de la pasta base y cocaína.

Además, las organizaciones criminales han ido diversificando sus actividades, haciendo uso de sus recursos y de las rutas. Debido al estancamiento del narcotráfico, otros mercados, como el de la trata de personas con fines de explotación sexual y laboral han comenzado a ser muy rentables en Latinoamérica (UNODC, 2014)[28].

---

[26]   PONTÓN, Daniel y Fredy RIVERA, *Microtráfico y criminalidad en Quito*. Quito, Observatorio Metropolitano de Seguridad Ciudadana, 2013.

[27]   PONTÓN, Daniel y Fredy RIVERA. *Microtráfico y criminalidad en Quito*. 26-27.

[28]   Oficina de las Naciones Unidas contra la Droga y el Delito (UNODC), "Trata de personas compite con el narcotráfico en América Latina". https: //www.unodc. org/ropan/es/IndexArticles/Trata_de_Personas/trata-de-personas.html (Consultado el 28 de enero de 2016).

3. LAS CONEXIONES O ENTORNOS DE LA DELINCUENCIA ORGANIZADA Y LA INSEGURIDAD EN ECUADOR

Los últimos quince años fueron cruciales para el Ecuador. Privilegiado por encontrarse en una situación geográfica estratégica y con vulnerabilidades institucionales, producto de los experimentos neoliberales que minimizaron la capacidad reactiva de los aparatos de seguridad, el país fue objeto —y sigue en la mira— de los intereses y despliegues del crimen organizado internacional y sus conexiones locales. En efecto, el proceso de dolarización instalado a partir de 1999 y el impacto heterogéneo de la inserción en la globalización que promovió espacios y actores financieros con una alta informalidad, potenció "ventanas" de penetración para la delincuencia organizada, sumado a factores como la decadencia de los organismos de control estatal y de la inteligencia policial.

Recordemos que para el año 2003, la Policía del Ecuador era percibida como la tercera más corrupta de América Latina (Latinobarómetro, 2004, en Pontón y Rivera, 2015)[29]. A finales de los noventa y inicios del nuevo siglo, la policía era usada, como en el resto de los países de América Latina, para reprimir manifestaciones en momentos de inestabilidad política. Adicionalmente, la Comisión de la Verdad que investigó la persecución y desaparición de personas durante el gobierno de León Febres Cordero (1984-1988) dictaminó que de los 460 presuntos responsables, el 49,6% eran miembros de la Policía Nacional.

El Ecuador atravesó por una seria crisis seguritaria entre 2005 y 2010. Sumado a los hechos mencionados, en el 2009 se destapó una terrible crisis de corrupción en la Policía Judicial, que remataba bienes recuperados, y tenía fuertes denuncias de violación de derechos humanos y de tortura. A esta situación interna se añadió el bombardeo por parte de las fuerzas militares colombianas en Angostura, territorio ecuatoriano, en febrero de 2008. Suceso en el que fue asesinado el dirigente de las Fuerzas Armadas Revolucionarias de Colombia

---

[29] PONTÓN, Daniel y Fredy RIVERA. "Postneoliberalismo y Policía: caso de Ecuador 2007-2013", Quito, documento inédito, 2015.

(FARC), Raúl Reyes, y que evidenció la ejecución de los intereses estratégicos estadounidenses y colombianos en la subregión andina a costa de violar la soberanía ecuatoriana (Rivera, 2014)[30].

A los efectos políticos que causaron la agresión y violación de la soberanía territorial por parte de Colombia, se sumó el amotinamiento y crisis policial que puso en peligro la vida del Presidente de la República en octubre de 2010. El 30s, es el hecho histórico en el cual los grupos policiales y militares bloquearon carreteras, agrediendo a civiles e impidiendo el ingreso de asambleístas a las instalaciones de la Asamblea Nacional, derivando en la peor crisis de legitimidad de los órganos de seguridad desde el regreso de la democracia. Esto evidentemente también ocasionó una gran desconfianza del mando presidencial a la Policía Nacional, razones que dieron paso a una serie de reformas que buscaban combatir el corporativismo, discrecionalidad y autonomía con que la Policía Nacional y los servicios de inteligencia del país venían desempeñándose. Sin embargo, como veremos más adelante, estas reformas no permitieron acabar del todo con las lógicas informales y corruptas; por el contrario, los resultados han sido relativos a pesar de la inversión pública efectuada en estos estamentos policiales y de inteligencia.

Es necesario mencionar que existen factores intermésticos de interdependencia compleja con el inacabado conflicto interno colombiano que lleva más de medio siglo de duración, pues los efectos directos para el Ecuador, mirados como expansión extra territorial de bandas criminales, se evidencian en la presencia organizada delincuencial más allá de las fronteras de ese problemático país.

La sumatoria de factores internos brevemente descritos, y variables constantes de proximidad e incidencia con un epicentro de expansión de nuevas amenazas, construyeron un panorama de inseguridad e hicieron vulnerable la institucionalidad estatal, los sistemas de administración de justicia y cooptaron buena parte de la inteligencia policial adscrita a intereses estadounidenses (Rivera, 2011)[31].

---

[30]   RIVERA, Fredy, "Ecuador, tradiciones políticas, cambio de época y revolución ciudadana" en Murakami Yusuke (ed), *La actualidad política de los países andino scentrales en el gobierno de izquierda*, Lima; IEP, CIAS, 2014.

[31]   RIVERA, Fredy, *Inteligencia Estratégica y Prospectiva*. Quito: FLACSO, SENAIN, 2011.

4. LAS REFORMAS: UNA DE CAL Y OTRA DE ARENA

Las reformas en materia de seguridad no han respondido a una agenda clara, sino que en muchos sentidos han continuado con una inercia que no ha permitido a los gobiernos de América Latina entender la complejidad de la seguridad más allá de la explotación, desigualdad social y marginalidad (Sain, 2009)[32], sin comprender del todo la dinámica del problema securitario. Esto se vuelve evidente particularmente en los primeros años del primer mandato del presidente Correa, donde las reformas en materia de seguridad se hacían mediante prueba, error, ensayo, generando una gran desconfianza hacia las instituciones de seguridad y conflictividad en el manejo de materia ciudadana (Pontón y Rivera, 2015)[33].

Un ejemplo que muestra el impacto que tuvieron dichos acontecimientos en la percepción de la población respecto a la inseguridad se muestra en la siguiente tabla, con información del Latinobarómetro (2015)[34]. A la gente se le preguntó ¿cuál considera usted que es el problema más importante en el país?, y las personas respondieron que la percepción sobre la delincuencia/seguridad pública se incrementó exponencialmente del 2004, con 3%, al 2013 con 31%; y alcanzando su pico más alto en el 2011 con 33%. Para el 2015, la percepción sobre la delincuencia/ seguridad pública volvió a decrecer, con 12%, siendo mayor la preocupación por el desempleo, con 24%, y por los problemas económicos y financieros, con 17%[35].

¿Cuál considera usted que es el problema más importante en el país?

[32] SAIN, Marcelo Fabián, *La reforma policial en América Latina. Una mirada crítica desde el progresismo*. Nueva Sociedad, 2009, en: http: //www.flacsoandes.org/web/imagesFTP/1246308259.la_reforma_policial_en_america_latina.pdf (Consultado el 10 de julio de 2013).
[33] PONTÓN, Daniel y Fredy RIVERA. "Postneoliberalismo y Policía: caso de Ecuador 2007-2013".
[34] Latinobarómetro, "Opinión pública latinoamericana 2015" en http: //www.latinobarometro.org/lat.jsp (Consultado el 4 de febrero de 2016).
[35] La información sobre la percepción de la población respecto a la inseguridad, aunque suele mantener una correlación con los índices de inseguridad en el país, se encuentra también mediada por otros factores como coyunturas e intereses mediáticos.

Ecuador									
	2004	2005	2006	2007	2008	2009	2010	2011	2013	2015
Delincuencia/ Seguridad pública	3%	5%	7%	7%	10%	13%	24%	33%	31%	12%
Desocupación/ Desempleo	22%	20%	24%	23%	18%	34%	30%	22%	18%	24%
La economía/ problemas económicos/financieros	-	-	-	16%	18%	24%	21%	16%	8%	17%

Elaboración propia. Fuente: Latinobarómetro (2015)[36].

Esta situación de vulnerabilidad nacional producida hasta el año 2009-2010 obligó al Estado a generar una agenda mucho más clara en materia de seguridad, hecho que se vuelve evidente después de la consulta popular de mayo del 2011. A partir de este momento se produce una recomposición del mando gubernamental hacia la Policía Nacional, a cargo ahora del Ministerio del Interior, promoviendo así una sinergia institucional importante gobierno/policía para la lucha contra ciertos delitos; así como un mejor esquema de planificación.

A raíz de esta situación se nota un mejoramiento de los indicadores de seguridad ciudadana en Ecuador; por ejemplo, la tasa de homicidios, carta de presentación de una política de seguridad[37], ha tenido disminuciones considerables desde el año 2011. Mientras en el año 2010 ésta sobrepasaba las 18 muertes por homicidio por cada cien mil habitantes, en el año 2014 la tasa se ubicó en 8,1. Como se puede ver en el gráfico 1, si se evalúa por semestres, se constata claramente el

---

[36]   LATINOBARÓMETRO, "Opinión pública latinoamericana 2015" en http://www.latinobarometro.org/lat.jsp (Consultado el 4 de febrero de 2016).

[37]   La tasa de homicidios representa la punta de lanza de las problemáticas de la violencia y delincuencia, tema complejo por el gran espectro de tipologías de violencia que existen y tan complicado por las diversas relaciones que puedan desarrollarse en el tiempo y el espacio.

descenso del número de homicidios en el Ecuador a partir del segundo
semestre del 2011.

Gráfico 1
Número de homicidios en el Ecuador por semestre 2010-2015

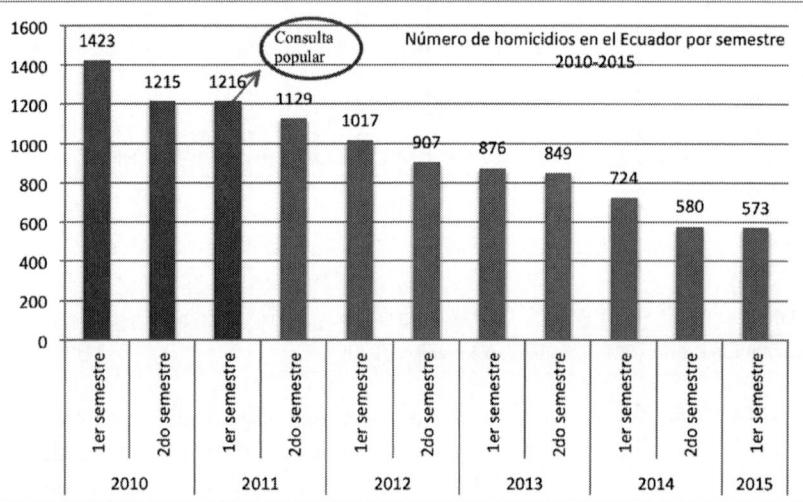

Fuente: Ministerio del Interior. *Datos del 1er semestre del 2015 obtenidos de Andes
(2016)[38].

Gráfico: Elaboración propia.

El siguiente gráfico muestra el comportamiento evolutivo de la tasa de homicidios en el Ecuador, donde se evidencia una disminución
considerable del 2010 en adelante; que para el 2014, con un promedio de 12.9, se vuelve contrastante frente al promedio latinoamericano con una tasa de 18.3. Para el 2015, la tasa de homicidios fue de
6,41 por cada 100 000 habitantes, la más baja en los últimos 15 años
de dicho país.

---

38   AGENCIA PÚBLICA DE NOTICIAS DEL ECUADOT Y SURAMÉRICA (AN-
     DES). "Homicidios y asesinatos caen 20% en Ecuador; julio registra el menor
     número de los últimos años". http: //www.andes.info.ec/es/noticias/homicidios-
     asesinatos-caen-20-ecuador-julio-registra-menor-numero-ultimos-anos.html
     (Consultado el 16 de enero de 2016).

Gráfico 2
Evolución de la tasa de homicidios en Ecuador, 2000-2015

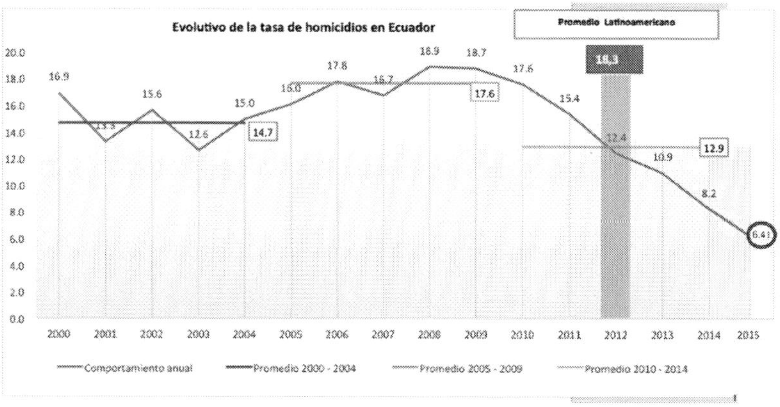

Fuente: Ministerio del Interior.

Como se observa en el gráfico, la tasa que alcanzó el país en el 2015 no había sido nunca registrada en los últimos 15 años. Ante esto, el Ministerio del Interior señala que en el Ecuador se está recuperando "la paz y la tranquilidad que nuestro país tenía antes del feriado bancario [1999], donde se generaron varios incrementos sustanciales de la violencia criminal en Ecuador, nuestra meta hasta el 2017 es llegar a los cinco casos por cada 100,00 habitantes" (Ministerio del Interior, 2016)[39]. Cabe señalar que en el año 2015 Quito registró una tasa de 4,8 puntos homicidios por cada 1000,000 habitantes, siendo la segunda capital con menos homicidios en Latinoamérica. Cuenca registró una tasa de 2,8; Guayaquil 8,8, marcando un fuerte descenso de los 15 a 20 casos habituales en dicha ciudad; y Manabí, siendo una de las provincias con un fuerte estigma, registró 7,8 casos (Ministerio del Interior, 2016)[40].

---

[39] MINISTERIO DEL INTERIOR, "2016 es el año para recuperar la soberanía ciudadana", en http: //www.ecuadorsostenible.com/interior-2016-es-el-ano-para-recuperar-la-soberania-ciudadana/ (Consultado el 15 de marzo de 2016).

[40] MINISTERIO DEL INTERIOR, "2016 es el año para recuperar la soberanía ciudadana".

Esto hace que comparativamente Ecuador se ubique como uno de los países de la región más seguros según la tasa de homicidios. De acuerdo al Sistema regional de indicadores estandarizados de convivencia y seguridad ciudadana (*SES-CISALVA*)[41], Ecuador en el 2014 ya se ubicó por debajo de países considerados seguros en la región como Nicaragua, Paraguay y Costa Rica (ver gráfico 3).

Gráfico 3
Tasa de homicidios comparada en la región

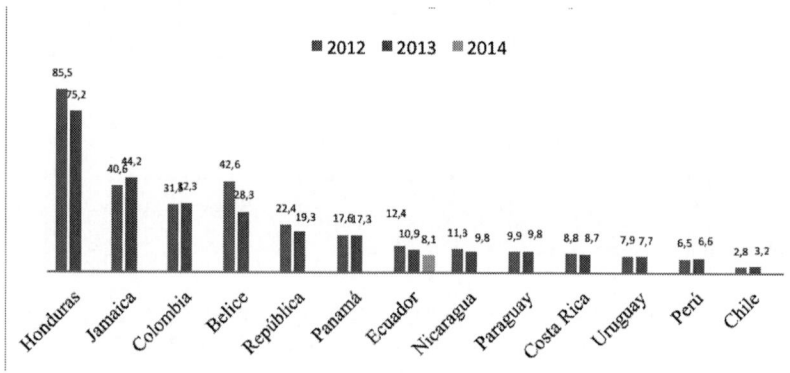

Fuente: SES-CISALVA[42].

Dicha situación es importante resaltar por cuanto existen países que han visto agravarse paulatinamente sus indicadores de inseguridad, ya que son sometidos a lógicas del crimen organizado basadas en un mayor dinamismo, preparación, uso de sofisticada tecnología operativa y comunicacional, análisis de zonas estratégicas y de mercados nacionales e internacionales por parte de actores criminales que emplean incluso sistemas no permitidos de "inteligencia".

Sin embargo, hay que considerar que América ocupa el primer lugar en la tasa más alta de homicidios en el mundo, con 16.3 puntos, seguido por África con 12.5; lejos están Europa y Oceanía, cada una

---

41   SES-CISALVA, http: //www.seguridadyregion.com/ (Consultado el 15 de diciembre de 2015).

42   SES-CISALVA, http: //www.seguridadyregion.com/ (Consultado el 15 de diciembre de 2015).

con 3 puntos y finalmente Asia con 2.9; mientras que el promedio de la tasa mundial es de 6.2 (UNODC, 2013)[43]. Al interior de América, la subregión con la tasa de homicidios más alta es Centroamérica con 25 puntos, seguido del Caribe con 19; Sudamérica con 16 y finalmente Norteamérica con una tasa de 5 (Perea et al, 2014)[44]. En este sentido, si bien es favorable que Ecuador se encuentre por debajo del promedio continental, y que la tasa haya disminuido en los últimos años, ubicándose por debajo de países considerados seguros, dichos esfuerzos tienen que intensificarse.

Con menor reducción, pero igual con tendencia a la baja, existen 6 delitos de mayor incidencia entre la población —delitos contra la propiedad— que presenta reducciones a ser consideradas. Este tipo de delitos son los que más relación tienen con la inseguridad ciudadana como se muestra en el cuadro 3, pues estas reducciones entre años oscilan entre -7,6% en el caso del robo a comerciales y -1,6% en el caso del robo a personas; no obstante, en el caso de las violaciones-presentan un ligero crecimiento[45].

---

[43]   OFICINA DE LAS NACIONES UNIDAS CONTRA LA DROGA Y EL DELITO (UNODC). *Global Stuydeon Homicide*. Viena: UNODC, 2013.

[44]   PEREA, Carlos Mario, Ana María JARAMILLO, Andrés Rincón MORERA, Michel MISSE, César ALARCÓN y Max yuriGIL, "La paradoja latinoamericana. Las ciudades en perspectiva comparada". En: Ana María Jaramillo y Carlos Mario Perea (eds.). *Ciudades en la encrucijada: violencia y poder criminal en Río de Janerio, Medellín, Bogotá y Ciudad Juárez*. Medellín, Corporación Región, 2014.

[45]   No se presentan estadísticas de años anteriores al 2013 dado que recién desde mayo de 2012 se tiene un nuevo sistema de gestión de la información en Fiscalía, entidad responsable de proveer la cifra de denuncias de delitos al Sistema de Información Nacional sobre seguridad ciudadana. Los años anteriores al 2013 no son metodológicamente comprables debido al incremento del punto de denuncias de la Fiscalía a partir del 2011 como vimos anteriormente.

Gráfico 4
Delitos de mayor incidencia en Ecuador 2013-2014.

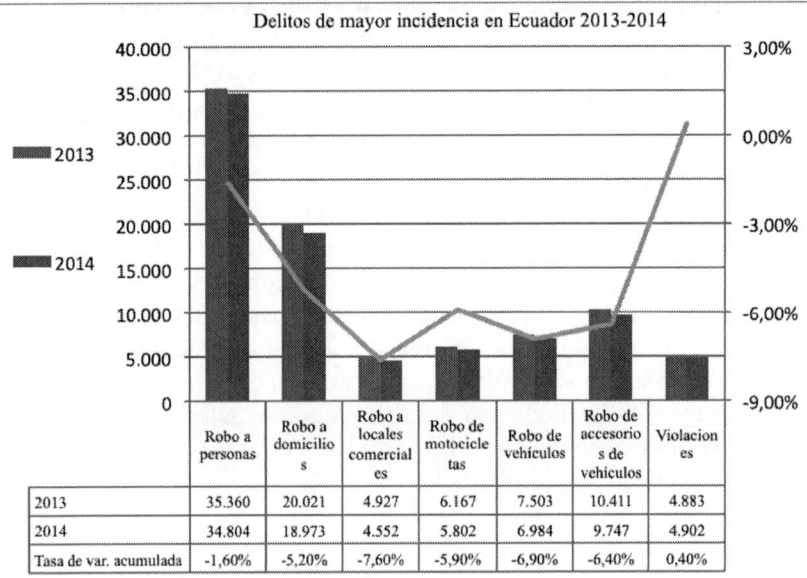

	Robo a personas	Robo a domicilios	Robo a locales comerciales	Robo de motocicletas	Robo de vehículos	Robo de accesorios de vehículos	Violaciones
2013	35.360	20.021	4.927	6.167	7.503	10.411	4.883
2014	34.804	18.973	4.552	5.802	6.984	9.747	4.902
Tasa de var. acumulada	-1,60%	-5,20%	-7,60%	-5,90%	-6,90%	-6,40%	0,40%

Fuente: Fiscalía General del Estado.

Gráfico: Elaboración Autor.

Según la Agencia Gallup[46], que mide la confianza de las personas en las instituciones públicas de seguridad, la sensación de seguridad, y la percepción sobre la aplicación de la ley, a través del Índice de Orden y Ley, señala que en Ecuador los índices han mejorado considerablemente. Aumentó de 49 puntos en el 2009 a 63 en el 2013, y de ahí a 67 puntos en el 2014, quedando con el segundo índice más alto en América Latina después de Chile.

---

[46] GALLUP, "Law and order", en http: //www.gallup.com/topic/category_law_and_order.aspx (Consultado el 15 de marzo de 2016).

Tabla 4
Índice de Ley y Orden

Índice de Ley y Orden		
	2009	2013	2014
Chile	59	66	68
Ecuador	49	63	67
Puerto Rico		na	66
Nicaragua	58	67	63
Jamaica	na	61	62
Uruguay	59	62	61
Panamá	60	67	59
México	53	59	59
Colombia	58	60	58
Costa Rica	57	60	58
Guatemala	50	57	58
Honduras	60	56	57
Haití	na	58	57
El Salvador	63	59	56
Belice	na	na	55
República Dominicana	50	53	54
Argentina	53	56	53
Brazil	55	56	52
Perú		48	52
Bolivia	42	47	51
Paraguay	55	52	46
Venezuela	45	41	42

Elaboración propia con fuentes de Gallup (2015, 2014)[47].

Es necesario mencionar que el cambio en las estructuras sociales y económicas con criterios de garantías ciudadanas, equidad, desarrollo

---

[47]   GALLUP, "Law and order", en http: //www.gallup.com/topic/category_law_and_order.aspx (Consultado el 15 de marzo de 2016).

y oportunidades representan la mayor victoria sobre la violencia y la delincuencia en el Ecuador; sin embargo, a estos factores hay que sumar una inversión económica importante en el sector seguridad, creación de laboratorios de criminalística y, sobre todo, reajustes a la Policía Nacional; los cambios normativos y reformas al sistema judicial que evidencian mejoras perceptibles, tanto en la eficacia y eficiencia de los servicios como en el monitoreo y rendición de cuentas de las instituciones involucradas en la problemática seguritaria.

La recuperación del rol del Estado ha sido clave en el proceso, a la par de la descentralización y desconcentración del mismo (Pontón y Rivera, 2015)[48]. De esa manera se ha logrado construir un entramado mucho más sólido, donde la confianza de la población a las instituciones del sector seguridad y justicia, entre otros factores, parecen ser determinantes para haber logrado una mejor seguridad ciudadana en los últimos cinco años; no obstante, estas mejoras en los indicadores de seguridad ciudadana, están siendo amenazados por la lentitud, inercia de intereses corporativos policiales en la aplicación de las lógicas de control democrático y la escasa rendición de cuentas del poder a nivel legislativo.

Hay que recalcar que en un primer momento del gobierno de Correa, las reformas en materia de seguridad se dieron de manera general y no en un interés particular por el combate a la inseguridad. La más importante, sin duda, la creación de la nueva Ley de Seguridad Pública y del Estado, aprobada en el 2009, que sustituye a la Ley de Seguridad de 1979, y que plantea la seguridad integral como elemento rector; donde además incorpora una sección sobre inteligencia, creando así la Secretaría Nacional de Inteligencia (Rivera, 2011)[49]. Sin embargo, después de una fuerte crisis de institucionalidad en materia de seguridad, ha existido más bien una agenda ambivalente en el combate a la inseguridad.

En efecto, si bien el 17 de enero del 2011 se emite el decreto 632[50] que pone fin a la autonomía legal, administrativa y financiera de la Po-

---

[48]　PONTÓN, Daniel y Fredy RIVERA. "Postneoliberalismo y Policía: caso de Ecuador 2007-2013".

[49]　RIVERA, Fredy, *Inteligencia Estratégica y Prospectiva*, 2011.

[50]　Esto a raíz del intento de desestabilización presidencial el 30 de septiembre de 2010 por parte de la Policía Nacional, algunos sectores de Fuerzas Armadas y

licía Nacional que pasa a depender del Ministerio del Interior, medida que sin duda constituyó un esfuerzo por parte del Estado para descorporativizar las entidades públicas y recuperar las facultades en la regulación y control de la política pública (Muñoz, 2012)[51], sumado a los esfuerzos dogmáticos y orgánicos estatales por superar el modelo militarista de la policía y de las instituciones de seguridad, persiste hasta la actualidad una lógica castrense, centralizada y jerarquizada que permea la cotidianeidad de los cuerpos policiales y militares. En consecuencia "lo que empezó siendo una importante motivación y oportunidad histórica para establecer cambios profundos y urgentes en la institución policial, terminó siendo una réplica mejorada del régimen policial tradicional; es decir, un modelo colonizado e influido por los valores policiales tradicionales y sin la prioridad y urgencia política para impulsarlos" (Pontón y Rivera 2015: 16)[52].

4. CONCLUSIONES

1. Los estudios sobre crimen o delincuencia organizada presentan desde hace algunos años una complejidad conceptual y metodológica, pero también retos teóricos para construir vínculos interdisciplinarios porque los problemas y realidades sociales se encuentran mutando constantemente. Actualmente no es suficiente tener aproximaciones analíticas provenientes del derecho, de la criminología o de la ciencia política basada en enfoques institucionalistas que sobredimensionan el positivismo y la epidemiología como herramientas de trabajo. Urge ampliar el horizonte comprensivo, incorporando áreas interpretativas

---

grupos políticos de oposición, evento conocido como el 30s. Adicionalmente, en diciembre del 2013 se aprueba el nuevo Código Orgánico Integral Penal que remplaza al viejo Código implementado desde los años sesenta del siglo pasado. En este nuevo Código se tipifican nuevos delitos, se suprimen otros en desuso y se aumentan las penas de prisión.

[51]   MUÑOZ, Pabel, "¿Cómo caminamos al Socialismo del Buen Vivir? Cinco años de Revolución Ciudadana desde el Plan Nacional del Buen Vivir" En: Corriente Alterna, *Ecuador: dilemas en las izquierda.* en: http: //www.flacsoandes.org/dspace/bitstream/10469/3731/1/REXTN-CA1-05-Mu%C3%B1oz.pdf (Consultado el 15 de octubre de 2015).

[52]   PONTÓN, Daniel y Fredy RIVERA. "Postneoliberalismo y Policía: caso de Ecuador 2007-2013".

de la economía política, de la sociología, de la antropología cultural y de los estudios internacionales con énfasis en seguridad, globalización y sistemas regionales.

La relación existente entre globalización asimétrica y delincuencia organizada no tiene una sola presentación porque la interacción del crimen organizado con la corrupción rebasa los controles gubernamentales, tiene una gran capacidad de intimidar, influir, infiltrar y actuar sobre agentes del Estado; penetra las instituciones de justicia e inteligencia y afecta a la democracia, causa la disminución de la confianza de la población a sus autoridades, reduce el apoyo de la ciudadanía y deslegitima procesos de desarrollo. Todo esto contribuye a aumentar la impunidad de los actores organizados para la criminalidad que emplean lógicas operativas violentas y manejan diversas formas de extorsión, desarrollan altos grados de especialización y sofisticación con capacidad de infiltrar las estructuras sociales, económicas y sobre todo políticas de los Estados.

2. Por el lugar geopolítico que ocupa América Latina en relación a los Estados Unidos y Canadá, sin descartar los dos océanos interconectados estratégicamente con complejos mundiales, así como por sus altos índices de desigualdad en varios de los países, la región se ha visto fuertemente influenciada por la penetración del crimen organizado, debilitando a los Estados débiles, y generando con ello un incremento de la violencia e inseguridad. Existen países como México, Guatemala, El Salvador, Honduras, Colombia, Venezuela y Brasil, entre los más representativos que contienen situaciones complejas y difíciles de manejar para las políticas públicas de seguridad. Varios de ellos presentan cifras alarmantes de inseguridad y corrupción si las comparamos con otros países del hemisferio americano.

Merece resaltar la influencia negativa para la seguridad andina que ejerce el persistente conflicto interno de Colombia en las relaciones vecinales, no solo con el Ecuador sino con Panamá, Perú, Brasil y Venezuela. La categoría de interdependencia compleja, muy utilizada en las teorías de las relaciones internacionales y los estudios de seguridad, se aplica adecuadamente para interpretar la realidad existente en las zonas fronterizas de estos países donde la penetración extra territorial de las bandas criminales colombianas, constituyen una amenaza permanente para los organismos de seguridad e inteligencia de los Estados que tienen fronteras terrestres y marítimas con ese país. 3. El Ecuador, contrario a la tendencia general latinoamericana, mejoró sus índices de seguridad ciudadana luego de las crisis y vulnerabilidades producidas hasta el 2009-2010 porque los datos negativos se revirtieron en los años subsiguientes. Esto se debe a la transformación de las estructuras sociales y económicas donde prima un criterio de garantías ciudadanas, equidad y desarrollo. Se debe también al incremento presupuestal en materia de inversión en seguridad y a las reformas al sistema judicial, al monitoreo de las instituciones involucradas en el sector que han permitido también recuperar parte de la confianza de la población y mejorar la credibilidad de las entidades públicas en el país.

Sin embargo, las reformas institucionales y las prácticas contradictorias en el caso ecuatoriano presentan dos caras opuestas; una de cal y otra de arena. Si bien se han reducido las tasas de homicidios y otro tipo de delitos, persisten dinámicas inerciales de un pasado reciente anclado en la doctrina de seguridad nacional y la mentalidad castrense, viejas tradiciones corporativas y culturas prebendarias que se recrean en la cotidianeidad de los agentes de seguridad, usos patrimoniales de los recursos públicos y una galopante corrupción en la administración de justicia y sobre todo en la Policía Nacional que pone en tela de juicio los resultados positivos de las políticas reformadoras de la seguridad ciudadana[53].

5. BIBLIOGRAFÍA

ABANDINSKI, Howard. *Organized Crime*. Chicago, Nelson Hall, 1990.
AGENCIA PÚBLICA DE NOTICIAS DEL ECUADOT Y SURAMÉRICA (ANDES). "Homicidios y asesinatos caen 20% en Ecuador; julio registra el menor número de los últimos años". http: //www.andes.info.ec/es/noticias/homici-

---

[53]   Para la fecha en que se realizó este trabajo se difundió publicamente en medios ecuatorianos una extensa red de corrupción policial que incluía a un ex comandante general de la Policía y 20 policías, acusados de conformar una red interna de venta de pases de oficiales, miembros de tropa y aspirantes para ingresar a la Institución (El Comercio: 2016).

dios-asesinatos-caen-20-ecuador-julio-registra-menor-numero-ultimos-anos. html (Consultado el 16 de enero de 2016).

BAGLEY, Bruce. Globalización y la delincuencia organizada. En *ForeignAffairs en Español*. Abril-Junio, 2003.

CAF. *Por una América Latina más segura: Una perspectiva para prevenir y controlar el delito*, Bogotá, Corporación Andina de Fomento, 2014.

DUYNE, Petrus, LEVI, Michael. *Drugs and Money, managing the drug trade and crime money in Europe*, New York, Routledge, 2005.

EL COMERCIO. "La red de venta de pases tenía dos grupos para su operación". 27 de marzo de 2016 http: //www.elcomercio.com/actualidad/policia-venta-pases-oficiales-corrupción.html (Consultado el 31 de marzo de 2016).

GALLUP, "Law and order", en http: //www.gallup.com/topic/category_law_and_ order.aspx (Consultado el 15 de marzo de 2016).

GILINSKI, Yakov. *Organized Crime in Russia*. USA, Pittsburgh University, 2006.

GURNEY, Kyra. "Percepciones de inseguridad aumentan en Latinoamérica: informe". *Insight Crime*, http: //es.insightcrime.org/analisis/percepciones-inseguridad-aumentan-latinoamerica-informe (Consultado el 15 de diciembre de 2015).

LATINOBARÓMETRO, "Opinión pública latinoamericana 2015" en http: // www.latinobarometro.org/lat.jsp (Consultado el 4 de febrero de 2016).

MINISTERIO DEL INTERIOR, "2016 es el año para recuperar la soberanía ciudadana", en http: //www.ecuadorsostenible.com/interior-2016-es-el-ano-para-recuperar-la-soberania-ciudadana/ (Consultado el 15 de marzo de 2016).

MUÑOZ, Pabel, "¿Cómo caminamos al Socialismo del Buen Vivir? Cinco años de Revolución Ciudadana desde el Plan Nacional del Buen Vivir" En: Corriente Alterna, *Ecuador: dilemas en las izquierda*. en: http: //www.flacsoandes.org/dspace/bitstream/10469/3731/1/REXTN-CA1-05-Mu%C3%B1oz. pdf (Consultado el 15 de octubre de 2015).

KENNY, Paul y SERRANO Mónica, "Introduction: Security Failure Versus State Failure". En *Mexico's Security Failure: Collapseinto Criminal Violence*, editado por Paul Kenny y Mónica Serrano, 1-25. New York, Routledge, 2012.

OFICINA DE LAS NACIONES UNIDAS CONTRA LA DROGA Y EL DELITO (UNODC). *Global Stuydeon Homicide*. Viena: UNODC, 2013.

OFICINA DE LAS NACIONES UNIDAS CONTRA LA DROGA Y EL DELITO (UNODC), "Trata de personas compite con el narcotráfico en América Latina". https: //www.unodc.org/ropan/es/IndexArticles/Trata_de_Personas/ trata-de-personas.html (Consultado el 28 de enero de 2016).

PEREA, Carlos Mario, Ana María JARAMILLO, Andrés Rincón MORERA, Michel MISSE, César ALARCÓN y Max Yuri GIL, "La paradoja latinoamericana. Las ciudades en perspectiva comparada". En: Ana María Jaramillo y Carlos Mario Perea (eds.). *Ciudades en la encrucijada: violencia y poder criminal en Río de Janerio, Medellín, Bogotá y Ciudad Juárez*. Medellín, Corporación Región, 2014.

PONTÓN, Daniel y Fredy RIVERA, *Microtráfico y criminalidad en Quito*. Quito, Observatorio Metropolitano de Seguridad Ciudadana, 2013.

PONTÓN, Daniel y Fredy RIVERA. "Postneoliberalismo y Policía: caso de Ecuador 2007-2013", Quito, documento inédito, 2015.

REGUILLO, Rossana. "De las violencias: caligrafía y gramática del horror", en *Desacatos* (40), 33-46. http: //www.scielo.org.mx/scielo.php?pid=S1405-92742012000300003&script=sci_arttext&tlng=en (Consultado el 22 de marzo de 2016).

RIVERA, Fredy, *Inteligencia Estratégica y Prospectiva*. Quito: FLACSO, SENAIN, 2011.

RIVERA, Fredy, "Crimen organizado, narcotráfico y seguridad: Ecuador estratégico y la región andina" en Niño C. (ed.), *Crimen organizado y gobernanza en la región andina: cooperar o fracasar*, Quito, FES-ILDIS, 2012.

RIVERA, Fredy Y BARREIRO Katalina, "Political Intelligence and National Security in Ecuador: A Retrospective Reading", Journal of Power, Politics & Governance December 2014, Vol. 2, n° 3 & 4, pp. 115-133.

RIVERA, Fredy, "Ecuador, tradiciones políticas, cambio de época y revolución ciudadana" en Murakami Yusuke (ed.), *La actualidadpolítica de los países andinos centrales en el gobierno de izquierda*, Lima; IEP, CIAS, 2014.

ROJAS AVERNA, Francisco. "Introducción", en Luis Guillermo Solís y Francisco Rojas Aravena (ed.), Crimen organizado en América Latina y el Caribe, Santiago de Chile, Catalonia, 2008.

RUGGIERO, Vincenzo. *Organized and Corporate Crime in Europe: Offers that Can't Be Refused*. Coords Aldershot et al, Singapore, Brookfield, 1996.

SAIN, Marcelo Fabián, *La reforma policial en América Latina. Una mirada crítica desde el progresismo*. Nueva Sociedad, 2009, en: http: //www.flacsoandes. org/web/imagesFTP/1246308259.la_reforma_policial_en_america_latina.pdf (Consultado el 10 de julio de 2013).

SERRANO, Mónica. "Crimen transnacional organizado y seguridad internacional: cambio y continuidad". En Mats Berdal y Mónica Serrano. *Crimen transnacional organizado y seguridad internacional*. México, Fondo de Cultura Económica, 2005, 1-25.

SES-CISALVA, http: //www.seguridadyregion.com/ (Consultado el 15 de diciembre de 2015).

THE LATIN AMERICAN PUBLIC OPINION PROJECT. 2014, en http: //vanderbilt.edu/lapop/interactive-data.php (Consultado el 10 de marzo de 2016).

Transparency Internacional. *Índice de percepción de corrupción 2015*. http: // www.transparency.org/cpi2015/#results-table (Consultado el 10 de febrero de 2016).

VELAZCO GAMBOA, Emilio. *La delincuencia en la era de la globalización*. CASEDE. Biblioteca Virtual. Visita en http: //www.seguridadcondemocracia.org/ buscada/pagina-2.html?searchword=delictiva (Consultado el 3 de enero de 2016).

ASPECTOS CRIMINOLÓGICOS: INTELIGENCIA, PERFILES Y BANDAS JUVENILES

ESTRATEGIAS GEOPOLÍTICAS DE LA CRIMINALIDAD ORGANIZADA: DESAFÍOS DE LA INTELIGENCIA CRIMINAL

DANIEL SANSÓ-RUBERT PASCUAL[1]

Sumario: 1. Evolución transnacional de la criminalidad organizada y desarrollo de capacidades estratégicas de Inteligencia criminal; 2. Interpretación geopolítica de la criminalidad organizada ¿Cómo y por qué operan las organizaciones criminales en el escenario internacional?; 3. Análisis de Inteligencia criminal en clave geopolítica. Aportaciones criminológicas para la prevención situacional y la interdicción efectiva; 4. Factores geopolíticos útiles para el análisis de Inteligencia criminal y el desarrollo de instrumentos predictivos y proactivos; 5. La "seguridad inteligente" frente al desafío de la criminalidad organizada.

Resumen: En cuestión de décadas, un problema que por tradición había sido interno, de orden público, se ha transformado en una amenaza transnacional, capaz de cuestionar la soberanía e independencia de los Estados. Representa un peligroso ejemplo de privatización de la violencia, capaz de evadir el principio del control territorial consustancial al Estado, proyectando su dominación sobre Estado y sociedad. Asumida por tanto la criminalidad organizada como amenaza a la seguridad internacional, son múltiples los interrogantes acerca del cómo y por qué de la expansión territorial de las organizaciones criminales, así como de cuáles y de qué naturaleza son los factores que favorecen o limitan la dispersión o bien su concentración geográfica.

Un análisis desde la óptica de la geopolítica, en clave criminal, permite identificar interesantes aportaciones para la comprensión del fenómeno de la transnacionalización de la criminalidad organizada, que resultan de máxima utilidad para su explotación desde la inteligencia criminal.

Palabras clave: criminalidad organizada transnacional, geopolítica criminal, inteligencia, geografía humana, geoestrategia, seguridad internacional.

---

[1]   Centro de Estudios de Seguridad (CESEG). Universidad de Santiago de Compostela (España). Miembro del Observatorio de Criminalidad Organizada Transnacional (OCOT). Universidad de Salamanca (España). Red Latinoamericana de Estudios de Seguridad y Delincuencia Organizada (RELASEDOR) daniel.sanso-rubert@usc.es

1. EVOLUCIÓN TRANSNACIONAL DE LA CRIMINALIDAD ORGANIZADA Y DESARROLLO DE CAPACIDADES ESTRATÉGICAS DE INTELIGENCIA CRIMINAL

La necesidad de entender qué sucede en el escenario internacional vigente, los posibles derroteros por los que transite su evolución y cuál es el papel desempeñado por la criminalidad organizada al respecto, a efectos de articular estrategias para su prevención, contención y erradicación, suscitan una pluralidad de interrogantes que requieren, lógicamente, de respuestas[2].

Respuestas, que demandan la satisfacción de las carencias actuales de conocimiento científico sobre aquellas manifestaciones criminales organizadas con capacidad de disputar al Estado el control territorial y social, así como el monopolio de la violencia[3]; para lo cual, la crimi-

---

[2]   Las últimas dos décadas se han caracterizado por un intenso debate doctrinal sobre la definición de crimen organizado, finalmente zanjado insatisfactoriamente por la normativa internacional; específicamente, a través de la Convención de las Naciones Unidas contra la Delincuencia Organizada Transnacional del año 2000, cuya definición ha sido objeto de crítica doctrinal por su elevado nivel de imprecisión, por su laxitud y por desvirtuar la pretensión original de reservar el concepto de "crimen organizado" para su aplicación exclusiva a casos de delincuencia grupal, que tuvieran un elevado impacto social y peligrosidad. DE LA CORTE, Luis y GIMÉNEZ-SALINAS, Andrea, *Crimen.org. Evolución y claves de la delincuencia organizada*, Barcelona: Ariel, 2010. FARALDO CABANAS, Patricia, "Sobre los conceptos de organización criminal y asociación ilícita", en Villacampa Estiarte, Carolina (coord.): *La delincuencia organizada: un reto a la política-criminal actual*, 2013, pp. 45-89. SANSÓ-RUBERT PASCUAL, Daniel, "Reflexiones criminológicas en torno al concepto criminalidad organizada", en *Ciencia Policial*, nº 97, 2009.

[3]   Al tratar de analizar las organizaciones criminales en su conjunto, aparece una amplísima variedad de tipos y formas, que podrían configurarse como un continuo. En los extremos de éste se encuentran desde pequeñas asociaciones ligeramente organizadas a través de vínculos débiles e inestables, hasta estructuras consolidadas y de extrema peligrosidad, capaces de enfrentar al Estado. La escena conforma un variopinto conjunto de organizaciones cuya estructura, disciplina, normas internas, división de roles, actividades ilegales desarrolladas y, por ende, su peligrosidad, representan una pluralidad de combinaciones. Esta diversidad es precisamente el principal impedimento para perfilar una definición universal, que consiga captar la esencia y las variables comunes de la totalidad de estas manifestaciones criminales. SANSÓ-RUBERT PASCUAL, Daniel

nología constituye una herramienta indispensable, pero no suficiente. La criminalidad transnacional organizada se distribuye geográficamente de manera muy desigual por todo el mundo, dependiendo tanto de condiciones regionales o locales, como del tipo de actividad criminal desempeñada. Aprehender adecuadamente su configuración espacial exige combinar varios niveles o escalas de análisis (desde lo local a lo global)[4], así como del recurso a disciplinas tradicionalmente ajenas a su estudio, pero actualmente indispensables, como la geopolítica.

Siguiendo esta línea argumental, una de las principales incógnitas orbita en torno a los procesos de expansión territorial de la criminalidad organizada. Cómo y por qué se producen, a efectos de identificar los prolegómenos que subyacen en el contagio criminógeno para desarrollar estrategias preventivas, que permitan actuar sobre la etiología de los factores coadyuvantes, neutralizándolos en origen; evitando con ello cualquier tipo de propagación. Tarea nada fácil, para la que se propone la conjugación de la criminología, la geopolítica y las capacidades de inteligencia.

La Inteligencia criminal, nutrida de los conocimientos aportados por la criminología y la geopolítica, despunta por su destacado potencial para la elaboración de análisis destinados a que los consumidores (destinatarios), tengan suficientes elementos de juicio para la adopción de respuestas adecuadas. Persigue un objetivo múltiple. Reducir los riesgos inherentes a toda acción o decisión (incertidumbre), para la implementación de estrategias y políticas criminales y de seguridad eficientes, al tiempo que contrasta la eficacia objetiva de las medidas pergeñadas al respecto. Conocer qué ha sucedido en el escenario cri-

---

y GIMÉNEZ-SALINAS, Andrea. "Crimen organizado", en De La Corte, Luis y Blanco, José María (coords.): *Seguridad nacional, amenazas y respuestas*, Madrid: Editorial Lid, 2014, pp. 133-148.

[4]   COE, Neil; KELLY, Philip y WAI-CHUNG, Henry, *Economic Geography: A Contemporary Introduction*, Oxford: Blackwell, 2007, p. 20. HALL, Tim "The geography of transnational organized crime. Spaces, networks, and flows", en Allum, Felia y Gilmour, Stan (eds.): *Routledge Handbook of Transnational Organized Crime*, Londres: Routledge, 2012, pp. 178-180; IBÁÑEZ MUÑOZ, Josep "Conflictividad armada y criminalidad organizada en la encrucijada", en Ibáñez Muñoz, Josep y Sánchez Avilés, Constanza (Dir.): *Mercados ilegales y violencia armada. Los vínculos entre la criminalidad organizada y la conflictividad internacional*, Madrid: Tecnos, 2015, pp. 16-17.

minal, qué está sucediendo y porqué, y qué es lo más probable que suceda en el futuro es la meta. Desvelar las estrategias criminales, si es factible corroborar que las hay, conocer su evolución y advertir con antelación, las posibles incursiones oportunistas de las estructuras criminales. No en vano, las estrategias expansionistas de las grandes organizaciones criminales han estado influenciadas por acontecimientos geopolíticos. El crimen organizado prospera explotando las ventanas de oportunidad (brechas sistémicas) abiertas al amparo de multitud de circunstancias, como la eclosión de los conflictos[5]. Cualquier intento de explicar el mapa geográfico de la criminalidad organizada en el mundo, exige entender una pluralidad de factores, metodologías expansivas e intereses variados, y cómo éstos se conjugan entre sí.

Como resultado, la Inteligencia criminal suministra *per se*, un conocimiento especializado y estructurado sobre el hecho criminal. Los productos de Inteligencia estratégica criminal son el resultado de procesos sistemáticos de elaboración y difusión de conocimiento útil sobre la delincuencia en sus diversas dimensiones y dentro de los contextos sociales en que se produce. No sólo establece cuál es la situación actual relativa al fenómeno, sino que aporta explicaciones sobre la existencia del mismo, estableciendo posibles evoluciones o tendencias, definiendo escenarios posibles y probables. Además, define las alternativas viables para reorientar la situación en el sentido más favorable de la lucha contra el crimen y establece los eventuales costes económicos y sociales, resultantes de la aplicación de dichas medidas[6].

El análisis geopolítico y geoestratégico, sumado a la Prospectiva, articula el escrutinio de la realidad criminal orientado hacia el futuro. Adoptar el diagnóstico, no como un objetivo en sí mismo, sino como un medio para poder pronosticar escenarios futuros, adscribirles pro-

[5] SANSÓ-RUBERT PASCUAL, Daniel, "Criminalidad organizada transnacional y seguridad internacional", en Fernández Rodríguez, José Julio; Jordán, Javier y Sansó-Rubert Pascual, Daniel (eds.): *Seguridad y Defensa hoy. Construyendo el futuro*, Madrid: Plaza y Valdés, 2008, pp. 207-240.

[6] SANSÓ-RUBERT PASCUAL, Daniel, "Inteligencia criminal. Una elección estratégica en clave de seguridad frente a la iniciativa de la delincuencia organizada", en Rivera, Fredy (coord.): *Inteligencia estratégica y Prospectiva*, Quito: FLACSO-SENAIN-AECID, 2011, pp. 215-238.

babilidad y deseabilidad, y poder así diseñar planes convenientes en virtud de objetivos prefijados, permitiendo adquirir un profundo conocimiento sobre la etiología de la criminalidad organizada, así como de su fenomenología.

Profundizando en la génesis de la delincuencia organizada, el que ésta haya elevado su estatus a la esfera internacional no es un fenómeno nuevo. Supone la adaptación de figuras delictivas antiguas a las condiciones científicas, técnicas y sociales contemporáneas. Es un fenómeno que se ha desarrollado a lo largo de siglos de manera vinculada a la existencia de actividades prohibidas en el marco de Estados territorialmente diferenciados[7]. Esta evolución se observa en cualquier época, pero parece que ha cobrado renovado brío particularmente en un siglo en el que el progreso técnico, de forma sobresaliente, se ha convertido en uno de los principales pilares de la civilización. La adaptación de la criminalidad a las condiciones de vida existentes en un mundo caracterizado por la impronta de la globalización, ha propiciado de forma "natural" el salto a la internacionalización[8]. No en vano la delincuencia organizada no es una rareza original surgida al hilo de ésta última. No ha irrumpido repentinamente en la historia de la criminalidad (*nihil nove sub sole*), sino que, por el contrario, ha evolucionado de forma paralela a la sociedad, hasta presentarse en los tiempos actuales con una faz innovada respecto de las formas tradicionales[9].

El carácter transnacional sirve para establecer otro elemento importante: el grado de organización del grupo delictivo. A mayor com-

---

[7] IBÁÑEZ MUÑOZ, Josep, "Conflictividad armada y criminalidad organizada en la encrucijada", *op. Cit.*, p. 15.

[8] SANSÓ-RUBERT PASCUAL, Daniel, "Criminalidad organizada transnacional y seguridad internacional", *op. Cit.* pp. 207-212.

[9] A pesar de esta transformación resulta necesario clarificar que, con carácter general, no toda delincuencia organizada es internacional, ni toda la internacional es organizada. Múltiples grupos de delincuentes manifiestan notas características de organización, pero a pesar de ello no tienen cabida bajo el rótulo de delincuencia organizada, como la mera asociación temporal con fines delictivos (coautoría), y otros que sí están categorizados como tal, no operan en la esfera internacional. SANSÓ-RUBERT PASCUAL, Daniel. "Globalización y delincuencia: el crimen organizado transnacional", en Jordán, Javier; Pozo, Pilar y Baqués (Coords.) (eds.), *Más allá del Estado*, Madrid: Plaza y Valdés, 2011, pp. 135-157.

plejidad organizativa la tendencia es a operar transnacionalmente[10]. La delincuencia organizada crece, muta y fruto de la transformación continua se perfecciona, consolidando estructuras organizativas cada vez más complejas. Estructuras, que posibilitan el que el fenómeno criminal organizado haya logrado un alcance integral: ha adquirido dimensiones globales (en lo geográfico), transnacionales (en lo étnico y cultural), multiformes (en su estructura y en los acuerdos que forja con sectores políticos y sociales) y pluriproductivas (en cuanto a la abundancia de bienes y servicios lícitos e ilícitos que transacciona)[11]. Estratégicamente, el principal elemento de preocupación radica en la determinación de las organizaciones criminales a lograr su arraigo a niveles estructurales, principalmente políticos y económicos[12].

Máxime, cuando las reivindicaciones geopolíticas paulatinamente se han ido situando en la confluencia de lo económico con lo político: el mundo actual se caracteriza por la estrecha vinculación existente entre el poder político y el poder económico[13], realidad en la que la

---

[10]   LUPSHA, Peter, "Transnational Organized Crime versus the Nation State", en *Transnational Organized Crime*, vol. 2, 1996, pp. 21-48.

[11]   TOKATLIAN, Juan Gabriel, "La guerra antidrogas y el Comando Sur: Una combinación delicada", en *Foreign affairs: Latinoamérica*, vol. 10, n°. 1, 2010, pp. 43-50.

[12]   SANSÓ-RUBERT PASCUAL, Daniel. "Globalización y delincuencia: el crimen organizado transnacional", *op. Cit.*, pp. 135-140.

[13]   La geopolítica viene influida en lo sustancial por la geoeconomía, según los conceptos desarrollados por Edward Luttwak y por Pascal Lorot. LUTTWAK, Edward, "From Geopolitics to Geoeconomics: Logic of Conflict, Grammar of Commerce", en *The National Interest*, n° 20 (January, 1990), pp. 17-23; LOROT, Pascal, "La géoeconomie, nouvelle grammaire des rivalités internationales", en *L'information géographique*, Vol. 65, n° 1, 2001, pp. 43-52. Accesible en: http: //www.pezsee.fr/doc/ ingeo_0200_0093_2001_num_65_1_2733.   Una adaptación del concepto de Lorot de geoeconomía extrapolado a la criminalidad organizada podría asimilarse como "el análisis de las estrategias de orden económico, adoptadas por las organizaciones criminales, conducentes a explotar favorablemente las economías nacionales o algunos de sus componentes, a adquirir el dominio de ciertas tecnologías claves, y/o a conquistar ciertos segmentos del mercado mundial relativos a la producción o comercialización de un producto o de una gama de productos sensibles, empleando estrategias lícitas e ilícitas, sobre los cuales, su posesión o su control confiere a los detentadores —criminalidad organizada transnacional— un elemento de poder o de proyección internacional y contribuye al reforzamiento de su potencial económico y social". La geoeconomía no se ajusta necesariamente a un territorio concreto, ni

criminalidad organizada opera con comodidad, ejemplificando uno de sus máximos exponentes; especialmente, cuando la geopolítica del siglo XXI se adentra en un espacio global donde gran parte del poder se ejerce fuera de una geografía física concreta, tal como sucede en el ciberespacio, donde la ciberdelincuencia goza de un amplio campo donde actuar con discrecionalidad, con elevados niveles de impunidad y plenamente inmersa en la esfera transnacional.

La dificultad del escenario aumenta, debido a los continuos procesos evolutivos que experimentan las estructuras criminales, adaptándose al entorno en el que pretenden llevar a cabo sus actividades ilícitas, para evitar la pérdida de competitividad y eficacia. Adaptabilidad, que igualmente se traduce en el incremento de su capacidad de resistencia y resiliencia, frente a las intromisiones tanto del Estado, como de otras organizaciones competidoras.

Finalmente, subrayar el que la transnacionalización de las organizaciones criminales les permite, no sólo aprovecharse de la difuminación del rastro de las actividades ilícitas por diferentes territorios, sino además, explotar la cultura criminal de la supresión de la prueba[14] (desarrollo de capacidades y metodologías de profilaxis forense: neutralizar pruebas y evidencias óptimas para su explotación criminalística), logrando incluso la ocultación de todas o parte de las etapas que componen el ciclo criminal.

A tenor de lo previamente expuesto, sumado al desgaste acusado por los instrumentos tradicionalmente empleados en la lucha contra la criminalidad organizada, eminentemente represivos y que han perdido en muchos aspectos eficacia operativa, la exploración de nuevas alternativas y perspectivas para articular estrategias se hace indispensable.

---

tiene una base territorial, en el sentido de proteger el bienestar de una población concreta. Se dirige, por el contrario, a la consecución de unos intereses políticos determinados mediante el uso de instrumentos económicos. Intereses que, en el contexto global, usan la economía y sus recursos, como elementos de poder o predominio. OLIER, Eduardo, *Geoeconomía. Las claves de la economía global*, Madrid: Pearson-Prentice Hall, 2013 (2ª edición).

[14]   SANSÓ-RUBERT PASCUAL, Daniel, "¿Inteligencia criminal?: Líneas de demarcación y áreas de confusión. La necesidad de reevaluar su rol en la esfera de la seguridad y en la lucha contra la criminalidad organizada", en Velasco, Fernando y Arcos, Rubén (eds.). *Cultura de Inteligencia, Un elemento para la reflexión y la colaboración internacional*, Madrid: Plaza y Valdés, 2012, pp. 347-360.

2. INTERPRETACIÓN GEOPOLÍTICA DE LA CRIMINALIDAD ORGANIZADA ¿CÓMO Y POR QUÉ OPERAN LAS ORGANIZACIONES CRIMINALES EN EL ESCENARIO INTERNACIONAL?

La geopolítica[15] del crimen organizado (la relación entre la geografía, la política y la delincuencia organizada), constituye una herramienta de máxima utilidad para entender cómo las estructuras criminales diseñan su expansión internacional y las diversas fórmulas que adoptan para dotarse del control de un marco territorial específico; buscando siempre como organización, satisfacer sus intereses lo más eficientemente posible, en la medida de las circunstancias.

Como lo especificó Heidegger[16], el crimen organizado es un poder configurador en el mundo moderno al igual que los Estados. Es un factor fundamental para entender el mundo actual. Las condiciones políticas, económicas y sociales, pueden facilitar el crecimiento y agudización de las actividades criminales, en un espacio geográfico concreto. La geopolítica permite identificar la dimensión espacial de la criminalidad organizada, posibilitando la comprensión de las relaciones de poder (alianzas Vs. rivalidades), que se articulan en relación a un territorio o espacio geográfico determinado, que puede ser entendido en términos macro geográficos (país, región, sección de costa, área marítima...) o micro (paso fronterizo, ciudad, barrio, instalación portuaria...). La paradoja de la revalorización del territorio y su control efectivo[17], en un mundo globalizado. La situación geográfica de un país, región o ciudad, resulta tanto más favorable

---

[15]   Aunque originalmente el término "geopolítica" se debe al politólogo sueco Rudolf Kjellen, que lo formuló en 1899, suele atribuirse su paternidad al geógrafo alemán Friedrich Ratzel, en gran medida debido a que Kjellen, trabajó con las ideas de Ratzel (RATZEL, Friedrich, *The History of Mankind*. New York: Macmillan and Co., 1898. Libro digitalizado: https://archive.org/details/historyofmankind03ratzuoft30) y del maestro de éste, Karl Ritter. PARKER, Geoffrey, *Western Geopolitical Thought in the Twentieth Century*, London: Croom Helm, 1985.

[16]   LACOSTE, Yves, "*Le Cancer des Drogues Ilicites*", en *Herodoto*, nº 112, 2004, p. 2.

[17]   RUGGIERO, Vincenzo y GOUNEV, Philip, *Corruption and Organized Crime in Europe: Illegal Partnerships*, Londres y Nueva York: Routledge, 2012.

para la criminalidad organizada, en función de las posibilidades que aporte a los objetivos criminales (patrones diferenciados o asimetrías criminogénicas[18]) y su vinculación con alguna, algunas o todas las fases del ciclo criminal (como país productor de una determinada droga o el origen de determinados tráficos ilícitos, como país de tránsito o almacenamiento de dichos tráficos, como país "refugio" de las cúpulas de las estructuras delictivas, como país de destino de las ganancias ilícitas para su blanqueo...), con el consiguiente reconocimiento de la importancia que debe tener la conjunción de la investigación geográfica y criminológica.

Tomando la definición que nos ofrece el profesor Bauman sobre su concepción de la Modernidad en términos de "liquidez[19]", parece una metáfora apropiada para adjetivar un concepto de geopolítica, que es posible trasladar a las estructuras de criminalidad organizada y a la geopolítica criminal de la que se sirven, para una mejor comprensión de su exitosa proyección transnacional, en términos de fluidez, adaptabilidad y permeabilidad de los Estados de una parte, y en relación a la alta plasticidad morfológica de las estructuras, que sirven de raigambre para organizar las actividades ilícitas.

Consecuentemente, desentrañar la geopolítica criminal persigue comprender la lógica y ambiciones, que motivan a aquellas personas responsables de la dirección de las organizaciones criminales (cúpulas). Identificar las motivaciones y estrategias que determinan el cómo y por qué se produce la expansión territorial de las organizaciones criminales, los factores coadyuvantes al respecto y los criterios que determinan el establecimiento de relaciones entre las organizaciones y la naturaleza de las mismas, o justifican la confrontación directa[20].

La geopolítica criminal pretende ser sencillamente un método, una clave de lectura de acontecimientos: una herramienta de comprensión

---

[18] PASSAS, Nikos, "Globalization and Transnational Crime: Effects of Criminogenic Asymmetries", en Williams, Phill y Vlassis, Dimitri (eds.), *Combating Transnational Crime: Concepts, Activities and Responses*, Londres: Frank Cass.

[19] BAUMAN, Zygmunt, *Modernidad líquida*, México D.F., Ed. Fondo de Cultura Económica, 2004.

[20] SANSÓ-RUBERT PASCUAL, Daniel, "Geopolítica criminal", en *Revista Ábaco*, monográfico: *La venganza de la geopolítica*, vol. 3, n° 85, 2015, pp. 62-75.

e interpretación de los procesos diferenciados de difusión de las estructuras criminales.

Los procesos de difusión transnacional de las estructuras criminales obedecen a una conjunción de una pluralidad de factores (estructurales/coyunturales), que repercuten en la variabilidad de formas de propagación. No se expanden sin más. Cualquier movimiento más allá del contexto territorial controlado por una organización, representa una pluralidad de dificultades (financieras, económicas, técnicas, logísticas, contables, mercantiles y jurídicas), que deben ser objeto de estudio y planificación (desarrollo de una estrategia, por mínima que ésta sea), e incertidumbres a las que hay que hacer frente, como la capacidad de respuesta institucional en las áreas geográficas donde incursionan, las relaciones con las organizaciones criminales locales[21] o el grado de organización y contestación social frente a su presencia.

Una fórmula en clave geopolítica, para desgranar las incógnitas relativas a la expansión transnacional del fenómeno criminal organizado (por y para qué, cómo, qué y con qué), conjuga un esquema donde se interrelacionan, simultáneamente, la identificación de las necesidades, exigencias circunstanciales, objetivos perseguidos y medios para su consecución a disposición de las estructuras criminales con las circunstancias espacio temporales sobre el entorno, que condicionan el desplazamiento y asentamiento de las organizaciones criminales. Aplicación del Modelo PESTEL, cuyas iniciales hacen referencia a los aspectos políticos, económicos, sociales, tecnológicos, medioambientales y legales. Su uso es preferentemente de carácter estratégico, con el objetivo de determinar las variables que afectan al fenómeno, que se vaya a someter a estudio.

El fenómeno delictivo, lo mismo que cualquier otro hecho social, está estrechamente relacionado con las realidades que lo circundan. La delincuencia no se genera en "abstracto", sino que se materializa en un contexto espacio-temporal concreto. Tiene lugar en unas determinadas condiciones sociales, de desarrollo tecnológico, político y humano, que influyen decisivamente en la forma en cómo esa delin-

---

21   VARESE, Federico, *Mafias on the Move: How Organized Crime Conquers New Territories*, New Jersey: Princeton University Press, 2013.

cuencia se produce, en sus modos y maneras de manifestarse, en su cantidad, intensidad y en todas sus connotaciones y peculiaridades[22].

La criminalidad organizada en su expansión territorial, tergiversa de facto los mapas oficiales, imponiendo su realidad geopolítica. Esta nueva geografía política mundial no estatal, condiciona la escena internacional actual: conlleva un reparto geográfico de áreas de dominio e influencia y el establecimiento de fronteras invisibles pero muy reales, emulando el concepto de "imperio invisible" de Pierre George, en su obra *La géographie á la poursuite de l'histoire*[23]. Cada organización tiene su propia demarcación territorial, de carácter infra y supranacional, al margen de los límites convencionales físicos y jurídicos oficialmente establecidos. Este orden territorial desafía las soberanías locales, estatales e internacionales.

Aparecen y desaparecen constantemente realidades geopolíticas criminales, cuyo modelo de expansión se fundamenta en el control territorial. Es posible identificar un núcleo territorial base, como punto de partida, donde surge y germina la organización delictiva. Este espacio territorial representa un enclave vital para su supervivencia, ya que han sido las características particulares del mismo las que han favorecido la eclosión y fortalecimiento de la estructura criminal, hasta el extremo de que ésta se haya fortalecido lo suficiente como para monopolizar el control del territorio y promover su progresiva expansión (la región de Nápoles, por ejemplo, en el supuesto de la Camorra, Calabria, si hablamos de la N'drangheta, Medellín y Cali en Colombia, o determinadas áreas geográficas de México, si hablamos de los principales cárteles de la droga, por citar ejemplos internacionalmente reconocidos). Territorio primigenio, que se consolida como baluarte de la organización criminal dominante y que, a su vez, le sirve de plataforma para su expansión, generalmente en fases sucesivas atendiendo a una diversidad de elementos[24].

---

22   SANSÓ-RUBERT PASCUAL, Daniel, "La internacionalización de la delincuencia organizada: análisis del fenómeno", en *UNISCI Discussion Papers*, nº. 9, 2005, pp. 43-62.

23   GEORGE, Pierre, *La géographie á la poursuite de l'histoire*, París: Armand Collin, 1992.

24   SANSÓ-RUBERT, Daniel, "Geopolítica criminal", *op. Cit.*, pp. 62-65.

A priori, la hipótesis más extendida se inclina a favor del reconocimiento del delincuente profesional, integrado en una organización delictiva, como un *homo economicus* (Teoría criminológica de la elección racional). Un perfil profesionalizado, que ha escogido racionalmente el ejercicio de la delincuencia como modo de vida (*livestyle*) y asume su condición de experto y profesional de sus actividades.

Este planteamiento se inclina a favor de reconocer el fenómeno delictivo organizado como un comportamiento racional, pragmático y utilitarista, lo cual, en puridad, no sería del todo cierto. A pesar de ello, cabe presumir, a tenor de la información disponible contrastada que, de ordinario, los líderes de las organizaciones de delincuencia organizada son actores racionales auto-interesados[25]. Las organizaciones pueden ser consideradas como actores racionales, centrándose para este análisis exclusivamente en los grupos como conjunto y en las decisiones tomadas exclusivamente por la dirección de las mismas. En este contexto analítico de partida, la racionalidad de los restantes miembros queda excluida, en tanto no son los que toman las decisiones dentro de la organización. Se supone que las decisiones que se adopten para interactuar con otros grupos, participar en ciertas actividades o, en términos generales, las decisiones que afectan a la organización como estructura, se tomarán al más alto nivel de liderazgo.

Desde esta perspectiva, la movilización de las organizaciones criminales obedecería a una estrategia de mercado y de acción expansionista, previamente planificada y diseñada, apoyada en el correspondiente análisis de riesgos[26]. Objetivo: el aprovechamiento de una serie de circunstancias identificadas como oportunidades para el lucro (ventanas de oportunidad), minimizando los posibles riesgos. Éstos incluyen la confrontación con otras organizaciones por el control del territorio y de las actividades lícitas e ilícitas desarrolladas en él, cuando el pacto no es posible, o no interesa. Lo habitual es que el empleo de la violencia sea residual, porque no favorece los negocios (empleo pragmático

---

[25] SHELLEY, Louise y PICARELLI, John, "Methods and Motives: Exploring links between Transnational Organized Crime and International Terrorism ", en *Report for the US Department of Justice*, funded by Grant 2003-IJ-CX-1019. September 2005. Accesible en: http: //www.ncirs.gov/pdffiles1/nij/grants/211207.pdf

[26] MORSELLI, Carlo, *Contacts, Opportunities, and Criminal Enterprise*, Toronto: University of Toronto Press, 2005.

de la violencia). El estallido de la violencia es síntoma de inestabilidad territorial (actualmente el caso mexicano). Comportamiento, que suele manifestarse en relación con un territorio controvertido, en disputa entre varias organizaciones para establecer el dominio de la plaza. O, los escenarios de conflicto armado y post conflicto, que también generan espacios de especial interés para la criminalidad organizada. Algunos trabajos han subrayado el vínculo existente ente violencia armada y criminalidad organizada[27], como uno de los principales factores generadores de criminalidad organizada, tanto durante un conflicto armado, como en situaciones de reconstrucción posbélica. Algunos autores han construido una tipología de acuerdo con la cual, distinguen cinco formas de confluencia de la violencia armada y la criminalidad organizada: coexistencia, parasitismo, dependencia, interdependencia y simbiosis[28]. En tanto que tipos ideales, estas categorías de confluencia de los dos fenómenos deben entenderse como referencias y tendencias para comprender la realidad, pero sin olvidar que ésta es dinámica, que los conflictos armados y los mercados ilegales evolucionan y que, una situación definida de una manera determinada en un momento dado, puede requerir una definición diferente si con el paso del tiempo cambian sus elementos esenciales[29].

Por otro lado, la conformación del ciclo criminal es determinante a efectos de dispersión transnacional de las estructuras criminales. Las organizaciones delictivas buscan mantener una posición geoestratégica privilegiada, que les permita mantener el control efectivo del ciclo criminal, tanto en sus diferentes fases (producción, recolección, fabricación y distribución), como en las actividades de soporte del mismo (logística y protección). Controlar íntegramente el ciclo genera unas responsabilidades que traspasan las fronteras, bien me-

---

[27] KALDOR, Mary, *Las nuevas guerras. Violencia organizada en la era global*, Barcelona: Tusquets, 2001; Mc MULLIN, Jaremey, "Organised Criminal Groups and Conflict: The Nature and Consequences of Interdependence", en *Civil Wars*, vol. 11, n° 1, 2009, pp. 75-102.

[28] La denominación de algunos de estos cinco tipos ideales toma prestados términos previamente acuñados en este ámbito por Lupsha (LUPSHA, Peter, *op. Cit.*, pp. 31-32) y Mc Mullin. Mc MULLIN, Jaremey, "Organised Criminal Groups and Conflict", *op. Cit.*, pp. 75-102.

[29] IBÁÑEZ MUÑOZ, Josep, "Conflictividad armada y criminalidad organizada en la encrucijada", *op. Cit.*, pp. 21-29.

diante la ampliación de la estructura de la organización a las áreas geográficas donde se desarrolla cada una de las fases, bien mediante otras opciones de control (como la representación), que implican un menor esfuerzo organizacional; máxime, cuando la opción cada vez más extendida, habida cuenta de las dificultades de mantener indemnes las estructuras criminales sobredimensionadas, es el recurso a la externalización de determinados cometidos.

Acudir a individuos (*facilitadores*) o estructuras ajenas a la organización (estructuras criminales o no, al servicio de estructuras, conformando redes), en determinadas fases del ciclo criminal, obedece a la especialización de la prestación ofrecida. Proveen de servicios financieros, económicos, técnicos, logísticos, contables, mercantiles y jurídicos, así como de una dilatada experiencia en el control del riesgo, permitiendo aumentar tanto la seguridad de las operaciones, como los beneficios. Existen incluso, organizaciones especializadas precisamente en la provisión de cobertura a la actividad ilícita: seguridad de las operaciones[30], apoyo y soporte logístico (ocultación, transporte, almacenamiento...), operando como un eslabón más de la cadena delictiva organizada. Su relevancia, ha captado la atención institucional para su inclusión como objetivo prioritario a neutralizar, a los efectos de lograr atajar las manifestaciones de actividad criminal.

A pesar de su relevancia, el arraigo territorial y el ciclo criminal, no suponen una limitación. No implican inmovilidad. Por ello, resulta igualmente factible identificar contextos emergentes, que originan el desplazamiento no intencional de las organizaciones criminales, motivado por factores de empuje (*pull factors*), sobrevenidos. Se trata en este supuesto, de una adaptación forzada a las circunstancias ambientales.

En cuanto a los desplazamientos de las organizaciones criminales se refiere (en un mundo globalizado), algunos autores establecen diferentes categorías en función del modo en que éstos se producen[31]. Concretamente, identifican como *expansión*, el desplazamiento ca-

---

[30]   GAMBETTA, Diego, *La mafia siciliana. El negocio de la protección privada*. México: Fondo de Cultura Económica, 2007.

[31]   VARESE, Federico, *Mafias on the Move, op. Cit.*; GARZÓN, Juan Carlos, *La rebelión de las redes criminales: el crimen organizado en América Latina y las fuerzas que lo modifican*, Washington, D.C., Woodrow Wilson International Center for Scholars, 2012.

racterizado por la presencia en nuevos territorios, pero adoptando un perfil bajo. Autolimitando las capacidades de actuación, con la finalidad de permanecer desapercibidos. La *trasplantación*, por el contrario, se corresponde con un desplazamiento parcial. Las organizaciones sólo reproducen parcialmente su estructura enfocándose generalmente en tres líneas operativas: tráficos ilícitos y alianzas para la distribución local al por menor, lavado de activos y búsqueda de refugio para los integrantes de las cúpulas. Esta opción se reproduce habitualmente en los principales centros urbanos de aquellos países, que representan un interés estratégico para la criminalidad organizada (Madrid, ejemplifica esta modalidad en relación al tráfico de cocaína). Finalmente, una tercera categoría sería la *representación criminal*, que consiste en el desplazamiento temporal de miembros de la organización al territorio de otra con la que se mantiene algún tipo de relación comercial. Mecanismo, que opera como garantía de cumplimiento y de no confrontación, en las transacciones ilegales en las que predomina la desconfianza. A su vez, los miembros desplazados, actuarían como supervisores de las actuaciones de la contraparte para la que sirven de garantía, asegurándose del correcto desempeño de los parámetros acordados.

Cabría, a mi juicio, incorporar una cuarta categoría para recoger aquellas situaciones de conquista territorial. Cuando la expansión es definitiva y el establecimiento en el territorio pleno. Se lleva a cabo con la intención de su incorporación al espacio bajo el control de la organización criminal: el *asentamiento*.

Todas estas categorías explicativas, que no son únicas ni excluyentes, resultan de utilidad para la comprensión de la movilización del crimen organizado. El resultado de su distribución geográfica mundial es muy desigual, dependiendo tanto de las condiciones regionales o locales (vacío de poder político e ideológico, una historia previa de delincuencia en mayor o menor medida organizada, condiciones geográficas expresas como áreas de cultivo o rutas de tránsito de tráficos ilícitos, pauperización de la población, debilidad institucional del Estado…), como del tipo de actividad criminal de la que se trate.

3. ANÁLISIS DE INTELIGENCIA CRIMINAL EN CLAVE GEOPOLÍTICA. APORTACIONES CRIMINOLÓGICAS PARA LA PREVENCIÓN SITUACIONAL Y LA INTERDICCIÓN EFECTIVA

La geopolítica criminal permite entrever la orientación de las intenciones de los actores criminógenos, más allá de las apariencias. Apoya la búsqueda de sus motivaciones ocultas. No existen leyes generales, sino factores que pueden combinarse. Thual defiende, que cada postura geopolítica responde o bien a una voluntad de materializar ciertas ambiciones, o bien a una necesidad de defenderse de alguna amenaza[32]. En definitiva, la función de esta disciplina consiste en captar las causas estructurales y permanentes, presentes en los fenómenos internacionales e identificar la conflictividad derivada de los mismos, atendiendo a la continuidad y trascendiendo las apariencias y lo inmediatamente visible, en favor de identificar la causa última. En su caso, la geopolítica criminal consistirá en aplicar los conocimientos de la disciplina a la criminalidad organizada para profundizar en su conocimiento, enriqueciendo con sus aportes el análisis de inteligencia criminal.

Todo ello en aras de afrontar uno de los principales retos presentes y futuros de la lucha contra la criminalidad organizada, expuesto en términos de éxito o fracaso: el recurso a la inteligencia criminal, no sólo como fundamento para la adopción de decisiones, sino también, para el soporte de la acción. Actualmente, las estrategias de disuasión focalizada y de acción selectiva[33], no sólo contra las organizaciones en su conjunto o sus actividades y mercados, sino sobre sus dirigentes, buscando con ello la neutralización efectiva del fenómeno, ganan paulatinamente reconocimiento como alternativas prometedoras.

Hipotéticamente, en circunstancias ideales, el aparato de seguridad responsable de enfrentar la delincuencia organizada, debería responder de forma uniforme y estandarizada a todas las organizaciones delictivas.

---

[32]   THUAL, François, *Méthodes de la géopolitique*, París: Ellipses, 1996.

[33]   FELBAB-BROWN, Vanda, *Modernizando la aplicación de la ley. Informe 2. Disuasión focalizada, acción selectiva, tráfico de drogas y delincuencia organizada: conceptos y prácticas*, 2013. Consorcio Internacional sobre Políticas de Drogas. Accesible en: https: //dl.dropboxusercontent.com/u/64663568/library/MDLE-report-2_Focused-deterrence_SPANISH.pdf

Básicamente, el objeto de esta respuesta estandarizada sería garantizar la intervención equitativa del Estado frente al conjunto de la criminalidad organizada, evitando, al intervenir en todos los frentes detectados simultáneamente, favorecer a una determinada organización en detrimento de otras[34].

Este postulado teórico quiebra en la práctica, cuando debemos asumir la limitación de medios y recursos disponibles para atajar las manifestaciones de delincuencia organizada. Precisamente, en este aspecto, para superar los problemas de limitación y dispersión de recursos, las estrategias de disuasión focalizada y acción selectiva cobran relevancia. Permiten centrarse selectivamente en un objetivo (neutralizar a un grupo delictivo o *delincuente crónico*), en un espacio geográfico acotado (*Hot Spots*) de dimensión variable (un barrio, una ciudad, una provincia, en todo el territorio nacional)[35], con un doble objetivo: el primario, la desarticulación de la organización o neutralización del sujeto delincuente y otro secundario, que consiste en enviar un mensaje disuasorio para el resto de organizaciones e integrantes del crimen organizado para que desistan de sus actividades delictivas, ya que paulatinamente irán ocupando el rol de objetivo[36].

En lo que a las redes delictivas respecta, el *quid* de la cuestión radica en identificar en qué punto de la estructura de la organización o en qué momento del transcurso del ciclo criminal y de las relaciones entre grupos criminales, resultará más óptimo actuar y en qué sentido (represión, intoxicación informativa, infiltración...). Incidir, en el hecho de que, la captura de los líderes de las facciones criminales e incluso, la aprehensión de una porción importante de los integrantes de

---

[34]   FELBAB-BROWN, Vanda, *Modernizando la aplicación de la ley. op. cit.*
[35]   BRAGA, Anthony, "The effects of hot spots policing on crime", en *American Academy of Political & Social Science*, nº 578, 2001, pp. 104-125.
[36]   BRAGA, Anthony: "Getting deterrence right?", en *Criminology and Public Policy*, vol. 11, nº 2, 2012, pp. 201-210; BRAGA, Anthony y WEISBURD, David, "The effects of focused deterrence strategies on crime: A systematic review and meta-analysis of the empirical evidence", en *Journal of Research in Crime and Delinquency*, vol. 49, nº 3, 2012, pp. 323-358; KENNEDY, David (2011), *Don't shoot: One man, a street fellowship, and the end of violence in inner-city America*. New York, Bloomsbery; KENNEDY, David; TOMPKINS, Daniel y GARMISE, Gayle, "Pulling levers: Getting deterrence right", en *National Institute of Justice Journal*, nº 236, 1998, pp. 2-8.

una red criminal, podrá tener un impacto temporal en las conexiones, sin que esto implique la desarticulación definitiva. Por ello, el recurso a la inteligencia criminal como apoyo a la adopción de decisiones estratégicas de interdicción selectiva y acción focalizada, constituye una necesidad a efectos de lograr intervenciones exitosas, que alcancen el máximo grado de neutralización de los objetivos.

Lógicamente, el criterio a elegir para fundamentar las estrategias de disuasión focalizada y acción selectiva (peligrosidad, daño, capacidad de infiltración institucional, capacidad de desestabilización estatal, empleo abusivo de la violencia, vínculos con organizaciones terroristas...), deberá ser objeto de evaluación en función de las circunstancias locales de cada país sobre la base de un análisis comparativo de costos, beneficios y compensaciones.

Llegados a este punto, conviene recalcar que la inteligencia criminal aporta "conocimiento" informado que permite a las autoridades anticiparse y neutralizar o disuadir las amenazas, riesgos y conflictos vinculados con la delincuencia organizada. Proteger y promover los intereses nacionales de cualquier naturaleza (políticos, sociales, económicos, mercantiles, culturales, comerciales, empresariales...), frente a la criminalidad organizada.

La inteligencia criminal posibilita la individualización de las estrategias y su adecuación a realidades geográficas concretas: promover medidas diferenciadas frente a grupos que operan bajo lógicas distintas. Las medidas implementadas para contener la difusión del crimen deben tener en cuenta los distintos tipos de estructura que intervienen en este proceso y las distintas maneras en que las facciones criminales expanden su presencia hacia otros territorios. En el proceso de expansión del crimen organizado intervienen grupos con lógicas distintas, que requieren de modelos de intervención diferenciados.

Un buen producto de inteligencia criminal no sólo describe cuál es la situación actual relativa al fenómeno, sino que aporta explicaciones sobre la existencia de dicho fenómeno y establece posibles evoluciones o tendencias, desarrollando diversidad de escenarios viables. Además, define las alternativas factibles para reorientar la situación en el sentido más favorable para su erradicación y control, y establece los eventuales costes económicos y sociales resultantes de la aplicación de dichas medidas. De la misma forma, posibilita conocer y analizar la distribución geográfica de la actividad delictiva, la concentración territorial de las organizaciones criminales (densidad criminal), el surgimiento de nuevos nichos de mercado ilícitos, la introducción de novedosas metodologías y *modus operandi*, nuevos productos y servicios, la identificación de las estrategias puestas en práctica por las estructuras delictivas, la familiarización con la subcultura delictiva, las características sociodemográficas relevantes de los miembros de las organizaciones criminales para su conveniente explotación (nacionalidad, región de procedencia, etnia, familia, profesión, condición de ex policías o ex combatientes, tipología de actividad ilícita en la que está especializado...), así como la detección del ascenso y caída de las organizaciones criminales, en virtud de sus fortalezas y debilidades.

De igual forma, su utilidad redunda en su empleo como un instrumento de análisis del éxito de las políticas públicas y decisiones adoptadas en la confrontación con la criminalidad organizada. Destinar capacidades de inteligencia para la realización de análisis sobre la gestión pública del Estado y el fortalecimiento institucional, con el fin de vislumbrar con la debida anterioridad, cómo determinadas decisiones sobre el manejo de lo público (recursos, bienes, y servicios), permiten o facilitan las operaciones y funcionamiento de organizaciones al margen de la ley; de tal forma, que se puedan identificar las implicaciones de las decisiones y esquemas preventivos adoptados, para evitar el fortalecimiento involuntario del crimen organizado.

4. FACTORES GEOPOLÍTICOS ÚTILES PARA EL ANÁLISIS DE INTELIGENCIA CRIMINAL Y EL DESARROLLO DE INSTRUMENTOS PREDICTIVOS Y PROACTIVOS

La Prospectiva, definida como el estudio del futuro para poder influir en él, ofrece posibilidades de aplicación a diferentes áreas de conocimiento. En el ámbito del análisis de inteligencia aplicado al crimen organizado (inteligencia criminal prospectiva), toda aproximación al estudio del futuro es indispensable, en primer lugar, por la necesidad de anticipar riesgos[37]. En segundo lugar, dado que todo diseño estratégico precisa contar con una visión de futuro; una aproximación al futuro es un *input* para la elaboración de estrategias, desarrollo de planes de acción y toma de decisiones. Y, en tercer lugar, porque el estudio del futuro genera una nueva forma de pensar y de afrontar los problemas de seguridad[38].

De manera más concreta, la prospectiva, explotada en el marco de la inteligencia criminal, puede operar como un sensor de los procesos de cambio que se producen, en todos los ámbitos del Modelo PESTEL, ya mencionado, y que afectan de manera positiva, coadyuvando a su expansión o negativa, lastrando y limitando el fenómeno criminal organizado. La detección de tendencias y la determinación de indicadores, propician la identificación de señales débiles y la configuración de sistemas de alerta temprana, que adviertan las transformaciones en los patrones criminales o la aparición de nuevos riesgos y amenazas. Adicionalmente, el estudio del futuro aporta una forma diferente de pensar, basada en la creatividad y el pensamiento crítico; una reflexión sobre futuros riesgos y amenazas, desde una visión no anclada ni al presente, ni al pasado[39].

Simplificando su desarrollo teórico, es posible identificar dos grandes líneas en los estudios de futuro aplicados a la inteligencia criminal. La primera, orientada a la predicción (*forecasting*) y la segunda, a la prospectiva (*foresight*). Ambos, persiguen la comprensión de los factores que subyacen en relación con la movilidad de los grupos del crimen organizado.

La clave radica, en entornos de cambio veloz y creciente complejidad e incertidumbre, en que los modelos prospectivos deben tratar de ofrecer escenarios de futuro, al objeto de adoptar las decisiones conducentes a los más favorables en detrimento de los indeseados.

---

[37]   BLANCO NAVARRO, José María y JAIME, Óscar, "Toma de decisiones y visión de futuro para la seguridad nacional", en De la Corte, Luis y Blanco, José María (coord.), *Seguridad Nacional, amenazas y respuestas*, Madrid: LID, 2014, pp. 283-297.

[38]   SANSÓ-RUBERT PASCUAL, Daniel y BLANCO NAVARRO, José María, "Inteligencia Criminal", en Giménez-Salinas, Andrea y González, José Luis (eds.), *Investigación Criminal*, Madrid: Lid Editorial, 2015.

[39]   Ibid.

Por ello, ocasionalmente la prospectiva deviene adjetivada como *inteligencia prospectiva* o *prospectiva estratégica*.

Las técnicas prospectivas configuran un marco de cohesión de conocimientos diversos y fraccionados. Aportan una visión holística, al precisar una concepción amplia, desde distintas disciplinas, del fenómeno a analizar. No creemos en su valor como una información de futuro y estática, sino como un sistema continuo de seguimiento y evaluación, que permita realizar correcciones sobre los escenarios que se plantean[40].

Dentro del conjunto de posibles factores a tener en consideración-aceptados por el conjunto de la doctrina especializada[41] e indistintamente válidos para explicar desplazamientos dentro del territorio nacional de un país, como cuando éstos son de carácter transnacional—, destacan por su relevancia explicativa los siguientes.

De entre las múltiples motivaciones identificables para desplazarse al extranjero, la identificación de oportunidades de lucro susceptibles de explotación (nichos de negocio fundados en base al cálculo de costos, riesgos y beneficios), destaca sobremanera. La expansión de los mercados ilegales responde a la necesidad de cubrir una demanda

---

[40]   BLANCO NAVARRO, José María y JAIME, Óscar, "Toma de decisiones y visión de futuro para la seguridad nacional", *op. Cit.*, pp. 283-297.

[41]   VARESE, Federico, *Mafias on the Move. op. Cit.*; MORSELLI, Carlo, *Inside Criminal Networks*, New York: Springer, 2009; GARZÓN, Juan Carlos; RICO, Daniel; OLINGER, Marianna y SANTAMARÍA, Gema, *La Diáspora Criminal: la difusión transnacional del crimen organizado y cómo contener su expansión*, Washington, DC, Woodrow Wilson International Center for Scholars, 2013; GAYRAUD, Jean François, *El G9 de las mafias en el mundo. Geopolítica del crimen organizado*, Barcelona: Urano, colección "Tendencias", 2007; WILLIAMS, Phill, "*Redes criminales transnacionales*", en Arquilla, John y Ronfeldt, David (eds.), *Redes y guerra en red. El futuro del terrorismo, el crimen organizado y el activismo político*, Madrid: Alianza, 2003, pp. 61-97; FORGIONE, Francesco, *Mafia Export. Cómo la 'Ndrangheta, la Cosa Nostra y la Camorra han colonizado el mundo*, Barcelona: Crónicas Anagrama, 2010; VARESE, Federico, "General Introduction: What is Organized Crime?", en Varese, Federico (ed.), *Organized Crime: Critical Concepts in Criminology*, London: Routledge, 2010, pp. 1-33; VARESE, Federico, "Mafia movements: a framework for understanding the mobility of mafia groups", en *Global Crime*, vol. 12, nº. 3, 2011, pp. 218-231.

existente mediante la provisión de una variopinta oferta de bienes y servicios[42].

Las organizaciones criminales constantemente llevan a cabo tareas de recopilación de todo tipo de información, que les permita maximizar el éxito en las actividades que desenvuelven (lícitas e ilícitas), a los efectos de alcanzar la mayor competitividad posible, al tiempo que procurarse elevados niveles de protección[43].

Otra motivación puede ser el acceso a nuevos mercados (en cooperación con otras organizaciones locales o en competencia)[44], o la reor-

---

[42]   ALLUM, Felia y GILMOUR, Stan (eds.), *Routledge Handbook of Transnational Organized Crime*, Londres: Routledge, 2012, pp. 3-5.; VON LAMPE, Klaus, "The Practice of Transnational Organized Crime", en Allum, Felia y Gilmour, Stan (eds.), *Routledge Handbook of Transnational Organized Crime*, Londres: Routledge, 2012, p. 188.

[43]   A modo de ejemplo paradigmático, a finales de diciembre de 1991, los principales grupos criminales rusos se reunieron en una *dacha* en la región montañosa de Viedentsovo, cerca de Moscú. Es probable que ésta sea una de las más importantes reuniones (*sjodky*) en la historia de la "mafia rusa", el número de "ladrones de ley" se aproximó a los treinta y llegaron hasta allí desde Georgia, Azerbayán, Armenia, Kiev, Odessa, Moscú, San Petersburgo y otros lugares tan alejados como Vladivostok, en la costa pacífica. La finalidad era acordar la distribución territorial y especializaciones delictivas, hecho que ya se estaba dando en Moscú, donde los barrios o áreas urbanas de influencia eran delimitados por las organizaciones criminales. A esta reunión le siguió la *sjodka* de Viedentsovo, en la que quedó patente el sentido de internacionalización que debían adquirir las acciones futuras. En esos momentos, ya conocían que poco tiempo después Gorbachov liberalizaría las competencias en el comercio exterior. LÓPEZ, Julián, "Criminalidad organizada. La Mafia rusa y su estrategia de expansión", *Documento de Opinión* 59/2015, Instituto Español de Estudios Estratégicos (IEEE). Accesible en: http: //www.ieee.es/Galerias/fichero/docs_opinion/2015/DIEEEO59-2015_ CriminalidadOrganizada_MafiaRusa_JLopezMunoz.pdf

[44]   En la misma línea del ejemplo anterior, en 1992 la organización Solntsevo entabló contacto con los cárteles de Cali y Medellín en Aruba, en una reunión que fue acordada por abogados vinculados a la criminalidad organizada siciliana y la Camorra napolitana; la finalidad era la apertura de rutas de tráfico de cocaína a través de los Balcanes. En 1993, esta misma organización llevó a cabo una reunión en Miami para abordar su expansión por el extranjero y estudiar la viabilidad de posibles alianzas con otras organizaciones regionales y locales. En ella estuvieron presentes Boroda, Sergei Timofeyev, Victor Averin, Yuri Esin y Sergei Mikhailov. Decidieron iniciar sus operaciones de asentamiento en Italia, dado que ya mantenían contactos con organizaciones criminales locales. Ibid., pp. 12-13.

ganización de las rutas de tránsito de los tráficos ilícitos, requiriendo presencia de la organización en determinadas áreas geográficas para su aseguramiento y apoyo logístico.

De igual forma, la expansión criminal está estrechamente ligada a la historia y geografía de las oleadas migratorias. El desplazamiento de una comunidad y su asentamiento en otro lugar conforma el sustrato mínimo indispensable para el desarrollo de la actividad criminal como producto de importación[45]. Ciertamente, el mero traslado de elementos del crimen organizado a un nuevo territorio no es motivo suficiente para que emerjan estructuras de delincuencia organizada. Sin embargo, existe constancia de que las organizaciones criminales se benefician proactivamente de diversas maneras de los movimientos migratorios. Principalmente para la obtención de beneficios económicos mediante la panoplia delictiva que comprende la inmigración ilegal. Además, a través de su instrumentalización, logran solaparse en las comunidades asentadas en los países de acogida en busca de protección y zonas de influencia, explotando relaciones étnicas, familiares y clientelares[46]. De este modo, el mapa histórico de las migraciones mundiales y las diásporas encubre, en mayor o menor medida, el de la difusión de la criminalidad organizada.

En relación con las deportaciones masivas, el caso más paradigmático y ejemplarizante ha sido protagonizado por Estados Unidos en relación a la extradición masiva de miembros de pandillas originarias de Los Ángeles, a sus países originarios del Triángulo Norte (Honduras, Guatemala y El Salvador). Fruto de la cual, estos países recibieron directamente el influjo de la subcultura delictiva de bandas, sin contar con los medios institucionales adecuados para su gestión y control[47]. Resultado, la eclosión descontrolada y fortalecimiento del fenómeno de las maras, que representa a día de hoy uno de los principales pro-

[45]   SANSÓ-RUBERT PASCUAL, Daniel, "Criminalidad organizada transnacional y seguridad internacional", en Fernández Rodríguez, José Julio, Jordán, Javier, y Sansó-Rubert, Daniel (eds.), *Seguridad y Defensa hoy. Construyendo el futuro*, Madrid: Plaza y Valdés Editores, 2008.

[46]   SAVONA, Ernesto; di NICOLA, Andrea y da COL, Giovanni, "Dynamics of migration and crime in Europe: new patterns of an old nexus", en *Transcrime*, Working Paper n° 8, Trento: Universidad de Trento, 1997.

[47]   GARZÓN, Juan Carlos, *La rebelión de las redes criminales*, *op. Cit.*

blemas de seguridad en la región Centroamericana, con tasas de homicidios desorbitadas en comparación con áreas de conflicto armado como Afganistán, Somalia o Líbano y que refleja un perfil de compleja resolución.

El vacío represivo obedece a diferentes causas. A una voluntad política corrupta en connivencia con la criminalidad (nexo político criminal)[48], a una situación de impotencia generada por la debilidad institucional o simplemente, por distracción ante otros desafíos de seguridad como el terrorismo, que desplace al resto de fenómenos monopolizando todo el esfuerzo y los recursos, siempre limitados, de los organismos y agencias de seguridad.

Un contexto nefasto lo conforman las alianzas entre políticos, organizaciones delictivas y el aparato de seguridad estatal. Dicha connivencia genera en la práctica, bien respuestas tibias de los gobiernos, bien directamente la omisión de respuesta pública (catarsis institucional). Su manifestación más dañina se plasma cuando el Estado se transforma en refugio criminal, imperando el fomento de obstáculos para la cooperación internacional destinada a su erradicación[49].

En la práctica, los grupos que controlan estos espacios ingobernados ("santuarios criminales"), se convierten en socios estratégicos para las organizaciones de delincuencia organizada transnacional[50]. Con independencia de los argumentos a favor y en contra, que trascienden el objeto de este análisis, ciertamente el afán consumista al que la sociedad contribuye, en mayor o menor medida, alimenta la fenomenología criminal organizada. Siempre que exista una demanda rentable (artículos falsificados, drogas, sexo, vehículos de lujo, autopartes, piratería informática o audiovisual...), habrá alguien dispuesto a satisfacerla, con independencia de que los medios sean lícitos o no.

---

[48] GODSON, Roy (ed.), *Menace to Society: Political-criminal Collaboration around the World*, New Brunswick (USA) y London (UK): Transaction publishers, 2004.

[49] BERDAL, Mats y SERRANO, Mónica (comp.), *Crimen transnacional organizado y seguridad internacional. Cambio y continuidad*, México D.F.: Fondo de Cultura Económica, 2002.

[50] NAÍM, Moisés, *Ilícito. Como traficantes, contrabandistas y piratas están cambiando el mundo*, Barcelona: Debate, 2006.

Los niveles de corrupción institucional son un elemento de consideración. Obviamente todos los Estados son vulnerables a la infiltración criminal, pero existe una diferencia cualitativa entre Estados institucionalmente efectivos con bajos niveles de corrupción y Estados con Administraciones eminentemente corruptas. Con independencia de las capacidades corruptoras de la delincuencia organizada, un Estado que adolece de corrupción en sus instituciones, especialmente en los más altos niveles de gestión administrativa y política, representa un espacio más accesible donde implantarse, asegurándose el control y la protección necesarias, para garantizar el éxito de la incursión. Los Estados con una falta de consolidación del sistema democrático y un deficiente desarrollo de sus instituciones públicas, configuran un terreno propicio para la actividad de las estructuras criminales[51].

Otro ámbito sobre el cual incide perniciosamente el crimen organizado corresponde a la cultura política de un determinado país. Es decir, el conjunto de valores y actitudes que informan la acción política de los ciudadanos. Afecta sensiblemente al entorno social de las democracias, distorsionando las líneas que separan lo legal de lo ilegal, generando lealtades alternativas al Estado (subculturas criminales) y provocando cambios en la opinión pública, que afectan negativamente al funcionamiento del sistema[52].

La tendencia apunta a que los dirigentes de estas organizaciones criminales traducen la riqueza acumulada en demandas políticas, sociales y económicas. Aspiran a convertirse en miembros de la "élite social y política", destinando parte de su poder económico a la obtención de legitimidad social. Así, se termina produciendo una asimilación social de los dirigentes criminales, entremezclándose con las

---

[51]   SANSÓ-RUBERT PASCUAL, Daniel, "Impacto social del fenómeno criminal organizado: déficit constitucional, deslegitimación estatal, corrupción, radicalización y crisis de Gobernanza", en Bañón i Martínez, Rafael y Tamboleo García, Rubén (eds.), *Gestión de la escasez: participación, territorios y estado del bienestar. Experiencias de democracia y participación*, Madrid: GOGEP Complutense, 2013, pp. 297-305.

[52]   SANSÓ-RUBERT PASCUAL, Daniel, "¿Representa la criminalidad organizada una amenaza para la democracia?: Aproximación a la génesis antidemocrática del fenómeno delictivo organizado", en *Bañón i Martínez*, Rafael y *Tamboleo García*, Rubén (coord.), *La modernización de la política y la innovación participativa*, Madrid: GOGEP Complutense, 2014, pp. 221-240.

esferas de poder. El acceso al poder en definitiva es una salvaguarda de su estatus. El crimen organizado instrumentaliza convenientemente sus apoyos, en favor de aquellas iniciativas políticas que beneficien sus propios intereses.

El sistema electoral tampoco escapa a su esfera de influencia. De facto, en no pocas ocasiones recurren a la manipulación del proceso electivo mediante la postulación de candidatos propios, hacia los que canalizan ingentes recursos económicos e informativos procedentes de sus negocios ilícitos o, en regiones donde el clientelismo es una característica endémica, pueden poner al servicio del candidato "predilecto" el electorado indispensable para la victoria. Su poder económico les permite, llegado el caso, subordinar a partidos políticos preexistentes o crear los suyos propios, para así tener un mejor control sobre toda la estructura de decisiones en las instituciones de representación política. Con ello, contribuyen a la deformación y el descrédito de la democracia, reemplazando la auténtica representatividad electa por la mercantilización instrumental de candidatos y electores[53].

Por otro lado, no todos los factores que potencian el desplazamiento de las estructuras criminales obedecen a motivaciones positivas. También existen supuestos de movimientos involuntarios de las organizaciones criminales, cuando el *leitmotiv* obedece a la presión gubernamental o a enfrentamientos con otras organizaciones, que se apoderan del territorio y área de influencia. La competencia criminal puede degenerar en confrontaciones violentas (disputas por el control de áreas geoestratégicas, mercados, por los corredores y rutas para tráficos ilícitos, pasos fronterizos, nudos de comunicaciones, puertos...), con el resultado de facciones u organizaciones vencedoras y vencidas. La reubicación en otros países obedece a una necesidad de supervivencia; el exilio como escapatoria de la prisión o de la muerte.

Los efectos de la dispersión forzada son de naturaleza traslativa; una propagación involuntaria debido a que la problemática no se resuelve, sino se desplaza hacia otra ubicación geográfica (efecto globo). Las organizaciones desplazadas, lejos de abandonar sus prácticas delictivas, las exportan. Igualmente, fruto de la presión institu-

---

[53]   SANSÓ-RUBERT PASCUAL, Daniel, "¿Representa la criminalidad organizada una amenaza para la democracia?, *op. Cit.*, pp. 221-240.

cional sobre las cúpulas criminales (desarticulación), se ha producido la fragmentación de las organizaciones criminales, favoreciendo la emergencia de una nueva generación de organizaciones más reducidas y dinámicas, que compiten ferozmente por el dominio del territorio que, con anterioridad, dominaba una única estructura criminal, disparando los índices de violencia (Colombia representa un buen ejemplo a raíz de la eclosión de las denominadas Bandas Criminales, en sustitución de los cárteles y las organizaciones paramilitares)[54].

Todos estos elementos brevemente reseñados, conforman un elenco de factores de muy diversa naturaleza, que deberán ser objeto de un profundo estudio criminológico, incrementando el conocimiento cualitativo y cuantitativo sobre la movilidad de la criminalidad organizada. Favorecer el avance del conocimiento científico sobre la fenomenología criminal organizada, para su conveniente explotación en términos de seguridad e inteligencia. Aún queda mucho camino por recorrer para desentrañar en su totalidad las lógicas que estimulan la propagación transnacional de las estructuras criminales. La clave reside en la capacidad de recopilación de información de calidad y la identificación e interpretación correcta de los factores influyentes, para la elaboración del análisis destinado a apoyar la toma de decisiones.

El futuro de la delincuencia organizada no se puede predecir, pero el empleo de modelos teóricos y las extrapolaciones de las experiencias pasadas, posibilitan la identificación de ciertos elementos (indicadores, factores, proxies…), que permiten determinar la presencia de ciertas condiciones o desarrollar una valoración en términos de probabilidad (imposible, posible, probable…) de que evolucionen las circunstancias hacia un determinado escenario (hipótesis de diferentes futuros, específicamente diseñados para resaltar los riesgos y oportunidades); de tal forma que es factible plantear que, si no hay alteraciones sobrevenidas, determinados acontecimientos llegarán a producirse[55], pudiendo en todo caso interferir para tratar de asegurarse de que no lleguen efectivamente a materializarse. En Resumen,

---

[54]   SANSÓ-RUBERT, Daniel, "Geopolítica criminal", *op. Cit.*, pp. 62-65.
[55]   WILLIAMS, Phill y GODSON, Roy, "Anticipating Organized and Transnational Crime", en *Crime, Law & Social Change*, vol. 37, 2002, pp. 311-355.

este análisis de escenarios posibles incluye un diagnóstico de la situación estudiada, un examen de las tendencias esperadas en la evolución de los principales factores o variables, que caracterizan esa situación (incluyendo sus causas y consecuencias), y un conjunto de escenarios posibles y relativamente probables a corto y mediano plazo.

El desafío: *ex notitia victoria*; articular estrategias que nos permitan anticiparnos a las iniciativas criminales neutralizándolas en origen, mediante la intervención sobre aquellos elementos facilitadores. Recuperar la iniciativa en la lucha contra la criminalidad organizada.

5. LA "SEGURIDAD INTELIGENTE" FRENTE AL DESAFÍO DE LA CRIMINALIDAD ORGANIZADA

Desde la Organización de Naciones Unidas (UNODC 2010) se alerta periódicamente respecto de la entidad lesiva que representa el crimen organizado, especialmente en su vertiente transnacional. Igualmente, la Unión Europea acarrea una larga trayectoria en materia de lucha contra el crimen organizado, que se ha materializado en numerosas iniciativas de diversa índole, de entre las que destaca la *Estrategia Europea de Seguridad Interior* (2010). En esta misma línea, la *Estrategia Española de Seguridad* (2011), identifica el fenómeno criminal organizado como uno de los mayores desafíos a la seguridad nacional, e igualmente, en relación al contexto internacional.

La peligrosidad intrínseca de la asociación criminal reside en su capacidad de construcción de estructuras racionalmente orientadas a la planificación y comisión del delito, el encubrimiento de sus miembros para evitar la persecución institucional (profilaxis forense y seguridad corporativa)[56], así como un potencial de penetración económica y política en la sociedad donde se asienta. Todo ello, sumado a la transnacionalización —transformación clave de entre todas—, genera

---

[56] SANSÓ-RUBERT PASCUAL, Daniel, "Estrategias de Seguridad, criminalidad organizada e inteligencia criminal: una apuesta de futuro", en Fernández Rodríguez, José Julio.; Sansó-Rubert Pascual, Daniel; Monsalve, Rafael y Pulido Gragera, Julia. (eds.), *Cuestiones de Inteligencia en la sociedad contemporánea*, Madrid: Ministerio de Defensa-Centro Nacional de Inteligencia, 2012, pp. 204-219.

múltiples dificultades a las agencias y organismos responsables de la persecución del delito, gracias al beneficio extraordinario conferido por las amplios recursos destinados al ocultamiento del rastro de las actividades ilegales[57].

Los grupos de criminalidad organizada representan una realidad incuestionable. Se han desarrollado en Asia, América Latina, África, Europa y Estados Unidos; ninguna región del mundo y ningún sistema político ha impedido su surgimiento o logrado un éxito rotundo en su eliminación. Esta imagen refuerza la idea de que la criminalidad organizada fructifica explotando las ventanas de oportunidad abiertas, no solo en los países más desfavorecidos del planeta, prosperando en un estado de caos y conflicto constante (agujeros negros geopolíticos)[58], sino que por igual, accede al primer mundo en busca de escenarios y mercados estables en los que implantarse y desarrollar sus actividades lucrativas. Cualquier intento de explicar la situación en cualquier zona inestable o estable del mundo, exige entender el papel de las redes criminales en la región, su organización, su movilidad, sus estrategias, sus vínculos internacionales e intereses económicos. En congruencia, internacionalmente habría que prestar especial atención a estos espacios geográficos favorables al surgimiento de manifestaciones ventajosas para la criminalidad organizada, cuyo seguimiento permitiría identificar con antelación las posibles incursiones oportunistas de redes criminales.

Si tradicionalmente la orientación reactiva de los cuerpos de seguridad ha hecho que prevalezca el modelo de orientación estratégica basado en la capacidad de respuesta ante hechos consumados o que se encuentran en proceso de ejecución; en la actualidad, diversos factores están condicionando los esfuerzos hacia un modelo de estrategia prospectiva, en la que se focaliza el esfuerzo no en la reacción ante ciertos sucesos producidos, sino en la anticipación y la toma de medidas dirigidas a impedir que dichos sucesos ocurran.

---

[57]   SANSÓ-RUBERT PASCUAL, Daniel y GIMÉNEZ-SALINAS FRAMIS, Andrea, *"Crimen organizado"*, en De La Corte, Luis y Blanco Navarro, José María (Coords.), *Seguridad nacional, amenazas y respuestas*, Madrid: Editorial LID, 2014, pp. 133-148.

[58]   NAÍM, Moisés, *Ilícito, op. Cit.*

La seguridad inteligente, por tanto, hace hincapié en la importancia de articular la seguridad en base a las capacidades en inteligencia criminal, especialmente en su vertiente prospectiva, como uno de los principales recursos para enfrentar con éxito las manifestaciones de criminalidad organizada de mayor intensidad; y en un ejercicio prospectivista, desarrollar estrategias y capacidades para constreñir a la mínima expresión la delincuencia organizada que está por materializarse o impedir que llegue siquiera a eclosionar, intentando atisbar los derroteros por los que el crimen organizado evolucionará (tendencias), en aras de su continua adaptabilidad al medio en el que pretende desarrollar su actividad al objeto de asegurar su permanencia y prosperidad (darwinismo social), en las próximas décadas. Todo un desafío.

Perdida *a priori* la iniciativa para atajar la proliferación de la criminalidad organizada en sus fases incipientes, ahora que se quiere reaccionar ante su consolidación y expansión resulta que, frente a un escenario de seguridad poliédrico y en continua transformación, las burocracias estatales permanecen en gran medida constreñidas en esquemas funcionales anquilosados. Las agencias de seguridad se manifiestan esclerotizadas frente a una criminalidad que explota la ventaja que le proporciona el marco de la Globalización, el conflicto asimétrico y su carencia de restricciones éticas y morales. Este lastre funcional, sumado a las limitaciones competenciales territoriales y jurídicas propias del Estado, ha mermado hasta la fecha la respuesta institucional.

En consonancia con este marco descriptivo, la necesidad de afrontar una cada vez más perfeccionada forma de delincuencia debe estimular una apuesta decidida por la especialización y la diversificación de los instrumentos aplicables contra el crimen organizado. Especialización que, a su vez, demanda forzosamente la superación de los paradigmas clásicos (seguridad reactiva), a todas luces insuficientes, optando por respuestas innovadoras necesariamente transversales e integradoras.

Ante la magnitud de la amenaza representada por la criminalidad organizada, el desarrollo de estrategias e instrumentos más efectivos para su desarticulación ("seguridad inteligente"), especialmente en su vertiente transnacional, así como favorecer la cooperación y la coordinación a niveles nacional e internacional, deben constituir prioridades gubernamentales para este siglo XXI. La adaptabilidad criminal demanda, al menos, la misma capacidad de adaptación de los instrumentos disponibles para garantizar la seguridad, con el fin de proveer a los organismos de seguridad de respuestas inteligentes, preventivas y proactivas, al objeto de atajar la movilización de la delincuencia organizada[59], al igual que sus capacidades de proyección estratégica[60].

La actividad de inteligencia no es una excepción, está sujeta a cambios y a una continua evolución advirtiéndose la obsolescencia, al menos parcial, de muchos de sus paradigmas actuales[61].

A este respecto, Bruce D. Berkowitz y Allan E. Goodman[62] ya anticipaban una realidad hoy vigente: la multiplicación de blancos de inteligencia, tipologías de inteligencia y de consumidores de este insumo. La actual escena de seguridad y la actividad de los actores estatales y no estatales partícipes en la misma, han promovido diversas corrientes de reflexión en torno a las capacidades de inteligencia y sobre la inteligencia misma: su función, futuro, eficacia o necesidad de reforma. El debate está servido, permitiendo vislumbrar "las luces y las sombras" en las que opera y deberá operar las actividades de inteligencia.

---

[59]   SANSÓ-RUBERT PASCUAL, Daniel, "Inteligencia criminal. Una elección estratégica en clave de seguridad frente a la iniciativa de la delincuencia organizada", *op. Cit.*, pp. 215-238.

[60]   Organizaciones criminales como las rusas empleando tácticas y estrategias de inteligencia surgidas de sus gabinetes de información formados por personas que, anteriormente, pertenecieron a los servicios de seguridad, Policía, KGB o GRU. Sirva como ejemplo la pertenencia de oficiales del KGB como Aleksander Novikov a la organización Solntsevo, o de Grigory Gusiatinsky, que pasó desde el servicio de inteligencia a liderar el grupo criminal Orekhovskaya. O el nombramiento del coronel del KGB Filip Bobkov, como jefe de seguridad del oligarca Gusinsky. LÓPEZ, Julián, "Criminalidad organizada. La Mafia rusa y su estrategia de expansión", *op. Cit.*, p. 5.

[61]   ANTÓN MELLÓN, Joan; MIRATVILLAS, Enric y SERRA del PINO, Jordi, "De la inteligencia estratégica a la inteligencia proactiva", en González Cussac, José Luis (coord.), *Inteligencia*. Valencia: Tirant lo Blanch, 2012, pp. 387-409.

[62]   BERKOWITZ, Bruce y GOODMAN, Allan, *Strategic Intelligence for American National Security, Strategic Intelligence for American National Security*, Princeton: Princeton University Press, 1989, pp. 14-15; BERKOWITZ, Bruce y GOODMAN, Allan, *Best Truth: Intelligence in the information Age*, Yale: Yale University Press, 2002.

Conviene recalcar que la inteligencia criminal no es más que un tipo de inteligencia útil para obtener, evaluar e interpretar información y difundir la inteligencia necesaria para proteger y promover los intereses nacionales de cualquier naturaleza (políticos, comerciales, empresariales), frente al crimen organizado, al objeto de prevenir, detectar y posibilitar la neutralización de aquellas actividades delictivas, grupos o personas que, por su naturaleza, magnitud, consecuencias previsibles, peligrosidad o modalidades, pongan en riesgo, amenacen o atenten contra el ordenamiento constitucional, los derechos y libertades fundamentales.

Permite minimizar el impacto de la criminalidad organizada y mantener un control mínimo para evitar su expansión incontrolada, que suponga en última instancia un deterioro de la seguridad, tanto objetiva como subjetiva. Especialmente cuando el coste de oportunidad a la hora de tomar una decisión (y no otra), puede llegar a resultar cualitativamente mucho más gravoso o generar daños irreparables.

De ahí la importancia que ha cobrado la inteligencia criminal como elemento de identificación y prevención de amenazas, que se ha visto reforzada por la eclosión de un conjunto poliédrico de amenazas criminales globales, que han propiciado el debilitamiento de la estabilidad internacional y la quiebra de los esquemas tradicionales de actuación en política exterior e interior y defensa, cuyas delimitaciones tienden vertiginosamente a difuminarse instaurando un entorno poco definido y difícilmente comprensible[63]. Un escenario internacional caracterizado por una nueva topografía criminal, con sus repercusiones a niveles locales, estatales, regionales e internacionales, que requiere de una detallada identificación de las "fronteras", las áreas de influencia, las zonas de convergencia de intereses, los espacios en conflicto, los escenarios de interés, las regiones bajo control, los territorios de origen y las modalidades de expansión, así como de todas las vicisitudes geopolíticas y geoestratégicas, que contribuyen a dibujar el mapa de la criminalidad internacional, con el que poder diseñar las diversas estrategias de contención y neutralización, propias de una seguridad inteligente.

---

[63]   SANSÓ-RUBERT PASCUAL, Daniel, "La internacionalización de la delincuencia organizada: análisis del fenómeno", *op. Cit.*, pp. 43-62; AVILÉS FARRÉ, Juan, "Las amenazas globales del siglo XXI", *Al servicio del Estado: Inteligencia y contrainteligencia en España*, colección Arbor nº 709, tomo CLXXX, Madrid: CSIC, 2005.

6. BIBLIOGRAFÍA

ABADINSKY, Howard, *Organized Crime*, Belmont: Thomson Wadsworth, 2007.

ALBANESE, Jay S., "The Causes of Organized Crime: Do Criminals Organized Around Opportunities for Crime or Do Criminal Opportunities Create New Offenders?", en *Journal of Contemporary Criminal Justice*, vol. 16, 2000, pp. 409-423.

ALBANESE, Jay S., "Risk Assessment in Organized Crime. Developing a Market and Product based Model to Determine threat Levels", en *Journal of Contemporary Criminal Justice*, n° 24, vol. 3, 2008, pp. 263-273.

ARQUILLA, John y RONFELDT, David, *Redes y guerra en red: el futuro del terrorismo, el crimen organizado y el activismo político*, Madrid: Alianza, 2003.

BAKER, Thomas E., *Intelligence Led Policing. Leadership, Strategies and Tactics*, New York: Thomas E. Looseleaf, 2009.

BASSIOUNI, M. Cherif. y VETERE, Eduardo, "Towards understanding organized crime and its transnational manifestations", *Organized Crime: A Compilation of U.N. Documents 1975-1998*, 2000.

BECCHI, Ada, *Criminalitâ organizata. Paradigmi e scenari delle organizzazioni mafiose in Italia*, Roma: Donzelli Editore, 2000.

BERKOWITZ, Bruce, "The Big Difference Between Intelligence and Evidence", en *The Washington Post, 2 de febrero de* 2003.

BERKOWITZ, Bruce y GOODMAN, Allan, *Strategic Intelligence for American National Security*, Princeton: Princeton University Press, 1989.

BERKOWITZ, Bruce y GOODMAN, Allan, *Best Truth: Intelligence in the information Age*, Yale University Press, 2002.

BRIOSCHI, Carlos Alberto, *Breve historia de la corrupción. De la Antigüedad a nuestros días*, Madrid: Taurus, 2010.

BUSCAGLIA, Edgardo y GONZÁLEZ RUIZ, Samuel (ed.), *Reflexiones en torno a la delincuencia organizada*, México D.F.: Instituto Tecnológico Autónomo de México-Instituto Nacional de Ciencias Penales, 2005.

CACIAGLI, Mario, "Clientelismo, corrupción y criminalidad organizada", en *Cuadernos y Debates*, n° 60, Madrid: Centro de Estudios Constitucionales, 1996.

CARVALHO, Andréa y ESTEBAN NAVARRO, Miguel Ángel, "Los servicios de inteligencia: entorno y tendencias", en González Cussac, José Luis (coord), *Inteligencia*, Valencia: Tirant lo Blanch, 2012, pp. 73-105.

CASANOVAS, Oriol, "Los Estados fracasados", en García, Caterina y Rodrigo, Ángel J. (eds.), *La seguridad compartida. Nuevos desafíos, amenazas y conflictos armados*, Barcelona y Madrid: Universitat Pompeu Fabra/Tecnos, 2008.

DAHRENDORF, Ralf, *En busca de un nuevo orden. Una política de la libertad para el siglo XXI*, Barcelona: Paidós, 2005.

DE DIEGO, José Luis "La Comunidad de Inteligencia del siglo XXI: Un sistema de sistemas", *Revista Española de Defensa*, vol. 15, n° 175, 2002.

DE LA CORTE, Luis y GIMÉNEZ-SALINAS, Andrea. *Crimen.org. Evolución y claves de la delincuencia organizada*, Barcelona: Ariel, 2010.

EDWARDS, Adam y LEVI, Michael, "Researching the organization of serious crimes" en *Criminology and Criminal Justice*, vol. 8, 2008, pp. 363-388.

ESTEBAN NAVARRO, Miguel Ángel (Coord.), *Glosario de inteligencia*. Madrid: Ministerio de Defensa de España, 2007.

ESTEBAN NAVARRO, Miguel Ángel, "Contrainteligencia y operaciones encubiertas", en González Cussac, José Luis (Coord), *Inteligencia*, Valencia: Tirant lo Blanch, 2012, pp. 171-195.

ESTEBAN NAVARRO, Miguel Ángel y NAVARRO BONILLA, Diego, "Inteligencia para la seguridad y la defensa: el valor de la gestión del conocimiento", en *Gestión del conocimiento y servicios de inteligencia*, Madrid: BOE, Universidad Carlos III de Madrid, Instituto Español de Estudios Estratégicos (IEEE), 2004.

FARSON, Stuart, "Security Intelligence Versus Criminal Intelligence: Lines of Demarcation, Areas of Ofuscation, and the Need to Re-evaluate Organizacional Roles in Responding to Terrorism", en *Policing and Society*, vol. 2, n° 1, 1997.

FERNÁNDEZ SÁNCHEZ, Jesús I., *Investigación Criminal. Una visión innovadora y multidisciplinar del delito*, Barcelona: Bosch, 2009.

FERNÁNDEZ STEINKO, Armando, *Las pistas falsas del crimen organizado. Finanzas paralelas y orden internacional*. Madrid: Libros de la Catarata, 2008.

FINCKENAUER, James O., *Mafia y Crimen Organizado. Todo lo que hay que saber sobre la Mafia y las principales redes criminales*, Barcelona: Península, 2010.

FORGIONE, Francesco, *Mafia Export. Cómo la 'Ndrangheta, la Cosa Nostra y la Camorra han colonizado el mundo*, Barcelona: Crónicas Anagrama, 2010.

GARZÓN, Juan Carlos; RICO, Daniel; OLINGER, Marianna y SANTAMARÍA, Gema, *La Diáspora Criminal: la difusión transnacional del crimen organizado y cómo contener su expansión*, Washington, DC: Woodrow Wilson International Center for Scholars, 2013.

GAYRAUD, Jean François, *El G9 de las mafias en el mundo. Geopolítica del crimen organizado*, Barcelona: Urano, colección "Tendencias", 2007.

GEORGE, Pierre. *La géographie á la poursuite de l'histoire* Ed. Armand Collin, 1992.

GODSON, Roy (ed.), *Menace to Society: Political-criminal Colllaboration around the World*, Transaction publishers: New Brunswick (USA) y London (UK), 2004.

GÓMEZ DE LIAÑO FONSECA-HERRERO, Marta, *Criminalidad organizada y medios extraordinarios de investigación*. Madrid. Colex, 2004.

GONZÁLEZ CUSSAC, José Luis: *Inteligencia*, Valencia: Tirant lo Blanch, 2012.

JORDÁN ENAMORADO, Javier; POZO, Pilar y BAQUÉS, Josep (eds.), *Más allá del Estado*, Madrid: Plaza y Valdés, 2011.

LANG, Patrick, *Intelligence: The Human factor*, Philadelphia: Chelsea House, 2004.

MATS, Berdal y SERRANO, Mónica (comp.), *Crimen transnacional organizado y seguridad internacional. Cambio y continuidad*, México D.F.: Fondo de Cultura Económica.

MORSELLI, Carlo. *Contacts, Opportunities, and Criminal Enterprise*, Toronto: University of Toronto Press, 2005.

MORSELLI, Carlo. *Inside Criminal Networks*, New York: Springer, 2009.

NAÍM, Moisés. *Ilícito. Como traficantes, contrabandistas y piratas están cambiando el mundo*, Barcelona: Debate, 2006.

NAVARRO BONILLA, Diego, "Introducción", en *Estudios sobre Inteligencia: fundamentos para la seguridad internacional*, Cuadernos de Estrategia 127, Madrid: Instituto Español de Estudios Estratégicos (IEEE)-Centro Nacional de Inteligencia (CNI), 2004.

NAYLOR, Robin Thomas, *Wages of crime: black markets, illegal finance and underworld economy*, Ithaca: Cornell University Press, 2000.

RATCLIFFE, Jerry, *Intelligence Led Policing*, London: Willan Publishing, 2009.

RATCLIFF, Jerry (Ed.) (2009): *Strategic Thinkingbin Criminal Intelligence*, London: The Federation Press, 2009.

RODRÍGUEZ FERNÁNDEZ, José Julio y SANSÓ-RUBERT PASCUAL, Daniel, "El recurso constitucional a las Fuerzas Armadas para el mantenimiento de la seguridad interior. El caso iberoamericano", en *Boletín Mexicano de Derecho Comparado*, número 128, mayo-agosto, 2010, pp. 737-760.

ROTMAN, Edgardo, "The globalization of criminal violence", en *Cornell Journal of Law and Public Policy*, n°. 10, 2000.

SÁNCHEZ GARCÍA de PAZ, Isabel, *La criminalidad organizada. Aspectos penales, procesales, administrativos y policiales*, Madrid: Dykinson/Ministerio del Interior, 2005.

SANSÓ-RUBERT PASCUAL, Daniel, "Seguridad Vs. Libertad: el papel de los servicios de inteligencia", en Joseph Mª Felip Sardá (coord.). *Inteligencia y seguridad nacional: el estado de la cuestión*. Cuadernos Constitucionales de la Cátedra Fadrique Furió Ceriol n° 48, Valencia: Universidad de Valencia, 2004, pp. 85-112.

SANSÓ-RUBERT PASCUAL, Daniel, "La actual escena criminal europea: breve radiografía". En *Cuadernos de la Guardia Civil*, n° XXXV, 2ª Época, Madrid: Ministerio del Interior, 2007, pp. 47-61.

SANSÓ-RUBERT PASCUAL, Daniel, "Globalización y delincuencia: el crimen organizado transnacional", en Jordán Enamorado, Javier; Pozo, Pilar (ed.), *Más allá del Estado*, Madrid: Plaza y Valdés, 2011, pp. 135-157.

SANSÓ-RUBERT PASCUAL, Daniel, "La participación militar en la provisión de seguridad ciudadana y su empleo frente a la expansión del fenómeno criminal organizado", en García Rico y Torres Cazorla (ed.), *Sociedad Internacional en el siglo XXI: Nuevas perspectivas de la seguridad*, Madrid: Plaza y Valdés, 2011, pp. 221-238.

SANSÓ-RUBERT PASCUAL, Daniel, "Criminalidad organizada y tráfico ilícito de armas ligeras. Repercusiones en el ámbito de la seguridad internacional", en *Actores armados no estatales. Retos a la seguridad*, Madrid, Cuaderno de Estrategia número 152, Instituto Español de Estudios Estratégicos-Centro Mixto Universidad de Granada-MADOC, Ministerio de Defensa, 2012, pp. 177-205.

SAVONA, Ernesto Hugo; DI NICOLA, Andrea y DA COL, Giovanni, "Dynamics of migration and crime in Europe: new patterns of an old nexus", en *Transcrime*, Working Paper n° 8, Trento: Universidad de Trento, 1997.

SHEARING, Clifford y WOOD, Jennifer, *Pensar la seguridad*, Barcelona: Gedisa, 2011.

THUAL, François, *Méthodes de la géopolitique*, Ellipses, 1996.

VAN DIJK, Jan. J. M., *The World of Crime. Breaking the Silence on Problems of Security, Justice and Development across the World*, Thousand Oaks: Sage, 2008.

VARESE, Federico, "General Introduction: What is Organized Crime?", en Varese, Federico (ed.), *Organized Crime: Critical Concepts in Criminology*, London: Routledge, 2010, pp. 1-33.

VARESE, Federico, "Mafia movements: a framework for understanding the mobility of mafia groups", en *Global Crime*, vol. 12, n° 3, Routledge, 2011.

VARESE, Federico, *Mafias on the Move: How Organized Crime Conquers New Territories*, New Jersey: Princeton University Press, 2013.

WILLIAMS, Phill, *"Redes criminales transnacionales"*, en Arquilla, John y Ronfeldt, David (eds.), *Redes y guerra en red. El futuro del terrorismo, el crimen organizado y el activismo político*, Madrid: Alianza, 2003, pp. 61-97.

APROXIMACIÓN A UN PERFIL CRIMINAL DENTRO DE LAS ORGANIZACIONES TRANSNACIONALES EN COLOMBIA

ANDRÉ SCHELLER D'ANGELO[1]

Sumario: 1. Introducción. 2. Metodología. 3. Lugar del análisis. 4. Aspectos particulares del hombre de dos caras. 5.1 Descripción empírica observacional (hipótesis de trabajo). 5.2. El ¿capo de las drogas, es el capo? un ejemplo concreto. 4.3. Otro hecho político y criminal. 4.4. Las categorías dentro del análisis. 5. El hombre de atrás en la doctrina del Derecho Penal. 6. Conclusiones. 7. Bibliografía

Resumen: Una de las dificultades más grandes que ofrecen los análisis en cuanto a los delitos de criminalidad organizada transnacional, radica en establecer quiénes son y cómo son las personas que los ejecutan e intervienen en ellos. En el grupo o banda delictiva, normalmente aparecen sujetos que se encargan de aparentar la licitud de las actividades, o de prestar una ayuda para que el verdadero ejecutor criminal quede impune, esto dificulta en gran medida concretar la figura de autores y participes en ésta serie de delitos. En éste trabajo se pretende analizar con base en dos sucesos relevantes en Colombia, relativos a los delitos de tráfico de drogas, cómo surge la participación de un sujeto que tiene la posibilidad de ser identificado por su posición predominante y de poder dentro de la banda criminal, su principal característica radica precisamente en que su actividad principal ante los ojos de la justicia, hace parecer inocua su participación frente a la gravedad del delito, sin embargo, éste resulta vital para la perpetración de los delitos organizados transnacionales.

Palabras clave: Tráfico de drogas, terrorismo, criminalidad transnacional, autores, participes, organización criminal

---

[1]   Director del Área de Derecho Penal de la Universidad Sergio Arboleda de Santa Marta (Colombia).

1. INTRODUCCIÓN

El presente escrito pretende una aproximación al perfil[2] de un delincuente específico dentro de la gama posible de participantes[3] en los delitos de criminalidad organizada transnacional. La perfilación, entendida por Garrido como la *"Técnica que proporciona información derivada del escenario del crimen para ayudar a la investigación policial en la captura de un agresor desconocido. Dos aspectos fundamentales: la escena del crimen y la víctima[4]"*, permite la posibilidad de construir hipótesis sobre la conducta de las personas a fin de evaluar su comportamiento y conforme a ello, hacer predicciones más o menos precisas sobre cómo es su personalidad. En los delitos transnacionales en Colombia como se verá a continuación, es posible la participación de un sujeto cuya intervención, especialmente en los crímenes de terrorismo y tráfico de drogas, en algunos casos resulte vital y sin embargo dadas sus características socio-culturales, sus ocupaciones y su estatus, en principio no sea un sujeto del cual la justicia pueda sospechar al punto de endilgarle la comisión de un delito de éste talante.

Ante nada, ha de señalarse la dificultad acerca de la definición del crimen organizado transnacional, en especial en las sociedades pequeñas y poco industrializadas, así, en el informe de *La Red Centroamericana de Centros de Pensamiento e Incidencia*, denominado "Seguridad y crimen transnacional", pese a que recae sobre algunos

---

[2]   Sobre la definición y características de la perfilación criminal se han intentado varias definiciones, entre otras las de Ressler: "Proceso de identificación de las características psicológicas de una persona basándose en los crímenes que ha cometido y proporcionando una descripción general de esa persona". Geberth: "Es un intento de proporcionar información concreta acerca del tipo de persona que ha cometido un crimen determinado basándose en información tomada de la escena del crimen y victimología, que se integra con teorías psicológicas conocidas. En fin la perfilación criminal permite sin duda varios tipos de análisis sobre el comportamiento de un determinado individuo y su final proceder con el propósito de establecer patrones de comportamiento que ayuden a la predicción de posteriores conductas delictivas y su control.

[3]   Me refiero a participantes y no a partícipes para no confundir al lector con lo que la doctrina del Derecho penal ha denominado partícipes de la conducta punible en los casos de concurso de personas en el delito.

[4]   GARRIDO, Vicente; STANGELAND, Per; REDONDO, Santiago, Principios de Criminología, 2006, Tiran Lo Blanch, Madrid 4 Ed.

de los países de Centroamérica, se establecen algunos factores que bien pueden aplicarse a un país como Colombia entre ellos: *"i) la ausencia de método acabado para abordar de manera apropiada y completa un fenómeno que opera en la clandestinidad y que disfraza sus operaciones de diversas formas; ii) existen graves problemas de información, dando lugar a que los datos no sean los reales: una gran cantidad de cosas suceden y no se reportan. Además, en Centroamérica la disponibilidad de la información es muy reducida, cada país tiene un sistema muy distinto de registrar los hechos delictivos, los denomina de manera distinta, y cuando cambia la denominación lo hace sin ningún aviso; iii) cada país identifica sus propias amenazas, y tiene un determinado enfoque de cómo abordar el problema; iv) no hay una definición simple sobre Crimen Organizado que sea aceptada por la comunidad académica; v) existe una ausencia de consenso sobre todas aquellas manifestaciones que entran en la categoría de lo que puede ser considerado como Crimen Organizado o Delincuencia Organizada[5]"*.

Durante la ejecución de los delitos transnacional es en Colombia, normalmente participan en ellos personas que se mantienen ocultas, y que sin embargo, ejercen una gran influencia para el desarrollo de los mismos, favoreciendo de manera determinante su comisión. Así, innumerables hombres de Estado, como lo han sido presidentes, ministros, cancilleres, senadores etc. son vinculados a investigaciones, destituciones y condenas tras su participación criminal. Según Torres Vásquez, *"La delincuencia organizada tiene muchas particularidades, pero quizá la más importante es que tiene un alto grado de organización, por lo demás, es una estructura compleja. Los medios que utiliza son mayoritariamente ilegales, aunque buena parte son legales; podemos adelantarnos a decir que la finalidad de estas organizaciones, que no es otra que tener la mayor rentabilidad económica, se logra en la medida en que la comisión de algunos crímenes quede impune con "ayuda legal". Esto es logrando permear a buena parte de las tres ramas del poder público y consiguiendo impunidad para esos crí-*

---

[5]   *Seguridad y Crimen Organizado Transnacional en Centroamérica* Fundación Konrad Adenauer Red Centroamericana de Centros de Pensamiento e Incidencia –laRED–Febrero 2011, p. 22.

menes[6]*".* Advirtiéndose por ende, no solo un modelo de corrupción administrativa y judicial, sino de colaboración efectiva y por tanto delictiva de altos cargos dignatarios en los delitos ya mencionados.

Por lo anterior, en éste análisis, se tiene como figura central, la de quien para efectos del mismo se ha denominado el "hombre de dos caras"; éste sujeto obedece a la figura antes descrita y su participación en éstos delitos se concreta en coadyuvar a la comisión del hecho desde una posición pública y de poder; desde donde normalmente nunca se le sindicaría de participar en empresas criminales. Vale destacar que desde el punto de vista jurídico penal, ésta figura puede aparecer tanto como autor, o como partícipe de la conducta criminal.

2. METODOLOGÍA

Se trata de un análisis cualitativo-caracterológico de aproximación a un grupo de sujetos que coadyuvan a la comisión del delito transnacional de tráfico de drogas. El análisis parte de la base de dos eventos fuertemente significativos en la vida política y judicial del país; el primero sobre las actividades y maniobras políticas de uno de los traficantes de drogas más reconocidos a nivel global; y el segundo sobre uno de los mandatos presidenciales más polémicos de la historia de Colombia por verse involucrado en diferentes actividades delictivas, en especial el narcotráfico, sin que ello hubiera generado consecuencias para el mandatario y sus seguidores.

3. LUGAR DEL ANÁLISIS

En Colombia convergen una gran cantidad de elementos que favorecen, lamentablemente, la proliferación de los delitos transnacionales, en especial el terrorismo, la trata de personas y el tráfico de drogas. Partiendo de elementos tan simples como el geográfico, éste país sudamericano tiene dos salidas oceánicas, la una por el occidente hacia el pacífico y la otra por el norte hacia el atlántico desde el mar

---

6   TORRES-VÁSQUEZ, Henry, "La delincuencia organizada transnacional en Colombia", en Díkaion 22-1 (2013), pp. 109-130.

Caribe. Vale anotar que además, dada su posición en el continente, de manera única conecta sur y centro América. Así mismo, desde su geografía, debe resaltarse el hecho de que éste país se encuentra ubicado en la zona terráquea ecuatorial, lo que hace que sus diferentes pisos térmicos no estén a merced de la temporada estacionaria, sino que es la altura de sus montañas y la presión atmosférica en que se encuentren, lo que garantiza la obtención de todos los productos del agro en cualquier tiempo y en aquellos lugares en donde un determinado producto puede ser extraído durante todo el año (con mínimas excepciones) tanto en las siembras legales, como en aquellas denominadas "ilegales".

A manera de ejemplo se puede afirmar, que en Colombia se cultiva y recoge café, amapola y marihuana durante los 12 meses del año.

Con grandes atractivos turísticos y variedad de lugares por visitar, en todos los climas que perfectamente pueden ir desde los menos 10 a los 40 grados Centígrados, desde las mejores vistas marinas hasta los desiertos más farragosos, y de la llanura más asombrosa al bosque más tupido y de allí a la selva tropical, en Colombia dadas sus incontables variables, se facilita en no pocas oportunidades el desarrollo de actividades ilícitas trasnacionales.

Como bien anota Jorge Orlando Melo[7], *"El negocio aparentemente adquirió desde muy temprano una estructura oligopolio: un número reducido de organizaciones (aunque nunca un cartel, como surge de la imagen de prensa) controlaban el acceso a las grandes redes de venta de Estados Unidos, lo que les daba una posición de preeminencia en Colombia, pero la importación de pasta de coca y el procesamiento eran realizados por centenares de pequeños grupos. La exportación la hacían los grandes grupos, que sin embargo asociaban ("apuntaban") permanentemente a organizaciones o individuos en envíos específicos, por cuenta propia o de otros exportadores, que pagaban entonces una*

---

[7]   MELO, Jorge Orlando, Colombia es un tema, Este artículo fue leído en una reunión sobre droga realizada en Toledo en enero de 1995, y publicado, después de modificaciones menores para incluir algunos eventos de 1995 y 1996 y algunos recortes por razones de espacio, por la Universidad de Londres en Carlos Malamud y Elizabeth Joyce, ed. Latin American and the Multinational Drug Trade (London, University College, 1998) http: //www.jorgeorlandomelo.com/ narcotrafico.htm

participación. El poder del cartel de Pablo Escobar sobre otros carteles de Medellín y de Colombia parece haber tenido mucho que ver con la capacidad de organizar y hacer respetar las rutas entre Colombia y los Estados. La capacidad de hacer respetar sus decisiones, por supuesto, se originaba en la rápida configuración de una organización armada que sometió drásticamente a quienes no aceptaban las regulaciones sobre las exportaciones". Competencia e iniciativa privada sí, pero dentro de normas precisas de operación y cumplimiento.

Así, un cultivo ilegal es fácil de esconder, de igual manera los campamentos desde donde opera la subversión, los laboratorios ilegales de procesamiento clandestino de drogas al lado de los cultivos, los escondrijos para mantener personas secuestradas etc. son condiciones que en éste país son deseables para las operaciones de grupos transnacionales al margen de la ley[8].

---

8   En Colombia se identifican diferentes grupos que han operado en todas las regiones del país, a la cabeza y como su precursor, se encuentra el denominado Cartel de Medellín originado en la década de 1970, cerca del 95% de la cocaína durante la hegemonía de éste cartel era controlada por sus miembros. [1]Liderado por el narcotraficante Pablo Escobar, El cartel finalmente terminaría desarticulado luego de su muerte, que a su vez daría paso el cartel de Cali el cual tomaría el relevo del control y tráfico de estupefacientes en Colombia. Otros miembros del cartel de Medellín fueron Gonzalo Rodríguez Gacha, alias *El Mexicano*, Carlos Lehder, Fabio, Jorge Luis, Juan David Ochoa y Jhon Jairo Velásquez Vásquez, alias *Popeye*. El cartel de Cali es creado por los hermanos Miguel y Gilberto Rodríguez Orejuela. En su época fue señalado por ser el responsable del envío del 35% de la cocaína que llegaba a EEUU. Existió desde los años 1985 hasta 1995, cuando fueron capturados los hermanos. El Cartel del Norte del Valle, operó en el Norte del Valle del Cauca, creció a mediados de los años 1990, después de que los carteles de Medellín y Cali se fragmentaran. uno de sus jefes más prolíferos fue Wílber Varela, alias *Jabón* quien fuera asesinado el 28 de enero de 2008 y junto a él Juan Carlos Ramírez Abadía, alias *Chupeta*, y Diego León Montoya, alias *Don Diego*, quienes actualmente están condenados. El denominado Cartel de la Costa Atlántica funcionaba en la ciudad de Barranquilla y en la Región Caribe en el norte de Colombia, controló las drogas ilegales con otros países fronterizos junto con gran producción local. Al Cartel de la Costa se atribuía como su máximo representante a Alberto Orlandez Gamboa alias "Caracol" a quien se extraditado a los Estados Unidos en el año 2000 y fue condenado a 40 años de prisión en el año 2005.

4. ASPECTOS PARTICULARES DEL HOMBRE DE DOS CARAS

Ahora bien, en los eventos de delitos transnacionales que se producen en Colombia, normalmente se integran de manera grupal varios[9] individuos para el desarrollo de su comisión; en ese grupo o banda criminal, participan sujetos de toda índole, de tal forma que se integra al grupo el campesino que siembra la mata, aquel que es obligado a tomar las armas bajo amenaza, el que pilotea un avión, los que venden las drogas, los que cuidan los secuestrados, los que compran los suministros, el negociante de armas, el proxeneta etc. Además, las difíciles circunstancias económicas en gran parte del territorio nacional, el desempleo y en especial la corrupción, generan agrupaciones cuya finalidad es su propia manutención a partir de coadyuvar en la comisión de éstos delitos[10].

Con lo anterior y dado que es imposible caracterizar a tal cantidad de sujetos para hacer un perfil único del delincuente transnacional en Colombia, éste estudio recae específicamente sobre uno de ellos, el cual debe ser determinado por algunas de sus características que lo identifican y lo diferencian puntualmente de los demás.

4.1. Descripción empírica observacional (hipótesis de trabajo)

Dentro de las bandas criminales en los delitos transnacionales, sin duda, se presenta quien se caracteriza de manera preliminar por ser aquella persona representativa, pública y que ocupa un cargo normalmente de alto rango en alguna rama del poder público; que a su vez, sin ser el capo o el jefe, coadyuva desde su posición y cargo con la banda para el logro de los objetivos transnacionales de ésta. En el Derecho penal, bien puede identificarse a éste sujeto en varios conceptos según su actividad, bien puede ser participe como cómplice prestando una ayuda más o menos importante, como determinador de algunas

---

[9]   Es claro que el delito transnacional también puede ser cometido por un solo sujeto.

[10]   BAUMOL W. 1990 "Entrepreneurship: Productive, unproductive and destructive" Journal of Political Economy, 98(5), pp. 893.

conductas, o bien puede presentarse como coautor, dado que en no pocas ocasiones puede predicarse de él el dominio del hecho.

Sin embargo ha de aclararse que la división doctrinal clásica decantada en las legislaciones occidentales entre autores y participes, se queda corta y que resulta muy importante escudriñar sobre la legitimidad de la responsabilidad que ha de endilgarse a las personas que participan en los delitos organizados transnacionales. El problema redunda en que la ayuda que presta un funcionario o un particular en los delitos de delincuencia organizada transnacional, suele estar relacionada con un delito que no vincula a ésta persona con la actividad de la organización o en su defecto en comportamientos en innumerables oportunidades que ni siquiera revisten un comportamiento delictual.

Piénsese por ejemplo en el profesor de colegio manipulado para reclutar menores a fin de participar en pequeños campeonatos deportivos quien a su vez sueña con convertirse en un magnánimo representante regional de futbolistas que a futuro le den una profesión para vivir, éste sujeto fácilmente puede quedar inmerso en una banda criminal que trata con infantes alrededor del globo.

Ahora bien, ¿Es posible caracterizar a éste sujeto?, ¿Se puede afirmar su existencia y participación dentro de las bandas criminales? Para dar respuesta a éstas preguntas y así corroborar su existencia, se traen a continuación dos casos de la realidad en Colombia, los cuales permiten establecer que no siempre quienes son aprehendidos y públicamente mostrados en los *mass media* son *todos* los miembros de "la banda criminal"; en ocasiones suelen presentarse miembros facilitadores, cuya participación en el tránsito criminal es desconocida en muchos casos, y a quienes no se muestra de inmediato en los medios, dada su calidad de reconocimiento político y público.

Aquí se parte de la duda acerca de la personalidad, características y perfil, de algunos sujetos que facilitan la actividad ilícita transnacional en Colombia específicamente en los delitos de terrorismo y tráfico de drogas como delitos de orden transnacional y que, como se indicó antes, pueden aparecer indistintamente como autores o participes.

4.2. El ¿capo de las drogas, es el capo? un ejemplo concreto

En la historia del tráfico de drogas en Colombia siempre estará subrayado el nombre de Pablo Emilio Escobar, a quien inclusive se le identifica como uno de los máximos exponentes de la criminalidad transnacional en el mundo.

La historia de ésta personalidad del crimen organizado y los eventos que acompañaron su recorrido criminal, tanto en lo político como en lo judicial, permiten en éste análisis hacer una aproximación al sujeto criminal que pretende identificarse y caracterizarse. Por supuesto el análisis no recae sobre el reconocido narcotraficante, sino sobre el grupo o grupos de personas que permanecieron a su lado, y por supuesto, hicieron carrera criminal desde distintos "pupitres". Valga decir, que en ésta caracterización, se trata de obtener una visión distinta de la historia que normalmente se estila de este hombre "capo" imagen del crimen transnacional, teniendo en cuenta algunos datos de su vida y de la actividad política y judicial del Estado Colombiano que aún hoy quedan sin resolver.

La primera gran duda que surge de analizar las actividades del capo para establecer lo que aquí se pretende, está ligada con su llegada al Congreso de la República, dado que para esa época —año 1982— Escobar alcanzó el éxito político habida cuenta la gran fortuna obtenida por sus actividades ilícitas de narcotráfico en años anteriores. Como lo relatan sus biógrafos[11], no escatimaba en regalar dólares en la mitad de la calle, casas, carros, motos y todo cuanto pudiera ofrecerse por lograr la consecución de un voto favorable en sus aspiraciones políticas.

Sin embargo para ese entonces, Escobar no era perseguido como lo fuera después; es cuando llega al congreso que todo cambia para él, una vez estando allí según relata la revista semana[12]:

---

[11] Dentro de las que se encuentran las de sus más cercanos colaboradores, como Jhon Jairo Velásquez alias Popeye, la de su hijo Juan Pablo y los datos aportados por personas de la vida pública que tuvieron cercanía con el capo como la modelo Virginia Vallejo.

[12] Tomado de: http: //www.semana.com/nacion/articulo/el-prontuario/10800-3. Fecha de consulta junio 20 de 2015.

"A raíz de las acusaciones de narcotráfico hechas por el ministro de Justicia Rodrigo Lara Bonilla en su contra, sustentadas en un casete de la cadena de televisión norteamericana ABC, El Espectador desempolvó de sus archivos, en, agosto de ese año, una información según la cual Escobar había estado preso en 1976, luego de haber caído en poder del DAS con 39 libras de cocaína, en Itagüí. El diario de los Cano hizo un seguimiento del caso y encontró que a petición del abogado de Escobar, el proceso abierto en el Juzgado Primero Penal de Itagüí, fue trasladado a Pasto, donde el juez tercero penal del Circuito sobreseyó al acusado...

Nótese que el mayor traficante de drogas en Colombia, en ese momento, es procesado por haber sido capturado con 39 libras de cocaína, éste peso resulta irrisorio frente a las toneladas de droga que Escobar ya había logrado sacar del país.

Y más adelante continua el mismo artículo de prensa *"...El que no sobreseyó a Escobar fue el juez Gustavo Zuluaga Serna, quien dictó auto de detención en su contra el 25 de septiembre del 83. La sindicación era la de que Escobar y su primo estaban involucrados en el asesinato en 1977, de dos detectives, Gilberto Hernández Patiño y Luis Fernando Vasco, quienes participaron en la operación del decomiso de las 39 libras de cocaína y la captura de Escobar en Itagüí en 1976. Este proceso fue trasladado al juez once superior de Medellín, Guillermo Quintero Arbeláez, quien revocó el auto de detención en noviembre de ese mismo año".*

Efectivamente para el año en que Pablo Escobar accede al congreso colombiano, solamente pesaba en su contra un proceso penal por narcotráfico —Por el porte de 39 libras de cocaína— sobreseído a su favor; esto era lo que le acompañaba como "prontuario", pero no es sino hasta ese momento, el momento en que el —hasta entonces casi ignorado— traficante de drogas pisa el parlamento, cuando empieza su verdadera persecución, al parecer antes nadie se interesaba por él.

Podemos afirmar con lo anterior, que Pablo Escobar se convirtió públicamente en el más temido delincuente en Colombia justo cuando accedió al Congreso, antes no. Allí empezó su persecución, cuando "invadió" al poder público, o accedió a donde nunca debió hacerlo, allí empezó su seguimiento y posteriormente su sanguinaria venganza.

Al momento de su muerte, relata el periódico el tiempo en su edición del 29 de Noviembre de 1994[13], *"Escobar estaba vinculado a 31 procesos penales, y en su contra se habían dictado varios autos de detención. Dichos procesos se relacionan con delitos como el narcotráfico, terrorismo, secuestro simple, homicidio agravado, fuga de presos, porte ilegal de armas, secuestro extorsivo y concierto para delinquir, entre otros".*

Así mismo, debe resaltarse que en el trámite de acceso al poder del temido traficante, algunos de sus detractores, prácticamente sin necesidad de ello —dado que eran figuras públicas de renombre y con aspiraciones públicas y políticas ganadas—, iniciaron en su contra, francas y públicas disputas que trascendieron los límites de la popularidad. Así ocurrió con los casos del candidato presidencial de ese entonces Luis Carlos Galán Sarmiento, el exministro de Justicia de la época Rodrigo Lara Bonilla y el director del periódico el Espectador, Guillermo Cano, quienes no lograron su popularidad atacando al capo, sino que cuando lo atacaron ya gozaban de la misma, y sin embargo, más tarde perderían sus vidas a manos de Escobar, sus muertes engendraron en el país una ola de repudio contra el más sonado narcotraficante de la historia en Colombia, y allí, Escobar perdió la curul en el congreso y por supuesto la popularidad, ¿Caballos de batalla?, ¿enviados?, ¿próceres?

El más aguerrido ministro del despacho, el más popular de los candidatos a la presidencia de la República, el procurador general de la Nación, y finalmente uno de los más destacados e influyentes periodistas del país, atacaron con fiereza lo que hasta el momento era un proceso por 39 libras de cocaína. A estas personas les costó la vida el enfrentamiento contra el capo, según lo relata el diario El Tiempo.

"Algunos de los procesos más importantes que la Fiscalía General de la Nación adelantaba contra el capo se encuentran el magnicidio del candidato presidencial, Luis Carlos Galán Sarmiento; del procurador Carlos Mauro Hoyos; del director de El Espectador, Guillermo Cano; las masacres de las fincas Honduras y La Negra, en Urabá;

---

[13]   Tomado de: http: //www.eltiempo.com/archivo/documento/MAM-256168. Fecha de consulta mayo 10 de 2015.

así como el secuestro del ex candidato presidencial, Andrés Pastrana Arango.

Un año después de la muerte de Escobar, la Fiscalía Regional de Antioquia ha declarado la extinción de la acción penal en la mayoría de esos procesos que se adelantaban contra el capo. Otros procesos están en poder de los jueces regionales, pero estos también deberán decretar la preclusión por muerte del sindicado[14]".

La duda surge si se pregunta ¿porque no empezó la persecución al capo, antes de que ingresara al congreso? Sus desmedidos ingresos económicos muestran que llevaba varios años delinquiendo[15]. Antes de que "pisara" el Congreso, no había sino un proceso penal en su contra sobreseído por un juez en la ciudad de Pasto, pero, cuando accede al congreso, todos lo quieren perseguir más allá de la popularidad política, más allá del acceso al poder. A su muerte como quedó escrito líneas atrás, pesaban más de 30 procesos penales en su contra.

Toda la persecución, vida y muerte de Escobar genera una gran cantidad de dudas sumadas a la hipótesis del poder, a saber: ¿El detonante para la persecución de Escobar fue su entrada al Congreso?, ¿Era Escobar el jefe, o tenía un jefe al que quiso emular? Quien fue entonces, el verdadero capo que se sintió amenazado por Escobar y enfiló toda una batería judicial y política, en donde salió a relucir por primera vez, todo el prontuario del mayor criminal de Colombia en los últimos 100 años.

El tráfico de drogas no terminó en Colombia con la muerte de Pablo Escobar.

4.3. Otro hecho político y criminal

Entre los años de 1994 y 1998 uno de los hechos políticos en comunión con el tráfico de drogas más escandalosos en Colombia sacudió al país entero, cuando el jefe de campaña y posteriormente ministro de defensa Fernando Botero Zea, reconoció públicamente que

---

14   Tomado de: http: //www.eltiempo.com/archivo/documento/MAM-256168. Fecha de consulta mayo 10 de 2015.

15   Según la revista Forbes (1989) Pablo Escobar era el séptimo hombre más rico del mundo con una fortuna que ascendía a 25000 millones de dólares.

el entonces presidente de la república Ernesto Samper Pizano, sabía que a su campaña presidencial habían ingresado aproximadamente 5 millones de dólares provenientes del narcotráfico, así lo publicó el diario El Tiempo en su emisión del 23 de enero de 1996[16].

"Anoche, en el casino de la Escuela de Caballería del Ejército, en mangas de camisa, con un chaleco de lana amarillo y corbata, nervioso pero aliviado de quitarse un peso de encima, el ex ministro entregó en forma exclusiva a Enrique Santos Calderón, subdirector de EL TIEMPO, un documento de ocho páginas en el que consigna: Ahora la verdad, finalmente, saldrá a relucir. Aunque no me es permitido violar la reserva del Sumario, considero que debo contestarle a los colombianos la pregunta fundamental: Sabía el Presidente Samper sobre la narcofinanciación de su campaña?

Con una infinita tristeza, porque le tengo un gran aprecio personal al presidente Samper, tengo que contestar —agrega— en forma clara y contundente que sí sabía. Y no solamente eso. Debo decir también que el Presidente Samper está seriamente comprometido con estos hechos.

Para muchos colombianos añade Botero en el documento estas verdades van a generar una enorme angustia, al menos en el primer momento. Habrá sensación de un desplome de las instituciones y una perturbación de la estabilidad política.

Solamente por esta razón siento que es mi deber referirme brevemente al papel cumplido por el vicepresidente, Humberto De la Calle, en la campaña presidencial. Sólo quiero decir que él nada tuvo que ver con la financiación de la campaña y es completamente ajeno a los hechos que tienen al país en esta situación de crisis".

Se trataba entonces del presidente de la República de Colombia quien fue acusado de manera contundente y con un arsenal probatorio suficiente para empezar con lo que se denominó en ese entonces "el proceso ocho mil", un procedimiento largo y tedioso que dio como resultado varias condenas de funcionarios intermedios al interior del gobierno de turno, muchos señalamientos y de manera escandalosa, con la absolución total del presidente Samper. Sin duda uno de los

---

16   Tomado de http://www.eltiempo.com/archivo/documento/MAM-374280, recuperado junio 6 de 2015

eventos que refleja con la mayor precisión al individuo intocable que desde las altas esferas es el paladín del tráfico de drogas y por ende de la criminalidad transnacional en Colombia es éste. En el hecho participaron varios políticos que hoy en día no han sido condenados y escasamente en ese momento fueron sindicados y absueltos. Las condenas recayeron sobre personas intermedias pero nunca sobre los líderes de la política.

Todo comenzó cuando en un allanamiento, la policía de Cali encontró y reveló un prontuario contable en el cual, el contador de los hermanos Rodríguez Orejuela, y por ende del cartel de Cali Guillermo Pallomari, relacionaba pagos a diferentes campañas políticas dentro de las que se encontraba la del presidente en cuestión; ésta indagación llevaba el n° 8000 de allí el proceso contra el citado ex-presidente tomó su histórico nombre. Dentro del proceso que se inició a través de éste hallazgo, el primer llamado a declarar fue Santiago Medina quien era para ese entonces el contador y tesorero de la campaña del presidente Samper. Santiago Medina ante las circunstancias, confesó haber recibido los dineros provenientes del narcotráfico, para financiar la campaña presidencial por órdenes de quien llegara a la presidencia y por supuesto de Botero Zea quien lideraba su campaña. Esto llevó a las autoridades judiciales a capturar a Botero Zea ya detenerlo en ese entonces en una guarnición militar, en dónde confesaría posteriormente que efectivamente, el mandatario sabía de los dineros ilícitos que habían ingresado en las huestes de su campaña.

El juez natural del presidente en Colombia es el Congreso de la República quien en su cámara baja o de representantes, tiene a su cargo adelantar la investigación para luego surtirla ante la cámara alta o senado, quien cumple las funciones de juzgamiento. En el caso sub judice no hubo ni condena, ni absolución, simplemente la cámara de representantes precluyó la investigación mediante el censo de los miembros de ésta corporación, los cuales votaron 111 contra 43 dando por terminada la actuación penal "Democráticamente".

Era evidente que si en los libros del señor Pallomarise develaba información sobre varias campañas impregnadas con el dinero del narcotráfico, el presidente fuera absuelto, se trataba en un alto porcentaje de las mismas personas señaladas en las notas del contador.

Como bien lo anota Zúñiga Rodríguez[17], dentro de las grandes dificultades a la hora de establecer los grupos o bandas criminales, está la forma en que los individuos pueden apoyar a la banda actuando de manera aparentemente ilícita para coadyuvar las actividades de ésta, si en el caso en análisis el congreso de la república no tuviera mayores vínculos con seguridad la historia del juzgamiento del citado ex presidente hubiera sido diferente, no obstante es claro que una cámara Estatal en pleno no puede votar a tan alta mayoría en favor de la impunidad evidente en un Estado de Derecho.

4.4. Las categorías dentro del análisis

Valgan los ejemplos anteriores, para ilustrarlos grupos de sujetos observables en dos categorías dispuestas en éste análisis, los cuales intervienen en los crímenes transnacionales en Colombia y que normalmente pasan desapercibidos, pese a que su participación en los mismos resulta de vital importancia.

Primera categoría: El líder. Hoy puede asegurarse, que el gran líder del tráfico de drogas en Colombia durante la aparente hegemonía de Pablo Escobar no era él. Existen bases suficientes para establecer que éste sujeto actuaba por órdenes de un tercero, o un grupo de terceros que le daban ordenes, le ocultaban y protegían, le pagaban por su trabajo etc. Estos sujetos, sin duda fueron desestimados y emulados por el mismo Escobar, quien en un determinado momento quiso ocupar un lugar que no le correspondía dentro de la organización o en el giro del "negocio", y por tanto, le persiguieron y le traicionaron con el mismo poder del Estado, es claro que son personalidades de "Estado" de un nivel político y público predominante de la clase dirigente colombiana. Enviaron victimas para que le atacaran, sin embargo debido al poder económico que alcanzó a tener Escobar con sus actividades, generó en los años ochenta un ambiente de terror en todo el país, pero finalmente le dieron muerte; ahora nos preguntamos ¿si

---

[17] Cfr. ZUÑIGA RODRÍGUEZ, Laura, *Problemas de interpretación de los tipos de organización criminal y grupo criminal estudio a la luz de la realidad criminológica y de la jurisprudencia.* En: Instrumentos jurídicos y operativos en la lucha contra el tráfico internacional de drogas. (Memorias proyecto I.F.O...) Aranzadi (2015) P. 91 y ss

éste sujeto no hubiera pretendido acceder al poder del congreso, hubiera muerto igual, le hubieran perseguido igual?

En el segundo caso un presidente, un ministro, un jefe de campaña presidencial, son absueltos de cargos de narcotráfico demostrando con claridad la supremacía de la organización criminal, una orden no proviene del jefe, la estructura de la banda es tal que el juzgador democrático, en éste caso el Congreso de la República de todo un país se abstiene de continuar la investigación contra el presidente de la república habida cuenta que quien probablemente ha financiado su propia campaña es el mismo financiador de la campaña presidencial,

Lo anterior permite resumir en una categoría un primer grupo de sujetos observables con éste perfil, cuyo común denominador es: la alta política. Su intervención ha sido definitiva para la perpetración de los delitos transnacionales en Colombia y al respecto existen varios ejemplos de condenas y procesos penales de personas a quienes podemos clasificar dentro de la misma. Sobre el particular en los últimos años la prensa colombiana ha anotado: *"El escándalo de la parapolítica, uno de los episodios más vergonzosos en la historia de la política colombiana, continúa sumando implicados. La Fiscalía reveló que más de 470 funcionarios y ex funcionarios han sido vinculados a procesos por su presunta vinculación a las estructuras delictivas que se tomaron durante años el poder político en algunas regiones del país, de la mano de las armas de los paramilitares.*

En el tiempo que lleva la Estructura de Apoyo de la Fiscalía encargada de investigar los nexos de los políticos regionales con las autodefensas 38 alcaldes, 44 concejales, un diputado, 58 exalcaldes, 135 exconcejales, dos exdiputados, 55 funcionarios públicos, 29 contratistas, 69 desmovilizados y 47 particulares han sido procesados, en su mayoría, por concierto para delinquir dentro del sistema penal mixto. Revista semana 25 octubre del 2012".

Funcionarios medios. Resulta vital que un juez participante en los delitos transnacionales, sea de primera o de segunda instancia, en el trasegar de sus funciones tenga claro en favor de quien debe operar el poder judicial. Lo vemos en el segundo caso claramente, el juez en el ejercicio de sus funciones puede desechar la persecución en favor del procesado.

El tipo penal de prevaricato como norma de motivación negativa, no es suficiente en un país como Colombia en donde existen intérpretes de los intérpretes de la dogmática jurídico-penal alemana, y por tanto resulta muy fácil acceder a medidas discrecionales para aplicar la ley en favor del sujeto que según la organización criminal debe ser absuelto. Valga recordar que absolver a Pablo Escobar o a alguno de sus secuaces en los años 80s por traficar con drogas, no era un hecho de mayor relevancia, dado que era lo común.

En éste grupo de funcionarios, se reflejan también aquellos que desde una posición cómoda de la política nacional, pueden ejercer gran influencia territorial así, funcionarios como: gobernadores, alcaldes, inclusive concejales y diputados de las asambleas departamentales hacen parte de ésta segunda categoría en éste análisis, la cual goza al igual que la anterior, de un sinnúmero de ejemplos en Colombia Según el informe de Naciones Unidas y el alto comisionado en 2014 en Colombia, *"...de 35 candidatos a Senado y Cámara investigados por la Corte Suprema de Justicia por presuntos vínculos con grupos paramilitares, sólo nueve se quedaron sin curul. VerdadAbierta.com presenta en un gráfico interactivo cómo le fue a cada congresista en las elecciones y los señalamientos que tiene en su contra. Pasadas las elecciones a Senado y Cámara de Representantes, y con cerca del 100% de las mesas de votación escrutadas por la Registraduría Nacional del Estado Civil, el fantasma de la 'parapolítica' rondará el nuevo Congreso de la República. De las 268 curules en disputa, 102 en el Senado y 166 en la Cámara, 26 serán ocupadas por congresistas que repetirán legislatura y que están siendo investigados de manera preliminar en la Corte Suprema de Justicia por sus presuntos vínculos del pasado con grupos armado ilegales. Inicialmente, VerdadAbierta. com estableció que se presentaron 35 candidatos investigados, pero tras los resultados las cifras revelan que al Senado llegaron 15 políticos quienes, están siendo investigados porque se sospecha que hicieron pactos con las Autodefensas Unidas de Colombia (Auc) y otras organizaciones armadas, mientras que a la Cámara de Representantes 11 lograron su curul".*

Su común denominador es la aceptación de un superior jerárquico o un nominador democrático. En el primer caso, no se requiere que el superior haga parte de la banda criminal. Así, es posible que un ministro del despacho haga parte de un gobierno incólume y siga órdenes del presidente de la república, pero coadyuve a la banda criminal transnacional a espaldas de su jefe político. En el segundo, se trata de circunscripciones de elección popular del orden regional.

5. EL HOMBRE DE ATRÁS EN LA DOCTRINA DEL DERECHO PENAL

La doctrina del derecho penal ha discutido en innumerables ocasiones, cual es la naturaleza del hombre de atrás[18] en una organización criminal, es decir, quién es aquel que de manera primigenia emite una orden criminal, la cual ha de ser cumplida en una cadena de ordenes hasta el logro de su objetivo. Para dar respuesta desde la dogmática jurídico penal, destacan las posturas del inductor y del autor mediato, que tal vez son las que con mayor solidez frente al tema defiende la doctrina, pero definitivamente sobre las cuales no hay una postura dominante dado que no existe acuerdo dentro de la postura de una gran cantidad de teóricos en la dogmática jurídico penal contemporánea.

En éste análisis no nos interesa la discusión suscitada por la dogmática jurídico penal acerca de la participación o la autoría criminal; ni sobre los elementos que permiten establecer por qué se es o no autor del delito, sino solo preocupa la posición que ocupa "El hombre de dos caras" en la banda criminal, dado que su responsabilidad a la luz de la dogmática, puede provenir de ser indistintamente autor o participe, por ejemplo en ocasiones presentándose como perpetrador inclusive de propia mano, en otras como determinador de las conductas objeto de éste trabajo y aún inclusive en otras, a manera de quien presta una simple ayuda[19]. Sin perder su esencia, éste sujeto puede aparecer dentro de cualquier categoría de la autoría o de la participación.

---

[18]   No se hace referencia exclusiva al hombre de atrás en la doctrina clásica de la autoría mediata.

[19]   En los delitos de tráfico de drogas en Colombia, es indiscutible que el legislador ha optado por un criterio Unitario de autor, el cual se deduce de la descripción típica de las conductas, dado que las mismas no admiten en su redacción, la más mínima posibilidad de desarrollar la conducta como participe.

No cabe duda de que la dogmática tradicional en tratándose de delitos transnacionales grupales debe evolucionar, debido a que no da respuestas satisfactorias a la manera como éstos criminales han de ser tratados y en especial a la forma legítima en que éstos deben ser vinculados a un proceso penal, dado que las prevaricaciones por ejemplo en contra de los jueces que coadyuvan a la impunidad de los traficantes de drogas, o de los terroristas se quedan cortas a la hora de establecer que éstos funcionarios judiciales dentro de la cadena delictual, hacen parte de la banda criminal y no pueden ser vinculados con los mecanismos tradicionales de participación en la conducta punible.

6. CONCLUSIONES

En éste análisis se parte de afirmar que en la mayoría de delitos transnacionales de terrorismo y tráfico de drogas en Colombia, participa un sujeto cuya incidencia para la perpetración del punible es relevante, dada su posición política o su actividad pública. Este personaje para los términos de éste análisis lo hemos denominado "el hombre de dos caras", el cual hace parte de la organización, sin ser necesariamente el "capo" o el "jefe" de la banda. Piénsese por ejemplo en las detenciones y condenas que han tenido lugar en Colombia de directores de departamentos, jueces, fiscales, magistrados, congresistas, diputados, alcaldes, gobernadores y funcionarios públicos de todo orden, acusados de financiar o coadyuvar el paramilitarismo y el tráfico de drogas; en esos casos existe una relación directa entre la actividad del funcionario y el ilícito grupal transnacional, sin embargo el sujeto sobre el que recae éste análisis no participa directamente de él, dado que aparece posteriormente como el juez que absuelve, o el alcalde que permite determinada actividad dentro del ámbito propio del dominio de su jurisdicción administrativa, coadyuvando al delito pero sin participar directamente de él, la banda lo hace parte pero él no participa del delito directamente. Así se presentan infinidad de ayudas significativas de muchos sujetos, en Colombia existe una amplia participación de personas que no solo coadyuvan con su quehacer como personas del común, sino que desde los cargos dignatarios ayudan a perpetrar el delito.

No se trata de un sujeto, cuya actividad habitual sea la de delinquir por pertenecer a una banda criminal y por ende haga parte de ella, sino que por el contrario, su participación en la banda se establece dado el hecho de que éste sujeto ocupa un cargo Público y/o político el cual favorece las actividades del grupo.

Aquí se parte por tanto, de la afirmación de que los delitos transnacionales en Colombia, en especial los de tráfico de drogas y terrorismo, cuentan en muchos casos con la participación de sujetos cuya identidad se encuentra en el absoluto anonimato; y que desde una visión mediática, no deja de ser su participación en el delito una mera sospecha dejada a la especulación; la certeza de su participación, solo se concreta hasta tanto se demuestre la efectiva participación del sujeto en los crímenes antedichos, y es allí en dónde el personaje del que se ocupa ésta investigación sale a la luz y sorprende a la comunidad, un senador, un presidente, un ministro o una figura pública y representativa que presta apoyo irrestricto como colaborador a una banda criminal.

7. BIBLIOGRAFÍA

GARRIDO, Vicente, STANGELAND, Per; REDONDO, Santiago, Principios de Criminología, 2006, Tiran lo Blanch, Madrid 4ª ed.

TORRES-VÁSQUEZ, Henry, "La delincuencia organizada transnacional en Colombia", en Díkaion 22-1 (2013), pp. 109-130.

MELO, Jorge Orlando, Colombia es un tema, Este artículo fue leído en una reunión sobre droga realizada en Toledo en enero de 1995, y publicado, después de modificaciones menores para incluir algunos eventos de 1995 y 1996 y algunos recortes por razones de espacio, por la Universidad de Londres en Carlos Malamud y Elizabeth Joyce, ed. **Latin American and the Multinational Drug Trade** (London, University College, 1998) tomado de http: //www. jorgeorlandomelo.com/narcotrafico.htm fecha de consulta enero 12 de 2016.

BAUMOL W. 1990 "Entrepreneurship: Productive, unproductive and destructive" Journal of Political Economy, 98(5), pp. 893.

http: //www.semana.com/nacion/articulo/el-prontuario/10800-3. Fecha de consulta junio 20 de 2015.

http: //www.eltiempo.com/archivo/documento/MAM-256168. Fecha de consulta mayo 10 de 2015.

http: //www.eltiempo.com/archivo/documento/MAM-256168. Fecha de consulta mayo 10 de 2015.

http: //www.eltiempo.com/archivo/documento/MAM-374280,   recuperado junio 6 de 2015.

Cfr. ZUÑIGA RODRÍGUEZ, Laura, *Problemas de interpretación de los tipos de organización criminal y grupo criminal estudio a la luz de la realidad criminológica y de la jurisprudencia.* En: Instrumentos jurídicos y operativos en la lucha contra el tráfico internacional de drogas. (Memorias proyecto I.F.O...) Aranzadi (2015) p. 91 y ss.

Seguridad y Crimen Organizado Transnacional en Centroamérica Fundación Konrad Adenauer Red Centroamericana de Centros de Pensamiento e Incidencia —la RED— Editores responsables Tjark Egenhoff y Eduardo Stein. Febrero 2011, p. 22.

¿SON LAS BANDAS LATINAS EN ESPAÑA CRIMEN ORGANIZADO?

SYLVIA CÓRDOBA MORENO[1]

Sumario: 1. Introducción. 2. Definición de crimen organizado. 2.1. Concepto de delincuencia organizada en España. 2.2. Concepto de delincuencia organizada en la comunidad internacional. 3. Diferenciación de las asociaciones ilícitas con las organizaciones criminales. 4. Las bandas callejeras latinas de tipo violento. 4.1. Definición de banda callejera o pandilla. 4.2. Pandillas callejeras: ¿Criminalidad organizada o delincuencia común? 4.3. Las bandas latinas más conocidas. 4.4. Características comunes de los pandilleros. 4.5. ¿Porqué se forman las bandas juveniles de tipo violento? 5. Conclusiones. 6. Bibliografía.

Resumen: El presente trabajo se centra en la problemática jurídico social de las pandillas latinas callejeras de tipo violento, en su análisis desde el punto de vista de su concepción penal, si es apropiado considerarlas a todas ellas como una variante del crimen organizado o si acaso, sólo a algunas de ellas. El fenómeno de las bandas latinas está con relativa frecuencia en los medios de comunicación en nuestro país desde hace algunos años, casi siempre debido a enfrentamientos violentos entre los miembros de determinadas bandas contra los de otras a las que consideran rivales. Estos enfrentamientos, normalmente riñas tumultuarias, se producen en la vía pública porque previamente han quedado allí las bandas en cuestión para pegarse y "ajustar cuentas", y a veces no han trascendido de peleas con lesionados de escasa gravedad, pero en ocasiones han llegado a producirse homicidios.

El que sea una delincuencia que preocupe especialmente a la policía y a los agentes sociales, es debido a que se produce entre jóvenes, a menudo menores edad, y lógicamente que es algo preocupante porque si un niño ya a esa temprana edad comete delitos o desarrolla conductas desviadas, todo nos hace pensar que continuará en esa dinámica también cuando alcance la edad adulta, y que cada vez sus acciones pueden revestir una mayor gravedad y unas peores consecuencias para la sociedad en general. Pero cuando esos pandilleros que comenten delitos sean niños, tampoco puede olvidarse que aunque tengan comportamientos prohibidos, merecen una mayor protección y los castigos que sufran deberán tener siempre un fin educativo más que punitivo.

---

[1] Abogada y Doctora en Derecho Penal.

Hay bandas latinas que trascienden de lo que en España podamos estar más habituados a ver en este tipo de delincuencia, que llegan a ser agrupaciones verdaderamente peligrosas y con cientos de adeptos que acatan las órdenes de uno o varios líderes, que sienten su pertenencia a esa pandilla como un camino de no retorno y que infunden verdadero terror allá donde están asentadas. En Centroamérica las conocen muy bien, sin embargo todavía no saben cómo exterminarlas.

Como no todas las pandillas latinas son iguales, no deberá darse el mismo tratamiento para cada una de ellas, sino que habrá que estar al lugar geográfico en cuestión, a las características propias de la banda, a las actividades que lleven a cabo sus miembros y a la legislación en vigor. Así en unos casos, se hablará de delincuencia común, en otro de asociaciones ilícitas y en otros de organizaciones criminales transnacionales.

Palabras clave: bandas latinas, organizaciones criminales, jóvenes.

1. INTRODUCCIÓN

La delincuencia organizada, a nivel general e incluyendo dentro de esta todas sus modalidades como el terrorismo, constituye desde hace décadas uno de los problemas sociales más graves que perjudican y preocupan a la humanidad, por varias razones. Una de esas razones es porque las organizaciones criminales no permanecen quietas en un determinado territorio, sino que se mueven de un país a otro con gran facilidad y realizan conexiones con otras organizaciones tanto legales como ilegales de diferentes lugares con las que forman redes en todo el mundo, y así se convierte en una tarea tremendamente complicada el ponerlas freno, y por ello la ONU hablará de ellas, en esos casos, como de delincuencia organizada transnacional.

Estas sociedades del crimen, que se han infiltrado también en los sistemas legales de gobierno, han llegado en ocasiones a ser más poderosas que el propio Estado, véase el caso de la mafia italiana por ejemplo. Además resulta que avanzan rápido tecnológicamente, y la única respuesta posible que debe dar la policía ante ello, es la especialización profesional permanente, aplicando medios y técnicas de investigación iguales o más avanzadas para poder competir. Y, para poder combatirlas, es por lo que la mayoría de los países ya hoy en día contienen en sus ordenamientos jurídicos penales regulaciones en materia de "delitos de organización".

En nuestro país comenzó a hablarse de la delincuencia organizada, a partir de los años 70, gracias al auge del turismo y del cambio político, del paso de la dictadura a la democracia. Los delitos que empezaron a verse cometidos por grandes grupos, eran especialmente sobre tráfico de drogas. Y con el tiempo la transnacionalidad, la delincuencia que actúa en varios países distintos, se ha convertido en el elemento esencial que identifica las nuevas formas de criminalidad, y ha venido favorecida por la apertura de fronteras.

En la delincuencia organizada hay una división precisa del trabajo, los roles están claramente establecidos y se tiende a la especialización delictiva, como si de una sociedad mercantil se tratara, hay un permanencia en el tiempo y también se hace uso de la violencia si es necesario. Y en algunos de estos y otros aspectos coinciden con las pandillas juveniles violentas, de ahí que hayan llegado a ser comparadas con organizaciones criminales en múltiples ocasiones.

Las bandas juveniles latinas de tipo violento en España, por su parte, son un fenómeno bastante novedoso, pues cuentan con menos de 15 años de historia, aunque no es así para otros países del Centro y del Sur de América donde ya tienen una larga trayectoria, al igual que Estados Unidos, donde las vienen sufriendo desde hace unos 100 años. Entre sus características destaca el que están compuestas por jóvenes de origen latinoamericano, aunque en la actualidad ya no solo es así, pues también las componen de otras nacionalidades incluida la española.

En sus orígenes de hace décadas en EE.UU., lo hicieron como agrupaciones juveniles que tenían como fin primordial el de defender sus derechos frente una sociedad norteamericana racista, sin embargo, con el tiempo fueron perdiendo esa esencia positiva que tenían y fueron convirtiéndose en grupos cada vez más violentos y numerosos gracias a las políticas de mano dura o tolerancia cero que imperaron durante una época en la sociedad americana contra esos grupos.

En España, si bien es cierto que todavía no han desplegado demasiados efectos negativos entre nuestros jóvenes, más que aquellos que se han derivado de peleas tumultuarias entre miembros de bandas rivales en los que en muy pocas ocasiones ha habido víctimas mortales, todo apunta a que si no se ponen más medios para intentar su desaparición o al menos su transformación a asociaciones culturales, podremos sufrir graves consecuencias como ha ocurrido en países donde ya están perfectamente establecidas, tales como en EE.UU., El Salvador, Honduras o Guatemala.

2. DEFINICIÓN DE CRIMEN ORGANIZADO

Aunque no hay un concepto unívoco de delincuencia organizada, sí hay rasgos característicos que han sido reconocidos por muchos países, algo que resulta imprescindible en la lucha contra este tipo de delincuencia. Es un fenómeno tan amplio que hace difícil captar la dimensión de la realidad[2].

Algunos de sus rasgos o elementos comunes más significativos son:

* Actividad delictiva desarrollada con el concurso de varias personas
* Unión de esas personas para delinquir duradera en el tiempo
* Objetivo de obtención de beneficios
* Exigencia de un mínimo de personas para configurar la organización
* Existencia de vínculos jerárquicos
* Empleo de métodos violentos o de corrupción
* Comisión de delitos graves
* Transnacionalidad para el control de mercados nacionales extranjeros

Sin embargo se han dado otras características o requisitos más para poder hablar de este tipo de criminalidad en según qué países o legislaciones.

La organización delictiva tiene una dimensión institucional, pero de institución antisocial, lo que la diferencia de las meras agrupaciones coyunturales para cometer delitos[3].

---

2   ZÚÑIGA RODRÍGUEZ, Laura: "Modelos de política criminal frente a la criminalidad organizada: la experiencia italiana", artículo, p. 21. http: //crimtrans. usal.es/?q=node/160.

3   CANCIO MELIÁ, Manuel y SILVA SÁNCHEZ, Jesús María: *Delitos de organización*, BDEF, Buenos Aires, 2008, p. 95.

2.1. Concepto de delincuencia organizada en España

En el Código Penal se define lo que debe entenderse por organización criminal en el artículo 570 bis, por grupo criminal en el artículo 570 ter, y por su parte el artículo 515 concreta lo que son las asociaciones ilícitas, pues no vienen a ser lo mismo aunque en muchas ocasiones sean términos que se confundan y se empleen indistintamente, pero no se tratan del mismo delito.

En nuestro ordenamiento, se trata este fenómeno de la delincuencia organizada en el art. 282 bis de la LECrim., el cual aborda todo lo referente al agente encubierto, las condiciones que debe reunir, cómo debe llevarse a cabo, etc… Y en el apartado cuarto se desarrolla el concepto de delincuencia organizada, considerándose como tal a una asociación de tres o más personas para realizar de forma permanente o reiterada, conductas que tengan como fin cometer alguno o algunos de los delitos que se hacen constar en la enumeración que realiza el propio precepto.

El art. 515 C.P., regula como ya se ha anunciado el delito de asociación ilícita, que sería un tipo general, sin perjuicio de que ya tengamos, gracias a las sucesivas reformas penales, tipos agravados especiales para determinados delitos cuando concurran en el marco de una organización criminal. Además, a la hora de castigarlos, podrán aplicarse las consecuencias accesorias del art. 129 C.P. y el decomiso del art. 127 C.P.

Con la reforma legal del C.P. operada por la LO5/2010, de 22 de junio, se crearon dos tipos delictivos nuevos y una serie de disposiciones comunes a ambos. Los dos nuevos tipos se estructuran como delitos de peligro abstracto y de mera actividad y en ellos se prohíben los actos preparatorios en el seno de una organización o grupo criminal a modo de conspiración *"sui generis". El primero de ellos, también anunciado al inicio de este apartado, sería el art. 570 bis, tratará las organizaciones criminales, y así, castigaría a* quienes promovieren, constituyeren, organizaren, coordinaren o dirigieren una organización criminal con la pena de prisión de cuatro a ocho años si aquélla tuviere por finalidad u objeto la comisión de delitos graves, y con la pena de prisión de tres a seis años en los demás casos; y con la pena de prisión de uno a tres años en los demás casos. Y aclara que *se entenderá por "organización criminal la agrupación formada por más de dos personas con carácter estable o por tiempo indefinido, que de manera concertada y coordinada se repartan diversas tareas o funciones con el fin de cometer delitos, así como de llevar a cabo la perpetración reiterada de faltas".*

El precepto prevé la agravación de las penas previstas en su mitad superior cuando la organización: a) esté formada por un elevado número de personas; b) disponga de armas o instrumentos peligrosos; c) disponga de medios tecnológicos avanzados de comunicación o transporte.

Por su parte, el artículo 570 ter, dedicado a los grupos criminales, castiga en su apartado a) con penas de prisión de dos a cuatro años a quienes constituyeren, financiaren o integraren un grupo criminal cuya finalidad fuera la de cometer delitos de los mencionados en el apartado 3 del artículo anterior si se trata de uno o más delitos graves y con la de uno a tres años de prisión si se trata de delitos menos graves;

Y *define por "grupo criminal la unión de más de dos personas que, sin reunir alguna o algunas de las características de la organización criminal definida en el artículo anterior, tenga por finalidad o por objeto la perpetración concertada de delitos o la comisión concertada y reiterada de faltas".*

La diferencia más notable del grupo criminal con la organización criminal, radica en el nivel de complejidad de la estructura organizada, manteniéndose en común la exigencia de un mínimo de tres personas y la finalidad de cometer delitos o de faltas reiteradas (*hasta la LO 1/15, de 30 de marzo de reforma del C.P., que elimina todas las faltas*).

El tercer artículo añadido por la LO 5/2010, de 22 de junio, sería el art. 570 quáter, el cual fue modificado después por la LO 3/2011, de 28 de enero, y hará referencia a la posibilidad que tienen los jueces o tribunales en los supuestos previstos en ese Capítulo IV y en el V, de acordar la disolución de la organización o grupo y, en su caso, cualquier otra de las consecuencias de los artículos 33.7 y 129 de este Código.

Y por último, también se da la posibilidad a los jueces o tribunales de imponer en cualquiera de estos delitos la pena inferior en uno o dos grados, siempre que el sujeto haya abandonado voluntariamente sus actividades delictivas y haya colaborado de forma activa con las autoridades.

Tenemos en nuestro país dos casos muy famosos en los que se trató en profundidad el tipo penal de asociación ilícita. En 1992 se dictó la STS del "caso Amedo", en la que se establecieron como notas características de la banda armada terrorista, la existencia de una organización con vínculos estables, con una jerarquía y con unos medios idóneos como las armas y los explosivos. Aquí se enjuició como miembros de la banda GAL al policía José Amedo, y aunque en esa ocasión la AN no advirtió propósito de destruir el orden democrático en la banda, en reiterada y posterior jurisprudencia del TS, se ha afirmado que no cabe distinguir entre terrorismos, ya que también se persigue desestabilizar al Estado democrático cuando se afirma que los medios legales no son suficientes en la lucha contra el terrorismo (SSTS de 25 de enero de 1993 y 14 de diciembre de 1993).

Y en 1997 la del "caso Filesa", también por el Alto Tribunal, por el contrario, se ofrece un concepto de asociación ilícita demasiado amplio, pues a pesar de que exige la concurrencia de ciertos requisitos, no establece la necesariedad de que concurra la finalidad de comisión de delitos.

En la actualidad, la delincuencia organizada en España, presentaría las siguientes características[4]:

- La gran parte de la actividad delictiva llevada a cabo por los grupos organizados en nuestro país, suele estar relacionada con el tráfico de drogas
- Suelen disponer de una gran infraestructura para llevar a cabo sus actividades, tanto legales como ilegales
- A menudo hacen uso de la violencia, incluso dentro del propio grupo
- A veces tienen influencias por parte de instituciones, no sólo privadas, sino también Públicas
- Frecuentemente se ubican geográficamente, en la Costa del Sol y en general por toda Andalucía, en la Costa Brava, Galicia, Cantabria y Zaragoza, y por supuesto, también en las grandes ciudades, Madrid, Barcelona y Valencia.

---

[4] ALONSO PÉREZ, F.: *Introducción al Estudio de la Criminología*, REUS, S.A., Madrid, 1999, p. 224 y 225.

Y como dato curioso, resulta que según la ONU, nuestro país se encuentra entre los 10 destinos favoritos de las mafias dedicadas a la delincuencia organizada. Y según EUROPOL, la ¼ parte de todas las redes criminales que actúan por todo el territorio europeo, están asentadas en España.

2.2. Concepto de delincuencia organizada en la comunidad internacional

En la reunión de expertos en 1988 sobre criminalidad organizada en la OIPC-INTERPOL, se dice qué es delincuencia organizada: *"cualquier asociación o grupo de personas que se dediquen a una actividad ilícita continuada y cuyo principal objetivo sea la obtención de beneficios, haciendo caso omiso a la existencia de fronteras nacionales".*

Si bien, los Estados miembros de la Organización de Naciones Unidas en la Convención Internacional celebrada en Palermo en el año 2000, suscribieron en la misma en su art. 2 aquello que debía entenderse por grupo delictivo organizado con sus características más comunes. La Convención de Palermo es un claro ejemplo de la voluntad política de la comunidad internacional para combatir la delincuencia organizada que promueve la colaboración entre los países y las agencias gubernamentales, generando además el intercambio de información.

El Consejo de Europa en el Comité Europeo sobre Problemas del Crimen Organizado celebrado en Estrasburgo en 1999, ofreció la siguiente definición: *"Grupo estructurado de tres o más personas, existiendo por un período prolongado de tiempo y teniendo la intención de cometer delitos graves a través de una acción concreta, bien usando la intimidación, la violencia, la corrupción y otros actos, con el fin de obtener, directa o indirectamente, beneficios económicos o materiales".*

La UE aprobó el Documento ENFOPOL 161-REV-3 (Doc. 6204/2/97), que contiene 11 elementos indicadores para identificar la existencia de un grupo organizado, de los cuales, cuatro han de concurrir obligatoriamente (colaboración de dos o más personas; actuación prolongada en el tiempo; sospecha de la comisión de delitos graves; ánimo de lucro), junto con dos de los restantes indicadores.

El resto pueden o no estar presentes, dependiendo del tipo de organización[5].

En EE.UU., en 1970 entró en vigor *"The Racketeer Influenced and Corrupt Organizations Act (RICO), 18 U.S.C. §§ 1961-68 (1994)"*, una ley para combatir las organizaciones corruptas e influenciadas por el crimen organizado que obtienen beneficios a través de la extorsión a negocios lícitos[6]. Esta ley fue inicialmente conocida como la Ley R.I.C.O. y fue la que introdujo el concepto de criminalidad organizada por vez primera.

Así, y a modo de ejemplo, el art. 416-bis del C.P. italiano, prevé que para conformar el tipo penal de *associazione di stampo mafioso* (asociación de tipo mafioso), se exige la participación de por lo menos tres personas y la utilización por parte de los miembros del grupo de fuerza intimidatoria del vínculo asociativo, la condición de sumisión a la ley del silencio que se deriva, para adquirir, de modo directo o indirecto, la gestión o el control de actividades económicas, de concesiones o de permisos de servicios públicos, o para obtener provecho o ventajas injustas para sí o para otros. También se penalizan las asociaciones que tuvieran como fin impedir u obstaculizar el libre ejercicio del voto o la utilización del poder intimidatorio para captar votos para sí o para otros.

Las fuerzas de la policía siciliana, han destacado una serie de elementos caracterizadores de la organización mafiosa en Sicilia, siendo los siguientes[7]:

– Estructura piramidal y subdivisión de los roles de los miembros
– La capacidad de someter con intimidación a la sociedad civil y de apoyarse y sustituir a los aparatados del Estado
– El ejercicio del poder como objetivo último de la organización mafiosa, al lado y por delante al mismo tiempo, del ánimo de lucro

---

5 MAPELLI CAFFARENA, Borja, AGUADO CORREA, Teresa y otros: *Estudios Sobre Delincuencia Organizada: Medios, Instrumentos Y Estrategias De La Investigación Policial*, MERGABLUM. Edición y Comunicación, S.L., Sevilla, 2001, p. 20.
6 http: //www.ricoact.com/ricoact/theact.asp.
7 MAPELLI CAFFARENA, B. y otros: *Estudios Sobre Delincuencia Organizada: .... op. cit.* p. 90.

- La propensión a acaparar ilícitamente reservas económicas entendida como medio para la consecución del poder
- El uso sistemático de la violencia, especialmente en las relaciones con los clanes rivales, como instrumento para afirmar el dominio del territorio
- El control de cada actividad ilícita desarrollada sobre el territorio de referencia de la organización criminal
- La propensión a una constante modificación y expansión de los propios sectores de actividad
- La tendencia a infiltrarse en las actividades empresariales lícitas y a asumir su control
- La peculiar capacidad de la organización mafiosa de mimetizarse en el territorio
- La condición de sometimiento del tejido social en que se ubique, el cual se corresponde con una generalizada actitud de silencio y de no colaboración con las actividades de contraste con la criminalidad
- La tendencia, en línea general y salvo algunos momentos particulares y transitorios, a no entrar en conflicto directamente con las instituciones públicas, sin embargo se infiltran en las mismas y condicionan los procesos en los que se toman decisiones.

Seguramente, más de una de estas características que fueron resumidas por la policía siciliana, se puede emplear para definir cualquier tipo de organización criminal, sin embargo era necesario a nivel internacional resumir aún más esos caracteres para simplificar conceptos y facilitar la lucha contra los grupos de delincuentes que tan difícil resulta ya de por sí.

3. DIFERENCIACIÓN DE LAS ASOCIACIONES ILÍCITAS CON LAS ORGANIZACIONES CRIMINALES

Las asociaciones ilícitas carecen de continuidad en el tiempo o su duración es escasa, en cambio, las organizaciones criminales se crean para mantenerse activas durante un largo periodo o de forma indefinida.

Por otra parte, cabe la punición de la asociación para cometer un solo delito, y sin embargo, no es punible la organización para cometer un solo delito[8].

Con las organizaciones criminales comparten características otras agrupaciones como las bandas juveniles y las organizaciones terroristas, las primeras, ya sean bandas latinas o grupos neonazis, tienen algunos rasgos típicos del crimen organizado (cometen delitos violentos, disponen de una estructura organizada, una simbología propia, ...) al igual que las organizaciones terroristas.

El artículo 22 de la C.E. reconoce como un derecho fundamental el derecho de asociación y declara ilegales aquellas que persigan fines o utilicen medios tipificados como delito son ilegales.

Acudiendo a la jurisprudencia de nuestro Alto Tribunal, puede encontrarse el concepto de asociación ilícita, así como los requisitos que las asociaciones deben reunir para considerarlas ilegales, por lo que, a modo de ejemplo, tenemos la STS de 3 de mayo de 2001.

Por tanto, a pesar de que encontrar una definición unívoca de este fenómeno delictivo es una tarea complicada, parece que puede determinarse que una asociación la componen una pluralidad de personas, todas ellas concertadas a un fin ilícito determinado, y esa conculcación a la norma penal, ha de ser la querida y pretendida por todos sus miembros. Además, ese fin ilícito debe estar plenamente determinado y la organización asociativa tiene que tener cierta estructurada para su consecución.

También recordar que el delito de asociación ilícita, *"no requiere que el delito perseguido por los asociados llegue a cometerse, ni siquiera que se haya iniciado la fase ejecutiva del mismo[9]"*. Sin embargo, *"será preciso acreditar alguna clase de actividad de la que se pueda deducir que los integrantes de la asociación han pasado del mero pensamiento a la acción, aunque sea bastante a estos efectos con la decisión de hacerlo traducida en actos externos... aspectos relacionados con la finalidad delictiva, tanto a la captación de nuevos*

---

[8] FARALDO CABANA, Patricia: *Asociaciones ilícitas y organizaciones criminales en el código penal español*, TIRANT LO BLANCH, Valencia, 2002, p. 105.

[9] Tribunal Supremo Sala 2ª, S 19-1-2007, nº 50/2007, rec. 1841/2005. Pte: Monterde Ferrer, Francisco.

miembros, al adoctrinamiento y apoyo ideológico a los ya existentes, a la obtención de financiación y medios materiales para sus fines, a la preparación o ejecución de acciones o a la ayuda a quienes las preparan o ejecutan o a quienes ya lo hayan hecho[10]".

Ocurre además que el crimen organizado ha ido ganando terrero en el comercio internacional, en el sentido de que ha ido realizando alianzas y relaciones comerciales, económicas y políticas del mundo lícito. Y además, también han ido aumentando las actividades a las que dedicarse, si bien la prioritaria sigue el tráfico de drogas, ha aumentado la comercialización de otros productos ilícitos o de procedencia ilícita, tales como las armas de destrucción masiva, los órganos humanos, obras de arte, animales exóticos, etc. Y todos estos delitos, se conectan a su vez con el blanqueo de capitales[11].

4. LAS BANDAS CALLEJERAS LATINAS DE TIPO VIOLENTO

La emergencia de la delincuencia organizada en Iberoamérica está estrechamente vinculada al desarrollo de la industria de las drogas. Así comienzan a surgir organizaciones criminales cuya ocupación primordial era la producción y comercio de la cocaína, especialmente, si bien también de otro tipo de drogas. Los países donde se producían, eran Bolivia, Ecuador, Perú y Colombia, y de ahí se exportaba a EE.UU., Europa y Asia.

En Centroamérica y en América del Sur, la delincuencia que ha creado más alarma social, y sigue haciéndolo, es sin duda aquella protagonizada por los grandes cárteres de la droga y también por las pandillas callejeras, que en muchas ocasiones han llevado a cabo ilícitos penales conjuntamente por intereses económicos o de otro tipo.

La gran proliferación de las *gangs* producida en los años '90 en las calles de las ciudades de EE.UU, ha ocasionado que se realicen

---

10   Tribunal Supremo Sala 2ª, S 17-7-2008, n° 503/2008, rec. 10012/2008. Pte: Colmenero Menéndez de Luarca, Miguel.

11   ZÚÑIGA RODRÍGUEZ, Laura: *Bases para un modelo de imputación de responsabilidad penal a las personas jurídicas*, ARANZADI, Navarra, 2009, p. 93.

importantes investigaciones acerca de las relaciones de las *gangs* con la violencia y el tráfico de drogas.

Los Ángeles es una ciudad referente para las *gangs* de los Estados Unidos, siempre lo ha sido, y ello vino especialmente corroborado en 1994, cuando se contabilizaron 779 homicidios a manos de las bandas solo en esa ciudad. Los estudios que se hicieron sobre esto, incluyeron homicidios acaecidos en 5 áreas del centro/sur de la ciudad, elegidas por sus altos niveles de proliferación de bandas y actividades ilegales relacionadas con las drogas.

Cientos de personas mueren en L.A. abatidas por las St.G., y miles sufren los efectos negativos que generan en la sociedad, no sólo norteamericana, sino en la de numerosos territorios del mundo.

El fenómeno de las Maras, tipología de agrupaciones juveniles de carácter violento de origen centroamericano, es de gran relevancia en la actualidad, pues ya no se circunscribe únicamente a países tales como Honduras, Guatemala o El Salvador, naciones cuna de estos grupos, sino que también se ha extendido en los últimos años a países europeos como es el caso de España.

4.1. Definición de banda callejera o pandilla

La banda puede ser definida como: Forma de microcultura emergente en sectores urbano-populares. Grupo informal localizado de jóvenes de las clases subalternas, que utiliza el espacio urbano para construir su identidad social. Cada banda puede tener su propio estilo o ser producto de una mezcla estilos existentes en su medio social[12].

O también puede definirse como: Agrupación juvenil de carácter informal, propia de ámbitos urbano-populares, que se caracteriza por la vinculación a un territorio local, por un liderazgo situacional, y por la solidaridad moral que se da entre sus miembros[13].

---

[12]   FEIXÁ, Carles y PORZIO, Laura: *Culturas Juveniles en España*, Instituto de la *Juventud*, Ministerio de Trabajo y Asuntos Sociales, Madrid, 2004, p. 21.
[13]   FEIXÁ, Carles: *De los jóvenes, bandas y tribus*, ARIEL, 2006, Barcelona, p. 323.

El sociólogo Frederic Thrasher[14] enfatiza la pandilla como un grupo formado espontáneamente que se integra a través del conflicto (peleas entre pandillas). La marginalización, informalidad organizativa y la violencia son aspectos centrales que también están incorporados en definiciones más recientes. Por su parte KLEIN, enfatiza el término pandilla callejera, excluyendo a otros grupos como los terroristas, los *"prisongangs"* y los *"bikergangs"*, entre otros, y caracteriza las pandillas según características tales como: edad, género, etnia, territorialidad y orientación al crimen y padrones de crimen.

Para el FBI, una gang es un grupo de jóvenes que se juntan para llevar a cabo actividades antisociales y criminales. KLEIN discrepa de esto porque entiende que una banda es mucho más que eso, y que entre los jóvenes que se unen a ellas, priman más otros factores, tales como la diversión o la identidad y status que proporcionan.

En realidad, no hay una definición única en EE.UU. de las gangs, pero la más apropiada sería la recogida en el CP de California de 1988, que las define como: *"Grupo de 3 ó más personas que se reconocen dentro de una identificación común, un nombre, un símbolo[15]*, ...

Y en esta misma definición se basa el policía y presidente del ILGIA, Nelson Arriaga: Pandilla son 3 ó más jóvenes con símbolos y nombre propios con fines delictivos. Tienen el control de un área. Reclutan otros miembros, pintan grafitis para darse a conocer, pelean por el territorio y cometen delitos para engrandecer su nombre. Además, afectan a la economía, por los delitos que se comenten en su seno; a las escuelas, pues distraen a los alumnos; a los negocios, por las extorsiones a los mismos que realizan; a las prisiones, debido a las peleas y conflictos que generan en ellas; a las fuerzas armadas, donde suelen enviar a sus miembros para que adquieran formación militar y cuando regresan tras recibir sus entrenamientos, entrenan a nuevos miembros...

---

[14] THRASHER, Frederic Milton: *The Gang: A study of 1313 gangs in Chicago*, University of Chicago Press, 1927.
[15] HAUT, François y QUÉRÉS, Stéphane: *Les bandescriminelles*, Press Universitaires de France, París, 2001, p. 15.

En palabras de ARRIAGA, *"para los pandilleros, ser pandillero es una profesión, y cuando salen de la cárcel no cambian*[16]*"*. Los miembros investigadores sociales internacionales de la "Red Eurogang[17]", cuya labor primordial es trabajar en el desarrollo de una serie de protocolos de investigación para facilitar estudios comparativos, han realizado una definición de banda: *"un grupo juvenil, duradero, con orientación hacia la calle y otros espacios públicos y con una identidad grupal definida de forma primordial por la participación en actividades delictivas"*.

4.2. Pandillas callejeras: ¿Criminalidad organizada o delincuencia común?

Esta cuestión seguramente ha sido una de las más debatidas cada vez que se ha hablado de las pandillas juveniles en todos los contextos públicos así como en la literatura existente sobre el tema, pues a pesar de todos los estudios que se han podido realizar, no hay una uniformidad de criterios entre los expertos.

Para hacerse una idea más concreta acerca de esta cuestión que ahora se plantea, habrá que ver, aunque sea sucintamente, en qué consiste el crimen organizado y compararlo con la actividad que desarrollan las bandas latinas, haciendo especial atención en la propia definición y concepto de criminalidad organizada al que ya se ha hecho referencia.

Los Estados miembros de la Organización de Naciones Unidas en la Convención Internacional celebrada en Palermo en el año 2000 ya citada, suscribieron en la misma en su art. 2 que: *"Por grupo delictivo organizado se entenderá un grupo estructurado de tres o más personas, que exista durante cierto tiempo y que actúe concertadamente*

---

[16]   FORO ABIERTO: *"Grupos juveniles de carácter violento: Estrategias de intervención"*, Madrid, 12 y 13 de Mayo de 2010.

[17]   RED EUROGANG: Es un colectivo internacional de investigadores europeos y estadounidenses que estudian las pandillas juveniles y su influencia en las sociedades entre las que se asientan y, además, facilitan el desarrollo de estudios sobre pandillas en el contexto europeo y tratan de integrar tradiciones teóricas y metodológicas europeas con las estadounidenses. Desarrolla protocolos metodológicos para facilitar análisis comparados y también publican investigaciones.

con el propósito de cometer uno o más delitos graves o tipificados con arreglo a la presente Convención, con miras a obtener, directa o indirectamente, un beneficio económico u otro de orden material".

Las actividades del crimen organizado se sostienen en reglas tanto legales como ilegales, y como cualquier organización que pretenda obtener un beneficio económico, éstas también querrán maximizar dichos beneficios todo lo posible, y para ello deben recurrir al tráfico ilícito, si bien, muchas de esas actividades son instrumentales y se emprenden para que la propia organización pueda conseguir sus objetivos económicos[18].

Las N.U., a través de los Congresos que ha ido celebrando con carácter quinquenal, ha logrado que los países alcancen un entendimiento común sobre los métodos y modalidades de la cooperación internacional en la lucha contra la organización criminal, creando modelos de cooperación judicial, modelos que no constituyen una obligatoriedad para los gobiernos pero sí el camino que pueden seguir a nivel de negociación.

Algunas pandillas han establecido nexos con bandas y estructuras del narcotráfico, las relaciones entre ambos grupos varían de un país a otro, e incluso entre las clikas de una misma pandilla. La evidencia de las investigaciones muestra que la relación pandilla-bandas se basa fundamentalmente en transacciones de carácter comercial, a partir de actividades demandadas coyunturalmente por las bandas o mafias organizadas. Se trata de relaciones contractuales en las que uno o varios miembros pasan a colaborar eventualmente en algunas actividades con algunas bandas o mafias.

Como tendencias cualitativas de las bandas, pueden apreciarse las siguientes:

– El fenómeno se desplaza de las grandes ciudades a las pequeñas y a las zonas rurales.

– La mayoría de ellas están implicadas en el tráfico de drogas y otros delitos.

---

[18]   ROMERO CASANOVA, C.M. y otros: *Criminalidad organizada, terrorismo e inmigración. Retos contemporáneos de la Política criminal*, COMARES, S.L., Granada, 2008, p. 10.

- Perturban el funcionamiento normal de las escuelas y algunas están infiltradas en ciertas empresas, incluso en las fuerzas del orden y especialmente en las prisiones.
- La mayoría de las *streetgangs* tienen una organización jerárquica pero no sofisticada, aunque algunas dispongan de toda una infraestructura.

La explicación de las bandas juveniles se ha buscado en la propia desorganización social y la falta de estímulos de los jóvenes en determinadas urbes o barrios de algunas ciudades. Se llegan a meter en una subcultura buscando alcanzar el éxito, la fortuna y la independencia. Entonces, una vez dentro del grupo, abandonan su psicología individual para acoger la psicología del grupo.

Por su parte, las organizaciones de adultos, al dedicarse a actividades delictivas de mayor complejidad económica, política… son más racionales y eficaces, por lo que sus movimientos son siempre más pensados que aquellas bandas juveniles.

Buscan normalmente el anonimato y escapan de la publicidad, a excepción del terrorismo que por razones políticas, buscan la mayor publicidad. Estas organizaciones se preocupan también de tener un amplio abanico de técnicas de control social, unas veces empleando la violencia e intimidación. Pero quizá las diferencias fundamentales son: En el caso de las bandas juveniles, no está prescrita la corrupción ni los delitos económicos más complejos, y la finalidad que justifica su existencia es distinta, pues las bandas se mueven por intereses como la defensa de un territorio, un barrio, o por motivos raciales, de superioridad en la calle, o preservar una identidad e imagen social.

En el caso de los terroristas, sabemos que ellos se mueven más por objetivos religiosos, políticos o ideológicos.

Como puede observarse, guardan muchas similitudes con las organizaciones del crimen pero no parece que lleguen a esa categoría, al menos por regla general.

Para nuestra Jurisprudencia, ya desde el año 2007 (*Sentencia del TSJ sección 1ª, nº 16/07, de 26 de septiembre; SAP de Madrid, Sección 3ª, nº 381/07, de 25 de julio; SAP de Madrid, Sección 4ª, nº 188/07, de 28 de septiembre; SAP de Madrid, Sección 15 ª, nº 196/2010, de 15 de junio; etc.*) cuando empezaron a dictarse las primeras sentencias por parte del TS en tema bandas latinas, han sido generalmente consideradas como asociaciones ilícitas, aunque no todas, especialmente la de los Latin King y los Ñetas, pues en estas pandillas el sentenciador consideró clara la concurrencia del requisito de la división jerárquica, pero también habla del resto de premisas como la de la permanencia en el tiempo, y por el contrario, a los DDP (*DominicanDon't Play*), no ha llegado a considerarles como de tal gravedad como para ser considerados asociación ilícita (*SAP de Madrid, Sección 15 ª, nº 307/08, de 24 de junio*).

Sin embargo, y tras la reforma del C.P. operada en el año 2010, los criterios jurisprudenciales han cambiado y ahora es más habitual que los miembros de las pandillas que antes venían siendo condenados por pertenencia a asociación ilícita, ahora lo sean por pertenencia a organización criminal. En la *STS nº 337/14, de 16 de abril, el Tribunal Supremo* desestimaba el recurso formulado contra la sentencia dicta por la A.P. de Barcelona, Sección 9ª que condenó a los acusados a un delito de organización criminal del 570 *bis* y *quáter* 2 y a un delito de lesiones. En esta ocasión los condenados eran miembros de la banda de los Trinitarios. Ratifica aquella sentencia dictada en primera instancia que venía a considerar a esta banda como una organización criminal en base a la Circular de la Fiscalía General del Estado 2/2011 y del atestado de la policía que la consideraba como una "organización secreta". Esta sentencia explica muy prolijamente el porqué en ese supuesto que se enjuició, se aplicó el delito de organización y no el de asociación ilícita a los investigados, y estima que ello fue debido a que la reforma operada por la LO 5/2010, de 2 de junio venía a reformar los preceptos de estos delitos y reconoce esta sentencia, que analizada la jurisprudencia al respecto, observaron los Magistrados, que prácticamente toda ella, consideraba este tipo de bandas latinas como asociaciones ilícitas y no como organizaciones o grupos criminales, pero que ello era debido a que, todas esas sentencias eran anteriores a esa reforma.

4.3. Las bandas latinas más conocidas

La tipología de pandillas es enormemente variada, y aunque muchas de las que existen en EE.UU. también operan en nuestro país, con el mismo nombre y símbolos, no son exactamente iguales ni se consideran de la misma peligrosidad. Pero muchas de ellas que se conocen en el país americano, no se han manifestado nunca en Europa, como por ejemplo, la FOLK NATION, que sería una streetgang afroamericana de Los Ángeles, o la BLACK GANGSTER DISCIPLE, de Chicago.

Sin bien, existen cientos de bandas latinas más de las apenas expuestas, la "PANDILLA DE LA CALLE 18" o "EIGHTEEN STREET GANG", y la "MARA SALVATRUCHA" o "MS-13", son sin lugar a dudas, las agrupaciones juveniles violentas más peligrosas que existen en la actualidad y lo hacen desde hace muchos años. Son originarias de Honduras, Guatemala y el Salvador. Hoy en día suponen un gravísimo problema en el sur de EE.UU. y en México. Sus componentes se han llegado a mezclar con las mafias mexicanas y colombianas hasta límites insospechados, llegando incluso a trabajar para estas como sicarios dentro de los cárteles de droga.

En estos grupos se captan jóvenes e incluso niños procedentes de zonas marginales, aprovechándose precisamente de las trágicas situaciones en las que muchos de ellos se encuentran y les hacen creer que es la mejor solución a sus cortas vidas.

En España existen diversas bandas implantadas, entre las que podemos destacar:

Latin Kings: Sus miembros eran originariamente de Puerto Rico y Ecuador. Es la gran rival de los *Ñetas* y hasta hace uno años era la banda juvenil sudamericana que más preocupaba a la policía española por su rápida implantación y su capacidad de organización. Nacieron en los años '40 como organización social para el progreso de los portorriqueños asentados en Chicago, pero fue en los '70 cuando empezaron a adquirir un cariz delincuencial orientado especialmente al narcotráfico en las prisiones, que si bien en los '80 se intentó sanear su imagen por parte de dos reclusos, un inmigrante de origen cubano frustró ese intento haciendo crecer la pandilla y dotándola de características claramente violentas y haciendo suyo el ya creado manifiesto de los Latin King, considerado como su biblia.

Después, por parte de otro líder, se intentó reconvertir la pandilla a una asociación de tipo cultural en Nueva York, si éxito, al igual que pasó en España en el 2006, concretamente en Barcelona, pero que curiosamente, el individuo que entonces intentó registrarla como asociación cultural en nuestro país, resultó detenido el pasado mes de junio acusado de varios delitos, entre ellos, tráfico de drogas. Sus colores son el amarillo y el negro, porque simbolizan el oro y la oscuridad. Y se saludan con un golpe en el pecho con el puño cerrado y extendiendo después los dedos en forma de corona

Ñetas: También de origen portorriqueño y ecuatoriano mayormente. En EE.UU. es muy grande, sobretodo en Nueva York y Nueva Jersey. Nacieron a finales de los años '70, en el penal de Oso Blanco, en Puerto Rico, como una banda carcelaria creada para protegerse de otras y de los abusos por parte de los funcionarios. Su creador, CARLOS TORRES IRIARTE. Son rivales a muerte de los Latin Kings en España, a diferencia de otros países en los que colaboran. En Madrid la mayoría son de Ecuador, aunque hay muchos dominicanos. Aseguran que "por un miembro de los Ñetas se está dispuesto a morir". Se saludan con los dedos índice y corazón entrelazados y muy estirados. Sus colores son el blanco, rojo y azul, la bandera de Puerto Rico. Su símbolo es una Ñ y un corazón (amor de *ñeta*).

Comparten las mismas zonas que los *Latin*, de ahí su gran rivalidad. A diferencia de aquellos, es el jefe quien decide qué prueba deben pasar los aspirantes. Hoy es considerada de las más peligrosas en Madrid, junto con la pandilla de los Trinitarios.

Latinos Fuegos: Su símbolo está formado por las letras L y F y para saludarse forman la letra L con los dedos pulgar e índice y los cruzan con los del otro. Llevan collares y unas pulseras con barriles. El número de barriles indica el grado jerárquico en la banda. Sus colores son rojo, azul y verde.

Trinitarios: Es de origen dominicano. Se creó en los centros penitenciarios de Nueva York. Sus miembros suelen vestir con los colores de la bandera dominicana, azul, blanco y rojo. Cuenta con no pocos adeptos en ciudades como Madrid. TONI TOCA fundó en España esta sociedad delictiva, que la policía considera una escisión de los *Dominican Don't Play*.

Dominican Don't Play: La banda de los DDP es una de las imperantes en nuestro país. También se compone mayormente por jóvenes dominicanos y es la banda rival por excelencia de los *Trinitarios*. Los orígenes de la banda se remontan al Nueva York de los años 90, y se afianzaron en España como "tribu" en diciembre de 2004.

Suelen llevar colgados del cuello cadenas, crucifijos y collares con los colores de la bandera dominicana (blanco, azul y rojo) y llevar puestos en la cabeza gorras y pañuelos. No suelen ir tatuados y el saludo típico que se hacen entre ellos es con los dedos de la mano pero con el pulgar y el corazón doblado.

Cuenta con muchos adeptos en ciudades como Madrid y la policía considera una escisión de los DDP. Son considerados por la policía como una de las agrupaciones juveniles más peligrosa de las que operan actualmente en España.

Bling-Bling: Este grupo social tiene una estética similar a la de los raperos, principalmente de estilo gangster rap, entre los cuales destaca como característica que suelen portar joyas lujosas y brillantes. La palabra tiene un origen jamaiquino que hace referencia a la supuesta onomatopeya del sonido (imaginario) de las joyas al dar destellos de luz cuando brillan.

La Pandilla de la Calle 18 Comenzó en los años '60 en la ciudad de Los Ángeles. Sus miembros originariamente eran de El Salvador y Honduras. Es la rival de la MARA SALVATRUCHA, de hecho para sus miembros resulta ofensivo que les llamen "mareros". Una seña común que identifica a sus miembros es el número 18, el cual lo suelen llevar tatuado en sus cuerpos, a menudo en números romanos (XVIII). Si bien su brazo más fuerte se encuentra en California, sus miembros han ido emigrando por toda la nación estadounidense, e incluso a países europeos.

Es una banda que está implicada en todas las áreas de la actividad criminal, llegando incluso a colaborar con cárteles de droga tanto mexicanos como colombianos, y es considerada desde hace algún tiempo como una red transnacional.

La Mara Salvatrucha o MS: Al igual que a la anterior, esta pandilla es de tipo transnacional y quizá la más violenta. Es la mayor banda de El Salvador, en donde aglutina al 70% de todos los pandilleros del país. Se creó en los años '80 en California por emigrantes salvadoreños, el principal, Ernesto Miranda Miranda, "SMOKEY".

Originariamente sólo podían pertenecer a ella salvadoreños, sin embargo hoy en día la componen miembros de distintas nacionalidades.

Los miembros de estas maras también llevarán tatuajes por todo el cuerpo como ocurre con otros pandilleros, especialmente en el torso, brazos y rostro, siendo en este caso el más representativo el del número 13, y cuanto más visibles los llevan, más comprometido estará ese miembro con el grupo y se sabe que es del brazo duro de la mara, es decir, quienes normalmente llevan a cabo las acciones más violentas.

La palabra Mara deriva de las hormigas marabuntas en alusión a la forma en que estas se expanden. Por su parte Salvatrucha sería por El Salvador y "trucha" como expresión del sujeto que es hábil o inteligente para escaparse de la policía.

Desde hace años, EE.UU. está luchando para combatir estas pandillas, especialmente la MS-13, si bien no se puede saber con certeza si es tanto porque la consideran la más peligrosa, o porque, y según las investigaciones que se han llevado a cabo, se considera que podrían guardar lazos muy estrechos con el terrorismo islámico, concretamente con Al-Qaeda, y aunque seguramente es por esto último, debido a que en realidad, hoy en día, la "MS-13" no es la que mayor impacto tiene, sino que es la "St. 18", la "Mexican Mafia" y "Nuestra Familia".

Otras bandas latinas: Entre otros grupúsculos que también habrían sido identificados por la policía en nuestro país, se encuentran los: *Forty Two, Pit Bulls, Utan Klan, Pitukis, Piwis, Latin Forever, Punto 40, Rebel People, Latin Brothers, Darklatin Globers, Play, K-18, Danger Boys, Lyon Black, Bola Ocho, Vatos Locos, Payasos,* o *Los Santos.* La mayoría de ellos están integrados por menores sudamericanos y son producto de escisiones de las bandas más importantes que se han ido formando por diversas causas, por ello, es habitual que se creen agrupaciones procedentes de otras a su vez, y que aquellas tengan una vida de corta duración.

4.4. Características comunes de los pandilleros

Los jóvenes tienden a buscar un grupo de iguales del que formar parte, o distintos grupos, uno para sus momentos de ocio, otros para la escuela, y quizá más dependiendo de si acuden a actividades fuera de las indicadas o están en distintos ambientes sociales.

Los grupos en sí mismos no tienen porqué tener absolutamente connotaciones negativas, al contrario, pues son el marco que favorece y facilita el desarrollo de determinadas actividades, y al mismo tiempo cumplen otras funciones para el joven, ya que suponen el contexto para la emergencia de realidades supraindividuales que conectan al individuo con su entorno social[19].

Es en esos momentos de ocio donde los adolescentes en grupo cometen el mayor número de delitos, en muchas ocasiones influirá el alcohol o las drogas, en otras simplemente la mera permanencia a ese grupo cuando se trate propiamente de una banda o pandilla violenta, ya que es en los fines de semana cuando aprovechan para reunirse y planear o ejecutar sus planes ilícitos como pudieran ser, los enfrentamientos violentos con miembros de bandas rivales.

De las características más comunes que suelen concurrir en todos los pandilleros, una muy típica será la de llevar tatuajes en el cuerpo o incluso en la cara, algo que dirá mucho a los investigadores dependiendo de dónde los lleven y qué tatuajes sean. Otro rasgo distintivo sería el de que todos los pandilleros miembros de estas bandas violentas, llevan a cabo comportamientos delictivos de muy diversa índole.

Estas bandas violentas, lo que realmente aportan a los jóvenes, es una cultura marginal, además, exaltan un orgullo exacerbado por una raza, o una nacionalidad. Ofrecen a sus miembros una vía de escape para su agresividad.

Los imperativos territoriales de estas agrupaciones, implican frecuentes enfrentamientos con otras bandas rivales.

Por otra parte, la solidaridad entre los afiliados y la cohesión que tienen en un barrio, son muy profundas.

Por cuanto respecta a la iniciación para entrar a formar parte de una banda, los aspirantes a ser miembros deben sufrir ciertas pruebas, que varían según la banda de la que se trate. La prueba más frecuente consiste en que, aquel que desee ingresar, deberá pelearse con uno mayor y ganarse el respeto de los demás, y poco a poco construirse una reputación a través de sus comportamientos violentos.

---

[19] RODRÍGUEZ SAN JULIÁN, Elena; MEGÍAS QUIRÓS, Ignacio y SÁNCHEZ MORENO, Esteban: *Jóvenes y relaciones grupales. Dinámica relacional para los tiempos de trabajo y de ocio*, Ministerio de Trabajo y Asuntos Sociales, INJUVE, 2002, p. 119.

Las pandillas utilizan los grafiti para marcar territorios y para comunicarse mensajes y noticias, bien entre sus propios miembros, o bien con otras pandillas rivales.

Entre los miembros de las bandas se crean estrechos vínculos a partir de un fuerte sentimiento de lealtad de grupo, el cual es considerado como su familia.

Por cuanto respecta a las características ya quizá más personales, cabe decir que, a pesar de la menor probabilidad de que los pandilleros contraigan matrimonio, tienen una propensión mayor a tener hijos que los no pandilleros. Ello, y otras características del mismo tipo, parecería indicar que el tránsito a la vida adulta se da más rápido entre los pandilleros que entre los jóvenes que no son miembros de ninguna banda, en el sentido de que se acelera la adopción de una serie de roles propios de adulto y un más rápido abandono de los papeles propios de su edad, lo que les convertiría en adolescentes que están perdiendo su juventud.

También ha cambiado la posición de la mujer en las bandas, antes eran únicamente señuelos para los varones de las bandas, su pareja, pero con el tiempo han adquirido más participación.

Las chicas en las bandas representan quizá entre un 10 ó un 15 % de los miembros. Normalmente hacen la figura de auxiliares de los chicos, otras participan activamente en la banda, llegando incluso a existir bandas puramente femeninas, independientes de las de los hombres. Por regla general ellas no participan en los actos violentos ni en los robos. Ellas muchas veces se ocupan de esconder la droga y las armas de los pandilleros.

Las mujeres generalmente se insertan en grupos mixtos con cierta preponderancia masculina en cuanto al número de miembros, y aunque muestran claros índices de participación en actividades delictivas, ocupan una posición de subordinación.

Como conclusión, y aunque el perfil de los pandilleros será muy diverso, existen ciertas características que son muy comunes. Los programas orientados a prevenir la adhesión de menores a las bandas, pueden beneficiarse del conocimiento precisamente de esas características, si bien es sobradamente sabido, que no todos los pandilleros las van a presentar.

4.5. ¿Porqué se forman las bandas juveniles de tipo violento?

Diversas son las causas que dan lugar a la creación de estas bandas, si bien hay algunas que se pueden enumerar por ser las más frecuentes, y estas serías las siguientes:

– Una familia desestructurada, en la que los padres no desarrollan sus roles como es debido, favorece que los menores busquen esos valores de los que carecen en el interior de las bandas.

– La defensa de otras bandas, es la defensa del territorio.

– Una parte importante del desarrollo de las streetgangs en EE.UU. se debe a la difusión mediática de sus culturas, su música, la "gangsta'rap", el cine que habla de ellas, ...

– La migración individual de los miembros, cuando ellos se separan del grupo y forman otro llamado cliques.

Pero también son factores que pueden influir en el ingreso de los jóvenes a las bandas: La situación de la inseguridad económica, la ausencia de las oportunidades, la disminución de la relevancia del impacto de las instituciones del control social, la pobreza y la segmentación de las minorías étnicas.

Aunque debe destacarse que, si bien es cierto que cuantos más factores de riesgo concurran en un individuo, presentará más vulnerabilidad de cara a hacerse miembro de una pandilla, este criterio no es absoluto, de ahí que los modelos de predicción basados en el conocimiento de factores de riesgo, son necesariamente muy limitados. Así, hay autores que concluyen que puede ser más efectivo el centrar los esfuerzos preventivos en el comportamiento violento y delictivo, más que en la pertenencia a bandas[20].

Tanto los estudios anglosajones como los centroamericanos, explican el origen de las pandillas aludiendo a factores macroeconómicos y sociales. Generalmente estos factores de riesgo se agrupan en una serie de categorías: de carácter individual, de tipo familiar, en el contexto escolar, según las amistades y el barrio en el que residen.

---

[20]   MEDINA ARIZA, J.J.: *Consideraciones criminológicas sobre las bandas juveniles*, Artículo de la Revista de Derecho Penal y Criminología, UNED, 3.a Época, n° 3, 2010.

Otros factores que también han sido estudiados pero que, sin embargo, no encuentran respaldo en la literatura son: la baja autoestima de estos jóvenes, el proceder de familias pobres, vivir en una familia en donde sólo uno de los progenitores está presente, vivir en barrios malos, o poco apego a los padres.

Los jóvenes que podrían sentirse atraídos por formar parte de alguna banda latina, suelen ser jóvenes con problemas de adaptación, con fuertes sentimientos desarraigo, con problemas escolares, que pertenecen a familias ampliadas o recompuestas y, por supuesto, aquellos que se han encontrado expuestos a situaciones racistas.

Destaca entre estos jóvenes por regla general, el que pasan muchas horas al día sin la compañía ni la supervisión de un adulto. Y en ese clima, se sienten probablemente desprotegidos, solos y desconcertados. A eso se suma una fuerte sensación de desarraigo que les lleva a experimentar nostalgia respecto de aquello que dejaron en sus países cuando fueron obligados a salir de ellos.

Por otra parte, estos jóvenes padecen grandes dificultades para integrarse en la escuela, lo que se expresa en un deficiente rendimiento académico y en conflictos comportamentales con sus pares y con profesores. El hecho de que los jóvenes latinos tengan esa dificultad para cursar los estudios como la media de los españoles, de una forma normal y llevadera, es sin duda debido a la diferencia de nuestro sistema educativo con el de los países de donde aquellos proceden, es de lógica pues, a modo de ejemplo, cuando en España se estudia en la asignatura de historia la guerra civil española, en otros países se estudiaran los conflictos bélicos en los que aquellos países se hayan visto envueltos. Y para ese joven latino, que estudia por primera vez ese tema, irá casi seguro por detrás y con desventaja respecto de sus compañeros, los cuales ya habrán tocado ese tema en anteriores cursos y habrán oído hablar de él en familia, en televisión, etc.

Además, suele darse que esos jóvenes no cuentan con amistades españolas ni les resulta sencillo hacer vínculos afectivos con los locales.

Las bandas han sido consideradas como el resultado del proceso de exclusión social, de la marginalidad, especialmente en EE.UU. Para algunos autores, en muchas regiones de ese país, las bandas representan una especie de Estado paralelo que vendría a llenar el vacío de poder del Estado. Para otros investigadores, no es simplemente una cuestión de abandono por parte del Estado, sino algo peor, como el que en ocasiones son los propios países los que contribuyen al desarrollo de organizaciones políticas que promueven la violencia de las bandas.

Otros autores, verían como causa de la formación de las bandas el racismo y el prejuicio social por parte de las instituciones.

Para otros investigadores, también influiría en la proliferación de las bandas, los propios medios de comunicación, que en no pocas ocasiones son ellos los que importan la cultura de las pandillas. Y hay otros, quienes mantienen que el sistema penal y las respuestas de los servicios sociales contribuyen a su creación o al fortalecimiento de la identidad de sus miembros debido a que las intervenciones preventivas que han llevado a cabo, han tenido el efecto precisamente contrario.

Las bandas se localizan en toda la geografía estadounidense, y en cada lugar se agrupan unas determinadas. Así, en el noreste, se encuentran principalmente *Bloods* y United Blood Nation, Latin Kings y Ñetas (estas intentan legitimarse y para ellos a menudo se enmascaran), y también se acentúa la migración de las street gangs asiáticas. En el sur abundan las gangs carcelarias, sobretodo en Texas y en Florida. Las gangs hispánicas y negras originarias de Chicago, ejercen una influencia considerable en esta zona. En el mediano oeste prosperan las asiáticas e hispánicas.

La existencia de pandillas es frecuentemente asociada a la pobreza, pero esto tampoco es cierto al 100%. No todos los barrios pobres tienen gangs y estos pueden también encontrarse en barrios acomodados. Más bien el fenómeno parece ligado a la desorganización familiar y social. Así un barrio muy pobre que tiene una organización social sólida resiste mejor a la formación de las bandas de un barrio de clase media donde existe una desorganización social.

Atendiendo al modelo ecológico adoptado por la Organización Mundial de la Salud[21], para poder comprender la complejidad de los fenómenos de la violencia, es posible agrupar los factores que están

---

[21]   AGUILAR, Jeannette y CARRANZA, Marlon: Ponencia preparada en el marco del Informe Estado de la Región en desarrollo humano sostenible 2008, San Salvador.

detrás de la aparición y el desarrollo de las maras en Centroamérica en diez grandes categorías: a) procesos de exclusión social; b) cultura de violencia; c) crecimiento urbano rápido y desordenado; d) migración; e) desorganización comunitaria; f) presencia de drogas; g) dinámica de la violencia; h) familias problemáticas; i) amigos o compañeros miembros de pandillas y j) dificultades de construcción de identidad personal. Todas estas categorías reúnen una serie de condiciones específicas que operan directamente sobre la conducta de los jóvenes y facilitan su integración a las pandillas, su operatividad como grupo y su evolución como fenómeno social.

Como es posible observar, los factores que permiten explicar tanto el surgimiento de la pandilla como su reproducción y permanencia son muy variados. Sin embargo, a partir de la experiencia de los últimos años en los países del triángulo norte centroamericano, es necesario también resaltar que otro factor que sin duda ha determinado de forma preponderante el curso de las pandillas en los últimos años, han sido las políticas de intervención de los Estados de la región, las cuales han tenido un énfasis predominantemente represivo.

Según Arturo Canalda González, Presidente en Cámara de Cuentas en Madrid y ex Defensor del Menor de la CAM, en los últimos años nos encontramos ante nuevas formas de delincuencia, y no habría una única causa que justifique el comportamiento infractor, sino que podríamos distinguir entre causas:

– biológicas

– familiares (Falta de afecto/excesiva protección; Desestructuración familiar; Malos tratos; Separación de los padres, ...)

– educativas (Carencia de estímulos; Absentismo escolar, ...)[22].

Las bandas están compuestas normalmente por jóvenes de entre 12 y 25 años, y suelen ser formas de encontrar un entorno donde sentirse seguros y protegidos.

También se sirvió decir CANALDA GONZÁLEZ que, el abordaje por la Policía ha mejorado la situación porque ahora existen agentes

22   FORO ABIERTO: "*Grupos juveniles de carácter violento: Estrategias de intervención*", Madrid, 12 y 13 de Mayo de 2010.

especializados, pero ello no es suficiente. Debe abordarse desde los siguientes ámbitos:

- Policial
- Social (Completado con política de prevención)
- Educativo (Debe fomentarse actividades educativas por parte de los poderes públicos. Más ofertas de tiempo libre y ocio para menores) y,
- Judicial.

Y todas las Administraciones Públicas deben coordinarse para la prevención de la delincuencia juvenil, además, aunque sea leve la infracción cometida por un menor, ya merece un reproche para que entienda la gravedad de su comportamiento y no vuelva a repetirlo, y en muchas ocasiones la mejor respuesta será el internamiento.

Normalmente los factores asociados a la participación de bandas son múltiples, no hay un solo factor que determine la inclinación del joven a la delincuencia y es muy difícil en la práctica predecir qué chicos van a convertirse en pandilleros.

5. CONCLUSIONES

Como conclusiones que puedo dar tras este breve estudio de las organizaciones criminales y las bandas latinas, puedo establecer, en primer lugar, que existe una deficiente definición de criminalidad organizada, y ello a pesar de que se han dado numerosas definiciones a lo largo de la historia por parte de distintos entes internacionales, pero no cabe duda de que ello no ha sido suficiente y que debe adoptarse una postura mejor definida y consensuada de esta problemática, ya que no hay consenso en las legislaciones de los países de la comunidad internacional, aunque cada vez estemos más cerca.

El hecho de que no exista un único modelo de organización delictiva, pues varían según la zona geográfica en la que se encuentre, dificulta la elaboración de una definición más apropiada.

En cuanto a si las bandas latinas deben o no ser consideradas como una variante de la criminalidad organizada, y a pesar de los cambios que se han visto en nuestra jurisprudencia debido a las reformas del Código Penal en materia de organizaciones criminales, parece que la mayoría de las pandillas o bandas latinas de origen violento en sí mismas no reúnen las características propias del crimen organizado, toda vez que en ocasiones sólo son miembros de aquellas quienes, de forma aislada, deciden colaborar con determinadas organizaciones criminales por su individual ánimo de lucro, normalmente como sicarios en el marco del narcotráfico, sin que por ello pueda extenderse al comportamiento del resto de miembros de la banda.

Las bandas juveniles, en general la delincuencia juvenil, es una responsabilidad de la sociedad, y estas no pueden ser catalogadas, al menos en España, como organizaciones criminales puesto que adolecen de los requisitos legal y jurisprudencialmente establecidos.

Entre las características de los grupos organizados de delincuentes, se tiene establecido que destacan las siguientes: debe tratarse de un concurso de varias personas, mínimo tres, esa unión ha de ser duradera en el tiempo, es decir, que no se hayan reunido para cometer un delito puntual, su objetivo debe ser la obtención de beneficios económicos, entre las personas que lo compongan, tiene que darse una jerarquía, habrá un jefe o varios y por debajo personas que acaten sus órdenes, como si fuera una empresa, cometerán delitos graves, y a veces, aunque no siempre, utilizarán métodos violentos o de corrupción.

Es cierto que en países latinoamericanos y centroamericanos las bandas juveniles son mucho más que simples pandillas callejeras de jóvenes, y suponen un auténtico problema social ya que la delincuencia que se lleva a cabo en el seno de las mismas, es realmente peligrosa y cuentan con miles de adeptos. Por tanto, según mi criterio, antes de ofrecer una conclusión tajante acerca de si las bandas latinas pueden ser consideradas como delincuencia organizada o no, debe discriminarse según el lugar geográfico en donde opere esa banda en cuestión, ya que no es lo mismo una pandilla hondureña en Honduras que una pandilla latina en España, no tendrán nada que ver.

6. BIBLIOGRAFÍA

AGUILAR, Jeannette y CARRANZA, Marlon: Ponencia preparada en el marco del Informe Estado de la Región en desarrollo humano sostenible 2008, San Salvador.
ALONSO PÉREZ, F.: *Introducción al Estudio de la Criminología*, REUS, S.A., Madrid, 1999.

CANCIO MELIÁ, Manuel y SILVA SÁNCHEZ, Jesús María: *Delitos de organización*, BDEF, Buenos Aires, 2008.

FARALDO CABANA, Patricia: *Asociaciones ilícitas y organizaciones criminales en el código penal español*, TIRANT LO BLANCH, Valencia, 2002.

FEIXÁ, Carles y PORZIO, Laura: *Culturas Juveniles en España*, Instituto de la Juventud, Ministerio de Trabajo y Asuntos Sociales, Madrid, 2004.

FEIXÁ, Carles: *De los jóvenes, bandas y tribus*, ARIEL, 2006, Barcelona.

HAUT, François y QUÉRÉS, Stéphane: *Les bandescriminelles*, PressUniversitaires de France, París, 2001.

MAPELLI CAFFARENA, Borja, AGUADO CORREA, Teresa y otros: *Estudios Sobre Delincuencia Organizada: Medios, Instrumentos Y Estrategias De La Investigación Policial*, MERGABLUM. Edición y Comunicación, S.L., Sevilla, 2001.

MEDINA ARIZA, J.J.: *Consideraciones criminológicas sobre las bandas juveniles*, Artículo de la Revista de Derecho Penal y Criminología, UNED, 3.a Época, n° 3, 2010.

RODRÍGUEZ SAN JULIÁN, Elena; MEGÍAS QUIRÓS, Ignacio y SÁNCHEZ MORENO, Esteban: *Jóvenes y relaciones grupales. Dinámica relacional para los tiempos de trabajo y de ocio*, Ministerio de Trabajo y Asuntos Sociales, INJUVE, 2002.

ROMERO CASANOVA, C.M. y otros: *Criminalidad organizada, terrorismo e inmigración. Retos contemporáneos de la Política criminal*, COMARES, S.L., Granada, 2008.

THRASHER, Frederic Milton: *The Gang: A study of 1313 gangs in Chicago*, University of Chicago Press, 1927.

ZÚÑIGA RODRÍGUEZ, Laura: *Bases para un modelo de imputación de responsabilidad penal a las personas jurídicas*, ARANZADI, Navarra, 2009.

ZÚÑIGA RODRÍGUEZ, Laura: "Modelos de política criminal frente a la criminalidad organizada: la experiencia italiana", artículo, p. 21. http: //crimtrans. usal.es/?q=node/160.

EL TRATAMIENTO JURÍDICO DE LAS ORGANIZACIONES CRIMINALES TRANSNACIONALES

TRATAMIENTO JURÍDICO PENAL DE LAS SOCIEDADES INSTRUMENTALES: ENTRE LA CRIMINALIDAD ORGANIZADA Y LA CRIMINALIDAD EMPRESARIAL

LAURA ZÚÑIGA RODRÍGUEZ[1]

> *"Las sociedades pantalla son, para una amplia gama de astutos delincuentes, lo que una furgoneta a la puerta de un banco es para los ladrones comunes: ambas sirven a los delincuentes para darse a la fuga"* Keith Prager, exInspector de Hacienda estadounidense.
>
> *"El crimen como empresa global, el desbordamiento del Estado nacional por redes multinacionales gansteriles y la violencia como forma cultural son poderes fácticos de la sociedad de la información y metáforas de nuestra ruina existencial"* Manuel Castells, *"Crimen global"*, El País, 21 de febrero de 1997.

Sumario: 1. Introducción. 2. Criminalidad empresarial y criminalidad organizada: aspectos convergentes. 3. La centralidad de la persona jurídica en la criminalidad empresarial y en la criminalidad organizada. 3.1. La organización (la red) como estructura flexible. 3.2. El lucro lícito / ilícito: la gravedad de los comportamientos. 3.3. Participación en blanqueo de capitales. 3.4. La responsabilidad penal de las personas jurídicas. Tratamiento jurídico actual de las sociedades instrumentales. 4.1. Precisiones terminológicas. 4.2. Diversas clasificaciones. 4.3. Estudio de casos emblemáticos. 4.4. Tratamiento jurisprudencial. 5. Propuesta de tratamiento jurídico-penal de sociedades instrumentales. 6. Conclusiones y propuestas de *legeferenda*.

Resumen: Los comportamientos delictivos que más inquietan en la Política Criminal moderna discurren dentro de actividades inocuas, en contextos normalizados, entre los límites de lo legal y lo ilegal, como los delitos propios de la criminalidad empresarial, la corrupción pública y privada, así como varios comportamientos

---

[1]   Profesora Titular de Derecho Penal de la Universidad de Salamanca. Catedrática acreditada. Este trabajo se enmarca en el Proyecto de investigación DER2103-44228-R, financiado por el Ministerio de Economía y Competitividad.

del entorno de la criminalidad organizada. En la mayoría de ellos encontramos personas jurídicas, sociedades instrumentales cuyo tratamiento jurídico no es pacífico al existir desde el 2010 una doble vía: la responsabilidad penal de las personas jurídicas (art. 31 bis CP) y el delito de organización criminal (art. 570 bis CP). Después del análisis de los elementos que permiten estas vinculaciones, se estudia la doctrina y el tratamiento jurisprudencial correspondiente para proponer una serie de elementos diferenciadores que permiten determinar uno u otro tratamiento cuando se trata de situaciones intermedias entre las actividades lícitas e ilícitas. El trabajo termina con una serie de propuestas de *legeferenda* que permitan prevenir el uso de sociedades instrumentales.

Palabras clave: Responsabilidad penal de las personas jurídicas. Criminalidad organizada. Criminalidad empresarial. Blanqueo de capitales. Sociedades instrumentales.

1. INTRODUCCIÓN

Los juristas, al analizar un problema jurídico, solemos pensar primero en las normas y luego se observa si la realidad puede o no encajar en ellas. En el ámbito del Derecho Penal se denomina proceso de subsunción y se trata de una cuestión de interpretación regida por el principio de legalidad, de manera que aquello que queda fuera de las normas penales, no es punible y escapa a las reglas de imputación penal. Si se trata de un razonamiento más elaborado, el punto de partida es un esquema conceptual, una concepción o institución jurídica, aunque la realidad sigue siendo el segundo punto de referencia, el cual debe o no encajar en dicho teoría.

Hace algunos años que la realidad criminal ha desbordado los planteamientos teóricos y la vigencia de las normas. Las conductas de señores de cuello blanco, ya sea en el mundo de las finanzas, la empresa o la Administración Pública, así como en bufetes de abogados, notarios o asesores patrimoniales que crean empresas *offshore*, ayudan a evadir las obligaciones impositivas de las personas al igual que favorecen el reciclaje del dinero ilícitamente obtenido por una organización criminal, son asuntos que ocupan los medios de comunicación como escándalos financieros, de corrupción pública o privada[2], prácticamente cotidianos. Las diversas formas de criminalidad organizada transnacional crean sinergias y colaboran entre sí aprovechando los avances en la era de la información, facilitando aún más las formas de realización de estos delitos. Está pues absolutamente claro que los instrumentos jurídicos no están siendo idóneos para prevenir la criminalidad económica y la criminalidad organizada que azota a las sociedades actuales, llámense países desarrollados, emergentes, pobres, fallidos, etc. Los costes para la economía mundial de estos fenómenos criminales están siendo verdaderamente cuantiosos[3], por no hablar de los costes sociales directos e indirectos que estos fenómenos criminales traen a las sociedades en que se desarrollan, como inseguridad ciudadana, violencia, mayores índices de corrupción, economía informal, etc.

El presente trabajo tiene como objetivo dar luces sobre los aspectos jurídico-penales más importantes del tratamiento de este gran Crimen Global, como lo denomina Manuel Castells[4] que facilitan la impunidad, intentando desenredar los nudos de las redes de las conexiones que ayudan en las sinergias de estas formas de criminalidad, a los efectos de proponer una propuesta de Política Criminal efectiva, dentro de los cánones del Estado de Derecho. Es decir, primero se verá el panorama general, el funcionamiento en red de estas formas de criminalidad, para luego abordar los puntos más álgidos de los nodos,

---

[2]   En España la cantidad de casos de corrupción pública y privada que han salido a la luz en los últimos años son realmente incontables: Caso Gürtel, Caso Púnica, Caso Brugal, Acuamed, Adif, los ERES de Andalucía, Bankia, caso tarjetas black, etc. etc. Al lado, operaciones contra la criminalidad organizada como el Caso Emperador de blanqueo de capitales, sin contar con los primeros grandes casos como Operación Ballena Blanca y Operación Malaya, estas últimas en Marbella.

[3]   Aunque es difícil contar con datos actuales al respecto, resultan interesantes los que ofrece Naciones Unidas. Se estima que el crimen organizado transnacional genera 870 mil millones de dólares al año, más de 6 veces el presupuesto de la asistencia oficial para el desarrollo y equivalente al 7 por ciento de las exportaciones mundiales de mercancías (2009). La delincuencia organizada transnacional es un gran negocio. En 2009 se estimó que generaba 870 miles de millones por año, lo que equivale al 1,5% del PIB mundial. Es más de seis veces de la cantidad de asistencia oficial para el desarrollo correspondiente a ese año, y equivale a casi el 7% de las exportaciones mundiales de mercancías. Vid. en https://www.unodc.org/toc/es/crimes/organized-crime.html

[4]   Vid. CASTELLS, Manuel, "El Crimen global", *El País*, 21 de febrero de 1997.

llegando al punto neurálgico de los supuestos de difícil distinción entre criminalidad organizada y criminalidad económica.

Se trata de indagar primero por qué son tan fáciles las sinergias de estas formas de criminalidad, señalando los aspectos generales de colaboración entre estas diversas formas de criminalidad transnacional, para en un segundo momento detectar los puntos de colaboración a los efectos de dificultar las actividades criminales en estos lugares comunes con propuestas preventivas y represivas.

La finalidad que anima este trabajo es la convicción de que es necesario luchar contra estas formas de criminalidad tan cambiantes, flexibles y con tanto poder de dañosidad en nuestras sociedades, creando una batería de mecanismos jurídicos idóneos, dado que hoy en día las formas de actuación criminal más importantes se desenvuelven en contextos normalizados, en los límites de lo legal e ilegal, en despachos, Administraciones públicas, negocios, dentro de actividades inocuas, como la actividad industrial, comercial o profesional, en el seno de sociedades legales e ilegales, donde se mezclan actividades lícitas e ilícitas[5]. Como pusieron de manifiesto en FERRACUTI y BRUNO, respecto de la criminalidad organizada que ya mostraba su capacidad emprendedora: "el desafío de la Criminología y del Estado es la rapidez y el carácter proteico del fenómeno, siempre expresión de un anticipo de las propias transformaciones sociales y, por tanto, la insuficiencia de los tradicionales instrumentos criminológicos, sobre todo, porque es un fenómeno que no se pone en neta antítesis con los

---

[5] Solo por poner un ejemplo paradigmático: el fraude del IVA. Desde hace tiempo las Agencias Tributarias de Europa topan con un fenómeno criminal *sui generis*, muy rentable, donde intervienen personas y empresas de diversos países, el llamado "carrusel del IVA". Así *El País*, 14 de julio de 2015: Una operación internacional destapa un fraude de 300 millones en la que participaron ocho países ha desmontado una organización criminal dedicada al fraude carrusel del IVA. Vid. en http: //economia.elpais.com/economia/2015/07/14/actualidad/1436899452_349555.html Más recientemente: *El País*, 14 de agosto de 2016: Cerco a una "trama carrusel" que defraudó más de 47 millones en IVA. El juez José de la Mata procesa a 51 personas y 134 empresas, entre ellas una filial del BBVA, por participar en una trama organizada que defraudó 47,3 millones de euros en IVA con un alambicado sistema que simulaba la venta de mercancías. Vid. en http: //economia.elpais.com/economia/2016/08/12/actualidad/1471030692_587060.htmlMás ampliamente en epígrafe 4.3.

valores de la sociedad "sana" y, por tanto, no es "patologizable[6]". En suma, la Criminología y el Derecho Penal ha podido disciplinar los comportamientos cuando se trataba de la división entre comportamiento desviado individual (criminal) y Sociedad, pero los fenómenos criminales de los que nos ocupamos discurren en relaciones sociales consentidas, buscadas, engañosas, opacas, pero no siempre claramente contrapuestas con la Sociedad, lo que la hace más difícil de desentrañar, no siempre encuentra reproche social y, por tantos, los mecanismos de control social informales suelen fallar para enfatizar sus aspectos prohibitivos.

2. CRIMINALIDAD EMPRESARIAL Y CRIMINALIDAD ORGANIZADA: ASPECTOS CONVERGENTES

En 1949 Sutherland puso de manifiesto que podía haber similitudes entre la *CorporateCrime* y la *OrganizedCrime*, al definir el delito de "cuello blanco" como *delito organizado*, estableciendo el siguiente parangón entre el delito de "cuello blanco" y el robo profesional: Primero, la delincuencia de las corporaciones al igual que la de los ladrones profesionales es persistente; una gran proporción de los delincuentes son reincidentes. Segundo, la conducta ilegal es mucho más extensa de lo que indican las acusaciones y denuncias. Tercero, el hombre de negocios que viola las leyes para regular los negocios generalmente no pierde su status entre sus asociados. Y, cuarto, los hombres de negocios generalmente sienten y expresan desprecio hacia la ley, el gobierno y el personal del gobierno[7]. Con esta observación Sutherland se encargaba de enfatizar los aspectos comunes entre estas formas de criminalidad: delincuencia profesional, realizada en muchos casos en entornos inocuos (normalizados), por lo que carecen de reproche social y veneración por la desregulación con el fin de tener mayores espacios de impunidad.

---

[6]   Cfr. PONTI, Gianluigi, "Criminalitàorganizzata e criminología", en BANDINI / LAGAZZI / MARUGO /, *La Criminalità Organizzata. Moderne metodologie di ricerca e nuove ipotesi esplicative*, Milán, Giuffrè, 1993, p. 180.

[7]   SUTHERLAND, Edwin, *El delito de cuello blanco*, Madrid, La Piqueta, 1999, pp. 261-264.

Se pueden señalar muchos casos donde se evidencian dichas convergencias, pero quizás el escándalo más reciente es de los llamados *Panamá Papers*. La filtración acaecida el año pasado por la que se descubrió la existencia de un despacho de abogados en Panamá, Mossack-Fonseca, dedicado a la creación de cientos de miles de sociedades *offshore* de políticos, empresarios, deportistas, traficantes, terroristas, etc., es sin duda el descubrimiento más evidente de cómo funcionan los paraísos fiscales y los profesionales que se dedican a ofrecer servicios que facilitan el blanqueo de capitales en todo el mundo. El sistema *offshore* que funciona con el consentimiento de las autoridades de los países considerados paraísos fiscales, se encarga de proveer sociedades pantalla, creando una barrera de protección alrededor de los verdaderos propietarios (opacidad), con la designación de directivos que en realidad no actúan como tales (testaferros), sino son "hombres de paja" designados directivos fiduciarios por el despacho Mossack-Fonseca. El procedimiento es fácil, limpio, muy barato y, sobre todo, garantiza que no se conocerá el nombre del verdadero propietario del dinero[8], con lo cual es el lugar ideal para todos los negocios turbios del mundo: tráfico de armas, tráfico de drogas, financiación del terrorismo, corrupción pública y corrupción privada, etc. El bufete tiene filiales o conexiones con muchos bufetes ubicados en Zurich, Ginebra, Luxemburgo, España[9], etc. La forma de crear la barrera de protección frente al patrimonio real y que permite borrar las huellas del origen del dinero, es que no trabajan con clientes finales, sino tan solo con intermediarios, como abogados, gestores de patrimonio o bancos. De tal manera que Mossack-Fonseca trabaja como un holding: si algunas de sus filiales o bufetes asociados tuviera algún problema legal, siempre podrá desconectarse, sin sufrir perjuicio alguno. Mientras más movimientos se hagan, sobre todo si intervienen más países (mejor si son paraísos fiscales), más difícil será seguir el rastro del dinero[10].

---

[8]   Vid. OBERMAIER / OBERMAYER, *Los papeles de Panamá. El club mundial de los evasores de impuestos*, Castellón, Titivillus, 2016, pp. 21 y 22.

[9]   En 2015 Mossack-Fonseca tiene cerca de 50 despachos repartidos por más de 30 países. Unas 30 son filiales y el resto "despachos asociados" (similar a una franquicia). Vid. OBERMAIER / OBERMAYER, *Los papeles de Panamá, ob. cit.*, p. 197.

[10] Como sostienen OBERMAIER / OBERMAYER, *Los papeles de Panamá, ob. cit.*, p. 338, "cuando una red de empresas pantalla se extiende por 5, 10, 30 paraísos

Las ventajas que este entramado ofrece para el ocultamiento del origen del dinero son evidentes: la organización, la cadena de pasos por los que va pasando el dinero borran su rastro y por tanto garantiza la opacidad. Además, la transnacionalidad de la red le otorga la dificultad en su persecución, pues mientras se mueva el dinero por más países, más problemático resulta la recuperación de las ganancias ilícitas. La red permite la conexión y la desconexión en función de los intereses concretos y admite cortar la cadena de movimientos del capital, en el momento deseado. De manera que en un procedimiento penal es fácil decir, "yo no sabía", y por tanto, no se puede comprobar un componente del delito referente al tipo subjetivo del blanqueo: el conocimiento del origen ilícito de los bienes. De esta manera, la criminalidad organizada encuentra su hábitat natural, caracterizado por la búsqueda de la impunidad y el aprovechamiento de sus bienes ilícitamente obtenidos.

No hay duda de que la empresa (persona jurídica), sociedad anónima y sociedad de responsabilidad limitada son fórmulas económico-jurídicas útiles para la realización de todas estas conductas, por ser el instrumento jurídico dúctil para sortear responsabilidades: división entre el capital social de persona jurídica y el de los administradores, transformaciones de sociedades, opacidad en las cuentas, marketing engañoso, etc. Tampoco hay duda de que, en muchos casos, se trata de comportamientos individuales que se aprovechan de esta fórmula jurídica para la realización de conductas fraudulentas. La *corporate-crime*, como se conoce en Criminología norteamericana a la criminalidad cometida desde las corporaciones, es el concepto que comprende la realización de estos delitos de cuello blanco de las sociedades reales y fantasmas, que protagonizan los latrocinios de los últimos tiempos. La situación de poder que caracteriza a la mayoría de sujetos que cometen delitos a través de sociedades[11], refuerza estos comporta-

---

fiscales, las autoridades se enfrentan a una misión casi imposible de demostrarlo jurídicamente mediante una cadena de pruebas".

[11] En el caso del despacho Mossack-Fonseca, uno de los dueños, el Sr. Ramón Fonseca Mora ha sido ministro consejero de la Presidencia de Panamá y presidente del oficialista Partido Panameñista que gobierna, con lo cual parece evidente su capacidad de influencia en las leyes que se dictan en el país y, en todo caso, de poder sortear una persecución penal.

mientos en una sociedad de riesgos y configura una serie de caracteres distinguibles: personas bien situadas social y económicamente, alto grado de impunidad, comportamientos adecuados socialmente, conductas que rozan la ilegalidad.

¿Cómo hacer frente a estos comportamientos lo más efectivamente posible? ¿Los comportamientos de este despacho de abogados Mossack-Fonseca pueden encuadrarse en la delincuencia económica o se trata de sujetos favorecedores de la criminalidad organizada? Parece, pues, que al llegar al ámbito del blanqueo de capitales, las líneas demarcatorias entre ambas formas de criminalidad se difuminan, al ser el lugar convergente de todos los fenómenos criminales caracterizados por el lucro ilícito.

Puede dar luces el hecho de que este despacho, de puertas para afuera opera con conceptos como "cumplimiento legal", "diligencia debida", departamento de estudios de "clientes éticamente-problemáticos" (auténticos delincuentes), pero por dentro (gracias a la filtración de documentos última) se sabe que asesoraba a los corruptos, evasores, traficantes, terroristas, delincuentes de medio mundo. Se trata, entonces, de una persona jurídica que formalmente cumple las leyes, pero materialmente asesora para violarlas[12], por supuesto, con una serie de construcciones jurídicas que impiden observar las ilegalidades. Son actividades ilícitas encubiertas dentro de actividades legales.

La contaminación de la criminalidad organizada en el mundo empresarial es evidente en Europa. Las más poderosas organizaciones criminales modernas europeas han llegado a una etapa de desarrollo económico al invertir en empresas legales su dinero ilícitamente obtenido. Se trata de un proceso económico que se ha venido desarrollando en las últimas décadas, en el que se observa que el capital ilícito

---

[12]   Ellos dirán que se trata de asesoramiento legal para realizar actividades admitidas por los vacíos legales, es decir, sin vulnerarlas, pero las filtraciones demuestran que iban más allá de los meros vacíos, al proporcionar auténticas construcciones jurídicas a los efectos de desvincular el dinero mal habido de sus orígenes. Vid. OBERMAIER / OBERMAYER, *Los papeles de Panamá*, *ob. cit.*, p. 174: "Los empleados de Mossfon explicaban qué paraísos fiscales eran los mejores para cada necesidad, qué entramado prometía la mejor protección y juraban que los datos más sensibles de los auténticos propietarios estaban a salvo".

acumulado durante la década de los setenta y ochenta, es introducido en el mercado financiero gracias a la apertura de los mercados y a la creación de estructuras comerciales, legales y ficticias, por medio de testaferros, colaboradores, con la asesoría de abogados o agentes financieros. Es lo que los italianos denominan "el período de la mafia-empresa o mafia financiera[13]", lo cual con la apertura de los mercados dentro de Europa, constituye una amenaza potencial a todos los Estados europeos.

En el último *Informe del Parlamento Europeo, el Informe Iacolino*[14], se hace eco de esta preocupación al señalar que "la criminalidad organizada comprende dos esferas de actividades: de un lado las organizaciones criminales están comprometidas en un cada vez mayor número de negocios legítimos y, de otro lado, las mismas tienden a mantener sus tradicionales actividades ilícitas usando métodos del mundo de los negocios e intercambiando la administración de prácticas y beneficios de ambos lados".

También la *Resolución del Parlamento Europeo, de 25 de octubre de 2011*, en su punto 5 "expresa su más profunda preocupación ante los intentos por parte de la delincuencia organizada de infiltrarse en los ámbitos político, administrativo a todos los niveles, económico y financiero; pide a la Comisión Europea, al Consejo y a los Estados miembros que centren su acción disuasoria en la lucha contra los activos de origen delictivo, incluidos los ocultos tras una red de testaferros, simpatizantes, instituciones políticas y grupos de presión; subraya que *la lucha contra la delincuencia organizada debe tener plenamente en cuenta los delitos de "cuello blanco"*".

Estos datos se corroboran en España con el estudio sobre los perfiles criminales en la delincuencia organizada española, al señalar que casi un 60% de los sujetos imputados por delitos de la criminalidad organizada mantienen su actividad legal en paralelo a su actividad

---

[13] Cfr. más ampliamente ZÚÑIGA RODRÍGUEZ, Laura, *Criminalidad organizada y sistema del Derecho penal. Contribución al estudio del injusto de organización*, Granada, Comares 2009, p. 90-91.

[14] Cfr. PARLAMENTO EUROPEO, *Working document on organized crime, Special committee on organized crime, corruption and Money laundering*, Relator Salvatore Iacolino, DT/913961, 2009-2014, p. 3.

delictiva[15]. Esto nos muestra que el mundo del crimen organizado no sólo está compuesto por profesionales del delito, es decir criminales dedicados organizadamente a la realización de delitos, sino también por colaboradores de distintas profesiones que dan soporte de todo tipo a las organizaciones criminales. Esta información resulta relevante para inducir cuántas personas se encuentran en la periferie de las organizaciones criminales, no integran las mismas, pero son las que les alimentan, le dan fuelle.

La jurisprudencia española ha aplicado el tipo hiperagravado del art. 370 CP de simulación de comercio internacional entre empresas en la STS 176/2015 de 25 de marzo. En este caso los autores enviaban la droga en contenedores de fruta, simulando ser empresas importadoras de fruta desde Sudamérica. El TS fundamenta su calificación en que la creación de todo el entramado de empresas para simular todas estas operaciones requiere de una compleja organización. También la STS 186/2015 de 1 de abril condena a los acusados por tráfico de drogas que traía camuflada en las maquinarias importadas, objeto social de la empresa del que era dueño uno de ellos y administrador el hijo. Además la sentencia arguye sobre otros acusados: "puede afirmarse que en el caso concreto concurre un supuesto de organización. Los imputados en el hecho aprovechan su condición de trabajadores de un buque que realiza una travesía periódica, lo que permite el conocimiento por parte de los funcionarios de policía encargados de la vigilancia y control de la aduana de Algeciras, y aprovechan los medios que su trabajo les proporciona, desde el acceso a las instalaciones portuarias, como el conocimiento de la dinámica de inspección y control". En este caso el Tribunal simplemente calificó la agravación correspondiente a integración en organización criminal. Por último cabe destacar la primera sentencia del TS que condena a una persona jurídica, la STS 154/2016, en la que se declara responsable de un delito contra la salud pública a una empresa que exportaba maquinaria en la que se ocultaba cocaína. Sobre este último caso, por su relevancia, nos detendremos en el epígrafe 4.4.

---

[15]   Cfr. GIMÉNEZ-SALINAS FRAMIS / REQUENA ESPADA / DE LA CORTE IBÁÑEZ, "¿Existe un perfil de delincuente organizado? Exploración a partir de una muestra española", en *Revista Electrónica de Ciencia Penal y Criminología*, nº 13-3, 2011, http: //criminet.ugr.es/recpc/13/recpc13-03.pdf, p. 28.

Estos datos refrendan la utilización de estructuras comerciales aparentemente legales para la realización de actividades criminales. Interesante también es el análisis proporcionado por IBÁÑEZ / RE-QUENA / DE LA CORTE, al estudiar el perfil de los delincuentes de la criminalidad organizada, "los datos nos muestran que los españoles participan en mayor medida en este tipo de actividades delictivas, están presentes en la mayoría de actividades ilícitas, ocupan puestos relevantes en las organizaciones en mayor proporción, son poseedores de contactos y recursos relevantes y facilitan en mayor proporción que los extranjeros sus empresas legales para facilitar la ejecución de la actividad ilegal[16]". Cierto es que las actividades internacionales de los tráficos ilícitos necesitan de un soporte nacional para llevar a cabo sus delitos, puesto que es un nacional quien se encuentra mejor situado profesional y socialmente para aportar las relaciones y conocimientos de las instituciones que las organizaciones criminales necesitan.

A partir de esta constatación se trata de señalar los aspectos convergentes y divergentes de estas actuaciones criminales, a los efectos de señalar cuál es la respuesta jurídico-penal idónea. A mi entender ese trasvase de comportamientos de la legalidad a la ilegalidad y viceversa, se centra en la utilización de la fórmula de persona jurídica, por tanto, conviene entrar a analizar los elementos que lo admiten.

3. LA CENTRALIDAD DE LA PERSONA JURÍDICA EN LA CRIMINALIDAD EMPRESARIAL Y EN LA CRIMINALIDAD ORGANIZADA

Puede parecer una evidencia señalar que tanto en una organización criminal como en una persona jurídica[17] estamos ante un núcleo

---

[16]   Ibidem. Frente a estos datos los autores consideran que "el trabajo parece que no es un factor de desistimiento de la carrera criminal".

[17]   Me referiré al concepto de persona jurídica, como ente colectivo con reconocimiento jurídico que puede adoptar la forma de sociedades mercantiles de diverso tipo, partidos políticos, sindicatos, ONGs, fundaciones, etc., cuya forma económica suele ser la empresa. No entro aún en el tema de la complejidad de la misma, sino simplemente en que se trata de una organización con reconocimiento como sujeto de Derecho.

común que es la organización. Es decir, se trata de estructuras permanentes de personas que se dividen el trabajo bajo una finalidad común, que en las organizaciones criminales se trata de finalidades ilícitas, mientras que en las personas jurídicas se trata de finalidades lícitas. Sin embargo, esta constatación puede servir bien para desentrañar las similitudes y diferencias entre ambas formas de organización y, sobre todo, para señalar el por qué la fórmula persona jurídica se presenta tan funcional para el trasvase de unas actividades de una a otra.

3.1. La organización (la red) como estructura flexible

En el mundo globalizado que vivimos la estructura social se configura en red, como afirma Manuel Castells. Según este autor, "una sociedad red es aquella cuya estructura social está compuesta de redes potenciadas por tecnologías de la información y de la comunicación basadas en la microelectrónica... Una red es un conjunto de nodos interconectados... Una red no posee ningún centro, sólo nodos. Los nodos pueden tener mayor o menor relevancia para el conjunto de la red: aumentan su importancia cuando absorben más información relevante y la procesan más eficientemente. La importancia relativa de un nodo no proviene de sus características especiales, sino de su capacidad para contribuir a los objetivos de la red. No obstante, todos los nodos de la red son necesarios para la actuación de la propia red. Cuando los nodos se hacen redundantes pierden su función, las redes tienden a reconfigurarse, eliminando alguno de ellos y añadiendo otros nuevos[18]". Trasladado este análisis al campo que nos ocupa, a la criminalidad organizada y a la criminalidad de empresa, es posible entender los procesos de conexión y desconexión entre los distintos componentes de las redes que en un mundo globalizado son posibles de configurarse y desconfigurarse. Siguiendo nuevamente a este autor: "Las redes son auto-reconfigurables, estructuras complejas de comunicación que aseguran, al mismo tiempo, unidad de propósitos

---

[18]   CASTELLS, Manuel, "Informacionalismo, redes y sociedad en red: una propuesta teórica", en del mismo, *La sociedad red: una visión global*, Madrid, Alianza Editorial, 2006, p. 27.

y flexibilidad en su ejecución gracias a su capacidad para adaptarse al entorno operativo[19]".

Como se sabe, las organizaciones criminales han sido tradicionalmente jerárquicas, al igual que el modelo empresarial. Lo decisivo de los sistemas sociales jerárquicos ha sido la autonomía en el sistema de toma de decisiones; esto es, un sistema de toma de decisiones centralizado. Sin embargo, a medida que se ha complejizado la sociedad la tendencia tanto de las organizaciones criminales, al igual que los demás sistemas sociales, es a la estructura en red. Lo mismo ha sucedido en el ámbito organizativo empresarial, que ha dejado de ser jerárquico, para articular un sistema de organización horizontal. El *modelo reticular* en la criminalidad organizada, al igual que el de *la empresa-red* en la criminalidad empresarial, consisten en una serie de subsistemas con estructuras flexibles, con gran capacidad de adaptación al medio, ligadas a un sistema social mayor (una gran organización criminal o una empresa transnacional), en el que la autonomía en el proceso de toma de decisiones de los diversos subsistemas es fundamental[20].

Esta configuración de los sistemas sociales en red facilita la comprensión de las nuevas formas de criminalidad organizada y empresarial, sus vinculaciones y sinergias. Así como el carácter flexible, de acuerdo a la utilidad o falta de utilidad de los nodos. Permite comprender el trasvase de comportamientos de una forma de criminalidad a otra y percibir nodos en los que confluyen claramente, como sucede con el blanqueo de capitales y con la utilización de sociedades para ocultar el origen ilícito de las ganancias.

Buena muestra de la actividad en red es el sistema *offshore* descubierto en los Papeles de Panamá. Los proveedores de las empresas

---

[19] *Ob. ult. cit.*, p. 28.
[20] Cfr. sobre la empresa-red, CASTELLS, Manuel, *La era de la información. La sociedad red*, Vol. 1, Madrid, Alianza Editorial, 2001, pp. 201-227. Si "cada sociedad tiende a generar sus propios mecanismos organizativos" (*ob. ult. cit.*, p. 227), la sociedad de la información y de la empresa red tendrá que generar las organizaciones criminales en red. Se dice que una de las primeras formas de organización criminal en red fue Al Qaeda y que, precisamente esta estructura flexible y autónoma del centro de decisión es lo que le granjeó los éxitos conocidos. También el autodenominado Estado Islámico funciona en red, en tanto mecanismo organizativo lamentablemente exitoso.

(*offshore providers*), como el bufete Mossack-Fonseca se encargan de crear una barrera de protección alrededor de los verdaderos propietarios. Para ello, este despacho nombra como directivos a "hombres de paja" que figuran como representantes oficiales de la empresa, pero en realidad trabajan para Mossack-Fonseca, mientras el verdadero propietario se esconde tras de esa fachada. La manera de asegurar la confidencialidad del cliente es que dicho bufete nunca trabaja con clientes finales, pues trabaja con filiales en todo el mundo, sino tan solo con intermediarios, como abogados, gestores de patrimonio o bancos[21]. De esta manera siempre pueden decir que no sabían del origen del dinero, que puede provenir de un rico, un poderoso o un criminal. Se trata de crear una serie de filtros con el dinero que dificultan perseguir al dueño final.

Realmente el sistema offshore es una red de empresas reales e irreales, bancos, despachos de abogados, asesores patrimoniales, personas de todo tipo, que se vinculan entre sí para ocultar el origen del dinero, obtenido lícita e ilícitamente. El carácter flexible de esta red, dificulta la persecución penal, pues es posible desvincularse en cualquier momento. Como afirman OBERMAIER / OBERMAYER, "Mossack-Fonseca es un holding, si alguna de sus empresas tuviera problemas legales, siempre podría distanciarse de la filial sin sufrir perjuicio alguno[22]". Además, las distintas legislaciones por las que pasa el movimiento de capitales impide aún más el seguimiento del dinero, augurando la impunidad. Esto es, a mayor complejidad de la organización del sistema de movimientos de capitales, más difícil será encontrar la huella del dinero.

Organizaciones, redes, empresas reales o ficticias, lo cierto es que la criminalidad organizada y la criminalidad empresarial actuales se aprovechan de esta maraña de articulaciones para sortear la acción de la justicia. A mayor complejidad de los movimientos, mayor garantía de impunidad. Esto conecta con la categoría de la complejidad que los italianos han desarrollado en el tema de la criminalidad organizada. Como afirma ALEO, "la organización puede ser considerada en general como una categoría de la complejidad. Complejidad es el objeto

---

[21]   *Ob. ult. cit.*, p. 53.
[22]   *Ob. ult. cit.*, p. 191.

y el resultado (es necesariamente el método, según Morin) del análisis de lo múltiple, multifactorial y contextual[23]". El carácter transnacional y la dimensión organizativa flexible, dan a estos fenómenos criminales una complejidad aún mayor, pues entran a tallar diversas realidades, regulaciones, organizaciones y tipos de criminalidad, que elevan los factores causales de manera exponencial. Vienen a bien las reflexiones de ALEO sobre la criminalidad organizada transnacional, y cómo hay que enmarcarla en la categoría de la complejidad. Sólo se puede comprender esta forma de criminalidad, en un proceso de carácter general, en el que la palabra *crisis*, simplemente pone en evidencia la incapacidad de las categorías tradicionales para comprender el significado de realidades en transformación como la democracia, las funciones del Estado social, la crisis de la lógica formal, la cultura de la relatividad y de la contextualización, en general la superación de las dimensiones nacionales de todas las actividades humanas, esto es, la *cultura de la complejidad*[24].

3.2. El lucro lícito / ilícito: la gravedad de los comportamientos

Otro aspecto que merece un análisis detenido es que todas estas formas de criminalidad en las que intervienen organizaciones (reales, ficticias, personas jurídicas), tienen en común el ánimo de lucro. Es decir, el motivo por el cual se traspasan las fronteras de la legalidad es el afán de maximizar las ganancias.

Efectivamente, además de la organización, el lucro ilícito es lo que hermana a la criminalidad organizada y la criminalidad económica empresarial. Es decir, el ánimo de lucro que se considera en nuestra sociedad capitalista un valor positivo, pues mueve al *homoeconomicus* a maximizar las ganancias, eligiendo el comportamiento racional

---

[23] ALEO, Salvatore, "Criminalità transnazionale e definizione della criminalità organizzata: il requisito dell´organizzazione", en PATALANO (Dir), *Nuove estrategie per la lotta al crimine organizzato transnazionale*, Turín, G. Giapplichelli, 2003, p. 11, siguiendo a MORIN, *La Méthode, I, La nature de la nature*, París, Edition du Soleil, 1977. Este carácter complejo de los fenómenos criminales en estudio, también obligan a un análisis interdisciplinar, pues una sola disciplina sería incapaz de abordar todo el fenómeno en su total dimensión.

[24] ALEO, Salvatore, "Criminalitàtransnazionale e definizionedellacriminalitàorganizzata: il requisito dell´organizzazione", *ob. cit.*, p. 10.

más favorable a sus objetivos, se tergiversa a tal punto que las personas son capaces de saltar las barreras de la ley, si con ello se obtienen beneficios económicos. En el caso de la criminalidad organizada queda claro que se trata de un lucro ilícito, en la medida que los medios para lograrlo son de carácter delictivo (la realización de delitos graves o los delitos correspondientes[25]), mientras que en la criminalidad empresarial se trata de un *abuso* de la situación jurídica de la empresa, dado que formalmente su ánimo de lucro es lícito.

Ciertamente es fácil percibir la gravedad de los comportamientos de la criminalidad organizada porque son *evidentemente* ilícitos, es más, de carácter delictivo. Pero los comportamientos fraudulentos, abusivos de la criminalidad empresarial suelen pasar desapercibidos enmascarados por la supuesta legalidad. Inclusive el daño que pueden hacer estos delitos, es menos apreciado que el que corresponde a la criminalidad común[26].

El caso de la criminalidad empresarial adquiere especial gravedad porque, utilizando los cauces legales la empresa disfraza, miente, esconde su actividad ilegal, para lograr un enriquecimiento ilícito. Se trata de la llamada *corrupción privada*, que al decir del Profesor de Derecho Mercantil de la Universidad de Salamanca CARBAJO, "se trata de una desviación fraudulenta o abusiva de potestades de control y decisión en la empresa privada que genera conflictos de intereses en el sector privado y de forma refleja o indirecta afecta al interés general[27]". Este uso pervertido del Derecho es un elemento a resaltar. El mismo autor señala: "Las instituciones del Derecho privado pa

---

[25]   Según la Convención de Palermo ha de tratarse de delitos graves, con penas de al menos cuatro años. Sin embargo, las legislaciones nacionales suelen acotar los delitos correspondientes a los tráficos ilícitos.

[26]   GREEN, Stuart, *Mentir, hacer trampas y apropiarse de lo ajeno. Una teoría moral de los delitos de cuello blanco*, Madrid, Marcial Pons, 2013, p. 69 en esta línea: "Por ejemplo, no es probable que haya demasiada controversia en relación con que el daño principal causado por un homicidio sea la muerte del ser humano. Sin embargo, en el caso de delitos de cuello blanco tales como la evasión de impuestos, el cohecho y el abuso de información privilegiada, la identificación del daño conlleva verdaderas dificultades".

[27]   CARBAJO, Fernando, "Corrupción en sector privado (I): La corrupción privada y el Derecho Privado Patrimonial", en *Iustitia, Revista de la Facultad de Derecho de la Universidad Santo Tomás*, n° 10, 2012, p. 287.

trimonial se utilizan para dar apariencia de legalidad a operaciones ilícitas de ocultación y desviación de activos y fondos públicos y privados... Un uso instrumental con fines ilícitos de instituciones jurídico-privadas (uso perverso) para dar apariencia de licitud, es decir, maquillar operaciones fraudulentas[28]".

En los últimos tiempos hemos visto lamentablemente muchos ejemplos de corrupción corporativa. Los escándalos financieros protagonizados por grandes empresas en los Estados Unidos desde comienzos de siglo y en España conocidos últimamente, muestran estas características de un *uso abusivo del Derecho*. La utilización de un uso pervertido del Derecho privado y mercantil para crear empresas ficticias, nombrar testaferros, transferir bienes para la ocultación de los mismos, etc., etc., evidencian el conocimiento de profesionales especializados y, por tanto, la colaboración de los mismos para facilitar el encubrimiento de las actividades ilícitas que han generado tales ganancias. De ahí, como se ha dicho, el interés por perseguir penalmente a los profesionales que prestan su especializado conocimientos para realizar prácticas que contaminan los negocios legales.

3.3. *Participación en blanqueo de capitales*

Se trata de uno de los 11 indicadores con los que trabaja EUROPOL para identificar a la criminalidad organizada. Y, curiosamente, el blanqueo de dinero se ha mostrado como el gran corruptor de toda la actividad económica legal. Como sostiene CATANZARO, gran especialista en la mafia siciliana, "la disponibilidad de enormes cantidades de dinero hace aumentar desmesuradamente las exigencias de `limpiar´ los beneficios derivados de operaciones ilícitas. La limpieza consiste en hacer desaparecer las huellas del origen sucio del dinero. El método tradicional del blanqueo de dinero negro, a través de los bancos, implica muchas veces la necesidad de cómplices y es muy peligroso... ello provoca una mayor presión sobre los aparatos públicos para obtener contratos, concesiones inmobiliarias, obras públicas que permitan invertir capitales procedentes de actividades ilícitas[29]". Ésta

---

[28]   *Ob. ult. cit.*, pp. 307-308.
[29]   CATANZARO, Raimondo, *El delito como empresa: historia social de la mafia*, Madrid, Taurus, 1992, p. 292.

es una prueba de los efectos "contaminación", corruptor en empresas legales que posee la criminalidad organizada.

El blanqueo de dinero ha roto las compuertas de esa línea fronteriza entre lo legal e ilegal y encontramos empresas legales que blanquean dinero[30], personas que utilizan movimientos de capitales para ocultar el origen del dinero, además del dinero proveniente de las diversas formas de criminalidad. Efectivamente, el blanqueo de capitales es el delito donde confluyen todas las formas de criminalidad: la corrupción, el terrorismo, la criminalidad organizada, la criminalidad de empresa. Por ello, todos los mecanismos de prevención de blanqueo serán idóneos también para atajar el ciclo económico de los tráficos ilícitos.

Es evidente que el fin último de las organizaciones criminales y de todo aquel que ha obtenido ganancias ilícitas es poder disfrutar de las mismas, pero no todas las organizaciones criminales se dedican también al blanqueo de sus bienes. Muchas veces estas actividades se tercerizan o encomiendan a abogados, contables, auditores, inescrupulosos. La participación de profesionales altamente cualificados en el ocultamiento de los bienes por medio de entramados financieros, con sociedades interpuestas, orientando los flujos hacia paraísos fiscales, es precisamente una de las cuestiones más preocupantes de la Política Criminal contra la criminalidad organizada, la corrupción y la criminalidad empresarial. Las diferencias de regulación entre un país u otro son una buena excusa para el movimiento de capitales, que encierra realmente formas de blanqueo.

La lucha de la Política Criminal actual contra la criminalidad organizada y la corrupción precisamente se centra en este aspecto, en estrangular el ciclo económico de las ganancias obtenidas ilícitamente. De ahí que las figuras de blanqueo de capitales, decomiso y el delito de enriquecimiento ilícito (inexistente en España, pero presente

---

[30]   En España, en marzo de 2015 la Fiscalía Anticorrupción, a partir de denuncias provenientes de Estados Unidos, de supuestos investigados con anterioridad, como la Operación Emperador, denunció que el Banco Madrid "era una estructura en sí misma de blanqueo y fraude fiscal". La entidad mantenía una fachada A de actividad bancaria normal, mientras ofrecía los servicios B a algunos clientes para facilitarles operaciones ilícitas. Vid. *El Mundo*, 30 de marzo de 2015, "La Fiscalía halla una ʻestructura de blanqueoʼ en Banco Madrid.

subrepticiamente en el nuevo decomiso ampliado de la reforma de 2015), constituyan las herramientas jurídicas para dañar las estructuras económicas de la criminalidad organizada, la criminalidad económica y la corrupción. La figura existente en España del art. 122 CP del partícipe a título lucrativo, según la cual responde con su patrimonio también quien se ha beneficiado de los efectos del delito —se entiende, desconociendo su origen ilícito, pues sino estaríamos ante una participación en el delito— completa esta batería de respuestas que pretenden recuperar los activos del delito. Se trata, como se ha dicho tantas veces que "el delito no rinda", esto es, todos los delitos en los que ha habido un ánimo de lucro ilícito, existan instrumentos jurídicos para que los delincuentes no se beneficien de las ganancias obtenidas.

El conjunto de instrumentos jurídicos se cierra con la responsabilidad penal de las personas jurídicas y la disolución de los aparatos organizacionales creados fraudulentamente, como enseguida desarrollaré.

3.4. La responsabilidad penal de las personas jurídicas

Desde hace mucho tiempo existen consecuencias jurídicas de índole patrimonial para las empresas que infringen las normas. Primero fue a través del Derecho administrativo sancionador que se disciplinaba a las empresas, para luego cuando a partir de los años noventa el Derecho Penal pasó a tutelar los bienes jurídicos de carácter socioeconómico en el Código Penal o en Leyes especiales, se planteó más acuciantemente el tema de la responsabilidad *penal* de las personas jurídicas, en la medida que muchas normas penales se dirigían principal o exclusivamente a empresas, como los delitos contra el medio ambiente, los delitos contra los trabajadores, etc. El CP de 1995 que eleva a la categoría de delitos las infracciones más graves contra el orden socioeconómico, tiene como correlato las consecuencias accesorias del art. 129 CP, esto es, una serie de consecuencias para las personas jurídicas cuando se realicen delitos desde su actividad económica, "orientadas a prevenir la continuidad de la actividad delictiva y los efectos de la misma".

En los quince años de vigencia de las consecuencias accesorias del art. 129 CP, se aplicaron contundentemente más en supuestos relacionados con tráfico de drogas, terrorismo, prostitución, esto es, en actividades vinculadas a la criminalidad organizada, que a la criminalidad de empresa, para la que parece haberse pensado en un comienzo. No es de extrañar ello por varias razones que no pueden ocupar este trabajo[31]. Pero sí conviene recalcar que una de las demandas más acuciantes para sancionar a las personas jurídicas proviene de la Política Criminal contra la criminalidad organizada.

Esto explica que en las propuestas internacionales en la lucha contra la criminalidad organizada y la criminalidad económica, la responsabilidad penal de las personas jurídicas se presente como un instrumento clave, conjuntamente con el decomiso, para estrangular los fondos financieros de las organizaciones criminales y de los delincuentes de cuello blanco que encuentran en la fórmula societaria la mejor manera de alcanzar ganancias ilícitas, en la medida que con este tipo de sanciones se interrumpe el ciclo económico de estas ganancias mal habidas e impiden que se introduzcan en el mercado lícito (blanqueo de dinero). Las sanciones penales a empresas se consideran, incluso, como herramientas operativas para aplicar de manera cautelar sanciones de tipo patrimonial, como el decomiso de las ganancias[32] o la disolución de las asociaciones ilícitas y de las personas jurídicas que le han servido de cobertura, en tanto medidas de política criminal que

---

[31] Entre otras porque estamos ante delincuentes de cuello blanco, sujetos bien situados social y económicamente y ello les otorga ciertas inmunidades. Vid. más ampliamente ZÚÑIGA RODRÍGUEZ, "Culpables, millonarios e impunes: el difícil tratamiento del Derecho Penal del delito de cuello blanco", en ZÚÑIGA / FERNÁNDEZ / GORJÓN / DÍAZ (Coords.), *Poder y delito: Escándalos financieros y políticos*, Salamanca, Ratio Legis, 2012, pp. 33 y ss.

[32] Nótese que el decomiso en estos delitos, siguiendo normativas internacionales como el Convenio de Viena de Tráfico de Drogas, las Normas del GAFI, o la Convención de Naciones Unidas contra la Criminalidad Organizada Transnacional, es contemplado con una restricción de garantías, como son la inversión de la carga de la prueba sobre la ilicitud del bien, por lo cual, una vez abierto un proceso penal se puede proceder al decomiso de los bienes del imputado y corresponderá a éste probar su no procedencia ilícita. Incluso las normas internacionales recomiendan el decomiso ampliado, que tiene como referencia no los beneficios netos, sino los beneficios brutos. Caso de Bélgica, Alemania, Estados Unidos y últimamente España. En estos casos el delincuente tiene que pagar más de lo que ha ganado, lo cual es, para los especialistas, una muestra clara del carácter punitivo de la sanción. Cfr. WEIGEND, Thomas, "Los sistemas penales frente al reto del crimen organizado", *Revista Internacional de Derecho Penal*, Vol. 68, 1997, p. 564.

se consideran esenciales para combatir la acumulación de las ganancias ilícitamente obtenidas[33].

La Convención de Naciones Unidas contra la Criminalidad Organizada Transnacional del 2000 (más conocida como Convención de Palermo), señala en el art. 10 inc. 1° que los Estados adoptarán las medidas necesarias "a fin de establecer la responsabilidad de personas jurídicas *por participación en delitos graves* en que esté involucrado un grupo delictivo organizado" o los delitos de la Convención (blanqueo de capitales, corrupción y obstrucción a la justicia). Asimismo el inc. 4° del mismo artículo señala: "Cada Estado Parte velará en particular por que se impongan sanciones penales o no penales *eficaces, proporcionadas y disuasivas, incluidas sanciones monetarias*, a las personas jurídicas consideradas responsables con arreglo al presente artículo". Asimismo, la Decisión Marco 2008/841/JAI del Consejo de 24 de octubre de 2008, relativa a la lucha contra la delincuencia organizada, también establece en su art. 6 que los Estados deberán adoptar "sanciones efectivas, proporcionadas y disuasorias, que incluirán multas de carácter penal o administrativo" cuando las personas jurídicas sean responsables de los delitos de participación en organización criminal. La doctrina ha entendido, de acuerdo al criterio del Tribunal Europeo de Derechos Humanos por el cual entiende la "materia penal", que las sanciones asociadas a dichas infracciones son de *carácter punitivo*, en la medida que son consecuencias jurídicas de delitos graves y se trata de restricciones de derechos graves, al ser "efectivas, proporcionadas y disuasorias[34]".

---

[33] La naturaleza depredadora de la criminalidad organizada, cuyo objetivo último es la consecución de beneficios económicos, hace que las sanciones patrimoniales o pecuniarias que priven a los delincuentes de los beneficios ilícitamente obtenidos, constituyan un arma eficaz en la lucha contra este fenómeno criminal. Cfr. WEIGEND, "Los sistemas penales frente al reto del crimen organizado", *ob. cit.*, p. 550. Se trata de cortar el circuito de la criminalidad organizada, impidiendo la reinversión de lo ganado ilícitamente, lo que a su vez impide desarrollar la capacidad corruptora de la acumulación de dichas ganancias.

[34] Vid. más ampliamente los fundamentos en ZÚÑIGA RODRÍGUEZ, Laura, "Responsabilidad penal de las empresas. Experiencias adquiridas y desafíos futuros", en QUELOZ / NIGGLI / RIEDO, *Droit pénal et diversités culturelles. Mélanges en l'honneur de José Hurtado Pozo*, Shulthess, Zurich, 2012, p. Sob540-541. Sobre los diversos instrumentos en la UE Vid. SANZ MULAS, Nieves, "Criminalidad transnacional y responsabilidad penal de las personas jurí-

No pudiendo relacionar los diversos Instrumentos Internacionales que recomiendan la introducción de la responsabilidad penal de las personas jurídicas, me interesa señalar los relativos a la Corrupción, en la medida que se trata de un delito señalado por la Convención de Palermo, como propio de la criminalidad organizada y sirve de conexión entre la criminalidad organizada y la criminalidad de empresa que nos ocupa. El art. 26 de la Convención de Naciones contra la Corrupción, en su art. 26 tiene una regla muy similar a la de la Convención de Palermo, antes referida.

Aunque la responsabilidad de la persona jurídica puede ser penal, administrativa o civil, lo cierto es que una no excluye a la otra, puesto que normalmente cuando se realiza una infracción penal desde el ámbito de una organización empresarial, se despliegan una serie de efectos que pueden provocar una serie de respuestas para hacer frente a dichos efectos. Por un lado está la responsabilidad civil que tiene una finalidad de reparación de los daños a las víctimas, la responsabilidad administrativa que suele estar asociada a infracciones administrativas menores (meras desobediencias) y la responsabilidad penal que despliega una finalidad preventivo-general y preventivo-especial. Sin perjuicio, además, de la responsabilidad penal que corresponda a las personas naturales que cometan delitos.

También la Convención OCDE (Organización para la Cooperación y el Desarrollo Económico) sobre lucha contra la corrupción de los funcionarios públicos extranjeros en las operaciones económicas internacionales, adaptado el 21 de noviembre de 1997, contempla la necesidad de establecer la responsabilidad de las personas jurídicas, para luchar más eficazmente contra la corrupción internacional. El art. 2 establece: "cada parte tomará las medidas que sean necesarias para establecer la responsabilidad de las personas jurídicas por la corrupción de un servidor público extranjero". Aunque el texto no se refiere expresamente a la responsabilidad penal, dejando que cada país decida el tipo de medidas pertinentes, el texto sí dice que "El cohecho de un servidor público extranjero deberá ser castigable median-

---

dicas. La necesaria armonización en el marco de la UE", en PÉREZ CEPEDA (Dir.), *Política Criminal ante el reto de la Delincuencia Transnacional*, Valencia, Tirant lo Blanch, 2016, pp. 325-328.

te sanciones penales eficaces, proporcionadas y disuasorias" (art. 3º). Además, el inc. 2º de este art. establece: "En el caso de que, conforme al régimen de una Parte, la responsabilidad penal no sea aplicable a las personas jurídicas, dicha Parte deberá asegurar que esas personas jurídicas serán sujetas a sanciones eficaces, proporcionadas y disuasorias de carácter no penal, incluidas las sanciones monetarias por el cohecho de servidores públicos extranjeros". Asimismo, el inc. 4º establece: "Cada Parte deberá considerar la imposición de sanciones civiles o administrativas adicionales contra una persona sujeta a sanciones por el cohecho de un servidor público extranjero[35]".

En suma, en el ámbito de la normativa internacional la apuesta es decidida sobre una responsabilidad penal de las empresas cuando desde su organización se realicen delitos graves de carácter económico o los vinculados a la criminalidad organizada. Además, aunque los textos internacionales no exijan una responsabilidad penal por respeto a la soberanía de los propios Estados, lo cierto es que deben ser sanciones "eficaces, proporcionadas y disuasorias" ante delitos graves. Además, las normas internacionales inciden en sanciones monetarias o económicas y en que a la par, debe agenciarse la responsabilidad civil y administrativa correspondiente.

Se plantea pues, frente a los delitos cometidos desde el ámbito de personas jurídicas, una serie de mecanismos de responsabilidad civil, administrativa y penal, no excluyentes, que pueden coincidir al responder a las diversas finalidades que pueden subsistir al producirse una infracción penal desde el ámbito de organizaciones empresariales. Lo que parece difícil es no admitir que en los casos más graves, en los que se produce una dañosidad social considerable, encuadrable en una tipificación delictiva, la responsabilidad penal se retraiga, pues finalmente el mensaje a la sociedad sería de una banalización del respeto a bienes jurídicos de relevancia constitucional, como el medio ambiente, la Hacienda Pública, la seguridad en el trabajo, entre otros.

---

[35]   Esta Convención parece estar teniendo un efecto cada vez mayor en el influjo legislativo de países de América Latina que pretenden formar parte de la OCDE, como sucedió con la Ley de responsabilidad penal de las personas jurídicas chilena de 2009, las leyes de responsabilidad administrativa de las personas jurídicas por delitos de corrupción de funcionarios extranjeros de Colombia y Perú (ambas de 2016).

Distinta es la cuestión del *cómo* establecer los criterios de imputación, que pueden discutirse. Pero el *si es posible* la responsabilidad penal de las personas jurídicas, en supuestos de hecho graves, sería una huida del Derecho Penal inadmisible en la sociedad actual.

Así parecen también entenderlo los especialistas de otras materias. Desde el prisma del Derecho Mercantil, CARBAJO sostiene: "Parece claro que el legislador europeo y español han querido relacionar directamente los delitos de corrupción privada y la responsabilidad penal de las personas jurídicas, porque en muchas ocasiones esos delitos son cometidos bajo el cobijo que proporciona la personalidad jurídica atribuida a sociedades, fundaciones y asociaciones[36]". El mismo autor insiste también en la posible acumulación de una batería de respuestas ante la infracción compleja proveniente de sociedades: "La posibilidad que de forma alternativa o complementaria al Derecho Penal, la represión pueda venir también de la mano de mecanismos jurídico-administrativos y jurídico-privados[37]". Por supuesto que al decir esto no se refiere sólo a sanciones, sino también a mecanismos preventivos de regulación, referentes a reglas de control y vigilancia de agentes especializados como notarios, agentes bancarios, contables y organismos de vigilancia, responsabilidad de los administradores de sociedades, control de la actividad de las sociedades, etc[38].

Ciertamente que considerar una batería de respuestas (responsabilidades) en el ámbito económico, puede plantear objeciones ideológicas en el sentido de coartar la libertad económica, pero los últimos acontecimientos arriba narrados en los que toman protagonismo las sociedades reales e interpuestas, el aumento progresivo de prácticas abusivas y fraudulentas del poder empresarial, demuestran la ineficacia de los Códigos de Buen Gobierno, por lo que se precisa "algo más que compromisos de honorabilidad, buen gobierno y responsabilidad

---

[36]   CARBAJO, Fernando, "Corrupción en sector privado (I): La corrupción privada y el Derecho Privado Patrimonial", en *Iustitia, Revista de la Facultad de Derecho de la Universidad Santo Tomás*, n° 10, 2012, p. 306.

[37]   *Ob. ult. cit.*, p. 311.

[38]   Sobre esta batería de propuestas me extenderá al final del trabajo, en el epígrafe 6.

social empresarial[39]". Se trata de un nuevo movimiento neo-regulador o re-regulador impulsado en contracorriente al neoliberalismo que nos ha traído estos lodos. Por supuesto que se trata de encontrar un punto de equilibrio entre las trabas burocráticas a la iniciativa privada y la creación de medidas eficaces de control, pues a las propias empresas y, al mercado en general, damnificados por los abusos les interesa una competencia más leal.

4. TRATAMIENTO JURÍDICO PENAL ACTUAL DE LAS SOCIEDADES INSTRUMENTALES

Ahora bien, ¿merecen el mismo tratamiento las sociedades reales y las sociedades instrumentales? Conviene adentrarnos en el análisis de cada una de ellas y sus diversas manifestaciones particulares, para dilucidar cuál sería el tratamiento jurídico-penal idóneo.

4.1. Precisiones terminológicas

Como la fórmula jurídica más utilizada para encubrir las actividades ilícitas es la societaria[40], es importante distinguir sus diversas manifestaciones en la criminalidad organizada y la criminalidad de empresa. La *sociedad real*, no plantea ningún problema porque se trata de una persona jurídica, con reconocimiento jurídico correspondiente y, como tal, sujeto de imputación penal a partir del art. 31 bis CP. No importa la clase de sociedad que sea, sociedad anónima o sociedad limitada, lo cierto es que esta institución se ideó para distinguir

---

[39]   *Ob. ult., cit.*, p. 289. No me extenderé sobre los *compliance programs* que por mor de la última reforma de 2015, se configuran como eximentes de la responsabilidad penal de las personas jurídicas, vaciando de contenido —a mi entender— dicha responsabilidad. Pero sí parece importante señalar, que existe un clamor que no pueden ser suficientes para prevenir los comportamientos delictivos en la empresa. Así, por ejemplo, el famoso bufete de abogados panameño Mossack-Fonseca de los Papeles de Panamá, es una empresa que de puertas para afuera opera con conceptos "cumplimiento legal", "diligencia debida", pero al decir de sus descubridores, "por dentro funciona como una mafia". Cfr. OBERMAIER / OBERMAYER, *Los papeles de Panamá, ob. cit.*, p. 167.

[40]   No la única, pues no hay que olvidar que también la fórmula persona jurídica engloba también fundaciones, asociaciones, partidos políticos, sindicatos, etc.

el patrimonio de la sociedad del patrimonio de los socios, de manera que la responsabilidad patrimonial solo alcance a la masa societaria[41]. En este caso coinciden formal y materialmente las características de persona jurídica. De ahí que en el caso de que se realice un delito desde la organización societaria, con todos los presupuestos objetivos y subjetivos correspondientes, se trata claramente de la responsabilidad penal de la propia persona jurídica, introducida en 2010 y reformada en 2015 en el CP español.

Distinta es la situación de la *sociedad interpuesta* que puede ser: *sociedad pantalla o sociedad fantasma* las que al decir de CATANZARO se trata una "empresa encubridora", pues no desempeña ninguna actividad productiva real conforme disponen sus estatutos, o lo hace en mínima medida, sino que sirve para blanquear el origen del dinero[42], o para esconder actividades ilícitas. Dentro de estas sociedades interpuestas cabe distinguir la *sociedad pantalla* en la que puede haber una actividad económica encubridora de actividades ilícitas, de la *sociedad fantasma*, en la que no existe ninguna actividad económica real. Este es el caso de aquellas sociedades que no existen realmente, salvo en la formalidad de los papeles, pues no mantiene ninguna actividad económica ni productiva. El término *sociedad fachada* se utiliza ambiguamente para ambas formas de sociedades anteriores, es decir, para sociedades pantalla, con una mínima actividad económica real pero encubridora de actividades ilícitas, así como para una sociedad fantasma que no tiene ninguna actividad real.

Las conocidas como *sociedades offshore* son en la mayoría de los casos sociedades fantasma que se crean fuera del país de origen del dinero, en paraísos fiscales que garantizan confidencialidad y privacidad (no colaboración con la justicia) y ventajas fiscales (prácticamente tributación cero). Suelen tramitarse rápidamente a muy bajo coste. Todo ello favorece que normalmente capten los beneficios económicos prevenientes de una serie de actividades ilícitas, principalmente

---

[41]   Muy crítico, desde hace tiempo DE CASTRO, Federico, *La Persona Jurídica*, Madrid, Civitas, 1991, reimpresión de la 2ª ed. (1984), pp. 34-35: "¿Cómo se justifica que quienes no se exponen a ningún riesgo especial, ni buscan el general beneficio, quienes sólo persiguen enriquecerse a costa ajena, reciban gratuitamente la ventaja de que su patrimonio quede exento de riesgo?".
[42]   Cfr. CATANZARO, *El delito como empresa, ob. cit.*, p. 294.

la evasión fiscal, pero también de la corrupción privada y pública, el narcotráfico, el terrorismo y demás tráficos ilícitos.

Las sociedades fantasmas y la mayoría de sociedades *offshore* realmente no son sociedades, personas jurídicas amparadas por el Derecho, pues verdaderamente se sirven de esta cobertura para mover el dinero y/o realizar delitos. Se trata sólo de una máscara, un maquillaje y finalmente un instrumento para la realización de delitos. El carácter formal del Derecho Mercantil, del Derecho privado, lo permite en la medida que pueden crearse sociedades que cumplen con la formalidad jurídica correspondiente y, por tanto, son sujetos de Derecho. Pero materialmente no son realidades jurídicas, sino sujetos que se aprovechan de la formalidad para infringir las normas. Por eso en estos casos se aplica la doctrina del *levantamiento del velo*, para verificar quiénes son las personas físicas que están detrás y que, por un *abuso del Derecho*, se han agenciado de formas societarias para actuar.

En este punto, conviene realizar la distinción entre el *carácter formal* de una institución jurídica y el *carácter material* de la misma. Mientras el Derecho Mercantil es eminentemente formal, el Derecho Penal es eminentemente material. Porque si bien desde el punto de vista formal estas sociedades instrumentales existen para el Derecho Mercantil en la medida que cumplen con los requisitos formales, lo cierto es que para el Derecho Penal pueden concebirse como *instrumentos* en manos de personas físicas, como realmente lo son. Dado que al Derecho Penal le corresponde la función de prevención de conductas futuras y de intentar motivar a los ciudadanos para que no realicen determinados comportamientos ilícitos, resulta importante a quién se dirigen las normas, que en el caso de sociedades instrumentales necesariamente va dirigida a las personas físicas. Ciertamente que será necesario inutilizar el instrumento para que las personas físicas no sigan delinquiendo, siendo por eso que normalmente se señala la disolución de la misma, como lo señala el art. 66 CP[43]. Ahora bien, realmente esta "disolución" se asemeja más a una incautación de un

---

43   Así también el CP chileno en su art. 294 establece que "cuando el ilícito se hubiere formado a través de una persona jurídica, se impondrá la disolución o cancelación de la personalidad jurídica".

instrumento del delito, pues materialmente no se puede disolver lo que no existe.

Es importante hacer esta disquisición para establecer el tratamiento jurídico correspondiente, pues como enseguida se verá, en las resoluciones judiciales encontramos diferencias de criterios, con encuadres jurídicos diversos, incluso a veces contrarios.

La pregunta que ahora corresponde hacer es: ¿La distinción entre criminalidad organizada y criminalidad de empresa puede ayudar en el tratamiento jurídico de las sociedades instrumentales? Porque normalmente se hace la ecuación sociedad real, criminalidad de empresa y responsabilidad penal de la persona jurídica, por un lado, y de otro lado, sociedad instrumental, criminalidad organizada y delito de organización criminal. De ahí que convenga revisar las diversas clasificaciones que se han hecho en la doctrina.

4.2. Diversas clasificaciones

Decía SARTORI que "clasificar es ordenar un universo en clases que son mutuamente excluyentes; por lo tanto clasificar es establecer similitudes y diferencias[44]". Es, por tanto, un medio de conocimiento muy utilizable en Ciencias Sociales propio del método comparativo. Por supuesto las clasificaciones se pueden realizar por diversos vectores, es decir, por algún elemento común, aportando todos ellos diversa información para el conocimiento.

Ahora bien, hay que advertir que en la realidad social no existen ámbitos totalmente demarcatorios. Sobre esto encajan perfectamente las palabras de Gouldner[45]: "si el mundo de la teoría es predeterminado y gris, el mundo de la vida diaria es verde, con posibilidades que necesitan ser cultivadas", denotando la tensión, siempre presente en las ciencias sociales, entre la generalización ideal propia de la teoría (gris) y la riqueza de matices que supone la práctica (verde). Por tanto, hay que convenir que la clasificación criminalidad empresarial y

---

[44]   SARTORI, Giovanni, "Comparación y método comparativo", en SARTORI / MORLINO (Comps.), La comparación en Ciencias Sociales, Madrid, Alianza Editorial, 2002, p. 36.

[45]   Cfr. MOUZELIS, Nicos, Organización y burocracia. Un análisis de las teorías modernas sobre organizaciones sociales, Barcelona, Eds. Península, 1991, p. 71.

criminalidad organizada es un artificio teórico, existiendo en la realidad casos de una difícil distinción, como ya ha podido apreciarse[46]. No obstante, importa hacerlo para un mejor tratamiento jurídico y para distinguir la Política Criminal que corresponde a uno u otro fenómeno criminal. Y, en lo que respecta al tema que nos ocupa, el tratamiento de las sociedades interpuestas, la realidad también puede ser muy variada.

La diferenciación entre una y otra forma de criminalidad que pone énfasis en el *uso de la violencia* como medio demarcatorio, está influenciada por la visión de la mafia italiana y la ley R.I.C.O[47]. visiones que se centran en comportamientos extorsivos, no siempre presente en la actualidad. Hoy en día, como resulta evidente, la utilización de la violencia no es un elemento fundamental de las organizaciones criminales dedicadas a los diversos tráficos ilícitos, por tanto existen formas de criminalidad organizada que no ejercen la violencia, como podrían ser redes que realizan productos falsificados. Y pueden existir supuestos de formas de criminalidad económica que utilicen comportamientos extorsivos[48]. Además, en el momento en que las grandes organizaciones criminales se han dedicado al ámbito empresarial y han comprendido que es mucho mejor para sus intereses económicos no llamar la atención de las fuerzas policiales, el uso de la violencia está reservado a los supuestos más gansteriles de actuación del crimen organizado (sicariato, ajustes de cuentas, eliminación de la competencia, eliminación de testigos, etc.). En suma, el uso de la violencia no puede consistir en un elemento diferenciador entre criminalidad económica y criminalidad organizada.

---

[46]   Como señala SARTORI, "Comparación y método comparativo", *ob. cit.*, p. 35: "Las comparaciones que sensatamente nos interesan se llevan a cabo entre entidades que poseen atributos en parte compartidos (similares) y en parte no compartidos (y declarados no compartidos)".

[47]   La ley estadounidense *Organized Crime Control Act* de 1970, comprendida en la más notoria *Racketeer Influenced and Corrupt Organizations* (Ley sobre las organizaciones corruptas y extorsionadoras, mundialmente conocida como ley R.I.C.O.), que propone una visión relativamente más genérica del fenómeno del crimen organizado, poniendo de relieve el carácter organizativo y corruptivo del mismo, y renunciando a construir una definición más articulada y descriptiva de la complejidad del fenómeno que lo comprende. La ley RICO tipifica el delito de participación en los asuntos de una empresa con ayuda de métodos extorsivos.

[48]   Como más adelante se verá en el caso ACUAMED, en el epígrafe 4.3.

Ahora bien, partimos de un ideario colectivo que distingue el tipo de delitos que están vinculados a una forma de criminalidad u otra, en los núcleos duros de los conceptos. Así las formas más violentas de extorsión, delitos de sangre, tráfico de drogas, tráfico de personas, etc. se asocian a la criminalidad organizada, mientras que los delitos contra la hacienda pública, societarios, quiebras fraudulentas, etc., se asocian a la criminalidad económica, pero la infiltración de la criminalidad organizada en la vida económica ha difuminado las líneas que los demarcan.

La clasificación de CATANZARO se acerca a esta visión de la criminalidad organizada donde se da protagonismo al uso de la violencia.

De acuerdo al criterio de que la actividad mafiosa se distingue por la actividad ilícita realizada y por el método de actuación (uso de la violencia), CATANZARO[49] ha establecido cuatro tipos de empresas, siendo las tres primeras, consideradas empresas mafiosas:

1) empresas que desempeñan actividades de producción ilícitas y utilizan métodos violentos para desalentar a la competencia;

2) empresas que desempeñan actividades de producción ilícitas y utilizan métodos formalmente pacíficos;

3) empresas que desempeñan actividades de producción lícitas y utilizan métodos violentos para desalentar a la competencia;

4) empresas que desempeñan actividades de producción lícitas y utilizan métodos formalmente pacíficos.

Es decir, según esta clasificación solo sería empresa lícita aquella que realiza actividades de producción lícitas y no utiliza métodos violentos, pero esta constatación poco ayuda a dilucidar qué hacer con las sociedades instrumentales.

De otro lado, GÓMEZ-JARA ha realizado una clasificación atendiendo a la consideración de *personas jurídicas imputables e inimputables*[50]. De acuerdo con las dificultades para encuadrar dentro

---

49 CATANZARO, *El delito como empresa*, ob. cit., p. 293.
50 GÓMEZ-JARA, Carlos, "La imputabilidad organizativa en la responsabilidad penal de las personas jurídicas. A propósito del auto de la Sala de lo Penal de la Audiencia Nacional de 19 de mayo de 2014", en *Diario La Ley*, n° 8341, 2014.

del ámbito de la responsabilidad penal de las personas jurídicas a las sociedades pantalla o instrumentales, el autor propone la categoría de imputabilidad para deslindar los casos en que es atribuible dicha responsabilidad. Sostiene: "Sólo pueden considerarse penalmente responsables aquellas personas jurídicas que tienen un sustrato material suficiente, constituyendo las sociedades pantalla o instrumentales un supuesto de personas jurídicas no imputables[51]".

GÓMEZ-JARA vincula imputabilidad de la persona jurídica también a la complejidad de la estructura organizativa. Según este autor, "las personas jurídicas que no tengan un mínimo de complejidad organizativa no se consideran imputables penalmente[52]". De esta manera, habrían tres tipos de personas jurídicas: *ciudadanos corporativos (imputable), empresas ilegales (imputable) y sociedades pantallas (inimputable)*. Las primeras son aquellas donde la actividad legal es mayor que la actividad ilegal. Las segundas son aquellas que desarrollan una cierta actividad legal, pero la mayor parte de dicha actividad es ilegal. Y las terceras, aquellas personas jurídicas que son una mera pantalla, sin que tengan otra actividad que la aparentemente legal (de carácter residual) para los propios propósitos delictivos[53].

El Auto de la Audiencia Nacional de 19 de mayo de 2014 sigue esta línea argumental de GÓMEZ-JARA e introduce el concepto de imputabilidad empresarial, estableciendo que "sólo serán penalmente responsables aquellas personas jurídicas que tengan sustrato material suficiente". La Circular nº 1/2016 de la Fiscalía sobre la responsabilidad penal de las personas jurídicas también considera que las sociedades pantalla, "aunque formalmente sean persona jurídica, materialmente carecen del suficiente desarrollo organizativo para que les sea aplicable el art. 31 bis CP".

Según este concepto de *imputabilidad empresarial*, la clasificación sería la siguiente:

1) Aquellas que operan con normalidad en el mercado, con modelos de organización y gestión.

---

51   *Ob. ult. cit.*, p. 2.
52   *Ob. ult. cit.*, p. 4.
53   *Ob. ult. cit.*, p. 5.

2) Sociedades que desarrollan una cierta actividad, en su mayor parte ilegal, en las que se mezclan fondos lícitos e ilícitos.

3) Personas jurídicas inimputables, son aquellas instrumentales, sin ninguna actividad legal.

En los dos primeros casos se aplicaría la responsabilidad penal de la persona jurídica según este autor, pues serían empresas imputables y en el último no, se entiende que el tratamiento sería el de organización criminal. Aspecto destacable positivamente de esta clasificación es que permite distinguir un diverso tratamiento según la magnitud de la actividad legal/ ilegal, denotando cuando no hay actividad legal la carencia material de una verdadera organización sujeto de Derecho, conforme a lo establecido líneas arriba. La complejidad, entendida como "sustrato material", es asimismo un elemento que puede ayudar a dilucidar la materialidad de una organización sujeto de Derecho a la que se le puede imputar responsabilidad penal. En cambio, una sociedad instrumental o pantalla carente de materialidad organizativa, sino mero artificio jurídico sin una mínima complejidad, no es sujeto de Derecho realmente.

Ahora bien, los fundamentos de ciudadano corporativo del que parte GÓMEZ-JARA, aunque resulta un ideal, no puedo compartir si, como en su caso, define al ciudadano corporativo según tenga o no *compliance programs*, puesto que se formaliza el concepto a tal punto que pierde la materialidad necesaria, de la que venimos hablando. Será, por tanto, empresa imputable y, por tanto, con un tratamiento como responsable jurídicamente aquella empresa que tenga un mínimo de organización, es decir, que se pueda distinguir las personas físicas de la persona jurídica[54] y que realiza una actividad en su mayor parte lícita. Ahora bien, sigue resultando problemático el tratamiento de las sociedades que poseen cierta actividad legal, pero poseen actividad ilegal mayoritariamente, puesto que según esta clasificación sería el mismo tratamiento que el de las sociedades reales con actividad legal. No comparto esta solución por las razones que desarrollaré en el epígrafe siguiente.

---

[54] Por eso en la sociedad unipersonal parece no tener sentido imputar responsabilidad en la medida que se verifica la persona que actúa en su nombre, dirige y actúa por su cuenta y provecho.

Según la clasificación de LAMPE, quien ha realizado la labor dogmática más elaborada sobre los sistemas de injusto de organización o injusto de sistema, existen sistemas de injusto simples y sistemas de injusto constituidos. Como ejemplo paradigmático de sistema de injusto simple LAMPE considera la coautoría; mientras que como sistemas de injusto constituido (el verdadero injusto de sistema), señala que pueden ser de tres tipos: la organización criminal, la empresa económica con tendencia criminal, así como los Estados y las estructuras estatales criminalmente pervertidos[55]. Nuevamente esta clasificación no nos permite distinguir los casos de sociedades instrumentales en las que se produce una actividad mayoritariamente ilícita, pues en todos los casos se trata de injustos de sistema. Pero adentrándonos en las diferencias entre el injusto de organización criminal y el injusto de una empresa con tendencia criminal podemos ver elementos de análisis interesantes.

Según este autor, lo que los sistemas constitutivos o injusto de sistema tendrían en común es que sus respectivos "elementos de pertenencia" serían "independientes de la persona de sus miembros", lo cual conllevaría un considerable incremento del grado de complejidad de la organización, que se expresaría en una alta jerarquización y selectividad de la comunicación al interior de la misma[56]. En cambio, se diferenciarían en el hecho de que la agrupación criminal constituye un sistema de injusto en razón de un programa (o "finalidad") criminal que define su estructura interna, mientras que el injusto de una empresa económica con tendencia criminal no sería "esencial sino únicamente accidental" para su propia organización[57]. Es decir, la finalidad criminal sería el elemento definidor de uno u otro injusto de sistema.

De acuerdo a ello, en una organización criminal los siguientes factores serían determinantes, es decir, esenciales para su respectiva forma de injusto constituido: el potencial humano y técnico disponible para

---

[55] LAMPE, Ernst-Joachim, "Injusto del sistema y sistemas de injusto" en LAMPE, *La dogmática jurídico-penal entre la ontología social y el funcionalismo*, Lima, Grijley, 2003, pp. 104 ss., 111 ss., para quien las bandas también podrían ser entendidas como sistemas de injusto simple, en tanto que en ellas también hay organización, pero carece del carácter institucional del injusto complejo (p. 115).

[56] *Ob. ult. cit.*, p. 112.

[57] *Ob. ult. cit.*, pp. 127 ss.

la planificación y ejecución delictiva, la firme organización externa que hace posible un dominio de la voluntad común (control externo del grupo), una finalidad criminal sistémicamente constitutiva y una disposición interna de adhesión que se desarrollaría progresivamente entre los miembros (control interno)[58]. Para el injusto constituido de una empresa con tendencia criminal, en cambio, los factores determinantes serían: el peligro potencial de la organización empresarial, mecánica o lógicamente dispuesta para la respectiva prestación, el déficit de la respectiva estructura organizacional, una filosofía empresarial criminógena, y una erosión de la noción de responsabilidad por la acción individual[59].

Nótese que el elemento común es la organización, con cierto grado de complejidad como para distinguir los miembros del propio sistema constituido, ya sea organización criminal o empresa con tendencia criminal. Esto es clave, porque en ambos casos estamos ante una organización con un alto grado de autoconservación, esto es, con la capacidad de sobrevivir más allá de sus propios miembros. Pero el elemento fundamental de distinción es que la organización criminal posee un programa criminal, entiéndase como una finalidad común, programada y organizada de cometer delitos, mientras que en la empresa con tendencia criminal el fundamento sería el déficit de organización para evitar los riesgos que ella genera en su actividad societaria. Existe pues, una gran diferencia puesto que en el primer caso se trata de una empresa criminal totalmente funcionalizada a la comisión de delitos, y en el segundo caso estamos ante una empresa que ocasionalmente comete delitos. Cierto es que si la actividad mayoritaria de la empresa es la comisión de delitos, habría que tratarla igual a una organización criminal.

Lo interesante de esta clasificación de LAMPE es que distingue claramente la organización criminal de la empresa en la que "accidentalmente" se cometen delitos. Aunque más que accidentalmente, creo que tendría que incidirse en que no es nuclear de su actividad la comisión de delitos, sino que se realiza ocasionalmente.

---

[58]   *Ob. ult. cit.*, p. 128. En términos similares señalé los elementos esenciales y no esenciales de una organización criminal en ZÚÑIGA RODRÍGUEZ, *Criminalidad organizada y sistema del Derecho Penal*, *ob. cit.*, pp. 126-149.

[59]   LAMPE, "Injusto del sistema y sistemas de injusto", *ob. ci.*, p. 131.

Por último la clasificación de MAÑALICH, sigue otro vector para ordenar. De acuerdo a este autor "El *factum* de la organización puede tener relevancia jurídico-penal en tres niveles distintos. En primer término, una organización puede tener relevancia como *contexto* de imputación; en segundo lugar, como *objeto* de imputación; y en tercer lugar, como *sujeto* de imputación. Cada uno de estos tres niveles se corresponde con un ámbito de elaboración dogmática diferenciada[60]". En el caso de la organización como contexto, se trataría de la intervención en común de varias personas en cuyo caso se aplicarían las reglas de la autoría y participación propias de la Parte General. El injusto de organización como objeto sería el correspondiente a la asociación ilícita[61], en tanto tipo penal de pertenencia a la misma. Desde que se castiga este delito independientemente del delito que cometan los sujetos que forman parte de ella, se constituye en un objeto de imputación. Y, por último, la organización sería sujeto de imputación en el supuesto correspondiente a la responsabilidad penal de las personas jurídicas, en tanto sujeto de Derecho delimitadamente constituido.

Nuevamente la problemática la encontraríamos en la sociedad instrumental puesto que formalmente es persona jurídica, pero su actuación es la de asociación ilícita. Ahora bien, la distinción de organización como objeto y como sujeto propuesta conlleva que, como señala MAÑALICH, "no es posible que una misma organización cuente, desde el punto de vista del derecho, como persona jurídica y *a la vez* como asociación ilícita[62]". Diríamos que es una *contraditio in termini*, puesto que la persona jurídica, como su nombre lo indica es un constructo jurídico claramente delimitado y amparado por el Derecho, mientras que la asociación criminal es una realidad criminal definida fundamentalmente por su finalidad criminal y, por tanto, alejada de los cánones del Derecho.

---

[60]   MAÑALICH, Juan Pablo, "Organización delictiva. Bases para su elaboración dogmática en el Derecho penal chileno", *Revista chilena de Derecho*, Vol. 38, n° 2, 2011, p. 283.

[61]   Sigo en este caso la nomenclatura del autor de asociación ilícita, por ser el delito que históricamente ha correspondido a la lucha contra la criminalidad de grupo, pero cabe aclarar que en la actualidad el concepto jurídico que se impone es *organización criminal.*

[62]   *Ob. ult. cit.*, p. 297.

Ante ello el autor se plantea qué naturaleza tendría la consecuencia jurídica de una asociación ilícita que utiliza personas jurídicas para la perpetuación de sus ilícitos, es decir, el caso de sociedades instrumentales que nos ocupa. Según MAÑALICH, "Esto sugiere la posibilidad de entender esta consecuencia accesoria al modo de una "sanción declarativa": la organización constitutiva de una asociación ilícita no es, porque no puede ser —esto es lo que se declara—, una persona jurídica, es decir, una organización jurídicamente reconocida como persona[63]". Esta constatación la realiza siguiendo a LAMPE, para quien "contra una agrupación que para el derecho nunca ha existido, el Derecho no puede tomar medida alguna[64]". Bien, pero el problema es que para el Derecho Mercantil la persona jurídica, aunque sea instrumental, sí existe; aunque obviamente no la organización criminal que sí es una realidad al margen de la ley. Nuevamente debemos evocar la diferencia entre el contenido formal y el contenido material, quedando el contenido material para el Derecho Penal como desarrollaré en el epígrafe siguiente.

De esta clasificación hecha por MAÑALICH resulta interesante rescatar esos dos planos distintos e irreconciliables que son el de organización como objeto de imputación y organización como sujeto de imputación. Es decir, una organización que es objeto de persecución penal por constituir una estructura estable de personas y de medios, destinada a la comisión de delitos como lo es la organización criminal, de una organización que es un sujeto de Derecho con todas las obligaciones y derechos correspondientes a su estatuto jurídico.

Para plantear el tratamiento idóneo de las sociedades instrumentales resulta importante verificar algunos casos que pueden ilustrar su difícil abordaje jurídico.

4.3. Estudio de casos emblemáticos

Simplemente para ejemplificar dos casos del panorama judicial actual español, en los que sociedades legales e instrumentales son utilizadas para perpetrar delitos económicos organizadamente:

---

[63]   Ibidem.
[64]   LAMPE, "Injusto del sistema y sistemas de injusto", *ob. cit.*, p. 152.

A) Caso ACUAMED

En enero de 2016 el juez Eloy Velasco desplegó la Operación Frontino, por un fraude millonario en la empresa ACUAMED (Aguas de las Cuencas Mediterráneas), empresa pública dependiente del Ministerio de Agricultura y Medio Ambiente. Según el auto de apertura de la investigación criminal se sitúa como cabecilla de la "organización criminal" al destituido director general Arcadio Mateo, e implica a "cargos de muy alto nivel del ministerio" en pactos para favorecer con dinero público a una unión temporal de empresas (UTE) liderada por FCC, entre las cuales también estaría ACCIONA, ABENGOA, etc. Se investiga la presunta adjudicación fraudulenta de contratos públicos inflados para obras hídricas y medioambientales entre 2007 y 2014, así como la supuesta falsificación de certificaciones, facturas y liquidaciones para aumentar significativamente las cantidades a abonar a las adjudicatarias. Se indagan delitos de malversación, cohecho y fraude contra la Administración. Uno de los contratos bajo la lupa de Anticorrupción es la descontaminación del embalse de Flix (Tarragona), adjudicada a FCC por 155 millones de euros en 2008. El adjudicatario, en una de las múltiples variantes del presunto fraude, fingía utilizar determinados materiales de calidad en obras y Acuamed, conocedora de la falsedad, le abonaba la certificación. Únicamente en este aspecto, la defraudación puede alcanzar los 25 millones de euros[65].

El caso es sumamente grave, no sólo porque se trata de una empresa pública y por tanto exenta de responsabilidad penal de acuerdo al art. 31 quinquies CP, que supuestamente se encarga de cuestiones medioambientales, sino sobre todo porque recibió gran cantidad de dinero en materia de subvenciones por parte de la UE[66]. Además el procedimiento de actuación de los implicados era ciertamente violen-

---

[65] Vid. "Las nueve claves del Caso Acuamed", en *El País digital*, http: //politica.elpais.com/politica/2016/01/22/actualidad/1453479297_006765.html (revisado agosto 2016).

[66] Por tanto, también podría haber un delito de fraude subvenciones de la UE del art. 306 CP. "La Comisión Europea bloquea las subvenciones a proyectos de Acuamed", *El País digital*, http: //politica.elpais.com/politica/2016/01/21/actualidad/1453393859_191792.html (revisado agosto 2016). La empresa pública ha recibido 821 millones de euros en fondos públicos de la UE.

to, de carácter extorsivo. Según lo que ha trascendido de las investigaciones, hay varios casos de profesionales que han sido despedidos, amenazados, presionados por no aceptar la realización de falsedades para inflar los precios de los contratistas o para certificar obras que no existieron[67]. Los hechos parecen pasar el umbral de los clásicos delitos socioeconómicos, para asemejarse a la actuación gansteril de la mafia, cuyo método extorsivo resulta característico[68].

B) Caso del fraude del Carrusel del IVA

Un caso interesante a estudiar porque los sujetos se aprovechan de las diferencias tributarias entre los países miembros de la UE es el conocido como fraude del carrusel del IVA.

El esquema de defraudación de esta figura se pude resumir en los siguientes tres pasos[69]:

1) Una empresa (A) realiza una adquisición intracomunitaria, por ejemplo comprando mercancía a otro país comunitario, en la que se auto-repercute y simultáneamente se deduce la cuota de IVA. Posteriormente vende dicha mercancía en el mercado interior a otra empresa (B), la cual soporta IVA por la operación, adquiriendo consiguien-

---

[67] Azahara Peralta, ingeniera agrónoma, explica así su salida de la empresa estatal Acuamed "Me despidieron de Acuamed porque no me plegaba a hacer cosas irregulares. Por no corromperme. Lo camuflaron como despido disciplinario, pero la realidad era que yo y unos cuantos más nos negábamos a hacer cosas manifiestamente ilegales". Vid. *El Mundo digital*, http: //www.elmundo.es/espan a/2016/05/25/5744abc7ca474195248b4658.html(revisado agosto 2016).

[68] Los audios publicados por *El Mundo digital*, muestran este extremo. "Así funcionaba la mafia Acuamed: el contratista dijo que me destrozaría". El reportaje documenta los casos de Gracia Ballesteros, entonces gerente de Acuamed para Cataluña y Valencia, posteriormente despedida por negarse a facilitar los sobornos, a quien el contratista le llevó el presupuesto que tenía que hacer, presionándola que conocía a la directora general y al Ministro y si se negaba "destrozaría su carrera profesional". La misma ex gerente narra cómo fue presionada por el Director de obra para que viera con sus propios ojos como "se habían certificado dos millones de euros de una escollera que, simplemente, no existía..." http: // www.elmundo.es/espana/2016/05/26/574617a8268e3e33738b4639.html (revisado agosto 2016).

[69] Vid. DÍAZ GARCÍA, Delio, "El fraude del carrusel del IVA: un problema aún sin resolver", en http: //www.diariojuridico.com/el-fraude-carrusel-en-el-iva-un-problema-todavia-sin-resolver (revisado agosto 2016).

temente el derecho a su deducción. Sin embargo, tras realizar la venta, la empresa (A) desaparecerá sin haber ingresado el IVA repercutido al comprador, generando por tanto un perjuicio a la Hacienda Pública en dicha cuantía. A esta empresa (A) se le suele denominar "trucha" en el argot tributario, ya que siempre va a estar administrada por testaferros o personas interpuestas o insolventes, careciendo además de una estructura empresarial real, por lo que a la inspección tributaria le resultará muy complicado seguirle la pista y exigirle responsabilidades.

2) La empresa (B) que ha comprado la mercancía a la empresa "trucha" (A), va a venderla, siempre con un muy estrecho margen de beneficio, a una tercera empresa (C) que actuará de destinataria final. Esta empresa (B) cumplirá perfectamente con sus obligaciones fiscales, deduciéndose las cuotas soportadas de (A) y repercutiendo las que correspondan al destinatario final. A esta empresa (B) se la conoce como empresa "pantalla" ya que su principal objetivo es ocultar la relación existente entre las empresas (A) y (C). Es posible incluso que existan múltiples empresas "pantalla", con el fin de entorpecer aún más la labor de investigación de la inspección y diluir así este nexo de unión.

3) La empresa destinataria final (C) puede seguir dos estrategias distintas:

a) Funcionar en el mercado como una empresa perfectamente normal, pero adquiriendo la mercancía a un precio muy inferior al de la competencia, ya que se habría beneficiado de la trama de fraude anterior que consigue disminuir los costes de imposición indirecta asociados a la transformación de un producto. Por tanto, la empresa (C) ganaría en términos de competitividad en el mercado, bien porque ve ampliado su margen de beneficios, bien porque se puede permitir vender a un precio más bajo que las empresas de su mismo sector.

b) Reiniciar nuevamente la misma cadena de fraude. Vendería de nuevo la mercancía a un país comunitario, solicitando la devolución del IVA soportado por tratarse de una entrega intracomunitaria exenta. De esta forma se iniciaría un nuevo ciclo de defraudación, que podría continuar dando vueltas indefinidamente, de ahí la característica denominación de "fraude carrusel".

Finalmente, cabe señalar que este esquema básico de defraudación admite amplias variaciones y complicaciones. Entre otras: que la mercancía que se haga circular sea ficticia, porque se emplee facturación y documentación de transporte falsa, o carezca de valor; que la cadena de empresas "pantalla" diluyan su actividad fraudulenta compatibilizándola con actividades empresariales perfectamente legales; existencia de simulación en los negocios jurídicos; utilización conjunta con otros sistemas de fraude; etc.

Como puede observarse, en estos supuestos se detectan todas las posibilidades que se pueden presentar en la realidad: empresas legales, empresas pantalla, actividad real y actividad ficticia, facturación falsa, testaferros, mercancías ficticias, simulación de negocios, movimientos del dinero de un país a otro para dificultar su persecución, etc. Lo cierto es que con esta modalidad se ha conseguido defraudar millones de euros y el sistema complejo de movimientos del dinero dificulta seriamente su investigación[70].

En el auto de procesamiento el juez establece que "implicó una pluralidad de personas asociadas, perfectamente organizada en un esquema estructurado en niveles, con roles y tareas perfectamente diferenciados, de enorme complejidad, permanente en el tiempo". Es por esas consideraciones que el magistrado imputa el delito de asociación ilícita. El magistrado considera responsables civiles subsidiarios de 28,3 millones a tres empresas: BBVA Trade, BBVA y Gestión Unificada de Proyectos (GUP S. A.), esta última, señala el auto, participada por BBVA e Iberdrola. Fueron estas compañías las que, según el juez, permitieron dar apariencia de negocio legítimo a la trama, al ser "sociedades filiales de sociedades importantes [...] muy reconocidas en su sector de negocio".

---

[70] "Cerco a una trama de carrusel que defraudó más de 47 millones en IVA", *El País digital*, http: //economia.elpais.com/economia/2016/08/12/actualidad/1471030692_587060.html (revisado agosto 2016). El magistrado de la Audiencia Nacional José de la Mata ha *procesado* a 51 personas y 134 empresas, entre ellas una filial del BBVA, por participar en una trama organizada que defraudó 47,3 millones de euros en IVA con un alambicado sistema que simulaba la venta de mercancías. El juez les imputa delitos de asociación ilícita, contra la hacienda pública y de blanqueo de capitales, entre otros.

En este supuesto, lo que parece importante resaltar es la instrumentalización de empresas legales, con prestigio en su ámbito de negocios, como es el banco BBVA, que aunque actúa con filiales, éstas no pueden deslindarse de su matriz a efectos de responsabilidad.

4.4. *Tratamiento jurisprudencial*

Desde que se introdujo la responsabilidad penal de las personas jurídicas en España, con la reforma de 2010, y a la vez el delito de participación en organización criminal del art. 570 bis CP (así como su correlativo delito menor de grupo criminal del art. 570 ter CP), al lado del preexiste e histórico delito de asociación ilícita del art. 515 CP, no siempre es fácil determinar cuándo calificamos responsabilidad penal de las personas jurídicas del art. 31 bis CP o consideramos que se trata realmente de una organización criminal o asociación ilícita. Esto, sobre todo en supuestos de empresas que son instrumentos para realizar actividades delictivas, muy común en la criminalidad organizada, o en empresas legales que, aunque no fueron creadas con esta finalidad delictiva, devienen en organizaciones criminales debido a que su dedicación a actividades ilícitas resulta preponderante.

En primer lugar, *la finalidad predominantemente lícita o ilícita*, parecen demarcar el tradicional delito de asociación ilícita del art. 515.1 CP de los modernos delitos de organización criminal y grupo criminal. Así lo hace la propia Exposición de Motivos de la LO 5/2010 que introduce estos nuevos delitos y que ha resultado inspiradora en las decisiones judiciales, pues varias hacen suyos estos argumentos: "Las organizaciones y grupos criminales en general no son realmente "asociaciones" que delinquen, sino *agrupaciones de naturaleza originaria e intrínsecamente delictiva*, carentes en muchos casos de forma o apariencia jurídica alguna, o dotadas de tal apariencia *con el exclusivo propósito de ocultar su actividad y buscar su impunidad*". Tal parece, entonces, que ha de reservarse el delito de asociación ilícita a las empresas legales aunque en su devenir cometan delitos y calificar la existencia de una organización criminal en el caso de las agrupaciones "intrínsecamente criminales", es decir, que poseen un programa criminal. Y ello es así, porque el delito de asociación ilícita ha de concebirse precisamente como un uso ilícito del derecho de asociación, derecho constitucionalmente reconocido en el art. 22 CE, una perversión de un derecho fundamental.

Según esta Exposición de Motivos, ciertamente inspiradora, las agrupaciones con apariencia jurídica creadas "con el *exclusivo propósito* de ocultar su actividad y buscar su impunidad", como son las sociedades instrumentales, las sociedades *offshore* sin actividad real, aquellas también denominadas fantasma, han de tener un tratamiento análogo al de organización criminal. Ciertamente, como ya se ha puesto de relieve, en estos casos las sociedades son meros instrumentos en manos de personas que conforman organizaciones criminales. Es más, deben considerarse indicios del propio programa criminal y, por tanto, una prueba de la existencia de la propia organización criminal. Teniendo en cuenta las dificultades que existen para comprobar la existencia de una organización criminal en tanto carecen de estatutos jurídicos, la creación de sociedades instrumentales, fantasmas, pueden concebirse como medios materiales que dotan de realidad a un grupo de personas que se coordinan para cometer delitos.

La jurisprudencia tampoco ha sido ajena a esta simbiosis entre criminalidad organizada y criminalidad económica o de empresa, puesto que en el ámbito empresarial también se cometen delitos *organizadamente*. De acuerdo a la doctrina establecida por GÓMEZ JARA que clasifica en tres clases, empresas legales, empresas ilegales y empresas pantalla, la primera sentencia del TS que aplica la responsabilidad penal de la persona jurídica, en el caso de la STS nº 154/2016, de 29 de febrero de 2016, declara responsable penalmente a la empresa TRANSPINELO S.L. de un delito contra la salud pública por ser instrumento, en la "exportación" de máquinas en las que realmente se ocultaba droga. Esta era una persona jurídica dedicada también a actividades lícitas. Según los autos GEORMADRID si es una sociedad pantalla, es decir sin actividad económica real, por tanto cabe la aplicación del art. 66 CP que dice que una sociedad instrumental debe estar al margen de la responsabilidad penal del art. 31 bis CP, para la cual queda la vía de las sanciones correspondientes al art. 129 CP, de organizaciones sin personería jurídica. Y, por último INVESTISSMENT TRANS SPAIN, empresa utilizada para la comercialización de un delito contra la salud pública, igualmente que en el caso anterior, se le dispensa un tratamiento de sociedad instrumental, pues no se cumple el requisito del art. 31 bis CP, que el delito sea cometido "en provecho o beneficio de la persona jurídica".

También encontramos pronunciamientos judiciales que califican de asociación ilícita, incluso de organización criminal los entramados de empresas que realizan delitos de corrupción pública, como ha sucedido últimamente en el caso Púnica y el caso Gürtel. Así el auto de procesamiento de la trama Púnica, el Auto del Juzgado de Instrucción nº 6 de la Audiencia Nacional de 29 de octubre de 2014, argumenta que se trata de: "una trama organizada con perduración temporal y reparto de roles que, sacando provecho de relaciones personales e influencias políticas, ha logrado obtener de manera irregular la adjudicación de numerosos contratos públicos, aprovechamientos urbanísticos o gestiones de bienes y servicios públicos de muy diversos tipos que, dependiendo de autoridades públicas, actuaban en beneficio de las personas físicas y jurídicas que forman parte de la trama". Más adelante fundamenta la aplicación del art. 570 bis de participación en organización criminal aplicable a supuestos "como en el caso presente la organización criminal se dedique a cometer delitos graves".

Asimismo, el Auto de apertura del Juicio Oral, del Juzgado Central nº 5 de la Audiencia Nacional de 28 de mayo de 2015, declara el procesamiento de los imputados por los delitos de cohecho, malversación, contra la Hacienda pública, blanqueo de capitales, etc. y además delito de asociación ilícita y organización criminal (incluso primeros en la lista de delitos), por la trama de financiación ilegal del Partido Popular, según la cual existiría una Caja B con la que se habrían pagado obras, campañas, etc. Sorprende la calificación de organización criminal y asociación ilícita a la vez, pues como se ha dicho, la primera se entiende referida a organizaciones "intrínsecamente criminales", más propia de la criminalidad organizada y no de la corrupción (delito de cuello blanco). Al no haber una fundamentación en dicho auto al respecto, no puede saberse la motivación de esa doble calificación que suele resolverse en un concurso de normas a favor de una u otra, o, en todo caso, como lo dispone el art. 570 quater CP, a favor del delito con pena mayor.

5. PROPUESTA DE TRATAMIENTO JURÍDICO-PENAL DE SOCIEDADES INSTRUMENTALES

En primer lugar, análogamente a la doctrina de los conceptos indeterminados, cabe clasificar los supuestos de tratamiento jurídico de sociedades legales y sociedades instrumentales en supuestos correspondientes a dos extremos claros: 1) sociedades legales que ocasionalmente cometen delitos de carácter socioeconómico (responsabilidad penal de la persona jurídica) y 2) sociedades instrumentales, fachada, pantalla, sin actividad real que son meros instrumentos en manos de organizaciones o personas criminales (trato de organización criminal). En medio de estos dos supuestos encontramos una gama de posibilidades, en las que los siguientes ingredientes pueden decantar por uno u otro tratamiento.

1. *La clase de delitos que se cometen.* Indudablemente hay delitos significativos de la criminalidad organizada como el tráfico de drogas, tráfico de armas, en general los diversos tráficos ilícitos que dicen de la *finalidad eminentemente criminal* al ser comercios absolutamente prohibidos. Por otro lado, encontramos delitos socioeconómicos propios de la criminalidad empresarial, que pueden ser cometidos ocasional o reiteradamente, como fraudes, delitos contra la Hacienda Pública, delitos contra los trabajadores, delitos contra los consumidores, delitos contra el medio ambiente, más vinculados a la actividad empresarial. Igualmente, pueden plantearse casos híbridos: organizaciones criminales que realizan estos delitos socioeconómicos como delitos contra el medio ambiente o empresas legales que realizan delitos propios de la criminalidad organizada como el blanqueo de dinero.

2. *Uso de la violencia.* El método mafioso, dícese de comportamientos extorsivos, amenazantes, al menos, donde se ejerce la violencia física y psíquica. La utilización de la violencia por parte de miembros de las organizaciones es un ingrediente propio de la criminalidad organizada, aunque puede encontrarse en algunos comportamientos empresariales y también en los comportamientos de la corrupción.

3. *Complejidad de la organización.* Partiendo que en ambos casos estamos ante organizaciones que tienen capacidad de susbsis-

tencia más allá de sus miembros, es decir, sistemas constituidos (LAMPE), se requiere un mínimo sustrato material, la existencia de medios materiales y personales, distintos de los miembros que la conforman. Por consiguiente, si se puede identificar la organización con un sujeto individual, tiene poco sentido establecer la responsabilidad por organización. La diferencia entre criminalidad organizada y criminalidad empresarial la encontraríamos en que en este último caso en la existencia de un sujeto jurídico delimitado, la persona jurídica, mientras que en la criminalidad organizada, el objeto jurídico es más difícil de determinar, puesto que se trata de una organización criminal.

4. *Finalidad criminal.* Siendo un elemento sustancial de la criminalidad organizada, la existencia del programa criminal determina la existencia de la organización criminal. De esta manera, esclareciendo la presencia de una finalidad criminal, esto es de una planificación, reparto de tareas con el fin de perpetrar comportamientos delictivos, las sociedades instrumentales suelen ser sólo medios, instrumentos para la realización de dicho programa. En la medida que esto sucede cabe el tratamiento de organización criminal. La finalidad criminal denota *intencionalidad*, esto es conocimiento y voluntad de perpetrar delitos. Al otro extremo estarían los comportamientos organizados que se realizan por infracción de deberes de vigilancia, o lo que la doctrina denomina *"defecto de organización"* que es más propio de la responsabilidad empresarial y, por tanto, de la responsabilidad penal de las personas jurídicas.

5. *Comportamiento criminal reiterado u ocasional.* La reiteración del comportamiento delictivo puede decir de la finalidad criminal y suele vincularse a un programa criminal propio de la criminalidad organizada. En cambio un comportamiento delictivo ocasional está vinculado a la criminalidad empresarial en la medida que en principio no se trata de un resultado buscado intencionadamente. No obstante, pueden plantearse casos de conductas empresariales reiteradas.

6. *Sociedades con actividad real / sin actividad real.* Las sociedades que no poseen una actividad productiva o económica real son meros instrumentos en manos de personas con una

finalidad delictiva. La simulación de la actividad, el engaño, el fraude y el abuso del Derecho societario dicen de una utilización intencionada de esconder la actividad delictiva y, por tanto, de la existencia de un programa criminal. De ahí que sea idóneo el tratamiento de meras organizaciones criminales. El mismo tratamiento merecen, a mi entender, las sociedades con una actividad económica real mínima que encubre una mayor actividad delictiva.

7. *Cantidad y calidad de la actividad legal / ilegal.* Ha de medirse la magnitud de la actividad legal de una sociedad, entendiendo aspectos cuantitativos y cualitativos a los efectos de determinar si se trata de un sujeto jurídico propio del tráfico económico o, de lo contrario, se trata de una mera máscara que sirve para realizar comportamientos delictivos.

8. *Que la actividad delictiva sea en provecho de la sociedad o en provecho de sujetos concretos.* El art. 31 bis CP señala claramente este elemento de la responsabilidad penal de la persona jurídica, que el delito sea cometido "en su beneficio directo o indirecto", denotando que el comportamiento delictivo corporativo ha de ser para lograr un beneficio económico o material propio de la persona jurídica. En cambio, en el caso de sociedades instrumentales, el delito no es en beneficio de la persona jurídica, sino en beneficio de sujetos concretos que están detrás de ella.

Teniendo en cuenta todos estos elementos puede darse el siguiente tratamiento a las sociedades:

a) *Responsabilidad penal de las personas jurídicas.* Cuando se trata de sociedades reales, con actividad legal productiva, que realizan delitos en beneficio de la propia persona jurídica. Generalmente los delitos no son reiterados, aunque podrían serlo, como sería el caso de delitos ambientales. En este supuesto estamos ante un injusto de organización o un delito corporativo, pues el resultado es un producto de una serie de comportamientos que corresponden con el defecto de organización. En estos casos se aplica el régimen del art. 31 bis y ss. del CP, así como las sanciones del art. 33.7 CP.

b) Tratamiento de organización criminal / asociación ilícita. Cuando se trate de sociedades instrumentalizadas que forman parte de un programa criminal, en las que no existe actividad productiva real, o la mayor parte de su actividad es ilegal, constituyendo la sociedad sólo una máscara que encubre actividades delictivas, el tratamiento correspondiente es el de organización criminal del art. 570 bis CP. La legislación española admite la calificación de asociación ilícita del art. 515 CP a sociedades con actividad legal preponderante, es decir, que no son "intrínsecamente criminales", que realizan comportamientos delictivos ocasionales, cuando no se trata de delitos en beneficio de la persona jurídica, sino en beneficio de personas individuales que instrumentalizan la empresa. En ambos casos las sanciones aplicables son las del art. 129 CP.

Por supuesto, como se ha dicho, la realidad puede ser muy rica en posibilidades y pueden darse un amplio abanico de casos situados en una zona gris, para los cuales estos elementos desarrollados pueden ayudar a convenir un tratamiento en uno u otro sentido. Ello puede coadyuvar a fundamentar un tratamiento más cierto y seguro de las sociedades instrumentales.

6. CONCLUSIONES Y PROPUESTAS DE *LEGE FERENDA*

Tanto la criminalidad organizada como la criminalidad empresarial hacen uso de personas jurídicas, sociedades reales e interpuestas, que encubren comportamientos delictivos deliberadamente realizados dentro de un programa criminal (organización criminal), o se trata de resultados lesivos producto de un defecto de organización (responsabilidad penal de las personas jurídicas). En la realidad se producen situaciones intermedias, esto es la utilización de la forma persona jurídica para realizar comportamientos lícitos / ilícitos que encubren delitos, como los sistemas offshore, normalmente anclados en paraísos fiscales que crean una barrera de protección de los verdaderos dueños del dinero frente a las autoridades. Otras veces, encontramos empresas con actividades legales que encubren actividades ilícitas. En todo caso, se trata de un uso pervertido y abusivo del Derecho de sociedades, en el que el Derecho Penal debe entrar a tallar.

Para dar una solución a supuestos intermedios, se propone tener en cuenta ocho elementos: la clase de delitos que se cometen, uso de la violencia, complejidad de la organización, finalidad criminal, comportamiento reiterado u ocasional, sociedades con actividad real o sin actividad real, calidad y cantidad de la actividad legal / ilegal, que la actividad ilícita sea en provecho de la sociedad o en provecho de unos sujetos concretos. El estudio de todos estos elementos decantará el tratamiento del caso como responsabilidad penal de las personas jurídicas del art. 31 bis CP, con las sanciones correspondientes al art. 33.7 CP, o como organización criminal del art. 570 bis CP y las consecuencias jurídicas del art. 129 CP.

Para finalizar, detectándose que muchos de los delitos que se cometen hoy en día organizadamente se realizan a través de sociedades reales e interpuestas, conviene establecer las siguientes propuestas fundamentales para prevenir estos comportamientos:

1. Un registro público de sociedades en el que conste quiénes son los reales propietarios, registrándose también las transformaciones, traspasos, etc. Este registro público ha de ser abierto a nivel internacional, de manera que facilite la información transnacional.

2. Un control de la actividad real de sociedades, vía inspecciones periódicas, verificando si se trata de sociedades reales o sociedades fantasma o pantalla.

3. La penalización del testaferro. Carecemos de tipos penales que castiguen clara e inequívocamente los comportamientos de personas interpuestas, algo que favorece la impunidad y la utilización abusiva de estas figuras.

4. Renovada lucha contra los paraísos fiscales. Más allá de la retórica pública, es necesario compromisos firmes para forzar a los países pertenecientes a la Comunidad Internacional a la colaboración decidida para que sus territorios no sean refugio del dinero ilícitamente obtenido.

5. Vigilancia y control de los Organismos de control públicos y privados correspondientes (Notarías, Superintendencia de Banca, Agencias de calificación, etc.), estableciendo especialmente la responsabilidad patrimonial de los directivos de dichos organismos por su actuación por *culpa in vigilando* o *culpa in*

eligendo cuando se cometen negligencias graves en el ejercicio de su cargo.

Existen mucho más medidas necesarias, como la responsabilidad patrimonial de los directivos de sociedades que se ha reforzado últimamente, pero el desarrollo de todo ello requiere un propio trabajo. Se trata de prevenir y, en su caso, castigar el uso pervertido de sociedades.

7. BIBLIOGRAFÍA

ALEO, Salvatore, "Criminalità transnazionale e definizione della criminalità organizzata: il requisito dell'organizzazione", en PATALANO (Dir), *Nuove estrategie per la lotta al crimine organizzato transnazionale*, Turín, G. Giapplichelli, 2003.

CARBAJO, Fernando, "Corrupción en sector privado (I): La corrupción privada y el Derecho Privado Patrimonial", en *Iustitia, Revista de la Facultad de Derecho de la Universidad Santo Tomás*, n° 10, 2012.

CASTELLS, Manuel, *La era de la información. La sociedad red, Vol. 1*, Madrid, Alianza Editorial, 2001.

CASTELLS, Manuel, "Informacionalismo, redes y sociedad en red: una propuesta teórica", en del mismo, *La sociedad red: una visión global*, Madrid, Alianza Editorial, 2006.

CATANZARO, Raimondo, *El delito como empresa: historia social de la mafia*, Madrid, Taurus, 1992.

DE CASTRO, Federico, *La Persona Jurídica*, Madrid, Civitas, 1991, reimpresión de la 2ª ed. (1984).

GÓMEZ-JARA, Carlos, "La imputabilidad organizativa en la responsabilidad penal de las personas jurídicas. A propósito del auto de la Sala de lo Penal de la Audiencia Nacional de 19 de mayo de 2014", en *Diario La Ley*, n° 8341, 2014.

GIMÉNEZ-SALINAS FRAMIS / REQUENA ESPADA / DE LA CORTE IBÁÑEZ, "¿Existe un perfil de delincuente organizado? Exploración a partir de una muestra española", en *Revista Electrónica de Ciencia Penal y Criminología*, n° 13-3, 2011, http://criminet.ugr.es/recpc/13/recpc13-03.pdf

GREEN, Stuart, *Mentir, hacer trampas y apropiarse de lo ajeno. Una teoría moral de los delitos de cuello blanco*, Madrid, Marcial Pons, 2013.

LAMPE, Ernst-Joachim, "Injusto del sistema y sistemas de injusto" en LAMPE, *La dogmática jurídico-penal entre la ontología social y el funcionalismo*, Lima, Grijley, 2003.

MAÑALICH, Juan Pablo, "Organización delictiva. Bases para su elaboración dogmática en el Derecho penal chileno", *Revista chilena de Derecho*, Vol. 38, n° 2, 2011.

MOUZELIS, Nicos, *Organización y burocracia. Un análisis de las teorías modernas sobre organizaciones sociales*, Barcelona, Eds. Península, 1991.

OBERMAIER / OBERMAYER, *Los papeles de Panamá. El club mundial de los evasores de impuestos*, Castellón, Titivillus, 2016.

PONTI, Gianluigi, "Criminalitàorganizzata e criminología", en BANDINI / LAGAZZI / MARUGO /, *La Criminalità Organizzata. Moderne metodologie di ricerca e nuove ipotesi esplicative*, Milán, Giuffrè, 1993.

SARTORI, Giovanni, "Comparación y método comparativo", en SARTORI / MORLINO (Comps.), *La comparación en Ciencias Sociales*, Madrid, Alianza Editorial, 2002.

SANZ MULAS, Nieves, "Criminalidad transnacional y responsabilidad penal de las personas jurídicas. La necesaria armonización en el marco de la UE", en PÉREZ CEPEDA (Dir.), *Política Criminal ante el reto de la Delincuencia Transnacional*, Valencia, Tirant lo Blanch, 2016.

SUTHERLAND, Edwin, *El delito de cuello blanco*, Madrid, La Piqueta, 1999.

WEIGEND, Thomas, "Los sistemas penales frente al reto del crimen organizado", *Revista Internacional de Derecho Penal*, Vol. 68, 1997.

ZÚÑIGA RODRÍGUEZ, Laura, *Criminalidad organizada y sistema del Derecho penal. Contribución al estudio del injusto de organización*, Granada, Comares 2009.

ZÚÑIGA RODRÍGUEZ, Laura, "Responsabilidad penal de las empresas. Experiencias adquiridas y desafíos futuros", en QUELOZ / NIGGLI / RIEDO, *Droit pénal et diversités culturelles. Mélanges en l´ honneur de José Hurtado Pozo*, Shulthess, Zurich, 2012.

ZÚÑIGA RODRÍGUEZ, "Culpables, millonarios e impunes: el difícil tratamiento del Derecho Penal del delito de cuello blanco", en ZUÑIGA / FERNÁNDEZ / GORJÓN / DÍAZ (Coords.), *Poder y delito: Escándalos financieros y políticos*, Salamanca, Ratio Legis, 2012.

ORGANIZACIÓN CRIMINAL TRANSNACIONAL Y CRIMINALIDAD ORGANIZADA TRANSNACIONAL. UTILIDAD DE LA DIFERENCIACIÓN EN EL CÓDIGO PENAL

CRISTINA MÉNDEZ RODRÍGUEZ[1]

Sumario: 1. Introducción. 2. Delimitación conceptual. 2.1. Concepto de red (de organizaciones) y organizaciones en red. 2.2. Concepto de (red) internacional. 2.2.1. Red internacional y delito transnacional. 3. Propuesta: Organización criminal transnacional y red transnacional de organizaciones. 3.1. Definición: el carácter transnacional de la organización criminal. 3.1.1. Organización criminal transnacional jerárquica. 3.1.2. Organización criminal transnacional en red. 3.2. Red transnacional de organizaciones criminales (estructurada de forma jerárquica, en red, o mixta). 4. Conclusiones.

Resumen: La reforma del CP que en el año 2010 introdujo los delitos de pertenencia a organización criminal y a grupo criminal no incluyó, como modalidad específica, referencia alguna al carácter transnacional de las organizaciones criminales. Sin embargo, tanto los instrumentos normativos internacionales que auspiciaron su inclusión, como la propia realidad criminológica de las organizaciones criminales, tienen en su punto de mira precisamente a esta clase de organizaciones debido a su mayor dimensión y expansión, y a las dificultades para su prevención, persecución y sanción que derivan justamente de su carácter internacional. Únicamente se contempla un tipo híper agravado en el delito de tráfico de drogas (art. 370.3°) anterior a la reforma de 2010, y que con una terminología muy confusa contempla la posibilidad de que "se trate de redes internacionales dedicadas a estas actividades". El presente trabajo analiza esta disposición poniendo de relieve su deficiente redacción, que parece remitir a la organización en red y a la existencia no de una, sino de varias redes internacionales conformadas cada una de

---

[1]   Profesora Titular de Derecho Penal de la Universidad de Salamanca. Este trabajo se inserta en el Proyecto financiado por el Ministerio de Economía y Competitividad: "Criminalidad organizada transnacional: una amenaza a la seguridad de los estados democráticos" DER2013-44228-R, del que forma parte la autora como investigadora.

ellas, a su vez, por distintas organizaciones criminales. Si a ello se suma que normativamente sea de aplicación alternativa a otras agravantes de mayor precisión conceptual, el resultado hasta ahora ha sido su inaplicación. A este insatisfactorio resultado ha contribuido la confusión suscitada sobre el carácter internacional de la red, que se ha venido confundiendo con el carácter transnacional de los delitos que son su objeto. Por esta razón, se analiza el concepto de delincuencia organizada transnacional definido en la Convención de Naciones Unidas contra la Delincuencia Organizada Transnacional (2000) que se estructura con base en la participación de un grupo delictivo organizado (una organización criminal) que realiza una serie de delitos de carácter transnacional que son definidos como tales por la Convención en atención a una serie de requisitos referidos a los propios delitos en sí, que nada tienen que ver con las razones que dotan de carácter transnacional a la propia organización criminal y que deben conectarse a las razones que explican un tratamiento penal diferenciado y más grave para este tipo de organizaciones criminales. Se propone aquí una definición de organización criminal transnacional en la que el propio delito de pertenencia a organización criminal se desarrolle en el territorio de al menos dos países diferentes en los que, o bien se cuenta con "sedes" o "filiales" operando territorialmente, o bien, con "células" o "nodos" conectados entre sí. De esta manera, se tendría en cuenta la peculiar tipología de estas organizaciones que diseñan su forma de funcionamiento con miras a la maximación del beneficio económico, la dispersión internacional de sus miembros, la descentralización de las actividades de la organización, la explotación de la diversidad legislativa, y el incremento de su capacidad de expandir su actividad delictiva a otros estados con el potencial incremento de sus resultados económicos. Con esta base, se perfilan las características de la organización criminal transnacional jerárquica y de la organización criminal transnacional en red que divergen por su forma de funcionamiento interno, y también de la red transnacional de organizaciones criminales que puede funcionar de manera jerárquica, en red, o mediante múltiples combinaciones de ambas. Finalmente, se propone la introducción en el CP de una modalidad agravada de organización criminal para el delito de pertenencia (arts. 570 bis) que con carácter general tenga en cuenta su transnacionalidad para el caso de que el culpable pertenezca a la misma.

Palabras clave: organización criminal transnacional, organización en red, redes internacionales, delito transnacional, red transnacional de organizaciones.

1. INTRODUCCIÓN

En el año 2010 mediante LO 5/2010 de 22 de junio se introdujeron en el derecho español los delitos de pertenencia a organización criminal y a grupo criminal (Capítulo VI, "De las organizaciones y grupos criminales", del Título XXII "Delitos contra el orden público", arts. 570 bis a 570 quáter). Esta inclusión supuso la trasposición al derecho interno de la Decisión Marco relativa a la lucha contra la delincuencia organizada (DM 2008/841 del Consejo de 24 de octubre) que define el delito de participación en una organización delictiva para el espacio europeo y que tiene como finalidad específica, como anuncia la propia DM, la lucha contra la delincuencia organizada transfronteriza[2], que por la peligrosidad y proliferación de las orga-

---

[2] Aunque literalmente "transfronterizo" significa "que opera por encima de las fronteras" (DRAE) y "transnacional" "que se extiende a través de varias naciones" (DRAE), en el ámbito de las diligencias de prueba se suele utilizar el término "delincuencia transfronteriza" para aludir a los delitos cometidos exclusivamente a través de, o en el territorio de varios estados que pertenecen al espacio europeo (así, todos los instrumentos jurídicos de la UE prefieren esta denominación) y el de "delincuencia transnacional" cuando se trata de delitos cometidos a través de, o en el territorio de estados pertenecientes y no pertenecientes a la UE, como expuso PELÁEZ PIÑEIRO, Luis, "Estrategias de respuesta ante la criminalidad organizada", en la ponencia presentada en el Congreso que sobre Criminalidad Organizada Transnacional tuvo lugar en la Universidad Pablo Olavide de Sevilla, el día 10 de abril de 2015. En realidad, en la literatura sobre el tema, los términos internacional, transnacional o transfronterizo suelen utilizarse habitualmente como sinónimos, aunque, en ocasiones, se señalan matices que varían enormemente entre los distintos autores. Así, vid, a modo de ejemplo la opinión de tres autores distintos que presentan contribuciones sobre el tema en el mismo volumen: TOVAL MARTÍN, Lucio, "Fenomenología del crimen organizado transnacional: actividades delictivas y *modus operandi* en España y en el Exterior", *Criminalidad y Globalización. Análisis y estrategias ante grupos y organizaciones al márgen de la ley*, MAGAZ ÁLVAREZ, R. (Coord.), Instituto General Gutiérrez Mellado de Investigación sobre la Paz, la Seguridad y la Defensa, Madrid, 2012, p. 28, califica como transnacional la actividad delictiva que "tiene su origen en un país pero para completar su ciclo traspasa fronteras e incide sobre la seguridad e integridad de terceros países donde bien oculta los beneficios de sus actividades, bien da legitimidad al producto de sus acciones delictivas o a los miembros del grupo"; o también al hecho de que los miembros del grupo procedan de diversas naciones. Reserva en cambio el término "internacional" para los grupos que operan en varios países llevando a cabo en todos ellos sus actividades delictivas. ESTARELLAS Y LÓPEZ, Juan Carlos, "El agente policial encubierto contra el crimen organizado", *Criminalidad y Globalización. Análisis y estrategias ante grupos y organizaciones al márgen de la ley*, MAGAZ ÁLVAREZ, R. (Coord.), Instituto General Gutiérrez Mellado de Investigación sobre la Paz, la Seguridad y la Defensa, Madrid, 2012, p. 329, afirma que el adjetivo "transnacional" lleva implícito que los tipos de delitos que se examinan se cometen "en el plano transfronterizo", aunque ello, en su opinión no es así cuando, por ejemplo, los bienes ilícitos se producen a nivel local o nacional y

nizaciones delictivas requiere, para ser eficaz, la armonización de las legislaciones y un esfuerzo mayor en la cooperación entre los estados. Esta necesidad se había ya expresado en distintos instrumentos internacionales y especialmente en la Convención de Naciones Unidas contra la Delincuencia Organizada Transnacional (Convención de Palermo del año 2000) de la que España forma parte, y que surge ante la evidencia de la cada vez más generalizada transnacionalización de las actividades criminales, y ante la necesidad de dotarse de instrumentos jurídicos con los que se pueda afrontar la mayor dificultad de prevenir y sancionar la criminalidad organizada que se extiende más allá de las fronteras de un estado y a la que la propia Convención define como un problema mundial que requiere una reacción mundial[3]. Esta criminalidad, de nuevo según la Convención, saca ventaja de las fronteras abiertas, de los mercados libres, y de los avances tecnológicos, es muy poderosa y representa intereses arraigados y "el peso de una empresa mundial de miles de millones de dólares"; por eso, frente a ella, "es preciso fortalecer la cooperación internacional para socavar la capacidad de los "delincuentes internacionales" para actuar con eficacia". De hecho, se ha destacado la necesidad de contemplar de manera más sistemática al crimen organizado transnacional por sus conexiones con la seguridad internacional debido a: la escala y alcance de la ac-

sólo su distribución es internacional, o cuando la trata se realiza en determinadas localidades y sólo las operaciones de trata adquieren carácter internacional. Por su parte, MAGAZ ÁLVAREZ, Ricardo, "Terrorismo y narcotráfico como elementos clave del crimen organizado transnacional y amenaza para la seguridad global", *Criminalidad y Globalización. Análisis y estrategias ante grupos y organizaciones al márgen de la ley*, MAGAZ ÁLVAREZ, R. (Coord.), Instituto General Gutiérrez Mellado de Investigación sobre la Paz, la Seguridad y la Defensa, Madrid, 2012, p. 199, afirma que (…) "el epígrafe "transnacional" debe entenderse como lo internacional globalizado". En suma, aunque los términos en su uso habitual suelen considerarse sinónimos y, de hecho, pueden coincidir (un delito transfronterizo que también puede ser transnacional e internacional) preferimos el término transnacional porque ha adquirido carta de naturaleza en virtud de la Convención de Naciones Unidas contra la Delincuencia Organizada Transnacional que, además, aporta una definción de delito transnacional como se verá más adelante.

3   Gráficamente ha sido calificado de "industria en expansión" por BERDAL, Mats/SERRANO, Monica, "Introducción", *Crimen transnacional organizado y seguridad internacional*, BERDAL, M./SERRANO, M. (Comp.), Fondo de Cultura Económica, México, D.F., 2005, p. 14.

tividad delictiva internacional, el carácter cada vez más abierto de la economía global, los problemas que por esta razón se le plantean a las organizaciones internacionales y a los estados que dirigen sus esfuerzos en facilitar el comercio internacional y, finalmente, por las estrechas conexiones entre bandos opuestos en las guerras civiles y organizaciones y redes criminales internacionales[4].

En suma, los delitos de pertenencia a organización criminal y a grupo criminal se introducen en el sistema español a instancias de los instrumentos internacionales que tienen en su punto de mira a la delincuencia organizada transnacional[5], debido a su gravedad y a las dificultades para su prevención, persecución y sanción, que derivan

---

[4]   Vid. in extenso, BERDAL, Mats/SERRANO, Monica, "Introducción", *op. cit.*, p. 14 y ss.

[5]   En España también debido al hecho de que la interpretación restrictiva que la jurisprudencia había hecho del delito de asociación para delinquir del art. 515.1 CP (que define tales asociaciones como aquéllas "… que tengan por objeto cometer algún delito o, después de constituidas promuevan su comisión") no permitía sancionar, a juicio del legislador, a aquéllas agrupaciones de personas que no constituían una "asociación", ya que las organizaciones criminales "no son asociaciones que delinquen, sino agrupaciones de naturaleza originaria e intrínsecamente delictiva, carentes en muchos casos de forma o apariencia jurídica alguna, o dotadas de tal apariencia con el exclusivo propósito de ocultar su actividad y buscar su impunidad" (Exposición de Motivos de la LO5/2010 de 22 de junio). GARROCHO SALCEDO, Ana, "Delitos relacionados con el ejercicio de derechos fundamentales y libertades públicas", *Memento Práctico. Penal 2016*, Francis Lefebvre, Madrid, 2015, p. 1773, cuestiona que la forma de constitución de la organización (que reviste una apariencia de licitud por haberse constituido de forma legal) sea argumento suficiente para delimitar las organizaciones criminales de las asociaciones ilícitas si éstas últimas constituyen estructuras estables con reparto de funciones entre sus miembros y con la finalidad de cometer delitos, porque la sanción de las segundas es claramente inferior, lo que, en su opinión, supone un privilegio injustificado que se fundamentaría únicamente, en presencia de los mismos delitos, en la apariencia de licitud de las asociaciones frente a las organizaciones criminales constituidas en una estructura informal. Considera que comparte fundamentación con el delito de pertenencia a organización criminal, GONZÁLEZ RUS, Juan José, "Aproximación político-criminal a la regulación de la criminalidad organizada después de la reforma de 2010", *La criminalidad organizada*, GONZÁLEZ RUS, J.J (ed.), Tirant lo Blanch, Valencia, 2013, p.105. En opinión de CANCIO MELIÁ, Manuel, "El injusto de los delitos de organización: peligro y significado", *RGDP*, nº 8, 2009, p. 4, el delito de asociación ilícita podría englobar cualquier concepto de criminalidad organizada, aunque fuera muy amplio.

justamente de su carácter transfronterizo o transnacional y de la ausencia de un perfil homogéneo que ayude en su identificación.

Por estas razones, el objeto de este trabajo no son las organizaciones criminales en sí[6], sino aquéllas que operan internacionalmente, con la finalidad de determinar, en primer lugar, la forma en que el Código penal vigente (CP) las contempla, en qué delitos se prevén y con qué perfiles. En opinión de RESA NESTARES[7], la evolución del crimen organizado hacia una dimensión internacional ha significado un cambio en sus estructuras orgánicas que ha dado lugar a un modelo que presenta varias diferencias con los anteriores: "una operatividad a escala mundial, unas conexiones transnacionales extensivas y, sobre todo, la capacidad de retar a la autoridad nacional e internacional". Desde el punto de vista criminológico nos enfrentamos a estructuras de lo más diversas que operan deslocalizando parte de sus actividades criminales en otros territorios, lo que puede darnos una idea de su dimensión y su expansión, o/y estableciendo vínculos con personas, o con grupos y organizaciones criminales de otros países, lo que les permite participar en actividades tan lucrativas como el tráfico de drogas, de armas o de personas. Nos centramos en este tipo de organizacio-

---

[6] Se deja ahora al margen la discusión sobre si ha sido oportuna la tipificación de los delitos de pertenencia a organización criminal y a grupo criminal como delitos autónomos, o más bien, como vienen demandando algunos autores, estamos ante una cuestión que debe ser regulada en la parte general del derecho penal por tratarse de un modo o forma de comisión que podría aplicarse a cualquier tipo de delito. Vid. ZÚÑIGA RODRÍGUEZ, Laura, *Criminalidad organizada y sistema de derecho penal*, Comares, Granada, 2009; ROPERO CARRASCO, Julia, "La necesaria armonización legislativa en el tratamiento de la delincuencia organizada", *Instrumentos internacionales en la lucha contra la delincuencia organizada*, Dykinson, S. L., Madrid, 2011, p. 93 y ss. Desde un punto de vista criminológico, DE LA CORTE IBÁÑEZ, Luis/GIMÉNEZ-SALINAS FRAMIS, Andrea, *Crimen.org, Evolución y claves de la delincuencia organizada*, Ariel, Barcelona, 2010, p. 261, sostienen que el crimen organizado no se distingue por el tipo de delito que se comete, o el tipo de autor o víctima, sino por el modo en que se realizan los distintos delitos: "mediante la implicación de una asociación de individuos que operan de forma estructurada y coordinada y que han convertido la delincuencia en su ocupación profesional, cuando no en un etilo y filosofía de vida".

[7] RESA NESTARES, Carlos, *Crimen organizado transnacional: definición, causas y consecuencias*, https: //www.uam.es/personal_pdi/economicas/cresa/text11.html.

nes criminales porque son la expresión de las más graves formas de delincuencia organizada al trascender el ámbito de un solo país (como establecen los instrumentos internacionales) y operar mediante la comisión de todo tipo de delitos de tráfico (drogas y estupefacientes, armas, órganos, medicamentos, moneda, bienes culturales, o información) que están en el origen del ciclo delictivo en el que se mueven estas organizaciones y del que forman parte esencial los delitos de corrupción y el blanqueo de los bienes fruto de estas actividades delictivas. Además, gracias a la expansión de las nuevas tecnologías de la información y de la comunicación[8] que han propiciado un aumento increíble de los flujos de información, y a la movilidad que permiten los actuales medios de transporte, junto a las políticas económicas liberalizadoras, vivimos en un proceso de interconexión mundial, la llamada globalización, que ha permitido que una parte importante de la economía mundial se haya integrado a escala planetaria. Estas condiciones han sido aprovechadas también por la criminalidad organizada para incrementar su actividad ilegal y su interconexión con la economía legal[9].

---

[8]   El fácil acceso a esta tecnología deriva del enorme volumen de beneficios económicos que les reporta la actividad delictiva y que les permite hacerse con el material más sofisticado técnicamente, que manejan especialmente algunos de sus miembros que provienen de extintos cuerpos o unidades militares, cuerpos policiales o servicios de inteligencia, por lo que cuentan con amplios conocimientos en tácticas militares y policiales. LÓPEZ TEMPORAL, Víctor. M, "La investigación policial en los delitos de criminalidad organizada", *Nuevas amenazas a la Seguridad Nacional. Terrorismo, criminalidad organizada y tecnologías de la información y la comunicación*, GONZÁLEZ CUSSAC, J.L./CUERDA ARNAU, M.L., Tirant lo Blanch, Valencia, 2013, pp. 347 y 348. RUIZ RODRÍGUEZ, Luis/GONZÁLEZ AGUDELO, Gloria, "El factor tecnológico en la expansión del crimen organizado ¿Menores en riesgo?, *Criminalidad organizada, terrorismo e inmigración. Retos contemporáneos de la política criminal*, Comares, Granada, 2008, p. 2 y ss., afirman que las tecnologías de la información y la comunicación han sido incorporadas inmediatamente al proceso criminal porque ayudan al perfeccionamiento en la ejecución del delito en la medida en que se constituyen en un instrumento de optimización de los recursos que además es de carácter legal, presentando, por otro lado, evidentes ventajas para la lograr la impunidad

[9]   Vid. DE LA CORTE IBÁÑEZ, Luis/GIMÉNEZ-SALINAS FRAMIS, Andrea, *Crimen.org, op. cit.*, p. 231.

Lo cierto es que la criminalidad organizada, entendida como estructura caracterizada por una cierta estabilidad, permite facilitar la comisión de delitos y emprender acciones delictivas de una dimensión mayor; permite la continuidad delictiva en ausencia de algún o algunos miembros de la organización; facilita de forma significativa la impunidad de los miembros de la organización que ostentan posiciones directivas, de control o de coordinación de la organización; además, tiene como objetivo la consecución de un beneficio de carácter económico, por lo que está en la base de modalidades de delitos muy graves que consisten en el tráfico; y, finalmente, genera fenómenos de corrupción nacional e internacional que afectan a las estructuras institucionales, sociales o económicas de un país propiciando el blanqueo de capitales que trata de ocultar el origen de las ingentes ganancias obtenidas.

Si las organizaciones criminales plantean un complejo reto a los sistemas penales, su dimensión internacional, nuestro objeto de análisis en este trabajo, potencia las razones que están en la base de la necesidad de su específico tratamiento penal. Por un lado, porque se vincula a una mayor capacidad de lesionar bienes jurídicos debido a que la estructura que se requiere para operar internacionalmente debe ser, sin duda, más desarrollada, sofisticada y estable. En segundo lugar, por la posibilidad de actuar en diversos países, que implica necesariamente un potencial impacto mayor de este tipo de criminalidad. Y, finalmente, por la dispersión geográfica de sus miembros, que debido a las limitaciones al enjuiciamiento derivadas del principio de territorialidad, implica una mayor capacidad para eludir la acción de la justicia.

El CP vigente únicamente incorpora la referencia a la internacionalización de la organización criminal en el delito de tráfico de drogas, aunque con una terminología confusa, como se analizará con más detalle en adelante[10]. Baste en este momento únicamente reseñar

---

[10]   En este delito se prevén agravantes que se fundamentan en la mayor afección al bien jurídico salud pública por la cantidad o el estado de la sustancia objeto del delito (art. 369.5ª y 6ª), en consonancia con lo que se dispone en los instrumentos internacionales que obligan a España, como la DM 2004/757 del Consejo relativa al establecimiento de disposiciones mínimas de los elementos constitutivos de los delitos y de las penas aplicables en el ámbito del tráfico de drogas,

que el art. 370.3° tipifica un supuesto de "extrema gravedad" (un tipo híper cualificado) que junto a la notoria importancia de la cantidad aprehendida, la utilización de buques, embarcaciones o aeronaves como medio de transporte específico y la simulación de operaciones de comercio internacional entre empresas, prevé también que "se trate de redes internacionales dedicadas a este tipo de actividades".

Sin embargo, el delito de pertenencia a organización criminal introducido en el CP en el año 2010, no contempla como modalidad agravada el carácter transnacional de la propia organización criminal[11], aunque los tipos agravados que contiene (art. 570 bis.2) y que permiten imponer la pena en su mitad superior, remiten, en realidad, a la mayor dimensión de la organización porque requieren que "esté formada por un elevado número de personas", "disponga de armas o instrumentos peligrosos", o bien "disponga de medios tecnológicos avanzados de comunicación o transporte que por sus características resulten especialmente aptos para facilitar la ejecución de los delitos o la impunidad de los culpables". Salvo la referencia a las armas o a los instrumentos peligrosos, que no necesariamente puede predicarse de organizaciones transnacionales (aunque su uso en determinados ámbitos delictivos sea la regla) el resto de agravantes bien podrían haberse formulado para tener en cuenta a las grandes organizaciones, aunque no se contenga una mención expresa a las mismas.

---

que impone a los estados según su art. 4.2 (sanciones) la necesidad de elevar las penas del tipo básico (de uno a tres años de privación de libertad según el art. 4.1) de cinco y hasta los diez años si "el delito está relacionado con las drogas más perjudiciales a la salud o bien provoca daños importantes en la salud de muchas personas" (art. 4.2b). Junto a ellas, se prevén también las que tienen en cuenta el tipo de autor (art. 369.1ª y 370. 2°) o su participación en otras actividades organizadas (art. 369.2ª), el lugar del delito (art. 369.3ª y 7ª), la condición del consumidor (art. 369.4ª), el uso de violencia o la exhibición de armas (art. 369.8ª) o la utilización de menores o disminuidos psíquicos en su comisión (370. 1°).

[11]   También con respecto a la organización criminal (y no ya a la delincuencia organizada como se vio en la nota 1) se emplean como sinónimos los términos transnacional, transfronterizo, internacional y multinacional, este último por remisión a la denominación que se utiliza para las empresas asentadas en varios países. Aquí se prefiere el término transnacional porque, además de englobar a todos los anteriores, se vincula, como ya dijimos, al seleccionado por la Convención de Palermo para referirse a esta tipología delincuencial, aunque la Convención no contenga una definición específica de organización criminal transnacional.

Por todo lo expuesto precedentemente y como ya se apuntó al inicio de estas líneas, nos centraremos, en primer lugar, en analizar el concepto de "red internacional" que el CP contempla para el delito de tráfico de drogas con la finalidad de aclarar cómo se aplica por parte de los tribunales, qué rendimiento ha tenido hasta la fecha, y cómo puede interpretarse a la luz de todas las disposiciones que en materia de criminalidad organizada se han introducido en los últimos años. Para evaluar, en segundo lugar, la conveniencia de incluir en los delitos de pertenencia a organización criminal una agravante que contemple la transnacionalidad de las organizaciones criminales. Y, en esta línea, si debemos recurrir para definirlas a la Convención de Naciones Unidas contra la Delincuencia Organizada Transnacional que expresamente define este tipo de delincuencia. De este modo, además, podríamos circunscribir también el sentido del art. 570 quáter 3 por el que todas las disposiciones del Capítulo dedicado a las organizaciones y grupos criminales (Capítulo VI, Título XXII) "serán aplicables a toda organización o grupo criminal que lleve a cabo cualquier acto penalmente relevante en España aunque se hayan constituido, estén asentados o desarrollen su actividad en el extranjero".

2. DELIMITACIÓN CONCEPTUAL

Por tratarse de la única mención normativa a la transnacionalidad de las organizaciones criminales, vamos a comenzar la delimitación conceptual analizando el contenido de la agravante de "extrema gravedad" (art. 370.3°)[12] que permite imponer la pena superior en uno

---

[12] Art. 370. "Se impondrá la pena superior en uno o dos grados a la señalada en el artículo 368 cuando: (…) 3.º Las conductas descritas en el artículo 368 fuesen de extrema gravedad. Se consideran de extrema gravedad los casos en que la cantidad de las sustancias a que se refiere el artículo 368 excediere notablemente de la considerada como de notoria importancia, o se hayan utilizado buques, embarcaciones o aeronaves como medio de transporte específico, o se hayan llevado a cabo las conductas indicadas simulando operaciones de comercio internacional entre empresas, o se trate de redes internacionales dedicadas a este tipo de actividades, o cuando concurrieran tres o más de las circunstancias previstas en el artículo 369.1". La simulación de operaciones de comercio internacional entre empresas ha corrido la misma suerte jurisprudencial que la de redes internacionales y apenas ha sido aplicada.

o dos grados (a la señalada en el tipo básico del delito de tráfico de drogas tipificado en el art. 368), además de una multa del tanto al triplo del valor de la droga objeto del delito, si se trata "de redes internacionales dedicadas a este tipo de actividades". Este artículo se introdujo en el CP con la reforma del año 2003 (LO 15/2003, de 25 de noviembre) ya que, hasta ese momento y aún contemplando un tipo híper agravado que denominaba también de "extrema gravedad", no se definía ni especificaba ésta, por lo que se contemplaba una clausula abierta y genérica que dejaba en manos de los tribunales la delimitación de los supuestos extremadamente graves. Ante la inseguridad jurídica señalada reiteradamente por doctrina y jurisprudencia, la reforma citada definió los casos considerados de extrema gravedad entre los que se incluyó el de redes internacionales.

Antes de nada es necesario precisar, que como uno de nuestros objetivos es valorar la utilidad de la referencia normativa que incorpora el CP en el delito de tráfico de drogas y la conveniencia de incluir una modalidad agravada de organización criminal en los delitos de pertenencia que tenga en cuenta su dimensión transnacional, lo primero que se necesita es que el autor pertenezca realmente a la organización. Sin embargo y técnicamente, la agravante "de redes internacionales" que está prevista para el delito de tráfico de drogas podría también aplicarse a quien, sin pertenecer a la misma, se aprovecha de su estructura[13]. Como estaríamos ante supuestos que materialmente reflejan conductas de muy diversa gravedad, aquí se propone que se restrinja su aplicación a quienes pertenecen a la "red" y, por extensión, que cualquier agravación por la dimensión transnacional de la organización se aplique únicamente a aquéllos que pertenecen a ella[14].

---

[13]   FAKHOURI GÓMEZ, Yamila, "Tráfico de drogas", *Memento Penal 2016*, Francis Lefebvre, Madrid, 2015, p. 1560, afirma que quienes consideran suficiente que el autor se aproveche de la infraestructura de la organización, estiman que se responde así al sentido de la agravante que consiste en sancionar la actuación a través de grupos organizados debido a su mayor peligrosidad.

[14]   Sin embargo, en estos momentos resulta más sencillo aplicar esta agravante a quien no pertenece a la red internacional pero se aprovecha de la misma para la comisión del delito, que a quien es miembro de la misma. Y es así debido a que la pertenencia a red internacional no está prevista como agravante ni en el delito de pertenencia a organización criminal (art. 570), ni en el delito de tráfico de drogas cometido por persona que pertenece a organización delictiva (art. 369 bis),

De forma que, en cualquier caso, el culpable debe ser miembro de la organización, es decir, debe estar integrado en la misma, y conocer y compartir el objetivo de ésta, contribuyendo en alguna manera a su mantenimiento porque forma parte de su estructura, aunque su función no tenga un carácter permanente sino contingente. Este último sería el caso de los miembros temporales, que son personas próximas al entorno de la organización pero externas a ésta, y a quienes podemos diferenciar de los colaboradores de la organización que no forman parte de la misma, aunque puedan cooperar mediante el asesoramiento o la realización de cualquier tarea específica[15]. En suma, es esencial la pertenencia, la integración[16] en la organización, aunque sea para una operación concreta, que es lo que convierte al autor en miembro permanente o temporal de la misma.

Por otro lado y con respecto a la utilidad o al rendimiento que desde el año 2003 y hasta el momento ha tenido esta agravante, hay que decir que ha sido nulo. No hay ninguna sentencia, o, al menos, ninguna que haya podido localizarse, en que se haya agravado el delito de tráfico de drogas por ser realizado en el ámbito de una organización

---

y como entre este último y el art. 370 de redes internacionales no puede haber un concurso de delitos porque el primero lo subsume, en la mayor parte de los casos sería de aplicación únicamente el art. 369 bis desapareciendo la posibilidad de sancionar más gravemente la pertenencia a una red internacional. Como ya expuse más extensamente en: "Los delitos de pertenencia a organización criminal y a grupo criminal y el delito de tráfico de drogas cometido por persona que pertenece a una organización delictiva. Crónica de un conflicto normativo anunciado y análisis jurisprudencial", *Estudios Penales y Criminológicos*. Vol. XXXIV, 2014, pp. 547 y 548.

[15]   JARAMILLO RESTREPO, J.D., "Organizaciones criminales: bases para una teoría general", *Discriminación, principio de jurisdicción universal y temas de derecho penal*, POSADA MAYA, R. (coord.), Uniandes, Colombia, 2013, p. 501 y 526. Así lo considera igualmente la jurisprudencia que distingue la pertenencia a la organización de la simple colaboración esporádica (STS 486/2009 de 8 de mayo, SAN 8/2012 de 17 de febrero) aunque ésta se repita en el tiempo; de manera que la colaboración puntual, sin vocación de integración permanente en la organización no convierte al partícipe en miembro de la organización (STS 356/2009 de 7 de abril).

[16]   Término utilizado en ocasiones por la jurisprudencia, como en la STS 780/2013 de 25 de octubre como forma de excluir del delito de pertenencia a organización criminal a las personas que únicamente realizan una aportación de carácter ocasional.

transnacional. De modo que aunque el Código tenga en cuenta la mayor gravedad de la dimensión internacional de la red dedicada al tráfico de drogas, la jurisprudencia no ha hecho uso de ella. Y como son precisamente las organizaciones criminales dedicadas al tráfico de drogas el prototipo originario de organizaciones transnacionales, esta omisión debe de obedecer a otras causas. La principal es que la redacción de la agravante de extrema gravedad contempla cuatro supuestos alternativos: que la cantidad de droga con la que se trafica "exceda notablemente de la considerada de notoria importancia", que se realice "por medio de buques, embarcaciones o aeronaves como medio de transporte específico", que se realice "simulando operaciones de comercio internacional entre empresas", o, finalmente, que se trate "de redes internacionales dedicadas a tales actividades". Al tratarse de supuestos que se contemplan de forma disyuntiva, como ha recordado la FGE en la Circular 2/2005, de 31 de marzo, la jurisprudencia ha preferido aplicar la extrema gravedad con base en el resto de supuestos por las razones que se detallarán más adelante.

2.1. Concepto de red (de organizaciones) y organizaciones en red

Aunque el precepto no acoge literalmente la mención a la "organización" y no utiliza la expresión de "red de organizaciones internacionales", sino sólo "redes internacionales", no es posible otra interpretación, dada la integración de la agravante en un grupo de delitos en los que se menciona de forma específica a las organizaciones criminales (art. 369 bis que contempla la pertenencia de los autores del delito de tráfico de drogas a una organización delictiva, el art. 371.2 que prevé idéntica agravación para el delito de tráfico de precursores, y arts. 369 bis y 371.2 que sanciona también más gravemente a los jefes, encargados o administradores de las mismas). Por tanto, habrá que entender que el legislador pretende agravar cuando exista una red de organizaciones, lo que implica en principio la existencia de varias organizaciones criminales integradas en una red. Es más, se utiliza el plural, de manera que, estrictamente, sería necesaria la presencia de "varias" redes integradas, a su vez, por varias organizaciones criminales.

Consecuentemente sería preciso (y en referencia a una única red internacional) que, en primer lugar, esté presente una organización criminal con los requisitos que según el art. 570 bis del CP la definen: una agrupación integrada por al menos tres personas; que tenga un carácter estable o por tiempo indefinido; que exista de manera concertada y coordinada un reparto de tareas o funciones con el fin de cometer delitos; y aunque no lo dice expresamente el precepto, que el delito se cometa como una actividad de la organización. Finalmente, que el culpable pertenezca a la misma, en el sentido de una cierta permanencia en la organización que impediría su aplicación por la simple colaboración, y que sería expresión de una vocación de participación en otros hechos futuros de la organización o la disponibilidad para ello, de modo que la participación en un delito cometido por una organización criminal no permita entender, por ese solo hecho, que se pertenece a la organización[17]. Y, en segundo lugar, que la organización criminal se integre en una red *internacional* (en realidad, como hemos visto, que se trate de *redes* internacionales).

El término que utiliza el legislador para formular la agravación, el de "red" (de organizaciones), pudiera sugerir la intención de remisión al de "organización en red", es decir, a una de las formas de funcionamiento organizacional más extendidas en el momento presente, basada en la extensión de las redes sociales. Pero lo cierto es que no podríamos acoger esta interpretación por diversas razones.

En primer lugar, porque el Código desconoce el concepto de organización en red y no utiliza esta expresión en ningún precepto, a pesar de contener todo un capítulo dedicado a las organizaciones y grupos criminales (y a las organizaciones y grupos terroristas que se definen en el art. 571 con base en las primeras). Y, en segundo lugar, porque las razones que parecen fundamentar la agravación tienen más que ver con el carácter transnacional de la red que con su forma de organización interna.

Y, sin embargo, la precisión podría resultar clave a la hora de aplicar la disposición ya que si el legislador quisiera referirse a una "organización en red", sería suficiente constatar la existencia de una

---

[17] Vid., extensamente, sobre el concepto de organización criminal, mi trabajo: "Los delitos de pertenencia a organización criminal y a grupo criminal y el delito de tráfico de drogas cometido por persona que pertenece a una organización delictiva Crónica de un conflicto normativo anunciado y análisis jurisprudencial", *op. cit.*, pp. 521 y ss.

sola organización (funcionando en red) en vez de una pluralidad de organizaciones (una red de ellas). Lo cierto es que a tenor de la literalidad del precepto, la agravación no parece remitir al funcionamiento en red de la organización, sino a la pertenencia del culpable a una red que se integre con diversas organizaciones.

En cualquier caso, para precisar la distinción es preciso recordar que la organización en red es una forma organizativa en la que las acciones entre los diversos individuos, grupos de individuos u organizaciones (los llamados "nodos" o "células"), se coordinan mediante el acuerdo y no mediante la obediencia a las órdenes de un superior, que es lo que caracteriza a las organizaciones jerárquicas[18]. Los nodos se conectan mediante una comunicación que no es necesariamente permanente, sino sólo contingente, siendo suficiente con una posibilidad de comunicación, en el caso de que sea necesario, para conseguir sus fines. Se caracterizan por utilizar estrategias y tecnologías relacionadas con las nuevas formas de información y comunicación para la coordinación de los nodos que la conforman y que pueden ser de carácter dispar, pudiendo estar constituidos por individuos, pero también por grupos grandes o pequeños (o partes de estos grupos), también por organizaciones grandes o pequeñas (o partes de las mismas) e incluso por Estados. Además, actúan de forma transnacional, realizando distintas actividades que pueden tener también un carácter diverso, ya que algunas veces son de carácter público y otras privado, en ocasiones de naturaleza legal, y en otras, ilegal[19]. Debido a esta

---

[18]   El término se atribuye a los investigadores: *John Arquilla* y *David Ronfeldt*, ARQUILLA, John/ RONFELDT, David, *Cyberwar is coming*, Comparative Strategy, Vol. 12, nº 2, Primavera, 1993, pp. 141 y ss. Es un concepto que se basa en el de red social que se entiende constituida por la interconexión de diferentes individuos o grupos de individuos que interactúan entre sí de una o varias maneras y con cierta frecuencia, como forma de llevar a cabo una acción colectiva, WILLIAMS, P, "Redes transnacionales de delincuencia", *Redes y guerras en red. El futuro del terrorismo, la criminalidad organizada y el activismo político*, ARQUILLA, J./RONFELDT, D., ed. Alianza, 2003. En el mismo año 2003 alertaba EUROPOL sobre la proliferación de grupos de delincuencia organizada carentes de jerarquía estructurada y organizados mediante una estructura celular, en los que la integración de sus componentes no se basa en la permanencia o en el juramento de fidelidad, sino en la interconexión con otros grupos.

[19]   Las actividades ilegales que realiza la organización criminal se complementan con las legales, aunque predominen las primeras, generándose así vínculos útiles

estructura tan flexible, dinámica y porosa, es enormemente difícil su detección[20].

En suma, la organización en red se define por su forma de funcionamiento y el tipo de coordinación que se establece entre sus nodos, netamente diferente a la de las organizaciones jerárquicas, lo que las convierte en formas organizativas caracterizadas por una gran flexibilidad, adaptabilidad y transnacionalidad.

Con base en el marco normativo en el que se contiene la agravación, el tipo de delito para el que se prevé y la expresión que se utiliza para definirla, podemos entender que no es la forma de funcionamiento de la organización la razón que subyace a la agravación que analizamos, sino su carácter internacional. Podemos así concluir que queda excluida la posibilidad de entender que el legislador quiere referirse a una organización en red.

Por tanto, hay que entender, como ya apuntábamos al inicio del epígrafe, que se trata de redes de organizaciones, esto es, de organizaciones integradas en una red que a su vez se relaciona con otras redes de organizaciones criminales. Aunque no es el problema fundamental de la expresión que se analiza, sí que es conveniente apuntar aquí los problemas de prueba que se avistan tras esta conclusión y las dificultades aplicativas que se derivan del modelo de organización seleccionado, enorme en su dimensión.

2.2. Concepto de (red) internacional

Por otra parte y de nuevo según expresión del legislador, la red tiene que tener un carácter *internacional*. Es decir que, en principio y siguiendo con la lógica de la agravante, esas diversas organizaciones

---

para el desarrollo y expansión de nuevas actividades ilegales y facilitando el camuflaje de los enormes beneficios obtenidos a través de las actividades ilegales, DE LA CORTE IBÁÑEZ, Luis/GIMÉNEZ-SALINAS FRAMIS, Andrea, *Crimen. org, op. cit.*, p. 25.

[20] ARQUILLA, John/RONFELDT, David., *Redes y guerras en red. El futuro del terrorismo, la criminalidad organizada y el activismo político, op. cit.*, p. 24. Estas formas organizativas dan lugar a las denominadas *netwar* (guerra en red) término utilizado tanto para las formas de conflicto social (guerras de baja intensidad o movimientos de reivindicación política o de lucha contra el sistema) como no social, como el crimen organizado.

criminales (integradas en una red) que pueden tener diversas estructuras, jefaturas o formas de funcionamiento, y que a su vez se relacionan con otras redes, tienen que radicarse en el territorio de varios países (a la manera de las empresas multinacionales).

Estas exigencias, de las que se derivan también enormes dificultades probatorias, explican que no haya ni una sola sentencia (o, al menos, que no se haya podido encontrar) en la que se aplique el supuesto de extrema gravedad del art. 370.3º por tratarse de "redes internacionales" dedicadas al tráfico de drogas. Por otro lado, el mismo resultado agravatorio se consigue aplicando los demás criterios que contempla el art. 370.3º, y que son de aplicación alternativa al de redes internacionales: que la cantidad aprehendida exceda notablemente de la considerada como de notoria importancia, o que se hayan utilizado buques, embarcaciones o aeronaves como medio de transporte específico. Así, podemos encontrar abundante jurisprudencia en materia de tráfico de drogas que se decanta por aplicar ambas agravantes[21]/[22],

---

[21] Con respecto a la agravante de utilización de buques, embarcaciones o aeronaves como medio de transporte específico, vid., SAN 70/2013 de 20 de diciembre, que da por probado el transporte transoceánico de cocaína pero condena por extrema gravedad por la utilización de dos veleros. En la SAN 42/2011 de 26 de octubre, se afirma que la organización "contaba con efectivos en ambos países" y no se plantea en ningún momento, ni para descartar tal posibilidad, la existencia de red internacional. Tampoco la STS 596/2012 de 6 de julio se plantea la existencia de redes internacionales a pesar de que los condenados compran un barco, lo modifican para aumentar su capacidad de carga y navegan desde Brasil a Venezuela donde lo cargan. Ni la STS 207/2012 de 12 de marzo, que declara probado que los acusados "integraban una organización perfectamente estructurada dedicada a la introducción y posterior distribución de grandes cantidades de cocaína en territorio nacional procedente de Sudamérica". Tampoco en la STS 921/2009 de 20 de octubre, a pesar de que consta la existencia de organizaciones proveedoras y receptoras (de hecho se aplica la agravante de organización para la difusión) y que se declara probado que el acusado contactó en España con al menos dos grupos de organizaciones que tenían contactos con organizaciones sudamericanas dedicadas al narcotráfico.

[22] Por lo que se refiere a la agravante de notoria importancia: vid. la STS 249/2008 de 20 de mayo, que no se plantea la existencia de redes internacionales en un caso de transporte internacional realizado por una organización dedicada a la difusión de las sustancias tóxicas (antes de la reforma de 2010) con contactos en Sudamérica y que transporta una importante cantidad de cocaína desde Colombia o Venezuela para después aproximarla a las costas españolas de forma que otro buque pueda acercarse aún más a la costa gallega con la finalidad de que la

aún en los casos en que podría plantearse la existencia (que no se explora) de redes internacionales, por constar indicios de contactos internacionales estables para la provisión o bien para el transporte internacional de drogas tóxicas con grupos criminales radicados en otros países[23]. Las agravaciones anteriores están ya bien definidas[24] y cuentan con una jurisprudencia estable para su aplicación[25]. Tan ajena es la jurisprudencia a la aplicación de la agravante de redes internacionales, que ni siquiera se la plantea en casos en los que consta la pertenencia a una organización criminal de la que forman parte personas que actúan en otros países y que utilizan para el tráfico de

---

desembarquen lanchas de pequeño tamaño. También TS 904/2013 de 12 de noviembre (aplica organización para la difusión, antes de la reforma de 2010) en la que de nuevo de aprecia extrema gravedad por exceder notablemente la cantidad de la notoria importancia, aunque constan también relaciones internacionales, ya que el grupo organizado de España tiene conexiones con terceros de nacionalidad marroquí que fueron quienes planificaron la introducción en territorio nacional procedente de Marruecos de grandes cantidades de hachís mediante barcos de pesca.

[23] En la STS 168/2015 de 25 de marzo, se declara probada la existencia de dos grupos de personas, uno de nacionalidad colombiana y otro de nacionalidad española que se coordinan de forma estable para planificar operaciones de tráfico de drogas con destino al Reino Unido y que se proveen de la mercancía gracias a la coordinación que lleva a cabo en Colombia una de las personas integrantes del grupo colombiano. A pesar de todo ello, se condena por extrema gravedad debido a la utilización de embarcación, en este caso, un velero de bandera inglesa, que es aprehendido en aguas internacionales, cerca ya de las costas irlandesas, con autorización judicial y autorización del Consulado del Reino Unido en España y gracias a las informaciones proporcionadas por el SOCA (Serious Organised Crime Agency) británico.

[24] Especialmente en virtud de la reforma de LO 5/2010 de 22 de junio que incorporó, junto a la utilización de buques o aeronaves, el término "embarcación" con la intención de evitar los problemas interpretativos que se habían presentado en aquéllos casos en los que el medio de transporte utilizado no podría considerarse estrictamente un buque, por sus dimensiones y capacidad de carga, lo que obligaba a excluir medios de transporte como lanchas motoras o zodiacs (STS 312/2011 de 29 de abril).

[25] Según Acuerdo del Pleno no Jurisdiccional de 25 de noviembre de 2008 (JUR 2009, 34006) se entiende que la cantidad aprehendía excede notablemente de la considerada de notoria importancia cuando exceda de la resultante de multiplicar por mil la cuantía aceptada como de notoria importancia, teniendo en cuenta no sólo el dato cuantitativo de la droga ocupada, sino también el porcentaje de componente tóxico.

drogas empresas que exportan a España[26]. Supuesto que podría encajar también en la modalidad específica de extrema gravedad que acompaña (en el art. 370.3°) a la de red internacional (y que resultaría en principio de más fácil apreciación), la de que las conductas se lleven a cabo "simulando operaciones de comercio internacional entre empresas" que, sin embargo, se ignora igualmente[27]. Ni en casos aún más claros (y acordes con la interpretación de la Fiscalía General del Estado (FGE) como enseguida se verá) en los que se declara probado que la organización criminal que operaba a gran escala a nivel internacional en el transporte de cocaína a España desde Colombia, constaba de dos grupos: el grupo sudamericano, que era el encargado de introducir las sustancias en España, y el grupo español, que se ocupaba de la infraestructura en nuestro país, ambos integrados en una única organización criminal (la sentencia la denomina "red clan-

---

[26]   AP de Segovia 16/2014, de 4 de agosto. Se considera probado en la sentencia que la organización criminal estaba dedicada a introducir en España "de forma paulatina, continuada e indefinida importantes cantidades de cocaína procedentes de Colombia ocultas en contenedores de pieles a través del puerto de Valencia", y que uno de los miembros de la organización desempeñaba el papel de enlace en México y se encargaba de la gestión en Colombia con la empresa Grasepiel de la exportación de pieles hacia España.

[27]   Sólo se ha encontrado una sentencia, STS 656/2015 de 10 de noviembre, en la que se aplica la extrema gravedad del art. 370.3° con base exclusivamente en la simulación de operaciones de comercio internacional entre empresas (constando la notoria importancia, pero no que la cantidad exceda notablemente de la así considerada, que daría lugar, por sí sola, a la aplicación del art. 370.3°) a un caso en el que se importa un contenedor desde Ecuador al Puerto de Valencia aparentando un porte de mercancías legales, en concreto, bananas, y elaborando toda la documentación requerida, y a pesar de que la empresa distribuidora de frutas desde la que se importa no se encontraba constituida legalmente. Hay otras dos sentencias que la aplican, pero acompañando a la agravante de utilización de embarcación o buque que daría lugar, por sí sola, a la aplicación del art. 370.3°: la STS 860/2014 de 17 de diciembre, en un caso absolutamente inequívoco en el que el autor del delito, sin conocimiento del administrador único, se atribuye la representación de una empresa mercantil importadora que en el momento de los hechos carecía de actividad, para gestionar el transporte de dos contenedores de cocaína desde Colombia; y la STS 154/2016 de 29 de enero (la primera en la que se condena a una empresa con base en la responsabilidad penal de las personas jurídicas) a las personas y a tres empresas de las que se vale una organización criminal de la que forman parte para introducir cocaína en España procedente de Venezuela mediante el envío de máquinas que allí son cargadas con toneladas de cocaína y reenviadas a España.

destina") dirigida por varias personas que coordinaban y distribuían las tareas[28].

En ausencia de definición y de jurisprudencia que nos aclare el contenido y límites del concepto de red y del de red internacional, podemos acudir únicamente a los criterios establecidos por la FGE en la Circular 2/2005, en la que se entiende que la aplicación del supuesto de extrema gravedad por la comisión del delito mediante redes internacionales, requiere la intervención de grupos organizados, específicamente orientados a la comisión de estos delitos, y "dotados de proyección internacional, entendiendo por tal una estructura enraizada en ámbitos geográficos internacionales y apta para planificar y desarrollar las distintas fases del desarrollo del delito en el territorio de más de un estado".

La explicación que de esta agravante hace la FGE resulta un poco confusa. Por un lado, afirma que se precisan "grupos organizados" (y no organizaciones criminales)[29], es decir, una pluralidad de intervinientes que no han de reunir los requisitos normativos que exige el concepto de organización criminal según el art. 570 bis. En suma, no tienen que ser propias organizaciones criminales[30], basta que sean grupos, siempre que haya una pluralidad y tengan una "proyección

---

[28] STS 764/2014 de 13 de noviembre que expone literalmente: "en el *factum* se describe la realidad de una organización con dos ramas, la española encargada de la infraestructura para el almacenamiento de la droga en España y la rama sudamericana que era la que la introducía, coordinando toda la operación en el concreto escenario descubierto y descrito en el *factum* los dos condenados en los que se les ha apreciado la jefatura".

[29] Recuérdese que el concepto de "grupo criminal" (art. 570 bis 2) es diferente al de "organización criminal" (art. 570 bis 1) y requiere menos elementos para su constitución, ya que no es necesario que reúna alguna o algunas de las características de la organización criminal, careciendo por tanto, o bien de estabilidad, o bien de reparto de tareas o funciones entre los distintos miembros del grupo. De hecho y por estas razones, ya sido frecuentemente criticado al no responder a las características de la criminalidad organizada en cuanto a su estructura, estabilidad y tipo de delitos objeto de su actividad.

[30] Cierto es que la Circular de la FGE es del año 2005, anterior a la modificación del CP en la que se diferencia normativamente entre organizaciones criminales y grupos criminales, y por tanto, no ha podido referirse a las distintas modalidades de criminalidad organizada que se han incorporado a la regulación penal y que exigen distintos requisitos para su constitución.

internacional" que es lo que les dotaría de su carácter internacional. Así que, en principio, y en contra de lo que parece sugerir la redacción de la agravante, no se trata de redes de organizaciones, sino de redes de grupos.

Para que adquieran carácter internacional tienen que estar dotados de "una estructura enraizada en ámbitos geográficos internacionales", con lo que parece querer decirse que los diversos grupos se tienen que organizar en una única estructura (la de la organización criminal única), puesto que van a desarrollar "las distintas fases del desarrollo (del mismo, se entiende) delito en el territorio de más de un estado" (por ejemplo, y con respecto al delito de tráfico de drogas, el cultivo en un país, la elaboración en otro, el transporte a través de otros y la difusión en un último). Es como si se refiriese a una única organización que funcionase en red, al no ser preciso acreditar la existencia de diversas organizaciones criminales (con todos los requisitos normativos que ello implica), bastando con una pluralidad de grupos.

Así las cosas, la Circular de la FGE 3/2011 sobre la LO 5/2010 (a través de la que se incluye el delito de pertenencia a organización y a grupo criminal) afirma que "el concepto de red internacional dedicada al tráfico de drogas tipificada en el art. 370 CP es asimilable al de organización criminal del art. 369 bis, cuya actividad se materializa en un espacio superior al limitado por las fronteras nacionales". Es decir, según lo anterior, una red internacional es una única organización criminal[31] (lo que contradice el tenor literal de "redes" de organizaciones), que actúa más allá de las fronteras del estado español. Es evidente que esta nueva concepción está inspirada por la introducción de la nueva regulación del delito de pertenencia a organización criminal (art. 570 bis), pero lo cierto es que se aparta de la anterior al exigir una única organización criminal, no una pluralidad de "grupos", que opere en otros países, sin necesidad de contar con una estructura

---

[31]   El art. 369 bis tipifica como modalidad agravada la comisión del delito de tráfico de drogas por quienes pertenezcan a una organización delictiva, interpretada en los términos establecidos en el delito de pertenencia a organización criminal del art. 570 bis. Hay que tener en cuenta que esta Circular que propone una nueva definición de redes internacionales es posterior a la reforma del 2010 (LO 5/2010) y tiene como finalidad, en este punto, coordinar la interpretación de la nueva regulación con las referencias ya existentes en la anterior normativa.

enraizada en el territorio de varios estados. Y, además, el carácter internacional se la red se adquiere mediante la transnacionalidad de los delitos objeto de la actividad de la organización, por realizarse en el ámbito de territorios nacionales diferentes, no por la "descentralización" internacional de la propia organización criminal, ya que como afirma la citada Circular: "(...) el concepto de red internacional supera al de organización porque supone la extensión del ámbito geográfico de actuación en la comisión del hecho delictivo más allá de las fronteras del Estado (...)".

Consecuentemente, toda organización criminal radicada en el territorio español que cometa delitos más allá de nuestras fronteras (transfronterizos) constituiría una organización internacional. Es decir, la realización de cualquier delito que traspase las fronteras nacionales cometido por una organización criminal, sea ésta de la dimensión que sea y se estructure como se estructure, convierte en internacional a la propia organización. Si esto es así, no se entiende por qué la jurisprudencia de nuestros tribunales no ha aplicado profusamente esta agravante en el delito de tráfico de drogas, ya que en multitud de sentencias los hechos probados indican que el tráfico se ha cometido "más allá de las fronteras del Estado". Hay casos incluso (como se ha reflejado en las notas a pié de página) en los que no se puede aplicar la agravante de extrema gravedad con base en los supuestos claramente definidos en el art. 370 3°, y, sin embargo, ni siquiera se plantea la posibilidad de que se trate de una red internacional que según la citada Circular de la FGE requeriría de una sola organización (asentada en un único territorio nacional) operando transnacionalmente.

Esa resistencia podría explicarse porque por mucho empeño que se ponga en asimilar los conceptos, una organización no es una red de organizaciones, ni siquiera literalmente, y no puede favorecerse la disolución de una diferenciación cuyos perfiles han sido analizados y evidenciados por la sociología de las organizaciones. Por otro lado, y dado el delito para el que el CP prevé esta agravación, la interpretación que propone la FGE conduciría a aplicarla de forma extensiva, en un alto porcentaje de casos en que, como muestra la casuística jurisprudencial, podríamos afirmar que el delito se comete "más allá de las fronteras del Estado".

En todo caso, como se ha visto en el epígrafe precedente, la delimitación teórica entre la organización, la red de organizaciones y las organizaciones que funcionan en red, nos permite ahondar en una diferenciación que debe utilizarse desde el punto de vista jurídico penal conectada al fundamento que permite agravar la respuesta punitiva vinculada a estos supuestos y que tiene que ver con las razones que explican la mayor antijuricidad material de estas modalidades organizativas.

Llegados a este punto y para delimitar el concepto de red internacional para el tráfico de drogas, es preciso recordar el fundamento que está en la base de esta agravación. Y que no es otro que el que subyace a la punición del delito de pertenencia a organización criminal connotado por el carácter transnacional de la misma: la mayor potencialidad lesiva de los delitos cometidos por la organización que deriva de la comisión en varios países, el empleo de medios de todo tipo con los que cuenta una organización que opera internacionalmente y que permiten abordar operaciones de mayor envergadura, y la mayor dificultad para detener a los autores que se encuentran en el territorio de varios estados[32]. En esta línea, es indiferente que la organización funcione en red o de forma jerárquica, porque la mayor sanción debe

---

[32] Con respecto al fundamento de la punición con carácter autónomo del delito de pertenencia a organización criminal, la jurisprudencia destaca la mayor capacidad de agresión al bien jurídico salud pública por la posibilidad de supervivencia de propósito criminal que representa la organización (STS 889/2004, de 9 de julio), y por los medios de que disponen estas organizaciones que no sólo facilitan la comisión de estos hechos delictivos y permiten la realización operaciones de mayor envergadura (STS 356/2009, de 7 de abril), sino que también hacen que resulte más difícil para el Estado luchar contra ellas (STS 492/2010, de 18 de mayo). ROPERO CARRASCO, Julia, "La necesaria armonización legislativa en el tratamiento de la delincuencia organizada", op. cit., pp. 104 y 105, considera que la mayor lesividad deriva, en primer lugar, de la "masificación" en la lesión de los bienes jurídicos protegidos derivado de la sistematización de los ataques y del grado de eficiencia de las bandas; en segundo lugar, del procedimiento que se utiliza en la realización de las actividades de estos grupos y que, por sí mismo, representa un ataque a la integridad moral y a los derechos fundamentales de las víctimas; y, en tercer y último lugar, porque las actividades del crimen organizado extienden su lesividad más allá de los concretos bienes que resultan afectados por los delitos que constituyen su objetivo, desestabilizando además a la sociedad a través de la generación de inseguridad, poniendo en riesgo el orden económico y en algunos casos facilitando la corrupción pública y privada.

fundamentarse en la condición transnacional de la organización, no en su modo de funcionamiento interno ni en el efecto internacional de los delitos que ésta pudiera cometer. Porque no es difícil pensar en una organización radicada en el territorio de un único estado, una organización "nacional", que realice delitos transfronterizos, al igual que pueden realizarlos personas que no se integran en organización criminal alguna. La transnacionalidad *del delito* cometido por la organización no puede ser el fundamento de la agravación que aquí se estudia, aunque sí el fundamento de la adopción de acuerdos de colaboración entre países cuya finalidad es prevenir y atajar este tipo de delincuencia que aprovecha las diferencias nacionales, tanto normativas como operativas y judiciales, para tratar de eludir la acción de la justicia.

Por tanto, y avanzo aquí la propuesta que desarrollaré más adelante, el fundamento de la agravación tendría que basarse en el carácter transnacional de la propia organización (no de la red) que hay que delimitar (como más adelante se abordará) del transnacional de los delitos que comete la organización[33], que no puede ser aquí relevante aunque sea importantísimo a otros muchos efectos, como, por ejemplo, al de implementar mecanismos de colaboración con otros países, o al de adecuar los criterios de atribución de la competencia de los tribunales nacionales. Y debería preverse como modalidad agravada del delito de organización criminal del art. 570 bis para que pudiera

---

[33] No puede plantearse, obviamente, la aplicación de esta agravante por el solo hecho de que el tráfico sea transnacional, circunstancia absolutamente habitual en este delito en el que normalmente la sustancia se cultiva o produce en un país y se distribuye en otro; sobre todo, si tenemos en cuenta la redacción del tipo básico de tráfico de drogas del art. 368 que incrimina toda actividad que tenga relación con el tráfico en sentido amplio. Por ejemplo, captar personas para que transporten cocaína desde otros países a España (actuación conocida como "correos" o "muleros") no puede considerarse, por sí misma, constitutiva de red internacional (así, la TS 309/2013 de 1 de abril, ni siquiera lo plantea); O, el trasbordo de la droga en alta mar, que la STS 111/2010 de 24 de febrero entiende de extrema gravedad por la cantidad aprehendida, no por tratarse de red internacional ya que resulta únicamente probado que los acusados salieron de puerto a bordo de un yate hasta un punto no concretado en alta mar para encontrarse con una embarcación cargada con fardos de hachís procedentes de Marruecos desde la que efectuaron el traspaso de la droga. En este caso es obviamente internacional el tráfico, pero no la organización.

aplicarse en todo caso y con independencia del delito que cometa la organización, y no sólo con referencia al tráfico de drogas como sucede en este momento.

2.2.1. Red internacional y delito transnacional

De todo lo expuesto precedentemente se extrae que la confusión que se aprecia hasta el momento, deriva de la utilización indiferenciada para la delimitación de la delincuencia organizada transnacional, de dos conceptos que aparecen vinculados y difuminados y que, sin embargo, en nuestra opinión deben jugar papeles distintos: el transnacional de los delitos cometidos por la organización y el transnacional de la propia organización.

Llegados a este punto, toca analizar de qué modo la organización criminal adquiere carácter internacional, o cuándo podemos afirmar que una organización criminal *es* transnacional. Y para ello es preciso partir del hecho de que la transnacionalidad "es un fenómeno que surge precisamente para satisfacer una persistente demanda de bienes, servicios y actividades pese al hecho de que han sido prohibidos o puestos bajo estricta regulación por la mayoría de los estados nacionales y/o por la legislación internacional[34]", trascendiendo las fronteras nacionales y tratando de burlar así la aplicación de la ley debido a las diferencias entre los sistemas legales y la diversa eficacia de los aparatos de seguridad estatal.

En principio, lo más razonable parecería ser acogernos a la Convención de Naciones Unidas contra la Delincuencia Organizada Transnacional o Convención de Palermo (2000) cuyo objeto es la prevención investigación y enjuiciamiento de una serie de delitos[35] que establece la propia Convención, siempre que sean de carácter transna-

---

[34]   SERRANO, Monica, BERDAL, "Crimen transnacional organizado y seguridad internacional: cambio y continuidad", *op. cit.*, p. 32.

[35]   Delitos graves, esto es, aquéllos que tienen prevista una pena privativa de libertad máxima de al menos cuatro años o una pena más grave (art. 2 b) y los delitos tipificados en los artículos 5, 6, 8 y 23 de la Convención (art. 3.1 a), es decir, participación en organización criminal, blanqueo del producto del delito, corrupción y obstrucción a la justicia.

cional y entrañen la participación de un grupo delictivo organizado[36], que es como denomina la Convención a las organizaciones criminales que tipifica el CP español[37].

La delincuencia organizada transnacional que define la Convención[38] requiere de dos elementos. En primer lugar, un grupo delictivo organizado que cometa un tipo concreto de delitos seleccionados o bien por su gravedad —aquéllos que tienen una pena de al menos cuatro años—, o por la clase de delito —participación en organización criminal, blanqueo del producto del delito, corrupción y obstrucción a la justicia— que tipifica la propia Convención en el entendimiento de que forman parte del ciclo en el que, al margen de los delitos que cometa la organización, se desarrolla la criminalidad organizada. En el inicio de ese ciclo nos encontramos con el delito de pertenencia a organización criminal (o grupo delictivo organizado), que constituye

---

[36]   Art. 2 a) de la Convención de Naciones Unidas contra la Delincuencia Organizada Transnacional: "Por "grupo delictivo organizado" se entenderá un grupo estructurado de tres o más personas que exista durante cierto tiempo y que actúe concertadamente con el propósito de cometer uno o más delitos graves o delitos tipificados con arreglo a la presente Convención con miras a obtener directa o indirectamente, un beneficio económico u otro beneficio de orden material".

[37]   Lo cierto es que no son términos exactamente coincidentes ya que el grupo delictivo organizado que define la Convención tiene como objetivo la consecución de un beneficio económico u otro beneficio material, requisito que no contempla expresamente el art. 570 bis del CP que define a la organización criminal, y además, tiene que actuar para cometer delitos graves o delitos tipificados en la propia Convención (ya enumerados más arriba y todos ellos graves) mientras que la organización criminal que tipifica el derecho español puede tener como propósito la comisión de cualquier clase de delito, incluso de carácter leve. Como puede apreciarse, el concepto de criminalidad organizada que contempla nuestro derecho es mucho más amplio que el previsto en los instrumentos internacionales, también en los de ámbito europeo.

[38]   La definición que contiene la Convención ha seleccionado una serie de requisitos de la amplia gama de características de las diversas tipologías de organizaciones criminales, excluyendo elementos que se han considerado siempre fundamentales o habituales en el crimen organizado, como su relación con la violencia y la corrupción, o la limitación de sus miembros a solo tres, vid. DE LA CORTE IBÁÑEZ, Luis/GIMÉNEZ-SALINAS FRAMIS, Andrea, *Crimen.org.*, *op. cit.*, p. 21. Pone de relieve las dificultades de acceso a fuentes, de método y conceptuales para definir la criminalidad organizada, RESA NESTARES, Carlos, *Crimen organizado transnacional: definición, causas y consecuencias*, https: //www.uam. es/personal_pdi/economicas/cresa/text11.html.

el presupuesto del concepto de delincuencia organizada transnacional, sin confundirse con ella. La Convención selecciona así de entre las diversas modalidades de delincuencia transnacional, que no necesariamente tienen que cometerse por medio de organizaciones criminales (aunque sea lo más habitual), únicamente la que está organizada, por ser la más grave y habitual.

Como segundo requisito del concepto que perfila la Convención, el delito que es objeto de la organización criminal tiene que tener un carácter transnacional, que se adquiere, según su art. 3.2, cuando: "se comete en más de un Estado" (art. 3.2 a); "se comete dentro de un solo Estado, pero una parte sustancial de su preparación, planificación, dirección o control se realiza en otro Estado" (art. 3.2 b); "se comete dentro de un solo Estado, pero entraña la participación de un grupo delictivo organizado que realiza actividades en más de un Estado" (art. 3.2 c); "se comete en un solo Estado, pero tiene efectos sustanciales en otro Estado" (art. 3.2 d).

Con estos dos requisitos, la participación de un grupo delictivo organizado y el carácter transnacional del delito que comete, se define la delincuencia organizada transnacional para la Convención, que se coordina con la finalidad que la guía y que no es otra que la prevención, investigación y enjuiciamiento de una serie de delitos que por extenderse o tener efectos en varios estados (ser transnacionales) requieren de acuerdos internacionales que favorezcan una intervención más eficaz.

Así resulta fácil concluir que, al hilo de la definición de la Convención que acabamos de exponer, la Circular de la FGE que antes analizamos exija como requisito de la constitución de una red internacional que su actividad se materialice "más allá de las fronteras del Estado". Sin embargo, de esta forma, está confundiendo, en realidad, la transnacionalidad del delito cometido por la organización criminal con el carácter transnacional de la propia organización, que no es definido en la Convención de Palermo.

El hecho de que un delito se cometa "más allá de las fronteras del Estado" no es un criterio operativo para definir a las organizaciones transnacionales, pues no dice nada de la propia organización, sino de los delitos que comete. Nuestro objetivo, por el contrario, es delimitar el carácter transnacional de la propia organización, los requisitos que definen esta condición en atención a sus elementos típicos, para poder fundamentar una agravación que quiere tener en cuenta las peculiaridades de este tipo de organizaciones criminales que se conectan, como ya se expuso más arriba, con una mayor antijuridicidad material, al margen de la transnacionalidad de los delitos que puedan cometer, a tener en cuenta por los instrumentos normativos internacionales o por el propio CP a otros efectos. Porque una organización "nacional" (radicada y funcionando en un solo país) puede cometer delitos transnacionales (cualquier clase de tráfico a otro país, por ejemplo) sin por ello convertirse en una organización transnacional, aunque sí lo sean los delitos; y, por su parte, una organización transnacional no deja de serlo porque los delitos que son su objeto se cometan en un solo territorio (si, por ejemplo, su preparación, coordinación o la selección de los medios necesarios para su actividad delictiva se realiza mediante la actividad de miembros de la organización asentados en países diferentes).

Al hilo de todo lo expuesto en este epígrafe podemos concluir que la regla de competencia específica que prevé el art. 570 quáter.3 (Capítulo VI del Título XXII, "De las organizaciones y grupos criminales", fruto también, como todo el capítulo, de la LO 5/2010, de 22 de junio) tiene como finalidad dar cumplimiento a la Convención de Palermo al establecer que las disposiciones relativas a las organizaciones y grupos criminales se aplicarán "a toda organización o grupo criminal que lleve a cabo cualquier acto penalmente relevante en España aunque se hayan constituido, estén asentados o desarrollen su actividad en el extranjero". Esto es, con la finalidad de fortalecer la cooperación internacional en esta materia y evitar la impunidad de estos hechos, el art. 570 quáter.3 permite aplicar la legislación española, sin distinción, tanto a los delitos que tienen un carácter transnacional (que se lleve a cabo cualquier acto penalmente relevante en España), como a las organizaciones transnacionales (que están constituidas, asentadas o desarrollan su actividad en el extranjero), que también constituyen delito transnacional (el de pertenencia a organización criminal). Esto es, tanto al propio delito de pertenencia a organización criminal cuando la conducta típica que define el art. 570 bis (promoción, constitución, organización, coordinación, dirección, o bien, participación activa, integración, cooperación económica o cualquier otra cooperación) se desarrolla fuera de España, pero también, en parte, dentro de nuestro territorio (el propio delito de pertenencia es transnacional), como al propio delito objeto de la organización criminal constituida, asentada, u operativa en el extranjero, cuando se comete en todo o sólo en parte (es transnacional) en nuestro país.

3. PROPUESTA: ORGANIZACIÓN CRIMINAL TRANSNACIONAL Y RED TRANSNACIONAL DE ORGANIZACIONES

3.1. Definición: el carácter transnacional de la organización criminal

Después de todo lo expuesto hasta el momento, entendemos que el carácter transnacional de la organización criminal requiere de dos elementos: en primer lugar, que alguna de las distintas conductas típicas que constituyen este delito (definidas como alternativas en el art. 570 bis), se cometa en más de un Estado. Esto es, la promoción, constitución, organización, coordinación o dirección de la organización por un lado (que se sanciona con una pena de cuatro a ocho años o de tres a seis años en función de la gravedad de los delitos objeto de la organización), o bien la participación activa, la integración en la misma o la cooperación económica o de cualquier otro modo con ella (que se sanciona con una pena de dos a cinco años o de uno a tres años)[39] que tenga como objeto o finalidad la comisión de delitos. Si la "pertenencia" a la organización tiene lugar en el territorio de varios países estaremos ante un delito transnacional, según la definición de la Convención de Palermo, porque o bien se comete en más de un Estado, o una parte sustancial de su preparación, planificación, dirección o control se realiza en otro Estado. Así, por ejemplo, el propio delito de pertenencia a organización criminal puede tener carácter transnacional, si la organización se dirige desde un país, pero el delito

---

[39] Sin entrar ahora en la oportunidad o en la conveniencia de esa definición típica que incluiría la criticable participación no activa como ya expuse más extensamente en MÉNDEZ RODRÍGUEZ, Cristina, "Delincuencia económica y organizaciones criminales", *Nuevos instrumentos jurídicos en la lucha contra la delincuencia económica y tecnológica*, ROMEO CASABONA, C./ FLORES MENDOZA, F. (ed.) Comares, Granada, 2012, pp. 14 y ss.

se comete en otro diferente; la organización está radicada en el mismo país en el que opera, pero realiza delitos que tienen efecto en otro diferente; o bien está constituida en un país, pero se dirige desde otro y sus actividades se coordinan desde un tercero.

Ahora bien, para que la organización como tal ostente ese carácter, se requiere algo más. En segundo lugar, y a la manera de las empresas multinacionales, se precisa que esté establecida en diversos países, o, de otro modo, que cuente con "franquicias", "sedes" o "filiales" en otros estados, o bien con "células" o "nódulos" (dependiendo de su forma de organización interna, como se verá enseguida) de manera que al menos dos de los tres miembros que exige la definición de organización criminal del art. 570 bis operen en el espacio territorial de distintos estados, realizando una o algunas de las conductas típicas que define el art. 570 bis. No es preciso que se establezcan estructuras organizadas en esos otros territorios que constituyan a su vez propias organizaciones criminales, porque no se trata de una red de organizaciones, sino de una organización que opera de forma estable distribuyendo sus funciones en el ámbito territorial de al menos dos países. Nos atenemos al número de tres personas, requisito normativo del art. 570 bis, porque nuestro objetivo es definir estas organizaciones a la luz de nuestra normativa vigente, aunque es evidente que la realidad de las organizaciones criminales transnacionales indica que normalmente están constituidas por un número elevado de miembros, y no estaría de más que al configurar la agravante se especificase el número (más elevado) de sus componentes que reflejase la real dimensión de esta clase de organizaciones.

La organización constituida transnacionalmente persigue de esta forma la maximación del beneficio económico, la dispersión internacional de sus miembros, la descentralización de las actividades de la organización, la explotación a su favor de la disparidad legislativa y de las lagunas existentes en la normativa de los distintos países y el incremento de su capacidad de expandir su actividad delictiva a otros estados, con el potencial incremento de sus resultados económicos. Estas son las razones que están en la base de la mayor punición de las organizaciones criminales transnacionales porque se conectan con una mayor antijuricidad material de estas estructuras en la medida en que su dimensión permite que los delitos que son su objeto sean de una gravedad potencialmente mayor (con independencia de su lugar de comisión) lo que resulta favorecido porque su carácter transnacional implica el manejo de medios de comisión que favorecen esa mayor escala, al tiempo que se incrementa la dificultad para detener a los integrantes de la organización que se encuentran en el territorio de varios estados.

Con base en esta definición, podemos encontrarnos con organizaciones criminales transnacionales cuya forma de funcionamiento diverge.

Antes de continuar con la distinción es preciso aclarar que no se pretende con ella mediar en la clasificación que desde hace décadas se viene efectuando (y la discusión que la fundamenta) de las organizaciones criminales por su forma de estructuración, y que en su origen enfrentó a los partidarios de entenderlas bajo un modelo de organización burocrático, con los que la concebían bajo un modelo patrimonial clientelar (ambos basados, en realidad, en la estructura de la Cosa Nostra en los Estados Unidos), pues hoy en día se considera que la pretensión de encontrar un modelo que explique la diversidad en que se estructura el crimen organizado en el mundo globalizado es absurda[40], más aún si tenemos en cuenta que la misma organización puede operar de forma muy distinta según el país en que se encuentre, haciendo uso en ocasiones de la violencia, y, en otras, de elaborados métodos de inversión y gestión financiera[41] y dedicándose a una varia-

---

[40]   Así lo entienden, DE LA CORTE IBÁÑEZ, Luis/GIMÉNEZ-SALINAS FRAMIS, Andrea, *Crimen.org, op. cit.*, pp. 262 y ss. También RESA NESTARES, Carlos, *Crimen organizado transnacional: definición, causas y consecuencias*, https: // www.uam.es/personal_pdi/economicas/cresa/text11.html, entiende que las diferencias entre las organizaciones criminales son múltiples, y que no se puede extrapolar el modo de funcionamiento de unos grupos a otros. Así, "los niveles de cualificación, los grados de compromiso personal con la organización o la protección que se requiere del miembro, por poner sólo tres ejemplos, varían enormemente entre diversos apartados del negocio criminal". También ROPERO CARRASCO, Julia, "La necesaria armonización legislativa en el tratamiento de la delincuencia organizada", *op. cit.*, p. 66 señala las importantes diferencias que existen entre las organizaciones criminales estables de carácter mafioso y estructura jerárquica, enfocadas a la realización de una serie de delitos concretos, y los grupos criminales ocasionales que se organizan para llevar a cabo delitos determinados en un momento concreto.

[41]   GONZÁLEZ CUSSAC, José Luis, "Tecnocrimen", Nuevas amenazas a la Seguridad Nacional. *Terrorismo, criminalidad organizada y tecnologías de la información y la comunicación*, GONZÁLEZ CUSSAC, J.L./CUERDA ARNAU, M.L., Tirant lo Blanch, Valencia, 2013, p. 209.

da gama de actividades en uno o más mercados, según variables que pueden ser internas o externas a la organización. La pretensión que guía esta clasificación es mucho más limitada y dirigida únicamente a aclarar con qué requisitos se entiende aquí aplicable una agravación que quiere hacerse extensible a todos los modelos de organizaciones criminales transnacionales que en este momento operan por encima de las fronteras de los Estados, dejando constancia de los elementos que dotan de transnacionalidad al esqueleto de los diversísimos modelos de organizaciones criminales que han sido detectados por la criminología, y sus múltiples combinaciones.

3.1.1. Organización criminal transnacional jerárquica

Esta organización criminal, de forma similar a las propias empresas transnacionales, se constituye con base en una "casa matriz" que opera en un país de origen y que cuenta con filiales en otros países distintos al originario. Se construye con base en el modelo de jerarquía clásico que parte de una estructura centralizada y piramidal en cuya cúspide se encuentra un líder o un grupo directivo que ostenta el poder y que establece las directrices que marcan el diseño de la actividad criminal de sus subordinados[42]. Sobre este núcleo decisorio, radicado en un territorio, se estructura la organización transnacional que cuenta con al menos una sede estable en el territorio de otro país que, operando de forma más o menos independiente (en ocasiones totalmente independiente y a veces completamente subordinada), responde, sin embargo, a una perspectiva de grupo, que tiene como objetivo la consecución de beneficios comunes. Las sedes, funcionando como nódulos secundarios o subsidiarios del central, pueden, a su vez, estructurarse de forma más o menos jerárquica y decidir de forma

---

[42]   DE LA CORTE IBÁÑEZ, Luis/GIMÉNEZ-SALINAS FRAMIS, Andrea, *Crimen. org, op. cit.*, pp. 265, quienes afirman también, con base en un informe publicado por Naciones Unidas en 2002 y elaborado a partir del análisis de cuarenta organizaciones criminales que operan en dieciséis países, que dos tercios de las organizaciones criminales respondían a un diseño vertical, jerárquico y piramidal. Dentro de este modelo normativo pueden englobarse dos de las cinco tipologías de estructuras criminales delimitadas por Naciones Unidas y que los autores citan en su trabajo: jerarquía regional o estructura de franquicias y jerarquía en racimo, pp. 265 y 266, y todas sus múltiples variantes y combinaciones.

más o menos autónoma sobre la ejecución de las directrices centrales, actuando, en cualquier caso, con base en una estrategia común decidida por la cúpula directiva matriz.

Esta organización actúa como una única estructura descentralizada internacionalmente, por así decir, pero que responde a un centro único con poder de decisión, ya sea éste unipersonal o plural o colegiado, y ya ejerza un férreo control sobre las actividades de sus sedes o uno más o menos laxo, ya que, como anteriormente se ha apuntado, la diversidad de funcionamiento de las organizaciones o grupos criminales y sus modelos de asociación o cooperación son en este momento innumerables. Con independencia de la composición de su núcleo directivo y de su lugar de origen, y con independencia también del número de franquicias que compongan la organización, su nivel de jerarquización, estructuración y especialización, si la estructura está asentada y operando en al menos dos países, y reúne los requisitos del art. 570 bis CP, puede fundamentarse su calificación como transnacional en atención a su mayor complejidad que unida a su dimensión internacional explica, por las razones ya apuntadas, una sanción superior.

3.1.2. Organización criminal transnacional en red

Este tipo de organizaciones difiere de las anteriores por su forma de funcionamiento. Estamos ante organizaciones criminales que carecen de un único centro decisorio que adopte la estrategia común al resto de los integrantes, sino ante integrantes (los llamados nodos) que se coordinan mediante el consenso y el acuerdo recíproco. Dicha coordinación se efectúa mediante una comunicación que utiliza frecuentemente las nuevas tecnologías de la comunicación que permiten un contacto flexible y contingente o puntual, o, únicamente, una posibilidad de contacto. De hecho, en la flexibilización de las estructuras de la criminalidad organizada que han evolucionado hacia estas formaciones en red, han tenido un papel decisivo los adelantos en los sistemas de comunicación y transferencia de datos[43], que además de utilizarse para mantener la interconexión de los nodos, se emplean

---

[43]   RESA NESTARES, Carlos, *Crimen organizado transnacional: definición, causas y consecuencias*, https://www.uam.es/personal_pdi/economicas/cresa/text11.html.

también para maximizar beneficios y evitar la actuación de las fuerzas y cuerpos de seguridad.

Las organizaciones en red se constituyen, al igual que las anteriores, por al menos tres personas radicadas en el territorio de al menos dos países diferentes. Aunque es evidente que usualmente este tipo de organizaciones transnacionales constan de un número de integrantes mayor, los tres nodos (exigencia mínima del CP), pueden ser unipersonales, pero también pluripersonales, o estar conformados por grupos o incluso por organizaciones criminales que, a su vez, pueden estructurarse internamente de forma jerárquica o en forma de red, constituyendo una red o varias redes de organizaciones. En ocasiones, hay un nodo más cohesionado, compuesto por un número de personas asociadas, que mantienen vínculos mucho más flexibles con el resto de personas que conforman la red[44], que pueden colaborar puntualmente según el tipo de aportación que puedan realizar en cada momento a la organización; en otras, los integrantes colaboran de forma mucho más temporal, ya que mantienen entre todos ellos el mismo tipo de vínculo débil y flexible[45], sin conocerse personalmente,

---

[44]   Esta es una forma de funcionamiento habitual entre las organizaciones terroristas como pone de relieve TALÉNS CERVERÓ, María Nieves, "El terrorismo yihadista", *Criminalidad y Globalización. Análisis y estrategias ante grupos y organizaciones al márgen de la ley*, MAGAZ ÁLVAREZ, R. (Coord.), Instituto General Gutiérrez Mellado de Investigación sobre la Paz, la Seguridad y la Defensa, Madrid, 2012, pp. 375, al explicar que AL Qaeda no es una organización estructurada, ya que tiene un núcleo central y múltiples núcleos pequeños ligados al centro pero capaces de operar de forma independiente. De hecho, las organizaciones yihadistas como Al Quaeda, o el Grupo Islámico Combatiente Marroquí, cuentan con un organigrama interno con diversos niveles de lideradgo y funciones especializadas pero, al mismo tiempo, combinan la jerarquía con elevadas dosis de flexibilidad pragmatismo y apoyo en redes sociales de carácter informal, hasta el punto de que una organización puede coordinarse con otras y entenderse que está integrada en varias.

[45]   Tipologías organizacionales que pueden corresponder, con todos los matices, con las que el informe de Naciones Unidas que comentamos denomina estructura en anillos o alrededor de un núcleo, y pequeñas redes criminales, DE LA CORTE IBÁÑEZ, Luis/GIMÉNEZ-SALINAS FRAMIS, Andrea, *Crimen.org, op. cit.*, pp. 267 y 268, sobre el informe. Aunque en estas clasificaciones las organizaciones se estructuran sobre miembros individuales, no sobre nodos que pueden ser pluriripersonales e incluso organizacionales.

aunque en contacto, o con posibilidad de estarlo a través de las nuevas tecnologías.

Esta estructura en red adquiriere carácter transnacional cuando los nodos que la conforman, sean del tamaño que sean, están establecidos en al menos dos países diferentes, desde los que participan de cualquier modo en la organización, o colaboran con las actividades de la red ya sea de forma estable o puntual, vinculándose por consenso al resto de los nodos, aunque no conozcan personalmente a sus integrantes, y, a veces, ni siquiera a la totalidad de miembros de la red, aunque sí saben que se integran en su estructura y que su aportación colabora al mantenimiento de la misma o a la realización de una parte de su actividad delictiva.

3.2. Red transnacional de organizaciones criminales (estructurada de forma jerárquica, en red, o mixta)

Cuando hablamos de una red de organizaciones, nos referimos a una estructura organizacional conformada a, su vez, por propias organizaciones criminales que reúnen por sí mismas los requisitos del art. 570 bis del CP. Estaríamos definiendo así una estructura conformada por varias organizaciones criminales radicadas en el territorio de distintos países que pueden mantener entre ellas vínculos jerárquicos (más o menos intensos) cuando responden a una dirección única que establece la estrategia común desde una perspectiva de grupo para las distintas organizaciones (que pueden ser más o menos independientes en el ámbito de sus respectivos territorios); o bien una estructura conformada por distintas organizaciones criminales (jerárquicas o no) que se coordinan o colaboran de forma flexible, por consenso, en aras de la consecución cada una de su objetivo específico, guiado por la finalidad de enriquecimiento económico.

Obviamente, estas formas organizativas definidas aquí en sus contornos típicos por así decir "puros" en aras de la claridad expositiva, se combinan en la realidad del crimen organizado de manera diversa, encontrando organizaciones radicadas en un solo país conectadas a organizaciones transnacionales o a personas individuales o a grupos criminales, o realizando actividades también de carácter legal favorecidas por la utilización de estructuras empresariales y por su coordinación con sociedades o asociaciones constituidas legalmente.

También nos encontramos con organizaciones criminales transnacionales que "deslocalizan" permanentemente sus actividades con gran flexibilidad, o que van adaptando su estructura a negocios criminales diversos a medida que se van expandiendo internacionalmente y asentando nodos en otros territorios, de manera que en ocasiones van absorbiendo a los grupos u organizaciones criminales "nacionales", transformándose en redes transnacionales de organizaciones.

En Resumen, aquí se ha tratado de trazar a grandes rasgos sus perfiles con el objetivo de seleccionar las modalidades más graves de cara a su consideración penal, pero el fenómeno criminológico es de difícil delimitación por su rápida mutabilidad, porosidad, adaptabilidad, y deslocalización internacional, por su asociación a través de todo tipo de nodos (incluyendo a empresas o asociaciones constituidas legalmente, e incluso a Estados), por su actuación a través de actividades también legales, y por la corrupción como método que contribuye a diluir su carácter delictivo y otorgar una apariencia de legalidad que resulta difícil desvelar.

4. CONCLUSIONES

La primera conclusión que cabe extraer de estas páginas, es la necesidad de que la normativa penal acoja la mayor gravedad de las organizaciones criminales transnacionales, diseñando una agravante que pueda aplicarse a toda organización con independencia del tipo de delito que sea su objeto.

Consecuentemente, debería de desaparecer del delito de tráfico de drogas (art. 370.3º) para evitar duplicidades innecesarias y perturbadoras en la aplicación de tipos tan complejos, a las que desafortunadamente nos tiene acostumbrados el legislador.

En este diseño es preferible que la agravante se circunscriba a las organizaciones criminales, excluyendo la posibilidad de que pueda aplicarse al grupo criminal que, por sus características, indica un nivel de estructuración mucho menor al de la organización criminal que dificulta enormemente que desde el punto de vista operativo pueda alcanzar una dimensión transnacional. Además, el delito de pertenencia a grupo criminal ha sido fuertemente cuestionado por carecer de los requisitos que caracterizan a la delincuencia organizada.

Se propone aquí el término transnacional para este tipo de organizaciones, utilizado en materia económica como equivalente a multinacional, porque, en primer lugar, permite englobar términos que se utilizan habitualmente como sinónimos (transfronterizo e internacional, pero no a la inversa), expresando, por otra parte, de mejor manera la razón de ser de la mayor sanción a este tipo de organizaciones. Además, como ya se ha señalado, se coordina con la denominación seleccionada por la Comunidad Internacional en la Convención de Palermo.

También podría preverse, de forma diferenciada, la pertenencia del culpable a una red transnacional de organizaciones criminales, aunque sean evidentes las dificultades probatorias que se presentarán por la necesidad de probar la existencia de diversas organizaciones criminales operando en red, y asentadas en el territorio de varios países.

Y, finalmente, que la agravante se diseñe especificando que se aplicará cuando el culpable pertenezca a la organización criminal transnacional, y no que "se trate" (como dice el tenor literal de la disposición vigente, art. 370.3°) de tal organización. Este requisito, necesario para aplicar el delito de pertenencia a organización criminal, deviene imprescindible también en esta agravante que proponemos se construya sobre el tipo básico del art. 570 bis.

5. BIBLIOGRAFÍA

ARQUILLA, John/RONFELDT, David., *Redes y guerras en red. El futuro del terrorismo, la criminalidad organizada y el activismo político*, ed. Alianza, 2003.
– *Cyberwar is coming*, Comparative Strategy, Vol. 12, n° 2, Primavera, 1993.
BERDAL, Mats/SERRANO, Monica, "Introducción", *Crimen transnacional organizado y seguridad internacional*, BERDAL, M./SERRANO, M. (Comp.), Fondo de Cultura Económica, México, D.F., 2005.
CANCIO MELÍA, Manuel, "El injusto de los delitos de organización: peligro y significado", *RGDP*, n° 8, 2009.
DE LA CORTE IBÁÑEZ, Luis/GIMÉNEZ-SALINAS FRAMIS, Andrea, *Crimen. org, Evolución y claves de la delincuencia organizada*, Ariel, Barcelona, 2010.
ESTARELLAS Y LÓPEZ, Juan Carlos, "El agente policial encubierto contra el crimen organizado", *Criminalidad y Globalización. Análisis y estrategias ante grupos y organizaciones al márgen de la ley*, MAGAZ ÁLVAREZ, R.

(Coord.), Instituto General Gutiérrez Mellado de Investigación sobre la Paz, la Seguridad y la Defensa, Madrid, 2012.

FAKHOURI GÓMEZ, Yamila, "Tráfico de drogas", *Memento Penal 2016*, Francis Lefebvre, Madrid, 2015.

GARROCHO SALCEDO, Ana, "Delitos relacionados con el ejercicio de derechos fundamentales y libertades públicas", *Memento Práctico. Penal 2016*, Francis Lefebvre, Madrid, 2015.

GONZÁLEZ CUSSAC, José Luis, "Tecnocrimen", *Nuevas amenazas a la Seguridad Nacional. Terrorismo, criminalidad organizada y tecnologías de la información y la comunicación*, GONZÁLEZ CUSSAC, J.L./CUERDA ARNAU, M.L., Tirant lo Blanch, Valencia, 2013.

GONZÁLEZ RUS, Juan José, "Aproximación político-criminal a la regulación de la criminalidad organizada después de la reforma de 2010", *La criminalidad organizada*, GONZÁLEZ RUS, J.J (ed.), Tirant lo Blanch, Valencia, 2013.

JARAMILLO RESTREPO, J.D., "Organizaciones criminales: bases para una teoría general", *Discriminación, principio de jurisdicción universal y temas de derecho penal*, POSADA MAYA, R. (Coord.), Uniandes, Colombia, 2013.

LÓPEZ TEMPORAL, Víctor. M, "La investigación policial en los delitos de criminalidad organizada", *Nuevas amenazas a la Seguridad Nacional. Terrorismo, criminalidad organizada y tecnologías de la información y la comunicación*, GONZÁLEZ CUSSAC, J.L./CUERDA ARNAU, M.L., Tirant lo Blanch, Valencia, 2013,

MAGAZ ÁLVAREZ, Ricardo, "Terrorismo y narcotráfico como elementos clave del crimen organizado transnacional y amenaza para la seguridad global", *Criminalidad y Globalización. Análisis y estrategias ante grupos y organizaciones al márgen de la ley*, MAGAZ ÁLVAREZ, R. (Coord.), Instituto General Gutiérrez Mellado de Investigación sobre la Paz, la Seguridad y la Defensa, Madrid, 2012.

MÉNDEZ RODRÍGUEZ, Cristina: "Los delitos de pertenencia a organización criminal y a grupo criminal y el delito de tráfico de drogas cometido por persona que pertenece a una organización delictiva. Crónica de un conflicto normativo anunciado y análisis jurisprudencial", *Estudios Penales y Criminológicos*. Vol. XXXIV, 2014.

– "Delincuencia económica y organizaciones criminales", *Nuevos instrumentos jurídicos en la lucha contra la delincuencia económica y tecnológica*, ROMEO CASABONA, C./ FLORES MENDOZA, F. (ed.) Comares, Granada, 2012.

ROPERO CARRASCO, Julia, "La necesaria armonización legislativa en el tratamiento de la delincuencia organizada", *Instrumentos internacionales en la lucha contra la delincuencia organizada*, Dykinson, S. L., Madrid, 2011.

RESA NESTARES, Carlos, *Crimen organizado transnacional: definición, causas y consecuencias*, https: //www.uam.es/personal_pdi/economicas/cresa/text11. html, 18/3/2016.

RUIZ RODRÍGUEZ, Luis/GONZÁLEZ AGUDELO, Gloria, "El factor tecnológico en la expansión del crimen organizado ¿Menores en riesgo?, *Crimi-*

nalidad organizada, terrorismo e inmigración. Retos contemporáneos de la política criminal, Comares, Granada, 2008.

SERRANO, Monica, "Crimen transnacional organizado y seguridad internacional: cambio y continuidad", *Crimen transnacional organizado y seguridad internacional*, BERDAL, M./SERRANO, M. (Comp.), Fondo de Cultura Económica, México, D.F., 2005.

TALÉNS CERVERÓ, María Nieves, "El terrorismo yihadista", *Criminalidad y Globalización. Análisis y estrategias ante grupos y organizaciones al márgen de la ley*, MAGAZ ÁLVAREZ, R. (Coord.), Instituto General Gutiérrez Mellado de Investigación sobre la Paz, la Seguridad y la Defensa, Madrid, 2012.

TOVAL MARTÍN, Lucio, "Fenomenología del crimen organizado transnacional: actividades delictivas y *modus operandi* en España y en el Exterior", *Criminalidad y Globalización. Análisis y estrategias ante grupos y organizaciones al márgen de la ley*, MAGAZ ÁLVAREZ, R. (Coord.), Instituto General Gutiérrez Mellado de Investigación sobre la Paz, la Seguridad y la Defensa, Madrid, 2012.

WILLIAMS, P, "Redes transnacionales de delincuencia", *Redes y guerras en red. El futuro del terrorismo, la criminalidad organizada y el activismo político*, ARQUILLA, J./RONFELDT, D., ed. Alianza, 2003.

ZÚÑIGA RODRÍGUEZ, Laura, *Criminalidad organizada y sistema de derecho penal*, Comares, Granada, 2009.

DESAFÍOS DE LOS ORGANISMOS INTERNACIONALES FRENTE A LA DELINCUENCIA ORGANIZADA

JOSÉ ESCRIBANO ÚBEDA-PORTUGUÉS[1]

Sumario: 1. Introducción: Los desarrollos normativos de los Organismos Internacionales frente a la delincuencia organizada. 2. Naciones Unidas y la prevención de la delincuencia organizada. 2.1. Los Congresos de Naciones Unidas sobre prevención de la delincuencia organizada. 2.2. El *Consenso de Doha* y el fortalecimiento de la cooperación internacional contra la delincuencia organizada. 3. Conclusiones. 4. Bibliografía.

Resumen: Los Organismos Internacionales tienen importantes desafíos en la lucha contra la delincuencia organizada en el contexto de la Globalización. No obstante, la cooperación internacional entre los Estados ha conseguido la realización de numerosos instrumentos jurídicamente vinculantes. Naciones Unidas ha desarrollado toda una serie de medidas para erradicar las actividades de los grupos delictivos organizados en el actual siglo XXI.

Palabras clave: Delincuencia Organizada, Organismos Internacionales, Naciones Unidas, Cooperación Internacional

1. INTRODUCCIÓN: LOS DESARROLLOS NORMATIVOS DE LOS ORGANISMOS INTERNACIONALES FRENTE A LA DELINCUENCIA ORGANIZADA

La identificación de los principales rasgos de la Delincuencia Organizada es fundamental para afrontar con eficacia los desafíos a los que se enfrenta la Comunidad Internacional a la hora de luchar contra los grupos delictivos organizados transnacionales.

---

[1] Profesor Titular Acreditado de Derecho Internacional Público de la Universidad Carlos III de Madrid.

Uno de los rasgos actuales de la Delincuencia Organizada es su operatividad a nivel mundial, lo que hace más difícil la eficaz lucha contra dicho fenómeno criminal internacional. Y es ahí donde radica uno de los principales desafíos que tiene la Comunidad Internacional, como es el instar a los Estados a incrementar la cooperación judicial y policial en aras de la lucha contra la criminalidad organizada, siempre en el contexto básico de aplicar de forma efectiva los instrumentos jurídico-internacionales en la materia.

Bien es cierto que constatamos que los grupos delictivos organizados se han estructurado de tal forma que constituyen lo que se ha denominado "multinacionales del crimen organizado transnacional".

Sin duda el proceso de Globalización económica operado en los últimos años a nivel mundial, y especialmente los procesos de liberalización e integración comercial, con sus inherentes procesos de disminución de controles en frontera, han operado a favor de las actividades del crimen organizado.

Es por ello que uno de los rasgos característicos de la criminalidad organizada transnacional es el afán de lucro, consiguiendo altos rendimientos lucrativos en las diversas modalidades de la criminalidad organizada.

La Comunidad internacional ha de preservar en relación con lo anterior un bien jurídico a proteger como es el "*Orden socioeconómico de las sociedades*".

Es difícilmente establecer con exactitud el número de *miles de víctimas de las actividades de la criminalidad organizada*. Los pilares de los derechos humanos, fundamentados en ejes básicos como la preservación y garantía de la dignidad de toda persona, son objeto de vulneración a través de las actividades de los grupos delictivos organizados, ya sea la trata de personas, el tráfico ilícito de migrantes, etc. Dichas víctimas son objeto de humillaciones, tanto físicas como morales, incluso llegando los grupos delictivos a enseñarse contra dichas víctimas. Dichas humillaciones contra la dignidad de tales víctimas vulneran los instrumentos más básicos del Derecho Internacional de los Derechos Humanos.

No vamos a hacer un estudio del catálogo amplio de actividades del crimen organizado, pero en conexión con el concepto de "víctimas" de la criminalidad organizado, bien se pueden resaltar algunas de sus actividades delictivas.

En primer lugar, en cuanto a la trata de personas, dicha temática estuvo en la agenda de la Comunidad Internacional incluso en el Derecho Internacional Clásico, especialmente en lo relativo a la lucha contra la esclavitud. En el contexto actual, como sabemos, existe el Primer Protocolo complementario a la Convención de Palermo en el marco de Naciones Unidas, aunque la labor normativa ha contado con buen número de desarrollos, especialmente en el ámbito de la Unión Europea[2] y el Consejo de Europa[3] o la OIT[4].

---

2   Entre otros, caben citarse los siguientes actos de la UE: La Acción Común 96/700/ JAI del Consejo. De 29 de noviembre de 1996. (DO L 322, de 12 de diciembre de 1996); la Acción Común 96/748/JAI del Consejo. De 16 de diciembre de 1996 (DO L 342, de 31 de diciembre de 1996; la Acción Común 97/154/JAI. De 24 de febrero de 1997, adoptada por el Consejo sobre la base del artículo K.3 del Tratado de la Unión Europea, relativa a la lucha contra la trata de seres humanos y la explotación sexual de los niños (*Diario Oficial*, L 63, de 4 de marzo de 1997); l a Decisión 293/2000/CE del Parlamento Europeo y del Consejo. De 24 de enero de 2000 (DO L 34, de 9 de febrero de 2000); la Decisión del Consejo, relativa a la lucha contra la pornografía infantil en Internet, de 29 de mayo de 2000; la Decisión Marco 2002/629/JAI del Consejo, relativa a la lucha contra la trata de seres humanos. De 19 de julio de 2002 (DOCE L 203, de 1 de agosto de 2002); la Decisión Marco 2004/68/JAI del Consejo relativa a la explotación sexual de los niños y la pornografía infantil, de 22 de diciembre de 2003. *DOUE*, L 13, de 20 de enero de 2004; o la Decisión 2006/619/CE del Consejo. Decisión relativa a la celebración, en nombre de la Comunidad Europea, del Protocolo para prevenir, reprimir y sancionar la trata de personas, especialmente mujeres y niños, que complementa la Convención de las Naciones Unidas contra la Delincuencia Organizada (*Diario Oficial*, L 262, de 22 de septiembre de 2006).

3   El Convenio Europeo contra la trata de personas, firmado en Varsovia, el 16 de mayo de 2005. Entró en vigor, a partir del 1 de febrero de 2008. En relación con la ciberpornografía infantil, cabe mencionar la Convención sobre Cibercriminalidad del Consejo de Europa, de 2001

4   Entre otros, cabe mencionar los siguientes instrumentos jurídicos de la OIT: El Convenio para la Represión de la Trata de Personas y de la Explotación de la Prostitución Ajena, de 1950; el Protocolo para modificar la Convención sobre la Esclavitud, adoptado por la Asamblea General, de 1953; la Convención suplementaria sobre la abolición de la esclavitud, la trata de esclavos y las instituciones y prácticas análogas a la esclavitud, adoptada por el Consejo Económico y Social en 1956; el Convenio nº 105 de la O.I.T., de 1957; o la Recomendación nº 190, de la O.I.T, sobre las peores formas de trabajo infantil, de 1999.

En el plano de Naciones Unidas, la Convención de Palermo[5], acertadamente, contempla el tipo penal de la trata de personas, especialmente mujeres y niños desde la doble vertiente de víctimas explotadas laboralmente y/o sexualmente. Por su parte, la Unión Europea ha desarrollado un amplio catálogo de normas para estar a la vanguardia en la protección de las personas que son víctimas de la trata de personas.

En segundo lugar, cabría hacer mención al tráfico ilícito de migrantes. En este sentido, un Organismo Internacional clave ha sido y es la OIT[6], con el fin de proteger los derechos de los trabajadores migrantes desde el Derecho Internacional Clásico. Dicho Organismo ha realizado numerosos Convenios para evitar la explotación laboral de los trabajadores migrantes. Es especialmente acertado el tratamiento de "circunstancia agravante "en el marco del Segundo Protocolo complementario[7]a la Convención de Palermo contra el tráfico ilícito de migrantes, por lo que se penaliza de forma agravada tal tipo penal cuando en las actividades ilícitas de un grupo delictivo organizado se

---

[5] Convención de las Naciones Unidas contra la Delincuencia Organizada Transnacional (Convención de Palermo). A/RES/55/25, Anexo I, de 15 de noviembre de 2000. Concretamente, nos referimos al Protocolo para prevenir, reprimir y sancionar la trata de personas, especialmente mujeres y niños, que complementa la Convención de las Naciones Unidas contra la Delincuencia Organizada Transnacional (A/RES/55/25, Anexo II, de 15 de noviembre de 2000). Asimismo, en la obra de Naciones Unidas merece señalarse también el Protocolo Facultativo anexo a la Convención sobre derechos del niño, relativo a la venta de niños, la prostitución infantil y la utilización de niños en la pornografía, de 25 de mayo de 2000.

[6] Entre otros, cabe citar los siguientes Convenios y otros actos de la OIT: El Convenio n° 97, relativo a los trabajadores migrantes, de 1949; la Recomendación n° 86 de la O.I.T. sobre los trabajadores migrantes, de 1949; la Recomendación n° 100 de la O.I.T. sobre la protección de los trabajadores migrantes (países insuficientemente desarrollados), de 1955; el Convenio n° 118, sobre la igualdad de trato (seguridad social), de 1962; el Convenio n° 143, sobre las migraciones en condiciones abusivas y la promoción de la igualdad de oportunidades y de trato de los trabajadores migrantes, de 1975; el Convenio n° 157 de la O.I.T. y la Recomendación n° 167, sobre la conservación de los derechos en materia de seguridad social, respectivamente de 1982 y 1983; la Convención Internacional sobre la protección de los derechos de todos los trabajadores migratorios y de sus familiares, de 1990, etc.

[7] Protocolo contra el tráfico ilícito de migrantes por tierra, mar y aire, que complementa la Convención de las Naciones Unidas contra la Delincuencia Organizada Transnacional. A/RES/55/25, Anexo III, de 15 de noviembre de 2000.

ponga especialmente en peligro la seguridad o la vida de los migrantes víctimas de tal tráfico ilegal; o bien cuando se efectúe un trato inhumano o degradante de los migrantes.

En el ámbito de la Unión Europea[8], son varios los instrumentos jurídicos que inciden directamente en la lucha contra este tipo penal. El espíritu de los actos de Derecho Derivado de la Unión Europea al respecto abogan porque las actividades criminales de tráfico ilícito de migrantes sean penadas con sanciones que se han de atener a los principios de Efectividad, Proporcionalidad y Disuasión, señalando en los supuestos anteriormente mencionados, el hecho de circunstancias agravante en los casos de peligro para la vida de los migrantes irregulares o tratos inhumanos o degradantes para su dignidad como personas.

En tercer lugar, respecto a la lucha contra *el Narcotráfico*, cabe señalar que Naciones Unidas ha estado a la vanguardia por lo que respecta a los desarrollos normativos sobre tal tipo penal. Los Tratados Antidrogas[9] establecen la tipificación de los delitos sobre el tráfico ilícito de estupefacientes y el blanqueo del producto del delito derivado de tal actividad ilegal propia de la Delincuencia Organizada Transnacional.

La Convención de Palermo, ante la existencia de los mencionados instrumentos jurídico internacionales, no incorpora ningún Protocolo complementario al respecto. Ello no es obstáculo para que todas las

---

[8]   Por ejemplo: La Decisión del Consejo, de 8 de diciembre de 2000 referente a la firma del Convenio de las Naciones Unidas contra la delincuencia organizada transnacional y de los Protocolos adjuntos sobre la lucha contra la trata de personas, especialmente mujeres y niños, y contra el tráfico de emigrantes por tierra, aire y mar, en nombre de la Comunidad Europea, 2001/78/CE, DO L 30/44, de 1 de febrero de 2001; la Comunicación de la Comisión al Consejo y al Parlamento Europeo relativa a una Política Común de Inmigración Ilegal, COM (2001) 672 final, de 15 de noviembre de 2001; la Decisión Marco 2002/946/JAI del Consejo relativa a reforzar el marco penal para la represión de la ayuda a la entrada, a la circulación y a la estancia irregulares, de 28 de noviembre de 2002; o la Directiva 2002/90/CE del Consejo, destinada a definir la ayuda a la entrada, a la circulación y a la estancia irregulares, de 28 de diciembre de 2002.

[9]   Nos referimos a los siguientes instrumentos jurídico-internacionales: La Convención Única sobre estupefacientes, de 1961 y su Protocolo de modificación, de 1972; la Convención sobre sustancias psicotrópicas, de 1971; y la Convención contra el tráfico ilícito de estupefacientes y sustancias psicotrópicas, de 1988.

disposiciones de la propia Convención sean aplicables al tipo penal del tráfico ilícito de estupefacientes, en especial en cuanto a la tipificación de los delitos o a los mecanismos de cooperación internacional para erradicar tal actividad ilícita lucrativa, con efectos negativos a nivel de la salud pública mundial e innumerables víctimas.

Por lo que respecta a la Unión Europea, ha habido numerosos desarrollos normativos en materia de lucha contra el Narcotráfico[10]. Cabe resaltar que los desarrollos jurídicos comunitarios inciden en la idea relativa a la recomendación a los Estados Miembros para que penalicen tales delitos por Narcotráfico de manera severa. En los diversos Planes de Acción de la Unión Europea contra el tráfico de drogas[11], se han ido estableciendo medidas para poder disminuir o erradicar los efectos negativos de tal actividad ilícita en el orden so-

---

[10]   Pueden mencionarse, entre otros los siguientes actos jurídicos: El Reglamento 3677/90/CEE del Consejo, relativo a las medidas que deben adoptarse para impedir el desvío de determinadas sustancias para la fabricación ilícita de estupefacientes y sustancias psicotrópicas, de 1990; la Directiva 92/104/CEE, relativa a la fabricación y puesta en el mercado de determinadas sustancias utilizadas para la fabricación ilícita de estupefacientes y sustancias psicotrópicas, de 1992; la Acción Común 96/750/JAI del Consejo, sobre la base del art. K.3 del Tratado de la Unión Europea, relativa a la aproximación de las legislaciones y prácticas entre los Estados miembros con el fin de luchar contra la toxicomanía y prevenir y luchar contra el tráfico ilícito de drogas, de 1996; la Resolución del Consejo, relativa a las condenas para delitos graves en materia de tráfico de drogas, de 1996; el Reglamento 273/2004/CE del Parlamento Europeo y del Consejo, sobre precursores de drogas, de 2004; la Decisión Marco 2004/757/JAI del Consejo, relativa al establecimiento de disposiciones mínimas de los elementos constitutivos de delitos y las penas aplicables en el ámbito del tráfico ilícito de drogas, de 2004; o la Estrategia de la Unión Europea en materia de lucha contra la droga 2013-2020". *(DOUE 29/12/2012)*. Dicha Estrategia Europea Antidroga es prioritaria en el Reglamento (UE) n° 1382/2013 del Parlamento Europeo y del Consejo, de 17 de diciembre de 2013 por el que se establece el programa "Justicia "para el período 2014-2020, en *DOUE L354/73, de 28.12.2013*, apartados 10-11

[11]   El Plan de Acción de la UE en la lucha contra el tráfico de drogas, de 1990; el Plan de Acción de la UE en la lucha contra el tráfico de drogas, de 1992; el Plan de Acción de la UE en la lucha contra el tráfico de drogas, 1995-1999; el Plan de Acción de la UE en la lucha contra el tráfico de drogas, 2000-2004; el Plan de Acción de la UE en la lucha contra el tráfico de drogas, 2005-2008; o el Plan de Acción de la Unión Europea sobre las Drogas para 2009-2012. Por otra parte, cabe mencionar a nivel interno, el Plan de Acción Nacional España 2013-2016, el cual se enmarca en la Estrategia Nacional sobre Drogas 2009-2016, en conso-

cioeconómico de las sociedades, debido a la ingente fuente de ingresos ilícitos derivados del Narcotráfico.

Por lo que respecta a la lucha contra el *Blanqueo de Capitales*, nos situamos ante el núcleo central de las actividades ilícitas de la Delincuencia Organizada. El objetivo primordial de tales actividades delictivas no es sino el objetivo lucrativo de maximización de beneficios. El lavado de dinero está íntimamente ligado a los diferentes tipos penales existentes en la Delincuencia Organizada como la trata de personas, el tráfico ilícito de migrantes, el tráfico ilícito de armas o el Narcotráfico.

A nivel de Naciones Unidas, es la Convención de Palermo la que contempla el tipo penal del Blanqueo de Capitales[12]. En cuanto a las obligaciones de los Estados, se les insta a que reglamenten y supervisen el sistema financiero; intensifiquen la cooperación y la coordinación interinstitucional; vigilen los movimientos transfronterizos de capitales; y promuevan la cooperación judicial internacional frente al Blanqueo de Capitales.

La obra del Consejo de Europa había dado como frutos un Convenio Europeo *ad hoc*[13]. Aunque es en el plano regional de la Unión Europea, donde más desarrollos normativos existen a nivel de la lucha contra el lavado de dinero[14].

---

nancia con la anteriormente mencionada Estrategia Europea Antidrogas 2013-2020.

[12] Convención de las Naciones Unidas contra la Delincuencia Organizada Transnacional. A/RES/55/25, Anexo I, de 15 de noviembre de 2000, especialmente artículos 6 y 7.

[13] Nos referimos al Convenio Europeo sobre el lavado, seguimiento, incautación y decomiso del producto del delito, Estrasburgo, de 8 de noviembre de 1990. Posteriormente, también en el ámbito del Consejo de Europa se celebró un instrumento clave para luchar contra el blanqueo de capitales con fines terroristas, es decir, el Convenio Europeo nº 198, relativo al blanqueo, seguimiento, embargo y decomiso de los productos del delito y a la financiación del terrorismo. Firmado en Varsovia el 16 de mayo de 2005. Entró en vigor el 1 de mayo de 2008.

[14] En la evolución de los actos jurídicos de la UE en materia de blanqueo de capitales merecen destacarse los siguientes: La Directiva 91/308/CEE, de 10 de junio de 1991, sobre la prevención del uso del sistema financiero con la finalidad del blanqueo de capitales, DO L 166, de 28 de junio de 1991, entrada en vigor el 1 de enero de 1993, fecha límite para la transposición, 1 de enero de 1993; la Convención redactada sobre la base del artículo K.3 del Tratado de la Unión Europea,

sobre la protección de los intereses financieros de las Comunidades Europeas, de 27 de noviembre de 1995, DO C 316, de 27 de noviembre de 1995; el Acto del Consejo, de 27 de septiembre de 1996, por el que se elabora un Protocolo a la Convención redactada sobre la base del artículo K.3 del Tratado de la Unión Europea, sobre la protección de los intereses financieros de las Comunidades Europeas, DO C 313, de 23 de octubre de 1996; el Protocolo elaborado sobre la base del artículo K.3 del Tratado de la Unión Europea, a la Convención sobre la protección de los intereses financieros de las Comunidades Europeas, de 23 de octubre de 1996, DO C 313, de 23 de octubre de 1996; el Segundo Protocolo, elaborado sobre la base del artículo K.3 del Tratado de la Unión Europea, a la Convención sobre la protección de los intereses financieros de las Comunidades Europeas, DO C 221, de 19 de julio de 1997; la Acción Común, de 3 de diciembre de 1998, adoptada por el Consejo sobre la base del artículo K.3 del Tratado de la Unión Europea, sobre el blanqueo de capitales, la identificación, seguimiento, embargo, incautación y decomiso de los instrumentos y productos del delito, DO L 333, de 9 de diciembre de 1998; la Decisión del Consejo, de 17 de octubre de 2000, relativa a los acuerdos para la cooperación entre las unidades de inteligencia financiera de los Estados Miembros con el fin del intercambio de información, DO L 271, de 24 de octubre de 2000; la Decisión Marco 2001/500/JAI del Consejo, de 26 de junio de 2001, relativa al blanqueo de capitales, la identificación, seguimiento, embargo, incautación y decomiso de los instrumentos y productos del delito, DO L 182, de 5 de julio de 2001; la Directiva 2001/97/CE del Parlamento europeo y del Consejo, de 4 de diciembre de 2001, que modifica la Directiva 91/308/CEE, de 10 de junio de 1991, sobre la prevención del uso del sistema financiero con la finalidad del blanqueo de capitales, DO L 344, de 28 de diciembre de 2001, entrada en vigor el 28 de diciembre de 2001, fecha límite para la transposición, 15 de junio de 2003; la Propuesta de Reglamento del Parlamento Europeo y del Consejo, relativo a la prevención del blanqueo de capitales mediante la cooperación aduanera, COM (2002) 328 final, DO C 227, de 24 de septiembre de 2002; el Informe de la Comisión basado en el artículo 6 de la Decisión Marco del Consejo, de 26 de junio de 2001 sobre el blanqueo de capitales, la identificación, seguimiento, embargo, incautación y decomiso de los instrumentos y productos del delito, de 5 de abril de 2004, COM (2004) 230 final; la Comunicación de la Comisión al Consejo y al Parlamento Europeo sobre la prevención y lucha contra el crimen organizado en el sector financiero, de 16 de abril de 2004, COM/ 2004/262 final; la Decisión marco 2005/212/JAI del Consejo, de 24 de febrero de 2005, relativa a la confiscación de los productos, instrumentos y bienes producto de la delincuencia, DO L 68 de 15 de marzo de 2005; el Reglamento (CE) n° 1889/2005 del Parlamento Europeo y del Consejo de 26 de octubre de 2005 relativo a los controles de entrada o salida de dinero efectivo de la Comunidad, DO L 309 de 25 de noviembre de 2005, entrada en vigor el 15 de diciembre de 2005, aplicable desde el 15 de junio de 2007; la Directiva contra el blanqueo de capitales: Directiva 2005/60/CE del Parlamento Europeo y del Consejo, de 26 de octubre de 2005, relativa a la prevención de la utilización del sistema financiero para el blanqueo de capitales y para la financia-

En este sentido, caben mencionarse las llamadas ·" Eurodirectivas contra el Blanqueo de Capitales[15]".

---

ción del Terrorismo, DO L 309, de 25 de noviembre de 2005, entrada en vigor y fecha máxima para transposición por los Estados Miembros, el 15 de diciembre de 2007; la Directiva contra el blanqueo de capitales: Directiva 2006/70/CE de la Comisión, de 1 de agosto de 2006, por la que se establecen disposiciones de aplicación de la Directiva 2005/60/CE del Parlamento Europeo y del Consejo en lo relativo a la definición de personas del medio político y los criterios técnicos aplicables en los procedimientos simplificados de diligencia debida con respecto al cliente así como en lo que atañe a la exención por razones de actividad financiera ocasional o muy limitada, DO L 214, de 4 de agosto de 2006; o la Directiva 2009/110/CE del Parlamento Europeo y del Consejo, de 16 de septiembre de 2009, sobre el acceso a la actividad de las entidades de dinero electrónico y su ejercicio, así como sobre la supervisión prudencial de dichas entidades, por la que se modifican las Directivas 2005/60/CE y 2006/48/CE y se deroga la Directiva 2000/46/CE (*DOUE* L267 de 10.10.2009).

[15]   En este sentido, cabe referirnos a un acto jurídico fundamental de reciente celebración, no mencionado anteriormente. Nos referimos a la *Directiva (UE) 2015/849 del Parlamento Europeo y del Consejo, de 20 de mayo de 2015 relativa a la prevención de la utilización del sistema financiero para el blanqueo de capitales o la financiación del terrorismo, y por la que se modifica el Reglamento (UE) nº 648/2012 del Parlamento Europeo y del Consejo, y se derogan la Directiva 2005/60/CE del Parlamento Europeo y del Consejo y la Directiva 2006/70/ CE de la Comisión*, en DOUE, L 141/73, de 5 de junio de 2015. En el artículo 6 de dicha Directiva se establece que "*La Comisión efectuará una evaluación de los riesgos de blanqueo de capitales y de financiación del terrorismo que afectan al mercado interior y que guardan relación con actividades transfronterizas. A tal fin, la Comisión, a más tardar el 26 de junio de 2017, elaborará un informe en el que determinen, analicen y evalúen estos riesgos a escala de la Unión*". Los Informes posteriores al mencionado serán publicados de forma bianual, es decir, 2019, etc. Se establece, que, en su caso, podrían ser publicados dichos Informes con mayor frecuencia.

Por lo que respecta a la tipificación del delito, en el art. 1 de dicha Directiva se precisa el concepto de Blanqueo de Capitales: "A efectos de la presente Directiva, las siguientes actividades, realizadas intencionadamente, se considerarán blanqueo de capitales: a) la conversión o la transferencia de bienes, a sabiendas de que dichos bienes proceden de una actividad o un hecho delictivo o de la participación en ese tipo de actividad, con el propósito de ocultar o encubrir el origen ilícito de los bienes o de ayudar a personas que estén implicadas en dicha actividad a eludir las consecuencias jurídicas de su acto; b) la ocultación o el encubrimiento de la naturaleza, el origen, la localización, la disposición, el movimiento o la propiedad reales de bienes o de derechos sobre esos bienes, a sabiendas de que dichos bienes proceden de una actividad delictiva o de la participación en ese tipo de actividad; c) la adquisición, posesión o utilización de

En definitiva, vemos en estas consideraciones introductorias los Organismos Internacionales (como Naciones Unidas, OIT, Unión Europea[16], Consejo de Europa, etc.) desde hace décadas se han ocupado en mayor o menor medida de la lucha contra las actividades de los grupos delictivos organizados. Si bien, en los últimos años la entrada en vigor de la Convención de Palermo de 2000 y sus 3 Protocolos complementarios, han supuesto el afianzamiento de la cooperación internacional para afirmar los valores y consenso de la Comunidad Internacional para luchar contra el conjunto de actividades de la cri-

---

bienes, a sabiendas, en el momento de la recepción de los mismos, de que proceden de una actividad delictiva o de la participación en ese tipo de actividad; d) la participación en alguna de las acciones a que se refieren las letras a), b) y c), la asociación para cometer ese tipo de acciones, las tentativas de perpetrarlas y el hecho de ayudar, instigar o aconsejar a alguien para realizarlas o de facilitar su ejecución. 4. Se considerará que hay blanqueo de capitales aun cuando las actividades que hayan generado los bienes que vayan a blanquearse se hayan desarrollado en el territorio de otro Estado miembro o en el de un tercer país".

[16] Entre otros, pueden señalarse los siguientes actos de la UE: La Resolución del Consejo, de 21 de diciembre de 1998, sobre prevención de la delincuencia organizada y adopción de una estrategia global para combatirla (*Diario Oficial, C 408*, de 29 de diciembre de 1998); el Plan de Acción de Viena (DO C19, de 23 de enero de 1999); La estrategia del Milenio para la prevención y el control de la delincuencia organizada (DO C 124, de 3 de mayo de 2000); la Decisión 2001/427/JAI del Consejo, de 28 de mayo de 2001, por la que se crea una Red Europea de Prevención de la Delincuencia (*Diario Oficial, L 153*, de 8 de junio de 2001); la Decisión 2004/579/CE/ del Consejo, de 29 de abril de 2004, relativa a la celebración, en nombre de la Comunidad Europea de la Convención de las Naciones Unidas contra la Delincuencia Organizada Transnacional (*Diario Oficial, L 261*, de 6 de agosto de 2004); el Programa de La Haya (2005-2009): *Comunicación de la Comisión al Consejo y al Parlamento Europeo. Programa de La Haya: Diez prioridades para los próximos cinco años. Una asociación para la renovación europea en el ámbito de la libertad, la seguridad y la justicia* (COM (2005) 184 final), de 10 de mayo de 2005; el Plan de Acción del Consejo y de la Comisión por el que se aplica el Programa de La Haya sobre el refuerzo de la libertad, la seguridad y la justicia en la Unión Europea (*Diario Oficial, C 198*, de 12 de agosto de 2005); la Comunicación de la Comisión al Consejo y al Parlamento Europeo. Ejecución del Programa de La Haya: el camino a seguir(COM (2006) 331 final-Diario Oficial C 184, de 8 de agosto de 2006); o la Decisión 2007/125/JAI del Consejo, de 12 de febrero de 2007, relativa al programa específico de Prevención y lucha contra la delincuencia para el período 2007-2013 integrado en el programa general sobre Seguridad y Defensa de las Libertades.

minalidad organizada transnacional, en cuanto que constituye una verdadera amenaza a los Estados democráticos.

2. NACIONES UNIDAS Y LA PREVENCIÓN DE LA DELINCUENCIA ORGANIZADA

2.1. Los Congresos de Naciones Unidas sobre prevención de la delincuencia organizada

Naciones Unidas a lo largo de 60 años (1955-2015) ha desarrollado una intensa labor de cooperación internacional en la lucha preventiva contra la delincuencia organizada a través de los *Congresos de las Naciones Unidas sobre Prevención del Delito y Justicia Penal*.

En este sentido, cabe mencionar las conclusiones de los últimos Congresos Mundiales sobre Prevención de la Criminalidad Organizada.

En primer lugar en el año 2000, como sabemos, un año clave en la cooperación internacional contra la delincuencia organizada transnacional, se celebró la Convención de Palermo. En ese contexto de avance en dicho instrumento jurídico-internacional, el Congreso de Viena[17] (2000) consiguió el consenso internacional en torno al análisis de varios temas claves en la lucha contra la delincuencia[18], como fueron, entre otros: La intensificación de la cooperación internacional en la lucha contra la delincuencia organizada transnacional en el marco de los inicios del siglo XXI; La prevención eficaz del delito; la lucha contra la corrupción y los ciberdelitos. En el Congreso se aprobó la Declaración de Viena[19]sobre la delincuencia y la justicia frente a los

---

[17]   X Congreso de Naciones Unidas sobre Prevención del Delito y Justicia Penal.
[18]   El título del Congreso de Viena fue "La delincuencia y la justicia: frente a los retos del siglo XXI".
[19]   En la fecha de realización de este Congreso (abril de 2000), la Convención contra la Delincuencia Organizada Trasnacional y sus Protocolos ya está en Proyecto, y los participantes del Congreso, además de apoyarla firmemente, coinciden en que va a consistir un arma efectiva contra ese tipo de crímenes, y que los Estados deberían comenzar a tomar las medidas que en ella se contienen, a pesar de que aún no está adoptada. Especialmente los países en vías de desarrollo, cuyos representantes expresaron la necesidad de cooperación internacional en este

retos del siglo XXI. En tal Declaración, los Estados se comprometen, *inter alia*, a reforzar sus esfuerzos en la lucha contra las diversas
manifestaciones de la delincuencia organizada transnacional como la
lucha contra la trata de seres humanos, la lucha contra el terrorismo,
el comercio ilícito de armas de fuego; el tráfico ilícito de migrantes y
el blanqueo de capitales, todos ellos aspectos que culminarían en unos
meses posteriores con la Convención de Palermo contra la Delincuencia Organizada Transnacional y sus tres Protocolos. Como medios
para la lucha contra esas formas de delincuencia, a los que los Estados
representados se comprometen a apoyar, se establecen principalmente
los medios policiales, judiciales y legislativos, y sólo tangencialmente
se mencionan la promoción del desarrollo, la erradicación de la pobreza y el desempleo y las políticas orientadas a otros aspectos, como
el social, el sanitario y el educativo. También se recomienda reforzar
la investigación y el intercambio de información. Para disminuir notablemente los crímenes relacionados con el tráfico de migrantes y el
contrabando ilícito de armas de fuego, en la Declaración se fija como
objetivo temporal el año 2005. También se trata la lucha contra la corrupción, los ciberdelitos y delitos relacionados con la alta tecnología,
actos terroristas, etc.

En segundo lugar, cabría hacer alusión al *Congreso de Bangkok*
(2005). Cabe mencionar que en dicha fecha ya se había avanzado en
la cooperación internacional tras la aprobación y entrada en vigor de
la Convención de Palermo y sus 3 Protocolos complementarios, así
como la realización de la Convención contra la Corrupción.

Otro elemento importante, estribó en que en el período de entre
Congresos, desde el de Viena al de Bangkok[20], se habían producido
unos acontecimientos trascendentales en la historia reciente de las

---

campo, bajo la forma de asistencia técnica, formación, intercambio de información y experiencia, así como asistencia financiera, con el objetivo de fortalecer las
instituciones democráticas, lograr una efectiva vigencia de las leyes y el derecho,
que la comunidad participe en la prevención del crimen y mejorar la justicia
penal.

[20] La Declaración de Bangkok es una declaración general, en la cual se apoya firmemente las Convenciones de Naciones Unidas contra la Delincuencia Organizada
Trasnacional, contra la Corrupción y todas las relativas a delitos relacionados
con el Terrorismo. Además de las medidas para la prevención del delito, tanto a
nivel gubernamental como de organizaciones civiles, las cuales ensalza, agrega

Relaciones Internacionales. Nos referimos a los atentados del 11-S de 2001 en Estados Unidos, y posteriormente la cadena de atentados masivos, que en España ocasionaron los atentados terroristas de Madrid, el 11-M en el año 2004. En este orden de cosas se intensificó la cooperación internacional antiterrorista, incluida la lucha contra la financiación del terrorismo, habida cuenta de los estrechos vínculos entre el terrorismo y las actividades de la criminalidad organizada.

Es por ello que los principales temas tratados en el congreso de Bangkok fueron, entre otros: La implementación de medidas eficaces contra la delincuencia organizada transnacional[21]; la intensificación de la cooperación internacional en la lucha contra el terrorismo y las vinculaciones entre el terrorismo y otras actividades delictivas en el contexto de la labor de la Oficina de las Naciones Unidas contra la Droga y el Delito; la corrupción; o los delitos económicos y financieros.

Es de destacar que ya en el Congreso de Bangkok se puso énfasis en la relación entre el desarrollo sostenible y las medidas de prevención en la lucha contra la delincuencia.

Posteriormente, en el año 2010 se celebró el *XII Congreso de Naciones Unidas sobre Prevención de la delincuencia en Salvador (Brasil)*. La propia Asamblea General de Naciones Unidas[22] se pronunció

---

como medidas internacionales la cooperación judicial y policial, incluida la extradición. Destaca la importancia de la cooperación al desarrollo.

[21]   En cuanto a la lucha contra la Delincuencia Organizada Trasnacional, se trataron en concreto los siguientes puntos en el Congreso de Bangkok de 2005: a) La trata de personas; b) El tráfico de migrantes; c) El tráfico de armas de fuego; d) La utilización y el tráfico de explosivos; e) El tráfico de órganos humanos; f) El secuestro; g) El tráfico de especies amenazadas; h) La tala ilícita; i) El tráfico de sustancias que agotan la capa de ozono; j) El comercio ilícito de desechos peligrosos; k) El tráfico de bienes culturales; l) Los efectos del cambio tecnológico en la delincuencia organizada; m) La aplicación de la Convención de Naciones Unidas contra la Delincuencia Organizada Transnacional.

[22]   Resolución de la Asamblea General de Naciones Unidas 65/230, de 21 de diciembre de 2010. Asimismo, la Asamblea General anteriormente había adoptado la resolución 64/180, de 18 de diciembre de 2009, por la que se instaba al XII Congreso de las Naciones Unidas sobre Prevención del Delito y Justicia Penal a que formulara propuestas concretas de seguimiento y medidas ulteriores, prestando particular atención a las disposiciones prácticas relacionadas con la aplicación efectiva de los instrumentos jurídicos internacionales relativos a la

sobre la importancia del evento en la lucha contra algunos de los delitos más graves para la Comunidad Internacional.

A los efectos de incluir el tema del desarrollo sostenible en la agenda internacional de los Congresos, la Resolución de la Asamblea General 65/230 (2010) señalaba que la Declaración del Milenio, aprobada por los Jefes de Estado y de Gobierno en la Cumbre del Milenio el 8 de septiembre de 2000, por la que se adaptaron los llamados ODM "Objetivos de Desarrollo del Milenio ", subrayaba la importancia de que los Estados consolidaran el "Estado de Derecho "en los asuntos internacionales y nacionales. En este sentido, se instaba a los estados a adoptar medidas consensuadas contra el terrorismo internacional y la delincuencia organizada transnacional en todas sus dimensiones, especialmente en cuanto a la lucha contra el narcotráfico, la trata de personas y el blanqueo de capitales.

2.2. El consenso de Doha y el fortalecimiento de la cooperación internacional contra la delincuencia organizada

El enfoque holístico: La inclusión de la agenda de desarrollo sostenible en la lucha preventiva contra la delincuencia organizada

Un elemento interesante del consenso de Doha estriba en la consideración del método holístico para analizar las medidas de *cooperación internacional* para prevenir la delincuencia organizada[23]. En

---

delincuencia organizada transnacional, el terrorismo y la corrupción y a las actividades conexas de asistencia técnica.

[23] Es por ello que la propia Declaración de Doha señala que *"Nos comprometemos a adoptar enfoques holísticos y amplios para combatir la delincuencia, la violencia, la corrupción y el terrorismo en todas sus formas y manifestaciones, y a velar por que esas respuestas se pongan en práctica de manera coordinada y coherente, junto con medidas o programas más amplios de desarrollo social y económico, erradicación de la pobreza, respeto de la diversidad cultural y paz e inclusión sociales. Reconocemos que el desarrollo sostenible y el estado de derecho están estrechamente interrelacionados y se refuerzan mutuamente. Por consiguiente, acogemos con beneplácito el proceso intergubernamental inclusivo y transparente de la agenda para el desarrollo después de 2015, cuya finalidad es formular objetivos mundiales de desarrollo sostenible que deberá acordar la Asamblea General, y reconocemos que las propuestas del Grupo de Trabajo Abierto de la Asamblea General sobre los Objetivos de Desarrollo Sostenible serán la base principal para incorporar los objetivos de desarrollo sostenible en la agenda para*

este sentido, se incluye en el análisis la llamada Agenda de Desarrollo Sostenible de Naciones Unidas (2016-2030). Los llamados ODS (Objetivos de Desarrollo Sostenible) que se tienen especialmente en cuenta en la Declaración de Doha son los siguientes. Primero, el ODS nº 1 sobre la Pobreza. Se considera las situaciones de pobreza como un verdadero campo de cultivo para actividades de la delincuencia organizada, como por ejemplo el narcotráfico y otras formas graves de delincuencia organizada. Es por ello, que la consecución de dicho objetivo, de reducir la pobreza puede coadyuvar a mejorar las condiciones sociales para prevenir la delincuencia. Segundo, el ODS nº 4 sobre la Educación. El Consenso de Doha vincula directamente las condiciones de Analfabetismo a ciertas formas de delincuencia, como la delincuencia urbana. Se apuesta por erradicar el Analfabetismo e incrementar la calidad de la Educación en los niños y jóvenes adultos con vistas a prevenir su participación en actividades relativas a la delincuencia. Tercero, el ODS 16 sobre la Paz, Democracia y Estado de Derecho. El consenso de Doha también manifiesta su preocupación porque las situaciones de conflicto, carencia de democracia y Estado de Derecho, son elementos favorecedores de la afloración y desarrollo de actividades relacionadas por la delincuencia organizada. Por ello, se apuesta por la consecución de dicho objetivo de desarrollo sostenible.

El consenso de Doha y el fortalecimiento de la cooperación internacional contra la delincuencia organizada.

El consenso de Doha es uno de los frutos más importantes de la diplomacia multilateral con vistas a promover la *cooperación internacional* contra la delincuencia organizada y el terrorismo. En la Declaración de Doha se concede prioridad a la agenda de desarrollo sostenible, especialmente al ODS número 16 sobre la paz, la democracia y

---

el desarrollo después de 2015, reconociendo que se considerarán también otras aportaciones. En ese contexto, reiteramos la importancia para el desarrollo sostenible de promover sociedades pacíficas, sin corrupción e inclusivas, haciendo hincapié en un enfoque centrado en las personas que proporcione acceso a la justicia para todos y cree instituciones eficaces, responsables e inclusivas a todos los niveles". Vid. Declaración de Doha, 13º Congreso de las Naciones Unidas sobre Prevención del Delito y Justicia Penal Doha, 12 a 19 de abril de 2015, apartados 3-4.

el Estado de Derecho. Tales conceptos son fundamentales para luchar preventivamente contra la delincuencia organizada[24], en cuanto amenaza a la seguridad de los Estados democráticos.

Se pone énfasis también en promover la adopción de medidas para prevenir y combatir todas las formas de trata de personas con fines de explotación, entre ellas la explotación de la prostitución ajena u otras formas de explotación sexual, los trabajos o servicios forzados, la esclavitud o las prácticas análogas a la esclavitud, la servidumbre o la extracción de órganos, cuando proceda, de conformidad con las disposiciones pertinentes del Protocolo para Prevenir, Reprimir y Sancionar la Trata de Personas, Especialmente Mujeres y Niños, que complementa la Convención de las Naciones Unidas contra la Delincuencia Organizada Transnacional, y teniendo en cuenta el Plan de Acción Mundial de las Naciones Unidas para Combatir la Trata de Personas[25].

También en cuanto al tráfico ilícito de migrantes, el consenso de Doha subraya la importancia de aplicar medidas para proteger los derechos humanos de los migrantes víctimas de tráfico, especialmente, mujeres y niños no acompañados, en consonancia con las obligaciones que incumben a las partes en virtud de la Convención de las Naciones Unidas contra la Delincuencia Organizada Transnacional y

---

[24] "Reconocemos que el desarrollo sostenible y el estado de derecho están estrechamente interrelacionados y se refuerzan mutuamente. Por consiguiente, acogemos con beneplácito el proceso intergubernamental inclusivo y transparente de la agenda para el desarrollo después de 2015, cuya finalidad es formular objetivos mundiales de desarrollo sostenible que deberá acordar la Asamblea General, y reconocemos que las propuestas del Grupo de Trabajo Abierto de la Asamblea General sobre los Objetivos de Desarrollo Sostenible será n la base principal para incorporar los objetivos de desarrollo sostenible en la agenda para el desarrollo después de 2015, reconociendo que se considerarán también otras aportaciones. En ese contexto, reiteramos la importancia para el desarrollo sostenible de promover sociedades pacíficas, sin corrupción e inclusivas, haciendo hincapié en un enfoque centrado en las personas que proporcione acceso a la justicia para todos y cree instituciones eficaces, responsables e inclusivas a todos los niveles ", en *Declaración de Doha, 13º Congreso de las Naciones Unidas sobre Prevención del Delito y Justicia Penal Doha, 12 a 19 de abril de 2015*, apartado 4.

[25] Resolución de la Asamblea General de Naciones Unidas, 64/293 (2009).

su Protocolo contra el Tráfico Ilícito de Migrantes por Tierra, Mar y Aire[26].

Un tema importante que pone en relación la Agenda de desarrollo sostenible 2016-2030 y la prevención de la delincuencia es el relativo a la Educación. En este sentido se trata de favorecer la educación y la erradicación del Analfabetismo para todos los niños y jóvenes a fin de prevenir la delincuencia y la corrupción y promover una cultura de la legalidad que apueste por el Estado de Derecho y los derechos humanos[27].

El consenso de Doha apuesta por el fortalecimiento de la *cooperación internacional* como núcleo central de los esfuerzos para mejorar la prevención de la delincuencia. Es por ello que se insta a los Estados partes a aplicar de forma más eficaz la Convención de Palermo y sus 3 Protocolos, así como otros instrumentos jurídico-internacionales claves como la Convención de Naciones Unidas contra la corrupción, los 3 tratados de fiscalización internacional de drogas y los tratados y protocolos internacionales a la lucha contra el terrorismo[28].

En el campo de la intensificación de la *cooperación internacional,* se promueve el desarrollar la capacidad de los sistemas de justicia penal nacionales, sobre todo en cuanto a la modernización y fortalecimiento de la legislación nacional, según proceda, así como actividades conjuntas de capacitación y de perfeccionamiento de las aptitudes de los funcionarios de los sistemas de justicia penal, en particular para favorecer el establecimiento de autoridades centrales de cooperación internacional en asuntos penales firmes y eficaces en ámbitos como la extradición, la asistencia judicial recíproca, la remisión de actuaciones penales y el traslado de personas condenadas a cumplir una pena, y celebrar, cuando proceda, acuerdos de cooperación bilaterales y regionales, y seguir desarrollando redes especializadas de autorida-

---

[26] En el Protocolo II complementario a la Convención de Palermo se dispone que los migrantes no estarán sujetos a enjuiciamiento penal con arreglo al Protocolo únicamente por el hecho de haber sido objeto de tráfico ilícito, y otros instrumentos internacionales pertinentes, y hacer cuanto esté a nuestro alcance para evitar que se sigan perdiendo vidas y llevar a los autores ante la justicia.

[27] *Declaración de Doha, 13º Congreso de las Naciones Unidas sobre Prevención del Delito y Justicia Penal Doha, 12 a 19 de abril de 2015,* apartado 7.

[28] *Declaración de Doha (2015),* apartado 8.

des encargadas de hacer cumplir la ley, autoridades centrales, fiscales, jueces, abogados defensores y proveedores de asistencia jurídica para intercambiar información y buenas prácticas y conocimientos especializados, incluso, cuando proceda, mediante la promoción de una red virtual mundial (RVM) para fomentar, en lo posible, el contacto directo entre las autoridades competentes a fin de intensificar el intercambio de información y la asistencia judicial recíproca, logrando un aprovechamiento óptimo de las plataformas de información y comunicación[29].

Otro tema importante a desarrollar en los próximos años, será el de seguir apoyando la ejecución de programas de fomento de la capacidad y actividades de capacitación de los funcionarios de la justicia penal que tengan por objeto prevenir y combatir el terrorismo en todas sus formas y manifestaciones, en consonancia con los derechos humanos y las libertades fundamentales, incluso en lo tocante a la cooperación internacional en asuntos penales, la financiación del terrorismo, la utilización de Internet con fines terroristas, la destrucción del patrimonio cultural por parte de terroristas y el secuestro para obtener rescate o con fines de extorsión, y hacer frente a las condiciones que propician la propagación del terrorismo, y cooperar, así como abordar, analizar más a fondo y determinar los ámbitos más indicados para realizar acciones conjuntas mediante, entre otras cosas, el intercambio eficaz de información, experiencias y mejores prácticas, para hacer frente a los vínculos existentes, crecientes o posibles, en algunos casos, entre la delincuencia organizada transnacional, las actividades ilícitas relacionadas con las drogas, el blanqueo de dinero y la financiación del terrorismo, a fin de mejorar las respuestas de la justicia penal a esos delitos[30].

También en cuanto al incremento de la *cooperación internacional*, el consenso de Doha muestra el compromiso de los Estados para afrontar la creciente amenaza a los Estados democráticos que plantean los combatientes terroristas extranjeros, especialmente a través del incremento del intercambio de información operacional, el apoyo logístico, y las actividades de fomento de la capacidad, como las que

---

[29]   *Declaración de Doha (2015).*
[30]   *Declaración de Doha (2015),*apartado 8.b.

realiza la Oficina de las Naciones Unidas Contra la Droga y el Delito, a fin de intercambiar y adoptar mejores prácticas para identificar a los combatientes terroristas extranjeros, impedir el viaje de combatientes terroristas extranjeros desde y hacia los Estados Miembros o a través de ellos; impedir la financiación, movilización, captación y organización de combatientes terroristas extranjeros; combatir el extremismo violento y la radicalización conducente a la violencia, que pueden desembocar en terrorismo[31].

También se apuesta por el incremento de la *cooperación internacional* para aplicar medidas en orden a detectar, prevenir y combatir la corrupción y el blanqueo de capitales, así como la intensificación de la cooperación internacional y la asistencia a los Estados Miembros para la identificación, el embargo preventivo o la incautación de esos activos[32].

En relación con el Tercer Protocolo complementario a la Convención de Palermo, en Doha los Estados se comprometen a incrementar la *cooperación internacional* con vistas a prevenir y combatir la fabricación y el tráfico ilícitos de armas de fuego, sus piezas y componentes y municiones, así como de explosivos, entre otras cosas mediante campañas de sensibilización orientadas a eliminar la utilización ilícita de armas de fuego y la fabricación ilícita de explosivos; alentar a los Estados partes en el Protocolo contra la Fabricación y el Tráfico Ilícitos de Armas de Fuego, sus Piezas y Componentes y Municiones, que complementa la Convención de las Naciones Unidas contra la Delincuencia Organizada Transnacional, a que fortalezcan la aplicación del Protocolo, entre otras cosas estudiando la posibilidad de utilizar los instrumentos disponibles, incluidas las tecnologías de marcación y registro, para facilitar la localización de armas de fuego y, cuando sea posible, de sus piezas y componentes y municiones, a fin de mejorar las investigaciones penales del tráfico ilícito de armas de fuego.

Por lo que respecta a la lucha contra el narcotráfico, el consenso de Doha promoverá una más eficaz *cooperación internacional* entre las autoridades judiciales y policiales, con el objetivo de combatir la participación de grupos delictivos organizados en la producción y el

---

[31]   *Declaración de Doha (2015)*, apartado 8.d.
[32]   *Declaración de Doha (2015)*, apartado 8.e.

tráfico de drogas ilícitas y las actividades delictivas conexas, así como la adopción de medidas para reducir la violencia relacionada con el narcotráfico[33].

Un desafío importante para la comunidad internacional estribará en la intensificación de la *cooperación internacional* con el objetivo de prevenir y combatir las formas nuevas y emergentes de delincuencia organizada[34]. En este sentido, el consenso de Doha apuesta por la intensificación de la *cooperación internacional* en la lucha contra la Ciberdelincuencia, focalizando el análisis en la captación de personas con fines de tratas y la protección de los niños en el ámbito del grave delito de la ciberpornografía.

Otro ámbito relevante donde ha de intensificarse la *cooperación internacional*, es el ámbito de la lucha contra el tráfico ilícito de bienes culturales que realizan los grupos delictivos organizados y organizaciones terroristas. Especialmente, en lo relativo a la mejora en la implementación de los instrumentos jurídicos internacionales al respecto. Se ha de incrementar la cooperación internacional de los Estados en esta materia con UNESCO, Interpol, y otros Organismos Internacionales competentes[35].

Asimismo, el consenso de Doha muestra su compromiso por la intensificación de la lucha contra el preocupante fenómeno de la llamada delincuencia urbana. Es de especial preocupación los nexos existentes entre dicha delincuencia urbana y las actividades de la delincuencia organizada en algunos países y regiones.

Otros ámbitos delictivos de preocupación en la Cumbre de Doha, se centran en la intensificación de la *cooperación internacional* en la lucha contra los delitos medioambientales, como el tráfico de especies de fauna y flora silvestres, incluidas las protegidas por la Convención sobre el Comercio Internacional de Especies Amenazadas de Fauna y Flora Silvestres, madera y productos de madera y desechos peligrosos, así como la caza furtiva. Se pretende reforzar la legislación, la cooperación internacional, la creación de capacidad, las respuestas de la justicia penal y las actividades de aplicación de la ley encaminadas,

---

[33] *Declaración de Doha (2015)*, apartado 8.i.
[34] *Declaración de Doha (2015)*, apartado 9.
[35] *Declaración de Doha (2015)*, apartado 9.c.

entre otras cosas, a combatir la delincuencia organizada transnacional, la corrupción y el blanqueo de dinero vinculado a esos delitos[36]. El consenso de Doha apuesta también por el incremento de la *cooperación internacional* en la lucha contra otros delitos de la delincuencia organizada como el contrabando de petróleo y sus derivados, el tráfico ilícito de metales preciosos y piedras preciosas, las actividades ilícitas de minería, la falsificación de bienes de marca, el tráfico de órganos humanos, sangre y tejidos y la piratería y la delincuencia organizada transnacional en el mar[37].

3. CONCLUSIONES

Vemos que hay numerosos desafíos que los Organismos Internacionales tienen ante sí para luchar de forma cada vez más eficaz contra la delincuencia organizada. En el actual mundo globalizado, las redes delictivas organizadas tienen capacidad operativa a nivel mundial y se valen del fenómeno de la mundialización para realizar sus actividades altamente lucrativas.

Dados los graves efectos negativos de las actividades de la delincuencia organizada en la sociedad internacional, desde la vulneración de los derechos humanos de las víctimas de tales grupos delictivos organizados, hasta la vulneración de bienes jurídicos a proteger como el orden socioeconómico de las sociedades, la Comunidad Internacional ha de apostar por el necesario incremento de la cooperación internacional, con vistas a luchar contra las numerosas actividades y dimensiones de la delincuencia organizada.

Un elemento importante es el instar a los Estados a implementar de forma cada vez más eficaz los instrumentos jurídico-internacionales como la Convención de Palermo y sus 3 Protocolos, los Tratados antidrogas y todos los instrumentos que han emanado de Organismos Internacionales para luchar contra la criminalidad organizada.

Hemos analizado en el trabajo la importante labor de Naciones Unidas, a través de los Congresos sobre Prevención del Delito para

---

36 *Declaración de Doha (2015)*, apartado 9.e.
37 *Declaración de Doha (2015)* apartado 9.g.

luchar contra la delincuencia. Y especialmente, hemos estudiado el llamado *Consenso de Doha* por el que se ha apostado por un método holístico a la hora de abordar la lucha preventiva contra la delincuencia organizada.

En este sentido, se propone decididamente la inclusión de la Agenda de desarrollo sostenible 2016-2030 de Naciones Unidas en ese enfoque holístico de lucha contra la delincuencia organizada. Especialmente, nos referimos a los Objetivos de Desarrollo Sostenible sobre erradicación de la Pobreza; la promoción de la Educación; o la apuesta por el Estado de Derecho, la Democracia y la Paz, como ámbitos que la Comunidad Internacional ha de promover para luchar de forma preventiva contra la delincuencia. El *Consenso de Doha* propone la intensificación de la cooperación internacional para luchar contra todas las formas de delincuencia organizada como la trata de personas, el tráfico ilícito de migrantes, el tráfico ilícito de armas, el narcotráfico, el blanqueo de capitales, el tráfico ilícito de órganos, el tráfico ilícito de piedras preciosas o minerales, el tráfico ilícito de especies amenazadas de fauna, flora, y maderas preciosas, el tráfico ilícito de bienes culturales, el tráfico ilícito de petróleo y derivados, o los delitos relativos a la Ciberdelincuencia. Por supuesto, que los nexos entre la delincuencia organizada y la financiación de organizaciones terroristas, es objeto prioritario del enfoque holístico a aplicar en los próximos años por parte de los Estados.

En definitiva, muchos son los desafíos existentes para los Organismos Internacionales, a fin de poder luchar eficazmente contra las múltiples dimensiones de la delincuencia organizada. Pero, de alguna manera, la Comunidad Internacional sí que cuenta con instrumentos jurídicos capaces de contrarrestar las actividades de los grupos delictivos organizados. Sin duda, cuanto más se incremente la cooperación internacional entre los Estados, tanto más se alcanzarán los objetivos de luchar eficazmente contra la delincuencia, y así reducir esa grave amenaza a la seguridad de los Estados democráticos.

4. BIBLIOGRAFÍA

ALBANESE, Jay, *Organized Crime in Our Times*, 4th edition. Lexis Nexis/Anderson, 2004.

ALLUM, Felia, SIEBERT, Renate, *Organized Crime and the Challenge to Democracy*. Routledge, 2003.

BEARE, Margaret (ed.), *Critical Reflections on Transnational Organized Crime, Money Laundering, and Corruption*. Toronto: University of Toronto Press, 2003.

BLANCO CORDERO, Isidoro, "Principales instrumentos internacionales (de Naciones Unidas y la Unión Europea) relativos al crimen organizado: la definición de la participación en una organización criminal y los problemas de aplicación de la Ley Penal en el espacio". En *Revista Penal*, n° 6, julio 2000, pp. 3-14.

BORJÓN NIETO, José Luis, *Cooperación internacional contra la delincuencia organizada transnacional*, Editorial Armando Tellez Reyez, Mexico D.F., 2005.

CARPIO DELGADO, Juana del, *Las víctimas ante los tribunales penales internacionales Ad Hoc*, Valencia: Tirant lo Blanch, 2009.

DE LA CUESTA ARZAMENDI, J.L., ·' El Derecho Penal ante la criminalidad organizada: nuevos retos y límites '. En GUTIÉRREZ-ALVIZ CONRADI, F; VALCÁRCE LÓPEZ, M. (Dirs.). *La cooperación internacional frente a la criminalidad organizada*. Sevilla, 2001, p. 85-123.

DAVID Pedro R., *Globalización, prevención del delito y justicia penal*. Buenos Aires: Zavalia, 1999. 814 p.

ESPIGARES MIRA, Jesús, "Criminalidad internacional en el siglo XXI. Instrumentos para combatirla". En Revista *Ciencia Policial*, n° 71, enero-febrero 2004, pp. 59-72.

FERNÁNDEZ STEINKO, Armando, *Delincuencia, finanzas y globalización*, Madrid: Centro de Investigaciones Sociológicas, 2014.

GONZÁLEZ RUS, Juan José (Dir.), *La criminalidad organizada*, Valencia: Tirant lo Blanch, 2014.

GROPP, Walter (Hrsg.). *Besondere Ermittlungsmaßnahmen zur Bekämpfung der Organisierten Kriminalität*. Freiburg i. Br.: Eigenverlag Max-Planck-Institut-für ausländisches und internationales Strafrecht, 1993.

GUTIÉRREZ-ALVIZ CONRADI, Faustino; VALCÁRCE LÓPEZ, Marta, *La cooperación internacional frente a la criminalidad organizada*, Universidad de Sevilla, Sevilla: 2001.

HUISMAN, W., Het openbaar bestuur en de strijd tegen georganiseerde criminaliteit. En *Openbaar bestuur, Tijdschrift voor beleid, organisatie & politiek*, nr. 5, 2002, p. 17-21.

LÓPEZ-REY, Manuel, *A Guide to United Nations Criminal Policy*. Aldershot: Gower. (Cambridge Studies in Criminology, LIV). 1985. 142 p.

MORÁN BLANCO, Sagrario; ROPERO CARRASCO, Julia; GARCÍA SÁNCHEZ, Beatriz, *Instrumentos internacionales en la lucha contra la delincuencia organizada*, Colección CEIB de Estudios Iberoamericanos, 2, Universidad Rey Juan Carlos, Madrid: 2011.

NELEN, H., Dansen op het slappe koord. Wetenschappelijk onderzoek naar georganiseerde criminaliteit. En. *Justitiële Verkenningen*, jrg, 28, nr. 2, 2002, p. 79-86.

NEWMAN, Graeme (Ed.), *Global report on crime and justice*. United Nations Office for Drug control and Crime Prevention. New York; Oxford: OxfordUniversity Press, 1999. 356 p.

QUINTERO, María Eloisa, *Herramientas para combatir la delincuencia organizada*, Inacipe, Instituto Nacional de Ciencias Penales, México D.F.: 2010.

RODRÍGUEZ VALENCIA, Azucena; VIZCAÍNO ZAMORA, Álvaro (coords. *Directrices criminológicas y jurídicas para el tratamiento de la delincuencia organizada transnacional en el continente americano*. Inacipe, Instituto Nacional de Ciencias Penales, México D.F.: 2013.

SANZ MULAS, Nieves (coord.), *El desafío de la criminalidad organizada*, Granada: Comares, 2006.

SHELLEY, Louise; PICARELLI, John T; CORPORA, Chris, Global Crime. En CUSIMANO LOVE, Maryann (ed.). *Beyond Sovrereignty: Issues for a global agenda*. 2ª ed. The CatholicUniversity of America, Thomson, Wadsworth, 2003.

SHELLEY, Louise, Identifying, Counting and Categorizing Transnational Criminal Organizations. En. *Transnational Organized Crime*, Vol. 5, nº 1, Spring 1999, p. 1-18.

SHELLEY, Louise, Crime as the Defining Problem: Voices of Another Criminology. En. *International Annals of Criminology*, Vol. 39, nº 1 / 2, 2002 pp. 73-88.

SHERMAN, Lawrence W., "Criminología y prevención del crimen en el siglo XXI". En *Revista Electrónica de Ciencia Penal y Criminología*. RECPC 05-r2 (2003). Disponible en http: //criminet.ugr.es/recpc/05/recpc05-r2.pdf

VAN DEN WYNGAERT, C., "Las transformaciones del Derecho Penal Internacional en respuesta al reto del crimen organizado". Relación General presentada en el Coloquio de Utrecht de 13-17 de mayo de 1998 del XVI Congreso Internacional de Derecho Penal, Budapest, 1999, trad. Del Prof. J.L. de la Cuesta Arzamendi.

VERMEULEN, Gert, "Criminal Policy Aspects of the EU´s (Internal) Asylum Policy. En. *Revue des Affaires Européennes/Law&European Affairs*, 2001-2002/5, p. 602-612.

VIDALES RODRÍGUEZ, Caty (coord..), *Tráfico de drogas y delincuencia conexa*, Valencia: Tirant lo Blanch, 2014.

VILLACAMPA ESTIARTE, Carolina (coord.), *La delincuencia organizada un reto a la política criminal actual*, Pamplona: Aranzadi, 2013.

WILLIAMS, Phil, Emerging issues: Transnational crime and its control. En. NEWMAN, Graeme (Ed.). *Global report on crime and justice*. United Nations Office for Drug control and Crime Prevention. New York; Oxford: OxfordUniversity Press, 1999, p. 221-241.

ZUÑIGA RODRÍGUEZ, Laura, *Criminalidad organizada y Sistema de Derecho Penal: Contribución a la determinación del injusto penal de la organización criminal*. Granada: Comares, 2016.

EL TRÁFICO INTERNACIONAL DE DROGAS

SITUACIÓN DEL TRÁFICO DE DROGAS EN ESPAÑA: AMENAZA Y RESPUESTAS

LUIS PELÁEZ PIÑEIRO[1]

Sumario: 1. Tráfico de drogas y delincuencia organizada. 2. Tráfico de drogas en España. Análisis de situación. 3. Estrategias de respuesta. 4. Herramientas de respuesta. 5. Conclusiones. Bibliografía.

Resumen: El tráfico de drogas conforma el paradigma de la delincuencia organizada transnacional.

España constituye lugar de destino y tránsito de varios tipos de droga, siendo un escenario donde operan grupos criminales de diferente condición.

El tráfico de cannabis que afecta principalmente a España es el asociado al hachís que proviene del norte de África. Se están detectando algunas variaciones en las rutas y la aparición de grandes plantaciones de marihuana el interior del territorio español.

El tráfico de cocaína procedente de Sudamérica y accede a España por diferentes vías. Cobra especial interés la denominada "ruta africana de la droga", como posible alternativa a las ya conocidas rutas directas transatlánticas.

España ha pasado de ser un país de destino del tráfico de heroína procedente de los lugares de producción y transformación a través de la "ruta terrestre de los Balcanes", a ser lugar de tránsito de la droga traficada por grupos que operan vía África o directamente desde el sur de Asia.

Las drogas sintéticas que se detectan en España provienen fundamentalmente de Centroeuropa y tienen destino final los lugares de ocio de las zonas turísticas. Se conocen también otros orígenes, principalmente Asia. Pueden existir algunos laboratorios de producción en territorio nacional.

Preocupa la aparición de Nuevas Sustancias Psicoactivas no fiscalizadas y comercializadas a través de internet.

España produce y exporta sustancias catalogados como precursores químicos para la elaboración de drogas, que pueden ser desviados hacia su empleo ilícito en los lugares de producción situados en otros lugares del mundo.

Las rutas de tráfico y los métodos, técnicas y procedimientos que emplean los narcotraficantes evolucionan de manera constante, y se adaptan a las respuestas que ofrece la comunidad internacional.

---

[1]   Teniente Coronel de la Guardia Civil.

Diferentes organismos internacionales, la Unión Europa y España consideran al tráfico de drogas una amenaza muy relevante, y han establecido estrategias de respuesta que buscan actuar de manera convergente. Algunos actores consideran que puede ser necesario reflexionar sobre su eficacia y explorar otras líneas con una filosofía y enfoque diferentes.

Se ha avanzado mucho en las herramientas de lucha contra la oferta de drogas, pero todavía queda por hacer, siendo necesario sobre todo disponer de sólidas y modernas figuras procesales que permitan sustentar investigaciones orientadas a privar a los delincuentes de los beneficios obtenidos, encausar a los responsables de las organizaciones y desmantelar las estructuras que dan apoyo a su actividad.

Palabras clave: Delincuencia organizada transnacional; estrategia de respuesta; lucha contra oferta de drogas; rutas, métodos y procedimientos del tráfico de drogas; herramientas procesales.

1. TRÁFICO DE DROGAS Y DELINCUENCIA ORGANIZADA

Diferentes documentos y estudios de evaluación de la amenaza de carácter internacional, y también numerosos trabajos y estudios doctrinales y académicos, establecen que el tráfico de drogas conforma sin duda el paradigma de la delincuencia organizada transnacional.

Así se fija por ejemplo en los periódicos informes de diversa naturaleza (de análisis de situación, de carácter estratégico, de evaluación política...etc) emitidos por organismos internacionales como la Oficina de Naciones Unidas contra la Droga y el Delito (UNODC)[2], el Parlamento Europeo[3] o Europol[4].

---

[2]   Elabora anualmente el imprescindible Informe Mundial de Drogas, uno de los pocos documentos de análisis de nivel mundial. Edita también informes regionales o sectoriales que son referencia obligada para entender la dinámica internacional de las drogas.

[3]   Entre otros, el Informe sobre la delincuencia organizada en la Unión Europea, elaborado por la Comisión de Libertades Civiles, Justicia y Asuntos de Interior, siendo ponente la eurodiputada italiana Sonia Alfano ("Informe Alfano") o el Informe sobre la delincuencia organizada, la corrupción y el blanqueo de dinero: recomendaciones sobre las acciones o iniciativas elaborado por la Comisión Especial sobre la Delincuencia Organizada, la Corrupción y el Blanqueo de Dinero, siendo ponente el eurodiputado italiano Salvatore Iacolino ("Informe Iacolino").

[4]   El referente más importante sobre la evaluación de la amenaza de la delincuencia grave y organizada a nivel de la Unión Europea lo constituye precisamente el

Y ello porque sin duda el narcotráfico responde a los patrones que se asume caracterizan al crimen organizado, y entre los que se pueden citar los siguientes:

- *Finalidad esencialmente económica.* Su principal objetivo es sin duda la búsqueda de beneficios. Cualquier otra finalidad que pueda aparecer (búsqueda de cotas de poder...etc) es instrumental y por tanto subordinada a la primera[5].

- *Implicación en actividades ilícitas.* Para alcanzar sus objetivos, desarrolla actividades prohibidas por la ley, en particular las relacionadas con la explotación de mercados prohibidos en respuesta a una cierta ¿gran? demanda[6].

- *Asociación de una pluralidad de personas*: Son actividades cometidas por grupos que responden a la idea de una organización (jerarquía, distribución de funciones y tareas, y reparto de responsabilidades) que se constituye de manera expresa para delinquir.

- *Tiene diferentes dimensiones.* Se suele hablar del gran tráfico y del mediano/pequeño tráfico, diferenciando por un lado a las dinámicas y estructuras criminales dedicadas a la producción de drogas y a su traslado desde los lugares de origen hacia los grandes mercados ilícitos, y por otro, a las dedicadas a hacer llegar la droga hasta el consumidor final.

"Serious and Organised Crime Threat Assessment", más conocido por sus siglas SOCTA. El SOCTA es un informe estratégico, de carácter bianual, que elabora EUROPOL y que identifica y evalúa las amenazas, las vulnerabilidades y las oportunidades para la delincuencia en la UE, incluidos los resultados específicos de las regiones y Estados Miembros.

[5] El Fondo Monetario Internacional calcula que los beneficios anuales del tráfico de drogas representan entre el 8% y el 10% del comercio mundial y son superiores al producto interior bruto de un país de economía media.

[6] La Oficina de Naciones Unidas contra la Droga y el Delito (UNODC), en su Informe Mundial de drogas del año 2015 estima que un total de 246 millones de personas, o una de cada 20 personas de edades s comprendidas entre los 15 y los 64 años, consumieron drogas ilícitas el año 2013. El Observatorio Europeo de las Drogas y las Toxicomanías (EMCDDA) en su informe del año 2015 estima que 2,3 millones de jóvenes europeos (de entre 15 y 34 años) consumieron cocaína en el año 2014.

El máximo exponente del tráfico de drogas lo conforman organizaciones criminales perfectamente estructuradas que tienen su máximo exponente en grupos tales como los cárteles
o "bandas criminales-bacrim" de la cocaína en Colombia y de
México, las mafias de Rusia, Cáucaso y de Europa del Este, las
tríadas de China, las yakuzas de Japón o las mafias italianas y
de los Estados Unidos en su diversas modalidades (Cosa Nostra, Camorra, ´Ndrangheta o Sacra Corona Unita) que hacen
del narcotráfico una de sus principales fuentes de negocio.

- *Actividades ilegales complementadas con actividades legales.*
  En el ámbito del tráfico de drogas del más alto nivel, los beneficios obtenidos por los grupos criminales provienen de un combinación de sus actividades ilícitas (el propio tráfico de drogas)
  y de negocios legales constituidos a su albur, orientados esencialmente al blanqueo de sus ganancias.

- *Carácter de continuidad en el tiempo*: Tiene vocación de per-
  durabilidad, de modo que la organización es permanente, sus
  miembros pueden ir pasando pero la corporación criminal sigue
  existiendo: se va renovando y adaptando a los nuevos tiempos.

- *Empleo de medidas de seguridad.* Muy relacionada con la anterior. Al operar contra las leyes y los intereses de los Estados,
  la delincuencia dedicada al tráfico de drogas está sometida a la
  persecución de sus instrumentos policiales y judiciales. Igualmente, suele actuar en un mercado de gran competencia entre
  grupos delincuenciales.

  Por ello, si pretenden operar durante un periodo de tiempo largo o incluso de modo permanente, con independencia de intereses individuales, deben protegerse de las vicisitudes externas,
  por lo que se suelen dotar de medidas de seguridad variadas
  (empleo de alta tecnología para sus comunicaciones y transportes, uso de violencia y corrupción, empleo de negocios legales
  para disimular sus actividad ilícita...etc).

- *Es transnacional.* Es quizás una de sus características más importantes.

  Sin duda el tráfico de drogas se beneficia de la "globalización",
  considerando la reducción de los costes de transporte y la extensión de conexiones marítimas, aéreas y terrestres; el aumen-

to de los intercambios comerciales mundiales; los constantes movimientos de personas, mercancías y capitales; el desarrollo de la tecnología aplicada a las telecomunicaciones o la apertura y eliminación de fronteras.

Ello unido a la unificación e interconexión de los mercados financieros nacionales e internacionales y, en términos generales, la interdependencia creciente de los países, son factores que favorecen también la extensión del fenómeno de la delincuencia organizada asociada al tráfico de drogas.

- *Tiene conexiones con otras actividades criminales.* Además de que las organizaciones criminales se valen de la comisión de otros delitos (extorsiones, homicidios, falsificación de documentos, blanqueo de capitales…etc), para apuntalar y asegurar su actividad principal, se vienen considerando muy seriamente los lazos y relaciones del narcotráfico con otras modalidades criminales, como pueden ser el terrorismo, la inmigración ilegal y la trata de seres humanos o el tráfico de armas.

  No parece razonable establecer que exista, salvo casos muy puntuales, una alianza de carácter estratégico entre unas y otras actividades, siendo más probable que existan contactos puntuales más o menos sólidos orientados sobre todo a compartir recursos logísticos (medios de transporte, rutas, estructuras de blanqueo de dinero…etc), métodos de trabajo, ámbitos territoriales donde operar con impunidad porque las estructuras de los Estados sean débiles (por conflictos armados, presencia de insurgencias…etc) y en su caso, el empleo de una actividad (el narcotráfico) para financiar el desarrollo de la otra.

- *Provoca efectos indeseables en el ciudadano, la sociedad y en los Estados.*

  Afectando no sólo a la vida comunitaria, sino también a la economía, a la gobernabilidad y al funcionamiento ordinario de las instituciones públicas.

  Así, además de exponer a la población a riesgos sobre su salud, incitan en ocasiones a la emulación de conductas criminales y violentas, afectan a las infraestructuras, crean zonas marginales y provocan ámbitos de inseguridad y desconfianza que dificultan el desarrollo social y económico.

Con los beneficios obtenidos de la actividad ilícita evitan las legislaciones nacionales e internacionales sobre movimientos de pago y capitales, poniendo en circulación grandes cantidades de dinero a través de rutas clandestinas que evitan las fronteras y que quedan fuera del alcance del control aduanero y fiscal.

Del mismo modo, el blanqueo de capitales derivado, desestabiliza y perturba las economías, especialmente la de aquellos estados más débiles pero afectando igualmente a los más desarrollados, creando una suerte de economías paralelas, un "sector informal" que no respeta ni leyes ni regulaciones, y que puede llegar incluso a dinamizar artificialmente algunos sectores, pero que en realidad lo que hace es contaminar la economía con dinero sucio, de modo que reducen los índices de productividad, rebajan o eliminan la competitividad y desincentivan la actividad empresarial y el desarrollo y la formación personal, cuando se hace del narcotráfico un forma de vida o el modo principal para recibir ingresos.

Finalmente, otros de los efectos más importantes es que la delincuencia utiliza la corrupción y otras formas de influencia, aspirando a consolidar posiciones incluso de poder político y actuando como un grupo de presión que intenta controlar las instituciones y que en algunos casos llega a desestabilizar las estructuras del Estado.

2. TRÁFICO DE DROGAS EN ESPAÑA. ANÁLISIS DE SITUACIÓN

Las características y dimensiones del crimen organizado dedicado al narcotráfico descritas anteriormente, se ponen de manifiesto de una u otra forma y a diferente nivel en los grupos criminales que operan en España[7].

---

[7] Por ejemplo, en una comparecencia ante el Congreso de los Diputados en el año 2013, el Ministro del Interior estableció que el tráfico de drogas genera en España un beneficio diario de cerca de 15,7 millones de euros, lo que significa entorno a 5.717 millones anuales.

No se puede equiparar en modo alguno la situación española con la que puede existir en otros lugares del mundo, pero sin duda España se ve afectada de forma significativa por el problema del narcotráfico[8], y en particular por la acción de los grupos organizados dedicados a esta actividad criminal[9].

Y ello por diferentes razones de tipo geográfico, social o económico, que sitúan a nuestro país como un escenario donde operan diversos actores relevantes vinculados con esta actividad delictiva[10].

De este modo, se va a intentar ofrecer una panorámica general sobre la situación del crimen organizado asociado al tráfico de drogas en España.

La aproximación será eminentemente descriptiva, dando sólo algunas pinceladas de vocación referencial basadas en la bibliografía conformada por los diferentes informes de evaluación de la amenaza que efectúan observatorios, organizaciones e instituciones internacionales y nacionales públicas y privadas, pero también se van a exponer también algunos aspectos derivados de la experiencia adquirida por las Fuerzas y Cuerpos de Seguridad, en las investigaciones desarrolladas sobre los grupos de narcotráfico que operan en el territorio nacional.

Todo ello siendo conscientes de que, como cualquier otra actividad criminal, el narcotráfico evoluciona de forma continua y pueden apa-

---

[8]   El Observatorio Europeo de las Drogas y las Toxicomanías (EMCDDA) en su informe del año 2015 sitúa a España como el primer país de Europa en consumo de cocaína y el segundo en consumo de hachís.

[9]   El *Informe Anual de Seguridad Nacional (IASN)* elaborado por el Departamento de Seguridad Nacional de Presidencia del Gobierno viene considerando que España es uno de los países europeos en los que las organizaciones criminales de carácter transnacional pretenden, de forma significativa, extender sus actividades ilícitas, siendo las dedicadas al tráfico de drogas una de las más importantes.

[10]   El tráfico de drogas es la actividad principal del mayor número de grupos organizados considerados como "de alta intensidad" detectados en España. se trata con esta denominación de caracterizar a organizaciones criminales transnacionales de importante entidad, dotadas de una vasta, compleja y asentada infraestructura, que pueden llegar a conformar verdaderos entramados empresariales capaces de generar a través de sus actividades ilícitas, importantes beneficios económicos, que pueden transformar, convertir y en su caso legitimar. Son organizaciones ilícitas con una gran vocación de infiltración en las instituciones y estructuras sociales y económicas.

recer múltiples variantes que dejen obsoleto cualquier documento que trate de plasmar esta realidad de forma exhaustiva.

Para sistematizar el estudio, se analizará de manera esquemática la problemática asociada a cada tipo de droga, por cuanto las rutas, métodos y procedimientos empleados por los traficantes, si bien en muchos casos similares, varían de unas sustancias a otras, estando incluso condicionados por la idiosincrasia particular de los grupos internacionales e incluso étnicos que, junto a los españoles, lideran algunos de estor tráficos y que operan en o a través de España[11].

Este último matiz es importante, pues a España se le ha atribuido la condición de ser la "puerta de entrada de la droga a Europa". Sea puerta principal, sólo una de las puertas o como nosotros preferimos denominarla "primera barrera u obstáculo al narcotráfico[12]", es preciso ser consciente que el territorio nacional es en todo caso un importante escenario donde operan actores que desarrollan diferentes transacciones y negociaciones encaminadas a introducir droga para consumo interno o de paso hacia otros países, para transitar el dinero obtenido de su venta o para insertar sus beneficios en el circuito financiero legal.

2.1. Tráfico de hachís

Es frecuente que en los distintos documentos de evaluación de la amenaza se comience por estudiar otros tipos de droga, pero en el caso español se ha optado por darle preferencia al tráfico de cannábicos, fundamentalmente el hachís, por cuanto se considera que es el tráfico que más incidencia tiene en nuestro país y de los que más afectación tiene en Europa.

Y ello a pesar de que en los últimos tiempos parece existir una cierta tendencia a minimizar sus efectos, derivando en opciones políticas que estudian su uso legal y a su marginación como prioridad en

---

[11]   A partir de los informes publicados por el Ministerio del Interior, aproximadamente el 35% de los detenidos anualmente en España por tráfico de drogas son extranjeros.
[12]   España aparece recurrentemente en las estadísticas como el primer país del mundo en incautaciones de hachís y el primero de Europa en incautaciones de cocaína.

las estrategias, planes y programas que orientan la actuación de los gobiernos y las instituciones en materia de lucha contra la droga[13].

España, principalmente por diferentes razones entre las que destaca su situación geográfica forma parte de las rutas de entrada y tránsito y de las drogas procedentes del norte de África, especialmente aquellas que pasan o provienen de Marruecos, principal productor del mundo[14].

De este modo, se considera que las notas principales que caracterizan el tráfico de cannabis en España son las siguientes:

- El hachís tiene como destino no sólo el territorio español, sino otros países de la UE tales como Francia, Italia, Inglaterra o los Países Bajos[15].

- La introducción de droga en Europa está cada vez más en manos de las organizaciones criminales compuestas por individuos de origen magrebí (principalmente marroquí) residentes en los diferentes países de la UE (fundamentalmente España y Francia), que dominan todas las fases del gran tráfico (producción, transporte y distribución al por mayor).

- Estas organizaciones venden la droga a otras organizaciones de distribución intermedia que pueden ser también de origen norteafricano (marroquíes, argelinos o tunecinos) o compuestas por nacionales de cada país (incluyendo españoles) con los que contactan a través de un extensa red de intermediarios de diversa condición.

Algunas de las organizaciones europeas compradoras pertenecen a los grandes grupos que controlan el crimen organizado en los diferentes países europeos, como pueden ser, entre otros,

---

[13]   El tráfico de hachís no se encuentra por ejemplo entre las prioridades establecidas por el Consejo de la Unión Europea para la lucha contra la delincuencia grave y organizada entre 2014 y 2017 (aprobación del Ciclo Político 2013-2017 en el Consejo JAI de 8 y 9 de Noviembre de 2010). Tampoco lo estaba en el anterior Ciclo Político.

[14]   El cannabis puede cultivarse en entornos muy distintos y crece de forma silvestre en muchas regiones del mundo. No obstante, se estima que los principales productores de cannabis destinado al consumo en el mundo son Marruecos, Afganistán México, Colombia y Sudáfrica.

[15]   También otros como Alemania, países nórdicos o bálticos.

las diversas mafias italianas, marsellesa o los grupos "moteros" alemanes.

- El hachís que entra en España, sea con este destino o con destino al resto de Europa, lo hace procedente principalmente de Marruecos[16] y por diversas vías destacando principalmente los correos que viajan diariamente en los barcos que comunican la península con el continente africano y que transportan la droga en el interior del organismo, oculta en el equipaje o adherida al cuerpo.

También a través de los pasos de frontera habilitados, mediante turismos y vehículos ligeros oculto en dobles fondos o en el equipaje; por desembarcos ilegales (principalmente en las costa de Andalucía y el litoral mediterráneo pero también las Islas e incluso en el norte de España o las costas portuguesas), mediante pesqueros, embarcaciones de recreo, motos de agua o embarcaciones de alta velocidad que son fabricados en astilleros clandestinos o adquiridas en los mercados legales y luego desviados a esta actividad ilícita.

Finalmente mediante aeronaves (avionetas, ultraligeros y helicópteros) que efectúan vuelos ilícitos entre Marruecos y España; a través de los pasos de frontera habilitados, mediante camiones, ya sea en dobles fondos u oculto entre la mercancía, aprovechando el enorme tránsito de mercancías procedentes de África y con destino a Europa; o mediante el empleo de contenedores marítimos.

- Una vez en España, y dependiendo del método de introducción empleado se distribuye, directamente o previo depósito temporal en almacenes ilícitos, hacia el mercado nacional o se traslada al resto de Europa por vía principalmente terrestre (mediante camiones o turismos).

Destaca entre los métodos de transporte el denominado "gofast", característico de los grupos franceses, consistente en el traslado de la droga empleando caravanas de varios turismos de alta cilindrada y capacidad o furgonetas que circulan a gran

---

[16]   En ocasiones también de Argelia o Túnez, fundamentalmente a través de los ferrys que conectan estos países con algunas ciudades españolas.

velocidad precedidos de un vehículo de reconocimiento de la ruta que opera como "lanzadera".

- Las actividades que desarrollan los grupos que operan en España se apoyan en grupos españoles que prestan apoyo logístico para el transporte, descarga, almacenamiento, información o seguridad, y que conforman toda una red y tipología de figuras (pilotos de aeronaves y embarcaciones, "collas" para descargas en playas, informadores...etc), desplegadas principalmente en Andalucía y Levante e integradas por españoles pero también, de manera creciente, por residentes de otras nacionalidades (por ejemplo rumanos, sudamericanos o balcánicos).

- Se están consolidando nuevas rutas marítimas desde Marruecos que, sin pasar por España, son directas hacia otros países de la UE como Francia, Italia o Países Bajos, empleando fundamentalmente embarcaciones rápidas o de recreo o incluso grandes buques mercantes que cruzan el mediterráneo con destino oriente medio (nueva ruta del mediterráneo oriental) o el norte de África para desde allí ser quizás introducidas en Europa.

- Se observa, por parte de las organizaciones del narcotráfico un aumento de la violencia (secuestros y homicidios) especialmente "inter-grupos" no conocido hasta ahora. Ello deriva principalmente de los ajustes de cuentas que se producen ante la actuación de algunos grupos delincuenciales de nueva aparición dedicados al robo de droga gestionada por las organizaciones ya consolidadas de narcotráfico, o el impago de las deudas contraídas en el tráfico; y que en algunas ocasiones provoca como efecto colateral que la citada violencia se dirija también contra las fuerzas de seguridad.

- Se estima que una gran parte del dinero correspondiente a la venta del hachís en la UE, retorna a Marruecos en metálico a través de España o directamente desde otros Estados miembros (camuflado en envíos de mercancías, vuelos comerciales, etc.) mediante sistemas poco sofisticados tales como dobles fondos en vehículos o equipajes. Se piensa también que los grupos de narcotráfico podrían utilizar también procedimientos de compensación económica tipo "hawala".

En ocasiones este dinero se reintroduce en España (de manera ilegal o justificado y declarado como proveniente de operaciones comerciales), para ser reenviado directamente en metálico o mediante previa introducción instrumental en el sistema financiero, a terceros países como pueden ser los Emiratos Árabes.

- Los beneficios del tráfico de hachís se blanquean también en España, considerándose Ceuta y Melilla como puntos clave de estas transacciones.

- Se aprecian conexiones del tráfico de hachís con otras actividades ilegales tales como el robo de vehículos o embarcaciones (que son utilizados para efectuar los transportes); la falsificación de documentos (de personas o vehículos) y la inmigración ilegal (empleo de inmigrantes ilegales para efectuar descargas o transportes de droga).

- Existen indicios que apuntan al intento de utilización de las infraestructuras, muy consolidadas, del tráfico de hachís, para el tráfico de cocaína a través de la denominada "ruta africana", e incluso la realización de operaciones de tráfico de hachís para conseguir financiación y "evolucionar" hacia el tráfico de cocaína.

- Si bien la problemática principal es la referida al tráfico de hachís, se ha detectado, al igual que otros puntos de Europa, un aumento del cultivo de cannabis en instalaciones "indoor" de alto rendimiento mediante técnicas modernas de cultivo[17] importadas esencialmente de los Países Bajos, Holanda, con el fin de producir marihuana que se exporta a diferentes puntos de Europa.

2.2. Tráfico de cocaína

El tráfico de cocaína conforma sin duda el tráfico de mayor interés para la comunidad internacional.

A modo de Resumen, se considera que la evolución del tráfico de cocaína en España viene caracterizada por:

---

[17]   Que consiguen hasta cuatro cosechas al año de marihuana (por una en condiciones naturales) con muy alto contenido de principio activo.

- Según los diferentes informes sobre producción de drogas, Colombia, Perú y Bolivia continúan siendo los principales productores y exportadores mundiales de cocaína[18].
  De este modo, la droga que se introduce en Europa proviene de los países citados, bien directamente o bien (más frecuente) a través de rutas alternativas que pasan por otros países intermedios (Venezuela, Ecuador, Argentina, Panamá, Brasil o la República Dominicana, entre otros) o bien de forma más reciente, y como después se expondrá, a través de la denominada "Ruta africana".

- Aunque no es el único país a través del cual se introduce droga en Europa, se ha venido considerando a España como una de las principales plataformas de entrada de la cocaína en el continente. Así, la cocaína que entra en España tiene como destino no sólo el territorio español, sino otros países de la UE.

- La introducción de droga en España está fundamentalmente dominada por organizaciones colombianas, que ejercen de importadores y mayoristas, si bien se ha detectado también la implantación de organizaciones dominicanas o africanas (esencialmente nigerianas)[19]. A ello se une la probable presencia que los grandes cárteles mexicanos puedan estar adquiriendo, actuando de forma autónoma o bien mediante conexiones con otros grupos ya implantados.

- España es también escenario donde operan diversos grupos europeos, muchos de ellos conectados con las principales organizaciones criminales organizado italianas (especialmente la

---

[18] Las características del arbusto de coca condicionan una zona de producción de cocaína muy concreta y casi exclusiva en el mundo, centrada en el área andina de América del Sur (Bolivia, Perú y Colombia). En cuanto a las regiones receptoras de la droga puede hablarse de un verdadero "mercado global", en el sentido de la existencia de demanda en prácticamente todos los países llamados desarrollados, en gran parte de los países en vías de desarrollo, y en aquellos otros situados cerca de las zonas productoras o de las rutas de tráfico.

[19] Los grupos caribeños son relevantes en una serie de países: dominicanos en España, jamaicanos en Reino Unido y antillanos en los Países Bajos. Los africanos, especialmente nigerianos, son minoristas activos además de importadores a pequeña escala principalmente en algunos países de Europa continental, como Francia, Suiza, Austria, Italia y Alemania.

'Ndrangheta calabresa, pero también la camorra napolitana y la Cosa Nostra siciliana), francesas (por ejemplo la conocida como mafia marsellesa), británicas o balcánicas (genéricamente conocidas estas últimas como "cártel de los Balcanes")[20].

- Las organizaciones sudamericanas suelen contar con "delegados" (frecuentemente también hispanos) en Europa, que actúan como intermediarios para la venta de la droga a organizaciones españolas o del resto del continente. Es frecuente que estos delegados, tengan España como base de operaciones para actuar en toda Europa.

- Además de como apoyo logística para traficar con la droga, los grupos de traficantes emplean España para actividades de blanqueo o incluso como refugio y ocultación de la acción de la justicia internacional o de la acción de grupos rivales.

- El papel de las organizaciones españolas es fundamentalmente proporcionar infraestructura y logística de transporte para efectuar los envíos de droga desde Sudamérica, bien directamente o bien a través de otras zonas de tránsito.

El cobro de estas labores se efectúa normalmente en dinero metálico, pero en ocasiones también en droga, convirtiéndose a su vez en distribuidores.

- En cuanto a los métodos y procedimientos de introducción, la cocaína que se genera en los países productores es transportada desde América del Sur hacia la UE a través del Océano Atlántico por vía marítima o aérea. Como se ha dicho, normalmente no se envía de forma directa a Europa, sino que lo habitual es que se efectúe un transporte previo a otros países iberoamericanos para después ser reenviada al viejo continente.

- A pesar de que los modos de introducción de cocaína evolucionan permanentemente[21], la cocaína que entra en España, sea

---

[20]   En Europa, unos cuantos grupos de la región balcánica (especialmente Rumania, los países de la antigua Yugoslavia, Albania y Turquía) han emergido entre los participantes de este mercado en los últimos años.

[21]   Por ejemplo se han detectado intentos de emplear sumergibles; pequeños artefactos submarinos no tripulados y manejados a distancia...etc.

con este destino o con destino al resto de Europa, lo hace por diversas vías, principalmente y ente otras:

> Por vía aérea, mediante los vuelos que comunican España con Hispanoamérica o África[22], bien directamente o con escalas, a través de personas que actúan como correos o "mulas", y que transportan la droga en el interior del organismo, oculta en el equipaje, o adherida al cuerpo; mediante el envío de paquetería o camuflada como mercancía.

> Por vía aérea, mediante pequeños aviones privados que efectúan vuelos desde Sudamérica o África. Existe también inteligencia de intentos por realizar transportes mediante aeronaves (aviones, avionetas y helicópteros) que efectúan vuelos clandestinos entre África y España.

> Por vía marítima, empleando tripulantes de barcos mercantes o cruceros transatlánticos, o adosando/escondiendo la mercancía en el casco de los citados barcos mediante dispositivos especiales.

> Por vía marítima, mediante el empleo de contenedores, con una falsa declaración de mercancías en empresas legales o pantalla o mediante el procedimiento del conocido como "gancho ciego" o "ripp-off".

> Por vía marítima, mediante el empleo de barcos privados (yates, especialmente veleros) que atraviesan el Atlántico hasta o tocando puertos españoles; o mediante barcos nodriza que transbordan la droga a pesqueros, yates o embarcaciones de alta velocidad y que después desembarcan la droga de forma clandestina en las costas o puertos españoles.

• Destaca la inteligencia disponible sobre posibles transportes de droga efectuados desde África occidental con destino Europa o España utilizando medios como aviones, embarcaciones ligeras o transportes terrestres.

---

[22] Es una de las manifestaciones de la denominada "ruta africana de la cocaína", detectándose envíos de droga mediante el procedimiento de correos humanos desde países de África occidental, directamente a España o vías conexiones con otros aeropuertos europeos. Este procedimiento está dominado fundamentalmente por organizaciones de origen nigeriano.

- Respecto al aseguramiento de la cocaína, las organizaciones utilizan todo tipo de medidas para camuflar la droga e intentar evitar que ésta sea encontrada por las Fuerzas y Cuerpos de Seguridad. Algunas de ellas son: dobles fondos en todo tipo de medios de transporte (vehículos, aviones, contenedores, etc...) o equipajes, paquetería, oculto entre la ropa de personas o incluso en el interior del organismo, disuelta en líquidos, impregnada en todo tipo de soportes, etc.

- El apoyo logístico que necesitan las organizaciones de tráfico, conlleva la necesidad de contar puntualmente con especialistas en determinadas labores que varían en función de la ruta y el modo de transporte elegido (correos, intermediarios, gestores de medios de transporte, constructores de dobles fondos, sicarios encargados de los ajustes de cuentas o de los cobros pendientes, personas interpuestas y asesores legales para gestionar los beneficios del tráfico y el blanqueo de los mismos, grupos encargados de extraer la droga de contenedores en el interior de puertos...etc).

- Los grandes envíos de cocaína efectuados en años anteriores (hasta de más de 6.000 kgs.) son cada vez menos frecuentes. Ahora, y aunque hay excepciones, las organizaciones optan porque los envíos sean de cantidades menores (máximo 1.500 kgs), en especial si se efectúan directamente a España.

- Como ya se ha explicado, se ha detectado la utilización de las organizaciones e infraestructuras del tráfico de hachís desde Marruecos, para el tráfico de cocaína como una modalidad de la denominada "ruta africana".

- Una vez en España, la droga se distribuye a Europa principalmente por vía terrestre, si bien en ocasiones España es también destino de droga que acede a Europa por otras rutas pero mediante los procedimientos ya descritos.

- Aunque el objeto del tráfico es normalmente la cocaína elaborada (clorhidrato) se conoce el envío de pasta base de coca para ser posteriormente procesada y transformada en laboratorios clandestinos españoles.

No obstante, no es frecuente la existencia de laboratorios de elaboración sino sólo de "extracción secundaria" (para extraer la cocaína que viene camuflada por mezcla con otras sustancias) o de adulteración ("corte").

- Como en casi todas las operaciones de tráfico de drogas, el de cocaína se perfecciona en general mediante transacciones de dinero en metálico. De este modo, las organizaciones sudamericanas de tráfico de drogas retribuyen los "servicios" de las organizaciones de transporte en España, o bien con droga o bien con dinero en efectivo, generalmente euros.

Los beneficios obtenidos por las grandes organizaciones sudamericanas de tráfico de drogas normalmente no son blanqueados en España, sino que las ganancias se remiten a sus lugares de origen, bien directamente o bien mediante recorridos por otros países.

Los envíos son normalmente en "metálico" y se efectúan por diversos métodos: por medio de maletas en líneas comerciales, a través de vuelos privados; mediante la ocultación en mercancías aprovechando una exportación o transporte en contenedores que envía una empresa pantalla constituida al efecto. También mediante otros procedimientos como el denominado "pitufeo" a través de remesadoras de fondos o empleando sistemas de compensación.

No obstante lo anterior se conocen casos de "lavado" previo del dinero obtenido de la venta, a través de empresas y negocios tapadera como joyerías, inmobiliarias, bancos, gasolineras y restaurantes, entre otros. Una vez lavado, se envía a los lugares de origen (México, Colombia...etc), frecuentemente también en metálico y con medios y rutas parecidas a los utilizadas para los transportes de la droga.

Finalmente, existen indicios que apuntan a que grupos colombianos y mexicanos pueden estar enviando dinero obtenido de la venta de droga en Estados Unidos y Europa para su blanqueo en España, a través de diferentes inversiones, empleando para ello testaferros nacionales o personas allegadas (familiares... etc) que se mimetizan dentro del colectivo de compatriotas residentes.

- Las organizaciones españolas que efectúan los transportes, sí blanquean en España los beneficios obtenidos de la droga (o bien el importe recibido por el transporte o de la venta de posterior de la droga, si se le ha pagado en "especie"). Así, y en general, por la propia naturaleza de las organizaciones españolas dedicadas al tráfico, los modos de blanqueo utilizados no son en exceso "sofisticados".

No es habitual así que las bandas tengan, al modo de las organizaciones colombianas, asesores financieros o contables, sino que son ellos mismos los que gestionan los beneficios del tráfico, como mucho con la ayuda de un abogado.

Se han dado casos de traficantes de asentados en España, que han operado mediante operaciones interpuestas con empresas españolas constituidas al efecto en España o en otros países, o bien mediante movimientos sucesivos en entidades financieras de paraísos fiscales o juridicciones "off shoe" como Gibraltar, Isla del Canal de la Mancha, Islas Caimán u otros.

No obstante, lo más habitual en las organizaciones españolas es que el dinero se blanquee de forma más sencilla, fundamentalmente mediante la adquisición de bienes, de naturaleza mobiliaria o inmobiliaria o bien, a través de negocios (comercios, bares y restaurantes, hoteles, empresas inmobiliarias, concesionarios de coches, astilleros, gasolineras, empresas de transportes...etc).

De este modo, en aquellas zonas con cierta "tradición" de organizaciones de tráfico de cocaína, como puede ser Galicia, el blanqueo se efectúa habitualmente por los medios citados, no siendo descartable la existencia de personas o empresas que, conociendo que el dinero proviene del tráfico de drogas, no muestren reparos en colaborar con el blanqueo mediante facturas falsas, cobro en dinero negro...etc. Se trata así de ámbitos como la construcción, concesionarios de automóviles o incluso algunas sucursales locales de entidades bancarias.

- En ocasiones las organizaciones criminales emplean violencia para conseguir sus fines. Normalmente va orientado al cobro de deudas o ajustes de cuentas en el seno de los propios grupos criminales. No se dirige habitualmente contra las fuerzas de seguridad ni contra otras instituciones o sectores.

No obstante lo anterior, no se descarta que puedan ser exportados a los países de destino de la droga, incluido España, el uso de la violencia y la brutalidad en sus países de origen por parte de las organizaciones colombianas y mexicanas para llevar a cabo sus metas, incluyendo el asesinato de rivales, deudores y socios que se creían eran informantes de las autoridades.

Ya se han dado algunos casos de implantación de las denominadas "oficinas de cobro", de grupos colombianos dedicadas a los ajustes de cuentas y cobro de deudas.

2.3. Tráfico de heroína

El opiáceo cuyo tráfico es más conocido en España es la heroína. Si bien su consumo ha descendido mucho en los últimos años, por cuanto se trata de una droga que en el pasado causó efectos sociales devastadores y se asocia hoy a la marginalidad, todavía su tráfico está presente en España, siendo sus notas más características las siguientes:

• Se estima que la heroína que entra o transita por España proviene esencialmente del opio de Afganistán[23], tras ser procesada en diferentes laboratorios que se sitúan a caballo de las diferentes rutas de tráfico hacia Europa.

• El tráfico de heroína en España ha estado tradicionalmente controlado en su gran mayoría por organizaciones de origen turco que introducen la sustancia en la Unión Europea por la denominada "Ruta de los Balcanes".

El traslado de la droga es gestionado desde el origen en los laboratorios de procesamiento (sitos en Turquía o recientemente en otros puntos como Bulgaria), puntos intermedios y entrega final, por pequeños grupos encabezados por delegados de estas

---

[23] La heroína es el opiáceo ilícito más consumido en el mundo y quizás el más problemático a nivel internacional. El cultivo de la adormidera (planta origen) y la producción de opiáceos se concentra principalmente y por este orden, en tres regiones del mundo: el "Creciente Dorado", compuesto por Afganistán y Pakistán; el "Triángulo de Oro", integrado por Myanmar, Tailandia, Laos y Vietnam; y América Central y del Sur (Méjico y Colombia). Si bien la producción de opio estaba antes más repartida, desde el año 99 la producción mundial está absolutamente dominada por Afganistán.

organizaciones turcas, muchos de los cuales son residentes en
España o en países centroeuropeos como Alemania (teniendo
en ocasiones adquirida la nacionalidad de los mismos) y que
están vinculados por lazos familiares con los dirigentes de las
principales redes afincadas en Turquía.

En esta ruta, el tráfico se realizando usando preferentemente
la vía terrestre, y aprovechando las facilidades existentes tras
la supresión de barreras aduaneras entre los países de la Unión
Europea. Se hace uso tanto de turismos como de transportes
públicos (autocares) que realizan desplazamientos intracomu-
nitarios, así como de transporte por ferrocarril.

Para los transportes se apoyan frecuentemente en organizaciones (estables o contratadas para la ocasión) originarias de
países o regiones balcánicas o de Europa oriental (albaneses,
kosovares, búlgaros...etc).

No obstante lo anterior, en ocasiones se han empleado otros
métodos y rutas como la utilización de tripulantes de barcos
mercantes o incluso el transporte a bordo de veleros que arri-
ban a puertos deportivos españoles.

Los beneficios obtenidos del tráfico son empleados en inversiones inmobiliarias en zonas como el levante o sur español, o son
enviadas a Turquía o Alemania (donde estos grupos son muy
activos) en metálico mediante transportes en dobles fondos de
vehículos o incluso a través de transferencias bancarias.

Pueden utilizar empresas para ser utilizadas como tapadera
de los transportes de droga (importación de alfombras...etc)
o bien para camuflar-blanquear su actividad ilícita por medios
poco sofisticados (restaurantes, pequeñas tiendas...etc)

- También se ha constatado la existencia de organizaciones de
  tráfico de origen pakistaní ubicadas esencialmente en la ciudad
  de Barcelona, donde existe una gran comunidad de nacionales
  de este país.

Operan esencialmente a través de correos humanos (también
pakistaníes, si bien algunas veces se utilizan también europeos)
que o bien forman parte de la propia organización o bien son
contratados al efecto para efectuar cada viaje.

Normalmente los correos parten del aeropuerto de Lahore (Pakistán) y, en menor medida, de aeropuertos de otros países cercanos como el de Doha (Qatar) e introducen la heroína en territorio europeo.

Aunque la droga puede ingresar directamente a España y tener como destino el mercado interno, el destino final principal suele ser Holanda o también el Reino Unido, vía diferentes aeropuertos europeos de Alemania, España (Barcelona), Portugal o los Países nórdicos. Desde Holanda, la droga se distribuye a toda la UE, incluida España. En todos estos países se encuentran conexiones de las redes pakistaníes.

Estos correos no siempre realizan la totalidad de su viaje en medios aéreos. Así, una de sus particularidades es que, una vez que hacen su escala en el país europeo que la organización haya determinado, el resto del viaje hasta su destino final se hacer por el medio que se considere en cada caso más adecuado (trenes, autocares de líneas regulares…etc).

No obstante todo lo anterior se han detectado también transportes de heroína gestionadas por redes pakistaníes efectuados a través de contenedores marítimos, con origen en puerto como el de Karachi y con escalas intermedias en otros situados por ejemplo en Emiratos Árabes, empleando para ello falsas declaraciones de mercancías.

Para el blanqueo de los beneficios obtenidos, estos grupos pueden emplear negocios de baja entidad (restaurantes, pequeños comercios) para camuflar su actividad. Los beneficios del tráfico se envían a Pakistán en metálico o a través de "hawala" u otros sistemas de compensación y no se suelen introducir en el circuito legal o comercial español.

Las organizaciones también cuentan con infraestructuras para trasladar a Pakistán (también por vía aérea) el dinero obtenido de la venta de la droga, que en muchas ocasiones es declarada como beneficio de los negocios legales gestionados por la comunidad pakistaní en España.

- Del mismo modo, se han detectado redes de tráfico de compuestas por personas de origen africano (especialmente nigeriano) que operan mediante correos humanos (también nigerianos u originarios de otros países de África occidental y sub-sahariana como Mali, Guinea o Ghana) que ingresan por vía aérea directamente a España o más frecuentemente previo tránsito por otros aeropuertos de la UE con mayores conexiones africanas.

De nuevo el destino final de la droga suele ser también Holanda, desde donde se redistribuye a toda la UE. Así, estas redes tienen conexión en diversos países de Europa, incluida España.

Desde los países Bajos las redes envían la droga a España por diferentes métodos, también el de correos aéreos, especialmente cuando la droga tiene como destino final las Islas Canarias.

La gestión de los beneficios suele ser mediante compras de bienes en metálico y envíos de efectivo mediante empresas remesadoras. No suelen emplear estructuras comerciales o empresariales.

- Finalmente, se ha constatado la existencia de organizaciones encabezadas por personas de origen marroquí que operan haciendo de intermediarios, de modo que trafican con heroína desde diferentes puntos de Europa (principalmente los Países Bajos, donde se abastecen de las redes turcas, nigerianas o pakistaníes) hacia España y Francia; y con cocaína y hachís desde España (donde se abastecen de las redes hispano-marroquíes o colombianas) hacia los citados países.

- El apoyo logístico que necesitan las organizaciones de tráfico, conlleva la necesidad de contar puntualmente con especialistas en determinadas labores de diferentes nacionalidades, incluyendo españoles, y que varían en función de la ruta y el modo de transporte elegido (correos, intermediarios, gestores de medios de transporte, constructores de dobles fondos…etc).

- La distribución de la heroína en España está frecuentemente controlada en gran medida (no en exclusiva) por organizaciones compuestas por personas de etnia gitana o "mercheros", los cuales mantienen tradicionalmente estrechos lazos con las organizaciones turcas, pero también de forma más reciente con las pakistaníes y nigerianas.

Por su parte estas últimas (las nigerianas) además de a la introducción, también se dedican también a la distribución.

Los contactos con grupos de distribución y tráfico portugueses, especialmente en Galicia, son también importantes.

Los grupos que se dedican a la distribución de heroína, gestionan en general sus beneficios mediante dinero metálico dedicado a efectuar compras de bienes.

2.4. Tráfico de drogas sintéticas

España no es en general un país productor de drogas sintéticas[24] y constituye principalmente un país de destino para consumo de las que provienen de los centros de producción principalmente europeos. No obstante lo anterior, España es también un lugar de tránsito de los correos hacia los Estados Unidos y otros países de América de la droga sintética producida en Europa.

A modo de Resumen, se considera que la situación del tráfico de drogas sintéticas viene caracterizada en general por:

- Las drogas sintéticas de mayor tráfico y consumo en España son el MDMA (éxtasis) y los derivados anfetamínicos (principalmente speed).

- Se estima que las drogas sintéticas que entran en España para consumo o tránsito provienen esencialmente de los laboratorios situados en los Países Bajos (Holanda) y en menor medida en Bélgica, aunque no se descarta que también lo hagan de los nuevos centros de producción como Polonia, Países Bálticos, Rusia o Nigeria.

- La introducción y el gran tráfico en España está controlado en su gran mayoría por organizaciones de origen holandés, britá-

---

[24] Las drogas sintéticas pueden producirse de manera relativamente sencilla en cualquier lugar en que se disponga de las sustancias activas y los precursores necesarios, por lo que tienden a elaborarse cerca de los principales mercados de consumo. La producción mundial de drogas sintéticas es especialmente difícil de concretar puesto que se elaboran en laboratorios clandestinos, debiendo hacerse estimaciones casi exclusivamente a partir de las incautaciones y no por ejemplo de monitorización de zonas de cultivo, como ocurre con los otros tipos de drogas de origen "natural". Al contrario de lo que ocurre con otros tipos de droga, Europa adquiere aquí un papel protagonista convirtiéndose en un importante centro de producción distribución para el resto del mundo.

nico o belga. Las organizaciones de tráfico españolas se dedican en general a la distribución a mediano y pequeño nivel.

- Las estructuras de las organizaciones que operan introduciendo droga en España están en general conformadas por pequeños grupos cuyo responsable tiene contactos con los proveedores externos, realizando el transporte algún miembro del propio grupo o encargando a "correos" dicha tarea y posteriormente llevando a cabo la distribución, mediante redes de vendedores que operan principalmente en zonas turísticas y de ocio.

- La organización se completa con algún miembro conocedor de técnicas básicas para el "corte" o adulteración de la sustancia a tratar, para lo cual empleará pequeñas infraestructuras de preparación (que no pueden llegar a considerarse laboratorios).

- La doga se suele introducir en España mediante pequeños o medianos envíos por diferentes vías directamente a los lugares de consumo y sin pasar habitualmente por puntos intermedios de almacenaje: terrestre (mediante turismos disimulado en dobles fondos o autocares de viajeros disimulado en equipajes), avión, barco o ferrocarril y casi siempre utilizando correos responsables directos del tráfico.

- Las rutas pasan, en función del origen concreto, por los países naturales de tránsito tales como Bélgica, Francia o Alemania. No es frecuente el empleo de paquetería postal ni contenedores.

- Se ha detectado la presencia de ramificaciones de las grandes organizaciones criminales británicas (con origen principal en Liverpool y Manchester) que operan en España en época (verano o pascua principalmente) y zonas turísticas (levante español e Islas Baleares) con elevada presencia de nacionales británicos y que constituyen sus clientes casi exclusivos.

  Estas organizaciones funcionan desplazando expresamente a España delegados para organizar la distribución, de modo que cuando acaba la "campaña", regresan a sus lugares de origen. Destacan por utilizar métodos violentos y por la enorme rivalidad entre las bandas.

- España constituye también un punto de tránsito, por ser origen de muchas de las conexiones de pasajeros entre Europa y Sudamérica, de correos humanos que por vía aérea, transportan estas drogas desde los puntos de producción con destino a Estados Unidos o países como Brasil, México o República Dominicana. Los correos suelen ser nacionales de países sudamericanos de destino.

• No obstante todo lo anterior, se ha constatado la aparición en España de algunos laboratorios de elaboración/encapsulado de estas drogas.

Normalmente están operados por un número reducido de personas (incluso una sola), se ubican en pisos o garajes y están situados en lugares próximos a los de consumo. Los gestores de estos laboratorios son frecuentemente personas procedentes de los Países Bajos y Reino Unido y en ocasiones se abastecen de los principios activos a través de internet.

2.5. Tráfico de nuevas sustancias psicoactivas. Otras drogas

Preocupa a la comunidad internacional el tráfico y consumo de las denominadas nuevas sustancias psicoactivas (NPS), es decir, sustancias no fiscalizadas a nivel internacional, que a menudo tienen propiedades químicas y/o farmacológicas similares a las sustancias controladas, y que se comercializan por producir efectos muy parecidos a las drogas habitualmente conocidas.

Este fenómeno se ha detectado también en España, si bien no parece tener todavía la dimensión de otros países europeos, a juzgar por los datos disponibles a partir del sistema de comunicación de nuevas drogas implantado en la UE[25]. En este sentido, la mayor parte de alertas iniciales sobre detección de estas nuevas sustancias han sido comunicadas por países del norte y centro de Europa: Reino Unido, Finlandia, Alemania, Suecia y Dinamarca.

Ello no quiere decir sin embargo que en España no exista este comercio ilícito, más bien al contrario. Se estima que el 75% de su con-

---

[25]   Decisión 2005/387/JAI del Consejo, de 10 de mayo de 2005, sobre el intercambio de información, la evaluación del riesgo y el control de las nuevas sustancias psicotrópicas que sustituye a la Acción Común 97/397/JAI, de 16 de junio de 1977.

sumo en Europa se concentra en cinco grandes países: Reino Unido, seguido de Polonia, Francia, Alemania y España.

Hoy en día, estas sustancias, a menudo producidos en Asia (China y la India principalmente), se importan a Europa donde se procesan, empaquetan y se venden como "euforizantes legales"'. Es frecuente su comercialización por internet, tanto en la red abierta como en la denominada "deep web". Los traficantes nacionales, generalmente pequeños grupos e incluso en ocasiones a título individual, las adquieren a los proveedores asiáticos a través de la red y después las comercializan también del mismo modo. Los pagos se efectúan de manera electrónica y las entregas se realizan por medio de correo postal o courier.

No obstante lo anterior, existen indicios sobre la existencia en España de empresas que bajo la cobertura de fabricación de otro tipo de productos, podría estar produciendo y comercializando productos catalogables como NPS.

El consumo de estas nuevas sustancias suele estar asociado en España a sectores reducidos, generalmente juveniles, y en los lugares de ocio.

Finalmente se ha detectado casos de diversas plantas con determinadas propiedades denominadas en ocasiones "drogas naturales" (ayahuasca, khat, estramonio, diversos hongos…etc), que se consumen en otros lugares del mundo, y que son incorporadas a los mercados nacionales si bien en general en colectivos muy concretos frecuentemente asociados a determinadas etnias o nacionalidades o en ambientes juveniles que buscan experimentar con "sensaciones nuevas" a un menor precio que el que se paga por otro tipo de drogas.

2.6. Tráfico de precursores

Un pequeña referencia final sobre el tráfico de precursores o productos químicos utilizados con fines ilícitos para la fabricación de estupefacientes y sustancias psicotrópicas[26].

---

[26]   En la Unión Europea se encuentran fiscalizadas actualmente 23 sustancias susceptibles de desvío ilícito para la fabricación de estupefacientes. Estas sustancias se corresponden con las relacionadas en los Cuadros I y II de los anexos a la

España no tiene un mercado ilícito interno importante de estas sustancias, por cuanto en general no es un país productor de drogas. Sin embargo, si es un país fabricante de estas sustancias, ya que son productos de "doble uso" empleados para la industria química o farmacéutica. De este modo, se han detectado casos o intentos de desvíos a los países productores de drogas, efectuados a partir de exportaciones hacia empresas empleadas como pantalla por parte de las organizaciones de traficantes.

Sí resultan empero frecuentes los casos de incautaciones de cantidades limitadas de productos para ser utilizados en la adulteración de drogas (por ejemplo cocaína) o para su extracción (secundaria) cuando la droga se importa disimulada en otros productos. Estas sustancias se suelen adquirir en el mercado nacional, por cuanto si bien controladas y fiscalizadas, son de lícito comercio (aunque por operadores autorizados y sometidos a control) para su empleo en la industria y el uso cotidiano.

3. ESTRATEGIA DE RESPUESTA

Para hacer frente a una amenaza y a una situación como la descrita, es necesario disponer de un marco de respuesta estratégico adecuado que ofrezca una respuesta de carácter multidisciplinar[27].

Hoy en día el esquema de respuesta de lucha contra el tráfico de drogas suele incluirse en el más general de lucha contra la delincuencia organizada, pero también de manera frecuente se considera de manera específica.

A nivel mundial actúan como referentes más importantes la *Convención de las Naciones Unidas contra el tráfico ilícito de estupefacientes y sustancias psicotrópicas de 1988* (Convención de Viena) y

---

Convención de 1988 de ONU y se encuentran catalogadas en tres Categorías según el nivel de fiscalización a que están sometidas.

[27] Normalmente el enfoque se suele orientar hacia dos vertientes: la demanda (actuaciones que afectan a los ámbitos sanitario y educativo) y la *oferta* (mediante actuaciones en los ámbitos preventivo y represivo de orden policial y judicial), completándose además con otras políticas de orden transversal (cooperación internacional, desarrollo económico, cultivos alternativos...etc).

la *Convención de las Naciones Unidas contra la delincuencia organizada transnacional de 2004* (Convenio de Palermo). Ambas asumen que el tráfico de drogas es una grave amenaza para la seguridad y el desarrollo que hay que combatir y cuya represión exige prioridad y cooperación internacional. Con ese espíritu fijan definiciones para tipificar delitos, impulsan medidas de carácter procesal buscando armonizar legislaciones y desarrollan esquemas de cooperación.

A nivel europeo, recogido en los diferentes tratados primero implícitamente y después de una manera explícita hoy en día en el "*Tratado de Funcionamiento de la Unión Europea (TFUE)[28]*", se prevé el denominado "espacio de libertad, seguridad y justicia" reconocido de manera concreta en el Artículo 67[29]. El TFUE, que dedica a este ámbito todo su Título V, busca con ello garantizar un nivel elevado de seguridad mediante medidas de prevención y de lucha contra la delincuencia, medidas de coordinación y cooperación entre autoridades policiales y judiciales y otras autoridades competentes, así como mediante el reconocimiento mutuo de las resoluciones judiciales en materia penal y, si es necesario, mediante la aproximación de las legislaciones penales.

Sobre esta base, se sustenta el actual "*sistema estratégico*" de la UE, que presta especial atención al crimen organizado y al narcotráfico en particular como amenaza contra el bienestar de los ciudadanos de la UE, por considerar que tiene un enorme coste humano, social y económico.

Así, el referente más reciente lo configura la *Agenda de Seguridad de la Unión Europea para el periodo 2015-2020,* en la que la Comisión Europea fija la estrategia con la que la Unión hará frente a las amenazas a la seguridad en la UE durante el citado período y en la que reconoce de nuevo a la delincuencia organizada y al tráfico de drogas como una de dichas amenazas, junto al terrorismo y la ciberdelincuencia. Para hacerle frente propone entre otras medidas

---

[28]   Que junto con el Tratado de la Unión Europea (TUE), conforman el texto refundido como Tratado de Lisboa.

[29]   "La Unión constituye un espacio de libertad, seguridad y justicia dentro del respeto de los derechos fundamentales y de los distintos sistemas y tradiciones jurídicos de los Estados miembros". (artículo 67 del TFUE).

potenciar el intercambio de información entre autoridades policiales y judiciales y las agencias de la UE, mejorar la cooperación operativa e impulsar la formación, financiación, investigación e innovación a nivel de la UE.

Del mismo modo, el tráfico de drogas, y en concreto el tráfico de cocaína y heroína y la producción de drogas sintéticas, conforman dos de las nueve prioridades del actual *"Ciclo Político de la UE"* para el periodo 2014-2017, entendiendo por tal al periodo plurianual de actuación de la UE contra la delincuencia organizada y las formas graves de delincuencia internacional[30].

Pero además la Unión Europea dispone a modo específico de una *"Estrategia de la Unión Europea en materia de drogas"*, estando la actual concebida para el periodo 2013-2020. Entre sus objetivos se encuentran contribuir a reducir de manera cuantificable la demanda de drogas y contribuir a la desorganización del mercado de las drogas ilegales. De nuevo se articula en torno a la lucha contra la oferta y la demanda y en otros temas transversales: coordinación, cooperación internacional e investigación, información, control y evaluación. Se desarrolla en dos Planes de Acción cuatrianuales (2013-2016 y 2017-2020), estableciendo por ejemplo como prioridad en materia de lucha contra la oferta, una mejora apreciable de la eficacia de la acción policial en materia de drogas en la UE.

Como primera gran referencia a nivel nacional hay que citar la *"Estrategia de Seguridad Nacional 2013: Un proyecto comparti-do*[31]*"*. Los riegos y amenazas que se contemplan son 12, entre los que se encuentra el crimen organizado, recogiendo como una de sus manifestaciones el tráfico de drogas y considerando que es una amenaza seria, real y directa para nuestros intereses y para la seguridad nacional en el ámbito político, económico, social y de protección del estado de derecho. Para hacerle frente fija como objetivo *"Impedir el asentamiento de los grupos criminales organizados, poner a disposi-*

---

30   Conclusiones del Consejo JAI de los días 6 y 7 de junio de 2013 que establecen las prioridades para el periodo 2014-2017.

31   Esta es la denominación que se ha dado con el equipo de Gobierno actual. Constituye una revisión de la anterior "Estrategia Española de Seguridad: una responsabilidad de todos", del año 2011. Se aprobó en el Consejo de Ministros de fecha 31.05.13, contando con el consenso del principal partido de la oposición.

ción de la justicia a los que ya operan dentro de nuestras fronteras e imposibilitar la consolidación de sus formas de actuación delincuencial" y propone entre otras cosas reforzar la cooperación internacional, armonización de legislaciones con los países de referencia para España en materia de incautación de bienes, o el tratamiento integral del problema del crimen organizado por medio de la implicación en la lucha contra este fenómeno de los actores nacionales públicos y privados, y especialmente, del mundo universitario.

En línea con la europea, también España dispone de manera específica de una *"Estrategia Nacional sobre drogas"*, la actual para el periodo 2013-2016. Es de carácter multidisciplinar, como introducción hace un pequeño estudio de situación. y se fija como ámbitos de actuación la reducción de la demanda, reducción de la oferta, la formación, la mejora del conocimiento científico y aplicado, la coordinación y la cooperación internacional. Se desarrolla igualmente en diferentes planes de acción, el actual para el periodo 2013-2016, que incluye 36 acciones para alcanzar 14 objetivos generales, entre los que se encuentran (en lo que la reducción de la oferta se refiere), el control de la oferta de las sustancias ilegales y el trabajo sobre el blanqueo de capitales.

4. HERRAMIENTAS DE RESPUESTA

Desde el punto de vista de la lucha contra la oferta de drogas, ámbito en que opera principalmente el autor de este trabajo, resulta de capital importancia disponer de herramientas de investigación procesal que estén adaptadas a una realidad tan cambiante como es la de la delincuencia organizada asociada al tráfico de drogas.

Desde este punto de vista, sea a nivel de derecho sustantivo o adjetivo, se ha avanzado mucho, bien sea a iniciativa nacional, por vía de la trasposición de legislación europea o por vía de la adaptación de los compromisos internacionales asumidos por España derivados de los tratados y convenciones de los que forma parte.

Las reformas operadas en los últimos años por los legisladores europeos y españoles, que han variado notablemente el marco de referencia, obligan a las fuerzas de seguridad a afrontar nuevos retos organizativos, formativos y sobre todo procedimentales, así como a experimentar un necesario cambio de mentalidad ante el nuevo paradigma existente.

Uno de los aspectos en lo que más se ha avanzado es sin duda en materia de cooperación internacional, de modo que en la Unión Europea los Estados miembros siguen reforzando sus mecanismos de cooperación judicial a través de la aplicación de sus dos principios básicos: la armonización de legislaciones y el reconocimiento mutuo de resoluciones judiciales.

Este nuevo modelo de cooperación judicial conlleva un cambio notable en las relaciones entre los Estados miembros de la Unión Europea, que afecta de lleno también al trabajo policial por cuanto son de aplicación en cada una de las fases del proceso penal, tanto antes, como durante e incluso después de dictarse la sentencia condenatoria, ha hecho o hará habituales al trabajo policial figuras como la orden europea de detención y entrega, la ejecución de las resoluciones de embargo preventivo de bienes, aseguramiento de pruebas y decomiso, los equipos conjuntos de investigación o la orden europea de investigación.

Otro aspecto de reforma importante europea y nacional, clave en la lucha contra el tráfico de drogas, es lo relativo a la regulación de herramientas de lucha contra el blanqueo de capitales, para atacar los beneficios económicos del crimen organizado del modo que "el delito no compense", entendiendo que la forma más efectiva de lucha contra la criminalidad organizada dedicada al narcotráfico es privarle de los beneficios obtenidos de su ilícita actividad. La adopción de las 40 Recomendaciones contra el blanqueo de del Grupo de Acción Financiara (GAFI) por la legislación europea y española, es una muestra de que no solamente estamos comprometidos, sino que queremos adoptar medidas concretas para ello[32].

Todas las reformas habidas relativas a la regulación en materia de embargo y decomiso (decomiso sin sentencia, el decomiso ampliado y el decomiso de bienes de terceros); la tipificación autónoma del delito de organización y grupo criminal, la previsión de la responsabilidad

---

[32]   Esencialmente mediante la Ley 10/2010, de 28 de abril, de prevención del blanqueo de capitales y de la financiación del terrorismo, junto con las reformas de varios artículos del Código Penal.

penal de las personas jurídicas poniendo fin al tradicional principio del *"societas delinquere non potest*[33] o el desarrollo de la Oficina de Recuperación y Gestión de Activos (ORGA) resultan, si bien en algunos casos a juicio de este autor, incompletas, también de trascendental importancia.

Igualmente resulta muy relevante, y no exento de polémica, lo previsto en la Ley Orgánica 1/2014, de 13 de marzo, de modificación de la Ley Orgánica 6/1985, de 1 de julio, del Poder Judicial, relativa a la justicia universal, que delimita un nuevo marco para que la jurisdicción española conozca de los delitos que hayan sido cometidos fuera del territorio nacional, y que resulta muy importante por ejemplo, por cuanto generó dudas para cuestiones relacionadas con el abordaje de buques en alta mar que transporten droga o sustancias estupefacientes.

Finalmente, es necesario destacar las últimas reformas operadas[34] tanto a nivel del Código Penal, como también del procesal, cuestión esta si cabe más importante para el trabajo de las Fuerzas y Cuerpos de Seguridad, ya que como se ha dicho conforma las normas que ordenan sus procedimientos de trabajo y la relación con los operadores jurídicos. La fijación de nuevos plazos para la instrucción o el establecimiento de una nueva regulación sobre las medidas tecnológicas de investigación (agente encubierto informático, dotación de sustantividad propia a otras formas de comunicación telemática aparte de las comunicaciones meramente telefónicas, interceptación de comunicaciones orales directas y posibilidad concomitante de obtener imágenes, uso de dispositivos técnicos de seguimiento y localización

---

[33] Reformas operadas en el Código Penal por la Ley Orgánica 5/2010, de 22 de junio (nótese de nuevo que como las otras, es muy reciente) es la creación del nuevo Capítulo VI en el Título XXII del Libro II, que comprende los artículos 570 bis, 570 ter y 570 quáter, bajo la rúbrica "De las organizaciones y grupos criminales" y en lo referido a la responsabilidad de las personas jurídicas en el art. 31 bis del CP).

[34] Ley Orgánica 1/2015, de 30 de marzo, por la que se modifica de nuevo la Ley Orgánica 10/1995, de 23 de noviembre, del Código Penal, la Ley 41/2015, de 5 de octubre, de modificación de la L.E.Crim. *"para la agilización de la justicia penal y el fortalecimiento de las garantías procesales"* y por la Ley Orgánica 13/2015, de 5 de octubre, de modificación de la L.E.Crim. *"para el fortalecimiento de las garantías procesales y la regulación de las medidas de investigación tecnológica"*.

con efectos procesales o la regulación de la instalación de software de control remoto para intervenir las comunicaciones efectuadas bajo el protocolo de internet), suponen reformas de calado que sólo el tiempo dirá si resultan efectivas para hacer frente a una realidad compleja y cambiante como es la amenaza del narcotráfico.

Por todo ello, si es justo reconocer que se ha avanzado mucho en la disponibilidad de herramientas procesales para actuar contra la criminalidad organizada y el narcotráfico, se considera que es preciso evolucionar más desde los medios clásicos de investigación criminal, que ya no son válidos, especialmente en un escenario de recursos limitados y contra un adversario muy poderoso.

Por ello, resulta necesario reflexionar sobre la posibilidad de implementar nuevas reformas para avanzar en medidas más ambiciosas como pueden ser la regulación del agente encubierto no policial, el papel adjetivo del los informadores y confidentes, las operaciones encubiertas prolongadas en el tiempo para poder acceder a los dirigentes y las estructuras más ocultas de las organizaciones, el refuerzo del principio de oportunidad frente al de legalidad, la asunción de medidas prácticas como las transacciones, las entregas vigiladas de dinero hacia el sistema financiero, la extinción de dominio o el comiso civil, o incluso la regulación de la provocación al delito.

Razones de tradición y cultura jurídica continental y española, incluso limitaciones constitucionales, pueden hacer pensar que se habla de anatemas, pero merece la pena reflexionar sobre ello y efectuar un estudio detenido y consensuado mediante el trabajo conjunto por parte de todas las instituciones implicadas.

5. CONCLUSIONES

A modo de breve Resumen, se puede establecer que España no es ajena a la actuación de los grupos, organizaciones y rutas del tráfico de drogas de carácter internacional.

En algunos casos la implantación de determinados métodos, procedimientos y estructuras tiene una especial incidencia y en algunas ocasiones además, particularidades propias.

Los esfuerzos desarrollados por España para hacer frente a esta amenaza son muy importantes. El trabajo conjunto de los organismos e instituciones policiales y judiciales ha situado a España como referente en conocimiento y competencia sobre esta compleja actividad. Desde el punto de vista de la lucha contra la oferta de drogas, la comunidad internacional y también España se han dotado de estrategias de respuesta y de herramientas que tratan de afrontar con eficacia los constantes cambios en los modos de operar de las organizaciones criminales.

Más allá de los debates políticos sobre la efectividad de las políticas implementadas hasta ahora y el futuro de las mismas, es preciso seguir avanzando, actuando de forma coordinada y multidisciplinar en los ámbitos estratégico y operacional, tanto a nivel de inteligencia como de prevención e investigación, basando la respuesta en la cooperación internacional y sobre todo en privar a las organizaciones de los enormes beneficios obtenidos de su siniestra actividad.

Pero sobre todo, este fenómeno necesita de las mejores normas e instrumentos procesales para ser afrontado, adaptadas a la realidad cambiante del narcotráfico, y en especial de la cooperación de todos los países, requiriendo una actuación conjunta firme y decidida.

BIBLIOGRAFÍA

DE LA CORTE IBÁÑEZ, LUIS y GIMÉNEZ-SALINAS FRAMIS, ANDREA. *Crimen.org*. Ed. Ariel –Planeta 2010.

EUROPOL. *Serious and Organised Crime Threat Assessment (SOCTA)-Versión Pública)*.

GOBIERNO DE ESPAÑA. Presidencia del Gobierno. Departamento de Seguridad Nacional (2013). *Estrategia de Seguridad Nacional 2013: Un proyecto compartido"*.

GOBIERNO DE ESPAÑA. Presidencia del Gobierno. Departamento de Seguridad Nacional (2014). *Informes Anuales de Seguridad Nacional*.

GOBIERNO DE ESPAÑA. Delegación del Gobierno para el Plan Nacional sobre drogas. *Estrategia Nacional sobre drogas 2013-2016*

GÓMEZ BASTIDA, ENRIQUE Y DURÁNTEZ AREÑOS, FRANCISCO JAVIER, *"Situación del tráfico de drogas en España"*, en *Manual de Lucha Contra la Droga*. Antonio Nicolás Marchal Escalona y Otros. Ed. Aranzadi 2011.

OBSERVATORIO EUROPEO DE LAS DROGAS Y TOXICOMANÍAS (OEDT-EMCDDA). *Informes Anuales 2014 y 2015*.

OFICINA DE LAS NACIONES UNIDAS CONTRA LA DROGA Y EL DELI-
TO (UNODC-ONUDD)- *Informe Mundial sobre Drogas 2011, 2012, 2013,
2014 y 2015*.
PARLAMENTO EUROPEO. Comisión de Libertades Civiles, Justicia y Asuntos
de Interior. (2011). *Informe sobre la delincuencia organizada en la Unión
Europea* (2010/2309(INI)).
PARLAMENTO EUROPEO. Comisión Especial sobre la Delincuencia Organi-
zada, la Corrupción y el Blanqueo de Dinero. (2013). *Informe sobre la delincuencia organizada, la corrupción y el blanqueo de dinero: recomendaciones
sobre las acciones o iniciativas que han de llevarse a cabo* (2013/2107(INI)).
PELÁEZ PIÑEIRO, LUIS Y BOTELLO GARCÍA, MIGUEL ÁNGEL, "*Panorama
general del tráfico de drogas*", en *Manual de Lucha Contra la Droga*. Antonio
Nicolás Marchal Escalona y Otros. Ed. Aranzadi 2011.
PELÁEZ PIÑEIRO, L. (2013). *"La Guardia Civil y la colaboración público-pri-
vada en la investigación de delitos económicos"*. Ponencia impartida en el
XXIV Seminario Duque de Ahumada —La Guardia Civil en la lucha contra
la delincuencia económica— (UNED Facultad de Derecho-Instituto Universitario de Seguridad Interior y Guardia Civil). Madrid.
PELÁEZ PIÑEIRO, L. (2014*). "La investigación del tráfico de drogas desde un
punto de vista policial. rutas de importación de la droga. Países exportadores.
modalidades de introducción"*. Ponencia impartida en el seminario "Tráfico
de drogas: aspectos sustantivos y procesales". Centro de Estudios Jurídicos
(Madrid).
UNIÓN EUROPEA (2010). *Conclusiones del Consejo JAI de los días 8 y 9 de
noviembre de 2010, sobre la creación y la ejecución de un ciclo político de la
UE para la lucha contra la gran delincuencia organizada internacional*.
UNIÓN EUROPEA (2010). *Agenda de Seguridad de la Unión Europea para el
período 2015-2020*.
UNIÓN EUROPEA (2013). *Conclusiones del Consejo JAI de los días 6 y 7 de
junio de 2013 que establecen las prioridades para el período 2014-2017*.
UNIÓN EUROPEA. *Tratado de Funcionamiento de la Unión Europea (TFUE)*.

LOS CÁRTELES DE LA DROGA EN MÉXICO: ANÁLISIS CRIMINOLÓGICO Y JURÍDICO COMO MODALIDAD DE DELINCUENCIA ORGANIZADA

GERMÁN GUILLÉN LÓPEZ*

Hay algo tan necesario como el pan de cada día,
y es la paz de cada día;
la paz sin la cual el mismo pan es amargo.
Amado Nervo.

Sumario: 1. Consideraciones previas. 2. Principales cárteles de la droga en México. 3. Reacción Constitucional frente al fenómeno de la delincuencia organizada. 4. Tráfico ilícito de drogas: modalidad que contempla Ley Federal contra la Delincuencia Organizada. 5. Mano dura y caza de capos: estrategia del gobierno federal para frenar el tráfico de drogas. 6. Conclusiones. 7. Bibliografía.

Resumen: Primeramente, se desarrolla una aproximación a la realidad mexicana y se desarrollan una serie de temas que describen el contexto socio-económico y político que facilitan la proliferación de delitos vinculados al tráfico de drogas en México. Posteriormente, se hace una acercamiento a la construcción de los cárteles de la droga mexicanos mediante una metodología de cuadros informativos en los que se sistematiza información significativa de éstos señalando a sus principales líderes (capos), actividades criminales en la que centran sus operaciones y zonas del país en las que ejercen su influencia. En el tercer apartado se practica un breve análisis del tratamiento que da la Constitución Política de los Estados Mexicanos al fenómeno de la delincuencia organizada. Para finalizar, en el cuarto y último apartado, se hace una revisión al tráfico de drogas (narcóticos) como modalidad delictiva en la Ley Federal Contra la Delincuencia Organizada.

* Doctor en Derecho por la Universidad de Salamanca (España); Maestro en Ciencias Penales con Especialización en Criminología por el Instituto Nacional de Ciencias Penales (INACIPE); Miembro del Sistema Nacional de Investigadores (SNI); Coordinador General del Centro Internacional de Formación e investigación Jurídica (CI-FIJ); Profesor Investigador de la Universidad de Sonora, german.guillen@sociales.unison.mx.

Palabras clave: cártel, narcóticos, delincuencia, corrupción, impunidad, capo, fosas, asesinatos.

1. CONSIDERACIONES PREVIAS

En México vive una realidad muy particular[1], en un contexto distinto a cualquier otra latitud del planeta[2], en la que sobresale una frontal "lucha" contra poderosos —e implacables—cárteles de drogas. Este combate, que se ha agudizado en los últimos años, se lleva a cabo dentro escenario nacional adverso caracterizado, entre otros aspectos, por circunstancias que se precisan a continuación:

1ª) Incipiente desarrollo democrático[3].

---

[1]   México, desde inicios del siglo XXI, se encuentra en una situación perpetua de zozobra e inseguridad pública. Asimismo, enfrenta a diario ataques a la integridad y vida de las personas y sus bienes. En una criminógenis cada vez más violenta e irracional que afecta a todos los extractos sociales a lo largo y ancho del país. Dentro de un escenario de clara impunidad y notoria corrupción. Vid. DE LA TORRE TORRES, Rosamaría, *Terrorismo y Crimen Organizado. Aspectos Jurídicos y Conceptuales,* Colección: Estudios Jurídicos nº 2, México, Universidad Michoacana de San Nicolás de Hidalgo, 2008, pp. 164 y 165.

[2]   Factores históricos, culturales, económicos, la vecindad con Estados Unidos de Norteamérica, la gran extensión de la frontera compartida, los enormes flujos migratorios, el enorme intercambio de bienes y servicios, entre otros. Vid. GUERRERO AGRIPINO, Luis Felipe, *La delincuencia organizada. Algunos aspectos penales, criminológicos y político-criminales,* México, Universidad de Guanajuato, 2001, pp. 124 y 125. También, se debe considerar el narcotráfico en México recae en una realidad compleja, debido su ubicación geográfica y su frontera de más de 3.000 kilómetros con los Estados Unidos de América, el país que más consume narcóticos el hemisferio. México es, al mismo tiempo, un país de origen, tránsito y destino de drogas, lo que va de la mano con los altos niveles de criminalidad que sufre la sociedad mexicana. De igual forma, que el poder fáctico que ejercen los cárteles de la droga en el país y los elevados niveles de corrupción de funcionarios de gobierno concurren como elementos detonantes de la aguda violencia que hostiga al país. Vid, *Situación de los Derechos Humanos en México,* Comisión Interamericana de Derechos Humanos, México, documentos oficiales de la Organización de Estados Americanos (OEA), 2015, p. 37.

[3]   Con relación a este punto, México, podría decirse, sin etapa de consolidación, con importantes problemas y determinadas ventajas. Revisando tal afirmación es indiscutible la afirmación de que "México no tiene una administración pública profesional". Es decir, "Hay un problema de representatividad". Considerado por algunos como uno de los instrumentos básicos de la democracia. Por otra

2ª) Desconfianza sobre la real independencia de las instituciones de justicia[4].

3ª) Subdesarrollo crónico en las policías federales, estatales y municipales[5].

---

parte, los partidos políticos son, por decirlo de manera clara: "malos instrumentos para recoger, procesar y transformar en leyes y políticas públicas, las demandas de la muy plural sociedad mexicana". Sin embargo, "tal vez el obstáculo político más difícil a superar, es el creado por la debilidad del Estado de Derecho —el imperio de la ley— y lo extendido de la corrupción. Sin un respeto del marco legal, sin justicia real y expedita, sin el ataque a la pequeña y a la gran corrupción, la esencia de la democracia simplemente no puede arraigar". Vid. MEYER, Lorenzo, "La democracia mexicana. Las perspectivas de su consolidación" en *Los retos de la democracia: Estado de Derecho, corrupción, sociedad civil*, México, Porrúa, 2004, pp. 477 y 478.

[4] Hasta el día de hoy persiste consenso generalizado, tanto el ámbito nacional como internacional, de que las instituciones de justicia en el país fueron maquilladas durante todo el siglo XX para brindar una imagen hacia el exterior de que en el país no había autoritarismo. Frente a este panorama, los controles judiciales que existían —por la propia sinergia del poder—también eran autoritarios. De hecho, "… el titular del Ejecutivo Federal (el Presidente de la República) todopoderoso o su grupo político decidían, directa o indirectamente, quiénes eran jueces y ministros de la Suprema Corte, mientras que siempre trabajaban con el Congreso de la Unión a modo". Vid. BUSCAGLIA, Eduardo, *Vacíos de poder en México. Cómo combatir la delincuencia organizada*, México, Grijalbo, 2015, p. 53.

[5] En este sentido, desde la doctrina se ha señalado que la problemática de la policía en el país se concentra en una serie de aspectos que se precisan a continuación: 1) Un marco legal de actuación profuso, al grado de ser difuso y ambiguo. La homologación y armonización de los marcos legales entre los tres niveles de gobierno es aún una tarea inconclusa; 2) Concentración de las decisiones administrativas que induce a la lentitud de los procedimientos y a la búsqueda de evadirlos informalmente; 3) Deficiencias en los procesos de reclutamiento, selección y capacitación de personal; 4) Falta de transparencia en los mecanismos de control interno y de controles externos, principalmente a nivel municipal y estatal; 5) Condiciones laborales del personal que distan mucho de conformar modelos de desarrollo personal y profesional y, en un siguiente plano, de servicios de carrera; 6) Deficiente administración y transparencia en el manejo de los recursos, lo cual deriva en subejercicios presupuestales y en un ejercicio con visión de corto plazo; 7) Falta de mecanismos externos para la formulación de quejas y denuncias, y de mecanismos internos para brindar una capacidad de respuesta oportuna y eficaz; 8) La percepción social de la corrupción como un hecho inevitable que se traduce en una cultura de la evasión a las normas y de falta de respeto a una cultura de la legalidad; 9) La falta de participación ciudadana —eficaz y de largo plazo— en el control y la fiscalización de la actividad institucional". VIZCAÍNO ZAMORA,

4ª) Sensación de inseguridad y elevadas tasas de impunidad[6].
5ª) Asesinatos relevantes no resueltos[7].
6ª) Corrupción millonaria en todos los ámbitos del gobierno[8].

Álvaro, "Invitación a la lectura (prólogo)", en *Combate a la corrupción*, México, INACIPE, 2011, pp. 13 y 14.

[6]   La impunidad debe ser concebida como: "un fenómeno que surge de varias dimensiones del quehacer de un Estado como es la responsabilidad de la seguridad ciudadana, la procuración y administración de justicia, el buen funcionamiento del sistema penitenciario así como la protección de los derechos humanos". Vid. *Índice Global de Impunidad México* IGI-MEX 2016, Centro de Estudios sobre Impunidad y Justicia (CESIJ), México, Universidad de las Américas, pp. 12 y ss. En este sentido, en México, la Encuesta Nacional de Victimización y Percepción sobre Seguridad Pública (ENVIPE), 2015, del Instituto Nacional de Estadística y Geografía (INEGI), muestra, entre otros datos, que: a) la tasa de prevalencia delictiva por cada cien mil habitantes en 2014 fue de 28,200, manteniéndose en niveles similares a 2013 que registró una tasa de 28,224; b) la tasa de incidencia delictiva por cada cien mil habitantes en 2014 fue de 41,655, también manteniéndose en niveles similares a 2013 con una tasa de 41,563; c) La extorsión es el segundo delito más frecuente representando 23.6% del total de los delitos ocurridos durante 2014, sin embargo, el pago de lo solicitado disminuyó de 6.4% en 2013 a 5.4% en 2014; d) la cifra negra, es decir el nivel de delitos no denunciados o que no derivaron en averiguación previa fue de 92.8% a nivel nacional durante 2014 mientras que en 2013 fue de 93.8 por ciento. Por otra parte, la ENVIPE (2015) estima que entre las principales razones que llevan a la población víctima de un delito a no denunciar son circunstancias atribuibles a la autoridad, como estimar la denuncia como una pérdida de tiempo (32.2%) y la desconfianza en la autoridad (16.8%). La percepción de inseguridad en las entidades federativas durante el período marzo-abril de 2015, llegó a 73.2% de la población de 18 años y más, manteniéndose en niveles similares que en 2014.

[7]   Entre estos destacan: 1) Luis Donaldo Colosio Murrieta [1994], quien fuera candidato a la Presidencia de la República; José Francisco Ruiz Massieu [1994], importante miembro del Partido Revolucionario Institucional (PRI), fue cuñado del ex-presidente Carlos Salinas de Gortari y padre de la actual Secretaria de Relaciones Exteriores Claudia Ruiz Massieu Salinas; Juan Jesús Posadas Ocampo [1994], quien era cardenal de la Iglesia católica en México y obispo de Guadalajara.

[8]   Mediante la corrupción, como se ha señalado desde la doctrina nacional: "… se desvirtúan las operaciones de policía, los procesos, o se corrompe a miembros del Poder Judicial para obtener sentencias absolutorias o más bajas. Además, gracias a las grandes cantidades de dinero que generan pueden tener acceso a las mejores organizaciones de abogados para defenderse, abusando frecuentemente de tecnicismos jurídicos y estrategias defensivas". Vid. MONTERO ZENDEJAS, Daniel, *Derecho penal y crimen organizado: crisis de la seguridad*, Porrúa, México, 2008, p. 247.

7ª) Escándalos mediáticos de alcance nacional relacionados a lavado de dinero con recursos de procedencia ilícita[9].

8ª) Grave crisis en materia de derechos humanos[10].

9ª) Desproporcional distribución de la riqueza.

10ª) Una sociedad poco organizada en lo político y en social[11].

11ª) Cambio de modelo de justicia penal con profundos retos normativos, estructurales y culturales[12].

12ª) Una imagen profundamente desacreditada del Titular del Ejecutivo Federal (el Presidente de la República)[13].

---

[9] Vid. GARCÍA GIBSON, Ramón, *Prevención de lavado de dinero y financiamiento al terrorismo*, México, INACIPE, 2009, p. 71 y ss.

[10] Continúa sensible y precaria la vigencia de éstos en México, ya que persiste la impunidad y graves violaciones a los mismos (tortura, malos tratos, desapariciones forzadas y ejecuciones extrajudiciales). Se muestra alarmante el hecho de que más de 27.000 personas permanecían desaparecidas o en paradero desconocido para el 2015. Igualmente, siguen las amenazas, el acoso y los homicidios contra periodistas y defensores y defensoras de los derechos humanos. Asimismo, el número de detenciones, expulsiones y denuncias de abusos contra migrantes en condición irregular —a manos de las autoridades— aumentó de forma considerable. También sigue siendo común la violencia contra las mujeres. De igual forma, es frecuente que se realicen proyectos de desarrollo en gran escala y proyectos de explotación de los recursos naturales sin contar con un marco jurídico sobre el consentimiento libre, previo e informado de las comunidades indígenas afectadas. Vid. Informe 2015/16. La situación de los Derechos Humanos en el mundo, Amnistía Internacional (2016), pp. 302 y 303.

[11] En México no cuenta todavía una sociedad activa, correctamente organizada, que convierta la participación ciudadana en una real —y verdadera plataforma— de exigencia a los gobiernos. La construcción de ciudadanía educada e informada está en sus primeras etapas, y no existen suficientes organizaciones sociales organizadas capaces de escudriñar los asuntos del gobierno. Vid. GONZÁLEZ GÓMEZ, Javier, "La corrupción en México: entre el desánimo público y la falta de institucionalidad", en *Combate a la corrupción*, México, INACIPE, 2011, p. 45.

[12] GARCÍA SILVA, Gerardo, "Antecedentes históricos del desarrollo de los sistemas procesales. Sistema acusatorio vs. sistema inquisitivo", en: *Impartición de Justicia en México en el Siglo XII*, México, Porrúa, 2011, pp. 32 y 33.

[13] La aprobación de Enrique Peña Nieto, el Presidente de México (2012-2018), cayó en picada luego de que se hicieron públicos los escándalos de corrupción como: "casa blanca", el de la empresa española Obras cón Huarte Lain (OHL) o el del tren México-Querétaro, aunque se debe tomar en cuenta que, desde hace años, la corrupción ha sido una protagonista de la vida pública de la nación. No

En esta compleja realidad apenas descrita, difícilmente, un ciudadano mexicano promedio puede tener claro hasta qué punto los cárteles de drogas —que delinquen en el país—tienen sus tentáculos en los factores reales de poder político. El grado de sospecha sobre la penetración de estos grupos de delincuencia organizada en las esferas del poder ha llegado al grado de que, muchos mexicanos, por encima de las exigencias de cobertura de necesidades básicas (salarios justos, vivienda, servicios de salud, educación de calidad), lo que pidan sea seguridad, justicia, transparencia y compromiso cabal por parte del gobierno en el combate a este tipo de criminalidad[14].

Aunado a lo anterior, los cárteles de la droga se aprecian como los principales generadores de violencia en el país. En la actualidad, tales manifestaciones criminales se caracterizan por:

1°) Llevar a cabo una evidente distribución de territorios para controlar, hasta donde sea posible, el tráfico de sustancias.

2°) Multiplicar y diversificar sus actividades criminales en busca de mayores ingresos económicos[15].

3°) Aumentar—exponencialmente— la complejidad y sofisticación de las operaciones[16].

4°) Integrar a sus organizaciones "brazos armados" cada vez más entrenados al grado de tener, entre sus filas, a ex militares altamente capacitados en técnicas de reacción, asalto y uso de armamento de grueso calibre.

Por otro lado, el notorio incremento de notas periodísticas que comunican la aparición de cadáveres a lo largo de todo el país es devastador (se calcula que más de 100,000 personas han muerto ase-

---

obstante, durante el presente sexenio se han presentado, por lo menos, tres de los casos más emblemáticos de la historia moderna del país en los que han visto involucrados el propio Presidente de México y su familia, secretarios de Estado, Gobernadores y ex altos funcionarios del Gobierno federal.

14   Vid. Entre otros, BORJÓN NIETO, José Jesús, *Cooperación internacional contra la delincuencia organizada transnacional*, Colección Investigación, n° 3, México, INACIPE, 2005, pp. 91 y ss.

15   Vid. GÓMEZ DEL CAMPO DÍAZ BARREIRO, Bernardo, *Delincuencia organizada. Una propuesta de combate*, México, Porrúa/Facultad de Derecho de la UNAM, pp. 27 y ss.

16   *Ibid.*

sinadas o ejecutadas en México en los últimos 10 años por eventos relacionados al narcotráfico). En este orden de ideas, cualquiera que pase unos días en el país podrá constatar que la tendencia mediática (televisión, radio, prensa, internet) centra gran parte de sus contenidos en hechos directamente vinculados a homicidios —y ejecuciones masivas— relacionados a disputas por el mercado de los narcóticos entre bandas del crimen organizado[17].

En definitiva, en este escenario de marcada incidencia criminal, las muertes relacionadas —o vinculadas— al tráfico de narcóticos se muestran, definitivamente, como el aspecto de mayor impacto social de este fenómeno criminal (también conocido como narcotráfico). Con relación a este punto, desde la doctrina[18], se ha presentado una clasificación categórica —con alto nivel de asertividad— que describe las muertes —gráficamente— imputadas, por los medios masivos de comunicación, a la delincuencia organizada vinculada al tráfico de narcóticos. Tal categorización, de manera sintética, se describe en los puntos siguientes:

- Descubrimiento de víctimas (hombres, mujeres, menores de edad) que aparecieron: a) colgados, b) con signos de tortura, c) amordazados, d) con los ojos vendados, e) envueltos en cobijas o bolsas de plástico, f) calcinados, y, g) mutilados;
- Hombres que incursionan, con armas de alto poder —de uso exclusivo del ejército—, en celebraciones atacando a sus asistentes o, con mayor impunidad, en centros de rehabilitación disparando indiscriminadamente contra los asistentes;
- Funcionarios (jefes de policía, alcaldes o candidatos a gobernador) que son privados ilegalmente de su libertad y luego asesinados con grandes dosis de violencia;
- Cuerpos depositados en "narcofosas" a lo largo y ancho de nuestro país;
- Periodistas y activistas asesinados.

---

[17] Vid. BARRÓN CRUZ, Martín Gabriel, *Violencia y seguridad en México en el umbral del siglo XXI*, México, INACIPE/Editorial NOVUM, 2012, p. 28.
[18] *Ibid.*

2. PRINCIPALES CÁRTELES DE LA DROGA EN MÉXICO

Desde los estudios criminológicos se ha vislumbrado que, en el presente, concurre una diversidad de estructuras por lo que toca a las organizaciones criminales. En este sentido, no solamente existen organizaciones jerarquizadas, sino que también de estructura flexible (supuestos en los que el poder de mando está diluido entre los miembros)[19]. Inclusive, se aprecian estructuras de red, en las que operan diversas células que ejecutan y tienen como parte de su responsabilidad las actividades criminales encauzadas a una actividad criminal mayor[20]. De hecho puede materializarse la colaboración de grupos de delincuencia organizada con otras organizaciones criminales[21] locales, nacionales y extranjeras[22].

Por lo que toca a lo señalado en última parte del párrafo que precede, las modificaciones en la operación del Estado mexicano de un contexto rígido y vertical—como lo ha sido el sistema presidencialista— a un ejercicio del poder político más democratizado—en el que concurren funcionarios públicos y legisladores de diversas corrientes—en los tres poderes (ejecutivo, legislativo y judicial), así como en los tres niveles de gobierno (federal, estatal y municipal), y las particulares modificaciones de la delincuencia organizada vinculada al tráfico de narcóticos (fragmentándose varias organizaciones confrontadas entre sí) han hecho, como ocurrió hace tiempo, arreglos extraoficiales

---

[19] Vid. ZÚÑIGA RODRÍGUEZ, Laura, *Criminalidad de empresa y criminalidad organizada. Dos modelos para armar en el Derecho Penal*, Lima, Jurista Editores, 2013, p. 621.

[20] *Ibid.*

[21] Como se ha señalado desde la doctrina tal circunstancia "traducida a la responsabilidad penal significaría desentrañar cada organización criminal como núcleo de cada delito". Vid. ZÚÑIGA RODRÍGUEZ, Laura, *Criminalidad de empresa y criminalidad organizada... Op. cit.*, p. 621.

[22] En este sentido, por lo que toca a cooperación con grupos criminales extranjeros, desde la doctrina se ha señalado que: "La cooperación entre organizaciones criminales de distintos Estados, compromete al poder legislativo de las distintas naciones, a establecer mecanismos penales y procesales que permitan la íntima colaboración para la detención y condena de dichas organizaciones". Vid. BALLESTEROS SÁNCHEZ, Julio, "Crimen organizado y tráfico de drogas: las rutas marítimas de la cocaína hacia Europa. La seguridad en África", en: *Política criminal ante el reto de la delincuencia transnacional*, Valencia, Ediciones Universidad de Salamanca/Tirant lo Blanch, 2016, p. 889.

con vigencia en toda la soberanía nacional entre el crimen organizado y el gobierno federal[23].

En sentido diverso—y a diferencia de los que ocurre en el contexto nacional—, se presentan circunstancias que han puesto las condiciones para la aparición de acuerdos regionales y locales propiciados y comandados por grupos de delincuencia organizada, que solicitan de protección y colaboración de las autoridades de los tres niveles en sus áreas de influencia[24]. En estos arreglos, las figuras dominantes fueron establecidas por los criminales por la simple razón de que eran más poderosos que las autoridades locales y porque las acciones del gobierno federal, en el escenario de lo local, sigue careciendo de fuerza y contundencia[25].

Por otra parte, durante los primeros años del siglo XXI, se ha observado una lenta —aunque permanente— transición de los cárteles que históricamente —y durante las tres últimas décadas del siglo XX— controlaron las actividades de narcotráfico en el país, caracterizados por contar con una visión empresarial, discreción en sus acciones criminales y reducido impacto sobre la población civil, a clanes delictivos que con sus carnicerías indiscriminadas, públicas y violentas por la lucha de territorios, mercados[26] y rutas han convertido a México en uno de los países que padece más violencia en el continente americano, sólo superado por Venezuela y Colombia[27].

---

[23]   Vid. VALDÉS CASTELLANOS, Guillermo, *Historia del Narcotráfico en México. Apuntes para entender el crimen organizado y la violencia*, México, Aguilar, 2013, p. 464.

[24]   *Ibid.*

[25]   Vid. VALDÉS CASTELLANOS, Guillermo, *Historia del Narcotráfico en México... Op. cit.*, p. 464.

[26]   Una zona de Guerrero que conecta con el Estado de México y Michoacán, en el suroeste del país, conocida como "Tierra Caliente" se ha puesto a la par y, en cierta medida, ha superado el interés de los grupos criminales por el conocido "Triángulo Dorado", primer zona de producción de heroína y con la mayor distribución de ésta hacia Norteamérica, que se ubica entre Chihuahua, Sinaloa y Durango, en el noroeste de México, donde ejerce liderazgo El Cártel de Sinaloa, cuyo líder visible fue detenido a inicios de enero de 2016.

[27]   México es, en este momento, el tercer país más violento del continente americano. Esto si se toma como referencia el Reporte 2016 del Índice de Paz Global (IPG) del *Institute for Economics and Peace*. También, de acuerdo con tal ins-

En otro sentido, la experiencia empírica documentada por autoridades mexicanas e investigadores demuestra que, en el presente, los cárteles de la droga se diversifican y amplían su portafolio de actividades criminales a secuestros, trata de personas, extorsiones, tráfico de armas, venta de vehículos robados, venta de hidrocarburos extraídos ilegalmente; cobro de cuotas a sectores productivos —agricultura, ganadería, minería—, empresarios y funcionarios de gobierno, cobro de piso a otros grupos criminales, venta de bienes en penales, cobro de peaje a migrantes y transportistas.

Para finalizar este apartado, de manera sintética y gráfica, se comparte información sobre los diversos cárteles de droga que operan en México, sus principales capos, actividades criminales y zonas de influencia en una serie de cuadros que se desarrollan a continuación[28]:

2.1. *Grupos del Pacífico*

Cártel de Sinaloa

Capos	Actividades	Zona de influencia
Joaquín "El Chapo" Guzmán Loera (detenido) Ismael "El mayo" Zambada García (prófugo). Vicente Zambada Niebla "El Vicentillo" (detenido) Ignacio Coronel Villareal "El rey del Crystal" (occiso). Teodoro García Simental (detenido) Juan José Esparragoza Moreno "El Azul" o "El Guaraches" (30 millones de pesos de recompensa) Rafael Caro Quintero (prófugo)	Tráfico de cocaína, heroína, marihuana, drogas sintéticas, piratería, lavado de dinero, acopio de armas de fuego, contrabando, entre otros	Sonora, Sinaloa. Durango, Yucatán, Baja California, Baja California Sur.

---

trumento de medición, México es más violento que el conjunto de países que conforman Centroamérica y el Caribe.

28 La actualización de la información que se aprecia en el contenido de los cuadros de referencia fue obtenida del listado que aparece en el Programa de Recompensas de la Procuraduría General de la República (PGR), del Gobierno Mexicano y de *The official FBI Ten Most Wanted Fugitives list is maintained on the FBI website*, de Estados Unidos de América, las cuales fueron complementadas por una serie de referencias electrónicas que se aprecian en la última parte de la bibliografía.

Cártel de Juárez o de Los Carrillo Fuentes

Capos	Actividades	Zona de influencia
Amado Carrillo Fuentes "El señor de los Cielos" (occiso) Vicente Carrillo Leyva "El Viceroy" (detenido) Rodolfo Carrillo Fuentes "El niño de oro" (occiso) Juan Pablo Ledezma "El JL" (15 millones de pesos recompensa).	Tráfico de cocaína, narcomenudeo, robo de hidrocarburos, de ganado, contrabando y la tala clandestina.	Juárez, Chihuahua

Cártel de Jalisco o Nueva Generación

Capos	Actividades	Zona de influencia
Alberto Ávila "El Chacal" (detenido). Nemesio Oceguera Cervantes "El Mencho" (2 millones de pesos recompensa).	Controla los laboratorios clandestinos de drogas sintéticas en la región de occidente, especialmente en Jalisco y Colima. Así como extorsión, cobro de piso.	Jalisco, Colima, Michoacán y Veracruz Estado de México, Distrito Federal, Morelos, Guerrero, Guanajuato. Nayarit, San Luis Potosi y Quintana Roo.

Cártel de Tijuana o de los Arellano Félix

Capos	Actividades	Zona de influencia
Ramón Arellano Félix (occiso) Francisco Rafael Arellano (occiso) Francisco Javier Arellano Félix "El Tigrillo" Benjamín Arellano Félix (detenido) Luis Fernando Sánchez Arellano "El Ingeniero" (detenido). Enedina Arellano Félix "La Jefa"-	Tráfico de drogas, extorsión, secuestro y homicidio.	Baja California

2.2. Grupo de Tamaulipas

Del Golfo

Capos	Actividades	Zona de influencia
Oriel Cárdenas Guillén (detenido). José Eduardo Costilla Sánchez "El Coss" (detenido). Juan Nepomuceno Guerra (occiso). Juan García Ábrego (detenido). Mariano Armando Ramírez Treviño (detenido).	En Estados Unidos el Cártel del Golfo opera a través de alianzas con pandillas locales dedicadas al tráfico de drogas y enervantes, mientras que en México sus células incrementaron el uso de la violencia para extorsionar, secuestrar y asesinar.	Tamaulipas y Quintana Roo

2.3. Grupo de "Tierra Caliente"

Caballeros Templarios

Capos	Actividades	Zona de influencia
Dionicio Loya Plancarte (detenido). Servando Gómez Matínez "La Tuta" (detenido). Enrique Plancarte Solís (occiso). Ignacio Rentería Andreade "El Nacho" o "El Cenizo" (detenido)	Tráfico y venta de drogas, trata y tráfico de personas, extorsión, secuestro, prostitución, robo de gasolina, lavado de dinero, tráfico de armas.	Michoacán, Guerrero, Guanajuato, Morelos, Jalisco, México, Querétano, Colima, Quintana Roo y Baja California.

Familia Michoacana

Capos	Actividades	Zona de influencia
Carlos Rosales Mendoza, "El Tísico" (occiso). Nazario Moreno "El Chayo" (occiso). José de Jesús Méndez Vargas, "El Chango" (detenido). Homero González Rodríguez "El Chivo" (prófugo).	Tráfico y venta de drogas, extorsión, secuestro, asesinatos, chantaje, trata y tráfico de personas, prostitución, robo de gasolina, lavado de dinero, tráfico de armas.	Morelos, Guerrero, Ciudad de México

Guerreros Unidos

Capos	Actividades	Zona de influencia
Cleotilde Toribio Rentería "El Tilde" (detenido).	Tráfico y venta de drogas, trata y tráfico de personas, extorsión, secuestro, prostitución, robo de gasolina, lavado de dinero, tráfico de armas, asesinato.	Guerrero, Morelos y en el Estado de México, también ha habido informes de que tienen presencia en la ciudad de Mérida en la península de Yucatán, y en el estado de Querétaro.

3. REACCIÓN CONSTITUCIONAL FRENTE A LA DELINCUENCIA ORGANIZADA

Desde la propia Constitución Política de los Estados Unidos Mexicanos (CPEUM) se puede constatar el profundo interés que ha manifestado el gobierno mexicano a la prevención y combate a la delincuencia organizada. En este sentido, la reforma en materia de seguridad y justicia del año 2008 que, entre otras valiosas prerrogativas que impactan —de forma determinante y sustancial— el proceso penal en México, incluye en su articulado un notorio y contundente reforzamiento en la lucha jurídico-penal frente a los grupos del crimen organizado[29].

Al margen de lo criticable que resulta la técnica legislativa que permite la codificación penal desde el propio texto constitucional[30], difícilmente, por razones de política criminal[31], podría cuestionarse el esfuerzo legislativo por hacer frente a la problemática desde la CPEUM[32]. De hecho, en esa época —de manera conjunta—, tanto la

---

29 Vid. ALVARADO MARTÍNEZ, Israel, *La investigación, procesamiento y ejecución de la delincuencia organizada en el sistema penal acusatorio*, en Colección Juicios Orales, Coordinadores Jorge Witker y Carlos Natarén, Universidad Nacional Autónoma de México, Instituto de Investigaciones Jurídicas de la UNAM, México, 2012, pp. 1 y ss.

30 El artículo 16 CPEUM define a la delincuencia organizada como "...una organización de hecho de tres o más personas, para cometer delitos en forma permanente o reiterada, en los términos de la ley de la materia".

31 Desde la doctrina se ha señalado que: "La Política Criminal permite la conexión del sistema penal a los principios básicos del Estado democrático de Derecho, a los valores constitucionales, que es el primer fundamento de racionalidad que se demanda. La Política Criminal en este ámbito de selección de los instrumentos para hacer frente a la criminalidad, plantea como principio fundamental el de subsidiariedad, en tanto expresión del principio general del Estado democrático de Derecho de proporcionalidad. Así, se tratará de hacer una selección de instrumentos de acuerdo a los subprincipios de oportunidad, menor lesividad y necesidad, para hacer frente a la criminalidad organizada". ZÚÑIGA RODRÍGUEZ, Laura, *Criminalidad organizada y sistema de derecho penal. Contribución a la determinación del injusto penal de organización criminal*, Granada, Comares, 2009, pp. 19 y 20.

32 Un sector doctrinal aprecia que el legislador mexicano reforma la Constitución aplicando, para los supuestos de delincuencia organizada, una versión endurecida de un modelo que ha fracasado en los procesos penales ordinarios (sistema inquisitivo) y que puede significar "peligros mayores". Asimismo, estima que tam-

LX Legislatura de la Cámara de Diputados como la LX Legislatura del Senado de la República manifestaron que un relevante cambio que impulsaba la reforma:

> ... es el fortalecimiento en la Constitución del régimen especial para la delincuencia organizada. Se establecen medidas como las que ya existen en otros países democráticos para enfrentar a delincuentes peligrosos, entre ellas el arraigo antes de la sujeción a proceso, la prisión antes y durante el juicio, confidencialidad de datos de víctimas o testigos, intervención de comunicaciones privadas, acceso a información reservada y extinción de domino de propiedades en favor del Estado, siempre con orden del juez. Los acusados por delincuencia organizada conservarán en todo momento sus garantías para tener un juicio en igualdad de condiciones con el Ministerio Público, en presencia del juez y con libertad para presentar argumentos y pruebas[33].

Por otro lado, tratándose de delincuencia organizada, queda claro que mediante medios tradicionales de investigación no es posible lograr su efectiva persecución y procesamiento[34]. Ante tal circunstancia una gran cantidad de países han optado por introducir —en sus legislaciones— mecanismos procesales que les permitan resolver tal situación. En el caso de México, desde su ordenamiento superior son

---

[33] poco desarrolla en profundidad instituciones que han dado buenos resultados en el combate a este tipo crimen a escala internacional (sistema de protección de testigos, prevención de lavado de dinero, cooperación entre los organismos del sistema financiero...). Vid. FONDEVILA, Gustavo "Agentes encubiertos: pruebas y confesiones", en: *Herramientas para combatir la delincuencia organizada*, María Eloísa Quintero (coordinadora), Instituto Nacional de Ciencias Penales (INACIPE), México, 2010, p. 44.

[33] Vid. *Reforma Constitucional de Seguridad y Justicia Guía de consulta ¿En qué consiste la reforma? Texto constitucional comparado, antes y después de la reforma*, México, LX Legislatura de la Cámara de Diputados y LX Legislatura del Senado de la República, 2008, p. 2; ALVARADO MARTÍNEZ, Israel, *La investigación, procesamiento y ejecución de la delincuencia organizada...*, op. cit. pp. 23-25.

[34] Con relación a este punto, el proceso penal ordinario en México muta de un sistema mixto —de corte inquisitivo— por uno de tendencia acusatoria. La transición de modelo de enjuiciamiento penal pretende separar las funciones procesales, partiendo de directrices de índole garantista. Sin embargo, en lo concerniente a la delincuencia organizada la reforma penal de 2008 endurece el régimen de excepción aplicable a esta criminalidad. La idea es que "la gravedad del problema reclama mayores restricciones de garantías". Vid. FONDEVILA, Gustavo, *Agentes encubiertos: pruebas y confesiones*, op. cit., p. 43.

varias las disposiciones que se prescriben para combatir este tipo de criminalidad. Tales previsiones jurídicas— identificadas claramente por los especialistas en la materia[35]—, se aprecian en el listado que se detalla a continuación:

a) Arraigo hasta por 80 días (artículo 16, § octavo);

b) Duplicidad del plazo constitucional para retener a una persona (artículo 16, § § décimo);

c) Intervención de comunicaciones privadas (artículo 16, § § duodécimo al décimo quinto)[36];

d) Reclusión preventiva y ejecución de sentencias en centros especiales (artículo 18, § § octavo y noveno);

e) Restricciones de comunicaciones de los inculpados y sentenciados por esta modalidad delictiva con terceros (artículo 18, § noveno);

f) Medidas de vigilancia especial a quienes se encuentren internos en centros especiales (artículo 18, § noveno);

g) Prisión preventiva oficiosa para los miembros de este tipo de criminalidad cuando existan elementos para su procesamiento (artículo 19, § segundo);

h) Suspensión del proceso junto con los plazos para la prescripción de la acción penal en los supuestos de evasión de la justicia o puesta a disposición de otro juez que reclame al imputado en otro país (artículo 19, § sexto);

i) Imposibilidad de la defensa para tener acceso total a los medios de convicción y/o probatorios desde el inicio de la investigación por la reserva del nombre y datos del acusador en perjuicio del acusado, tanto en el momento de su detención como en su comparecencia ante el Ministerio Público (MP) o el Juez (artículo 20, apartado B, Fracción III, párrafo primero y apartado C, fracción V);

---

[35] ALVARADO MARTÍNEZ, Israel, *La investigación, procesamiento y ejecución de la delincuencia organizada…, op. cit.*, pp. 23-25.

[36] Medida que, si bien es cierto en la CPEUM no es literalmente dirigida —y considerada únicamente— a este tipo de criminalidad, puede ser empleada para la investigación y persecución de la delincuencia organizada.

j) Se establecen beneficios a favor del inculpado, procesado o sentenciado que colaboren de manera eficaz en la investigación y persecución de delitos en materia de delincuencia organizada (Artículo 20, apartado B, fracción III, párrafo segundo);

k) Protección de víctimas, ofendidos, testigos y en general sujetos que intervengan en el proceso (artículo 20, apartado C, fracción V, párrafo segundo)[37];

l) Restricción de publicidad (artículo 20, apartado C, fracción V, párrafo primero y apartado C, fracción V);

m) Valor probatorio de las actuaciones llevadas a cabo en la fase de investigación cuando no puedan ser reproducidas en juicio o exista peligro para los testigos o víctimas [prueba anticipada (artículo 20, apartado B, fracción V, párrafo segundo)];

n) Confiscación de bienes bajo la modalidad de decomiso en los casos en que el dominio se declare extinto en la sentencia (artículo 22, § segundo, fracción II);

o) Reserva de competencia a favor del Congreso de la República para legislar en materia de delincuencia organizada (artículo 73, fracción XXI);

4. TRÁFICO ILÍCITO DE DROGAS: MODALIDAD QUE CONTEMPLA LEY FEDERAL CONTRA LA DELINCUENCIA ORGANIZADA

La controvertida Ley Federal contra la Delincuencia Organizada (LFCDO), antes de entrar en vigor, fue concebida como una iniciativa que era a todas luces anticonstitucional, pues contravenía a los ins-

---

[37] Esta disposición constitucional genera una opción a los órganos de persecución del delito en el ámbito de la delincuencia organizada, pues en muchas de las ocasiones, las personas no denuncian por temor a represalias. En este sentido, con la regulación constitucional de este tipo de dispositivos legales intenta brindar una protección que puede, en cierta medida, estimular a los ciudadanos a testificar hechos criminales que les constan. Vid. ALVARADO MARTÍNEZ, Israel y GUILLÉN LÓPEZ, Germán, "Protección a víctimas, testigos y menores", *Iter Criminis. Revista de ciencias penales,* Cuarta Época, n° 7, enero-febrero de 2009, pp. 75 y ss.

trumentos internacionales a los que México se ha adherido; además, atentaba directamente con lo estipulado por nuestra Constitución, en múltiples artículos. En ese sentido, como resultado, la artificiosa propuesta de ley logró permear las fibras más íntimas de la Constitución, hasta lograr un cambio en todo aquello que se opusiera a la futura ley. Así, como desde la doctrina nacional se ha señalado: "la ley ahora no sería inconstitucional, pues los preceptos antiguos y obsoletos de nuestra ley suprema, ya no existirían más[38]".

El tipo de delincuencia organizada previsto en el art. 2 LFCDO[39] es, para un sector de la doctrina: una técnica de adelantamiento de

---

[38] ALVARADO MARTÍNEZ, Israel, *Análisis a la Ley Federal contra la Delincuencia Organizada*, Porrúa/Instituto Nacional de Ciencias Penales (INACIPE), México, 2004, México, p. 2.

[39] Artículo 2° de la LFCDO: "Cuando tres o más personas se organicen de hecho para realizar, en forma permanente o reiterada, conductas que por sí o unidas a otras, tienen como fin o resultado cometer alguno o algunos de los delitos siguientes, serán sancionadas por ese solo hecho, como miembros de la delincuencia organizada.

Terrorismo, previsto en los artículos 139 al 139 Ter, financiamiento al terrorismo previsto en los artículos 139 Quáter y 139 Quinquies y terrorismo internacional previsto en los artículos 148 Bis al 148 Quáter; contra la salud, previsto en los artículos 194 y 195, párrafo primero; falsificación o alteración de moneda, previstos en los artículos 234, 236 y 237; el previsto en la fracción IV del artículo 368 Quáter en materia de hidrocarburos; operaciones con recursos de procedencia ilícita, previsto en el artículo 400 Bis; y el previsto en el artículo 424 Bis, todos del Código Penal Federal;

II. Acopio y tráfico de armas, previstos en los artículos 83 bis y 84 de la Ley Federal de Armas de Fuego y Explosivos;

III. Tráfico de indocumentados, previsto en el artículo 159 de la Ley de Migración;

IV. Tráfico de órganos previsto en los artículos 461, 462 y 462 bis de la Ley General de Salud;

V. Corrupción de personas menores de dieciocho años de edad o de personas que no tienen capacidad para comprender el significado del hecho o de personas que no tienen capacidad para resistirlo previsto en el artículo 201; Pornografía de personas menores de dieciocho años de edad o de personas que no tienen capacidad para comprender el significado del hecho o de personas que no tienen capacidad para resistirlo, previsto en el artículo 202; Turismo sexual en contra de personas menores de dieciocho años de edad o de personas que no tienen capacidad para comprender el significado del hecho o de personas que no tiene capacidad para resistirlo, previsto en los artículos 203 y 203 Bis; Lenocinio de personas menores de dieciocho años de edad o de personas que no tienen cala punición[40]. Ésta consiste en la anticipación del momento en que el Derecho penal entra en acción. Es decir, mientras que en los supuestos usuales o frecuentes el Derecho penal entra en funcionamiento —y/o interviene— cuando ya se ha lesionado o puesto en peligro un bien jurídico de carácter generalmente material (por ejemplo: cuando ya se ha producido una lesión o la muerte de un sujeto es cuando, retrospectivamente, se sanciona al autor por su delito ya pasado), en los casos del denominado Derecho penal del enemigo concurre ese adelantamiento del momento a un estadio anterior, lo cual, como señalan expertos: "introduce una perspectiva de mayor prevención frente a un riesgo ulterior que se quiere evitar incluso a costa de reducir el ámbito de libertad del sujeto[41]".

El delito contra la salud, previsto en los artículos 194 y 195, párrafo primero del Código Penal Federal[42], es una de las modalidades delictivas que prevé la fracción primera del art. 2o. LFCDO. En este sentido, tales delitos, en su variante de tráfico de drogas (narcóticos,

---

pacidad para comprender el significado del hecho o de personas que no tienen capacidad para resistirlo, previsto en el artículo 204; Asalto, previsto en los artículos 286 y 287; Tráfico de menores o personas que no tienen capacidad para comprender el significado del hecho, previsto en el artículo 366 Ter, y Robo de vehículos, previsto en los artículos 376 Bis y 377 del Código Penal Federal, o en las disposiciones correspondientes de las legislaciones penales estatales o del Distrito Federal;

VI. Delitos en materia de trata de personas, previstos y sancionados en el Título Segundo de la Ley General para Combatir y Erradicar los Delitos en Materia de Trata de Personas y para la Protección y Asistencia a las Víctimas de estos Delitos, excepto en el caso de los artículos 32, 33 y 34 y sus respectivas tentativas punibles.

VII. Las conductas previstas en los artículos 9, 10, 11, 17 y 18 de la Ley General para Prevenir y Sancionar los Delitos en Materia de Secuestro, Reglamentaria de la fracción XXI del artículo 73 de la Constitución Política de los Estados Unidos Mexicanos".

40   GÜNTHER, Jakobs y POLAINO-ORTS, Miguel, *Criminalidad Organizada, Formas de combate mediante el derecho penal,* México, Editorial Flores, 2013, p. 120.

41   *Idem.*

42   En tales artículos el CPF señala: "art. 194.- Se impondrá prisión de diez a veinticinco años y de cien hasta quinientos días multa al que:
I.- Produzca, transporte, trafique, comercie, suministre aun gratuitamente o prescriba alguno de los narcóticos señalados en el artículo anterior, sin la autorización correspondiente a que se refiere la Ley General de Salud;

por lo que se refiere a la legislación mexicana), son los que ocupan la mayor parte de los esfuerzos judiciales. De hecho, la principal manifestación de delincuencia organizada en México lo representan el tráfico ilícito de drogas[43]. Por otra parte, hay que tener presente que la investigación de los delitos contra la salud en materia de narcóticos, por las características propias de estos ilícitos, los cuales podemos considerar en términos generales, que las más de las veces se encuentran ligados a la delincuencia organizada, la que, como expresamos, cada día adquiere mayor expansión y fuerza, cuenta con amplios recursos de diversa índole y desarrolla sus actividades de manera com-

---

Para los efectos de esta fracción, por producir se entiende: manufacturar, fabricar, elaborar, preparar o acondicionar algún narcótico, y por comerciar: vender, comprar, adquirir o enajenar algún narcótico.

Por suministro se entiende la transmisión material de forma directa o indirecta, por cualquier concepto, de la tenencia de narcóticos.

El comercio y suministro de narcóticos podrán ser investigados, perseguidos y, en su caso sancionados por las autoridades del fuero común en los términos de la Ley General de Salud, cuando colmen los supuestos del artículo 474 de dicho ordenamiento.

II.- Introduzca o extraiga del país alguno de los narcóticos comprendidos en el artículo anterior, aunque fuere en forma momentánea o en tránsito.

Si la introducción o extracción a que se refiere esta fracción no llegare a consumarse, pero de los actos realizados se desprenda claramente que esa era la finalidad del agente, la pena aplicable será de hasta las dos terceras partes de la prevista en el presente artículo.

III.- Aporte recursos económicos o de cualquier especie, o colabore de cualquier manera al financiamiento, supervisión o fomento para posibilitar la ejecución de alguno de los delitos a que se refiere este capítulo; y

IV.- Realice actos de publicidad o propaganda, para que se consuma cualesquiera de las sustancias comprendidas en el artículo anterior.

Las mismas penas previstas en este artículo y, además, privación del cargo o comisión e inhabilitación para ocupar otro hasta por cinco años, se impondrán al servidor público que, en ejercicio de sus funciones o aprovechando su cargo, permita, autorice o tolere cualesquiera de las conductas señaladas en este artículo.

Artículo 195.- Se impondrá de cinco a quince años de prisión y de cien a trescientos cincuenta días multa, al que posea alguno de los narcóticos señalados en el artículo 193, sin la autorización correspondiente a que se refiere la Ley General de Salud, siempre y cuando esa posesión sea con la finalidad de realizar alguna de las conductas previstas en el artículo 194, ambos de este código".

43   Vid. GUERRERO AGRIPINO, Luis Felipe, *La delincuencia organizada. Algunos aspectos penales, criminológicos y político-criminales cit.*, p. 125.

pleja; requiere de técnicas de investigación específicas, producto de las experiencias adquiridas durante años de investigación y persecución de esos delitos, del intercambio de información a través de acuerdos, convenios y organizaciones internacionales y de nuevos dispositivos legales[44].

5. MANO DURA Y CAZA DE CAPOS: ESTRATEGIA DEL GOBIERNO FEDERAL PARA FRENAR EL TRÁFICO DE DROGAS

La delincuencia organizada —en todas sus ramificaciones— tiende, de forma inevitable, a estimular sus propias formas de criminalidad, de manera que —como ya se ha señalado con anterioridad— producen y proliferan otras líneas criminales, también rentables y necesitadas de servicios (lavado de dinero, tráfico de armas, secuestros, trata de personas, extorsión...). A ello, si se quiere establecer —con mejor precisión— la verdadera dimensión criminógena del crimen organizado en México, habría que sumarle la aguda violencia que es empleada —a lo largo y ancho del país— por organizaciones criminales "ya sea por los mercados, los ajustes de cuentas, homicidios a gobernantes, políticos, jueces, funcionarios, periodistas, policías o militares[45]".

La reacción del Estado mexicano frente al fenómeno de la delincuencia organizada —principalmente— se ha centrado, por una parte, en el endurecimiento del marco legal y, por otra, en la captura de los líderes de las organizaciones criminales. En ese orden de ideas, desde la doctrina se ha señalado que la realidad muestra que el principal producto de esa fuerte criminalización ha sido, por lo menos, el incremento progresivo de la violencia, las sanguinarias guerras entre cárteles por el control de mercados ilícitos, territorios y hasta el poder

---

[44]   OSORIO Y NIETO, César Augusto, *Delitos contra la salud*, México, Porrúa, 2005, p. 119.
[45]   GÓMEZ DEL CAMPO DÍAZ BARREIRO, Bernardo, *La delincuencia organizada. Una propuesta de combate*, México, Porrúa, 2006, p. 95.

político, la corrupción, el debilitamiento de las soberanías Estatales, el debilitamiento de la seguridad en los municipios[46].

Por otro lado, también hay quien señala quela preocupación de los gobiernos por la contención y represión contra la delincuencia organizada da lugar a "formas de operación que multiplican la violación de los derechos humanos y fomentan la comisión de delitos de todo tipo, con ello, se afecta la existencia y la real vigencia del Estado de Derecho[47]". En este tenor, las manifestaciones de la violencia se multiplican, entrelazan, retroalimentan y descontrolan; en otras palabras, "se impone la ley de la selva en la vida comunitaria e individual[48]". De esta manera, se transita del homicidio político individual, a los homicidios colectivos y de personas inocentes; la población es introducida en un contexto que menosprecia la vida, valores éticos y sociales; la justicia se hace, por decirlo en una sola palabra: inoperante[49]. Los ciudadanos se ven obligados a decidir entre: "la intimidación, corrupción, complicidad o la resignación, conformismo, exilio y muerte[50]".

Desde otra perspectiva —que corrobora parte de esta visión—, y centrando miras al caso de la República Mexicana, está quien señala que prometer "mano dura" y emprender la denominada "guerra" — que si bien ha sido dura pero no efectiva— se no ha logrado detener, neutralizar ni revertir la violencia en la nación[51]. Apostar, en el pasado reciente, por una estrategia que privilegiaba, en gran medida, y frente a otras opciones político-criminales, la represión y "guerra contra el narcotráfico" (con independencia del sinónimo que se utilice para denominarla) provocó, durante el sexenio del Presidente Felipe Calderón (2012-2016) un notorio "incremento no sólo en los índices

---

[46] ANIYAR DE CASTRO, Lola, "Formas de delincuencia organizada en América Latina y técnicas de control", en *El sistema de justicia penal y nuevas formas de observar la cuestión criminal*, México, INACIPE, 2015, p. 21.

[47] GÓMEZ DEL CAMPO DÍAZ BARREIRO, Bernardo, *La delincuencia organizad. Una propuesta de combate, op. cit.*, p. 95.

[48] *Ibid.*

[49] GÓMEZ DEL CAMPO DÍAZ BARREIRO, Bernardo, *La delincuencia organizada. Una propuesta de combate, op. cit.*, pp. 95 y 96.

[50] *Ibid.*

[51] BARRÓN CRUZ, Martín, *Gobernar con el miedo. La lucha contra el narcotráfico (2006-2012)*, México, Novum, 2015, p. 114.

de violencia, sino en los modos de ejercerla[52]". Este efecto y sinergia, pero sin la estrategia mediática del "daño colateral" o la de presentar a delincuentes comunes como grandes capos que los detractores denominaron "charales por tiburones" o la de simular mediatizar "en tiempo real aprehensiones de secuestradores (caso Florence Cassez)", continúa hasta nuestros días en el actual sexenio presidencial (2012-2018) bajo la figura del Presidente Enrique Peña Nieto[53].

Recientemente, la Comisión Interamericana de Derechos Humanos (CIDH) afirmó que en México se vive un escenario de tortura y de violencia que se ve agudizada en regiones del territorio nacional. De igual manera, que el país tiene un agudo problema en el tema de desapariciones[54]y una cuestionable—y sobresaliente—presencia de

---

[52]   De forma paralela —al ambiente de inseguridad— es notorio que hay una gran crisis social en todo el país. Tal realidad nacional ha sido considerada, por un sector de la doctrina, como propia y característica de un "Estado fallido. Vid. BARRÓN CRUZ, Martín, *Gobernar con el miedo. La lucha contra el narcotráfico (2006-2012), op. cit.,* 114.

[53]   El Presidente Enrique Peña Nieto, al asumir su mandato, hizo manifestaciones en el sentido de que la "guerra contra el narcotráfico", que emprendió Felipe Calderón había permitido, en contra de los cárteles de droga, propicio graves abusos de elementos de las fuerzas de seguridad del Estado contra la población civil. También aceptó que, desde el 2006, se desconocía el paradero de más de 22.000 personas denunciadas como desaparecidas. De igual forma, que en el período 2006 al 2012 ocurrieron más de 121 mil muertes violentas relacionadas con el narcotráfico. Sin embargo, a pesar de tales pronunciamientos y propuestas, la administración del presidente Peña no tiene avances significativos en materia de desapariciones forzadas ni resolución de asesinatos. De hecho, en regiones del país es frecuente la tortura por soldados y policías a ciudadanos en el marco de acciones contra la delincuencia organizada.

[54]   De acuerdo con la información aportada por las instancias competentes en las entidades federativas, al 31 de diciembre de 2014, el total de personas desaparecidas o no localizadas del fuero común fue de "24,812". Por otro lado, la información enviada por la PGR informa sobre 418 registros de personas desaparecidas o no localizadas del fuero federal al corte del 31 de diciembre de 2014. En lo concerniente al fuero común, el número de personas desaparecidas o no localizadas al 31 de diciembre de 2014, se distribuyó por entidades federativas de la manera siguiente: al 21.7% (5,392) se le vio por última vez en Tamaulipas; al 8.8% (2,184), en Jalisco; al 7.8% (1,947), en Nuevo León; al 7.8% (1,945), en el Estado de México; al 6.2% (1,540), en Chihuahua, y al 6.2% (1,536), en Sinaloa. En total, la suma acumulada de las personas que al 31 de diciembre de 2014 estaban en estatus de desaparecidas o no localizadas en las seis entidades federativas señaladas representó el 58.6% del padrón nacional. Vid. Informe

las fuerzas armadas (Ejército y Marina) en actividades de seguridad ciudadana[55] que no tienen plazo determinado para concluir su intervención[56]. Asimismo, señala que en México, al igual que en otras partes de América Latina, "la corrupción y la impunidad han permitido a organizaciones criminales desarrollar y establecer verdaderas estructuras de poder paralelas[57]". En varios de los casos los grupos de criminalidad organizada actúan en aparente colusión directa con autoridades de gobierno, o mínimamente con la aprobación de éstas[58]. Al tal nivel que "el poder fáctico que ejercen los carteles de la droga en el país, aunado a los niveles de corrupción de muchos agentes estatales que les permiten actuar con impunidad en muchos casos, inciden en los altos niveles de violencia que azotan al país[59]".

Anual 2014, México, Registro Nacional de Datos de Personas Extraviadas o Desaparecidas (RNPED) Presentado al Consejo Nacional de Seguridad Pública en la Sesión Ordinaria XXXVIII, agosto, 2015. pp. 16 y 17.

[55] Vid, *Situación de los Derechos Humanos en México*, Comisión Interamericana de Derechos Humanos, *op. cit.*, p. 11.

[56] Vid, *Situación de los Derechos Humanos en México*, Comisión Interamericana de Derechos Humanos, *op. cit.*, p. 37.

[57] *Ibid.*

[58] En este sentido, aunque en el país existen miles de casos de desapariciones, sin duda, "el caso Ayotzinapa es un ejemplo emblemático de la colusión entre agentes del Estado e integrantes el crimen organizado", pues la versión oficial señala que "la policía municipal de Iguala estuvo coludida con un grupo delincuencial para desaparecer a los estudiantes". También, en opinión del Grupo Interdisciplinario de Expertos Independientes (GIEI), existe información para concluir que "autoridades de la policía estatal, federal y del Ejército habrían acompañado los incidentes". Por ello se podría afirmar queestas fuerzas de seguridad y los militares "podrían haber estado en colusión con grupos del crimen organizado". Vid, *Situación de los Derechos Humanos en México*, Comisión Interamericana de Derechos Humanos, *op. cit.*, p. 37.

[59] Cifras oficiales, en 2014 se registraron "6.809 homicidios dolosos relacionados con presuntas rivalidades entre grupos del crimen organizado, principalmente presuntos narcotraficantes". En este orden de ideas, la fragmentación que experimentan los cárteles de drogas a raíz de la detención de sus capos y la desarticulación de algunos grupos, las luchas por el control de territorios y las nuevas alianzas entre los mismos grupos criminales, así como la aparición de nuevos grupos criminales, han agravado el fenómeno. Vid, *Situación de los Derechos Humanos en México*, Comisión Interamericana de Derechos Humanos, *op. cit.*, p. 38.

6. CONCLUSIONES

- México, en la actualidad, vive una realidad sui generis que mezcla una democracia en subdesarrollo, altos niveles de impunidad, escándalos mediáticos de alcance nacional relacionados a lavado de dinero con recursos de procedencia ilícita, una desigual —y lacerante— distribución de la riqueza nacional, plena desconfianza en autoridades judiciales y policiales, grave crisis en materia de derechos humanos, corrupción —en todos los niveles de gobierno—, entre otros aspectos, que junto al hecho de compartir una gran frontera con el país que es el mayor consumidor de drogas ilícitas en el planeta, ha generado un coctel de circunstancias que facilita la aparición, consolidación, evolución y multiplicación de grupos de delincuencia organizada y cárteles de drogas a lo largo de todo el país, así como un contexto de inseguridad, violencia extrema, asesinatos y desaparecidos en el país.

- Todo parece indicar que la "política de mano dura" en materia de narcotráfico, que en el sexenio de Felipe Calderón fue desafortunadamente llamada "guerra", y que ha proseguido en el actual —cuestionado—gobierno del presidente Enrique Peña Nieto, no ha logrado ni destruir ni disminuir el poder fáctico de los cárteles de drogas en México; si acaso, se ha propiciado —únicamente— la transformación y adaptación de los grupos de delincuencia organizada al nuevo escenario a fin de proseguir al mando de los lucrativos mercados ilícitos en los que operan. Esta "estrategia" ha provocado que el combate a las organizaciones del crimen organizado en el país sea hoy un esfuerzo fallido. Pues inmediatamente después de ser detenido o abatido —por las fuerzas del Estado— un capo aparece otro.

- La preocupación de las autoridades mexicanas por la evolución de la delincuencia organizada se puede observar desde la propia Constitución Política, a pesar de lo discutible que resulta legislar en materia penal desde el texto magno. En este sentido, se define en el párrafo 9º del artículo 16 CPEUM a la delincuencia organizada como: "...una organización de hecho de tres o más personas, para cometer delitos en forma permanente o reiterada...", y se hace remisión expresa a ley de la materia (LFC-

DO). También, el ordenamiento establece una serie de figuras cuestionables como el "arraigo" por 80 días, "prisión preventiva oficiosa", y "colaborador eficaz". Asimismo, el máximo ordenamiento jurídico considera diversos medios y técnicas de investigación que resultan habituales para la persecución y procesamiento de estos delitos como "intervenciones telefónicas" y "protección de víctimas, ofendidos, testigos y en general sujetos que intervengan en el proceso".

- Si bien, todo el círculo de actividades vinculadas al tráfico de drogas (narcóticos, en la acepción mexicana) aparece en el CPF, el art. 2o. LFCDO establece que, en los casos que prevén los artículos 194 y 195, párrafo primero del CPF —para estos delitos contra la salud— que operen en el contexto de delincuencia organizada, tendrán un tratamiento especial. Tal circunstancia trae aparejada que, dentro de esquemas de excepción, e impulsada por una unidad especializada, integrada por agentes del Ministerio Público de la Federación, policías y peritos, se llevará a cabo la investigación, persecución y puesta a disposición de los criminales de narcotráfico que se realicen bajo esta modalidad delictiva.

7. BIBLIOGRAFÍA

ALVARADO MARTÍNEZ, Israel, *La investigación, procesamiento y ejecución de la delincuencia organizada en el sistema penal acusatorio*, en Colección Juicios Orales, Coordinadores Jorge Witker y Carlos Natarén, México, Universidad Nacional Autónoma de México, Instituto de Investigaciones Jurídicas de la UNAM, 2012.
- *Análisis a la Ley Federal contra la Delincuencia Organizada*, México, Porrúa/Instituto Nacional de Ciencias PENALES (INACIPE), 2004.
- y GUILLÉN LÓPEZ, Germán, "Protección a víctimas, testigos y menores", *Iter Criminis. Revista de ciencias penales*, Cuarta Época, nº 7, enero-febrero de 2009.
ANIYAR DE CASTRO, Lola, "Formas de delincuencia organizada en América Latina y técnicas de control", en *El sistema de justicia penal y nuevas formas de observar la cuestión criminal*, México, INACIPE, 2015.
BALLESTEROS SÁNCHEZ, Julio, "Crimen organizado y tráfico de drogas: las rutas marítimas de la cocaína hacia Europa. La seguridad en África", en: *Política criminal ante el reto de la delincuencia transnacional*, Valencia, Ediciones Universidad de Salamanca/Tirant lo Blanch, 2016.

BARRÓN CRUZ, Martín Gabriel, *Violencia y seguridad en México en el umbral del siglo XXI*, México, Instituto Nacional de Ciencias Penales (INACIPE)/ Editorial NOVUM, 2012.
- *Gobernar con el miedo. La lucha contra el narcotráfico* (2006-2012), México, Novum, 2015.
BORJA JIMÈNEZ, Emiliano, *Curso de política criminal*, Valencia, Tirant lo Blanch, 2003.
BORJÓN NIETO, José Jesús, *Cooperación internacional contra la delincuencia organizada transnacional*, Colección Investigación, nº 3, México, INACIPE, 2005.
BUSCAGLIA, Eduardo, *Vacíos de poder en México. Cómo combatir la delincuencia organizada*, México, Grijalbo, 2015.
DE LA TORRE TORRES, Rosamaría, *Terrorismo y Crimen Organizado. Aspectos Jurídicos y Conceptuales*, Colección: Estudios Jurídicos nº. 2, México, Universidad Michoacana de San Nicolás de Hidalgo, 2008.
ENCUESTA NACIONAL DE VICTIMIZACIÓN Y PERCEPCIÓN SOBRE SEGURIDAD PÚBLICA (ENVIPE), 2015, México, Instituto Nacional de Estadística y Geografía (INEGI).
FONDEVILA, Gustavo "Agentes encubiertos: pruebas y confesiones", en: *Herramientas para combatir la delincuencia organizada*, María Eloísa Quintero (coordinadora), México, Instituto Nacional de Ciencias Penales (INACIPE), 2010.
GARCÍA GIBSON, Ramón, *Prevención de lavado de dinero y financiamiento al terrorismo*, México, INACIPE, 2009.
GARCÍA SILVA, Gerardo, "Antecedentes históricos del desarrollo de los sistemas procesales. Sistema acusatorio vs. sistema inquisitivo", en: *Impartición de Justicia en México en el Siglo XII*, México, Porrúa, 2011.
GÓMEZ DEL CAMPO DÍAZ BARREIRO, Bernardo, *La delincuencia organizada. Una propuesta de combate*, México, Porrúa, 2006.
GONZÁLEZ GÓMEZ, Javier, "La corrupción en México: entre el desánimo público y la falta de institucionalidad", en *Combate a la corrupción*, México, INACIPE, 2011.
GUERRERO AGRIPINO, Luis Felipe, *La delincuencia organizada. Algunos aspectos penales, criminológicos y político-criminales*, México, Universidad de Guanajuato, 2001.
GÜNTHER, Jakobs y POLAINO-ORTS, Miguel, *Criminalidad Organizada, Formas de combate mediante el derecho penal*, México, Editorial Flores, 2013.
ÍNDICE DE PAZ GLOBAL(IPG), *Institute for Economics and Peace*, 2016.
ÍNDICE GLOBAL DE IMPUNIDAD MÉXICO IGI-MEX 2016, Centro de Estudios sobre Impunidad y Justicia (CESIJ), México, Universidad de las Américas (2016).
INFORME 2015/16. LA SITUACIÓN DE LOS DERECHOS HUMANOS EN EL MUNDO, Amnistía Internacional (2016).
INFORME ANUAL 2014, MÉXICO, REGISTRO NACIONAL DE DATOS DE PERSONAS EXTRAVIADAS O DESAPARECIDAS (RNPED) Presentado al

Consejo Nacional de Seguridad Pública en la Sesión Ordinaria XXXVIII, agosto, 2015.

MONTERO ZENDEJAS, Daniel, *Derecho penal y crimen organizado: crisis de la seguridad*, México, Porrúa, 2008.

OSORIO Y NIETO, César Augusto, *Delitos contra la salud*, México, Porrúa, 2005.

SITUACIÓN DE LOS DERECHOS HUMANOS EN MÉXICO, *Comisión Interamericana de Derechos Humanos*, México, documentos oficiales de la Organización de Estados Americanos (OEA), 2015.

VALDÉS CASTELLANOS, Guillermo, *Historia del Narcotráfico en México. Apuntes para entender el crimen organizado y la violencia*, México, Aguilar, 2013.

VIZCAÍNO ZAMORA, Álvaro, "Invitación a la lectura (prólogo)", en *Combate a la corrupción*, México, INACIPE, 2011.

ZÚÑIGA RODRÍGUEZ, Laura, *Criminalidad de empresa y criminalidad organizada. Dos modelos para armar en el Derecho Penal*, Lima, Jurista Editores, 2013.

– *Criminalidad organizada y sistema de derecho penal. Contribución a la determinación del injusto penal de organización criminal*, Granada, Comares, 2009.

Referencias electrónicas:

http: //www.excelsior.com.mx/nacional/2016/02/06/1073460

http: //www.efe.com/efe/usa/mexico/un-importante-narcotraficante-entre-los-4-asesinados-en-el-occidente-mexicano/50000100-2799542

http: //www.excelsior.com.mx/nacional/2015/03/09/1012460

http: //www.milenio.com/policia/Asesinan_a_-El_Tisico-fundador_de_La_Familia-Carlos_Rosales_0_655134505.html

http: //www.noticiasmvs.com/#!/noticias/detienen-a-lider-del-grupo-delictivo-guerreros-unidos-614

http: //www.milenio.com/policia/Hermanos_Casarrubias_Salgado-normalistas_Ayotzinapa-caso_Ayotzinapa_0_620938143.html

http: //www.oem.com.mx/elsoldetijuana/notas/n1978663.htm

https: //www.fbi.gov/wanted/topten

http: //www.excelsior.com.mx/nacional/2014/05/04/957314

http: //eleconomista.com.mx/sociedad/2013/08/17/ejercito-detiene-mario-armando-ramirez-jefe-cartel-golfo

http: //www.eluniversal.com.mx/articulo/estados/2016/01/14/la-captura-garcia-abrego-20-anos-despues

http: //archivo.eluniversal.com.mx/nacion/59269.html

http: //www.proceso.com.mx/121210/el-clan-de-los-quotgori-quot

http://www.milenio.com/policia/Capturan-lider-Zetas-Tamaulipas_0_141585981.html

http: //www.pgje.chiapas.gob.mx/servicios/masbuscados/Ficha.aspx?id_persona=1

http: //archivo.eluniversal.com.mx/nacion/164691.html
http: //www.seguridadjusticiaypaz.org.mx/temas-de-interes/narcotrafico/1263-el-nuevo-mapa-de-los-carteles-en-mexico
http: //www.milenio.com/policia/Familia_Carrillo_Fuentes-detienen_a_Vicente_Carrillo_Fuentes-Senor_de_Los_Cielos_0_388161489.html
http: //www.oem.com.mx/lavozdelafrontera/notas/n3823765.htm
http: //www.altonivel.com.mx/55071-top-los-10-delincuentes-mas-peligrosos-de-mexico
http: //www.recompensas.gob.mx/
http: //www.24-horas.mx/caen-100-de-los-capos-mas-buscados/
http: //www.proceso.com.mx/429160/capturan-a-el-cenizo-jefe-templario-en-la-frontera-de-guerrero-y-michoacan
http: //www.exc

LAS RAZONES DE LA LEGITIMIDAD DE LAS POLÍTICAS CRIMINALES FRENTE A LAS DROGAS ILÍCITAS: ANÁLISIS A PARTIR DE LOS MODELOS DE CONTROL JURÍDICO (I)[1]

LINA MARIOLA DÍAZ CORTÉS[2]

Sumario: 1. Consideraciones previas. 2. Los modelos de control jurídico frente a las drogas ilícitas. 2.1 Su razón. 2.2. Su marco normativo internacional 2.3 Los modelos. 2.3.1 Prohibición estricta. 2.3.2 Prohibición flexible. 3. Reflexión final. 4. Bibliografía.

Resumen: Se analiza la justificación externa de la política criminal en materia de drogas ilícitas, esto es, las razones de utilidad morales, políticas o racionales que hacen que se considere justo su castigo o prohibición; lo anterior enmarcado en dos modelos de control jurídico frente a las mismas, definidos como de prohibición estricta y de prohibición flexible. En ambos esquemas se realiza un estudio de los argumentos esgrimidos, las criticas frente a estos y su aplicación en el Derecho comparado.

Palabras clave: legitimidad, política criminal, perfeccionismo, paternalismo, drogas ilícitas, despenalización, prohibición, clubes de cannabis, autoconsumo, narcotráfico, Estados Unidos, España, Ecuador, la Convención Única sobre Estupefacientes de 1961, Convención contra el Tráfico Ilícito de Estupefacientes y Sustancias Sicotrópicas de 1988, Ley Orgánica 4/2015, de Seguridad Ciudadana.

---

1   Trabajo realizado en el marco del Proyecto I+D+i (MINECO) "*Criminalidad organizada transnacional: una amenaza a los Estados democráticos*" (DER2013-44228-R). Trabajo realizado bajo la coordinación del profesor Fernando Pérez Álvarez. Este artículo también se ha publicado en la Ley penal nº 126 mayo-junio de 2017.
2   Profesora ayudante doctora Universidad de Salamanca. ldiaz@usal.es

1. CONSIDERACIONES PREVIAS

Al referirse a la *legitimidad* del Derecho Penal, del sistema penal o de una norma o institución en concreto, resulta ineludible remitirse al profesor FERRAJOLI. Según el autor, tal legitimidad puede utilizarse en dos sentidos: la *legitimidad o legitimación externa* y la *legitimidad o legitimación interna*[3].

La *legitimidad externa*, hace referencia a *"los principios normativos externos al derecho positivo, es decir, a los criterios de valoración morales o políticos de utilidad de tipo extra o meta-jurídicos"*. A título de ejemplo, un sistema penal se considerará *legítimo* si se entiende *justo* en atención a determinados criterios de tipo moral, político o racional. Por su parte, la *legitimidad interna*, se refiere a *"los principios normativos internos del ordenamiento jurídico mismo, esto es, a criterios de valoración jurídicos o si se quiere intra-jurídicos"*. Por ejemplo, un sistema penal será *legítimo* en la medida en que actúe conforme *"a las normas de derecho positivo que regulan su producción*[4]".

Partiendo de lo anterior, y centrándonos en la política criminal, entendida desde un punto de vista político, como la respuesta que el Estado da al fenómeno criminal[5], conviene preguntarse a qué haremos referencia en este trabajo, cuando planteamos la *legitimidad* de la política criminal en materia de drogas.

Tomando las ideas del profesor FERRAJOLI, podemos decir que cuando se plantee la *legitimidad externa* de la política criminal en materia de drogas ilícitas, esta irá referida a la justificación externa del *por qué castigar* o *prohibir* determinadas conductas en tal materia. Concretamente a las razones de utilidad morales, políticas o racionales que hacen que se considere *justo* su castigo o prohibición, por ejemplo: la salud pública, el daño que se inflige al sujeto consumidor,

---

3   FERRAJOLI, Luigi. *Derecho y razón. Teoría del garantismo penal*, Madrid, Trotta, 2000, p. 213.
4   *Ibídem*, 213-214.
5   BORJA JIMÉNEZ, Emiliano. *Curso de política criminal*, Valencia, Tirant lo Blanch, 2003, pp. 21 y ss. El autor distingue entre Política Criminal como disciplina y como "política", vinculada con la gestión de poder en materia criminal.

la defensa social por la generación de violencia que provoca el consumo de drogas, etc.

En tanto que, cuando se plantee la *legitimidad interna* en materia de drogas, se hará alusión a la *legitimidad jurídica* por referencia a *"principios o normas jurídicas internas del ordenamiento mismo*[6]*"*. En este sentido, constituiría el análisis de si la política criminal que se desarrolla en materia de drogas es válida, en términos de su correspondencia con el ordenamiento jurídico vigente, por ejemplo con el principio de proporcionalidad, o de seguridad jurídica.

En este trabajo, si bien referiremos algunos aspectos de *legitimidad interna*, nos centraremos en hacer una aproximación a la *legitimación externa* de la política criminal en materia de drogas ilícitas, a partir del análisis de las diferentes tipologías de regulaciones jurídicas en torno a las mismas. Sin duda consideramos fundamental partir del análisis del *por qué castigar* o *prohibir* determinadas conductas en materia de drogas en los diversos modelos existentes para su control jurídico. Somos conscientes de la copiosa e importante bibliografía que se ha manejado sobre el tema, particularmente en Latinoamérica; no obstante, este artículo quiere presentar un primer acercamiento, ofreciendo una lectura que resulte metodológicamente útil y básica para entender en primer lugar, cuál es la justificación externa que se ha dado en las diversas perspectivas política criminales para dar respuesta al fenómeno de las drogas y los ejemplos prácticos de dichos modelos a través de algunas referencias al Derecho comparado.

GAMELLA[7], en un interesante trabajo de 2004 al analizar los modelos de control jurídico y político de drogas ilegales, parte de la descripción realizada por MACCOUN y REUTER[8]. Concretamente los autores, en un texto que parece ser un referente bastante importante citado en la bibliografía anglosajona, establecen tres grupos relacio-

---

[6]   FERRAJOLI, Luigi. *Derecho y razón...*, *op. cit.*, p. 353.

[7]   GAMELLA, Juan. "Legalización, prohibición, despenalización: tres regímenes alternativos en el control jurídico-político de las drogas ilegales", en *Cooperación al desarrollo y problemas de drogas*, Fundación de Ayuda contra la drogadicción, 2004, disponible en: http: //www.fad.es/sites/default/files/cooperacion_al_desarrollo.pdf (consulta 5-5-2016).

[8]   MACCOUN, Robert; REUTER, Peter. *Drug war heresies. Learning from other vices, times and places*, Cambridge University Press, Cambridge, 2001.

nados con el tipo de respuesta estatal frente al comercio y el consumo de drogas ilegales[9]: 1. El *prohibicionista*, en el que se defiende el *status quo* existente, sancionando una gran variedad de conductas vinculadas con las drogas ilegales; 2. La *descriminalización*[10] que mantiene la prohibición legal de la venta de esas drogas pero defiende la reducción en las sanciones criminales por posesión de pequeñas cantidades; 3. La *legalización* en la que se propone, la legalidad de la venta y el uso de drogas, enmarcada en una regulación estatal[11].

Junto al establecimiento de estos modelos, UPRIMNY YEPES propone una tipología de las políticas existentes en materia de drogas, en las cuales incluye cuatro categorías: I. *Prohibición estricta*, II. *Prohibición flexible*, III. *Despenalización flexible* y IV. *Despenalización estricta*[12]. En un primer acercamiento se puede señalar que los modelos se corresponden en parte con el esquema de MACCOUN y REUTER, salvo por la inclusión de la cuarta categoría que describe una liberali-

---

[9]   MACCOUN Robert, REUTER, Peter. *Drug war heresies.... op. cit.;* p. 40.

[10]   Sobre este punto, se indica que MACCOUN y REUTER, al definir este segundo modelo, confunden la descriminalización con la despenalización. La descriminalización se refiere a la reducción de la penalidad —por ejemplo se pasa de pena de prisión a pena de multa—, en tanto que despenalización se refiere a la eliminación de todas las penas. En sentido estricto el modelo b, haría referencia a la despenalización. GAMELLA, Juan. "Legalización, prohibición, despenalización..." *op. cit.* p. 62, al referirse al segundo modelo, lo describe como *"la progresiva despenalización del consumo y el esfuerzo por reducir sus riesgos y los daños que provoca".* Sobre la confusión de términos empleados por MACCOUN y REUTER, véase la recensión de la citada obra *Drug War Heresies,* realizada por DUNCAN, David F. en *Journal of Public Health Policy*; Vol. 24 Issue 3/4,2003, disponible en: http: //conium.org/~maccoun/DWH_Duncan.pdf (consulta 3-4-2016), pp. 473-479.

[11]   En un sentido similar, se establecen los diferentes escenarios de política pública diferenciando frente a drogas duras y suaves, entre: a. Status quo b. Regulación y c. Liberalización. Véase MATHIEU, Hans y NIÑO GUARNIZO, Catalina (eds.). *De la represión a la regulación. Propuestas para reformas las políticas contra las drogas,* Bogotá, Friedrich Ebert Stiftung, Programa de Cooperación en Seguridad Regional, 2013, disponible en: http: //library.fes.de/pdf-files/bueros/la-seguridad/10032.pdf (consulta 5-5-2016), pp. 387 y ss.

[12]   Un interesante y crítico trabajo sobre la actual política vinculada en materia de drogas, referido concretamente al caso español: BALLESTEROS SÁNCHEZ, Julio. "Legalización de las drogas que no causan grave daño a la salud. Un estudio de Política Criminal", Trabajo de Fin de Máster Universitario en Derecho Penal, Universidad de Salamanca, 2013.

zación absoluta, ya que UPRIMNY YEPES establece esta tipología no sólo para drogas ilegales, sino también legales[13]. Tomando en cuenta que trabajar los cuatros modelos supera los límites marcados para la extensión de este trabajo y atendiendo los importantes aportes sobre el tema, presentaremos al lector en este primer artículo, un análisis de los primeros dos modelos referidos por UPRIMNY YEPES[14]. Para su desarrollo seguiremos algunas de las líneas marcadas por el autor, ya que en nuestro concepto ofrece una perspectiva interesante. En efecto, y concretamente respecto al modelo I y II, el autor nos acerca a discusiones muy importantes dadas desde el *perfeccionismo,* el *paternalismo* y la *defensa social* para responder a la pregunta del *"por qué castigar o prohibir".*

---

[13] En este punto nos referiremos al texto UPRIMNY YEPES, Rodrigo. "Drogas, Derecho y Democracia", 2002, disponible en: http: //www.mamacoca.org/FS-MT_sept_2003/es/doc/uprimny_drogas_y_democracia.htm. (consulta   16-5-2016). De igual forma, la tipología descrita, es señalada de nuevo por el autor en *Lineamientos para una política pública frente al consumo de drogas,* COMISIÓN ASESORA PARA LA POLÍTICA DE DROGAS EN COLOMBIA, Mayo 2013, disponible en: http: //www.odc.gov.co/Portals/1/publicaciones/pdf/comision_asesora_politica_drogas_colombia.pdf (22-2-2016), p. 8. Complementando esta tipología con algunos aportes presentados en ese documento. En un análisis también frente a drogas ilegales: VARGAS MEZA, Ricardo. "Hacía un modelo de regulación de la oferta de drogas", en *De la represión a la regulación. Propuestas para reformas las políticas contra las drogas,* en MATHIEU, Hans y NIÑO GUARNIZO, Catalina (eds.), Bogotá, Friedrich Ebert Stiftung, Programa de Cooperación en Seguridad Regional, 2013, disponible en: http: //library. fes.de/pdf-files/bueros/la-seguridad/10032.pdf (consulta 5-5-2016), pp. 117 y ss. Se refiere a UPRIMNY, COITINHO DAS NEVES, Thereza. "Control penal de drogas y medios de comunicación: aliados para un sistema autorreferencial" en *Moderno discurso penal y nuevas tecnología*s: memorias del III Congreso Internacional de Jóvenes Investigadores en Ciencias Penales, 17, 18 y 19 de junio de 2013 / coord. por Lina Mariola Díaz Cortés; Fernando Pérez Álvarez (ed. lit.), Salamanca, Ediciones Universidad de Salamanca, 2014, p. 748.

[14] Estos también son referidos por VALLE, Alex. "Control de drogas en el derecho penal máximo y el derecho penal mínimo", en MORALES VITERI, Juan Pablo y PALADINES, Juan Vicente (eds.). *Entre el control social y los derechos humanos. Los retos de la política y la legislación de drogas,* Ecuador, Ministerio de Justicia y Derechos Humanos, 2009, disponible en: http: //www.drogasyderecho. org/publicaciones/prop_del/entre-el-control-social.pdf (consulta 5-5-2016), pp. 147 y ss.

2. LOS MODELOS DE CONTROL JURÍDICO FRENTE A LAS DROGAS ILÍCITAS

2.1. Su razón

Una de las razones fundamentales que existen para la actual política criminal en materia de drogas, radica en lo que LANIEL ha definido como el problemático nexo existente entre ciertas sustancias psicotrópicas y la criminalidad[15]. Es así como señala, que dicho vínculo es el que legítima gran parte de las políticas contemporáneas en materia de drogas.

Lo anterior lo explica en un trabajo que, si bien se basa en la política estadounidense, es perfectamente trasladable a nuestro ámbito[16]. Según el autor: *"Por lo general, se presupone que los consumidores de drogas cometen crímenes de manera recurrente y habitual con el fin de financiar su consumo. La sabiduría convencional también da por sentado que cuando las personas están bajo la influencia de la droga, pierden sus inhibiciones y cometen crímenes, en particular crímenes violentos. Estas nociones fundamentan las políticas actuales que responsabilizan al consumo y al tráfico de drogas —y no, por ejemplo, a la pobreza— de las altas tasas de criminalidad que existen en Estados Unidos[17]"*. En la misma línea, NEUMAN señala cómo durante muchos años el estereotipo drogas igual a delincuencia, *"adquirió una especial connotación al punto que hay aún personas que creen que la delincuencia se engendra en y por el quimismo de las drogas[18]"*.

---

[15]   En este sentido el brillante artículo: LANIEL, Laurente. "Drogas y criminalidad: breve exploración de las relaciones entre las ciencias sociales y la política antidrogas en Estados Unidos", en *Revista Sociológica*, Número 51, 2003, disponible en: http: //www.revistasociologica.com.mx/pdf/5110.pdf (consulta 15-5-2016), p. 248.

[16]   Esto mismo lo reconoce el autor al señalar *que "la política exterior en materia de narcotráfico es una adaptación al contexto exterior de las concepciones puestas en práctica en el interior. Las diferencias entre las políticas exteriores e interiores son de orden circunstancial"*. LANIEL, Laurente. "Drogas y criminalidad..." *op. cit.*, p. 248.

[17]   *Ibídem* p. 265.

[18]   NEUMAN, Elías. "El modelo neoliberal y la legalización de las drogas", en *Serta: in memoriam Alexandri Baratta*, Pérez Álvarez, Fernando (Coord.), Salamanca, Ediciones Universidad de Salamanca, 2004, p. 1352. Sobre esta relación véase el "Capitulo 1. Políticas y Legislación", del *Informe anual 2006: el problema de*

Dicha relación, es la que en muchos casos se argumenta y a la que parece darse preeminencia, por encima de razones de salud pública o de otra índole para plantear una política de control. En efecto, se ha señalado que el consumo habitual de drogas genera no solo daños individuales, sino también sociales. Respecto a los primeros, porque puede degradar la vida de un individuo, al acarrear serios trastornos físicos, o psíquicos, o incluso llevar hasta la muerte. De igual forma, se generan daños sociales, desde dos puntos de vista, por una parte, porque puede afectar a la sociedad, al ser considerada la drogadicción una enfermedad comunicable y en segundo lugar porque el consumo de drogas se vincula con la criminalidad, no solo por la delincuencia que se genera *"con" la droga,* sino, *"por" la droga*[19]. En esta última línea NINO señala que: *"En la apreciación de los efectos sociales nocivos del consumo de drogas se debe también tomar en cuenta la incidencia que la prohibición misma del tráfico de estupefacientes tiene en la generación de tales efectos. Por ejemplo, es indudable que el consumo de estupefacientes alimenta un tipo de delincuencia organizada con ramificaciones internacionales, que está asociada con otros hechos de violencia, corrupción y una amplia gama de otras actividades ilícitas*[20]*".*

Para explicar el nexo entre drogas y delincuencia, desde el punto de vista criminológico y sin perjuicio de otras clasificaciones[21], ELZO

---

la drogodependencia en Europa, elaborado por el OBSERVATORIO EUROPEO DE LAS DROGAS, disponible en: http: //ar2006.emcdda.europa.eu/es/page005-es.html (consulta 15-5-2016).

[19]   NEUMAN, Elías. "El modelo neoliberal..." *op. cit.,* p. 1352.

[20]   NINO, Carlos Santiago. "Los límites de la interferencia estatal: el perfeccionismo", en *Ética y Derechos humanos. Un ensayo de fundamentación,* Buenos Aires, Astrea, 1989, p. 422.

[21]   El Observatorio Europeo de las Drogas y Toxicomanías ha clasificado la delincuencia relacionada con drogas en 4 categorías parten de una clasificación de Goldstein: *Delitos psicofarmacológicos,* estos son los delitos cometidos bajo los efectos de una sustancia psicoactiva; *los delitos compulsivos con fines económicos,* estos son aquellos cometidos para obtener dinero o drogas con el fin de financiar la adicción; *los delitos sistemáticos cometidos en el marco del funcionamiento de los mercados ilegales,* como parte del negocio de la distribución y el suministro de drogas ilegales ej.: corrupción de empresas; y *los delitos contra la legislación en materia de drogas,* a título de ejemplo los relacionados con el consumo o posesión, cultivo, producción, importación y tráfico. Se puede señalar que los delitos psicofarmacológicos coinciden con la delincuencia inducida, los

y sus colaboradores[22] han propuesto diversos tipos de delincuencia que genera el uso o abuso de drogas, y que en últimas se vinculan con la que se genera *"con"* y *"por"* las drogas. En primer lugar la *delincuencia inducida*, entendida como aquella que es consecuencia de la intoxicación producida por la ingestión de sustancias psicoactivas, capaces de desinhibir o estimular ciertos comportamientos, a título de ejemplo los delitos contra las personas, como delitos sexuales, o delitos contra la vida o los delitos como delitos contra la seguridad vial. En segundo lugar, la *delincuencia funcional,* la cual abarca aquellos delitos relacionados con las conductas encaminadas a perpetuar el consumo, con objeto de minimizar las consecuencias indeseables de la abstinencia, por ejemplo los delitos contra el patrimonio cometidos por los consumidores para financiar su dependencia. Finalmente, la *delincuencia relacional*, esto es aquella que se lleva a cabo en el entorno del consumo o que lo facilitan, por ejemplo las conductas de producción o tráfico de drogas ilícitas. En esta categoría podríamos incluir la *delincuencia sistemática*, definida por el Observatorio Europeo de las Drogas y Toxicomanías como la generada por los actos violentos de carácter sistemático *"vinculados a la prohibición, puesto que se derivan principalmente de la naturaleza ilegal del un mercado caracterizado por enormes beneficios (...)"*. En otras palabras todos aquellos delitos cometidos en el marco del funcionamiento de

---

delitos compulsivos con fines económicos coincide con la delincuencia funcional, y los delitos sistemáticos y los delitos contra la legislación en materia de drogas coincidirían con la delincuencia relacional. Por otra parte el Observatorio señala que *"Las cuatro categorías de delitos relacionados con las drogas que se proponen y los modelos de los que derivan no son mutuamente excluyentes. Tanto los modelos como las categorías de delitos se pueden solapar, al igual que las poblaciones a las que se refieren. Es decir, se trata de una clasificación de los delitos que debe utilizarse para obtener "tipos ideales" que permitan conceptualizar los delitos relacionados con las drogas y facilitar las comparaciones"*. OBSERVATORIO EUROPEO DE LAS DROGAS Y TOXICOMANÍAS; "Drogas y delincuencia: una relación compleja" en *Drogas en el punto de mira*, nota 2, mayo 2007, disponible en: http: //www.emcdda.europa.eu/attachements.cfm/ att_44774_ES_Dif16ES.pdf(consulta 3-3-2016).

22   Citado por POZO CUEVAS, Federico. "La percepción de la relación delincuencia y drogas entre policías, funcionarios de justicia y de prisiones", en *Boletín Criminológico*, n° 67, septiembre, Instituto Andaluz Interuniversitario de Criminología, 2003, disponible en: http: //www.boletincriminologico.uma.es/boletines/67.pdf (consulta 15-5-2016), pp. 3 y ss.

los mercados ilegales, como parte del negocio de la distribución y el suministro de drogas ilegales, a título de ejemplo la corrupción a funcionarios a empresas, los homicidios, asesinatos, etc[23]..

Sin duda una de las grandes incoherencias del modelo actual prohibicionista, es el sobredimensionamiento de la delincuencia inducida y funcional, frente a un modelo que genera una delincuencia relacional de enormes repercusiones en variables de tipo económico, de derechos humanos a través de los encarcelamientos masivos respecto a determinados colectivos en posición de desventaja y en el coste de valores democráticos[24]. No en vano, algunos autores cuando se refieren al régimen actual de prohibición, suelen calificarlo como un sistema en el cual son poco claros los beneficios y certeros sus costes[25].

Volviendo a nuestra idea principal, podemos señalar que la delincuencia que se genera *"con"* y *"por"* las drogas, categorizadas en la delincuencia *inducida, funcional o relacional*, es una premisa fundamental para la política de control en materia de drogas ilícitas. Ahora bien, determinar la verdadera representatividad de estos tipos de delincuencia y plantear qué tan real es, sería objeto de otro trabajo, que esperamos en algún momento realizar. En efecto, creemos que un estudio debería confirmar, hasta qué punto la delincuencia relacional,

---

[23]   OBSERVATORIO EUROPEO DE LAS DROGAS Y TOXICOMANÍAS. "Drogas y delincuencia…" *op. cit.*

[24]   Sobre estos puntos, particularmente interesante: LANIEL, Laurente. "Drogas y criminalidad…" *op. cit.*, FERNÁNDEZ-PACHECO ESTRADA, Cristina. "Sobre los peligros del punitivismo. El fenómeno de la encarcelación masiva en Estados Unidos", Barcelona, *InDret*, 2013, disponible en: http: //dialnet.unirioja.es/servlet/articulo?codigo=4359189(consulta 3-2016); SALAS SALAZAR, Luis Gabriel. "Lógicas territoriales y relaciones de poder en el espacio de los actores armados: un aporte desde la geografía política al estudio de la violencia y el conflicto armado en Colombia, 1990-2012", disponible en: http: //www.scielo.org.co/scielo.php?pid=S0121-215X2015000100011&script=sci_arttext&tlng=es#fig1 (consulta 5-5-2016); WACQUANT, Loïc. "De la esclavitud al encarcelamiento masivo", en *New left review*, n°. 13, 2002, pp. 38-58.

[25]   KEEFER, Philip; LOAYZA, Norman; SOARES, Rodrigo. "Drug prohibition and Developing countries: uncertain benefits, certain cost" en *Innocent bystanders, Developing countries and the war on Drugs*, Washington, KEEFER, Philip y LOAYZA, Norman (Editors), 2010, disponible en: https: //openknowledge.worldbank.org/bitstream/handle/10986/2420/536410PUB0Inno101Official0Use0Only1.pdf?sequence=1 (consulta 5-5-2016) p. 10.

que finalmente tiene su razón de ser en la propia prohibición, supera abruptamente a la delincuencia inducida o funcional. Particularmente conviene verificar, en qué medida el control jurídico actual, prioritariamente prohibicionista, se ha justificado sobredimensionando una mínima delincuencia inducida o funcional, siendo ajena a la estrepitosa envergadura de la delincuencia relacional que se genera por la misma política prohibicionista. Con el anterior argumento no estamos descubriendo nada que la doctrina especializada no haya advertido. Autores como KEEFER, LOAYZA y SOARES, señalan como uno de los más importantes costes del prohibicionismo actual tiene que ver con que, frente a la demanda en materia de drogas, dicho modelo conduce a altos niveles de violencia y crimen organizado, ya que en aras de las búsqueda de mayores beneficios se genera no solo violencia sino también corrupción e inestabilidad política[26].

Retomando el desarrollo de nuestro trabajo y antes de adentrarnos al estudio de los primeros dos modelos, creemos que es fundamental tratar de responder brevemente a la pregunta de cuál ha sido el marco normativo internacional dentro del cual se han gestado los diversos modelos de control jurídico de las drogas.

2.2. Su marco normativo internacional

Cuando se plantea el marco normativo internacional existente en materia de drogas, dos de los referentes claros de tratados son: la Convención Única sobre Estupefacientes de 1961, enmendada por el Protocolo de 1972 y la Convención contra el Tráfico Ilícito de Estupefacientes y Sustancias Sicotrópicas de 1988[27].

---

[26] *Ídem.* p. 10.
[27] La Convención de 1961, según INKSTER, Nigel y COMOLLI, Virginia. *"Drogas, inseguridad y Estados fallidos. Los problemas de la prohibición"*, Bogotá, Universidad de los Andes, 2013, p. 60; fue completada con la Convención de 1971 sobre sustancias psicotrópicas, cuyo objetivo fue ingresar dentro de la prohibición las drogas sintéticas (LSD y las anfetaminas), a cuya prohibición los países industrializados se habían opuesto con el argumento de que eran productos superiores y no generaban adicción. Una referencia interesante sobre las diferentes convenciones: ARMENTA, Amira y JELSMA, Martin.*Las convenciones de drogas de la ONU. Guía Básica*, TRANSNATIONAL INSTITUTE, 2015,

En primer lugar, la Convención Única de 1961 sobre estupefacientes, de las Naciones Unidas, fue firmada en Nueva York el 30 de marzo de 1961 y modificada por el protocolo de Ginebra de 1972[28]. La Convención, se considera como el tratado más importante en la materia, dado que en la evolución del derecho internacional de las drogas, tuvo como principal objetivo, sustituir los nueve tratados previos sobre el tema, mediante un instrumento único[29]. La Convención inicialmente fue ratificada por 40 Estados, entrando en vigor el 13 de diciembre de 1964, y en la actualidad cuenta con 140 Estados signatarios[30]. Esta Convención, *"instaba a los Estados a implementar una legislación interna que criminalizara todos los aspectos de la producción, la venta y la posesión de narcóticos ilícitos[31]"*.

---

disponible en: https: //www.tni.org/es/publicacion/las-convenciones-de-drogas-de-la-onu (consulta 8-5-2016).

[28]   https: //www.incb.org/documents/Narcotic-Drugs/1961-Convention/convention_1961_es.pdf

[29]   Entre los tratados que remplazó, podemos mencionar: la Convención Internacional del Opio, firmado en La Haya, en enero de 1912; la Convención Internacional del Opio, firmada en Ginebra en 1925 y la Convención para la supresión del tráfico ilícito de drogas nocivas, firmado en Ginebra en junio de 1936. Un estudio sobre la Convención: BEWLEY-TAYLOR, David y JELSMA, Martin. "Cincuenta años de la Convención Única de 1961 sobre estupefacientes: una lectura crítica", en *Serie reforma legislativa en materia de drogas*, nº 12, Marzo de 2011, TRASNATIONAL INTITUTE, disponible en: https: //www.tni.org/files/download/dlr12s.pdf (consulta 8-5-2016).

[30]   INKSTER, Nigel y COMOLLI, Virginia. "Drogas, inseguridad y Estados fallidos…", *op. cit.* pp. 59, 60 y 174. Los autores señalan que la Convención representó el acuerdo entre diferentes grupos de intereses en competencia: *"los cultivadores tradicionales de amapola y de coca que buscaban evitar una prohibición generalizada sobre la producción agrícola; los Estados manufactureros en Europa Occidental cuya principal preocupación era evitar la prohibición de la producción y venta de drogas manufacturadas; y los Estados consumidores que se sentían amenazados por las drogas y favorecían posturas maximalistas sobre el control de los narcóticos".*

[31]   *Ibídem*, p. 60. La Comisión Asesora para la Política de Drogas en Colombia en un informe de 2015, señala: *"Este régimen jurídico incluye en sus listas de sustancias prohibidas un número muy amplio de productos; así, la Convención Única prevé un régimen de control para más de 108 plantas y sustancias naturales o artificiales. Sin embargo, en la práctica los controles más estrictos se han centrado en tres tipos de drogas: los derivados de la amapola (opio, morfina y heroína), los derivados del cannabis (marihuana y hachís) y los derivados de la coca".* en COMISIÓN ASESORA PARA LA POLÍTICA DE DROGAS EN

En segundo lugar, la Convención de las Naciones Unidas contra el Tráfico Ilícito de Estupefacientes y Sustancias Psicotrópicas de 1988, firmada en Viena el 20 de diciembre de 1988, entró en vigor el 11 de noviembre de 1990 y fue ratificada por 170 países. La Convención de Viena, reguló *"el comercio internacional de químicos precursores y tomó medidas para combatir el lavado de los rendimientos del tráfico ilícito y el tráfico internacional per se*[32]*"*.

Como lo hemos referido, estos dos instrumentos, son fundamentales en el establecimiento del marco normativo internacional en materia de drogas. Las respuestas que en las mismas se establecen frente a las drogas, nosotros las aglutinaremos en dos bloques: el de prohibición de la producción, tráfico, etc. ilícito de drogas, los cuales denominaremos como las conductas relacionadas con el *narcotráfico* y otro relacionado con el uso, la posesión o tenencia personal de drogas ilícitas, que ubicaremos como conductas relacionadas con el *consumo personal*.

El terreno donde hasta ahora ha existido una marcada diversidad de respuestas de los países respecto al control jurídico de las drogas ilícitas, es el relativo a las conductas relacionadas con el *consumo personal*, debido a que se han dado diferentes interpretaciones respecto a lo que señalan las Convenciones en torno al uso y la posesión para el autoconsumo.

Una interpretación interesante sobre la postura de las Convenciones frente al autoconsumo, la señalan ARMENTA y JELSMA. En su opinión, en lo referente al uso, ninguna de las Convenciones establece la obligación concreta de los Estados de tipificar el delito del uso personal de drogas. Lo anterior, dado que el término "uso", no se menciona en las *"disposiciones penales de la Convención Única (artículo 36) ni en el Convenio de 1971 (artículo 22) ni en el artículo 3 ('Deli-*

COLOMBIA: *Lineamientos para un nuevo enfoque de política de drogas en Colombia*, Mayo 2015, Informe final, disponible en: http: //www.odc.gov.co/Portals/1/comision_asesora/docs/informe_final_comision_asesora_politica_drogas_colombia.pdf (consulta 22-2-2016), p. 15.

32   INKSTER, Nigel y COMOLLI, Virginia. "Drogas, inseguridad y Estados fallidos…", *op. cit.*, p. 60.

tos y Sanciones') de la Convención de 1988[33]". La lógica seguida por los autores, tiene que ver *"en primer lugar, con el hecho de que los tratados no exigen a los países "prohibir" ninguna de las sustancias clasificadas en sí. Los tratados solo establecen un sistema de estricto control legal de la producción y el suministro de todas las drogas controladas para fines médicos y científicos, a la vez que introducen sanciones para luchar contra la producción y la distribución ilícitas de esas mismas sustancias para otros fines".*

En este sentido, y respecto a la Convención de 1961, los autores consideran que solo se *"exige que se prohíba el uso de las drogas de la Lista IV (la más restrictiva de este tratado) en caso de que la Parte determine que este es 'el medio más apropiado para proteger la salud y el bienestar públicos' dentro de su situación nacional (artículo 2, párrafo 5 b)[34]"*.

Ahora bien, respecto a la Convención de 1988, ARMENTA y JELSMA refieren como al interpretar el artículo 3 "Delitos y Sanciones", de la Convención de 1988, la propia ONU en los Comentarios a la misma señala: *"Como se observará, al igual que en los instrumentos de 1961 y 1971, el párrafo 2 no dispone que el consumo de la droga como tal se considere delito punible. Más bien, trata la cuestión del consumo con fines no médicos indirectamente haciendo referencia a la posesión intencional, la compra o el cultivo de sustancias controladas para el consumo personal. En contraste con lo dispuesto en los instrumentos de 1961 y 1971, sin embargo, el párrafo 2 dispone claramente que las partes deben tipificar como delitos esos actos a menos que sean contrarios a los principios constitucionales y los conceptos básicos de sus ordenamiento jurídico[35]"*. En razón de lo anterior, cada

---

[33] ARMENTA, Amira y JELSMA, Martin. *Las convenciones de drogas de la ONU...op. cit.*

[34] *Ibídem.* Otros autores consideran que la Convención de 1961 no fue clara al respecto. Sobre este punto INKSTER, Nigel y COMOLLI, Virginia. "Drogas, inseguridad y Estados fallidos...", *op. cit.* p. 60.

[35] NACIONES UNIDAS, *Comentarios a la convención de las naciones unidas contra el tráfico ilícito de estupefacientes y sustancias psicotrópicas, 1988,* Nueva York, Publicaciones de las Naciones Unidas, 1999, disponible en: https: // www.unodc.org/documents/treaties/organized_crime/Drug%20Convention/ Comentarios_a_la_convencion_1988.pdf (consulta 22-2-2016), p. 70. El art. 3.2 de la Convención señala: *"A reserva de sus principios constitucionales y de los*

país determinará, atendiendo su marco constitucional, si penaliza o no los actos de autoconsumo.

En lo relacionado a la posesión, la adquisición o el cultivo para uso personal, ARMENTA y JELSMA, consideran que las Convenciones son más restrictivas. De esta forma, en el artículo 33 de la Convención Única se aborda la tenencia para consumo personal con una brevísima disposición: *"Las Partes solo permitirán la posesión de estupefacientes con autorización legal"*, es decir para fines médicos o científicos. Por su parte *"el artículo 36, párrafo 1, obliga a las Partes a tipificar la posesión como delito punible"*. Este planteamiento hace una distinción entre la posesión para uso personal y la posesión para tráfico, teniendo los Estados en el primer caso la posibilidad de no acudir a sanciones penales sino a medidas de tratamiento, rehabilitación, etc.

Tales autores consideran que *"El acento de la Convención en la represión del tráfico puede entenderse como una afirmación de que los países no están obligados, en virtud del artículo 36 de la Convención de 1961, a tipificar como delito la simple posesión. Esta opinión se ve reforzada por la historia de la redacción del artículo 36, que originalmente se titulaba 'Medidas contra los traficantes ilícitos'. En el Convenio de 1971, basado fielmente en el instrumento anterior, se da una situación similar[36]"*.

Este escenario explica como en muchos países la tenencia para el consumo personal o posesión para el autoconsumo no constituya delito[37]. Sin duda, el marco de flexibilidad que ofrecen las Convenciones

---

conceptos fundamentales de su ordenamiento jurídico, cada una de las Partes adoptará las medidas que sean necesarias para tipificar como delitos penales conforme a su derecho interno, cuando se cometan intencionalmente, la posesión, la adquisición o el cultivo de estupefacientes o sustancias sicotrópicas para el consumo personal en contra de lo dispuesto en la Convención de 1961, en la Convención de 1961 en su forma enmendada o en el Convenio de 1971". Sobre este aspecto véase además el análisis de ARMENTA, Amira y JELSMA, Martin. Las convenciones de drogas de la ONU...op. cit.

[36] ARMENTA, Amira y JELSMA, Martin. *Las convenciones de drogas de la ONU...op. cit.*

[37] En la misma línea de flexibilidad la COMISIÓN ASESORA PARA LA POLÍTICA DE DROGAS EN COLOMBIA, señala *"En relación con el consumo, estas convenciones otorgan mayor libertad a los Estados, pues la obligación que im-*

en torno al uso, posesión o tenencia de drogas ilícitas para el *consumo personal*, ha hecho que se establezcan diferentes modelos de control jurídico de las drogas ilícitas. Pero ¿cuáles son estos modelos?

2.3. Los modelos a estudio

2.3.1. Prohibición estricta

Según UPRIMNY YEPES la *prohibición estricta* o de *"guerra a las drogas"* implica una respuesta político criminal radical en contra de las mismas, tanto frente al *consumo personal*, como al *narcotráfico*. Según se explica en un informe en el que participa el autor, *"Esta política se caracteriza por una penalización severa no sólo del tráfico de ciertas drogas (como la cocaína) sino también de su consumo, con la idea de erradicar totalmente su uso[38]"*.

El por qué castigar o prohibir el *consumo personal* y el *narcotráfico*, se sostiene en este modelo, en presupuestos de tipo ético, político y hasta *"religiosos divergentes"*, como en el caso de los gobiernos comunistas o islamistas, según señala GAMELLA[39]. Nosotros nos centraremos en la perspectiva ética en la que se basa este modelo, partiendo de los planteamientos de UPRIMNY YEPES.

Haremos una pequeña referencia, sobre lo que en principio se debería prohibir en el contexto de un Estado Social y Democrático de

---

pone la Convención de Viena de penalizarlo no es incondicionada, sino que los Estados la adquirieron tomando en consideración los principios constitucionales y los conceptos fundamentales de su ordenamiento jurídico. Esto significa que, si los conceptos constitucionales no lo permiten, el Estado respectivo no está obligado a penalizar el consumo y puede optar por otras políticas menos represivas". Véase *Lineamientos para un nuevo enfoque de política de drogas en Colombia, op. cit.* p. 18. Sin embargo, no todos aceptan estos argumentos de forma tan categórica, en ese sentido, véase TRASNATIONAL INTITUTE *Reforma de las convenciones sobre drogas de la ONU Informe TNI para la revisión de mitad de período de la UNGASS*, Marzo de 2003, disponible en: http: //www.undrugcontrol.info/es/control-de-drogas-de-la-onu/convenciones/item/2188-reforma-de-las-convenciones-sobre-drogas-de-la-onu (consulta 9-5-2016)

[38]   Descrito en COMISIÓN ASESORA PARA LA POLÍTICA DE DROGAS EN COLOMBIA: *Lineamientos para una política pública frente al consumo de drogas, op. cit.* p. 6.

[39]   GAMELLA, Juan. "Legalización, prohibición, despenalización..." *op. cit.*, p. 62.

Derecho. Existe claridad al señalar que el Derecho Penal debe operar cuando se lesiona o pone en peligro bienes jurídicos fundamentales. Este postulado, de alguna manera va en la línea del llamado *principio de daño*[40], formulado por JOHN STUART MILL en 1859. El autor, partiendo de una clara defensa a la autonomía del individuo, considera que podemos hacer todo aquello que no dañe a otros. Según sus propias palabras, dicho principio propone que *"el único objeto, que autoriza a los hombres, individual o colectivamente, a turbar la libertad de acción de cualquiera de sus semejantes, es la propia defensa; la única razón legítima para usar la fuerza contra un miembro de una comunidad civilizada es la de impedirle perjudicar a otros*[41]*"*.

Conforme a lo anterior, podemos decir que el *principio de daño*, tiene sentido en las conductas vinculadas con lo que genéricamente hemos denominado *narcotráfico*. Pensemos por ejemplo, en un homicidio o asesinato cometido en aras de monopolizar una determinada zona el tráfico de drogas ilícitas. No obstante y según lo expresado por el autor, ¿qué pasaría en torno a las conductas relacionadas con el *consumo personal*?¿Se podría penalizar a un sujeto por el consumo en sí mismo de drogas consideradas ilícitas?

Tenemos claro que según el principio referido, si sería justificable sancionar, dentro de los límites de la culpabilidad, la conducta del consumidor en el caso de que implique la comisión de un delito realizado a raíz de la influencia de estas sustancias (delincuencia inducida), o en el caso de que cometa un delito para mantener su consumo (delincuencia funcional); ¿pero qué sucede en los casos de autoconsumo? La imposibilidad de penalizarlos, parte de argumentos soportados en el principio de autonomía personal, defendido de forma brillante por STUART MILL hace más de siglo y medio. Así lo describe el filosofo ingles al señalar: *"Ningún hombre puede, en buena lid, ser obligado a actuar o a abstenerse de hacerlo, porque de esa actuación o absten-*

---

[40] Sobre la libertad y el principio de daño en el pensamiento de John Stuart. Mill, véase CARBONELL, Miguel. *La libertad. Dilemas, retos y tenciones*, México, Instituto de Investigaciones Jurídicas, 2008, disponible en: http: //biblio.juridicas.unam.mx/libros/6/2570/7.pdf (consulta 16-5-2016). pp. 21 y ss.

[41] STUART MILL, John. *Sobre la libertad*, Madrid, Aguilar, 1977, disponible en: http: //www.bsolot.info/wp-content/uploads/2011/12/Stuart_Mill_John-Sobre_la_libertad.pdf(consulta 5-5-2016)

ción haya de derivarse un bien para él, porque ello le ha de hacer más dichoso, o porque, en opinión de los demás, hacerlo sea prudente o justo. Éstas son buenas razones para discutir con él, para convencerle, o para suplicarle, pero no para obligarle o causarle daño alguno, si obra de modo diferente a nuestros deseos. Para que esta coacción fuese justificable, sería necesario que la conducta de este hombre tuviese por objeto el perjuicio de otro. Para aquello que no le atañe más que a él, su independencia es, de hecho, absoluta. Sobre sí mismo, sobre su cuerpo y su espíritu, el individuo es soberano[42]".

Ahora bien, ¿qué es lo plantea en esta perspectiva prohibicionista, frente al autoconsumo de drogas ilícitas? Se parte de que el autoconsumo se debe prohibir, no sólo por la delincuencia inducida o funcional que genera como sería lo propio dentro del *principio del daño*, sino por el hecho mismo de consumir. Lo anterior implica entrar en un terreno vedado para un Estado que se presente como no totalitario[43].

Pero ¿por qué prohibir el acto mismo de consumir? Las razones esgrimidas por UPRIMNY YEPES y que se argumentan en este modelo para penalizar el consumo de drogas consideradas ilícitas, se basan en la imposición de un determinado modelo de virtud, lo cual choca con el principio de autonomía del individuo. Lo anterior es propio de una concepción filosófica denominada *perfeccionismo*, en cuyo marco se

---

[42] *Ídem.*

[43] En la misma línea, bajo un liberalismo radical de Thomas S. Szasz, considerado precursor de la psiquiatría crítica señala: *"Hay cosas que el Estado no puede hacer o no debería pretender hacer. Me refiero al principio liberal de que el Estado no debería hacer lo que las personas pueden hacer por sí mismas. El Estado no debe proteger a las personas más allá de cierto punto. [...] No soy anarquista. [...] Considero utópico el anarquismo. [...] Pero creo, con los liberales clásicos, que el Estado debería hacer la menor competencia posible a la iniciativa individual. El Estado debería ocuparse de la defensa nacional y ejercer la función policial y algunas otras funciones reguladoras. Pero cuanto más haga el Estado fuera de estos dominios, más se convertirá en enemigo del pueblo"* Dicha cita procede del libro *La teología de la medicina*, pp. 225, 232. Barcelona, Tusquets, 1981. Trad.: Antonio Escohotado; que aparece en la tesis doctoral de Carlos GARCÍA GARCÍA, titulada *Thomas S. Szasz. Precursor de la psiquiatría crítica.* de la Universidad de Valencia, 2015, disponible en: http: //roderic.uv.es/bitstream/ handle/10550/49884/Thomas%20Szasz,   %20Precursor%20de%20la%20 Psiquiatr%C3%ADa%20Cr%C3%ADtica.pdf?sequence=1&isAllowed=y (consulta 16-5-2016), p. 104.

sostiene que el Estado debe abstenerse de facilitar planes de vida que se consideren degradantes. Según señala NINO, para esta corriente *"lo que es bueno para un individuo o lo que satisface sus intereses es independiente de sus propios deseos o de su elección en la forma de vida(...)el Estado puede a través de distintos medios, dar preferencia a aquellos intereses y planes de vida que son objetivamente mejores[44]"*.

Concretamente, vinculado con el tema del consumo de drogas, el autor indica que bajo el argumento *perfeccionista, "la mera autodegradación moral que el consumo de drogas implica constituye, independientemente de toda consideración acerca de los daños físicos y psíquicos, individuales y sociales que ese hábito genera, una razón suficiente para que el derecho interfiera en ese consumo, induciendo a los hombres a adoptar modelos de conducta digna[45]"*.

Siguiendo esta línea UPRIMNY YEPES considera que en este modelo al penalizarse el consumo personal, el Estado se arroga la facultad de imponer *"modelos de virtud, o al menos de salud[46]"*, en contra del reconocimiento de la dignidad y la libre autodeterminación del individuo. De esta forma el Estado sobrepasa uno de los límites infranqueables que plantea el *principio del daño*, penalizando conductas que no trascienden hacía la *"esfera jurídica o moral de los demás[47]"*, actuando como dueño de la salud de cada uno de sus ciudadanos y operando de forma restrictiva contra el sujeto que decide en ejercicio de su libertad *"hacerse daño a sí mismo[48]"*.

En otras palabras, el Estado al sustentar la prohibición y el castigo del consumo de drogas consideradas ilícitas, basado en estos argumentos de *perfeccionismo moral*, actúa en contra de *"la libertad de las personas[49] de elegir y desarrollar sus propios planes de vida sin in-*

---

[44]   NINO, Carlos Santiago. "Los límites de la interferencia estatal..." *op. cit.*, p. 205.
[45]   *Ibídem*, p. 423.
[46]   UPRIMNY YEPES, Rodrigo. "Drogas, Derecho y Democracia...", *op. cit.*
[47]   CARBONELL, Miguel. *La libertad. Dilemas, retos y tenciones, op. cit.*, p. 22.
[48]   UPRIMNY YEPES, Rodrigo. "Drogas, Derecho y Democracia" *op. cit.*
[49]   Evidentemente lo anterior, no se aplicaría a menores y personas con discapacidad necesitadas de especial protección. No en vano cuando STUART MILL defendió en 1856 la libertad del individuo, recalcando que esta nunca se podría limitar so pretexto de su propio bienestar, desmarcó de este grupo a los menores. Lo anterior, ya que consideró que la plena vigencia de la libertad, no abarca a

*terferencia de otra gente y de los órganos estatales"*tal como lo refiere NINO. Lo anterior, en un modelo propio de un Estado no democrático, ya que *"Los ideales de excelencia humana que integran el sistema moral que profesamos no deben ser, según este punto de vista, homologados e impuestos por el Estado, sino quedar librados a la elección de los individuos en todo caso ser materia de discusión o persuasión en el contexto social. Esta es la libertad fundamental consagrada por el principio de autonomía de la persona y que los sistemas totalitarios desconocen[50]"*.

Ahora bien, en lo que tiene que ver con la respuesta penal no sólo frente al *consumo personal* sino al *narcotráfico*se responde con un Derecho Penal máximo en el que impera un claro adjetivo: la represión. En esta medida, según UPRIMNY YEPES el acudir a otros aspectos como la prevención, se ve desplazado por el uso casi exclusivo de estos instrumentos represivos. Esto mismo describe GAMELLA, al definirlo como una tipología en la que priman los aspectos coercitivos *"el énfasis se concentra en vigilar, perseguir y castigar a los transgresores. De aquí que la mayor parte de los recursos en relación a este problema se gastan en coerción, persecución y castigo, o lo que a veces se llama 'control de la oferta', es decir, en policía, aduanas, juzgados, cárceles[51]"*..

Bajo este modelo, para UPRIMNY YEPES se parte de que si no hay drogas, no se consume, sino se consume no se abusa. Si se prohíbe

---

los seres humanos que no han alcanzado madurez, ya que aquellos están en una edad de reclamar todavía los cuidados de otros, debiendo ser protegidos, no sólo frente a los demás, sino frente a ellos mismos STUART MILL, John. *"Sobre la libertad"*, Buenos Aires, Aguilar, 5. Edición, 1968, pp. 50-51. Sobre este punto y relacionado con la libertad sexual del menor de 16 años: *"Una aproximación al estudio de los delitos de pornografía infantil en materia penal: el debate sobre la libertad sexual y la influencia de la Directiva 2011/92/UE en la reforma de 2015"* en *Revista de derecho penal y criminología*. En prensa. ISSN 1132-9955.

[50]   NINO, Carlos Santiago. "Los límites de la interferencia estatal..." *op. cit.*, pp. 425,426. En la misma línea, la Sentencia de la Corte Constitucional colombiana C-221/94 de 1994, sobre la despenalización del consumo de dosis personal, señala *"el legislador puede prescribirme la forma en que debo comportarme con otros, pero no la forma en que debo comportarme conmigo mismo, en la medida en que mi conducta no interfiere con la órbita de acción de nadie"*, disponible en: http://www.corteconstitucional.gov.co/RELATORIA/1994/C-221-94.htm

[51]   GAMELLA, Juan. "Legalización, prohibición, despenalización..." *op. cit.* p. 62.

de forma absoluta la producción, se suprime la oferta y con esto se dificulta la posibilidad de las personas a obtenerlas y si se suprime al consumidor, se suprime la demanda y con esto el mercado de la droga[52]. En esta línea, motivado por los perniciosos efectos de las drogas narcóticas en los individuos y en la sociedad, muchos gobiernos proscriben su comercio y su consumición, invirtiendo una gran cantidad de recursos en la prohibición[53].

Dentro de esta tipología[54], GAMELLA cita el caso de Estados Unidos, en donde la respuesta estrictamente punitiva ha tenido una mayor prelación, definiéndose como un elemento fundamental de las políticas públicas que se han desarrollado desde 1980[55]. Pese a lo anterior, lo cierto es que la regulación en Estados Unidos se maneja entre las contradicciones, la diversidad y segregación frente a determinados colectivos. Haremos una distinción entre lo que se ha manejado respecto a conductas vinculadas con el *narcotráfico* y las relacionadas con el *consumo personal*.

Respecto a las primeras LANIEL, en su trabajo de 2003, refiere como el auge y la severidad de leyes federales antidrogas adoptadas a mediados de la década de los ochenta por las administraciones Re-

---

[52]　UPRIMNY YEPES, Rodrigo. "Drogas, Derecho y Democracia..." *op. cit.*
[53]　KEEFER, Philip; LOAYZA, Norman; SOARES, Rodrigo. "Drug prohibition and Developing countries..." *op. cit.* p. 9.
[54]　Otros datos relacionados con países donde se penaliza el consumo personal, se señalan en el informe de *Count the cost of the war on drug*. Se explican los costes de la guerra contra las drogas, su consumo y criminalización, señalando casos como los de: Ucrania donde la posesión de cantidades mínimas de drogas (0,005 gramos) puede implicar una pena de hasta tres años de cárcel; Rusia, en donde se puede encarcelar durante un año y medio a la persona que se le encuentre una jeringa usada que contenga rastros de droga y Georgia, en el que el sujeto al que se le practique un test de orina en el que se detecte el consumo de drogas, puede servir de base para enviarlo a prisión. Véase: *The war on drug. Underminig Human Rights*, 2011, disponible en: http://www.countthecosts.org/sites/default/files/Human_rights_briefing.pdf (consulta 16-5-2016). En países como China, Irán, Singapur, Arabia Saudita, Tailandia, Indonesia, Malasia y Taiwán condenan con pena de muerte o cadena perpetua la posesión de drogas, dependiendo de la cantidad, de acuerdo a datos ofrecidos por el Diario El Paíshttp: //www.elpais.com.co/elpais/judicial/noticias/cinco-paises-donde-traficar-con-drogas-condenado-con-penas-drasticas (consulta 5-5-2016).
[55]　GAMELLA, Juan. "Legalización, prohibición, despenalización...", *op. cit.* p. 62. En este punto citando a MACCOUN y REUTER.

agan y Clinton, han implicado un incremento de la población carcelaria estadounidense en EU en los últimos 20 años. Refiere datos de crecimiento del 75% de la población carcelaria federal entre los años 1985 y 1995, como consecuencia de las condenas por violaciones de las leyes antidrogas. Textualmente señala: *"En numerosos Estados (...) la pena mínima obligatoria para infracciones por drogas, todas ellas clasificadas como "no violentas" en la nomenclatura judicial, es equivalente, y en ocasiones superior, a la sanción por crímenes violentos como el asesinato y la violación. Estas leyes le quitan al juez cualquier poder discrecional y lo obligan a imponer el mínimo requerido por la legislación sin considerar posibles circunstancias atenuantes(...) en el estado de Nueva York, todo adulto condenado por la posesión de cuatro onzas de cocaína (113 gramos) o por la venta de dos onzas deber ser sometido a una pena mínima de 15 años de cárcel y puede ser condenado"* a cadena perpetua[56].

No obstante, la severidad de esta política antidrogas ha conllevado a lo que el autor ha definido como el *"oscurecimiento de las cárceles americanas"*, dado que se ha dado una disparidad racial en el control de drogas, frente a la población afroamericana. En su trabajo revela como si bien los estadounidenses negros representaban en el año 1994 el 12% de la población total de Estados Unidos, constituían el 44% de los detenidos en penales federales y estatales. LANIEL atribuye este internamiento masivo a la "guerra contra la droga", guerra que se ha centralizado en determinados colectivos, de manera que en el año 1993 la tasa de arresto por infracciones por drogas de los negros era seis veces superiores a la de los blanco[57]. Pero, ¿este escenario que LANIEL dibuja en el año 2003, ha cambiado en la actualidad?

El Informe Mundial 2015 de la organización Human Rights Watch, cuando refiere el caso estadounidense, señala datos similares respecto a dicha desproporción: *"Aunque los afroamericanos representan solo el 13 por ciento de la población de EE.UU., conforman el 31 por ciento de todos los arrestos por drogas, el 41 por ciento de los presos estatales y el 42 por ciento de los presos federales cumpliendo una sentencia por delitos de drogas. Es casi cuatro veces más probable*

---

56   LANIEL, Laurente. "Drogas y criminalidad..." *op. cit.*, pp. 253, 255.
57   *Íbidem*, pp. 257-258.

que los afroamericanos sean arrestados por posesión de marihuana que los blancos[58]".

En similar sentido se manifiesta en un riguroso artículo de 2013 FERNÁNDEZ PACHECO ESTRADA, en el que señala si bien la población afroamericana tan solo representa el 12.8% de la población de Estados Unidos, cuando se compara con la población penitenciaria, tiene una representación del 50% y casi un 50% de los condenados a pena de muerte. Concretamente en el tema vinculado con drogas señala que *"A pesar de que el consumo de drogas es mayor en la población blanca o al menos equivalente, los arrestos por delitos relativos al tráfico efectivamente recaen de forma desproporcionada sobre la población negra[59]".*

Por su parte, en lo relacionado con el *consumo personal,* BLICKMAN y JELSMA[60], refieren cómo la diversidad de su regulación comenzó con Richard Nixon, quien impulsó la Ley de Sustancias Controladas, lo que dio origen a la denominada "guerra contra las drogas", entre las cuales se incluyó la marihuana. Los autores explican cómo Nixon, creó la Comisión Nacional sobre marihuana y consumo de drogas con el fin que se analizara el tema. Dicha comisión planteó algunas medidas relacionadas con la política que se debía seguir al respecto. Concretamente propuso, la despenalización de la tenencia para el consumo personal y el establecimiento de una política de control social orientada a desalentar el consumo de marihuana, centrándose en los casos en que este era desmedido. Según indican los autores, pese a que las anteriores recomendaciones, no fueron tomadas en cuenta por Nixon, lo cierto es que el informe tuvo una importante repercusión en diferentes Estados.

Fue así como la National Organization for the Reformof Marijuana Laws (NORML) entre 1972 y 1978 estuvo al frente de la descrimi-

---

58   HUMAN RIGTHS WATCH. *Informe Mundial 2015: Estados Unidos (Acontecimientos de 2014),* disponible en: https: //www.hrw.org/es/world-report/2015/country-chapters/268148 (consulta 8-4-2016).

59   FERNÁNDEZ PACHECO ESTRADA, Cristina. "Sobre los peligros del punitivismo...", *op. cit.* p. 8.

60   BLICKMAN, Tom y JELSMA, Martin. "La reforma de las políticas de drogas. Experiencias alternativas en Europa y Estados Unidos" en *Nueva Sociedad,* n° 222, julio-agosto de 2009, disponible en: https: //www.tni.org/files/3623_1.pdf (consulta 8-4-2016), pp. 81-103.

nalización de la marihuana en 11 Estados. En dichos Estados se generó la aparición de un mercado en torno al consumo, hasta el punto de que en 1977 había cerca de 33.000 *drug paraphernalia*[61]. En este escenario, Carter durante su presidencia, pronuncia ante el Congreso en 1977 unas palabras que resultan contundentes contra la política prohibicionista: *"La penalidad contra la posesión de las drogas no debería hacer más daño al individuo que el uso de la droga en sí mismo*[62]*"*.

A día de hoy, este escenario aparentemente aperturista en el que los Estados de Colorado, Washington, Oregón, District of Columbia y Alaska han legalizado el uso recreativo de la marihuana, convive con la legislación de otros Estados que intentan descriminalizar la posesión de pequeñas cantidades imponiendo multas en casos de ser primeras ofensas y con otros Estados en los que se establecen el encarcelamiento por posesiones de mínimas cantidades. Por su parte, más de veinte Estados lo han hecho, para exclusivo uso medicinal (vid. TABLA 1).

Aparte de la diversidad en la regulación estatal, contradictoriamente, existe una legislación antidroga a nivel federal, la Ley Federal de sustancias controladas (Controlled Substances Act), en la que se sigue considerando ilegalel consumo y el cultivo de la marihuana, ya que dicha sustancia se clasifica en la misma categoría que el LSD y la heroína[63]. Es así como se mantiene la penalización, haciendo cumplir la ley atendiendo la práctica local y la cultura. Lo anterior explica cómo mientras en ciudades como Berkeley y San Francisco el tratamiento de la marihuana se realiza en una política de control definida como *"lowest law enforcements priority"*, ciudades como Nueva York, mantienen la campaña iniciada a mediados de los noventa, tratando de disminuir la posesión de marihuana[64].

---

[61]   ENCYCLOPEDIA OF DRUG POLICY. Volumen 2, James E. Hawdon, y Mark A. R. Kleiman (Editors), United States of America, SAGE, 2011, pp. 807, 808.

[62]   *Íbidem*, pp. 807, 808.

[63]   MATHIE, Hans; NIÑO, Catalina. "Aspectos de la situación actual de las drogas ilegales y propuestas de reforma", en MATHIEU, Hans y NIÑO GUARNIZO, Catalina (eds.). *De la represión a la regulación. Propuestas para reformas las políticas contra las drogas*, Bogotá, Friedrich Ebert Stiftung, Programa de Cooperación en Seguridad Regional, 2013, disponible en: http: //library.fes.de/pdf-files/bueros/la-seguridad/10032.pdf (consulta 5-5-2016), p. 37.

[64]   ENCYCLOPEDIA OF DRUG POLICY...*op. cit.* pp. 807, 808.

Lina Mariola Díaz Cortés

LA DIVERSIDAD DEL CONTROL ACTUAL EN LA POSESIÓN PARA USO PERSONAL DE LA MARIHUANA EN ESTADOS UNIDOS

ESTADO	SITUACIÓN	LEGALIZACIÓN	
		SITUACIÓN	**POSESIÓN**
ALASKA	– Se ha legalizado.	– El 52% de los votantes aprobaron la Ballot Measure 2 del 4 de noviembre de 2014, con la que se legaliza el uso de la marihuana. – No está penalizada la posesión para el uso personal de 1 oz o menos de marihuana por personas mayores de 21 años.	
DISTRICT OF COLUM-BIA	– Se ha legalizado.	– El 69% de los votantes aprobaron la Initiative 71, del noviembre 4 de 2014 con la que se legaliza el uso de la marihuana. No está penalizada la posesión de dos onzas o menos.	
OTROS ESTADOS	– Colorado (Amendment 64, noviembre 6 de 2012), Oregón (Measure 91, noviembre 4 de 2014) y Washington (Initiative 502, noviembre 6 de 2012).		

ESTADO	SITUACIÓN	CON PRÁCTICAS DE DESCRIMINALIZACIÓN	
		SITUACIÓN	**POSESIÓN**
NUEVA YORK	– No se ha legalizado. No obstante, se ha descriminalizado en alguna medida, ya que no se establece prisión en el caso de ser el primer acto de posesión de pequeñas cantidades para consumo personal, considerándose como un violación menor de tráfico	En el caso de ser la primera ofensa, la posesión de 25 gramos o menos de marihuana se castiga con multa de hasta $100 dólares.	
OTROS ESTADOS	– Otros Estados con prácticas descriminalizatorias en las que no se ha legalizado el uso de marihuana son: California, Nevada, Nebraska, Minnesota, Mississippi, North Carolina, Ohio, New York, Maine, Rhode Island, Vermont, Massachusetts, Connecticut, Maryland. En algunos de ellos se entiende que la posesión en pequeñas cantidades es una civil offense(multas)o una infraction (multas) o misdemeanor (en algunos casos multas o encarcelamiento según se trate de la primera o de la tercera ofensa). Son muy variadas los tipos de respuestas: Por ejemplo en Nevada se consider acomomisdemeanor con multas en los casos de primeras ofensas y en los casos de la tercera ofensa encarcelamiento de hasta 365 días; en el caso de Nebraska, se considera infracction la primera ofensa en la posesión de 1 oz o menos sancionando con multa, a partir de la segunda ofensa de considera misdemeanor. No obstante la segunda ofensa se sanciona con multa y la tercera con encarcelación de hasta 7 días.		

ESTADO	SITUACIÓN	PROHIBICIÓN
		POSESIÓN
TEXAS	– No se ha legalizado.	– Se castigan la posesión para uso personal comomisdemeanor (Delito menor) ofelony, atendiendo la cantidad. o De 4 oz a5 libras es considerada felony con encarcelación de 180 días a 2 años. o La posesión de 2 oz o menos es considerada misdemeanor, con encarcelamiento de hasta 180 días
LOUSIANA	– No se ha legalizado.	– Se castiga la posesión de14 gramos o menos (first offense) con hasta 15 días de encarcelamiento y/o 300 dólares de multa, no siendo clasificado ni como misdemeanor o felony
ARIZONA	– No se ha legalizado.	– Se castigan la posesión para uso personal de menos de dos libras como felony, con encarcelación de 4 meses a 2 años y multa de 150.000 dólares. Se penaliza conductas como la posesión para uso personal
IDAHO	– No se ha legalizado.	– Se castiga la posesión de 3 onzas o menos de marihuana como misdemeanor con encarcelamiento de hasta 1 año de prisión y/o multa de 1.000 dólares.
OTROS ESTADOS		– Otros Estados en los que se prohíbe: Utah, Montana, Wyoming, Nuevo México, North Dakota, South Dakota, Kansas, Oklahoma, Wisconsin, Illinois, Missouri, Arkansas, Lousiana, Alabama, Georgia, Florida, South Carolina. Pennsylvania y otros. Con prácticas que varían, a título de ejemplo en Utah la posesión de menos de 1 onza es considerado misdemeanor con encarcelamiento de hasta 6 meses y multa de 1.000 dólares; en Wyoming se considera la posesión de 3 onzas o menos es considerado misdemeanor con encarcelamiento de hasta 6 meses y multa de 750 dólares; en North Dakota se considera que la posesión de 1 onza o menos se considera misdemeanor con encarcelamiento de hasta 30 días y multa de 1500 dólares, en tanto que la posesión de 1 onza a 500 gramos se considera felony, con encarcelamiento de hasta 5 años y multa de 10.000 dólares.
LEGALIZACIÓN USO MÉDICO		
ESTADOS		Alaska, Arizona, California, Connecticut, Colorado, Delaware, District of Columbia, Illinois, Hawaii, Maine, Massachusetts, Michigan, Montana, Minnesota, Maryland, New Hampshire, Nevada, Nueva York, New Jersey, New Mexico, Oregon, Rhode Island, Vermont, Virginia y Washington.

Tabla 1. Elaboración propia a partir de datos de la National Organization for the Reform of Marijuana Laws http: //norml.orgy de The Encyclopedia of American Politics. Disponible en https: //ballotpedia.org(Consulta 15-05-2016)

2.3.2. Prohibición flexible

El modelo de *prohibición flexible*, según UPRIMNY YEPES plantea políticas de *"reducción al daño y de minimización de riesgos"*. Inspiradas en criterios de salud pública, buscan *"reducir los daños asociados al abuso de drogas, y los derivados de las propias políticas de control de dichos abusos"*. Es por ello que optan por despenalizar el consumo, privándole de sanción penal, con el fin de evitar la marginación de los consumidores, dado que esto agrava los problemas de salud[65]. Por otra parte, mantienen su criminalización en la producción y distribución. VALLE define esta tipología, como aquella en la que *"convive un derecho penal máximo para el caso de producción y distribución mayorista de drogas, con un derecho penal mínimo, para el caso de consumo y distribución minorista*[66]*"*.

En la misma línea al describir el modelo que GAMELLA denomina como *"despenalizador o descriminalizador"*, establece que en una orientación que puede parecer resignada, se orienta una política hacia la *reducción de daños*, en la cual se acepta el carácter inevitable del consumo y se emplean esfuerzos para que este se pueda realizar en las mejores condiciones posibles[67]. En virtud de esto, se separan las respuestas que se dan frente al *consumo personal* y al que nosotros hemos denominado *narcotráfico*.

[65]   COMISIÓN ASESORA PARA LA POLÍTICA DE DROGAS EN COLOMBIA. *"Lineamientos para una política pública frente al consumo de drogas, op. cit.*, pp. 7, 8.
[66]   VALLE, Alex. *"Control de drogas en el derecho penal máximo..." op. cit.*, p. 149.
[67]   Según explica: *"Esta orientación pragmática anima los programas de sustitución de heroína por otros opioides que ofrezcan ventajas respecto a su vía de administración, o a la duración de sus efectos, como ocurre con la metadona, la buprenorfina, etc. Y también se vuelve a aceptar la dispensación directa de las drogas deseadas, algo para lo que hay precedente en los sistemas de provisión de opio en las colonias europeas de Asia oriental (Wakabayashi y Brook, 2000; Trocki 1991) y de heroína en el Reino Unido (Strang y Gossop 1994) y que se está probando con la heroína de forma experimental en Suiza, Holanda, España y otros países europeos. También se concede gran énfasis en este modelo, tanto a nivel retórico como de políticas públicas a las inversiones en "tratamiento" de drogodependientes y en prevención del consumo, generalmente basada en esfuerzos publicitarios y escolares"*, en GAMELLA, Juan. "Legalización, prohibición, despenalización..." *op. cit.*, p. 63.

Ahora bien, ¿cuál es la filosofía que dibuja este modelo? En concepto de UPRIMNY YEPES, sería la de *"reducción de los daños asociados a las políticas de control en relación con el consumidor"*; de esta forma se mantiene un control frente al *consumo personal* que busca tener cabida dentro de los límites del principio de autonomía del sujeto. ¿Cómo fundamentar lo anterior?

En este punto, retomamos de nuevo el estudio realizado por NINO. El autor en su análisis, presenta argumentos del *paternalismo*. Bajo dicha concepción, no se busca que los sujetos adopten modelos de virtud o de vida decente, sino *"proteger a potenciales drogadictos contra los daños físicos y el sufrimiento psíquico que padecería si adoptarán el hábito[68]"*. En efecto, no se trata aquí de que a través de leyes se busque prevalecer sobre os deseos de la persona, *"sino proteger sus oportunidades de elección futura de las elecciones actuales que las impedirían[69]"*.

Para NINO, esto puede chocar con lo que terminaría siendo la elección de otros, por lo cual plantea que un argumento *paternalista* sólo podría ser compatible con el principio de autonomía, en la medida que existan sujetos que consuman drogas por una *debilidad de su voluntad*, vinculada con aspectos de *"inmadurez, compulsión, desconocimiento y debilidad"* de la misma[70]. Estos pueden ser argumentos que ayudan a entender el que se mantenga la severidad en conductas vinculadas con el tráfico y suministro, ya que *"cuanto más arduo sea el acceso a los estupefacientes, más oportunidades habrá para que los individuos tomen conciencia de sus efectos nocivos y para que reflexionen si valoran tan intensamente lo que persiguen a través de las drogas como para exponerse a deteriorar radicalmente otros bienes personales[71]"*.

Este razonamiento puede explicar en parte, la aparente incoherencia que existe entre despenalizar el consumo personal y mantener la criminalización de todas aquellas actividades necesarias para que se pueda consumir, como la producción, el tráfico o el suministro. En

---

[68]   NINO, Carlos Santiago. "Los límites de la interferencia estatal…" *op. cit.* p. 427.
[69]   NINO, Carlos Santiago. *"Fundamentos de Derecho Penal"*, Argentina, Gedisa, 2008, p. 56.
[70]   NINO, Carlos Santiago. "Los límites de la interferencia estatal…" *op. cit.* p. 435.
[71]   *Ídem.*

efecto, el Estado aparentemente consciente de la libre autonomía de los sujetos, no interviene en la penalización del *consumo personal*, pero finalmente considera a todos en condiciones de debilidad mental, por lo cual establece una política totalmente prohibicionista respecto a conductas vinculadas con el narcotráfico. La argumentación *paternalista* parece traída de los cabellos, y en ese sentido, es criticada por NINO quien considera que esta sólo sería coherente con el principio de autonomía, frente a sujetos que actúen con "*inmadurez, compulsión, desconocimiento y debilidad de la voluntad*" y no en los casos en que la decisión sea totalmente libre.

Sumada a esta concepción *paternalista*, se esgrimen argumentos de *defensa social*. Estos son los que en nuestra opinión, mantienen el que en la actualidad no se haya dado un espacio real frente a la despenalización del consumo. Argumentos, como la vinculación de la droga con la delincuencia, el contagio que la permisibilidad de estas conductas puede ocasionar frente a usuarios no consumidores, o el deterioro del individuo que finalmente le incapacita dentro de la sociedad, se mantienen en la discusión. Así, una de las principales críticas a estos planteamientos radica en que no diferencian entre el acto del consumo en sí mismo, y otras conductas delictivas.

En efecto, el consumo en sí mismo no debe ser delito, al ser una decisión del individuo, cuestión aparte es que el individuo incite o consuma públicamente, en cuyo caso se podría intervenir, más que por una política fundamentada en el paternalismo del Estado, por una política de salud pública. Salud pública, en la cual determinados colectivos deben ser especialmente protegidos, piénsese en los menores o personas con condiciones de especial vulnerabilidad.

Por otra parte, los delitos que el sujeto cometa en una delincuencia funcional o inducida, sin duda dentro de los límites propios del Derecho Penal deben ser penalizados, pero no el acto en sí mismo de drogarse. Por último, en estricto sentido como lo señala NINO, en una sociedad liberal, se debe permitir incluso el no ser productivo, cuestión aparte, son las consecuencias que su comportamiento puede derivar a efectos de responsabilidad con las personas que de él dependen.

Revisando algunas legislaciones en materia de drogas, se observa, que se mantiene el *status quo* en materia de prohibición frente al *narcotráfico* y que frente al *consumo personal*, se trata de hacer una variación hacia su despenalización. No obstante, la línea evolutiva no es lo suficientemente clara en este sentido. A título de ejemplo, analizaremos sucintamente el caso de Ecuador y España[72].

Concretamente en Ecuador, existe una aparente discrepancia de criterios en materia legal. Es así como el 364 de la Constitución de la República del Ecuador, señala: *"Las adicciones son un problema de salud pública. Al Estado le corresponderá desarrollar programas coordinados de información, prevención y control del consumo de alcohol, tabaco y sustancias estupefacientes y psicotrópicas; así como ofrecer tratamiento y rehabilitación a los consumidores ocasionales, habituales y problemáticos. En ningún caso se permitirá su criminalización ni se vulnerarán sus derechos constitucionales (...)"*.

En la misma línea, la Ley de Sustancias Estupefacientes y Psicotrópicas codificada en 2004, en el Registro Oficial 490 de 27 de diciembre, establece en su artículo 30 que *"Ninguna persona será privada de su libertad por el hecho de parecer encontrarse bajo los efectos de sustancias sujetas a fiscalización"*. Similar, regulación se establece en el artículo 220 del Código Orgánico Integral Penal, publicado en el Suplemento del Registro Oficial n° 180 de 10 de febrero de 2014, en el que si bien se penaliza el tráfico ilícito de sustancias catalogadas sujetas a fiscalización, se establece que*"La tenencia o posesión de sustancias estupefacientes o psicotrópicas para uso o consumo personal*

---

[72]   En este modelo también se ubican, la legislación de Holanda. Unas excelentes referencias a este modelo, se hacen en la Sentencia Tribunal Supremo (Sala de lo Penal, Sección 1ª) Sentencia n° 484/2015 de 7 septiembre. Es particularmente interesante la remisión que en dicho pronunciamiento se hace a la Sentencia del Tribunal de Justicia de la Unión Europea (Sala Segunda) Caso Marc Michel Josemans contra Alcalde de Maastricht. Sentencia de 16 diciembre 2010. TJCE 2010\39, en donde se plantean cuestiones relacionadas con las condiciones en las que puede tolerarse la comercialización de cannabis en los *coffee shops*. A nivel nacional, se establecen las instrucciones del *Openbaar Ministerie* (Ministerio Fiscal). "Dicho criterios, comúnmente denominados 'criterios AHOJG', son los siguientes: A *('afichering') la droga no puede ser objeto de publicidad; H ('harddrugs') no puede venderse ninguna droga dura; O ('overlast') el coffeeshop no puede causar molestias; J ('jeugdigen') se prohíbe vender droga a menores (de menos de 18 años) y debe prohibírseles el acceso a los locales; G ('grote hoeveelheden') está prohibido vender más de 5 gramos por persona en cada transacción. Asimismo, las existencias comerciales ('handelsvoorraad') de un coffee shop que disfruta de la tolerancia no pueden sobrepasar 500 gramos"*.

en las cantidades establecidas por la normativa correspondiente, no será punible".

Pese a lo anterior, la Ley Orgánica de Salud (Ley 67 publicada en el Registro oficial suplemento 423 del 22 de diciembre de 2006) en su art. 38 indica *"como problema de salud pública al consumo de tabaco y al consumo excesivo de bebidas alcohólicas, así como al consumo de sustancias estupefacientes y psicotrópicas, fuera del ámbito terapéutico. Los servicios de salud ejecutarán acciones de atención integral dirigidas a las personas afectadas por el consumo y exposición al humo del tabaco, el alcoholismo, o por el consumo nocivo de psicotrópicos, estupefacientes y otras substancias que generan dependencia, orientadas a su recuperación, rehabilitación y reinserción social".* Por su parte, del artículo 51 de esta misma norma inferimos que se prohíbe el consumo recreativo de sustancias estupefacientes o psicotrópicas: *"Está prohibida la producción, comercialización, distribución y consumo de estupefacientes y psicotrópicos y otras sustancias adictivas, salvo el uso terapéutico y bajo prescripción médica, que serán controlados por la autoridad sanitaria nacional, de acuerdo a lo establecido en la legislación pertinente".*

Con el fin de definir la contradicción, existente con el marco constitucional, la Resolución 001-CONSEP-CO-2013[73] emitida por el Consejo Directivo del Consejo Nacional de Control de Sustancias Estupefacientes y Psicotrópicas de Ecuador, por primera vez establece umbrales de cantidades en gramos para diferenciar el consumo y el tráfico. Constituye una política que busca dar una respuesta clara frente al *consumo personal.* Pese a lo anterior, algunos autores críticos consideran que en virtud de que los umbrales fijados por la resolución, solo son una referencia que puede ser utilizada discrecionalmente por los operadores de justicia, y en la práctica se ha dado una *"criminalización fáctica del consumo[74]".*

---

[73]   Véase el texto integro de la Resolución en: http: //www.prevenciondrogas.gob.ec/wp-content/uploads/2015/06/RESOLUCION-DE-CANTIDADES-MAX-IMAS-PARA-CONSUMO-PERSONAL.pdf (consulta 7-05-2016)

[74]   PALADINES, Jorge Vicente. "La respuesta sanitaria frente al uso ilícito de drogas en Ecuador", Colectivo de Estudios de Drogas y Derecho, disponible en: http: //www.drogasyderecho.org/publicaciones/pub-ecu/ecuador-usuarios.pdf (consulta 7-05-2016), p. 27.

Por otra parte, en el caso Español, el debate sobre la penalización o no del consumo y sus límites con el principio de autonomía no se ha dado, tomando en cuenta que no se ha considerado punible el consumo privado, ni la tenencia previa al consumo, ni la *"producción de pequeñas cantidades de determinadas plantas cuyos principios activos tiene una consideración de drogas ilegales"*, siempre y cuando se destinen para el autoconsumo[75]. En este sentido ARÁNGUEZ SÁNCHEZ, señala que *"La tenencia de drogas para el consumo propio, o incluso el mismo acto de consumirlas, no es delito, aunque es ilegal, pues está sancionado por el Derecho administrativo[76]"*. Es así como, la atipicidad de la conducta, no es óbice, para que no se sancione desde el punto de vista administrativo dicha conducta, en determinas circunstancias.

De esta forma lo hacía ya la Ley Orgánica 1/1992, de 21 de febrero, conocida como Ley Corcuera, y se mantiene con la Ley Orgánica 4/2015, de Seguridad Ciudadana de 30 de marzo. Concretamente en su artículo 36 numeral 16, se establece como infracción grave*"El consumo o la tenencia ilícitos de drogas tóxicas, estupefacientes o sustancias psicotrópicas, aunque no estuvieran destinadas al tráfico, en lugares, vías, establecimientos públicos o transportes colectivos, así como el abandono de los instrumentos u otros efectos empleados para ello en los citados lugares"*. De igual forma, se considera también infracción grave según el artículo 36 numeral 18, de la misma ley: *"La ejecución de actos de plantación y cultivo ilícitos de drogas tóxicas,*

---

75   BABÍN VICH, Francisco de Asís. "El debate por la legalización de las drogas", en *Adicciones*, [S.l.], v. 25, n. 1, pp. 7-10, mar. 2013, disponible en: http: //www. adicciones.es/index.php/adicciones/article/view/66/65(consulta   9-5-2016),   p. 6. Algunas referencias: HERRERO ÁLVAREZ, Sergio. "Las drogas de uso recreativo en el derecho penal español", en *Adicciones*, [S.l.], v. 15, pp. 361-384, dic. 2003, disponible en: http: //www.adicciones.es/index.php/adicciones/article/ view/471. (consulta 9-05-2016); HERRERO ÁLVAREZ, S. "El cannabis y sus derivados en el derecho penal español", en *Adicciones*, [S.l.], v. 12, pp. 315-329, jun. 2000, disponible en: http: //www.adicciones.es/index.php/adicciones/article/ view/687/675. (consulta 9-05-2016).

76   ARÁNGUEZ SÁNCHEZ, Carlos. "Criterios del tribunal supremo para delimitar el ámbito de lo punible en la posesión de drogas", en *Revista Electrónica de Ciencia Penal y Criminología*, 01-04 (1999), disponible en: http: //criminet.ugr. es/recpc/recpc_01-04.html#1 (consulta 8-5-2016).

estupefacientes o sustancias psicotrópicas en lugares visibles al público, cuando no sean constitutivos de infracción penal". Esta regulación obedece, sin duda, a una clara correspondencia con la idea de respetar la libre autodeterminación del individuo para consumir o cultivar para el mismo. Ahora bien, la sanción por el autoconsumo o la plantación para el mismo, sólo opera cuando es visible a otros. Siguiendo los argumentos expuestos arriba, y tratando de encontrar las razones del legislador, se podría considerar que el acto de consumir en público, favorece el comportamiento imitativo del sujeto no consumidor, y en razón de ello se considera merecedor de una sanción de tipo administrativo.

La no penalización del autoconsumo, de la posesión o el cultivo para el mismo, es considerada como un elemento de vanguardismo de la política criminal española en esta materia. Así es referido en numerosos estudios e informes[77]. Concretamente STÖVEER y PLENERT, en un trabajo publicado en 2013, señalan cómo a raíz de esta política, se han creado clubes de cannabis. Según los autores, partiendo de una iniciativa de 2005 de la organización *European Coalition forJust and Effective Drug Policies* (ENCOD), se propone crear el modelo del Club Social de Cannabis (CSC). Un CSC, implica una organización que cultiva cannabis de forma colectiva. La cantidad de cultivo, dependerá de la regulación de cada país. Concretamente en España, la permisibilidad de dichas asociaciones, derivan de que en atención la actividad que se ejerce en los CSC, constituye un supuesto de lo que denomina *"cultivo compartido"* la cual es una variante del consumo compartido, supuesto considerado atípico, al igual que el autoconsumo.

---

[77]   STÖVEER, Heiner y PLENERT, Maximilian. "Opciones políticas de control de drogas en relación con el tráfico y el consumo en Alemania y Europa", en MATHIEU, Hans y NIÑO GUARNIZO, Catalina (eds.). *De la represión a la regulación. Propuestas para reformas las políticas contra las drogas*, Bogotá, Friedrich Ebert Stiftung, Programa de Cooperación en Seguridad Regional, 2013, disponible en: http: //library.fes.de/pdf-files/bueros/la-seguridad/10032. pdf (consulta 5-5-2016), p. 355. De igual forma, GLOBAL COMMISSION ON DRUG POLICY. "Asumiendo el control: caminos hacia políticas de drogas eficaces", septiembre 2014, http: //www.unodc.org/documents/ungass2016//Contributions/Civil/Global_Commission_on_drug_policy/3-Spanish.pdf   (consulta 8-5-2016), p. 16.

Pese al aparente vanguardismo, lo cierto es que, queda a discreción de los Jueces y Tribunales el determinar en cada uno de los casos cuándo se está ante un cultivo o posesión de drogas destinada al *consumo* —en cuyo caso sería atípica la conducta— o al tráfico —supuesto típico—. Esta discrecionalidad es la que ha creado una enorme inseguridad jurídica, que ha permitido en algunos casos el que a nivel de Audiencias Provinciales se absuelva determinados supuestos y luego el Tribunal Supremo los condene.

Nos referimos a los hechos referidos en la sentencia del Tribunal Supremo (Sala de lo Penal, Sección 1ª) Sentencia nº 484/2015 de 7 septiembre, en la cual se condena a los acusados por un delito contra la salud pública, revocando la absolución dictada por la Audiencia Provincial de Vizcaya. Independientemente de los argumentos del TS, lo cierto es que coincidimos con lo manifestado por el voto particular de algunos magistrados[78], en los que se señala: *"La sentencia mayoritaria admite la aplicación de la doctrina de la atipicidad del consumo compartido a supuestos de agrupaciones de personas para el cultivo de marihuana destinada exclusivamente al consumo de los componentes del grupo (fundamento jurídico undécimo), y señala acertadamente diversos criterios que permitirán valorar o excluir cuando concurre dicha atipicidad (el número poco abultado de los ya consumidores de cannabis concertados que adoptan dicho acuerdo; el encapsulamiento de la actividad en el grupo...la ausencia de toda publicidad, ostentación o trivialización, etc.)"*. No obstante *"renuncia a definir unos 'requisitos estrictos más o menos razonables', remitiendo los límites de la tipicidad en esta materia al análisis casuístico ('examinar cada supuesto concreto'), lo que a nuestro entender constituye una respuesta insuficiente e insegura que no resuelve con claridad el problema, y por el contrario lo perpetúa. Con ello, a nuestro entender, no se atiende al cumplimiento efectivo de nuestra función esencial como Sala de Casación a la que le correspondería, tras un largo período de indefinición e inseguridad jurídica en esta materia, resolver con precisión el conflicto estableciendo límites claros de la tipicidad en los*

---

[78]   Voto particular que formula el magistrado Excmo. Sr. D. Cándido Conde-Pumpido Tourón, al que se adhieren en su totalidad el Excmo. Sr. D. Joaquín Giménez García y la Excma. Sra. Dª Ana Ferrer García, y parcialmente, el Excmo. Sr. D. Andrés Martínez Arrieta.

supuestos de agrupaciones de consumidores de cannabis para un cultivo dedicado exclusivamente al consumo propio. Límites claros que sirvan de guía para la persecución y sanción penal de estas conductas, evitando desigualdades en función de criterios locales de naturaleza policial o judicial".

A la fecha, y con estos antecedentes señalados, lo claro es que el diferenciar los supuestos de atipicidad en la posesión y el cultivo cuando es para el autoconsumo, de los supuestos en que dichas actividades son para el tráfico, quedan a discreción del Juez o el Tribunal, socavando la seguridad jurídica a la que hacen acertada alusión del magistrados que formulan el voto particular.

Por otra parte, en lo que hace relación a las conductas vinculadas con el narcotráfico, en una línea de un Derecho Penal Máximo, UPRIMNY YEPES, GUZMÁN y PARRA NORATO en un riguroso estudio de 2012 a nivel latinoamericano señalan *"En América Latina es más grave contrabandear cocaína a fin de que pueda ser vendida a alguien que quiere consumirla, que violar a una mujer o matar voluntariamente al vecino*[79]*"*. Ahora bien, ante la pregunta de la completa irracionalidad de lo anterior, los autores argumentan que la respuesta*"está en que en las últimas décadas, y en especial desde los años ochenta, los países latinoamericanos, influidos por el marco prohibicionista internacional, cayeron en lo que metafóricamente podríamos llamar una adicción al punitivismo en materia de legislación sobre drogas, lo cual no deja de ser irónico*[80]*"*.

---

[79] UPRIMNY YEPES, Rodrigo; GUZMÁN, Diana Esther; PARRA NORATO, Jorge A. "La adicción punitiva. La desproporción de leyes de drogas en América Latina", Bogotá, Centro de Estudios de Derecho, Justicia y Sociedad, 2012, disponible en: http: //www.wola.org/sites/default/files/downloadable/Drug_Policy/la_adiccion_punitiva.pdf. (consulta 5-5-2016), p. 5. Este estudio es referido por MATHIE, Hans; NIÑO, Catalina. "Aspectos de la situación actual de las drogas ilegales..." *op. cit.*, p. 26. Particularmente en el caso de Colombia UPRIMNY YEPES, Rodrigo; GUZMÁN, Diana Esther; PARRA NORATO, Jorge A. "Penas alucinantes. La desproporción de la penalización de drogas en Colombia", Bogotá, Colección De Justicia, 2013, disponible en: http: //www.dejusticia.org/files/r2_actividades_recursos/fi_name_recurso.302.pdf. (consulta 5-5-2016).

[80] UPRIMNY YEPES, Rodrigo; GUZMÁN, Diana Esther; PARRA NORATO, Jorge A. "La adicción punitiva...", *op. cit.* p. 5.

En este estudio, se señala cómo ha existido un fuerte aumento del número de conductas penalizadas vinculadas con el narcotráfico a través de la introducción de una gran variedad de verbos rectores en los tipos. Situación que ya fue denunciada por ZAFFARONI en un trabajo publicado en 1996. El autor, analizando diversas leyes latinoamericanas, indicaba que tal técnica legislativa busca no dejar ningún vacío de punibilidad, de forma que el sujeto que tenga *"algo"* que ver con un droga de carácter ilícito, comete delito. Tendencia punitiva que se ve ampliada a través de fórmulas de carácter general de la tentativa y participación. Es así que para la generalidad de los delitos en materia anti-droga *"es punible la acción típica, su tentativa y su participación, reconociendo formas de menor pena para estas últimas modalidades, en los delitos referentes a tóxicos, es punible la acción típica, la tentativa, la participación y la preparación, todos como tipicidades principales. Además de la insólita extensión de la punibilidad que implica esta técnica, quedan equiparadas a los efectos de la punibilidad las conductas consumadas a las tentadas, las participaciones secundarias a las autorías e incluso los actos preparatorios a los consumados[81]".*

Más de quince años después de lo señalado por ZAFFARONI, los autores colombianos, coinciden con él, planteando que dicho afán de eliminar cualquier hueco de punibilidad, desplaza todo ideal de un Derecho Penal que actúe proporcionalmente y sólo en el marco de la puesta en peligro o lesión de bienes jurídicos protegidos.

Aunado a lo anterior, UPRIMNY YEPES, GUZMÁN y PARRA NORATO, destacan el incremento de las penas mínimas frente a los delitos de drogas. Por mencionar algunos de los datos, referidos por el estudio, se indica que en Perú, en menos de 60 años, se ha pasado de tener una pena mínima de 2 a 25 años. Similar situación ocurre en

---

[81]   ZAFFARONI, Eugenio Raúl. "La legislación anti-droga latinoamericana: sus componentes de Derecho Penal autoritario", en MORALES VITERI, Juan Pablo y PALADINES, Juan Vicente (eds.). *Entre el control social y los derechos humanos. Los retos de la política y la legislación de drogas*, Ecuador, Ministerio de Justicia y Derechos Humanos, 2009, disponible en: http://www.drogasyderecho.org/publicaciones/prop_del/entre-el-control-social.pdf (consulta 5-5-2016), p. 7. La versión inicial aparece publicada en el Instituto de Ciencias Penales y Criminológicas de la Universidad Central de Venezuela, 1995-1996.

Bolivia y México, en donde las penas mínimas pueden llegar a los 20 años de prisión[82].

3. REFLEXIÓN FINAL

No podemos hacer conclusiones sobre el tema, dado que como lo hemos señalado, este trabajo constituye la primera parte del desarrollo de los modelos de control jurídico respecto a las drogas. Como lo hemos advertido, su desarrollo se ha limitado a establecer líneas básicas en torno a dos modelos respuesta política criminal en materia de drogas ilícitas, sobre el que hay una cantidad impresionante de bibliografía, producto sin duda del debate actual que se da cuestionando una política criminal que pese a su fracaso se mantiene. Un modelo vigente en el cual, tal como lo dijeron KEEFER, LOAYZA y SOARES, son inciertos los beneficios y certeros los costes.

Somos conscientes de que hemos entrado en un terreno totalmente nuevo dentro de nuestra línea de investigación, pero sin duda tan apasionante, que nos declaramos *"consumidores"* libres. Sin duda, el temor a entrar en un nuevo ámbito sobre el que se ha escrito de forma tan elocuente y brillante en Latinoamérica, genera una estimulación en la que pese al pánico inicial queremos permanecer *"adictos"*.

La referencia a los modelos III y IV, supondrán un nuevo *"chute"* que nos llevará a analizar el por qué enfocar cada una de estas opciones, dentro de modelos que se apartan del esquema prohibicionista. En este sentido y para finalizar resulta clarificador referirnos

---

[82]   UPRIMNY YEPES, Rodrigo; GUZMÁN, Diana Esther; PARRA NORATO, Jorge A. "La adicción punitiva..." *op. cit.* pp. 5, 27. Para un análisis del caso europeo véase OBSERVATORIO EUROPEO DE LAS DROGAS Y TOXICOMANÍAS.*Informe Europeo sobre drogas, Tendencias y novedades*, Luxemburgo, Oficina de Publicaciones de la Unión Europea, 2013, disponible en: http: //www.aragon.es/estaticos/GobiernoAragon/Departamentos/PresidenciaJusticia/Areas/PJ_04_Informacion_de_la%20Union_europea/01_Europe_Direct_Aragon/Publicaciones%20de%20la%20Unión%20Europea/Informe%20europeo%20sobre%20drogas%202013.pdf (consulta 9-5-2016); y OBSERVATORIO EUROPEO DE LAS DROGAS Y TOXICOMANÍAS. *Informe Europeo sobre drogas, Tendencias y novedades*, Luxemburgo, Oficina de Publicaciones de la Unión Europea, 2015, disponible en: http: //www.emcdda.europa.eu/attachements.cfm/att_239505_ES_TDAT15001ESN.pdf (consulta 9-5-2016).

a ROLLES. Para el autor la prohibición no ha supuesto un mundo sin drogas, y los modelos regulatorios tampoco llevarán a un mundo libre de daños por estas ni se eliminarán los mercados ilícitos. Así elocuentemente señala al escribir: *"La prohibición no puede producir un mundo libre de drogas, y los modelos regulatorios no pueden producir un mundo libre de daños producidos por estas sustancias. Algunas personas continuarán siendo afectadas negativamente por su consumo de drogas, o como resultado del consumo que otras personas hagan de estas sustancias. Las muy publicitadas tragedias relacionadas a las drogas seguirán ocupando los titulares de los noticieros. La regulación legal no es una bala de plata ni la panacea para el 'problema de las drogas?, como quiera esta sea concebida*[83]*"*. Pese a esta cruda realidad, otro tipo de respuestas deben ser analizadas sin duda por una cuestión fundamental, los costes que se han generado en la política actual han degradado tantos derechos, tantos países, que resulta absurdo mantenernos en una política criminal compulsiva que nos hace adictos ni siquiera por opción sino por obligación.

Ahora bien, los nuevos escenarios no pueden ser considerados como una alternativa misma, dado que como lo refiere VARGAS MESA, tomando argumentos de ROLLES debe incluir *"otras políticas y acciones como la educación en salud pública, la prevención, el tratamiento, amén de las dimensiones socioeconómicas de otras políticas complementarias que deben ir dirigidas a disminuir la pobreza, superar la exclusión social, el cumplimiento de derechos humanos, reducir la concentración de la riqueza y la manera como estas políticas inciden en el consumo problemático de drogas y en los contextos de violencia e inseguridad que rodea los mercados de estas sustancias*[84]*"*.

El camino está marcado para la discusión...en esta ocasión por decisión libre y coherente frente al escenario actual.

---

[83]   ROLLES, Stephen. *Después de la guerra contra las drogas: una propuesta para la regulación*, Bristol, Transform Drug Policy Foundation, 2012, disponible en: http: //www.tdpf.org.uk/sites/default/files/Blueprint-ESP.pdf (consulta 5-5-2016), p. 11.

[84]   VARGAS MEZA, Ricardo. "Hacía un modelo de regulación..." *op. cit.*, p. 118. El autor cita el texto de ROLLES, Stephen. "Después de la guerra contra las drogas..." *op. cit.*, pp. 11 y 12.

4. BIBLIOGRAFÍA

ARÁNGUEZ SÁNCHEZ, Carlos. "Criterios del tribunal supremo para delimitar el ámbito de lo punible en la posesión de drogas", en *Revista Electrónica de Ciencia Penal y Criminología*,01-04 (1999), disponible en: http: //criminet. ugr.es/recpc/recpc_01-04.html#1 (consulta 8-5-2016).

ARMENTA, Amira y JELSMA, Martin. *Las convenciones de drogas de la ONU. Guía Básica*, TRANSNATIONAL INSTITUTE, 2015, disponible en: https: //www.tni.org/es/publicacion/las-convenciones-de-drogas-de-la-onu(consulta 8-5-2016).

BABÍN VICH, Francisco de Asís. "El debate por la legalización de las drogas", en*Adicciones*, [S.l.], v. 25, n. 1, pp. 7-10, mar. 2013, disponible en: http: // www.adicciones.es/index.php/adicciones/article/view/66/65(consulta el 9-5-2016).

BALLESTEROS SÁNCHEZ, Julio. "Legalización de las drogas que no causan grave daño a la salud. Un estudio de Política Criminal", Trabajo de Fin de Máster Universitario en Derecho Penal, Universidad de Salamanca, 2013.

BEWLEY-TAYLOR, David y JELSMA, Martin."Cincuenta años de la Convención Única de 1961 sobre estupefacientes: una lectura crítica", en *Serie reforma legislativa en materia de drogas*, nº 12, pp. 1-20. Marzo de 2011, TRASNATIONAL INTITUTE, disponible en: https: //www.tni.org/files/download/dlr12s.pdf (consulta 8-5-2016).

BLICKMAN, Tom y JELSMA, Martin. "La reforma de las políticas de drogas. Experiencias alternativas en Europa y Estados Unidos", en *Nueva Sociedad*, nº 222, pp. 81-103, julio-agosto de 2009, disponible en: https: //www.tni.org/files/3623_1.pdf (consulta 8-4-2016).

BORJA JIMÉNEZ, Emiliano. *Curso de política criminal*, Valencia, Tirant lo Blanch, 2003.

COMISIÓN ASESORA PARA LA POLÍTICA DE DROGAS EN COLOMBIA. *Lineamientos para un nuevo enfoque de política de drogas en Colombia*, Mayo 2015, Informe final, disponible en: http: //www.odc.gov.co/Portals/1/comision_asesora/docs/informe_final_comision_asesora_politica_drogas_colombia.pdf (consulta 22-2-2016).

COMISIÓN ASESORA PARA LA POLÍTICA DE DROGAS EN COLOMBIA. *Lineamientos para una política pública frente al consumo de drogas*, Mayo 2013, disponible en: http: //www.odc.gov.co/Portals/1/Docs/politDrogas/Lineamientos5318-CA.pdf(consulta 9-5-2016).

COITINHO DAS NEVES, Thereza. "Control penal de drogas y medios de comunicación: aliados para un sistema autorreferencial" en *Moderno discurso penal y nuevas tecnologías*: memorias del III Congreso Internacional de Jóvenes Investigadores en Ciencias Penales, 17, 18 y 19 de junio de 2013 / coord. por Lina Mariola Díaz Cortés; Fernando Pérez Álvarez (ed. lit.), Salamanca, Ediciones Universidad de Salamanca, 2014.

COUNT THE COST OF THE WAR ON DRUG. *The war on drug. Underminig Human Rights*, 2011, disponible en: http: //www.countthecosts.org/sites/default/files/Human_rights_briefing.pdf(consulta 16-5-2016).

DÍAZ CORTÉS, Lina Mariola. "Una aproximación al estudio de los delitos de pornografía infantil en materia penal: el debate sobre la libertad sexual y la influencia de la Directiva 2011/92/UE en la reforma de 2015"en *Revista de derecho penal y criminología*. En prensa.

DUNCAN F. David. "Recensión de Robert J. MacCoun and Peter Reuter. Drug War Heresies: Learning from Other Vices, Times, and Places. Cambridge University Press (2001)", en *Journal of Public Health Policy*; Vol. 24 Issue 3/4, pp. 473-479, 2003, disponible en: http: //conium.org/~maccoun/DWH_Duncan.pdf (consulta 3-4-2016).

ENCYCLOPEDIA OF DRUG POLICY. Volume 2, James E. Hawdon, y Mark A. R.Kleiman (Editors), SAGE, United States of America, 2011.

FERRAJOLI, Luigi. *Derecho y razón. Teoría del garantismo penal*, Madrid, Trotta, 2000.

FERNÁNDEZ-PACHECO ESTRADA, Cristina. "Sobre los peligros del punitivismo. El fenómeno de la encarcelación masiva en Estados Unidos", en *In Dret*, Barcelona, 2013, disponible en: http: //dialnet.unirioja.es/servlet/articulo?codigo=4359189(consulta 3-2016).

GAMELLA, Juan. "Legalización, prohibición, despenalización: tres regímenes alternativos en el control jurídico-político de las drogas ilegales", en *Cooperación al desarrollo y problemas de drogas*, Fundación de Ayuda contra la drogadicción, 2004, disponible en: http: //www.fad.es/sites/default/files/cooperacion_al_desarrollo.pdf.(consulta 5-5-2016).

GARCÍA GARCÍA, Carlos. *Thomas S. Szasz. Precursor de la psiquiatría crítica*. Tesis doctoral, Universidad de Valencia, 2015, disponible en: http: //roderic.uv.es/bitstream/handle/10550/49884/Thomas%20Szasz,   %20 Precursor%20de%20la%20Psiquiatr%C3%ADa%20Cr%C3%ADtica.pdf?sequence=1&isAllowed=y (consulta 5-5-2016).

GLOBAL COMMISSION ON DRUG POLICY."Asumiendo el control: caminos hacia políticas de drogas eficaces", septiembre 2014, disponible en: http: //www.unodc.org/documents/ungass2016//Contributions/Civil/Global_Commission_on_drug_policy/3-Spanish.pdf (consulta 8-5-2016).

HERRERO ÁLVAREZ, Sergio. "Las drogas de uso recreativo en el derecho penal español", en *Adicciones*, [S.l.], v. 15, pp. 361-384, dic. 2003, disponible en: http: //www.adicciones.es/index.php/adicciones/article/view/471(consulta 9-05-2016).

HERRERO ÁLVAREZ, S."El cannabis y sus derivados en el derecho penal español", en *Adicciones*, [S.l.], v. 12, pp. 315-329, jun. 2000, disponible en: http: //www.adicciones.es/index.php/adicciones/article/view/687/675(consulta 9-05-2016).

HUMAN RIGTHS WATCH. *Informe Mundial 2015: Estados Unidos (Acontecimientos de 2014)*, disponible en: https: //www.hrw.org/es/world-report/2015/country-chapters/268148 (consulta 8-4-2016).

INKSTER, Nigel y COMOLLI, Virginia. *Drogas, inseguridad y Estados fallidos. Los problemas de la prohibición*, Bogotá, Universidad de los Andes, 2013.

MACCOUN Robert; REUTER, Peter. *Drug war heresies. Learning from other vices, times and places, Cambridge*, Cambridge, Cambridge University Press, 2001.

MATHIEU, Hans y NIÑO GUARNIZO, Catalina (eds.). *De la represión a la regulación. Propuestas para reformas las políticas contra las drogas*, Bogotá, Friedrich Ebert Stiftung, Programa de Cooperación en Seguridad Regional, 2013, disponible en: http: //library.fes.de/pdf-files/bueros/la-seguridad/10032. pdf (consulta 5-5-2016).

MATHIEU, Hans y NIÑO GUARNIZO, Catalina. "Aspectos de la situación actual de las drogas ilegales y propuestas de reforma", enMATHIEU, Hans y NIÑO GUARNIZO, Catalina (eds.). *De la represión a la regulación. Propuestas para reformas las políticas contra las drogas*, Bogotá, Friedrich Ebert Stiftung, Programa de Cooperación en Seguridad Regional, 2013, pp. 21-64, disponible en: http: //library.fes.de/pdf-files/bueros/la-seguridad/10032.pdf (Consulta 5-5-2016).

NACIONES UNIDAS, *Comentarios a la convención de las naciones unidas contra el tráfico ilícito de estupefacientes y sustancias psicotrópicas, 1988*, Publicaciones de las Naciones Unidas, Nueva York, 1999, disponible en: https: // www.unodc.org/documents/treaties/organized_crime/Drug%20Convention/ Comentarios_a_la_convencion_1988.pdf (Consulta 22-2-2016).

NEUMAN, Elías. "El modelo neoliberal y la legalización de las drogas", en *Serta: in memoriam Alexandri Baratta*, Pérez Álvarez, Fernando (Coord.), Salamanca, Ediciones Universidad de Salamanca, 2004.

NINO, Carlos Santiago. "Los límites de la interferencia estatal: el perfeccionismo", en *Ética y Derechos humanos. Un ensayo de fundamentación*, Buenos Aires, Astrea, 1989.

NINO, Carlos Santiago. *Fundamentos de Derecho Penal*, Argentina, Gedisa, 2008.

LANIEL, Laurente. "Drogas y criminalidad: breve exploración de las relaciones entre las ciencias sociales y la política antidrogas en Estados Unidos", en *Revista Sociológica*, Número 51, pp. 247-278, 2003, disponible en: http: //www. revistasociologica.com.mx/pdf/5110.pdf (Consulta 5-5-2016).

KEEFER, Philip; LOAYZA, Norman; SOARES, Rodrigo. "Drug prohibition and Developing countries: uncertain benefits, certain cost" en *Innocent bystanders, Developing countries and the war on Drugs*, Washington, KEEFER, Philip y LOAYZA, Norman (Editors), 2010, disponible en: https: //openknowledge.worldbank.org/bitstream/handle/10986/2420/536410PUB0Inno10 1Official0Use0Only1.pdf?sequence=1 (Consulta 5-5-2016).

OBSERVATORIO EUROPEO DE LAS DROGAS Y TOXICOMANÍAS. *Informe anual 2006: el problema de la drogodependencia en Europa*, disponible en: http: //ar2006.emcdda.europa.eu/es/page005-es.html (Consulta 15-5-2016).

OBSERVATORIO EUROPEO DE LAS DROGAS Y TOXICOMANÍAS."Drogas y delincuencia: una relación compleja" en *Drogas en el punto de mira"*, *nota*

2, mayo 2007, disponible en: http: //www.emcdda.europa.eu/attachements. cfm/att_44774_ES_Dif16ES.pdf(consulta 3-3-2016).

OBSERVATORIO EUROPEO DE LAS DROGAS Y TOXICOMANÍAS. *Informe Europeo sobre drogas, Tendencias y novedades*, Luxemburgo, Oficina de Publicaciones de la Unión Europea, 2013, disponible en: http: //www.aragon.es/ estaticos/GobiernoAragon/Departamentos/PresidenciaJusticia/Areas/PJ_04_ Informacion_de_la%20Union_europea/01_Europe_Direct_Aragon/Publicaciones%20de%20la%20Unión%20Europea/Informe%20europeo%20sobre%20drogas%202013.pdf (consulta 9-5-2016).

OBSERVATORIO EUROPEO DE LAS DROGAS Y TOXICOMANÍAS. *Informe Europeo sobre drogas, Tendencias y novedades*, Luxemburgo, Oficina de Publicaciones de la Unión Europea, 2015, disponible en: http: //www.emcdda. europa.eu/attachements.cfm/att_239505_ES_TDAT15001ESN.pdf (consulta 9-5-2016).

POZO CUEVAS, Federico. "La percepción de la relación delincuencia y drogas entre policías, funcionarios de justicia y de prisiones", en *Boletín Criminológico*, nº 67, septiembre, Instituto Andaluz Interuniversitario de Criminología, 2003, disponible en: http: //www.boletincriminologico.uma.es/boletines/67. pdf(consulta 15-5-2016).

PALADINES, Jorge Vicente."La respuesta sanitaria frente al uso ilícito de drogas en Ecuador", Colectivo de Estudios de Drogas y Derecho, disponible en: http: //www.drogasyderecho.org/publicaciones/pub-ecu/ecuador-usuarios. pdf(consulta 7-05-2016).

ROLLES, Stephen.*Después de la guerra contra las drogas: una propuesta para la regulación*, Bristol, Transform Drug PolicyFoundation, 2012, disponible en: http: //www.tdpf.org.uk/sites/default/files/Blueprint-ESP.pdf (consulta 5-5-2016).

STUART MILL, John.*Sobre la libertad*, Madrid, Aguilar, 1977, disponible en: http: //www.bsolot.info/wp-content/uploads/2011/12/Stuart_Mill_John-Sobre_la_libertad.pdf(Consulta 5-5-2016).

SALAS SALAZAR, Luis Gabriel. "Lógicas territoriales y relaciones de poder en el espacio de los actores armados: un aporte desde la geografía política al estudio de la violencia y el conflicto armado en Colombia, 1990-2012", disponible en: http: //www.scielo.org.co/scielo.php?pid=S0121-215X2015000100011&script=sci_arttext&tlng=es#fig1   (Consulta   5-5-2016).

STÖVEER, Heiner y PLENERT, Maximilian. "Opciones políticas de control de drogas en relación con el tráfico y el consumo en Alemania y Europa", en MATHIEU, Hans y NIÑO GUARNIZO, Catalina (eds.). *De la represión a la regulación. Propuestas para reformas las políticas contra las drogas*, Bogotá, Friedrich Ebert Stiftung, Programa de Cooperación en Seguridad Regional, 2013, pp. 303-386, disponible en: http: //library.fes.de/pdf-files/bueros/laseguridad/10032.pdf (consulta 5-5-2016).

TRASNATIONAL INTITUTE. *Reforma de las convenciones sobre drogas de la ONU Informe TNI para la revisión de mitad de período de la UNGASS,*

Marzo de 2003, disponible en: http: //www.undrugcontrol.info/es/control-de-drogas-de-la-onu/convenciones/item/2188-reforma-de-las-convenciones-sobre-drogas-de-la-onu (consulta 9-5-2016).

UPRIMNY YEPES, Rodrigo. "Drogas, Derecho y Democracia", 2002, disponible en: http: //www.mamacoca.org/FSMT_sept_2003/es/doc/uprimny_drogas_y_democracia.htm (consulta 16-5-2016).

UPRIMNY YEPES, Rodrigo. *Lineamientos para una política pública frente al consumo de drogas,* Comisión Asesora para la política de Drogas en Colombia, Mayo 2013, disponible en: http: //www.odc.gov.co/Portals/1/publicaciones/pdf/comision_asesora_politica_drogas_colombia.pdf (consulta 22-2-2016).

UPRIMNY YEPES, Rodrigo; GUZMÁN, Diana Esther; PARRA NORATO, Jorge A. "La adicción punitiva. La desproporción de leyes de drogas en América Latina", Bogotá, Centro de Estudios de Derecho, Justicia y Sociedad, 2012, disponible en: http: //www.wola.org/sites/default/files/downloadable/Drug_Policy/la_adiccion_punitiva.pdf. (consulta 5-5-2016).

UPRIMNY YEPES, Rodrigo; GUZMÁN, Diana Esther; PARRA NORATO, Jorge A. "Penas alucinantes. La desproporción de la penalización de drogas en Colombia", Bogotá, ColecciónDe Justicia, 2013, disponible en: http: //www.dejusticia.org/files/r2_actividades_recursos/fi_name_recurso.302.pdf (consulta 5-5-2016).

VALLE, Alex. "Control de drogas en el derecho penal máximo y el derecho penal mínimo", en MORALES VITERI, Juan Pablo y PALADINES, Juan Vicente (eds.).*Entre el control social y los derechos humanos. Los retos de la política y la legislación de drogas* Ecuador, Ministerio de Justicia y Derechos Humanos, 2009, disponible en: http: //www.drogasyderecho.org/publicaciones/prop_del/entre-el-control-social.pdf (consulta 5-5-2016).

VARGAS MEZA, Ricardo. "Hacía un modelo de regulación de la oferta de drogas", en *De la represión a la regulación. Propuestas para reformas las políticas contra las drogas,* en MATHIEU, Hans y NIÑO GUARNIZO, Catalina (eds.), Bogotá, Friedrich Ebert Stiftung, Programa de Cooperación en Seguridad Regional, 2013, pp. 117-176, disponible en: http: //library.fes.de/pdf-files/bueros/la-seguridad/10032.pdf (consulta 5-5-2016).

WACQUANT, Loïc. "De la esclavitud al encarcelamiento masivo", en *New left review,* n°. 13, pp. 38-58,2002.

ZAFFARONI, Eugenio Raúl. "La legislación anti-droga latinoamericana: sus componentes de Derecho Penal autoritario", en MORALES VITERI, Juan Pablo y PALADINES, Juan Vicente (eds.). *Entre el control social y los derechos humanos. Los retos de la política y la legislación de drogas,* Ecuador, Ministerio de Justicia y Derechos Humanos, 2009, pp. 3-16. Disponible en: http: //www.drogasyderecho.org/publicaciones/prop_del/entre-el-control-social.pdf (consulta 5-5-2016).

Páginas web:

http: //biblio.juridicas.unam.mx/libros/6/2570/7.pdf, http: //www.corteconstitucional.gov.co/RELATORIA/1994/C-221-94.htm

http: //www.countthecosts.org/sites/default/files/Human_rights_briefing.pdf.

http: //www.elpais.com.co/elpais/judicial/noticias/cinco-paises-donde-traficar-con-drogas-condenado-con-penas-drasticas(consulta 5-5-2016).

Informe Mundial 2015: Estados Unidos (Human Rigths Watch)https: //www.hrw.org/es/world-report/2015/country-chapters/268148(consulta 8-4-2016).

http: //www.prevenciondrogas.gob.ec/wp-content/uploads/2015/09/Resolución-n°-001-CONSEP-CD-2015-de-9-de-septiembre-de-2015.pdf.   (consulta 7-05-2016).

http: //www.prevenciondrogas.gob.ec/wp-content/uploads/2015/06/RESOLUCION-DE-CANTIDADES-MAX-IMAS-PARA-CONSUMO-PERSONAL.pdf (consulta 7-05-2016).

http: //www.emcdda.europa.eu/attachements.cfm/att_239505_ES_TDAT15001ESN.pdf

http: //norml.org

https: //ballotpedia.org (consulta 15-05-2016).

LÍMITES Y CONFLICTOS ENTRE EL LIBRE DESARROLLO DE LA PERSONALIDAD Y UNA POLÍTICA CRIMINAL LEGALIZADORA DE LAS DROGAS QUE NO CAUSAN GRAVE DAÑO A LA SALUD: SALUD PÚBLICA VS SALUD INDIVIDUAL

JULIO BALLESTEROS SÁNCHEZ[1]

Sumario: 1. Introducción. 2. Desarrollo del tema. 3. Conclusiones. 4. Bibliografía

Resumen: El objeto del artículo se centra en el análisis de las ineficaces políticas de *"Tolerancia Cero"* frente a las drogas que no causan grave daño a la salud. Desde un enfoque de Política criminal, se plantea la posibilidad de adoptar políticas legalizadoras, como en el caso de Uruguay, Colorado y Washington, por ser más respetuosas con las libertades individuales y el principio constitucional del libre desarrollo de la personalidad. En contraposición al paternalismo estatal. Partiendo, como no podía ser de otro modo, desde una concepción del Derecho penal mínimo, de última ratio, en el marco de un Estado social y democrático de Derecho.

Palabras claves: Libertad individual, Derecho penal mínimo, paternalismo estatal, salud, Política criminal.

---

[1]   Miembro del Observatorio de Criminalidad Organizada Trasnacional. Máster en Derecho Penal y candidato a Doctor en la Universidad de Salamanca. Especialista en Cumplimiento Normativo en Materia Penal por la Universidad Castilla-La Mancha. El presente trabajo se inserta en el desarrollo del Proyecto de Investigación "Criminalidad organizada transnacional: una amenaza a la seguridad de los Estados democráticos". (DER2013-44228-R), Ministerio de Economía y Competitividad (2014-2016).

1. INTRODUCCIÓN

La ciudadanía del siglo XXI objeto de la globalización, de la criminalidad trasnacional y de la denominada genéricamente por Beck, como "Sociedad del Riesgo", se encuentra seriamente sometida a medidas de control y de restricción de libertades individuales por parte del Estado, con el objetivo de garantizar a la población unos parámetros de seguridad deseables.

Si prematuramente ese principio puede calificarse como loable, debemos plantearnos si la restricción de derechos individuales supone un incremento en los niveles de seguridad, o si por el contrario abre la puerta al control del ciudadano en su esfera intima. Concretamente, el artículo que aquí presento, nos introduce en la problemática de la legitimación o no, del individuo, para determinarse eligiendo su propio plan de vida, donde fruto de su consentimiento libre y válido, decide encaminarse al consumo de drogas que no causan grave daño a la salud. El Tribunal Supremo, mediante reiterada jurisprudencia, establece las sustancias que merecen dicha calificación. Se trata de los derivados cannábicos[2] (marihuana, griffa, kiff, aceite) y los preparados farmacéuticos (Valium, Tranxilium[3], Orfidal, Rohipnol[4], Trankimazin).

La política de *"Tolerancia Cero"* frente a las drogas, tras un siglo desde su instauración, no ha generado los efectos deseados. Ni la las grandes organizaciones criminales han desaparecido, ni los consumidores han dejado de demandarlas. Por tanto, es el momento de plantear que las drogas blandas no son un problema exclusivamente del crimen y del Estado. Es un problema de las personas. Personas; que deben ayudarse así mismas, y personas que deben ser coadyuvadas por el Estado a través de planes integrales, que recogen medidas interdisciplinarias de distinta índole como: educacionales, formati-

---

[2]   Sentencias de 18 de enero, 29 de mayo y 17 de octubre de 1984, 21 de febrero y 29 de noviembre de 1985, recientemente 11 de junio y 22 de junio de 2010. STS de 8 de mayo de 1995 y Acuerdo de la Sala II de 25 de septiembre de 1991

[3]   Sentencias de 12 de febrero de 2001 y de 22 de junio de 2002 entre otras. STS 29 de diciembre del 2000, 12 de febrero del 2001, 7 de mayo de 2002.

[4]   Acuerdo del Pleno de la Sala Segunda de 23 de marzo de 1998 por el que considera al Rohipnol, y en general a las benzodiacepinas como drogas que no causan grave daño.

vas, laborales y médicas. El ineficaz recurso de la prohibición sólo ha conseguido llenar nuestras prisiones de pobres y consumidores. El paternalismo estatal, lejos de asegurarnos la convivencia pacífica, ha aumentado los niveles de temor y de inseguridad, al igual que restringido nuestras libertades personales constitucionales.

Si queremos superar la presente problemática, debemos considerar a la inteligencia emocional, como una herramienta útil, de la que se debe valer el Estado, a través de la pedagogía y psicología para formar unos ciudadanos más libres y equilibrados, que sepan manejar sus sentimientos y emociones, que es finalmente, lo que se intenta adulterar con la ingestión de drogas. Esos sentimientos, muchas veces están relacionados con la soledad, el desempleo, la desestructuración familiar, pero en no menos casos está ligado a la curiosidad y al pasarlo bien[5], es decir, a lo lúdico y peligroso, a lo excitante[6].

2. DESARROLLO DEL TEMA

El problema de la criminalización de las drogas, es un problema *del ayer*, pero también *del hoy*. Como diría el maestro, BERDUGO GÓMEZ DE LA TORRE, es uno de esos viejos y nuevos desafíos que debe afrontar el Derecho penal. La solución ofertada en el *ayer*, ni fue eficaz entonces, ni mucho menos lo será ahora, debido al dinamismo de la compleja y globalizada sociedad actual y las posibilidades que se abren en ella.

Pero ésta polémica, lejos de ser determinante, por muy importante que nos parezca, es sólo la más viva efigie de una cuestión profunda sobre la que discernir. Se trata, del ideal de modelo de Estado sobre el que erigir sólidamente nuestras expectativas de vida pacífica en comunidad. Así, la decisión sobre uno u otro modelo de Estado, dará lugar a una política legislativa más o menos liberal, y por tanto, más

---

[5]   Los tres motivos más fuertes para el consumo fueron: Divertirse y pasarlo bien, por estar de moda y lo toman amigos y compañeros, y por último aludiendo a la curiosidad y el deseo de sentir sensaciones nuevas. En GOBIERNO DE ESPAÑA; MINISTERIO DE SANIDAD Y POLÍTICAS SOCIALES, Fundación de ayuda contra la Drogadicción, Madrid, 2010, p. 118.

[6]   VEGA FUENTE, Amando, La acción Social ante las Drogas. Propuestas de Intervención Socioeducativa, editorial Narcea, Madrid, 1993, p. 14.

o menos restrictiva o permisiva. De esta manera, el objeto de debate debe trasladarse hasta el papel que debe ocupar el individuo dentro del Estado social y democrático de Derecho.

Así, cuando iniciamos la tarea de la construcción de un Estado social y democrático, no cabe duda de que la *"libertad"*, debe ser uno de esos componentes que jueguen un papel central y decisivo. Lo que algunos denominarían la *clave de bóveda*. Pero tras el noble paradigma descrito, puede *de facto* encontrarse una relación parasitaria *Estado-Hombre*, o por el contrario una simbiosis utópica, en la que el hombre se desarrolla plenamente conforme a sus creencias. Es esta segunda posición, la que vamos a defender, en perjuicio de lo que se denomina paternalismo estatal. Pues desde el paternalismo, se puede legitimar situaciones injustas y arbitrarias mediante la ilimitación del poder del Estado[7].

Buena parte de la responsabilidad, sobre la problemática de poder dilucidar el contenido del principio de libre desarrollo de la personalidad, se debe a sus propios términos lingüísticos. Un concepto, por otro lado, procedente de la Ley Fundamental de Bonn como señala LATORRE[8], ya que, esta recogía en su artículo 2-1 el siguiente enunciado:

> *Todos tienen el libre desarrollo de la personalidad, siempre que ello no atente a los derechos de los demás, al orden constitucional y a la ley moral.*

Y es que, como señala acertadamente ESPINAR VICENTE, son conceptos que no conllevan a una acepción única, sino a una pluralidad de significaciones que pueden desembocar en contenidos bien distintos[9].

---

[7] CHANG KMONT, Romy, *Relevancia del consentimiento en el delito de lesiones del Código penal Español: determinación del bien jurídico protegido*, Universidad de Salamanca, Trabajo Fin de Master, 2011, p. 49.

[8] LATORRE, Angel, El Derecho al libre desarrollo de la personalidad en la jurisprudencia del Tribunal Constitucional, en: GARCÍA SAN MIGUEL, Luis (coordinador), *El libre desarrollo de la personalidad; artículo 10 de la Constitución*, editorial Universidad de Alcalá de Henares, Alcalá de Henares, 1995, p. 79.

[9] ESPINAR VICENTE, José María, *Consideraciones en torno al "libre desarrollo de la personalidad" desde un planteamiento social*, en: GARCÍA SAN MI-GUEL, Luis (coordinador), *El libre desarrollo de la personalidad; artículo 10 de*

Pero me interesa resaltar, lo que él entiende por "*desarrollo*", ya que es determinante su sentido a fin de excluir determinadas conductas del ámbito de aplicación. Así, él entiende por desarrollo, la noción y efecto de desarrollar, equivaliendo por tanto, a dar incremento a una cosa en el orden físico, intelectual y moral. Si a ello le añadimos el término personalidad, la conjunción refleja, la concatenación de actos que una persona quiere realizar o no realizar, para ajustar su comportamiento a un determinado modelo previamente asumido[10].

Siendo esto así, alegar el derecho a la muerte como representación del libre desarrollo de la personalidad, ¿no estaría en conflicto con el concepto de desarrollo que implica una continuidad temporal? No cabe duda, que hay cierta incompatibilidad lingüística, aparentemente al menos, ya que si algo caracteriza a la muerte, es precisamente la extinción de la libertad al poner fin a la vida, y por tanto, lógicamente a la capacidad de seguir desarrollándose en la búsqueda de sus intereses y convicciones propias. Por contra, entiendo que queda abierto un estrecho pasadizo, al existir la posibilidad de que en un determinado momento, la pesadumbre o la enfermedad puedan convertir el deseo de la muerte en ese "*modelo previamente asumido*" y por tanto, tener cabida tal derecho, siendo acorde a la imposibilidad de tener una calidad de vida digna.

Pero desde una perspectiva penal, lejos de esforzarse el legislador en reforzar las capacidades individuales mediante la acotación al poder estatal, se está buscando la expansión y reafirmación de su poder, amparada en la creciente percepción de la "*Sociedad del Riesgo*". De esta manera, las políticas de *Ley y Orden* se ven fortalecidas y consolidadas, por el contexto de grave crisis económica, donde opera la precariedad laboral y social[11]. Así, en esta sociedad, se han acentuado las desigualdades y por tanto, dará lugar a un incremento de la criminalidad o una mayor visibilidad de sus efectos. Que desencadena, en políticas más represivas aun, entrando de esta manera en una espiral fatídica, en la que todos pierden.

---

la Constitución, editorial Universidad de Alcalá de Henares, Alcalá de Henares, 1995, p. 63.

[10]   ESPINAR VICENTE, José María, *Ibid*, p. 69.

[11]   GARLAND, David. *La cultura del control social:* Crimen y orden social en la sociedad contemporánea. Barcelona: Gedisa, 2005, p. 223.

Partiendo desde un modelo de Estado liberal, más fácilmente podremos alcanzar el sistema penal deseado, en el que tienen cabida los valores superiores de *libertad, igualdad, pluralismo y justicia* que establece el artículo primero de la Constitución española, complementados a través de los principios generales de *racionalidad, proporcionalidad y promoción de la libertad y de la igualdad* que se proclaman desde el artículo noveno de la Constitución[12]. Consecuencia de ello, el Derecho penal debe ser consciente de que debe no sólo permitir el libre desarrollo de la personalidad, sino que incluso debe favorecerlo activamente. Algo que a día de hoy no sucede, ya que impera el prohibicionismo, y por tanto la restricción a la capacidad de autodeterminación.

En el presente, existen seis adicciones a actividades legales reconocidas como tales. Se trata de las adicciones al alimento, al sexo[13], al juego, a las compras, al trabajo y a Internet[14]. ¿Quién nos dice que el legislador en pro de nuestra salud propia o la salud pública como tal, no restringirá o regulará dichos ámbitos hasta el punto de ser una restricción despótica e ilegítima?

La esfera íntima del individuo está determinada por el ámbito privado, y en él, no debe entrometerse el Estado, así, para NAGEL[15] "*el ámbito privado incluye el dominio de la elección de los placeres personales, la fantasía sexual, la autoexpresión no política y la búsqueda del sentido cósmico o religioso*". Y es que a la vista de lo expuesto, y siendo coherente por tanto, hay que sostener como bien definen

---

12 BERDUGO GÓMEZ DE LA TORRE, Ignacio, ARROYO ZAPATERO, Luis, FERRÉ OLIVÉ Juan Carlos y otros, *Curso de Derecho penal, parte general*, editorial Ediciones Experiencia segunda edición, Barcelona, 2010, p. 45.

13 Recientemente el primer ministro británico David Cameron ha anunciado que se restringirá y bloqueará automáticamente el contenido "*adulto*" de Internet. Contrariamente a la medida, se han pronunciado los grandes buscadores Google y Yahoo, alegando que dicha medida supone un grave atentado contra la libertad en la red. En http: //www.elmundo.es/elmundo/2013/07/22/comunicacion/1374490932.html. (Acceso en: 04/09/2016)

14 VERA GARCÍA, Rocío y COBACHO INGLÉS, María Lourdes, *Adicciones*, en: GARCÍA MARTÍNEZ, Alfonso y SÁNCHEZ LÁZARO, Antonia, *Drogas: sociedad y educación*, editorial Universidad de Murcia, Murcia, 2005, p. 115.

15 NAGEL, Thomas, *Los derechos personales y el espacio público*, en: HONGJU KOH, Harold y SLYE, Ronald, compiladores, *Democracia deliberativa y derechos humanos*, editorial Gedisa, Barcelona, 2004, p. 52.

LOCKE y HUME, sobre el significado del concepto libertad, que "*ser libre significa poder hacer lo que se quiere, no poder querer lo que se quiere*[16]". Podemos concluir por tanto, al igual que lo hace ROBBERS[17], al considerar que, "*la libertad del individuo se da allí donde puede asumir la responsabilidad de sus actos*".

La postura paternalista, por tanto, se caracteriza por ser una restricción a la libertad individual, lo que en terminología anglosajona ha dado en llamarse la formación del propio plan de vida. Una postura antipaternalista, supone para el individuo, por el contrario, la posibilidad de omitir aquello que pudiera no convenirle (como por ejemplo no ponerse una vacuna o no segur determinadas prescripciones medicas), pero también, tendría cabida en esta posición la realización de conductas orientadas hacerse daño a uno mismo, el suicidio, drogarse[18].

El paternalismo extremo, representado históricamente por la *República de Platón*, es uno de los mayores signos de restricción de la libertad de la historia, al estar el individuo en todas sus esferas sometido a una reglamentación, donde los sabios y competentes son los encargados de determinar, desde tu pareja, hasta tus estudios. Y es que, como apunta GARCÍA SAN MIGUEL[19], "*los ciudadanos de la ciudad platónica son como niños a los que un padre bienhechor ha de llevar de la mano a todo lo largo de su vida y su incompetencia es total y prácticamente incorregible*".

En el lado totalmente opuesto, se encuentra NOZIK, con su obra *Anarquía, Estado y Utopía*. Para este autor, el ideal social consistiría en un sistema en que los individuos a través de sus derechos naturales, se desarrollen mediante la realización de acuerdos entre ellos. Sólo considera que deben incorporarse pequeñas restricciones orientadas

---

[16]   RUBIA, Francisco, *El fantasma de la libertad. Datos de la revolución neurocientífica*, editorial Crítica, Barcelona, 2009, p. 31.

[17]   ROBBERS, Gerhard, *El Estado de Derecho y sus bases éticas*, en: THESING, Josef, *Estado de Derecho y Democracia*, segunda edición, editorial Konrad-Adenauer-Stiftung-Cierdla, Buenos Aires, 1999, p. 40

[18]   GARCÍA SAN MIGUEL, Luis, *Sobre el paternalismo*, en: GARCÍA SAN MIGUEL, Luis (coordinador), *El libre desarrollo de la personalidad; artículo 10 de la Constitución*, editorial Universidad de Alcalá de Henares, Alcalá de Henares, 1995, p. 11.

[19]   Ibídem, p. 17.

a evitar la coacción y el engaño (pues serían síntoma de un consentimiento viciado). Desde esta perspectiva, cualquier daño que el individuo quisiera causarse es por tanto legítimo, al tener capacidad plena
para determinarse[20].

Como brevemente hemos señalado, este derecho de autodeterminación no es absoluto, ya que encuentra en el daño ilegítimo a los
demás un límite importante a respetar. Pero este límite, no puede ser
invocado simplemente porque otras personas lleven un plan de vida
distinto al nuestro. Así, como señala GARCÍA SAN MIGUEL, a modo de ejemplo, "*el heterosexual no puede invocar el daño a terceros,
simplemente para prohibir la homosexualidad[21]*".

Para KANT, el valor de la dignidad es incluso, un valor superior
al de la propia libertad individual, por ello, considera que nadie ha de
poder actuar para entrar en situación de indignidad. De esta manera,
se excluirían los casos en el que un individuo decidiera someterse a esclavitud voluntariamente. Complementariamente a ello, y en opinión
de ROBLES MORCHÓN[22], partiendo desde una vertiente externa,
"*el deber de respetar la dignidad ajena y el libre desarrollo de la personalidad de los demás implica reconocer que los demás son fines
en sí mismos, no susceptibles de ser instrumentalizados, bajo ningún
concepto, al servicio de cualesquiera fines que ellos mismos no se han
propuesto*".

Bajo la normativa actual prohibicionista, el Estado acapara la capacidad de organización de nuestras vidas, y por tanto, limita nuestra
potestad para decidir entre lo racional y los deseos. Dicha decisiones,
deben ser tomadas desde lo más profundo del individuo, pues el respeto a ellas, supone por el Estado el respeto al hombre en sí mismo
y a su propia moral. Siguiendo a KANT, en su *Crítica de la razón*

---

[20] NOZIK, Robert, *Anarquía, Estado y Utopía*, traducida por Rolando Tamayo,
      editorial Fondo de Cultura Económica, México, 1974, p. 317.
[21] GARCÍA SAN MIGUEL, Luis, *Sobre el paternalismo*, en: GARCÍA SAN MI-
      GUEL, Luis (coordinador), *El libre desarrollo de la personalidad; artículo 10 de
      la Constitución*, editorial Universidad de Alcalá de Henares, Alcalá de Henares,
      1995, p. 15.
[22] ROBLES MORCHÓN, Gregorio, *El libre desarrollo de la personalidad*, en:
      GARCÍA SAN MIGUEL, Luis (coordinador), *El libre desarrollo de la personali-
      dad; artículo 10 de la Constitución*, editorial Universidad de Alcalá de Henares,
      Alcalá de Henares, 1995, p. 55.

práctica, resulta interesante descubrir los motivos a los que responde el hombre, pues *"si el hombre fuera sólo sensibilidad, sus acciones estarían determinadas por los impulsos sensibles. Si fuera únicamente racionalidad serían determinadas por la razón. Pero el hombre es al mismo tiempo sensibilidad y razón; en esta posibilidad de elección consiste la libertad que hace de él un ser moral*[23]*".*

Ya que hay tantos códigos morales y éticos como personas, el Estado no sólo no debe ser un mero espectador que los respete, sino que debe promover las condiciones óptimas para la convivencia de distintos órdenes morales y convicciones. Pero en el afán de querer poner en convivencia los diferentes órdenes morales, mediante el pluralismo reconocido en la Constitución, no debemos caer en el equívoco del concepto de tolerancia como signo o acto de generosidad, ya que como señala BERDUGO GÓMEZ DE LA TORRE, *"esta (tolerancia) implica de alguna forma asumir la validez de un único orden ético que permite la existencia de otros, esta "superioridad" ética es incompatible con una sociedad democrática*[24]*".* Asimismo, acertadamente nos indica SAMPER PIZANO, que *"las leyes no están hechas para castigar la inmoralidad, sino para preservar la justicia; por eso deben ser justas más que éticas*[25]*".*

En el marco de un Estado democrático y pluralista, se debe partir de una situación igualitaria de las distintas creencias, culturas y religiones. Siendo esto así, ¿cómo no se puede respetar al que decide ser consumidor de drogas libremente dificultando su acceso y obligando acudir al mercado ilegal? ¿Puede el Estado desmantelar el sistema sanitario público[26] y la vez restringir las libertades individuales en afán de proteger la salud pública?

---

[23]   RUBIA, Francisco, *El fantasma de la libertad. Datos de la revolución neurocientífica,* editorial Crítica, Barcelona, 2009, p. 33.

[24]   BERDUGO GÓMEZ DE LA TORRE, Ignacio, *Viejo y nuevo derecho penal. Principios y desafíos del derecho penal de hoy,* editorial Iustel, Madrid, 2012, p. 234.

[25]   SAMPER PIZANO, Ernesto, *Drogas; prohibición o legalización,* editorial Debate, Bogotá, 2013, p. 118.

[26]   Siendo consciente de la distinción entre salud pública y sistema sanitario público. Pero es conveniente, reflexionar en el caso de España sobre la hipocresía reflejada, ya que dicho sistema sanitario, a la vez de ser convertido parcialmente en privado e incluir cláusulas de copago, excluye del ámbito de protección a los

No cabe duda, que es el momento de aceptar la afrenta y revindicar los derechos individuales, ya que como sostiene FERRAJOLI[27], *"solo a través de la lucha por los derechos, lo que quiere decir su constante ejercicio y su tenaz defensa contra todo obstáculo, amenaza o violación posible, puede ser garantizado el efectivo dominio y la consiguiente valoración de la persona. Un derecho no ejercido o no defendido está, por el contrario, destinado a deteriorarse y al final a sucumbir. Desde la libertad personal a los derechos sociales, la efectividad de los derechos de las personas no está nunca garantizada como graciosa concesión sino, que es, una y otra vez, el efecto de cotidianas y a veces costosas conquistas"*.

No hace falta tener una gran agudeza visual, para de un simple vistazo, poder apreciar como en las últimas décadas ha habido un proceso regularizador de las actividades de la vida de los ciudadanos. Esto normativización responde a distintas ramas del ordenamiento; administrativa, penal o civil. Este proceso, ha conseguido ir usurpando sibilinamente nuestras libertades en favor de un supuesto interés colectivo. Para NAGEL[28], *"la mayoría de las amenazas civilizadas a la autonomía individual están motivadas por el deseo de impedir la ofensa, el insulto o la inquietud social, o asegurar un ambiente social armónico, mayor será la presión sobre la individualidad y contra las variaciones en la expresión individual divisiva: sexual, racial, religiosa o narcótica"*. De esta manera, parece que se quiere imponer al ciudadano una forma de vida determinada con unos valores preestablecidos. Así, la decisión del ciudadano debe ser siempre madura y acorde a los del resto, es decir, no desentonar. Se quiere evitar la diversidad y los gustos diferentes. Y por ello, se criminalizan los hábitos fundamentalmente de los jóvenes, por ser poco *"apropiados"* o poco *"normales"*, en este caso el consumo de drogas blandas sin capacidad

---

inmigrantes ilegales, cuando algunos de ellos son portadores de enfermedades infecciosas, incrementando a modo de progresión geométricamente el riesgo para los demás ciudadanos, y por tanto, suponiendo un peligro para la salud pública como tal.

[27] FERRAJOLI, Luigi, *Diritto e racione. Teoria del galantismo penale*, editorial Latereza, Bari, 1989, p. 989.

[28] NAGEL, Thomas, *Los derechos personales y el espacio público*, en: HONGJU KOH, Harold y SLYE, Ronald, compiladores, *Democracia deliberativa y derechos humanos*, editorial Gedisa, Barcelona, 2004, p. 54.

lesiva suficiente. Para legitimar la prohibición, hay un amplio, incierto y difuso motivo. La salud pública.

Para HASSEMER[29], partidario de la defensa de las garantías tradicionales a través de la defensa de los bienes jurídicos individuales (aunque sin negar los bienes colectivos en determinados casos), es necesario sostener *"que ante la creciente complejidad del sistema social, el Derecho penal no debe renunciar a sus principios de garantía tradicionales, sino que, por el contrario, debe proteger firmemente en esta época los intereses de la persona frente a los de la sociedad y el Estado. Este planteamiento se fundamenta en una concepción liberal del Estado, entendido no como un fin en sí mismo, sino como instrumento al servicio de las necesidades del individuo, de modo que la meta última a conseguir es el aseguramiento de las condiciones de autorrealización personal"*.

Una Política Criminal legítima, es aquella que mejor sabe aproximarse a los postulados que desde la Constitución se proyectan. Esto implica, la protección de los derechos fundamentales por el salvoconducto de un Derecho penal mínimo, donde la pena debe ser aplicada en el menor de los casos posibles y en la menor cantidad, dentro de las que son igualmente eficaces. El Estado, dispone de recursos tanto o más valiosos que el Derecho penal, para lograr una sociedad equilibrada desde el punto de vista del pacto social. Congregar todos los esfuerzos en el Derecho penal es una representación del Derecho penal de *prima ratio*. Y como ya advertía MONTESQUIEU, el grado de civilización de un país, se mide y progresa de acuerdo con la benignidad de sus penas.

ZÚÑIGA RODRÍGUEZ, señala el epicentro cuando apunta que, *"un Estado que no respeta los derechos fundamentales, cuya actuación política busca la legitimación con la prevención, realiza una Política Criminal autoritaria. Las justificaciones para este tipo de actuaciones han tenido diferentes nombres: orden público, seguridad ciudadana, terrorismo, tráfico de drogas, criminalidad organizada[30]"*.

---

29   SOTO NAVARRO, Susana, *La protección penal de los bienes colectivos en la sociedad moderna*, editorial Comares, Granada, 2003, p. 74.
30   ZÚÑIGA RODRÍGUEZ, Laura. *Política Criminal*, editorial Colex, Madrid, 2001, p. 34-35.

No basta con que el Estado realice una Política criminal, acorde a dichos preceptos, sino, que junto a ello, debe tener capacidad de adaptar el viejo Derecho penal del siglo pasado, a la nueva sociedad del siglo veintiuno. Enlazando con el pensamiento de HÄBERLE[31], quien considera que, "*el pueblo no es tanto una magnitud preestablecida por la naturaleza sino, más bien, una magnitud que se constituye culturalmente en una Constitución estatal, y una magnitud pluralista en constante renovación de sus vínculos culturales*". La no renovación de los delitos, supone una traba a la inevitable renovación cultural, generando una distorsión y desviación con graves consecuencias entre lo existente y lo preestablecido.

Por otro lado, algunos autores alemanes como Hassemer, Herzog, Prittwitz, Kargl o en España Silva Sánchez o Mendoza Buergo, sostienen que aunque el Derecho Penal tiene que ser eficaz, también lo que es, y debe ser, es legítimo y sujeto a límites; para así, poder estar justificado el uso del *Ius puniendi,* y por tanto, estar amparadas las limitaciones provocadas en la esfera de libertad personal del individuo[32].

El Derecho en general, y por tanto, también el Derecho penal, responden a una época y un contexto. El nuevo Derecho que se reclama, debe aprovechar la experiencia normativa histórica, para no caer en las mismas deficiencias, y en este caso, el fracaso prohibicionista en las drogas ha sido destacado durante un siglo. Y es que, como argumenta MALAMUD GOTI[33], "*las amenazas de castigo no funcionarán si prediciblemente no han de ser impuestas por una comunidad que percibe que la acción es aceptable*".

De esta manera, lo que el individuo cree necesario para su autorrealización, lo busca hasta encontrarlo, en el mercado ilegal o legal, en las tiendas o en Internet, pero como afirman los manuales más bá-

31 HÄBERLE, Peter, *La dignidad del hombre como fundamento de la comunidad estatal,* en: FERNÁNDEZ SEGADO, Francisco, Dignidad de la persona, *Derechos Fundamentales, Justicia Constitucional,* editorial Dykinson S.L, Madrid, 2008, p. 217.

32 GÓMEZ MARTÍN, Víctor, OBRA COLECTIVA. Directores MIR PUIG, Santiago y CORCOY BIDASOLO, Mirentxu, *Política criminal y reforma penal,* editorial Edisofer, Madrid, 2007, p. 84

33 MALAMUD GOTI, Jaime, *El poder en el terrorismo de Estado,* en: HONGJU KOH, Harold y SLYE, Ronald, compiladores, *Democracia deliberativa y derechos humanos,* editorial Gedisa, Barcelona, 2004, p. 234.

sicos de economía, el individuo responde a incentivos, de toda índole, y no cabe duda, que las drogas han constituido un estímulo a lo largo de la historia. Fruto de ese incentivo, perpetuo, han podido sobrevivir en distintos contextos culturales e históricos. Es normal, por tanto, que FERRAJOLI[34] afirme que *"el orden represivo [...] constituye una organización de la violencia inútil frente al consumo de estupefacientes y otras sustancias tóxicas. Inútil, porque resulta inidóneo para impedirlo o, al menos, reducirlo de manera significativa: las toxicomanías, al igual que otros comportamientos perseguidos en el pasado como el aborto, el adulterio o el concubinato, encuentran sus raíces en profundas motivaciones de carácter psicológico o social, frente a las cuales la eficacia de la pena es mínima, por no decir nula"*.

Partiendo, del concepto de libre desarrollo que facilita ESPINAR VICENTE[35], entendido éste, como *"la facultad natural de que gozan los hombres para realizar sin obstáculo, las acciones u omisiones que le permitan expresar, y aumentar progresivamente, aquellas cualidades de capacidad, de disposición, virtudes y prudencia que deben distinguir a la persona"*, y a la vista de los argumentos de Política criminal expuestos durante el artículo, considero que se debe promover la experimentación con sistemas parciales de legalización.

Esta propuesta, aunque arriesgada para algunos, es más acorde al Estado social y democrático de Derecho y sus valores. La legalización, permitiría cuanto menos una normalización de lo que denominamos drogas, y por ende del drogodependiente, atenuándose así la injusta estigmatización que pesa sobre ellos, y sobre todo lo que les rodea. La criminalización de cierto sector de la población, está completamente injustificada, siendo fundamentada en hábitos de consumo distintos a los que socialmente consideramos aceptados, en virtud de la tradición cultural e histórica. La equiparación del alcohol y tabaco con el cannabis parece cuanto menos proporcional.

Pero debemos ser rigurosos y discernir entre unas drogas y otras. Ya que, por su naturaleza propia, puede que lleguemos a resultados

---

[34]   FERRAJOLI, Luigi, *Democracia y garantismo*, editorial Trotta, Madrid, 2008, p. 179.
[35]   ESPINAR VICENTE, José María, *Consideraciones en torno al "libre desarrollo de la personalidad" desde un planteamiento social*, cit., p. 64.

diferentes, y por lo tanto, justifiquemos la intervención estatal en algunos casos. En los derivados del opio y la cocaína; la punición de su tráfico viene justificada, por la dependencia que causa la droga y por la imposibilidad del individuo de revocar su prestación de consentimiento al consumo. En tanto en cuanto, ya no es libre para autodeterminarse, como consecuencia de la adicción y los efectos de ésta. Como bien dice GIMBERNAT ORDEIG *"el toxicómano que se arruina a sí mismo no lo hace ya en virtud de una decisión libre, sino coaccionada*[36]*"*.

Encuadrando perfectamente con lo que para ROXIN[37], es el paternalismo estatal, ya que este *"sólo puede justificarse en situaciones de déficit de autonomía del implicado (minoría de edad, anomalías psíquicas o personas que no alcanzan a comprender los riesgos para sí mismas)"*. No cabe duda que el sujeto adicto a sustancias que causan grave daño, destruye su autonomía hasta el punto de llegar a desaparecer, siendo presa de sus instintos más básicos y sometido plenamente a sus deseos por el consumo de la droga. A la vez que la protección de facto sobre la salud, hay que incidir en los programas de prevención, ampliando el espectro hacia campos de diversa índole como los educativos, culturales, económicos, políticos, etc.[38].

Y como bien hemos dicho, tampoco podemos ser ajenos a considerar que, desde una perspectiva constitucional de salud pública, debemos ceder cierto espacio al Estado para que pueda desarrollar las normas programáticas contenidas en la Constitución, a razón del artículo 43 CE. A raíz de él, debe buscarse la protección de la salud de sus ciudadanos, siempre y cuando sea deseada mínimamente. Dice así:

> *Artículo 43 CE. 1. Se reconoce el derecho a la protección de la salud. 2. Compete a los poderes públicos organizar y tutelar la salud pública a través de medidas preventivas y de las prestaciones y servicios necesarios. La ley establecerá los derechos y deberes de todos al respecto.*

---

[36]   GIMBERNAT ORDEIG, Enrique, *Estudios de Derecho penal,* editorial Tecnos, tercera edición, Madrid, 1990, p. 110.
[37]   ROXIN, Claus, *¿Es la protección de bienes jurídicos una finalidad del Derecho penal?* En: *Fundamentos político-criminales del Derecho Penal,* editorial Buenos Aires, Hammurabi, 2008, p. 128.
[38]   ZÚÑIGA RODRÍGUEZ, Laura, *Criminalidad organizada y sistema de derecho penal,* editorial Estudios de Derecho penal y Criminología, Granada. 2009, p. 197-198.

Para ARENAS RODRIGÁÑÉZ[39], la concepción de la salud que facilita el texto constitucional "*va más allá de su definición, en base a una mera ausencia de enfermedad, y superando la concepción biofisiológica se proyecta hacia una idea de salud-bienestar, en cuando que dicha salud sea un elemento que facilite adecuadamente la integración del ciudadano en su medio social*". Definición que comparto plenamente, al intuir que la satisfacción psíquica puede enmarcarse en el libre desarrollo de la personalidad.

El citado artículo, forma parte de los principios rectores y la política social y económica, aunque la salud constituye un valor inherente al ser humano, el derecho a ella reconocida en el 43.1 CE, no es objeto de protección del artículo 53.3 CE que ampara a los derechos fundamentales en sentido estricto. En consecuencia, le afectarán las garantías mínimas o de tercer grado, que otorga el artículo 53.3 CE, en la medida en que sólo podrán ser invocados ante la Jurisdicción ordinaria de acuerdo con la disposición de las que Leyes que los desarrollen. En este caso, fundamentalmente la Ley General de Sanidad y los reglamentos oportunos.

Como decíamos, el artículo 43.1 CE forma parte de los principios rectores. Ser considerado un principio tiene ciertas consecuencias sobre su operatividad. De esta manera, ALEXY[40], define los principios como "*normas que ordenan que algo sea realizado en la mayor medida posible, dentro de las condiciones jurídicas y reales existentes. Por lo tanto, los principios son mandatos de optimización que están caracterizados por el hecho de que pueden ser cumplidos en distinto grado y que la medida debida de su cumplimiento no sólo depende de las posibilidades reales sino también de las jurídicas. El ámbito de las posibilidades jurídicas es determinado por los principios y reglas opuestas*".

[39] Citada por SEQUEROS SAZATORNIL, Fernando, *El tráfico de drogas ante el ordenamiento jurídico; evolución normativa, doctrinal y jurisprudencial*, editorial La Ley, Las Rozas-Madrid, 2000, p. 58.

[40] ALEXY, Robert, *Teoría de los derechos fundamentales*, editorial Centro de Estudios Políticos y Constitucionales, Madrid, 2007, p. 86.

LEÓN ALONSO[41], nos enseña las dificultades para determinar el perímetro entre la salud pública y la libertad individual, de esta manera expone, que en esa relación "*confluyen fuerzas centrípetas y centrífugas que exigen una mayor intervención del Estado como garante del mismo, a la vez que se reclaman márgenes mas amplios de autonomía individual para poder decidir sobre su propio destino. Con esto se quiere poner de relieve el carácter multifuncional de este derecho*".

Al ser un derecho tan complejo, estructuralmente se bifurca, por un lado, como una libertad negativa *erga omnes*, en la que al titular se le reconoce la potestad de exigir a los demás (Estado y otros ciudadanos) que se abstengan de afectar su buen estado de salud representado en la integridad física y psíquica. Y en su vertiente positiva (*agere licere*), se le atribuye al sujeto la capacidad de disponer de la salud, para la elección de tratamientos médicos o la renuncia a ellos. Aunque, excepcionalmente, puede verse restringido como consecuencia de un motivo de salud pública determinado (véase una epidemia o como consecuencia del estatus de garante del Estado en los centros penitenciarios). Pero no debemos perder de vista que, las políticas sociales descritas en los artículos 39 a 52, y los actos que ellas conllevan deben llevarse a cabo de tal modo que promuevan la dignidad y el libre desarrollo de la personalidad[42].

La salud, ha sido objeto de preocupación en la comunidad internacional, desde hace décadas. Constancia de ello, es su plasmación en las primeras Declaraciones Programáticas. Una buena muestra, es el artículo 25 de la Declaración Universal de Derechos Humanos de 10 de diciembre de 1948. En dicha declaración, se recoge la salud de la siguiente manera: "*toda persona tiene derecho a un nivel de vida adecuada que le asegure, así como a su familia, la salud y el bienestar y en*

---

41   LEÓN ALONSO, Marta, *La protección constitucional de la salud*, editorial La Ley, Las Rozas-Madrid, 2010, p. 28.
42   GARCÍA SAN MIGUEL, Luis (coordinador), *El libre desarrollo de la personalidad; artículo 10 de la Constitución*, editorial Universidad de Alcalá de Henares, Alcalá de Henares, 1995, p. 75.

especial la alimentación, el vestido y la vivienda, la asistencia médica y los servicios sanitarios...[43]".

Si acudimos al Derecho constitucional comparado vemos como el caso de Italia es significativamente más respetuoso en sus términos, al ya contemplar en la redacción la alusión a la salud individual. La salud se recoge en la Constitución italiana en su artículo 32.

> *La Repubblica tutela la salute come fondamentale diritto dell' individuo e interesse della collettività, e garantisce cure gratuite agli indigenti.*
> *Nessuno può essere obbligato ad un determinato trattamento sanitario se non per disposizione di legge. La legge non può in nessun caso violare i limiti imposti dal rispetto Della persona umana.*

Para MORTATI[44], es claro siguiendo la Constitución italiana que, *"es ilícita la imposición coactiva de un tratamiento sanitario cuando no exista un riesgo para la salud de los demás. Ni el interés de la colectividad, ni el deber de todo ciudadano de realizar una actividad o una función que contribuya al desarrollo de la sociedad, previsto en el artículo 4 de la Constitución italiana, autoriza al Estado a imponer un tratamiento sanitario cuando el ciudadano afectado no quiera someterse a el voluntariamente"*.

Pero de cara a una legitimación constitucional de ciertas drogas, la Constitución italiana sería más favorable, al estrechar el círculo un poco más, puesto que recoge la salud como fundamento del individuo y en interés de la colectividad. De esta manera, se le otorga a la salud una doble naturaleza.

Finalmente, establece como restricción que la ley no violará los límites de respeto a la persona humana. Lo que está íntimamente relacionado con el concepto de dignidad[45]. Así, éste servirá como límite y como fundamento al poder normativo del Estado. Al igual que sucede en España, cuando deba ser sometido el sujeto forzosamente a

---

43   Citado por SEQUEROS SAZATORNIL, Fernando, *El tráfico de drogas ante el ordenamiento jurídico; evolución normativa, doctrinal y jurisprudencial*, editorial La Ley, Las Rozas-Madrid, 2000, pp. 56-57.
44   MORTATI La tutela della salute nella Costituzione italiana, en: Scritti, volumen III, editorial Giuffre, Milano, 1972, p. 4.
45   LEÓN ALONSO, Marta, *La protección constitucional de la salud*, editorial La Ley, Las Rozas-Madrid, 2010, p. 48.

un tratamiento médico o alimentación forzosa, se realizará según los medios menos lesivos y más acordes con la dignidad.

Y es que, los medios para llevar a cabo la alimentación forzosa, pueden ser extremadamente agresivos, como grotescamente describe SOLSCHENIZYN[46] al relatar "*este acto (alimentación forzosa) parece una violación, y en el fondo no es otra cosa: cuatro tipos corpulentos se lanzan sobre un ser escuálido y débil, ansiosos de quebrantar una voluntad, de doblegar a la víctima aunque sólo sea una vez, y lo que ocurra después nos tiene sin cuidado. Todo ocurre como en una violación: también aquí se trata de obligar a alguien: nosotros conseguimos lo que nos proponemos y a ti te toca obedecer [...] uno se siente moralmente profanado*".

Siendo exageradamente descarada la narrativa del autor, sí es cierto que atina en el blanco, respecto a lo que supone la medida. Una autentica agresión sobre la esfera más íntima del sujeto, que degenera en un menosprecio a la dignidad. Constituyéndose fácilmente, en un exceso estatal si la medida no se realiza desde la más estricta profesionalidad, y con la menor violencia necesaria.

Hemos hecho a lo largo del trabajo un enaltecimiento de la libertad del individuo, pero ésta libertad tiene sus límites. Así, el derecho colombiano en su Sentencia C-689 de 27 de agosto de 2002 de la Corte Constitucional, se ha posicionado frente a la no vulneración del derecho al libre desarrollo de la personalidad, dice lo siguiente:

"...*el actor afirma que si en ejercicio de su derecho al libre desarrollo de la personalidad, una persona opta por consumir droga, no es lógico que el Estado reprima penalmente el narcotráfico, pues lo obliga a acudir a un mercado clandestino en el que se pone en peligro su salud, con lo que en realidad se desprotege su derecho a consumir estupefaciente. / Al respecto la Corte señala que el derecho al libre desarrollo de la personalidad como cualquier derecho fundamental, no es un derecho absoluto. Así las cosas, éste no puede ser invocado para desconocer tanto los derechos de otros, los derechos colectivos y mucho menos para limitar la capacidad punitiva del Estado, frente a comportamientos que pongan en peligro el*

---

[46]	SOLSCHENIZYN, Alexander, *Archipiélago Gulag*, editorial Plaza y Janés, 1974, p. 405.

orden social o económico, o el ejercicio de los demás derechos que se reconocen a todos los ciudadanos[47]".

En esta misma dirección, la argumentación desarrollada por STUART MILL[48] en su obra *On liberty, "La única finalidad por la cual el poder puede, con su pleno derecho, ser ejercido sobre un miembro de una comunidad civilizada contra su voluntad, es evitar que perjudique a los demás. Su propio bien, físico o moral, no es justificación suficiente. [...]en la parte que le concierne meramente a él, su independencia es, de derecho, absoluta. Sobre sí mismo, sobre su propio cuerpo y espíritu, el individuo es soberano".*

Y es que el sabio Bobbio, ya decía hace tiempo, con objeto de ilustrarnos, que es *"mejor una libertad siempre en peligro pero expansiva que una libertad protegida pero incapaz de desarrollarse. Sólo una libertad en peligro es capaz de renovarse. Una libertad incapaz de renovarse se transforma tarde o temprano en una nueva esclavitud[49]".*

Por último, sólo añadir, que con mi humilde aportación científica he querido evidenciar el auténtico fracaso de la lucha contra las drogas en la comunidad internacional. A razón de las consecuencias nefastas del prohibicionismo, hay que sostener que es un modelo agotado y anacrónico y que debe dejarse paso a iniciativas legalizadoras como las de Uruguay, Colorado y Washington, más acordes al siglo XXI y al Estado social y democrático de Derecho.

En esta dirección se pronuncian la Organización de los Estados Americanos, la *Commission on Drug Policy*, el Colectivo por una Política Integral de las Drogas o el Colectivo Mundial por la Normalización del Cannabis y numerosas personalidades como: Fernando Enrique Cardoso, Javier Solana, Kofi Annan, Ricardo Lagos, Paul Volcker o Ernesto Zedillo entre otros.

---

[47] SHELLER D` ANGELO, André, *La autoría y la participación en los delitos de tráfico de drogas*, editorial Biblioteca Jurídica Dike, Colombia, 2011, p. 79.

[48] STUART MILL, John, *On liberty*, traducida por P. Azcárate, *Sobre la libertad*, editorial Alianza, Madrid, 1970, p. 65-66.

[49] BERDUGO GÓMEZ DE LA TORRE, Ignacio, ARROYO ZAPATERO, Luis, FERRÉ OLIVÉ Juan Carlos y otros, *Curso de Derecho penal, parte general*, editorial Ediciones Experiencia segunda edición, Barcelona, 2010, p. 6.

Dicha posición, es una reivindicación en favor de los derechos individuales y de la concepción de Derecho penal mínimo. Soy consciente que en los próximos años, difícilmente se instaurará ésta política en Europa, dados los intereses en juego, pero espero que dicha obra pueda servir como contribución al cambio cultural y social, que ya se está cocinando a fuego lento, sobre todo, desde el continente americano. Y es que, a la luz de lo expuesto, *"algunas personas dirán que la legalización es hoy una utopía, entendida esta como un imposible, en realidad la utopía es pensar que la libertad de las personas se defiende quitándoles su libertad[50]"*.

3. CONCLUSIONES

1) La Política criminal de *"tolerancia cero"*, no ha sabido erradicar el consumo ni la producción, y además no es coherente. Si no ha sido capaz de alejar de las prisiones las drogas, mucho menos podrá alejarla de la sociedad en su conjunto. Es por tanto una política irreal, ya que el precio de las drogas se ha mantenido estable a lo largo de décadas, lo cual es síntoma de que no ha habido tal eficacia policial de la que se presume desde el prohibicionismo.

2) Se ha criminalizado al eslabón más débil de la cadena. Las prisiones del mundo están llenas de pobres que son fácilmente sustituibles en la industria del crimen. Las tasas de hacinamiento en algunos países suponen una evidente vulneración de los Derechos Humanos y en muchos casos debido al estado de las prisiones a una condena a muerte encubierta

3) El ordenamiento jurídico penal no es coherente al permitir que otras drogas que causan mayor daño a la salud como el alcohol y el tabaco pueden gozar de la legalidad mientras que la marihuana sigue en el submundo del crimen y por tanto generando futuros presos. Es hora de experimentar con modelos de regulación legal de las drogas al permitir al individuo seleccionar su propio plan de vida. Para ello

---

[50]   ISASI, Mikel, *Seamos realistas, legalicemos las drogas*, en: MÁRQUEZ, Iñaki y ARANA, Xabier (coordinadores), *Los agentes sociales ante las drogas*, editorial Dykinson, Madrid, 1998, p. 276.

es importante valorar la experiencia de Washington, Colorado y Uruguay.

4) Una Política Criminal será legítima cuando cumpla estrictamente con las exigencias y requisitos que desde la Constitución y el Estado social y democrático de Derecho se propugnan. El Estado debe acomodarse al principio de proporcionalidad y el Derecho penal mínimo. Debe necesariamente incidir en la búsqueda de medios menos lesivos que la pena. Más aun si cabe, cuando se ha demostrado que estas medidas punitivas no ha cumplido su función a lo largo de tanto tiempo al amparo de una Política Criminal agresiva.

5) La consideración de un Estado liberal, lejos de paternalismo, representado por el libre desarrollo de la personalidad y por el ejercicio de un consentimiento libre, válido y eficaz del capaz, es una herramienta más que suficiente para justificar un sistema de legalización de drogas que no causan grave daño a la salud como en los recientes casos de Washington, Colorado y Uruguay.

4. BIBLIOGRAFÍA

ALEXY, Robert, *Teoría de los derechos fundamentales,* editorial Centro de Estudios Políticos y Constitucionales, Madrid, 2007.
BERDUGO GÓMEZ DE LA TORRE, Ignacio, *Viejo y nuevo derecho penal. Principios y desafíos del derecho penal de hoy,* editorial Iustel, Madrid, 2012.
BERDUGO GÓMEZ DE LA TORRE, Ignacio, ARROYO ZAPATERO, Luis, FERRÉ OLIVÉ Juan Carlos y otros, *Curso de Derecho penal, parte general,* editorial Ediciones Experiencia segunda edición, Barcelona, 2010.
CHANG KMONT, Romy, *Relevancia del consentimiento en el delito de lesiones del Código penal Español: determinación del bien jurídico protegido,* Universidad de Salamanca, Trabajo de Fin de Master, 2011.
FERNÁNDEZ SEGADO, Francisco, *Dignidad de la persona, Derechos Fundamentales, Justicia Constitucional,* editorial Dykinson S.L, Madrid, 2008.
FERRAJOLI, Luigi, *Democracia y garantismo,* editorial Trotta, Madrid, 2008.
FERRAJOLI, Luigi, *Diritto e racione. Teoria del galantismo penale,* editorial Latereza, Bari, 1989.
GARCÍA MARTÍNEZ, Alfonso y SÁNCHEZ LÁZARO, Antonia, *Drogas: sociedad y educación,* editorial Universidad de Murcia, Murcia, 2005.
GARCÍA SAN MIGUEL, Luis (coordinador), *El libre desarrollo de la personalidad; artículo 10 de la Constitución,* editorial Universidad de Alcalá de Henares, Alcalá de Henares, 1995.

GARLAND, David. *La cultura del control social:* Crimen y orden social en la sociedad contemporánea. Barcelona: Gedisa, 2005.

GIMBERNAT ORDEIG, Enrique, *Estudios de Derecho penal,* editorial Tecnos, tercera edición, Madrid, 1990.

HONGJU KOH, Harold y SLYE, Ronald, compiladores, *Democracia deliberativa y derechos humanos,* editorial Gedisa, Barcelona, 2004.

MÁRQUEZ, Iñaki y ARANA, Xabier (coordinadores), *Los agentes sociales ante las drogas,* editorial Dykinson, Madrid, 1998.

NOZIK, Robert, *Anarquía, Estado y Utopía,* traducida por Rolando Tamayo, editorial Fondo de Cultura Económica, México, 1974.

LEÓN ALONSO, Marta, *La protección constitucional de la salud,* editorial La Ley, Las Rozas-Madrid, 2010.

OBRA COLECTIVA. Directores, MIR PUIG, Santiago y CORCOY BIDASOLO, Mirentxu, *Política criminal y reforma penal,* editorial Edisofer, Madrid, 2007.

ROXIN, Claus, *Fundamentos político-criminales del Derecho Penal,* editorial Buenos Aires, Hammurabi, 2008.

RUBIA, Francisco, *El fantasma de la libertad. Datos de la revolución neurocientífica,* editorial Crítica, Barcelona, 2009.

SAMPER PIZANO, Ernesto, *Drogas; prohibición o legalización,* editorial Debate, Bogotá, 2013.

SEQUEROS SAZATORNIL, Fernando, *El tráfico de drogas ante el ordenamiento jurídico; evolución normativa, doctrinal y jurisprudencial,* editorial La Ley, Las Rozas-Madrid, 2000.

SHELLER D` ANGELO, André, *La autoría y la participación en los delitos de tráfico de drogas,* editorial Biblioteca Jurídica Dike, Colombia, 2011.

SOLSCHENIZYN, Alexander, *Archipiélago Gulag,* editorial Plaza y Janés, Barcelona, 1974.

SOTO NAVARRO, Susana, *La protección penal de los bienes colectivos en la sociedad moderna,* editorial Comares, Granada, 2003.

STUART MILL, John, *On liberty,* traducida por P. Azcárate, *Sobre la libertad,* editorial Alianza, Madrid, 1970.

ZÚÑIGA RODRÍGUEZ, Laura, *Criminalidad organizada y sistema de derecho penal,* editorial Estudios de Derecho penal y Criminología, Granada. 2009.

ZÚÑIGA RODRÍGUEZ, Laura, *Política Criminal,* editorial Colex, Madrid, 2001.

EL TRÁFICO Y TRATA DE PERSONAS

LA INMIGRACIÓN ANTE LA ENCRUCIJADA: EL TRÁFICO ILEGAL DE PERSONAS, LA TRATA DE SERES HUMANOS Y LA EXPLOTACIÓN SEXUAL[1]

ALBERTO DAUNIS RODRÍGUEZ[2]

Sumario: 1. Introducción. 2. La política migratoria cero: el cierre de las fronteras. 3. Inmigración y tráfico ilegal de personas. 4. Inmigración y trata de seres humanos. 5. Inmigración y explotación sexual. 6. Conclusiones. 7. Bibliografía.

Resumen: Las políticas de inmigración cero de los Estados receptores de migrantes han generado la aparición de una serie de actividades destinadas a aprovecharse de las necesidades de los migrantes o abusar de sus cualidades, entre las que destacamos, el tráfico ilegal de personas, la trata de seres humanos y la explotación sexual. En el presente trabajo abordamos el discutible tratamiento que el ordenamiento jurídico español otorga a tales fenómenos, al considerar, en ocasiones, al inmigrante —en lugar de una víctima objeto de protección— como un señuelo para justificar la utilización del ordenamiento penal como herramienta de la política migratoria.

Palabras clave: Enfoque trafiquista, prostitución, inmigración, consentimiento, voluntad, abuso.

1. INTRODUCCIÓN

La globalización y, paralelamente, la crisis económica mundial han generado un nueve escenario en el que la inmigración de los países empobrecidos a los países ricos resulta un imparable y, al mismo

---

[1]   Trabajo realizado en el seno del Proyecto de Excelencia de Junta de Andalucía "Delincuencia de los inmigrantes asentados en España (SEJ 1489).
[2]   Profesor de Derecho Penal, Universidad de Málaga.

tiempo, una amarga realidad. A partir de la década de los años ´70, los países receptores empiezan a interponer una serie de obstáculos a la inmigración regular que genera un *mercado de servicios* de la inmigración, donde aparecen intermediarios que facilitan o proveen aquellos bienes y servicios que los inmigrantes no pueden alcanzar a través de cauces legales.

En este contexto no cabe duda que el inmigrante se encuentra más vulnerable o desprotegido frente a posibles abusos de terceros, pudiendo convertirse en víctimas de graves conductas criminales.

No obstante, en el presente trabajo no se centra la figura del inmigrante como víctima y en las herramientas o instrumentos para su salvaguarda o protección sino en el papel o la posición que despliega el Estado como garante de determinados derechos de los migrantes. Porque, en ocasiones, el control estatal de la inmigración es precisamente el que aboca al inmigrante a la vulnerabilidad y/o victimización. Incluso, se constata como se utiliza, de forma perversa, la protección o salvaguarda del inmigrante para, en realidad, establecer más controles u obstáculos a la inmigración, generando una mayor situación de desprotección jurídica o vulnerabilidad en el inmigrante.

Concretamente, nos centramos en tres fenómenos criminales que, en nuestra opinión, se están gestionando desde la política criminal española, como mínimo, de forma discutible. En primer lugar, nos detenemos en la criminalización del tráfico de personas operada por el art. 318 bis CP que, en lugar de proteger al inmigrante, se destina a salvaguardar la política criminal española. En segundo lugar, analizamos el delito de trata de seres humanos tipificado en el art. 177 bis CP que todavía sigue presentando cierto enfoque trafiquista que reduce a la víctima a condición de inmigrante irregular que debe denunciar a sus tratantes para poder seguir residiendo en el país. En último lugar, nos centramos en la criminalización de la explotación sexual consentida pero abusiva, cuyas víctimas son mayoritariamente *mujeres migrantes*, lo que puede acabar en identificaciones automáticas con personas vulnerables que, en última instancia, pueden suponer un freno en la capacidad de agencia de la migrante que actúa de forma libre y voluntaria.

2. LA POLÍTICA MIGRATORIA CERO: EL CIERRE DE LAS FRONTERAS

Resulta una obviedad afirmar que, actualmente, ni España, ni el resto de países de la Unión Europea están dispuestos a admitir inmigrantes que los correspondientes mercados de trabajo nacionales no sean capaces de absorber. En puridad, el cambio de modelo migratorio se constata o verifica desde la década de los años ´70. Concretamente, el año 1973 marca un importante cambio en la política económica y, por consiguiente, en la política migratoria: la crisis del petróleo y, sobre todo, la aparición de los procesos de producción posfordistas, caracterizados por la deslocalización y las nuevas tecnologías, producen una constante contracción de la demanda de fuerza de trabajo, convirtiéndose la inmigración económica en innecesaria y una carga y disfunción para el sistema.

Desde entonces, los países de la UE, entre ellos, España, empiezan a diseñar una política migratoria cero que evita la entrada y permanencia de aquellos extranjeros que no tengan los recursos económicos suficientes para subsistir en el país.

Así, con el Convenio de aplicación del Acuerdo de Schengen, de 19 de junio de 1990, se considera por primera vez prioritario para garantizar el orden público y la seguridad en el territorio de los Estados firmantes, reforzar las fronteras exteriores y controlar los flujos migratorios.

Con el Tratado de la Unión Europea firmado en Ámsterdam en 1997 se incorpora al acervo comunitario (primer pilar) el Título V "Visados, Asilo, Inmigración y otras políticas relacionadas con la libertad circulación de personas", donde se van a ampliar sensiblemente las competencias de la Unión en materia migratoria, estableciéndose las bases de la regulación y tratamiento comunitarios de la inmigración.

El mandato del TUE de articular una política migratoria comunitaria es desarrollado posteriormente por el Consejo de Tampere de 1999, en el cual se fijan los cuatro objetivos de la política migratoria europea: a) la colaboración con los países de origen, b) la creación de un sistema común de asilo, c) el trato justo a los nacionales de terceros países y d) la gestión adecuada de los flujos migratorios. Una revisión conjunta de la primera fase de la política migratoria europea impulsada en Tampere (1999-2004) pone claramente de manifiesto que los ámbitos más desarrollados son, sin duda alguna, la gestión de los flujos migratorios y las normas comunes de asilo[3].

La segunda fase de la política comunitaria arranca en el Consejo de Bruselas de 2004 y viene protagonizada por el Programa de la Haya (2005-2010) que, paradójicamente, se titula "Diez prioridades para los próximos cinco años. Una asociación para la renovación europea en el ámbito de la libertad, la seguridad y la justicia". La inmigración vuelve a abordarse claramente desde el prisma del control, destacándose de los objetivos del citado programa, tres de ellos que se centran en la regulación y el control de los flujos: 1) La gestión de la inmigración, 2) La integración, 3) Fronteras interiores, fronteras exteriores y visados.

Posteriormente, el Tratado de Funcionamiento de la Unión Europea (TFUE), que entró en vigor el 1 de diciembre de 2009, también aborda la inmigración y el asilo como asuntos de seguridad interior del territorio de la UE, bajo la rúbrica "Espacio de libertad, seguridad y justifica" (Título V). El objetivo parece obvio: gestionar los flujos migratorios a través de una política común de inmigración y asilo y el reforzamiento de las fronteras exteriores[4].

La política migratoria española sigue las exigencias marcadas por la Unión Europea para centrarse también en el control de los flujos migratorios. Las primeras iniciativas en este ámbito tienen lugar con la LO 7/1985 de Derechos y Libertades de los Extranjeros en España, que constaba únicamente de 36 artículos distribuidos en siete títulos. Con una técnica bastante confusa y desafortunada, en el Título I se recogían los derechos de los extranjeros, mientras que el resto de Títulos se disponían básicamente a ordenar la inmigración. En puridad, no puede afirmarse que la LO 7/1985 instaurara una determinada política migratoria sino que se trata de una normativa fundamental-

---

[3]   Vid, un análisis del Programa de la Haya en GARRIDO RODRÍGUEZ, P., *Inmigración y diversidad cultural en España. Un análisis histórico desde los derechos humanos*, Ediciones Universidad de Salamanca, 2012, pp. 215 y ss.

[4]   POMARES CINTAS, E., La Unión Europea ante la inmigración ilegal: la institucionalización del odio, en *Eunomia: Revista en cultura de la legalidad, nº 7*, septiembre 2014-febrero 2015, p. 145.

mente policial y pensada para la inmigración que no se instalaba definitivamente. Con posterioridad, en los años '90 aparecieron una serie de medidas dispersas que venían a abordar diferentes aspectos del fenómeno. Así, en el año 1991 se produce la primera *normalización* de extranjeros, en 1993 se pone en marcha los primeros contingentes de trabajadores extranjeros y en 1994 se aprueba el primer Plan de Integración Social. Sin embargo, no fue hasta el año 2000 cuando surge una verdadera política migratoria como conjunto de medidas destinadas a regular de forma integral la inmigración. En aras de conseguir dicho objetivo, se aprueba, el 11 de enero, la LO 4/2000, sobre Derechos y Libertades de los Extranjeros y su Integración Social. Tras solo once meses de vigencia, la citada norma se reforma alrededor de un 80% por la LO 8/2000 de 22 de diciembre, donde se fijan, en la Exposición de Motivos, los objetivos de la política migratoria española: 1) el control de la inmigración, 2) la integración social de los extranjeros residentes y 3) el codesarrollo de los países de origen. Con posterioridad, la ley de extranjería fue reformada por la LO 11/2003, de 29 de septiembre, por la LO 14/2003, de 20 noviembre, por la LO 2/2009, de 11 de diciembre y, recientemente, por la LO 4/2015, de 30 de marzo, la cual, trata de legalizar —que no legitimar— las denominadas "devoluciones en caliente".

El estudio de las principales medidas implementadas para desarrollar la política migratoria española a través de las citadas normas, pone de manifiesto indudablemente como el objetivo prioritario, protagonista o central de la misma ha sido (y sigue siendo) el control de la inmigración[5].

Esta *política de inmigración cero* se asienta sobre la base de tres pilares básicos: como *prima ratio*, la instauración de unos fuertes controles policiales, en coordinación con otros países de inmigración y los propios países de emigración, destinados a evitar cualquier acceso irregular del extranjero, en coordinación con otros países de inmigración y los propios países de emigración, destinados a evitar cualquier acceso irregular del extranjero; como *secunda ratio*, la articulación de una normativa administrativa especialmente restrictiva que asegure el

---

[5]   *Vid*, por todos, SÁNCHEZ ALONSO, E., La política migratoria en España. Un análisis a largo plazo, en *Revista Internacional de Sociología (nº 1)*, 2011, p. 249.

cumplimiento de las exigencias económicas y/o laborales dispuestas para acceder y permanecer en el país; favoreciendo la imposición de medidas cautelares a aquellos extranjeros que se encuentren en situación de irregularidad administrativa, flexibilizando las garantías jurídicas del extranjero en aras de facilitar su retorno, devolución y expulsión inmediatas cuando un cumpla dichas exigencias, desincentivar la inmigración irregular, mediante un limitado status jurídico al extranjero en situación de irregularidad administrativa y, finalmente, como *ultima ratio,* la activación del derecho penal para sancionar a todos aquellos que faciliten la inmigración irregular de un tercero.

En este presente trabajo nos centramos en esta última fase de control, en aras de demostrar como un tratamiento y gestión de la inmigración centrados en el control de la inmigración no solo supone una manipulación del derecho penal por parte de la política migratoria sino que también puede generar una cierta indefensión de las víctimas migrantes ante determinadas fenómenos criminales especialmente reprobables.

3. INMIGRACIÓN Y TRÁFICO ILEGAL DE PERSONAS

Se constata una cierta simplificación por parte de los medios de comunicación, las instituciones y los agentes sociales a la hora de identificar y asociar inmigración irregular con el tráfico de personas, la delincuencia organizada, la trata de seres humanos y, en última instancia, la explotación sexual no consentida.

El discurso oficial e institucional que aborda la inmigración irregular suele arrancar con la hipótesis de partida de que las bandas organizadas son el vehículo principal del desplazamiento de migrantes. Dicha asociación se convierte en alarma cuando se incide en los medios y rutas que utilizan tales bandas, al presentarlos como especialmente peligrosos, que vienen a lesionar los bienes y derechos más importantes de los migrantes. De esta forma, inmigración y delincuencia organizada se configuran como fenómenos con una estrecha vinculación. No obstante, esta conexión tiene un largo alcance, al identificarse la inmigración con la delincuencia organizada de *perfil criminal* más alto, con mayor estructuración, planificación e imbricación en otros fenómenos ilegales especialmente graves, como el narcotráfico y, por supuesto, la trata de seres humanos[6]. Por tanto, no se distinguen entre los distintos *facilitadores* de la inmigración irregular, sino que todos ellos se equiparan *al alza,* es decir, con las organizaciones criminales más peligrosas y violentas, sin recogerse otros intermediarios que presentan un potencial criminal menor o, incluso, aquellos que actúan de forma solidaria. No obstante, se ha demostrado que —a pesar de la existencia de organizaciones criminales que utilizan medios peligrosos y/o violentos con los inmigrantes— la mayoría de facilitadores de la inmigración irregular son redes migratorias, conformadas por familiares, amigos y/o connacionales del inmigrante que facilitan, solidariamente, información, recursos y alojamiento[7].

Sin embargo, la identificación de inmigración ilegal con delincuencia organizada sirve para justificar una intervención contundente por parte del derecho penal. De esta forma, en el año 2000, se incorpora al acervo punitivo español el art. 318 bis Cp que viene a sancionar no solo el tráfico ilegal de personas sino también la promoción de la inmigración clandestina. No cabe duda que el art. 318 bis Cp ha sido una de las normas más polémicas y discutidas en los últimos años, generando una importante atracción por parte de la doctrina científica especializada, como lo pone de manifiesto la ingente cantidad de artículos y libros que se dedicaron al analizar la figura objeto de estudio.

6　　*Vid,* en este sentido GONZÁLEZ ZORRILA, J.C., "Tráfico de personas, inmigración y prostitución: Entre realidad y estereotipos", en BIRULÉS, J./BIRULÉS, M.A. (DIRS.): *Mujer y trabajo: Entre la precariedad y la desigualdad.* Estudios de Derecho Judicial, Consejo del Poder Judicial, Centro de Documentación Judicial, 2008, quién alerta como el uso del término *mafia* por los políticos para referirse a los intermediarios en la inmigración irregular no es un hecho anecdótico e improvisado: "Hace pocos días hemos oído a la vicepresidenta del Gobierno decir con satisfacción que varios miles de migrantes ilegales llegados de Canarias habían sido repatriados a sus países de origen y que en los últimos meses se habían desarticulado más de 700 mafias (repito, ¡700 mafias!). Además de la exageración de la expresión —o no pueden ser 700 o no pueden ser consideradas mafias— la utilización del término mafia no es casual. (...). Por esto la referencia constante a las "mafias" remite en el imaginario colectivo a la utilización de la violencia, al traslado forzado, a la explotación inmisericorde y en definitiva a la vieja esclavitud", p. 64.

7　　*Vid,* SABATER, J., "La inmigración irregular: vías de llegada y condiciones de vida", *Serie Migraciones*, 3, Fundación CIDOB, 2004, p. 20. DAUNIS RODRÍGUEZ, A, Redes de tráfico y trata de personas. Apuntes criminológicos", en *Ciencia policial* (Instituto de Estudios de Policía), nº 94, 2009, pp. 8 y ss.

Precisamente, la incorporación del art. 318 bis Cp ejemplifica de forma cristalina como se viene utilizando la inmigración y la supuesta protección de los inmigrantes ante la actuación de las bandas organizadas para, en realidad, fundamentar una política migratoria restrictiva basada en el control estricto de los flujos migratorios. De esta forma, se creó un nuevo título —el XV bis— en el código penal para acoger un solo precepto —el art. 318 bis— con el nombre de "Delitos contra los Derechos de los Ciudadanos Extranjeros". En efecto, si partimos de la denominación otorgada al título XV bis CP puede pensarse que el art. 318 bis CP está destinado a la protección de los bienes jurídicos de los extranjeros objeto del tráfico de personas. No obstante, un análisis más profundo del precepto nos revela que dicha protección es algo muy residual o subsidiario, resultando el control de los flujos migratorios el objeto de protección de la norma. Porque, la norma castigaba no solo el tráfico ilegal de personas sino la promoción de la inmigración clandestina sin exigir, al menos en el tipo básico, ninguna afección a los derechos de los extranjeros objeto del tráfico, la cual quedaba reservada para activar los tipos agravados. Incluso, el ánimo de lucro del sujeto activo se configuraba —y sigue haciéndose— como un motivo para elevar la penalidad. Concretamente, el art. 318 bis CP sancionaba —hasta el año 2015— con penas de cuatro a ocho años de prisión a "el que, directa o indirectamente, promueva o facilite el tráfico ilegal o la inmigración clandestina de personas desde, en tránsito o con destino a España, o con destino a otro país de la Unión Europea". Asimismo se recogían una importante multiplicidad de agravantes —incluidas el ánimo de lucro— que, en el peor de los casos, cuando concurrieran varias de ellas, podían situar la pena en los 22 años y medio de prisión.

Un importante sector de la doctrina —no solo en términos cuantitativos sino también cualitativos— realizó importantes esfuerzos para restringir la aplicación del tipo y centrarse únicamente en los derechos y libertades de los extranjeros, pero tales esfuerzos interpretativos se revelaron ciertamente baldíos, ya que, la norma dejaba poco margen de actuación a los tribunales.

Así, el primer trabajo doctrinal que abordó el art. 318 bis Cp, efectuado por SERRANO PIEDECASAS, reconociendo los graves problemas que conllevaba la interpretación de la norma, buscó su legitimación en los derechos que los extranjeros no podrán disfrutar o ejercer por acceder ilegalmente al país. Expresado de otra forma, se parte de la idea de que la promoción de la inmigración clandestina resultaba perjudicial para la futura adaptación e inserción en la sociedad del extranjero, ya que no dispondría de los derechos que son necesarios para integración social[8], como el Derecho al trabajo, a la educación o a la percepción de ayudas sociales. En definitiva, el precepto estaría destinado a proteger los Derechos básicos que hubiesen disfrutado los extranjeros en el caso de haber accedido de forma legal a España, es decir aquellos derechos que pueden ejercer los extranjeros en situación de regularidad administrativa[9]. Con posterioridad, otros autores, entre los que destaca VILLACAMPA ESTIARTE, se centraron en el ataque de la dignidad de la persona que se produce cuando con la promoción de la inmigración clandestina o el tráfico de personas se reduce al extranjero a la categoría de mercancía, de una cosa objeto de negocio[10]. Sin duda, ambas formas de interpretar la norma obje-

---

[8] Vid, SERRANO PIEDECADAS, J.R., Los delitos contra los derechos de los ciudadanos extranjeros, en AA.VV., El extranjero en el Derecho penal español sustantivo y procesal (adaptado a la nueva ley orgánica 4/2000), Manual de Formación Continua, Consejo General del Poder Judicial, 1999, p. 385. El mismo, Los delitos contra los Derechos de los Ciudadanos Extranjeros, en LAURENZO COPELLO, P. (Coord.), Inmigración y Derecho penal. Bases para un debate, Tirant, 2002.

[9] Vid, GARCÍA ÁLVAREZ, P./DEL CARPIO DELGADO, J., "Los Delitos relativos al régimen de extranjería", en RODRÍGUEZ BENOT/HORNERO MÉNDEZ (COORDS.), El nuevo derecho de extranjería, Comares, 2001, p. 389. RODRÍGUEZ MESA, M.J., Los delitos contra los derechos de los ciudadanos extranjeros, Tirant lo Blanch, Valencia, 2001, p. 58. SAINZ-CANTERO CAPARRÓS, J. E., Los delitos contra los derechos de los ciudadanos extranjeros, Atelier penal, 2002, p. 70. Dicho autor mantendrá dicha interpretación tras la reforma en, Sobre la actual configuración de los delitos contra los derechos de los ciudadanos extranjeros, en (COORDS.), CARBONELL MATTEU, J. C., et. al., Estudios penales en Homenaje al profesor Cobo del Rosal, Dykynson, 2005, p. 805. CONDE PUMPIDO TOURÓN, C., Delitos contra los derechos de los ciudadanos extranjeros, en MARTÍN PALLÍN, J.A. (DIR.), Extranjeros y Derecho penal, CGPJ, 2004, p. 296. En la misma línea, NAVARRO CARDOSO, F., Observaciones sobre los delitos contra los derechos de los ciudadanos extranjeros, en Revista penal, julio, 2002, La Ley, p. 44-45.

[10] Vid, VILLACAMPA ESTIARTE, C., Título XV bis. Delitos contra los derechos de los ciudadanos extranjeros, en QUINTERO OLIVARES, G. (DIR.), Comentarios al nuevo Código penal, 2ª Ed., Aranzadi, 2001, p. 1517. Aunque matizará su posición en su trabajo posterior, Normativa europea y regulación del tráfico

to del art. 318 bis CP pretendía, de forma bienintencionada, dotar de la necesaria *lesividad material* que exige cualquier infracción de naturaleza penal y restringir la aplicación de la citada la norma a los supuestos donde pudiese verse vulnerada la dignidad del extranjero o sus derechos básicos.

Como ya defendí en su momento, estas interpretaciones, que realizan un esfuerzo muy loable, en realidad, están construyendo otra nueva norma que se aleja a la descrita expresamente por el legislador en el art. 318 bis CP. Y, lamentablemente, resultaba claramente imposible rescatar bien jurídico alguno de naturaleza penal en el tipo básico de dicho precepto. El art. 318 bis del Cp no protegía —ni tampoco lo hace ahora— a los extranjeros, sino que está destinado a facilitar al

---

de personas en el Código penal español, en RODRÍGUEZ MESA, M.J, /RUÍZ RODRÍGUEZ, L.R. (COORDS.), *Inmigración y sistema penal. Retos y desafíos para el siglo XXI*, Tirant lo Blanch, 2006, p. 96. PÉREZ CEPEDA, A.I., Globalización, tráfico internacional ilícito de personas y Derecho penal, Comares, 2004, p. 172. La misma, Capítulo IV. Las normas penales españolas: Cuestiones generales, en (COORD., GARCÍA ARÁN, M.), Trata de personas y explotación sexual, Comares, 2007, p. 173 Mantienen también esta postura, PADILLA ALBA, H.R., El delito de tráfico ilegal de personas tras su reforma por la LO 11/2003, de 29 de septiembre, en *La Ley Penal*, Núm. 14, Año II-2005, Estudios monográficos, http: //authn.laley.net, p. 2 PÉREZ FERRER, P., *Análisis dogmático y político-criminal de los delitos contra los derechos de los ciudadanos extranjeros*, Dykinson, 2006, pp. 48-49. SILVA CASTAÑO, M.J., Protección penal de los ciudadanos extranjeros, en CUERDA RIEZU, A (DIR.), *La respuesta del Derecho penal ante los nuevos retos. IX Jornadas de profesores y estudiantes de Derecho penal de las Universidades de Madrid, celebradas en la Universidad Rey Juan Carlos los días 8,9,10 de marzo de 2005*, URJC-Dykinson, 2006, p. 436. La misma, Estudio del artículo 318 bis del Código penal, en (DIR), ZUGALDÍA ESPINAR, J.M., *El Derecho penal frente al fenómeno de la inmigración*, Tirant lo Blanch, 2007, p. 185. GUARDIOLA LAGO. M.J., *El tráfico de personas en el Derecho penal español*, Thomson/Aranzadi, 2007, p. 149. LLORIA GARCÍA, P, Parte II. La respuesta del ordenamiento penal al fenómeno de la trata de mujeres para su explotación sexual, en SERRA CRISTOBAL, R./LLORIA GARCÍA, P., *La trata sexual de mujeres. De la represión del delito a la tutela de la víctima*, Ministerio de Justicia, 2007, p. 184. Una posición más ecléctica mantiene GÓMEZ NAVAJAS, J, Inmigración ilegal y delincuencia organizada, en (DIR), ZUGALDÍA ESPINAR, J.M., *El Derecho penal frente al fenómeno de la inmigración, op. cit.*, p. 404. GARCÍA ARÁN, M., Los tipos acogedores del tráfico de personas, en (Ed.) GARCÍA ARÁN, M, *Trata de personas y explotación sexual*, Comares, 2007, p. 208.

Estado el control de los flujos migratorios por los cauces legales[11], reforzando a través del Derecho penal el control de la inmigración en sede policial y administrativa[12]. En definitiva, más allá de una protección de los derechos de los extranjeros, tales derechos se instrumentalizan por el legislador para salvaguardar los intereses del Estado[13].

Con la reforma del CP operada por la LO 5/2010, de 22 de junio, vino a corroborarse nuestra posición: al incorporarse el art. 177 Cp —y, en consecuencia, separarse la criminalización de la trata de seres humanos de la del tráfico de personas e inmigración clandestina— el legislador reformista vino a reconocer, en la Exposición de Motivos de la ley, que el art. 318 bis Cp *queda reservado a salvaguardar los intereses estatales en control de la inmigración irregular.*

Recientemente, el legislador reformista del CP 2015 ha reformado profundamente art. 318 bis Cp, suavizando algunas de las críticas más graves que se realizaban a la norma, al rebajar sustancialmente la pena. No obstante, el objeto de protección de la norma sigue

---

[11]   *Vid,* ÁLVAREZ ÁLVAREZ, F.J., "La protección contra la discriminación del extranjero en el Código Penal", *en* AA.VV., *El extranjero en el Derecho penal español sustantivo y procesal (adaptado a la nueva ley orgánica 4/2000),* Manual de Formación Continua, CGPJ, Madrid, 1999, p. 355.

[12]   *Vid,* ORTUBAY FUENTES, M., "El impreciso concepto del "tráfico ilícito de personas" o mentalidad de fortaleza sitada", en ECHANO BASALDÚA (COORD.), *Estudios jurídicos en Memoria de José María Lidón,* Universidad de Deusto, 2002, pp. 447-448. CANCIO MELIÁ, M./MARAVER GÓMEZ, M., "El Derecho penal español ante la inmigración: un estudio político-criminal", en BACIGALUPO, S./CANCIO MELIÁ, M. (COORDS.), *Derecho penal y política transnacional,* Atelier, 2005, p. 375. MARTÍNEZ ESCAMILLA, M., *La inmigración como delito. Un análisis político-criminal, dogmático y constitucional del tipo básico del art. 318 bis Cp,* Atelier, 2007, p. 65.

[13]   *Vid,* RODRÍGUEZ MONTAÑÉS, T., "Ley de Extranjería y Derecho penal", en *La ley, nº 5261,* Martes, 6 de marzo de 2001, p. 2. Según la autora *"pese a que la rúbrica del Título XV bis parece dar a entender que lo que aquí se protege preferentemente son los derechos individuales de los ciudadanos extranjeros como colectivo, estos bienes sólo constituyen bienes intermedios con función representativa del bien jurídico supraindividual institucionalizado, espriritualizado o de los intereses difusos del orden socioeconómico en sentido amplio, en la medida en que el fenómeno migratorio constituye esencialmente un fenómeno socioeconómico y una cuestión de Estado.* Sigue esta planteamiento, DE PRADA SOLAESA, J.R., Régimen jurídico sancionador, inmigración clandestina y tráfico de seres humanos, en *Jueces para la democracia, nº 43,* Marzo 2002, p. 78.

siendo el mismo: el control de la inmigración irregular. En efecto, en la actualidad, se castiga con una pena de multa de tres a doce meses o prisión de tres meses a un año al sujeto que ayude a una persona que no sea nacional de un Estado miembro de la Unión Europea a entrar en territorio español o a transitar a través del mismo de un modo que vulnere la legislación sobre entrada o tránsito de extranjeros. Asimismo, con la reforma no solo se sanciona la ayuda a la entrada sino también a la permanencia —que era una conducta atípica hasta el año 2015— aunque, en este supuesto, a diferencia del anterior, se exige que el agente de la conducta actúe con ánimo de lucro. La norma sigue manteniendo determinadas agravaciones que sitúan la pena de 4 a 8 años de prisión cuando los hechos se cometiesen en el seno de una organización dedicada a la promoción de la inmigración clandestina, pusiesen en peligro la vida o salud de los extranjeros o se hubiesen cometido por miembros de la autoridad, agentes de ésta o funcionario público.

No cabe duda que la redacción actual supone una importante rebaja de la pena recogida en el tipo básico, lo que, sin duda, resulta especialmente plausible, ya que, castigar con penas de hasta ocho años por ayudar, sin ánimo de lucro, a migrar a España resulta claramente desproporcionado. Con la regulación actual, las penas se sitúan más próximas a lo previsto en otros países de nuestro entorno al sancionarse con penas de 6 meses a un año de prisión, la ayuda a la entrada irregular con ánimo de lucro.

Sin embargo, sigue resultando especialmente criticable que este tipo de conductas se castiguen a través del derecho penal. Porque, se trata de un mero ilícito formal que se ha elevado, por exigencias de la política criminal, a la categoría de norma penal[14].

---

[14]   MAQUEDA ABREU, M.L., Hacia una nueva interpretación de los delitos relacionados con la explotación sexual, en AA.VV., Diario *La Ley, nº 6430,* 27 de febrero de 2006, quien afirma como el precepto *"amenaza con dar vida a ilícitos formales que agotan su justificación en la unilateral defensa de la voluntad del Estado, aquí empeñada en imponer a toda costa un férreo control de la inmigración ilegal al margen cualquier interés en la integración de los inmigrantes,* p. 1. La autora citada ha sido especialmente combativa en este sentido, como su refleja en otros trabajos: ¿Cuál es el bien jurídico protegido en el nuevo artículo 318 bis, 2? Las sinrazones de una reforma, en *Revista de Derecho y Proceso penal, nº 11, Thomson/Aranzadi,* 2004, pp. 39 y ss. En el mismo sentido, LAU-

En efecto, el art. 318 bis Cp no es más que una ley penal en blanco que lo único que persigue es reforzar que se cumplan la legislación sobre entrada y estancia para extranjeros en nuestro país. Se asevera y solidifica el papel del Derecho penal guardián de la política migratoria. De esta forma, se hacen realidad nuestros peores pronósticos que advertían como el art. 318 bis Cp se presentaba como uno de los ejemplos paradigmáticos del nuevo *Derecho penal neoliberal*[15]. Una norma penal que no es otra cosa que una herramienta para el control del riesgo, que pretende filtrar y modular la llegada de extranjeros, atendiendo a las necesidades de determinados *susbsistemas sociales,* fundamentalmente, del mercado de trabajo. Ya no se enmarcara la naturaleza, fines y objetivos del tipo, dándose por buena una norma penal que únicamente gestiona fuentes de riesgos y peligros, que en la actual sociedad neoliberal, vienen siendo asociados al *extranjero pobre.*

4. INMIGRACIÓN Y TRATA DE SERES HUMANOS

La errónea asociación entre inmigración irregular y la delincuencia organizada no solo afecta de forma determinante a la regulación del tráfico de personas sino también al abordaje de la trata de seres humanos. En efecto, vinculando inmigración ilegal con delincuencia organizada se generan dos hipótesis que influyen también de forma nefasta en el abordaje ulterior de la trata de seres humanos y la prostitución: la situación de vulnerabilidad del migrante y la consideración de que todas las personas (especialmente, las mujeres migrantes) que ejercen la prostitución son (o han sido) víctimas de trata de seres humanos.

Por lo que se refiere a la vulnerabilidad del migrante, partiendo del falso dato de que la inmigración irregular está protagonizada por mafias o bandas organizadas que explotan y abusan de las víctimas migrantes, se genera en el imaginario colectivo una imagen del mi-

---

RENZO COPELLO, P., "Últimas reformas en el derecho penal de extranjeros", en AA.VV., *Jueces para la Democracia, Información y debate*, n° 50, julio, 2004.

[15] DAUNIS RODRÍGUEZ, A., Control social formal e inmigración, en Revista General de Derecho Penal, n° 10, Iustel, 2008, pp. 38 y ss.

458 Alberto Daunis Rodríguez

grante como sujeto vulnerable, indefenso y desamparado ante todo tipo de abusos, abocado a la fatalidad, a la penuria y a la necesidad. En última instancia, el planteamiento termina desembocando en la inadaptación social del migrante: al ser un sujeto vulnerable y víctima de las bandas organizadas difícilmente ascenderá en la escala social y nunca podrá integrarse. Paradójicamente, para evitar la marginación social del migrante, las medidas más adecuadas dispuestas por el Estado son aquellas que inciden en evitar su entrada al territorio nacional y, en última instancia, en conseguir su expulsión del mismo. Incluso, se llegan a justificar los programas de desincentivación de la emigración que se implementan en los propios países de origen, al etiquetar al migrante como víctima de una conducta que aún no ha sufrido y que posiblemente nunca va a sufrir[16].

Respecto a la identificación de la prostituta migrante con víctima de trata de seres humanos, arranca de la idea de que un importante porcentaje de las víctimas de trata de seres humanos son migrantes en situación de irregularidad administrativa. Porque, cuando son muchos los requisitos que se exigen para acceder a los países de destino y el migrante no tiene posibilidad de cumplirlos ni de incorporarse a ninguna red migratoria, puede acabar convirtiéndose en víctima de la trata, al convertirse el desplazamiento migratorio en el enganche para su explotación ulterior. Estamos ante una conclusión reduccionista que no se corresponde con la realidad criminológica que pone de manifiesto como un importante número de víctimas son ciudadanos miembros de la Unión Europea, concretamente, rumanas (García Cuesta *et al*, 2010: 174).

---

[16] *Vid*, de forma contunde e hilando más fino, LAURENZO COPELLO, P., "El modelo de protección de los inmigrantes: De víctimas a excluidos", en CANCIO MELIÁ, M./POZUELO PÉREZ, L. (COORDS.), *Inmigración clandestina, terrorismo, criminalidad organizada*, Thomson/Civitas, 2008, p. 226, cuando expresa: "solo la previa construcción de una imagen victimizada de los inmigrantes, a los que se despoja de capacidad de decisión propia y se reduce a la condición genérica de seres vulnerables e infantiloides necesitados de la guía de terceros, permite ocultar la incongruencia de una política criminal que, con la excusa de tutelar los derechos de los ciudadanos extranjeros, se dirige a aumentar los obstáculos para que éstos alcancen su fin más deseado: la entrada en territorio comunitario".

La peligrosa y desacertada identificación del migrante con un sujeto vulnerable del que abusan las bandas organizadas conduce irremediablemente a negar la validez de cualquier decisión que tome acerca su migración y las formas de inserción en la sociedad de llegada, al entenderse que su consentimiento nunca será libre, sino mediatizado y condicionado por el estado de necesidad o situación de vulnerabilidad que sufre.

Partiendo del anterior razonamiento, se acaba desembocando en la errónea apreciación de que el tráfico de personas con fines de explotación sexual y la trata de seres humanos son conductas idénticas, confundiéndose e intercambiándose las etiquetas, llegándose incluso a configurarse la trata de seres humanos como una modalidad o subcategoría del tráfico ilegal de personas[17].

Dicho *enfoque trafiquista* se constata con especial intensidad en nuestro acervo penal hasta la reforma operada por la Ley orgánica 5/2010, de 22 de junio, verificándose, incluso, aún cierta reminiscencia del mismo tras la incorporación del delito de trata de seres humanos en el art. 177 bis Cp. Asimismo este enfoque también protagoniza algunas normas del ordenamiento administrativo, tanto aquellas que se encuentran en la legislación de extranjería, como las que protagonizan las ordenanzas municipales destinadas a regular la convivencia ciudadana.

En efecto, la persecución penal de la trata de seres humanos se producía hasta la Reforma 5/2010 Cp a través de del delito de tráfico ilegal de personas contenido en el art. 318 bis Cp. Destacamos en este trabajo dos consecuencias y efectos especialmente perniciosos y

---

[17] Como hace, por ejemplo, la propia Fiscalía General del Estado, *Circular 5/2011, sobre Criterios para la Unidad de Actuación Especializada del Ministerio Fiscal en Materia de Extranjería e Inmigración*, Circulares, consultas e instrucciones, 2011, cuando al abordar los protocolos de la ONU en materia de tráfico de personas y trata de seres humanos expresa que "Los tipos definidos en uno y otro protocolo son especies perfectamente delimitadas de un género común. Ambos son delitos de tráfico de personas por cuanto exigen circulación o movimiento territorial de personas por cualquier procedimiento de transporte, pero mientras la ilicitud del tráfico, en el caso del delito de trata deriva de la utilización de unos determinados medios tendentes a la explotación del ser humano, en el caso del contrabando la ilicitud del tráfico está vinculada limitadamente a la introducción ilegal de la persona en un Estado del que no es nacional, p. 3.

nefastos que producía la criminalización de la trata de seres humanos a través del delito de tráfico de personas[18]:

a) la inaceptable laguna de punibilidad que suponía dejar fuera del radio de aplicación de la prohibición a todas aquellas acciones de trata que tuviesen como víctimas a nacionales o extranjeros con autorización para residir en el país. En efecto, al castigarse la trata de seres humanos a través del delito de tráfico de personas —o promoción lucrativa de la inmigración clandestina— se exigía necesariamente un cruce ilegal de fronteras. En consecuencia, cuando la captación, traslado o acogida con fines de explotación recaía sobre un ciudadano español, extranjero comunitario o extranjero no comunitario con autorización para residir o permanecer en territorio español no podía castigarse como delito de trata de seres humanos. De esta forma, ante las importantes incertidumbres y dudas que presentaba la apreciación del art. 318 bis Cp cuando el sujeto pasivo venía configurado por ciudadanos rumanos y búlgaros, el Tribunal Supremo tuvo que pronunciarse negando la posibilidad de activar el art. 318 bis Cp: "las conductas que favorezcan o promuevan la entrada de ciudadanos rumanos en España, incluso para el ejercicio de la prostitución, no son sancionables al amparo del artículo 318 bis del Código penal" (ATS de 29 de mayo de 2007).

b) la conversión de las víctimas de la trata de seres humanos en meras infractoras de la normativa de extranjería. En efecto, al configurarse el migrante en situación de irregularidad administrativa como único y posible objeto material del delito contenido en el art. 318 bis Cp, se producía su mutación de víctima de trata de seres humanos (cuando ésta llegaba a producirse) a mero infractor de la normativa administrativa reguladora del acceso y permanencia del extranjero en el territorio español, lo que finalmente desembocaba en su automática expulsión[19].

---

[18] Sobre esta cuestión nos hemos detenido con mayor profundidad en otro trabajo DAUNIS RODRÍGUEZ, A., Sobre la urgencia necesidad de tipificación autónoma e independiente de la trata de personas", en *Revista de Análisis para el Derecho, In Dret Penal, n 1-2010*, pp. 1-44, 2010, p. 33.

[19] De forma similar, RUIZ FERNÁNDEZ, B., La trata de mujeres, aproximación a un fenómeno esclavista", en MARTÍNEZ, E./RUIZ, B., *Esclavas en tierra de nadie. Acercándonos a las víctimas de trata de mujeres*, Red Acoge, 2005, P. 42.

Afortunadamente, dicho *enfoque trafiquista* del Código penal prácticamente desaparece con la reforma 5/2010 Cp que incorpora el Título VII bis, donde se contiene una sola norma: el art. 177 bis. La citada prohibición supone, a grandes rasgos, un acierto legislativo, al perseguir, por primera vez, la trata de seres humanos de forma autónoma e independiente de cualquier otra prohibición del Código penal. No obstante, a pesar de lo afortunado de la reforma, se vislumbran aún dos posibles reminiscencias del nefasto *enfoque trafiquista* de la trata de seres humanos: de un lado, al describirse la acción típica y el ámbito de aplicación del art. 177 bis Cp y, de otro lado, al suprimirse del art. 318 bis Cp el tráfico ilegal de personas con fines de explotación sexual.

Respecto al supuesto de hecho descrito en el art. 177 bis Cp y su correspondiente ámbito de aplicación, la norma castiga como reo de trata de seres humanos al sujeto que, sea en territorio español, sea desde España, en tránsito o con destino a ella, empleando violencia, intimidación o engaño, o abusando de una situación de superioridad o de necesidad o de vulnerabilidad de la víctima nacional o extranjera, la captare, trasladare o recibiera con la finalidad de explotación laboral, sexual o para la extracción de sus órganos.

No se entienden los motivos de la utilización de los términos *en, desde, en tránsito* o *con destino*, así como la referencia geográfica al *territorio español* prevista por la norma contenida en el art. 177 bis Cp. Porque, dicha descripción típica vuelve a confundir la trata con el tráfico y se olvida de que estamos ante una actividad que no exige desplazamiento alguno de la víctima y, en ningún caso, un cruce de fronteras. En efecto, al describirse la acción típica con las expresiones citadas, se convierte a la prohibición en una especie de *delito de movimiento* que exige, *a priori,* un desplazamiento de la víctima para activar el tipo, haciéndose necesarios esfuerzos de los operadores jurídicos y policiales para perseguir aquellas conductas de trata de seres humanos que no impliquen dicho movimiento, como los supuestos de *retratamiento* o aquellos que finalicen con la captación de la víctima. De igual modo, la cuestión geográfica que conecta la acción de trata con el territorio español puede conllevar a la irreversible atipicidad de todas aquellas conductas que se produzcan fuera del Estado español, pero que tengan como víctimas a nacionales españoles[20]. En consecuencia, lamentamos que la reforma del delito de trata operada por la LO 1/2015, de 30 de marzo no haya subsanado dicha posible laguna de punibilidad.

De otra parte, atendiendo a la importante preocupación del legislador español por sancionar cualquier tipo de intervención en la inmigración clandestina de un tercero, nos sorprende la desaparición del acervo punitivo del tráfico de personas con fines de explotación sexual. Nos aventuramos a sostener que la supresión de dicho subtipo agravado es una especie de *lapsus legislativo* que responde a cierta reminiscencia del *enfoque trafiquista* de la trata de seres humanos operado durante años por el legislador español que identifica, erróneamente, el tráfico de personas con fines de explotación con la trata de seres humanos y que, por tanto, entiende que dicha modalidad de tráfico se castiga mediante el delito de trata de seres humanos recogido en el art. 177 bis Cp, debiendo desaparecer del art. 318 bis Cp, en aras de salvaguardar el principio *ne bis in idem*. Sin embargo, debe advertirse que dicha circunstancia realmente no se produce, ya que, tras la reforma 5/2010 Cp, para activarse el delito de trata de seres humanos es necesario probarse que se dobregó de forma efectiva la voluntad de la víctima, sin poder presumirse que su consentimiento estaba viciado. En efecto, uno de los principales aciertos del nuevo delito de trata de seres humanos es que se desvincula del tráfico de personas y que exige cierta oposición o, como mínimo, desconocimiento de la víctima respecto a su captación, traslado o recepción. Expresado de otra forma, para activarse el vigente delito de trata de seres humanos es necesario probar que se dobregó de forma efectiva la voluntad de la víctima, sin poder presumirse —por el hecho de concurrir la finalidad de explotación del sujeto pasivo— la ausencia del consentimiento del sujeto o que el mismo estaba viciado. Por tanto, en aquellos supuestos en los que la persona acepte voluntariamente desplazarse hacia otro lugar para ser explotado sexual o laboralmente, incluso, bajo condi-

---

[20] Vid, VILLACAMPA ESTIARTE, C., *El delito de trata de seres humanos. Una incriminación dictada desde el Derecho Internacional*, 2011, p. 412. POMARES CINTAS, E., "El delito de trata de seres humanos con fines de explotación laboral", en *Revista Española Ciencia Penal y Criminología*, 13-15, 2011, p. 8.

ciones perjudiciales, no habrá trata de seres humanos[21]. Concluyendo el tráfico de personas con fines de explotación sexual no forma parte de la órbita de aplicación del delito de trata de seres humanos.

No obstante, dicho enfoque trafiquista no se reduce al ámbito del derecho penal sino que trasciende al derecho administrativo. Una de las principales medidas para conseguir la reparación de la víctima de trata de seres humanos, cuando es extranjera en situación de irregularidad administrativa, es la concesión de un *período de reflexión* que autorice su permanencia en el país, dándole la posibilidad de empezar a recuperarse de los daños sufridos, antes de tomar una decisión sobre su ulterior cooperación con las autoridades policiales para denunciar a sus captores y/o explotadores.

El periodo de reflexión presenta, por tanto, un doble objetivo: de una parte, dotar a las víctimas de una primera asistencia médica y psicológica y, de otra, conseguir que tales víctimas se sientan más seguras, confíen en el Estado y, consecuentemente, colaboren con la policía para perseguir a los tratantes.

Dicho período de reflexión no debe ser inferior a 6 meses, que resulta el tiempo indispensable para una mínima recuperación de la víctima, que le dote de cierta seguridad y tranquilidad antes de encarar dicha colaboración[22]. Esta es la opción que propone, a modo de ejemplo, la legislación italiana, que prevé además la renovación de la autorización por un año más[23].

Nuestra legislación no dispuso dicho período de reflexión hasta el año 2009, pocos meses después de que la Sala Sexta del Tribunal de Justicia de las Comunidades Europeas sancionase a España por incumplir la obligación de trasponer la Directiva 2004/81/CE, de 29 de abril de 2004, donde precisamente se recogía (aunque de forma incorrecta) el período de reflexión[24]. Hasta entonces, nuestro ordenamiento disponía en el art. 45.4 del Reglamento de Extranjería una

---

21　*Vid*, DAUNIS RODRÍGUEZ, A., *El delito de trata de seres humanos*, Tirant lo Blanch, 2013, pp. 143 y ss.

22　OFICINA DE LAS NACIONES UNIDAS CONTRA LA DROGA Y EL DELITO (2007): *Manual para la lucha contra la trata de personas*, 2007, p. 123.

23　*Vid*, Art. 18 del D. Leg. 25 de julio de 1998.

24　También la UE ha mostrado un claro enfoque trafiquista durante años de la trata de seres humanos. Así, la citada Directiva condiciona también la autorización

autorización de residencia por motivos humanitarios para aquellos extranjeros que hubiesen sido víctimas de un grupo de delitos. Sorprendentemente, entre estos delitos no se recogía el delito de tráfico de personas (art. 318 bis Cp), que durante años ha venido sancionando también la trata de seres humanos, restringiéndose la concesión de esta autorización a las víctimas de delitos contra los derechos de los trabajadores (arts. 311 a 314), los delitos en los que concurra la agravante del 22. 4 Cp y los delitos que castigan conductas violentas ejercidas en el entorno familiar. Sin duda, resultaba altamente criticable que la norma no permitiese la autorización para residir en España a las víctimas de los delitos de tráfico ilegal, trata de seres humanos o de la determinación forzada a la prostitución, primando los intereses del Estado en controlar la inmigración irregular frente a las necesidades de las víctimas.

En aras de responder a las exigencias de las *políticas de inmigración cero* se incorporó al art. 59 de la Ley de Extranjería la autorización de residencia a las víctimas de trata, siempre y cuando el extranjero en situación de irregularidad administrativa colaborase con la justicia, denunciando a las redes organizadas. Como habrá advertido el lector, se trata de una exigencia inadmisible que atendía a criterios puramente utilitaristas del Estado y colocaba a las víctimas en el engranaje del control policial de la inmigración irregular, obligándolas a denunciar, sin previo *período de reflexión*, para eximirles de su responsabilidad administrativa. Evidentemente, la medida era claramente simbólica y no tuvo eficacia práctica, ya que, difícilmente la víctima prestaba su colaboración con las autoridades de forma inmediata y automática, sin antes haber recibido una mínima asistencia psicosocial. No es de extrañar, por tanto, que los permisos que se concedieron a las víctimas de trata por colaboración con las autoridades policiales para la desarticulación de las redes organizadas (en virtud del art. 59 Lex) fueron completamente insignificantes, contabilizándose entre los años 2000 y 2004, únicamente 48 autorizaciones de este tipo, es decir, menos de 10 para cada año[25].

---

para permanecer en España a las víctimas de trata a su colaboración con las autoridades policiales mediante la denuncia de sus tratantes.

[25]   Como asegura NICOLÁS LAZO, G., "Migraciones femeninas y trabajo sexual. Concepto de trabajo precario versus tráfico de mujeres", en BERGALLI, R.

Con la reforma de ley de extranjería mediante Ley Orgánica 2/2009, de 11 de diciembre se elimina parcialmente el enfoque trafiquista de la normativa de extranjería y se incorpora el art. 59 bis que prevé un período de reflexión de 30 días de duración, que podrá aumentarse hasta que sea suficiente para que la víctima pueda decidir acerca su cooperación con las autoridades en la investigación del delito y, en su caso, en el procedimiento penal. No obstante, dicho período de reflexión no conlleva la concesión de una autorización de residencia sino, únicamente de estancia. En efecto, mediante Real Decreto 557/2011, de 20 de abril, se incorpora al Título VI del Reglamento de Extranjería el Capítulo IV.- *Residencia temporal y trabajo por circunstancias excepcionales de extranjeros víctimas de trata de seres humanos,* donde se pone de manifiesto nuevamente el pernicioso *enfoque trafiquista* que preside la autorización de residencia para las víctimas de trata de seres humanos, al condicionarse la misma a la colaboración de la víctima en la investigación del delito o a su situación personal (art. 144 Reglamento de extranjería)[26].

No obstante, parece que dicho enfoque trafiquista ha calado muy especialmente en los operadores jurídicos y policiales, ya que, llama mucho la atención que solo alrededor de 10% de las víctimas de trata en situación de irregularidad administrativa se les concede el periodo de reflexión[27].

5. INMIGRACIÓN Y EXPLOTACIÓN SEXUAL

El tratamiento y la gestión desenfocados, erróneos o, incluso, puede determinar también la respuesta ante la explotación sexual de las extranjeras que ejercen el trabajo sexual de forma libre y voluntaria.

En efecto, el componente de la inmigración en el trabajo sexual refuerza el discurso abolicionista se refuerza: a la discriminación de la

---

(COORD.), *Flujos migratorios y (des)control. Puntos de vista pluridisciplinarios,* Anthoropos Editorial.

[26]   *Vid,* más profundamente, MACHADO RUIZ, D., "La situación de la mujer migrante en el sistema jurídico español", en RODRÍGUEZ, R./BRAVO, M.J. (Eds.): *Experiencias e identidades femeninas,* Dykinson, p. 302.

[27]   Como pone de manifiesto el Plan de lucha contra la trata de mujeres y niñas con fines de explotación sexual (2015-2018), aprobado el 18 de septiembre de 2015.

mujer operada por el sistema patriarcal incorpora la que sufre por su condición de migrante. Esta supuesta doble discriminación determina, según el pensamiento abolicionista, la imposibilidad de que la mujer pueda decidir libremente el ejercicio de la prostitución. De esta forma, se sostiene que cuando la mujer consiente ejercer la prostitución no lo hace de forma libre y voluntaria sino condicionada por la situación de vulnerabilidad en la que se encuentra: "la víctima de trata, muy a menudo mujer, mayoritariamente para ser explotada sexualmente, no tiene realmente posibilidad de elección, dada su situación vital precaria y vulnerable, ni se halla en las condiciones de libertad suficientes para decidir si desea o no ejercer la prostitución en el lugar de destino y optar por un proyecto de vida mejor: prácticamente optará por cualquier destino y futuro, el que sea, con tal de salir de su situación presente. En este sentido se halla tan abocada a cualquier final, que el consentimiento no es libre, sino inducido por su situación en el punto de salida[28]". Finalmente, se incluso se llega a aseverar que las mujeres que aseguran ejercer la prostitución de forma libre y voluntaria están alienadas, resultando su discurso una mera *estrategia de supervivencia* que consiste en interiorizar la explotación sexual como una buena u óptima alternativa que posibilita una importante independencia económica[29].

No compartimos la posición abolicionista de la prostitución. La criminalización de toda forma de proxenetismo, tercería locativa o rufianismo, supondría una intromisión en la libertad sexual de la mujer inadmisible. Porque, sancionando al tercero que intermedia en la actividad se estigmatiza también a la persona protagonista de la misma, como proveedor de servicios prohibidos o ilegales. Expresado en otras palabras, no se puede criminalizar al proxeneta (o, incluso, al propio cliente) y esperar a que la sociedad no etiquete como delincuente a quien presta u ofrece los servicios prohibidos. En última instancia, cuando el trabajo sexual viene ejercido por extranjeras, su

[28] RUIZ FERNÁNDEZ, B., La trata de mujeres, aproximación a un fenómeno esclavista", en MARTÍNEZ, E./RUIZ, B., *Esclavas en tierra de nadie. Acercándonos a las víctimas de trata de mujeres*
[29] COMUNIDAD DE MADRID, *Informe sobre el tráfico de mujeres y la prostitución en la Comunidad de Madrid*, Comisión para la Investigación de Malos tratos (CIMTM), 2002, p. 41.

prohibición y la persecución penal de sus intermediarios, vendría a anular la capacidad de agencia, decisión y autodeterminación de la mujer migrante que pretende desarrollar su proyecto migratorio de forma autónoma e independiente[30].

Siguiendo el razonamiento anterior, se discute si el art. 187.1 Cp castiga cualquier intermediación en la prostitución ejercida por otra persona, muy especialmente, cuando la última es extranjera. En efecto, desde que en el año 2003, se incorporase a nuestro acervo punitivo la criminalización de la explotación sexual consentido existe una fuerte polémica sobre el alcance de la persecución penal de la prostitución. Así, mientras que en la primera parte del citado precepto se castiga la determinación forzada a la prostitución, en el párrafo segundo se sanciona "a quien se lucre explotando la prostitución de otra persona, aun con el consentimiento de la misma. En todo caso, se entenderá que hay explotación cuando concurra alguna de las siguientes circunstancias: a) Que la víctima se encuentre en una situación de vulnerabilidad personal o económica, b) Que se le imponga para su ejercicio condiciones gravosas, desproporcionadas o abusivas.

Sin duda, la primera de las fórmulas interpretativas facilitadas por el legislador para activar este delito de explotación abusiva pero consentida parece referirse a aquellos supuestos en los que la víctima se encuentra muy próxima a un estado de necesidad o vulnerabilidad. Y, no cabe duda que el prototipo de este tipo de víctima es la mujer migrante con problemas económicos, sin empleo, que se encuentra desarraigada familiar y socialmente, desconoce el idioma, no tiene acceso a recursos institucionales, ha asumido una importante deuda con un tercero y no puede regresar a su país de origen.

En puridad, cuando se abusa de este tipo de situación de dependencia personal y económica, podría activarse el delito de determinación forzada (o no voluntaria) a la prostitución, al encontrarse la

---

30   MAQUEDA ABREU, M.L., *Prostitución, feminismos y derecho penal*, Comares, 2009, p. 69.
MACHADO RUIZ, D., "La situación de la mujer migrante en el sistema jurídico español", en RODRÍGUEZ, R./BRAVO, M.J. (Eds.): *Experiencias e identidades femeninas, cit.*, p. 298. IGLESIAS SKULJ, A., La protección de los derechos humanos en el ámbito de las políticas contra la trata de mujeres con fines de explotación sexual, en *Nova et Vetera 20 (64)*, 2011, p. 127.

víctima en una situación de necesidad o vulnerabilidad (art. 188.1 Cp). No obstante, el legislador reformista parece insistir en reforzar la criminalización de esta modalidad o forma de prostitución, en la que la explotación sexual puede resultar más compleja de identificar y/o detectar. En efecto, en ocasiones se concede a las víctimas un mínimo grado de libertad y reconocimiento de derechos, enmascarándose el abuso de la situación de vulnerabilidad que sufren y complicando la labor del operador judicial y policial a la hora de perseguir tales actividades.

Expresado de otra manera: en las nuevas formas de explotación sexual, se concede a las víctimas, a modo de liberalidades, una serie de *privilegios* que no existen en los supuestos tradicionales de prostitución forzada. Dichos privilegios —salidas controladas del establecimiento, períodos de descanso o asignación mínima de sueldos, entre otros— junto con el consentimiento expreso de la víctima a someterse a la prostitución pueden dificultar la criminalización de tales actividades a través del delito de determinación forzada a la prostitución que, tradicionalmente, se ha venido aplicando a aquellos supuestos en los que se ejercen fuertes dosis de violencia o intimidación para doblegar la voluntad de la víctima. Por tanto, el art. 187.1 in fine CP vendría a facilitar la respuesta penal ante aquellas formas de explotación especialmente sutiles y consentidas por la víctima, por encontrarse en una situación de dependencia personal o económica.

No obstante, no puede obviarse el riesgo que conlleva esta forma de criminalización de la explotación sexual consentida abusiva: flexibilizar al máximo el concepto de vulnerabilidad para criminalizar cualquier tipo de intermediación a la prostitución. MAQUEDA nos advierte que el componente emocional de la vulnerabilidad ha demostrado tener una alarmante fuerza de convicción[31], convirtiéndose

---

[31]   MAQUEDA ABREU, M.L., *Prostitución, feminismos y derecho penal, cit.*, realiza un completo y excelente análisis del recorrido de este medio de determinación de la voluntad de la víctima y como viene siendo utilizado para limitar la libertad sexual de la mujer y controlar los movimientos migratorios de los países empobrecidos a los países más industrializados, pp. 69-80 y 128-138. También aborda profundamente la identificación de la mujer migrante con ser vulnerable y uso interesado por las políticas de inmigración cero y las posiciones abolicionistas, IGLESIAS SKULJ, A., La protección de los derechos humanos en el ámbito de las políticas contra la trata de mujeres con fines de explotación sexual, en *Nova et*

no sólo en la puerta de entrada de los discursos abolicionistas, sino también de las políticas de inmigración cero. Respecto a los primeros, entienden cualquier acto de prostitución como una forma de violencia de género y a la persona que consiente como un ser vulnerable, ya que, nadie en plenas condiciones consentiría su propia explotación; en cuanto a las segundas, utilizan la lucha contra la prostitución y la trata de seres humanos como coartadas para imponer medidas claramente inadmisibles frente a la inmigración irregular, que pueden llegar incluso a quebrantar importantes principios constitucionales, pero que se justifican atendiendo a la presunta situación de vulnerabilidad que sufren los migrantes irregulares que se encuentran a merced de los intereses de las bandas organizadas dedicadas a la explotación sexual o laboral[32].

El legislador reformista del CP'2015, siguiendo la técnica utilizada en el delito de trata de seres humanos para valorar la situación de vulnerabilidad, incorpora una cláusula interpretativa para darle operatividad a la situación de dependencia económica y personal de la víctima: que no tenga "otra alternativa, real o aceptable, que el ejercicio de la prostitución".

Por tanto, el juez o tribunal deberá verificar en cada supuesto que la víctima consintió su explotación sexual porque estaba abocada a ello, al no tener otra opción posible que someterse al abuso. No basta con aportar criterios generales o abstractos, sino que deberá corroborarse caso por caso que la víctima no tenía otra alternativa. No cabe duda que todas las opciones o decisiones están mediatizadas o condicionadas por muchos factores. Y, evidentemente, la persona que decide ejercer la prostitución por considerarla la mejor alternativa frente a trabajos aún más precarios y mucho menos remunerados, decide condicionadamente pero de forma libre y consciente[33]. La cuestión es verificar cuándo dicha decisión no ha sido seleccionada ante otras

---

Vetera 20 (64), cit., para quien: "las mujeres son vistas como seres inherentemente vulnerables, supuestamente forzadas o atrapadas en la prostitución a causa de la falta de autonomía; esta perspectiva reaviva el mito de la trata de blancas que sirvió de paradigma para el control de las migraciones femeninas desde el Siglo XIX", p. 127.

[32] Sobre esta cuestión, vid, más detenidamente, DAUNIS RODRÍGUEZ, A., El delito de trata de seres humanos, 2013, cit., pp. 32 y ss.

[33] De forma parecida, TAMARIT SUMALLA, J.M., Prostitución: regulación, prevención y victimización, en VILLACAMPA ESTIARTE, C. (COORD.), Prostitución: ¿hacia la legalización?, Tirant lo Blanch, 2012, p. 274.

alternativas o posibilidades (más o menos aceptables) sino que, más bien, era la única alternativa viable.

La condición de migrante en situación de irregularidad administrativa no puede, por sí sola, identificarse como una situación de dependencia personal. Obviamente, no puede negarse que dicha situación de irregularidad administrativa puede ser un importante obstáculo para conseguir un trabajo y/o la plena integración social del extranjero en el país. El desplazamiento hacia otro territorio suele llevar asociado un desarraigo del país de origen y la inexistencia de una red social y familiar en la sociedad de llegada que le ayude a afrontar su nueva situación de forma libre y consciente. Del mismo modo, la compleja situación legal y la continua amenaza de la expulsión pueden ser circunstancias que sitúen al extranjero en una situación de inferioridad que puede ser aprovechada por el proxeneta para imponerle condiciones abusivas o injustas. No obstante, más allá de un criterio o regla general que actúe como presunción *iruis et de iure*, dicha condición solo puede operar como un indicio que deberá ir acompañado de otros para verificar que la víctima se encontraba realmente en una situación de dependencia personal o económica.

Junto a la situación de irregularidad administrativa del extranjero, puede constituir otro indicio de la situación de dependencia de la persona que ejerce la prostitución el engaño inicial en las condiciones de ejercicio de la actividad. En efecto, puede suceder que las víctimas se desplacen a España para ejercer la prostitución bajo unas determinadas condiciones pero, una vez en el país, descubran que éstas han cambiado, resultando ser peores o más perjudiciales que las pactadas inicialmente. En estos casos, muchas víctimas pueden verse abocadas a consentir estas nuevas y peores condiciones por no disponer de recursos económicos para subsistir en el país o regresar al suyo, no conocer el idioma, ni tener ningún familiar o amigo que le pueda facilitar el alojamiento, la manutención u otros recursos económicos para poder declinar la nueva oferta claramente abusiva.

Otro indicio que puede resultar muy valioso para poder demostrar que la víctima no consintió libremente su propia explotación sexual es la asunción de deudas con el explotador o el intermediario que facilitó su desplazamiento hacia el lugar de explotación. Ciertamente, con el nacimiento de la deuda, el explotador adquiere una importante herramienta de presión para que la persona consienta su propia explotación en condiciones abusivas. Cuando la deuda es parcialmente *inducida,* es decir, se incrementa unilateralmente por el empresario, la posibilidad de que exista una situación de explotación sexual abusiva es mayor, al verificarse un claro interés o pretensión del empresario en que la víctima continúe en el ejercicio de la actividad. Para aumentar la deuda, la imposición de multas suele realizarse de forma arbitraria y desproporcionada en relación con el comportamiento de la víctima.

Igualmente, el operador jurídico y policial debe estar atento a la relación personal entre el proxeneta y la víctima, ya que, en ocasiones, el primero facilita el alojamiento y manutención a la segunda, para evitar su contacto con el exterior y la formación de redes sociales en el lugar de residencia. Dicha relación de dependencia puede incluso conllevar la imposición de medidas de control y vigilancia sobre la víctima que, sin llegar a estar privada de libertad, tiene muy limitados sus movimientos, estando obligada a comunicar todas sus salidas del establecimiento.

A estos indicios podríamos añadirles otros medios comisivos con mayor fuerza probatoria pero que, en realidad, pertenecen más al ámbito de la determinación coactiva a la prostitución (*v.gr.* la retirada del pasaporte, la privación de libertad, el empleo de la violencia física o sexual, la coacción e intimidación a través de técnicas de vudú o las amenazas con causar daño a un familiar o tercero, entre otros).

6. CONCLUSIONES

No es fácil valorar la intervención del Estado en la protección o salvaguarda del inmigrante como potencial víctima de delitos, concretamente, de aquellos que se corresponden con conductas como el tráfico ilegal de personas, la trata de seres humanos y la explotación sexual. Porque, no puede obviarse que es el propio Estado el que, en ocasiones, coloca al inmigrante en un situación de vulnerabilidad o le aboca a participar o incluso promover la realización de determinadas conductas criminales donde la víctima es el propio inmigrante.

En efecto, el aumento de los requisitos para acceder a España de forma legal genera la aparición de rutas ilegales de la inmigración donde el inmigrante es el primer interesado en el que la conducta ilegal se lleve a cabo con éxito. De esta forma, en la promoción de la inmigración clandestina el inmigrante es el objeto de delito pero no la víctima, ya que, el objeto de la protección de la norma no es otro que la política migratoria española. La intervención penal en este ámbito es tan discutible que acaba persiguiendo a un tercero o partícipe que ayuda a otra persona a realizar una actividad que, al menos desde el ámbito penal, no le supone ningún tipo de sanción penal.

Durante años se ha venido confundiendo tráfico de personas con víctimas de trata de seres humanos, otorgando un enfoque trafiquista claramente erróneo y perjudicial, ya que, no solo impedía la persecución de la trata de seres humanos con víctimas nacionales sino que también acaba identificado al inmigrante con persona vulnerable. En este sentido, no podemos caer en la tentación de identificar plenamente al inmigrante que consiente el tráfico de personas con fines de explotación sexual con la víctima de trata de seres humanos porque no solo confunde tráfico con trata sino también limita injustificadamente la voluntad de decidir del inmigrante.

Precisamente, los intereses estatales en el control de la inmigración pueden alcanzar incluso a la persecución penal de la explotación sexual de mujeres migrantes. Porque, si identificamos a la mujer migrante con persona vulnerable estamos impidiendo a aquellas inmigrante con capacidad plena consentir utilizar el trabajo sexual para desarrollar su proyecto migratorio en España.

En definitiva, queremos concluir este trabajo con la necesidad de evitar los automatismos que identifican al inmigrante con persona vulnerable, evitando que se utilice dicha condición de víctima para articular respuestas jurídicas que, con la supuesta pretensión de proteger al inmigrante, en realidad están destinadas a conseguir un mayor control de la inmigración.

7. BIBLIOGRAFÍA

ÁLVAREZ ÁLVAREZ, F.J., "La protección contra la discriminación del extranjero en el Código Penal", *en* AA.VV., *El extranjero en el Derecho penal español sustantivo y procesal (adaptado a la nueva ley orgánica 4/2000)*, Manual de Formación Continua, CGPJ, Madrid, 1999.
CANCIO MELIÁ, M./MARAVER GÓMEZ, M., "El Derecho penal español ante la inmigración: un estudio político-criminal", en BACIGALUPO, S./CANCIO

MELIÁ, M. (COORDS.), *Derecho penal y política transnacional*, Atelier, 2005.

COMUNIDAD DE MADRID, *Informe sobre el tráfico de mujeres y la prostitución en la Comunidad de Madrid*, Comisión para la Investigación de Malos tratos (CIMTM), 2002.

CONDE PUMPIDO TOURÓN, C., Delitos contra los derechos de los ciudadanos extranjeros, en MARTÍN PALLÍN, J.A. (DIR.), *Extranjeros y Derecho penal*, CGPJ, 2004.

DAUNIS RODRÍGUEZ, A., Control social formal e inmigración, en Revista General de Derecho Penal, nº 10, Iustel, 2008.

DAUNIS RODRÍGUEZ, A, Redes de tráfico y trata de personas. Apuntes criminológicos", en *Ciencia policial* (Instituto de Estudios de Policía), nº 94, 2009.

DAUNIS RODRÍGUEZ, A., Sobre la urgencia necesidad de tipificación autónoma e independiente de la trata de personas", en *Revista de Análisis para el* Derecho, *In Dret Penal, n 1-2010*, 2010.

DAUNIS RODRÍGUEZ, A., *El delito de trata de seres humanos*, 2013.

DE PRADA SOLAESA, J.R., Régimen jurídico sancionador, inmigración clandestina y tráfico de seres humanos, en *Jueces para la democracia, nº 43*, Marzo 2002.

FISCALÍA GENERAL DEL ESTADO, *Circular 5/2011, sobre Criterios para la Unidad de Actuación Especializada del Ministerio Fiscal en Materia de Extranjería e Inmigración*, Circulares, consultas e instrucciones, 2011.

GARCÍA ÁLVAREZ, P./DEL CARPIO DELGADO, J., "Los Delitos relativos al régimen de extranjería", en RODRÍGUEZ BENOT/HORNERO MÉNDEZ (COORDS.), *El nuevo derecho de extranjería*, Comares, 2001.

GARRIDO RODRÍGUEZ, P., *Inmigración y diversidad cultural en España. Un análisis histórico desde los derechos humanos*, Ediciones Universidad de Salamanca, 2012.

GONZÁLEZ ZORRILA, J.C., "Tráfico de personas, inmigración y prostitución: Entre realidad y estereotipos", en BIRULÉS, J./BIRULÉS, M.A. (DIRS.): *Mujer y trabajo: Entre la precariedad y la desigualdad*. Estudios de Derecho Judicial, Consejo del Poder Judicial, Centro de Documentación Judicial, 2008.

GARCÍA ARÁN, M., Los tipos acogedores del tráfico de personas, en GARCÍA ARÁN, M. (ED.), *Trata de personas y explotación sexual*, Comares, 2007.

GÓMEZ NAVAJAS, J., Inmigración ilegal y delincuencia organizada, en (DIR), ZUGALDÍA ESPINAR, J.M., *El Derecho penal frente al fenómeno de la inmigración*, Tirant lo Blanch, 2007.

IGLESIAS SKULJ, A., La protección de los derechos humanos en el ámbito de las políticas contra la trata de mujeres con fines de explotación sexual, en *Nova et Vetera 20 (64)*, 2011.

LAURENZO COPELLO, P., "Últimas reformas en el derecho penal de extranjeros", en AA.VV., *Jueces para la Democracia, Información y debate*, nº 50, julio, 2004.

LAURENZO COPELLO, P., "El modelo de protección de los inmigrantes: De víctimas a excluidos", en CANCIO MELIÁ, M./POZUELO PÉREZ, L.

(COORDS.), *Inmigración clandestina, terrorismo, criminalidad organizada*, Thomson/Civitas, 2008.

LLORIA GARCÍA, P., Parte II. La respuesta del ordenamiento penal al fenómeno de la trata de mujeres para su explotación sexual, en SERRA CRISTOBAL, R./LLORIA GARCÍA, P., *La trata sexual de mujeres. De la represión del delito a la tutela de la víctima*, Ministerio de Justicia, 2007.

MACHADO RUIZ, D., "La situación de la mujer migrante en el sistema jurídico español", en RODRÍGUEZ, R./BRAVO, M.J. (Eds.): *Experiencias e identidades femeninas*, Dykinson, 2011.

MAQUEDA ABREU, M. L., ¿Cuál es el bien jurídico protegido en el nuevo artículo 318 bis, 2? Las sinrazones de una reforma, en *Revista de Derecho y Proceso penal, nº 11, Thomson/Aranzadi*, 2004.

MAQUEDA ABREU, M.L., Hacia una nueva interpretación de los delitos relacionados con la explotación sexual, en AA.VV., Diario *La Ley, nº 6430*, 27 de febrero de 2006.

MAQUEDA ABREU, M.L., *Prostitución, feminismos y derecho penal*, Comares, 2009.

MARTÍNEZ ESCAMILLA, M., *La inmigración como delito. Un análisis político-criminal, dogmático y constitucional del tipo básico del art. 318 bis Cp*, Atelier, 2007.

NAVARRO CARDOSO, F., Observaciones sobre los delitos contra los derechos de los ciudadanos extranjeros, en *Revista penal, julio, 2002*, La Ley, 2002.

NICOLÁS LAZO, G., "Migraciones femeninas y trabajo sexual. Concepto de trabajo precario versus tráfico de mujeres", en BERGALLI, R. (COORD.), *Flujos migratorios y (des)control. Puntos de vista pluridisciplinarios*, Anthropos Editorial.

OFICINA DE LAS NACIONES UNIDAS CONTRA LA DROGA Y EL DELITO (2007): *Manual para la lucha contra la trata de personas*, 2007.

ORTUBAY FUENTES, M., "El impreciso concepto del "tráfico ilícito de personas" o mentalidad de fortaleza sitada", en ECHANO BASALDÚA (COORD.), *Estudios jurídicos en Memoria de José María Lidón*, Universidad de Deusto, 2002.

PADILLA ALBA, H.R., El delito de tráfico ilegal de personas tras su reforma por la LO 11/2003, de 29 de septiembre, en *La Ley Penal*, Núm. 14, Año II-2005.

PÉREZ FERRER, P., *Análisis dogmático y político-criminal de los delitos contra los derechos de los ciudadanos extranjeros*, Dykinson, 2006.

PÉREZ CEPEDA, A.I., *Globalización, tráfico internacional ilícito de personas y Derecho penal*, Comares, 2004.

PÉREZ CEPEDA, A.I., Capítulo IV. Las normas penales españolas: Cuestiones generales, en (COORD., GARCÍA ARÁN, M.), *Trata de personas y explotación sexual*, Comares, 2007.

POMARES CINTAS, E., "El delito de trata de seres humanos con fines de explotación laboral", en *Revista Española Ciencia Penal y Criminología*, 13-15, 2011.

POMARES CINTAS, E., La Unión Europea ante la inmigración ilegal: la institu-cionalización del odio, en *Eunomia: Revista en cultura de la legalidad, nº 7*, septiembre 2014-febrero 2015.

RODRÍGUEZ MESA, M.J., *Los delitos contra los derechos de los ciudadanos extranjeros*, Tirant lo Blanch, Valencia, 2001.

RODRÍGUEZ MONTAÑÉS, T., "Ley de Extranjería y Derecho penal", en *La ley, nº 5261*, Martes, 6 de marzo de 2001.

RUIZ FERNÁNDEZ, B., La trata de mujeres, aproximación a un fenómeno es-clavista", en MARTÍNEZ, E./RUIZ, B., *Esclavas en tierra de nadie. Acercán-donos a las víctimas de trata de mujeres*, Red Acoge, 2005.

SABATER, J., "La inmigración irregular: vías de llegada y condiciones de vida", *Serie Migraciones*, 3, Fundación CIDOB, 2004.

SAINZ-CANTERO CAPARRÓS, J. E., *Los delitos contra los derechos de los ciu-dadanos extranjeros*, Atelier penal, 2002.

SAINZ-CANTERO CAPARRÓS, J. E., Sobre la actual configuración de los de-litos contra los derechos de los ciudadanos extranjeros, en CARBONELL MATTEU, J. C., et. al. (COORDS), *Estudios penales en Homenaje al profesor Cobo del Rosal*, Dykynson, 2005.

SÁNCHEZ ALONSO, E., La política migratoria en España. Un análisis a largo plazo, en *Revista Internacional de Sociología (nº 1)*, 2011.

SERRANO PIEDECASAS, J.R., Los delitos contra los derechos de los ciudadanos extranjeros, en AA.VV., *El extranjero en el Derecho penal español sustantivo y procesal (adaptado a la nueva ley orgánica 4/2000)*, Manual de Formación Continua, Consejo General del Poder Judicial, 1999.

SERRANO PIEDECASAS, J. R., Los delitos contra los Derechos de los Ciuda-danos Extranjeros, en LAURENZO COPELLO, P. (Coord.), *Inmigración y Derecho penal. Bases para un debate*, Tirant, 2002.

SILVA CASTAÑO, M.J., Protección penal de los ciudadanos extranjeros, en CUERDA RIEZU, A (DIR.), *La respuesta del Derecho penal ante los nuevos retos. IX Jornadas de profesores y estudiantes de Derecho penal de las Uni-versidades de Madrid, celebradas en la Universidad Rey Juan Carlos los días 8,9,10 de marzo de 2005*, URJC-Dykinson, 2006.

SILVA CASTAÑO, M.J., Estudio del artículo 318 bis del Código penal, en ZU-GALDÍA ESPINAR, J.M. (DIR.), *El Derecho penal frente al fenómeno de la inmigración*, Tirant lo Blanch, 2007, p. 185. GUARDIOLA LAGO. M.J., *El tráfico de personas en el Derecho penal español*, Thomson/Aranzadi, 2007.

TAMARIT SUMALLA, J.M., Prostitución: regulación, prevención y victimiza-ción, en VILLACAMPA ESTIARTE, C. (COORD.), *Prostitución: ¿hacia la legalización?*, Tirant lo Blanch, 2012.

VILLACAMPA ESTIARTE, C., Título XV bis. Delitos contra los derechos de los ciudadanos extranjeros, en QUINTERO OLIVARES, G. (DIR.), *Comentarios al éree nuevo Código penal, 2ª Ed.*, Aranzadi, 2001.

VILLACAMPA ESTIARTE, C., Normativa europea y regulación del tráfico de personas en el Código penal español, en RODRÍGUEZ MESA, M.J, /RUÍZ

RODRÍGUEZ, L.R. (COORDS.), *Inmigración y sistema penal. Retos y desafíos para el siglo XXI*, Tirant lo Blanch, 2006.
VILLACAMPA ESTIARTE, C., *El delito de trata de seres humanos. Una incriminación dictada desde el Derecho Internacional*, 2011.

EL DELITO DE TRATA DE PERSONAS COMO DELITO COMPLEJO Y SUS DIFICULTADES EN LA JURISPRUDENCIA PERUANA

YVAN MONTOYA VIVANCO

Sumario: 1. Aspectos fenomenológicos. 2. Los problemas de la jurisprudencia de la Corte Suprema de la República frente al delito de trata de personas. 3. La naturaleza compleja del delito de trata de personas. 4. Valoración crítica de la actuación de las salas penales de la Corte Suprema en casos de trata de menores de edad. 5. Conclusiones.

Resumen: El delito de trata de personas presenta problemas dentro de su interpretación en la jurisprudencia peruana. Dichos problemas son los relativos al bien jurídico protegido, el consentimiento de menores de edad, el enfoque probatorio y su naturaleza de carácter complejo.
Teniendo todo lo anterior en consideración, el autor analiza casos observados por la Corte Suprema peruana, diversas posturas doctrinales y legislación comparada, para finalmente emitir una postura propia, la cual se caracteriza por ser crítica y contraria a la interpretación presente en la casuística peruana.

Palabras clave: Derecho Penal; tráfico de personas; delito complejo; jurisprudencia peruana; bien jurídico protegido; enfoque probatorio.

1. ASPECTOS FENOMENOLÓGICOS

Criminológicamente, el fenómeno delictivo de la trata de personas se manifiesta de diversas formas en el Perú. Desde sus formas macro-criminales como expresión de la criminalidad organizada, hasta sus formas simples como expresión de una co-participación o intervención monosubjetiva en el delito, alejadas de las estructuras criminales organizadas. Sin embargo, son las formas simples de intervención delictiva las que parecen ser las prácticas más extendidas, especialmente en la selva y en la sierra del Perú.

Efectivamente, la realidad peruana presenta, no con visible frecuencia, situaciones de trata internacional o transfonteriza. El Observatorio de Criminalidad del Ministerio Público peruano registra 31 víctimas de trata de personas de origen extranjero en el año 2013[1]. Estas representan apenas el 5% del universo de víctimas de trata —nacionales y extranjeros—, aunque no se conoce la nacionalidad de un 23% de ellas. Por su parte, el último informe sobre la situación de la trata en el Perú de la organización Capital Humanos y Social (CHS) Alternativo[2] nos indica, a partir de información brindada por la División Nacional contra la Trata de Personas de la Policía Nacional, que en el año 2014 las intervenciones policiales arrojaron 19 víctimas extranjeras, de las cuales 8 son de Colombia, 7 de Ecuador y 4 de República Dominicana.

Todo ello nos lleva a considerar que es en estos casos en donde podríamos apreciar algunas formas de organizaciones criminales que esten facilitando el ingreso al pais de víctimas de trata de mujeres con fines de explotación sexual, especialmente utilizando la vía de nuestras fronteras con países limítrofes como Colombia y el Ecuador.

En esa misma línea, el Informe del Departamento de Estado[3] del año 2014 nos recuerda que el Perú es un país de origen, tránsito y destino. Así, el informe señala que mujeres peruanas son obligadas a ejercer la prostitución en el Ecuador y Argentina, y que hombres y mujeres son obligados a trabajar en condiciones forzadas en Argentina, Chile, Ecuador y Estados Unidos. A su vez, el mismo informe refiere que mujeres extranjeras —Ecuador, Bolivia o Colombia— se encuentran sometidas a la trata con fines de explotación sexual o laboral en el Perú.

---

[1]   OBSERVATORIO DE CRIMINALIDAD DEL MINISTERIO PÚBLICO. "Informe de trata de personas 2013". En: http: //portal.mpfn.gob.pe/boletininformativo/infotratadepersonas

[2]   CHS ALTERNATIVO. "Tercer informe alternativo: Balance de la sociedad civil sobre la situación de la trata de personas en el Perú 2014-2015". En: http: // www.chsalternativo.org/new/index.php/publicaciones/316-tercer-informe-alternativo-2015-balance-de-la-sociedad-civil-sobre-la-situacion-de-la-trata-de-personas-en-el-peru-2014-2015-1/file

[3]   INFORME DEL DEPARTAMENTO DE ESTADO DE LOS ESTADOS UNIDOS DE AMERICA 2014. "Informe sobre trata de personas". En: http: //photos.state.gov/libraries/peru/144672/reportes/Trata%20de%20Personas%202014.pdf

Sin embargo, son los estudios realizados por el profesor Mujica[4] en dos zonas amazónicas del Perú —Pucallpa e Iquitos—los que muestran cómo la trata de personas resulta ser un fenómeno que escapa al estereotipo que se ha construidodesde los estudios de la trata internacional, esto es, un fenómeno criminal que se produce en un contexto de criminalidad organizada especialmente transnacional y que ofrece a los perpretradores una gran rentabilidad económica[5]. Los estudios del profesor Mujica son de carácter etnográfico y como tales se concentran en el estudio del contexto del fenómeno, los actores involucradosy el *modus operandi* de este fenómeno delictivo. Los resultados de los estudios son en realidad desmitificadores. Veamos algunas características encontradas. En primer lugar, con relación a Pucallpa, se trata de un fenómeno que se produce en una zona empobrecida, pero donde se acentúa la explotación maderera y de hidrocarburos, es decir, una zona donde hay una concentración de riqueza en un grupo minúsculo de personas y una extensa zona de pobreza y a veces de pobreza extrema[6]. Es alrededor de ese tipo de actividades que se aprecia de forma extendida el ejercicio de la prostitución en la zona de Pucallpa.

Sin embargo, donde se aprecia una situación visible de ejercicio de la prostitución de niñas y adolescentes—entre 12 y 17 años—es en "la zona de los bares, alrededor de los puertos y aserraderos de la orilla del río Ucayali y en las tabernas para los pescadores y balseros que rodean el mercado de Yarinacocha[7]". Sobre ellas generalmente ejerce dominio una mujer, quien ocupa una posición compleja de promotora de la prostitución de las menores, de proveedora de alimentación y vestido para ellas y protectora frente al maltrato físico del que podrían ser víctimas. He ahí el dominio sobre la víctima.

---

[4]   MUJICA, Jaris y Robin CAVAGNOUD. "Mecanismos de explotación sexual de niñas y adolescentes en los alrededores del puerto fluvial de Pucallpa". En: Anthropologica 29. 2011. pp. 91-110.

[5]   Al respecto, siempre se sostiene en los informes internacionales que la trata de personas internacional es el delito que genera mayor rentabilidad económica después del narcotráfico y el tráfico de armas ilegal.

[6]   MUJICA, Jaris y Robin CAVAGNOUD. *op. cit.* p. 96.

[7]   Ibíd. p. 98.

En el caso de la Amazonía, el estudio se concentra en la zona de Mazán[8], a tres horas de la ciudad de Iquitos. Si bien no es un estudio específico sobre la trata o explotación sexual de personas, sí es un estudio general sobre la violencia sexual contra mujeres adolescentes en el que se incluye también los casos de trata contra adolescentes. El estudio concluye, de manera semejante al estudio anterior, que "el fenómeno parece estar asociado menos al aumento del crimen organizado o la delincuencia común y más a patrones locales y estructurales de la violencia asociados a los patrones de residencia y convivencia, la dinámica comercial local y la presencia/ausencia del Estado [...] las formas de organización familiar, etc[9]".

De acuerdo con ambos estudios, especialmente el primero de los mencionados, tres parecen ser las características de la explotación de niñas y adolescentes en la zona de la selva peruana, aunque también extendibles a la zona de la sierra:

1   Se trata de una actividad económica complementaria de otro tipo de ingresos lícitos como la venta de comina, servicio de hospedaje, etcétera[10].

2. Se trata de una actividad poco o escasamente rentable, esencialmente de una economía de subsistencia[11].

3. Se trata de una actividad que involucra al entorno familiar, especialmente responsables son mujeres que ocupan un rol complejo de proxeneta-madrina-tía frente a la adolescentes que "administran[12]".

Pues bien, son este tipo de casos de trata, más domésticos e internos, los que se reflejan en la jurisprudencia peruana. Veamos en el capítulo siguiente los problemas que, según parece, presentan las decisiones de las Salas de la Corte Suprema de la República en el juzgamiento de casos de trata de personas.

8   MUJICA, Jaris; ZEVALLOS, Nicolás y Sofía VIZCARRA. "Estudio de estimación del impacto y prevalencia sexual contra mujeres adolescentes en un distrito de la Amazonía peruana". Lima: PROMSEX. 2013.
9   Ibíd. p. 69.
10 MUJICA, Jaris y Robin CAVAGNOUD. op. Cit. p. 101.
11 Ibídem.
12 Ibíd. pp. 102-103.

2. LOS PROBLEMAS DE LA JURISPRUDENCIA DE LA CORTE SUPREMA DE LA REPÚBLICA FRENTE AL DELITO DE TRATA DE PERSONAS

Hemos tenido acceso a 34 resoluciones de la Corte Suprema de la República relacionadas con el juzgamiento de delitos de trata de personas y delitos conexos como la violación sexual, proxenetismo, favorecimiento a la prostitución o el delito de rufianismo[13]. Sin embargo, el análisis de las mismas muestra dos tipos de limitaciones.

Por un lado, se trata de resoluciones de la Corte Suprema que se pronuncian sobre sentencias de cortes superiores como instancias inferiores respecto de las cuales no hemos tenido acceso. En ese sentido, no tenemos un conocimiento completo del caso y del proceso penal. Las resoluciones de la Corte Suprema son breves en la descripción del caso y del desarrollo del proceso penal. Por otro lado, en muchos casos se trata de resoluciones casatorias que sólo se limitan a evaluar si se verifica la causal casatoria que habilita a la Corte Suprema a pronunciarse sobre el fondo del asunto. En estos casos, la Corte Suprema reiteradamente ha denegado el recurso de casación.

En consecuencia, nos hemos limitado al estudio de nueve resoluciones de la Corte Suprema, las cuales muestran un contenido mínimo necesario para su análisis.

A. El bien jurídico protegido según la jurisprudencia suprema

Desde antes del Acuerdo Plenario 3-2011[14], pasando por el mismo acuerdo plenario[15] hasta los suscesivos pronunciamientos jurispru-

---

13   Entendemos que se trata de todas las resoluciones de la Corte Suprema sobre el delito de trata de personas desde su tipificación moderna en nuestro Código Penal por la Ley 28950 de 15 de enero de 2007.

14   En este periodo, las resoluciones de la Corte Suprema no dilucidaban explícitamente el bien jurídico protegido en el delito de trata. Sin embargo, sí podemos considerar que en todas ellas se afirma, repitiendo la ubicación sistemática actual de este delito, que se trata de un delito contra la libertad personal. Al respecto se cita como ejemplos la Sentencia de la Corte Suprema del 31 de agosto de 2015 (Expediente 75-2010) o la sentencia de la Corte Suprema del 25 de enero del 2010 (Expediente 3031-2009).

15   Se trata del Acuerdo Plenario 3-2011/CJ-116 de diciembre del 2012, aprobado por unanimidad por los miembros de la Corte Suprema de la República. En:

denciales de la Corte Suprema de los últimos 3 años[16], se afirma que el bien jurídico protegido es la libertad personal. Concretamente el referido acuerdo plenario, recogiendo la posición del magistrado Salinas Siccha, señala textualmente lo siguiente: "[l]a trata de personas, en los términos como aparece regulada en el Código Penal vigente, constituye un delito que atenta contra la libertad personal, entendida como la capacidad de autodeterminación con la que cuenta la persona para desenvolver su proyecto de vida, bajo el amparo del Estado y en un ámbito territorial determinado" (párrafo 12).

Se trata, como veremos posteriormente, de una posición mayoritaria en la doctrina peruana pero, sin embargo, minoritaria en la doctrina comparada o no compartida por los documentos interpretativos de la Organización Mundial de Migraciones (OIM)[17] o de la Organización Internacional del Trabajo (OIT).

Esta posición, como veremos en los puntos siguientes, determina u orienta un trabajo hermenéutico distorsionado del tipo de injusto del delito de trata de personas contenido en nuestro artículo 153 del Código Penal. Pero además, esta perspectiva del bien jurídico también permite un enfoque invertido en el proceso de recaudo probatorio. En ambos casos, el resultado es un estándar de protección penal y procesal penal débil de las víctimas de trata de personas.

B. *El valor del consentimiento de las víctimas menores de edad en delitos de trata de personas y de violación sexual en el contexto de un proceso de trata de personas*

En cuatro de las nueve resoluciones judiciales estudiadas, la Corte Suprema evalúa explícita o implícitamente el consentimiento de las víctimas menores de trata de personas y aprecia la relevancia del mis-

---

[16] http: //blog.pucp.edu.pe/blog/wp-content/uploads/sites/352/2014/06/acuerdo_plenario_3_30052012.pdf
Expresamente, la sentencia de la Corte Suprema de 16 de mayo de 2012 (Expediente 1822-2011) o el auto de calificación del recurso de casación del 5 de septiembre de 2014 (Casación 632-2013), valorando positivamente la sentencia impugnada que afirmaba la libertad personal como bien jurídico protegido.

[17] Ver al respecto la introducción de: "Manual para la detección del delito de trata de personas orientado a las autoridades migratorias". Oficina Regional para Centroamérica y México. Organización Mundial de Migraciones. 2011.

mo en el referido delito, pero también en delitos conexos como el de violación sexual. Veamos dos de las resoluciones más representativas.

1. Caso 1

En la resolución del 31 de agosto de 2010 (Expediente 75-2010), la Sala Penal Transitoria de la Corte Suprema conoce, vía recurso de nulidad, la sentencia de la Sala Penal Superior del Distrito Judicial de Madre de Dios, la misma que condenaba al procesado ACF a 12 años de pena privativa de la libertad por delito de trata en agravio de dos menores de edad (16 y 17 años de edad).

Los hechos, según la sentencia de primera instancia, evidencian que a partir de un operativo policial dirigido por el Ministerio Público se logró intervenir, en la media noche, el bar denominado "La Morenita" —localidad de Iberia en Madre de Dios—, donde se encontró a las dos menores de edad —LGL y MJAH— trabajando en la atención de los clientes. Al tomárseles su manifestación en dicho acto, las menores refirieron que provenían de la ciudad del Cusco y que fueron captadas por la señora XFH, quien las contactó con el procesado ACF, propietario del Bar "Los Ángeles", donde laboraron como "damas de compañía", llegando a sostener relaciones sexuales con los ocasionales clientes. El operativo policial en el bar "Los Ángeles" con presencia del Ministerio Público logró incautar preservativos utilizados y pedazos de papel higiénico.

A pesar de estas y otras evidencias[18], la Sala Suprema no considera probado el delito de trata de personas que se imputa a ACF. Principalmente, la razón que se invoca es que las menores en sus declaraciones a nivel de investigación preliminar y judicial "corroboran que durante el tiempo que trabajaron en el local del encausado ACF, éste no las obligó a mantener trato sexual con los clientes". Además, la resolución indica que el operativo policial y fiscal realizado al bar "Los Ángeles" se realizó algunos días después de que dejaron de trabajar en dicho lugar. En base a estas consideraciones, la Sala declaró nula la

---

[18]   Como hemos mencionado, no es posible acceder a mayor información dado lo escueto de la resolución de la Corte Suprema.

sentencia condenatoria y ordenó un nuevo juicio oral bajo las condiciones advertidas en esta sentencia.

2. Caso 2

Sigue la misma perspectiva anterior la resolución del 25 de enero del 2010 (Expediente 3031-2009), emitida por la Sala Penal Permanente. Sin embargo, ésta resolución presenta un interés adicional que merece ser comentado, especialmente de cara a los criterios dogmáticos y político-criminales que presentaremos en el capítulo posterior.

Efectivamente, la Sala conoce vía recurso de nulidad una sentencia emitida por la Sala Penal Superior de Ica que absolvió de la acusación fiscal al imputado RCZ de los delitos de trata de personas y violación sexual en agravio de dos menores de edad —AMMR y GVTV—, sustituyendo la imputación por trata de personas por el delito de rufianismo (artículo 180 del Código Penal).

De acuerdo con la acusación fiscal, tanto la investigación policial como la investigación judicial y la declaración de las propias menores de edad acreditarían que las víctimas fueron captadas por RCZ en la ciudad de Trujillo y llevadas a las ciudades de Chiclayo e Ica para ejercer el meretricio. Específicamente, la agraviada AMMR señaló que el mencionado acusado RCZ "le hizo sufrir el acto sexual"y la obligó a ejercer la prostitución conjuntamente con la agraviada menor de iniciales GVTV y les exigió que le entreguen doscientos cincuenta nuevos soles diarios.

Sobre esto último se registra en el expediente el testimonio de BCC, que regenta el prostíbulo "La casa de Julia" y quien señala que el acusado trajo a las menores y le pidió una habitación para que "trabajen". Cabe añadir que GVTV declaró tanto en sede policial como en sede judicial que, efectivamente, AMMR le contó que mantuvo relaciones sexuales "consentidas" con el acusado RCZ.

La Sala Suprema confirma la absolución por el delito de violación sexual y confirma la no tipificación de los hechos como delito de trata de personas, aceptando la valoración de los hechos como delito de rufianismo. Con relación al cambio de valoración de los hechos como delito de rufianismo, descartando el delito de trata de personas, la Sala Suprema parece apoyar este cambio de tipificación, señalando

lo siguiente: "[...]no se advierte que las menores hayan sido reteni-
das o trasladadas por el acusado RCZ de un lugar a otro empleando
violencia, amenaza, engaño u otro acto fraudulento con la finalidad
de obtener una ventaja económica —de las declaraciones de las referidas agraviadas en sede preliminar y judicial [...] se evidencia que se
trasladaron de la ciudad de Trujillo a Chiclayo de forma voluntaria y
ejercieron la prostitución consciente y libremente— que sin embargo
se demostró en el proceso que el acusado las despojaba de una parte
de sus ganancias" (considerando séptimo).

Sin embargo, esta sentencia de la Corte Suprema presenta una aspecto adicional que merece ser comentado y que, tal vez, explique mejor las razones por las cuales se exigiría, para la trata de menores de
edad, la presencia de algún medio coercitivo, violento o fraudulento.
Este aspecto adicional viene explicado en la parte de la sentencia que
confirma la absolución del acusado por el delito de violación sexual.

Para justificar esta absolución invoca la Sala Suprema su Acuerdo
Plenario 4-2008/ CJ-116, de acuerdo con el cual los supremos recomiendan a los órganos judiciales en general la interpretación del artículo 173.3 del Código Penal—sobre violación presunta de menores
de 18 años y mayores de 14— en el sentido de reconocer la exención
de responsabilidad penal —atipicidad— por este delito cuando medie
el consentimiento de los adolescentes titulares del bien jurídico.

Teniendo en cuenta lo anterior, la Corte Suprema reconoce: "la
capacidad de los menores de edad de catorce a dieciséis años [**debería
decir dieciocho**] en cuanto al ejercicio de su sexualidad y que ostentan
la capacidad de apreciarla debidamente de acuerdo a sus propias con-
veniencias" [Lo anotado entre paréntesis y el énfasis son nuestros].

Y en ese sentido, la Sala concluye "que el consentimiento libre que
dio la menor agraviada para las relaciones que tuvo con el acusado
constituye un supuesto válido de exención de responsabilidad penal".

Para evaluar críticamente este desarrollo jurisprudencial es necesario abordar algunos aspectos dogmáticos y político-criminales esenciales relacionados con el tipo de injusto del delito de trata de personas (artículo 153 del Código Penal).

3. LA NATURALEZA COMPLEJA DEL DELITO DE TRATA DE PERSONAS

Las manifestaciones del delito de trata presentadas en el capítulo primero —trata como crimen organizado y trata como crimen doméstico— nos muestran el carácter complejo de su naturaleza. Veamos cómo la tipificación del delito de trata de personas recoge explícita o implícitamente algunos aspectos de la referida complejidad criminológica de este fenómeno delictivo.

A. *La especial situación victimizante y la formación de los tipos penales*

De acuerdo con Subijana Zunzunegui[19], apelando a una perspectiva victimológica, el principio de protección de las víctimas despliega uno de sus máximos alcances en el Derecho sustantivo. Efectivamente, desde el ángulo del tipo penal, éste despliega su pretensión protectora, configurando el bien jurídico protegido, el contenido y finalidad del injusto en función del tipo de víctima que nos encontremos. Los estudios criminológicos modernos desde sus primeros momentos evidenciaron que determinadas características personales o contextuales[20] de las víctimas determinan en alguna de ellas más que en otras su "propensión" a ser víctimas de determinado tipo de delito[21].

---

[19]   SUBIJANA ZUNZUNEGUI, Ignacio. "El principio de protección de las víctimas en el marco jurídico penal material y procesal". En: Jueces para la Democracia 51. 2004.

[20]   Señala Bottke que "son varios los factores que influyen en la victimización de un individuo. El estilo de vida, edad, sexo, raza, origen y origen social son todos factores influyentes que determinan la victimización. De acuerdo con las investigaciones realizadas hasta la actualidad, esto es evidencia que la victimización es más común para algunos grupos de nuestra sociedad que para otros y que algunas personas sufren más el delito que otras". BOTTKE, Wilfried. "Sexualidad y delito. Las víctimas de los delitos sexuales". En: REYNA ALFARO, Luis (coordinador). "Victimología y victimodogmática". Lima: ARA editores. 2003. p. 477.

[21]   DE LA CUESTA AGUADO, Paz. "Victimología y víctimología femenina: las carencias del sistema". En: REYNA ALFARO, Luis (coordinador). "Victimología y victimodogmática". Lima: ARA editores. 2003. p. 122.

Bajo la perspectiva anterior, y dependiendo de las notas especiales de victimización sufrida, el tipo penal minimiza o maximiza la protección penal de aquella víctima[22]. Estas notas permiten, según Subijana, agrupar a las víctimas en víctimas comunes (aquellas que no presentan notas particulares que permitan una protección especial en el tipo penal) y víctimas específicas (aquellas que presentan especiales características que determinan, a su vez, formas especiales, intensificadoras o moduladoras de la protección jurídico penal)[23]. Dentro de éstas últimas, el referido autor distingue entre víctimas vulnerables, víctimas familiares, víctimas simbólicas, víctimas estatales o víctimas participantes.

Nos interesa resaltar el caso de las víctimas vulnerables y de las víctimas familiares, dado que ambas explican bastante bien el caso de las víctimas de trata de personas y del correspondiente tipo penal orientado a su protección. En el caso de las víctimas vulnerables, se trata de aquellas que "presentan una especial dificultad para contener los riesgos de victimación a los que se encuentran expuestas[24]" por diversas razones (personales, económicas, sociales-psicológicas, medios coercitivos utilizados, etc). En mi concepto, el caso de víctimas familiares es una especificidad de las víctimas vulnerables, dado que la situación de vulnerabilidad radica en el contexto familiar o doméstico donde el pariente o familiar ejerce un dominio sobre la víctima o abusa de la situación de confianza que ésta deposita en aquel[25].

En ambos casos, creo que la situación vulnerable de la víctima condición el tipo penal, "pergeñando en la configuración del injusto los elementos definidores de la situación vulnerable, permitiendo con ello un incremento del desvalor del hecho atribuido al victimario[26]".

Los estudios criminológicos y el propio Protocolo de Palermo parten de considerar que existen una serie de factores que condicionan la situación vulnerable de una víctima de trata. Así principalmente, la precaria situación económica de la víctima—pobreza—, la falta de oportunidades en el contexto donde ella se desenvuelve, la relación de

---

[22] SUBIJANA ZUNZUNEGUI, Ignacio. *op. Cit.* p. 15
[23] Ibídem.
[24] Ibídem.
[25] Ibídem.
[26] Ibídem.

dependencia —psicológica o económica— con el victimiario, la relación de autoridad que ejerce el victimario sobre la víctima, etcétera.

Ello explica porque el tipo penal no sólo se limita, en caso de víctimas adultas, a la exigencia de la utilización de medios coercitivos clásicos como la violencia, amenaza o el engaño, sino que añada, como umbral general del tipo penal, el aprovechamiento de la situación de vulnerabilidad de la víctima. Y ello explica también por que en el caso de las víctimas menores de edad no se exija la verificación de alguno de los medios coercitivos, fraudulentos o de abuso.

Condicionada por esa perspectiva victimológica, el tipo de injusto del delito de trata de personas presenta algunas características especiales que lo configuran dogmáticamente.

B. El delito de trata de personas como delito de dominio sobre la víctima y relevancia del consentimiento

Es importante en este punto recordar la redacción del tipo penal y apreciar la distinción de supuestos cuando la víctima sea mayor de edad y cuando la víctima sea menor edad.

1. El supuesto de la trata de personas mayores de edad

En el caso de las víctimas de trata mayores de edad, el Protocolo de Palermo define así el supuesto de hecho de la trata:

Artículo 3.- "Definiciones.

Para los fines del presente Protocolo:

a) Por "trata de personas" se entenderá la captación, el transporte, el traslado, la acogida o la recepción de personas, **recurriendo a la amenaza o al uso de la fuerza u otras formas de coacción, al rapto, al fraude, al engaño, al abuso de poder o de una situación de vulnerabilidad** o a la concesión o recepción de pagos o beneficios para obtener el consentimiento de una persona que tenga autoridad sobre otra, con **fines de explotación. Esa explotación incluirá, como mínimo, la explotación de la prostitución ajena u otras formas de explotación sexual, los trabajos o servicios forzados, la esclavitud o las prácticas análogas a la esclavitud, la servidumbre o la extracción de órganos.** [...]" [El énfasis es nuestro].

El Código Penal peruano no difiere en esencia de esta descripción. Así nuestro artículo 153 prohibe la trata de personas de la siguiente manera:

Artículo 153.- "Trata de personas

1. **El que mediante violencia, amenaza u otras formas de coacción, privación de la libertad, fraude, engaño, abuso de poder o de una situación de vulnerabilidad,** concesión o recepción de pagos o de cualquier beneficio, capta, transporta, traslada, acoge, recibe o retiene a otro, en el territorio de la República o para su salida o entrada del país con fines de explotación, es reprimido con pena privativa de libertad no menor de ocho ni mayor de quince años.

2. **Para efectos del inciso 1, los fines de explotación de la trata de personas comprende, entre otros, la venta de niños, niñas o adolescentes, la prostitución y cualquier forma de explotación sexual, la esclavitud o prácticas análogas a la esclavitud, cualquier forma de explotación laboral, la mendicidad, los trabajos o servicios forzados, la servidumbre,** la extracción o tráfico de órganos o tejidos somáticos o sus componentes humanos, así como cualquier otra forma análoga de explotación. [...]

3. **El consentimiento dado por la víctima mayor de edad a cualquier forma de explotación carece de efectos jurídicos cuando el agente haya recurrido a cualquiera de los medios enunciados en el inciso 1".**[El énfasis es nuestro].

En cambio, en el caso de víctimas menores de edad, el Protocolo de Palermo aclara que el supuesto de hecho de trata descrito anteriormente es el mismo, pero con la supresión de un grupo de elementos: el de los medios que develan el vicio del consentimiento de una persona. En ese sentido, el referido Protocolo señala que:

Artículo 3.- "Definiciones.

Para los fines del presente Protocolo:

[...]

c) La captación, el transporte, el traslado, la acogida o la recepción de un niño con fines de explotación se considerará "trata de personas" incluso cuando no se recurra a ninguno de los medios enunciados en el apartado a) del presente artículo.

490 Yvan Montoya Vivanco

d) Por "niño" se entenderá toda persona menor de 18 años".

El Código Penal peruano —artículo 153—reitera de manera semejante dicha consideración de supresión de los elementos de medios coercitivos o referidos señalados para el caso de la trata contra víctimas mayores de edad.

Artículo 153.- "Trata de personas.

3. **La captación, transporte, traslado, acogida, recepción o retención de niño, niña o adolescente con fines de explotación se considera trata de personas incluso cuando no se recurra a ninguno de los medios previstos en el inciso 1"** [El énfasis es nuestro].

De acuerdo con dicha supresión, la trata de menores de edad quedaría descrita más o menos de la siguiente manera: Por "trata de menores de edad" se entenderá la captación, el transporte, el traslado, la acogida o la recepción de menores de 18 años con fines de explotación. Esa explotación incluirá, como mínimo, la explotación de la prostitución ajena u otras formas de explotación sexual, los trabajos o servicios forzados, la esclavitud o las prácticas análogas a la esclavitud, la servidumbre o la extracción de órganos.

Con relación al primer supuesto, el de la trata de personas mayores de edad, el tipo plantea una serie de medios como la violencia, la amenaza, el engaño, la coacción, el fraude, el rapto o el abuso de una situación de vulnerabilidad, los cuales operan como mecanismos que permiten evidenciar el vicio del aparente consentimiento de la víctima[27] y anunciar el riesgo próximo de una situación de explotación sexual[28], laboral u otras forma de explotación.

Esta constatación no es incompatible, sino complementaria, con la perspectiva adoptada por otros autores, quienes indican que dichos

---

[27] Este es el expreso sentido que señala el Protocolo de Palermo en el literal b del artículo 3.

[28] Como señala Fernández Olalla cuando hace referencia al momento de la captación engañosa, "en estos casos, el engaño se proyecta sobre las durísimas condiciones de vida que le aguardan, las condiciones laborales extremas y la eventual venta como esclava (a la víctima) a otras organizaciones". FERNÁNDEZ OLALLA, Patricia. "Una aproximación práctica a la lucha contra la trata de personas". En: VIDAL FUEYO, María del Camino (coordinadora). "La trata de seres humanos". Madrid: Centro de Estudios Políticos y Constitucionales. 2012. p. 108.

medios comisivos "configuran el escenario de dominio y de sometimiento característico de la trata[29]". Esta característica se condice con el diagnóstico criminológico antes expuesto, que nos indica que, indistintamente que se trate de un delito cometido en un contexto de criminalidad organizada o se trate de un delito como expresión de prácticas codelincuenciales domésticas e incluso unipersonales, el delito de trata expresa siempre un situación previa o provocada de relación asimétrica de dominio de una persona sobre otra. Esa relación asimétrica de dominio entre el tratante y la víctima es un elemento que se empieza a evidenciar a partir de cualquiera de los medios comisivos antes indicados.

Sin embargo, no debe confundirse este ejercicio de dominio que se expresa en los medios comisivos con el dominio que se expresa en la situación efectiva de explotación de la persona. Evidentemente, la explotación efectiva de una persona —la explotación de la prostitución ajena, la explotación sexual, la servidumbre, el trabajo forzado, la esclavitud, etcétera— configura también una situación de dominio de una persona sobre otra, pero esta forma de dominio resulta una expresión cuantitativamente más intensa que aquel dominio inicial expresado en el uso de la violencia, la amenaza, el engaño o el abuso de una situación vulnerable con fines de explotación[30]. Ello en virtud de que en este supuesto último el tratante instrumentaliza o cosifica en provecho personal el cuerpo o el trabajo de la víctima.

En ese sentido, a diferencia de lo que parecen sostener algunos autores[31], personalmente creo que la gravedad del delito de trata de

---

[29]   POMARES CINTAS, Esther. "El delito de trata de seres humanos". En: ÁLVAREZ GARCÍA, Francisco Javier (director). "Derecho penal español. Parte especial I, 2010 y Derecho penal español. Parte especial II". Valencia: Tirant lo Blanch. 2011. p. 551. Quien cita las posiciones de los profesores Pérez Alonso y Villacampa Estiarte.

[30]   Debo explicar que no creo que se trate de dos tipos de dominio autónomos, sino todo lo contrario. El primer dominio, que se expresa al momento de la utilización, de la violencia, la amenaza, el fraude o el aprovechamiento de una situación de vulnerabilidad, es un continuo hasta alcanzar una situación de dominio más intenso de una persona sobre otra, de tal manera que ésta se encuentra disponible a la manera de una cosa o un animal.

[31]   Es dudosa la posición de: POMARES CINTAS, Esther. *op. Cit.* p. 548. Por un lado, afirma que "esta situación de cosificación de la persona previa a la explotación es lo que justifica la singularidad de delito autónomo", lo que da a entender

personas radica sobre todo en el fin que persiguen la captación, el traslado, la acogida o la retención de la persona —sobre quien se ha empleado alguno de los mencionados medios comisivos—; esto es, el efectivo sometimiento de ésta a una determinada situación de explotación (sexual, laboral u otra)[32].

Desde esta perspectiva, los medios comisivos son sólo una forma de explicitación de elementos que permiten orientar al operador judicial respecto del vicio del consentimiento de una persona que es conducida a una situación de explotación. En realidad, desde una mirada estricta no serían elementos necesarios[33]. Las conductas que están dirigidas a llevar a una persona a una situación de explotación presuponen el empleo de algún mecanismo coercitivo contra la víctima o al menos el aprovechamiento de los escasos márgenes de autodeterminación que tiene una persona adulta en situación de vulnerabilidad. Esta es la única manera de comprender por qué una persona no puede "consentir" válidamente una próxima situación de explotación[34].

---

que lo importante es la instrumentalización que se produce con anterioridad a la explotación y, por otro lado, resalta que la relevancia típica de las conductas de captación, traslado o acogida solo se produce cuando "se encuentren objetivamente vinculadas en el momento de la acción a la consecución de las conductas de explotación". También: MARAVER GÓMEZ, Mario. "Trafico ilegal de personas e inmigración ilegal". En: DÍAZ-MAROTO VILLAREJO, Julio (coordinador). "Derecho y Justicia Penal en el siglo XXI: Liber Amicorum en Homenaje al profesor Antonio Gonzales Cuellar García". Madrid: Colex. 2006. p. 622.

[32] Comparto en ese sentido la posición del profesor Aboso: ABOSO, Gustavo Eduardo. "Trata de personas: La criminalidad organizada en la explotación laboral y sexual". Buenos Aires: Editorial B de F. 2013. p. 90.

[33] ABOSO, Gustavo Eduardo. op. Cit. p. 90

[34] DAUNIS RODRÍGUEZ, Alberto. "El delito de trata de seres humanos". Valencia: Tirant lo Blanch. 2013. p. 144. Plantea claramente las dos posiciones: "De un lado aquellas que niegan la validez de cualquier tipo de consentimiento que haya sido otorgado por una persona explotada, al entenderse que ninguna persona puede aceptar su propia explotación; y de otro lado, las que aseveran la necesidad de garantizar la libertad de las personas para decidir sobre su futuro". Sin embargo, el autor interpreta el artículo 3 del Protocolo de Palermo en el sentido de que el Protocolo opta por la segunda de las posiciones, esto es, el reconocimiento pleno de la libertad individual: "El consentimiento dado por la víctima de la trata [...] a toda forma de explotación que se tenga la intención de realizar [...] no se tendrá en cuenta cuando se haya recurrido a cualquiera de los medios enunciados en dicho apartado". En mi concepto, el enunciado debe interpretarse de manera contraria. No hay consentimiento válido —es decir, no existe posibi-

Esto explicaría por qué varias legislaciones del ámbito latinoamericano prescinden, en su tipificación interna, de los medios comisivos antes expuestos. Así, por citar algunos de los ejemplos más representativos, las legislaciones penales de Colombia, Argentina, Ecuador y México prescinden en la tipificación de su delito de trata de personas de los medios comisivos que hemos indicado anteriormente. Evidentemente, esta ausencia de medios comisivos en la tipificación interna no significa que el operador judicial no deba hacer el esfuerzo de evidenciar algún medio comisivo—violento, coercitivo o de prevalimiento— que explique la futura situación de explotación de la víctima.

Esta perspectiva nos lleva a considerar que, más allá de la manifestación del tratante o de la manifestación de la propia víctima, lo importante es la situación —objetiva— en la que ésta se encuentra o la situación que le deparará próximamente a la misma. Es decir, lo importante es el análisis, a partir de todos los medios de prueba directos o indirectos, de la situación de explotación o próxima situación de explotación de la víctima.

En otras palabras, las investigaciones deben evidenciar una situación existente o una situación próxima de sometimiento de una persona a alguna forma de dominio por parte de otra. Reiteramos, entonces, que en el caso de víctimas de trata mayores de edad, los medios comisivos —violencia, coacción, amenaza, engaño o abuso de una situación de vulnerabilidad—serían una especie de indicios—*ratio conoscendi*— que denotan una situación de riesgo de explotación o de una explotación ya existente.

2. El supuesto de la trata de personas menores de edad

Como hemos ya anunciado, para el caso de la trata de menores de edad, tanto el Protocolo de Palermo como el legislador penal nacional suprimen dentro de la tipificación de este delito los medios comisivos que se describen para el caso de la trata de personas mayores de edad.

---

lidad de consentimiento— cuando la víctima se encuentre frente a una situación de violencia, amenaza o especialmente de vulnerabilidad aprovechada por el tratante. Es decir, más importante que el consentimiento de la víctima es la situación en la que se encuentra la misma. Es esta situación y no lo que sostenga la víctima lo que determinará una situación de explotación existente o próxima.

Ello implica que la trata en estos supuestos queda constituida por dos elementos: las conductas y los fines.

Esto significa, como menciona Pomares Cintas, que "dada la vinculación necesaria entre las conductas de captación, traslado o recepción y la finalidad de utilización posterior (léase instrumentalización) del menor, éste no puede consentir válidamente en el ejercicio de la prostitución o en participar en espectáculos exhibicionistas o en la elaboración de material pornográfico ni puede aceptar someterse a las modalidades de explotación laboral previstas, ni a la extracción de sus órganos corporales[35]".

La supresión de los medios comisivos en este caso no sólo obedece a razones político-criminales relacionadas con el "aseguramiento de la legislación de no permitir a niños, en ninguna circunstancia, ejercer la prostitución o la pornografía[36]", ni tampoco a la situación de falta de capacidad de autodeterminación de los menores de edad o a su especial situación de vulnerabilidad. En nuestra consideración, la razón principal para la supresión de los medios comisivos en el caso de trata de menores de edad radica en la misma razón que hemos expuesto con relación a la innecesariedad de estos medios para el supuesto de trata de adultos. En efecto, si no resulta posible que una persona adulta pueda consentir válidamente una situación próxima de explotación, con mayor razón una persona menor de edad no puede consentir válidamente una situación próxima de explotación sexual, laboral u otra semejante.

El legislador, entendemos, ha considerado explícitamente innecesario acudir a medios comisivos, coercitivos o de abuso para evidenciar la ausencia de consentimiento válido por parte de una víctima menor de edad. Resulta evidente para el legislador penal que los o las menores de edad se encuentran en una situación de vulnerabilidad presunta debido no sólo al déficit de formación psicofísica del o la menor sino, sobre todo, a la relación asimétrica entre el sujeto activo y el sujeto pasivo que supone una situación de explotación.

---

35   POMARES CINTAS, Esther. *op. cit.* Loc. *cit.*
36   GLOBAL RIGHTS. "Guía anotada del Protocolo completo de la ONU contra la trata de personas". p. 14. En: http: //www.acnur.org/t3/fileadmin/scripts/doc. php?file=t3/fileadmin/Documentos/Publicaciones/2006/3556.

Esta situación de especial vulnerabilidad —motivada por el fin de las conductas típicas y por la relación asimétrica en que se encuentra—es diferente a la situación en la que se encuentra la menor cuando mantiene contacto sexual o acceso carnal—pacífico y consentido—con otra persona fuera de un fin de explotación. Esta última situación no viene marcada por un contexto vertical y asimétrico entre el sujeto activo y el sujeto pasivo, sino por un contexto, en gran medida, horizontal. Es en este último supuesto en el que el consentimiento de la víctima puede tener relevancia penal y ser excluyente de responsabilidad penal.

C. El bien jurídico protegido y el replanteamiento del tipo

He preferido analizar la problemática del objeto jurídico de protección en el delito de trata de personas no al inicio de este acápite, como hubiera resultado tradicional, sino con posterioridad al tema del consentimiento de la víctima, dado que de esta manera, considero, resultará mejor comprender la naturaleza del bien jurídico.

Existen tres posiciones sobre cuál es el bien jurídico protegido en el tipo penal de trata de personas[37]. En las líneas siguientes haremos una reseña de estas posiciones y estableceremos finalmente aquella que consideramos como la más adecuada, teniendo en cuenta nuestro marco constitucional e internacional, la tipificación interna y los efectos que una u otra posición pueden conllevar.

1. Primera Posición: La libertad personal como bien jurídico protegido[38]

Esta posición sostiene que la libertad ambulatoria es el concreto bien jurídico protegido en el tipo penal de trata de personas, aunque

---

[37]   Se descartan algunas posiciones residuales en virtud de su escasa trascendencia para la discusión en la doctrina nacional. Por ejemplo, hemos descartado la perspectiva de un sector de la doctrina española que señalaba a la política migratoria como bien jurídico protegido. Esta discusión se debía a la pésima técnica legislativa del antiguo delito de trata ya reformado del Código penal español, que incluía el delito de trata de personas como un agravante del delito de tráfico ilegal de personas.

[38]   Esta es la posición seguida preferentemente por la doctrina nacional. Los profesores Salinas Siccha y Peña Cabrera Freyre sostienen que la libertad personal es

posteriormente reconoce de manera específica a la dignidad personal como bien jurídico protegido[39].

Esta posición se asienta fundamentalmente en dos razones: (i) por un lado, los medios comisivos del delito —es decir, los mecanismos por los cuales se restringe la voluntad de la víctima— denotan distintas intensidades de afectación a la libertad ambulatoria —por ejemplo, la violencia, amenaza, engaño, abuso de autoridad, etcétera—[40]; y (ii) por otro lado, la ubicación sistemática del delito de trata de personas en nuestro Código Penal. Este tipo penal se encuentra dentro de los delitos contra la libertad individual, junto a los delitos de coacción y secuestro.

Esta es la posición que parece adoptar nuestra Corte Suprema en su Acuerdo Plenario 3-2011 CJ/116, párrafo 12. De acuerdo con este acuerdo plenario, la trata de personas protege la libertad personal entendida como la capacidad de autodeterminación de una persona para desenvolver su proyecto de vida.

No obstante, existen dos argumentos que no permiten asumir esta posición. De un lado, se señala que esta postura no puede explicar la trata de menores de edad —incluso menores de 18 años—, en la cual los medios de comisión son irrelevantes a pesar que en otros ámbitos se les reconoce capacidad para expresar su consentimiento sobre su autodeterminación sexual, por ejemplo. Por otro lado, la referida posición no tiene en cuenta mínimamente lo que resulta ser la característica principal del fenómeno de la trata en el mundo: los fines de explotación laboral, sexual u otra semejante de la persona. En razón de ello, se argumenta que el delito de trata trasciende la mera restricción de la libertad ambulatoria.

---

el bien jurídico protegido en este delito.

[39] SALINAS SICCHA, Ramiro. "Derecho penal. Parte Especial". Volumen 1. Lima: Grijley. 2010. p. 498. En el mismo sentido: CARO CORIA, Dino Carlos. "Ponencia presentada al VII Plenario de la Corte Suprema de la República realizado el 2 de noviembre de 2011".

[40] Ibídem.

2. *Segunda Posición: La dignidad personal como bien jurídico protegido*

Esta es la posición mayoritaria de la doctrina penal comparada, aunque no de la peruana[41]. Si bien se reconoce que la dignidad humana es un valor presente, con mayor o menor intensidad, en todos los derechos fundamentales, también posee un contenido específico y autónomo que no puede ser alcanzado totalmente por cada derecho independientemente considerado[42].

Las críticas dirigidas a esta posición precisamente se refieren a la falta de autonomía del principio de dignidad humana y que esta cualidad del ser humano está presente de manera transversal en todos los derechos fundamentales, especialmente en los derechos fundamentales individuales. Desde esta crítica, es mejor delimitar al objeto de protección del tipo de injusto de trata de personas por uno de los bienes jurídicos individuales —referido al derecho fundamental correspondiente—que este delito afecta o pone en peligro de manera visible, como lo es la libertad personal.

La profesora Alonso Alamo ha reaccionado convincentemente frente a estas críticas y reafirmado la posición de que la dignidad humana es el bien jurídico en el delito de trata de personas[43]. Así, en primer lugar precisa que hay que entender que "la dignidad, como

---

[41]   VILLACAMPA ESTIARTE, Carolina. "El delito de trata de personas: Análisis del nuevo artículo 177 bis Código Penal desde la óptica del cumplimiento de compromisos internacionales de incriminación". En: Anuario da Facultad de Dereito da Universidade da Coruña 14. 2010. pp. 835-837. También dentro de esta posición: PÉREZ CEPEDA, Ana. "Globalización, trafico internacional ilícito de personas y derecho penal". Granada: Editorial Comares. 2004. p. 170; aunque en referencia al derogado artículo 318 bis del Código Penal español de deficiente redacción. Finalmente, asociando el bien jurídico integridad moral a la dignidad personal, también se citan las posiciones de Pérez Alonso, De León Villalba, Carmona Salgado o Lourenzo Copello.

[42]   Uno de los primeros en marcar ese ámbito autónomo de la dignidad ha sido: BENDA, Ernesto. "Dignidad humana y derechos de personalidad". En: BENDA, Ernesto; MAIHOFER, Werner; VOGEL, Hans-Jochen. J.; HESSE, Conrad y Wolfgang HEYDE. "Manual de Derecho Constitucional". Madrid: Marcial Pons. 2001. pp. 120-121.

[43]   Debe advertirse que la dignidad humana es un concepto que para la doctrina española se identifica con el derecho a la "integridad moral", recogido en el artículo 15 de la Constitución española.

es por lo general aceptado es algo distinto a la suma de los derechos esenciales que de ella emanan y en los que se concreta y que, en cuanto tal, es susceptible de ser protegida de forma inmediata y directa por el derecho penal[44]".

En ese sentido, la misma autora nos refiere que, más allá de la presencia de la dignidad en bienes como la vida, la salud individual, la libertad, el honor o la intimidad, existe un "remanente, lo específicamente humano, que podría ser menoscabado con independencia de que se atente o no contra la vida, la libertad o la intimidad, etcétera[45]". Ese remanente al que hace referencia la autora, o ese "algo" diferente que constituiría lo esencial de la naturaleza humana, "podría ser atacado por acciones que comporten la cosificación, instrumentalización, envilecimiento o humillación de la persona[46]".

Así, la dignidad impide todo "trato vejatorio que represente convertir en cosas a los seres humanos[47]". Tal como lo hemos dicho en otro trabajo, la trata de personas describe, entonces, un proceso que implica justamente un atentado o un riesgo de atentado al núcleo fundamental de la personalidad humana, dado que lesiona o puede lesionar no tanto alguna de las manifestaciones en donde se expresa la dignidad —vida, salud, libertad o el honor, por ejemplo—, sino aquel aspecto que tales manifestaciones no cubren necesariamente: su instrumentalización.

3. Tercera Posición: Pluralidad de bienes jurídicos protegidos

Esta posición considera que detrás del delito de trata de personas existe una pluralidad de bienes jurídicos protegidos, dependiendo del bien jurídico amparado detrás de cada modalidad de explotación prohibida. Así, por ejemplo, en los casos de trata con fines de explo-

---

[44] ALONSO ALAMO, Mercedes. "¿Protección penal de la dignidad? A propósito de los delitos relativos a la prostitución y a la trata de personas para la explotación sexual". En: Revista Penal 19. 2007. p. 5.

[45] Ibídem.

[46] Ibídem.

[47] VILLACAMPA ESTIARTE, Carolina. "Comentarios a la Parte especial del Código Penal". En: QUINTERO OLIVARES, Gonzalo. "Comentarios a la Parte especial del Código Penal". Navarra: Aranzadi. 2005. p. 1119.

tación laboral el bien jurídico sería la libertad laboral. En los casos de trata con fines de explotación sexual, el bien jurídico sería la libertad sexual[48].

Consideramos que esta postura no resulta viable por su estructura difusa, y porque no contribuye con una interpretación estable del tipo penal, ni tampoco con su función de resolver los problemas de concurrencia con delitos afines. Pero sobre todo considero que esta postura no logra apreciar que lo que la trata pretende en esencia evitar es una situación objetiva de instrumentalización o cosificación de una persona más allá de su voluntad de consentir o no dicha situación.

4. *Posición personal*

Desde nuestra perspectiva, la segunda posición es la correcta, a pesar de que no se condiga con la ubicación sistemática de nuestro tipo penal. En realidad, lo que se pretende proteger detrás de la tipificación de la trata de personas, como señala Alonso Alamo, es específicamente lo humano, aquello que nos permite valorarlo en sí mismo e impide asumirlo como una cosa disponible o instrumentalizable.

La postura que reconoce la protección de la dignidad como esencia de la trata de personas coincide con la perspectiva asumida por diversos instrumentos internacionales de protección frente a la trata de personas. Dichos instrumentos señalan la necesidad de proteger la dignidad de las personas[49]. Además, la dignidad humana constituye

---

[48]   En la doctrina española, algunos autores consideran la existencia de dos bienes jurídicos protegidos en el delito de trata de personas: la dignidad y la libertad personal. Estas posturas obedecen a un esfuerzo interpretativo que planteaba la deficiente técnica legislativa española antes de la forma de 2003. Dado que la trata de personas se encontraba dentro de los delitos de favorecimiento a la prostitución, los autores no podían prescindir de la libertad sexual como bien jurídico. Sin embargo, detectaron elementos que trascendían la mera restricción de la libertad y que implicaban situaciones de instrumentalización de las personas que atentaban el núcleo de la dignidad humana.

[49]   Así, por ejemplo, el Convenio de Naciones Unidas de 1949 para la represión de la trata de personas y de la explotación de la prostitución ajena establecía que la trata de personas es incompatible con la dignidad y el valor de la persona humana. Igualmente, el Informe de 2003 del Grupo de Trabajo sobre las formas contemporáneas de esclavitud de la Comisión de Derechos Humanos de las Na-

una categoría que permite una mejor desvaloración de la gravedad del fenómeno de la trata de personas.

La adopción de esta posición nos lleva a asumir coherentemente algunas consecuencias que resultan fundamentales para interpretar o valorar las interpretaciones realizadas por nuestra jurisprudencia suprema:

a) En primer lugar, la dignidad de la persona debe entenderse de manera objetiva, es decir, "como valor jurídico en si, no dependiente de los sentimientos ni de la voluntad de la persona, ni tampoco enraizado en una determinada concepción moral o religiosa[50]". Ello supone que, frente a una situación objetiva de afectación de la dignidad —vía comportamientos de explotación, vejación o instrumentalización de la persona— o de proximidad de dicha afectación, el sujeto no puede válidamente consentir. Esto no supone un paternalismo estatal ni una forma encubierta de incluir una moral particular, sino la protección de la esencia misma del ser humano[51]; esto es, el derecho, por el hecho de ser persona, a no ser tratado como cosa susceptible de disponer o dominar como un objeto o sojuzgar a voluntad del tratante.

b) Los actos dirigidos contra la dignidad no son actos dirigidos necesariamente contra la voluntad de un sujeto. La trata, desde esta perspectiva, no supone la realización de actos dirigidos necesariamente a doblegar la voluntad o la autodeterminación de una persona, sino a aprovecharse de una persona sobre quien se ejerce un dominio semejante al que se ejerce sobre una cosa o un animal. En consecuencia, el núcleo de la dignidad humana es indisponible para cualquier persona, sea esta menor o mayor de edad. Es por ello que el contexto o situación que afecta este núcleo no puede ser analizada sólo desde la perspectiva subjetiva de la víctima.

---

ciones Unidas señala sobre la explotación de la prostitución ajena que se trata de una práctica incompatible con la dignidad y el valor de la persona humana.
[50]   ALONSO ALAMO, Mercedes. *op. cit.* p. 6.
[51]   Ibid. p. 7.

c) Si se asumen las dos consecuencias anteriores, debe aceptarse que el trabajo interpretativo del tipo penal de trata y el proceso de recaudo probatorio en este delito tiene en primer lugar que enfocarse no en los medios comisivos coaccionantes, violentos, fraudulentos o abusivos, sino en la situación en la que se encuentra o se encontrará proximamente la víctima. Si esta situación supone un proceso de dominio de una persona sobre otra —la cual es tratada de manera semejante a una cosa—, entonces la conducta de captación, traslado, recepción o acogida de esa persona es una conducta típica de trata. Los medios comisivos antes señalados son solamente herramientas que pueden evidenciar una situación próxima de explotación humana.

D. *La trata como delito proceso y el replanteamiento del enfoque probatorio*

Todos los manuales o informes de los organismos internacionales caracterizan la práctica de la trata de personas como un delito proceso[52]; esto es, constituye una conducta delictiva que implica el desarrollo de diversas etapas que van desde la captación de la víctima hasta su recepción o alojamiento en el lugar de destino, pasando por el transporte de la víctima o el traslado de ella. Durante estas etapas es posible que se involucren diversas personas, por lo que no resulta difícil encontrar detrás de éstos delitos una organización criminal, o al menos situaciones de una coautoría delictiva.

En el Perú, tal como hemos apreciado de los estudios criminológicos, los casos más recurrentes no involucran organizaciones criminales sino formas de coparticipación delictiva, incluso formas de participación única. Todo ello no niega la característica esencial de este delito, que presupone una relación asimétrica y de dominio de un sujeto sobre otro.

Caracterizar la trata de personas como un delito proceso obedece a una mirada criminológica de éste fenómeno delictivo, mas no

---

52 Como señala Aboso, "la trata de personas es una actividad criminal nacional o transnacional que se caracteriza por sus secuencias o fases que abarcan desde el reclutamiento hasta la recepción y acogida". ABOSO, Gustavo Eduardo. *op. cit.* p. 40.

coincide necesariamente con su caracterización dogmática. Desde esta perspectiva, el tipo penal de trata de personas es un delito de conductas alternativas[53], esto es, contiene conductas alternativas que denotan implícitamente alguna fase de la movilidad de la víctima[54].

No se trata de exigir alguna forma de desarraigo[55], elemento no previsto en el tipo penal, sino de evidenciar algún punto de ubicación de la víctima en el proceso de movilidad que supone la trata de personas. Pero tal movilidad no necesariamente tiene el propósito de desvincular a la víctima de sus orígenes o su familia, sino simplemente de crear o acentuar la situación de vulnerabilidad de la víctima. No debemos olvidar que en no pocos casos en el Perú la víctima, especialmente menores de edad, no es tanto desarraigada sino entregada por sus propios familiares.

Finalmente, las conductas alternativas que se describen en el tipo penal de la trata de personas no tienen en sí mismas relevancia penal, sino cuando estas se orientan a conducir a la víctima o la han conducido a una situación de explotación laboral, sexual u otra semejante. Desde esta perspectiva, como hemos señalado anteriormente, lo más importante es el fin u orientación de las conductas y no tanto las conductas en sí mismas. Esto resulta muy importante para la formulación de la teoría del caso y las prioridades en el proceso de recaudo de elementos de prueba.

La actividad de investigación preparatoria debe estar orientada principalmente al acopio de elementos de prueba vinculados a la situación de explotación en la que realmente se encuentra la víctima o a la situación de explotación próxima a la que es conducida la víctima a través de las conductas indicadas. En el caso de las víctimas mayores de edad, la evidencia de los medios comisivos coercitivos, fraudulen-

---

[53] MIR PUIG, Santiago. "Derecho Penal. Parte General". Barcelona: Reppetor. 2011. p. 236

[54] Como señala Pomares, "la conducta típica engloba un listado de comportamientos alternativos de alcance tan amplio como su significado gramatical y se refiere a las bases o *iter* de la trata de personas; expresa el movimiento o desplazamiento de personas de un lugar a otro, una característica que define el concepto de trata". POMARES CINTAS, Esther. *op. cit.* p. 8.

[55] Manuales como el de la Oficina de Naciones Unidas contra las Drogas y el Delito ("Manual de investigación del delito de trata de personas". Costa Rica. 2010) incluyen como un elemento de la trata de personas el desarraigo de la víctima.

tos, violentos o de abuso utilizados son herramientas importantes que nos ayudan a evidenciar o probar la finalidad de explotación de la víctima.

4. VALORACIÓN CRÍTICA DE LA ACTUACIÓN DE LA SALAS PENALES DE LA CORTE SUPREMA EN CASOS DE TRATA DE MENORES DE EDAD

Con relación al Caso 1, puede advertirse, más allá de las posibles deficiencias o no de la sentencia de primera instancia, que la Sala Suprema consideraría relevante la declaración de las menores en el extremo que señalan que no fueron obligadas por ACF a mantener relaciones sexuales con los clientes del bar. Es decir, a pesar que el Protocolo de Palermo y nuestro propio tipo penal de trata de personas no requiere recurrir a alguno de los medios comisivos, parece que para la Corte Suprema sí es relevante haber empleado algún medio coercitivo para evidenciar la trata de menores con fines de explotación sexual, es decir, del ejercicio de la prostitución ajena de menores de edad.

Con relación al Caso 2, nuevamente la Corte Suprema, en contra de lo prescrito por el Protocolo de Palermo y de nuestro tipo penal de trata de personas[56], considera relevante, para evaluar un delito de trata de menores de edad, la existencia de algún medio comisivo coercitivo, violento o fraudulento. La ausencia de alguno de los medios comisivos indicados, aparentemente, constituyeron la circunstancia que le permitió a la Corte Suprema convalidar el cambio de tipificación del delito de trata de personas por un delito sustancialmente más benigno como lo es el delito de rufianismo[57].

Pero este caso mostraba también un aspecto adicional: el acceso carnal entre la adolescente y el acusado. Al respecto, debemos señalar

---

[56] El último párrafo del artículo 153 del Código Penal, vigente al momento de los hechos, sostenía que "la captación, transporte, traslado, acogida, recepción o retención de niño, niña o adolescente con fines de explotación se considerará trata de personas incluso cuando no se recurra a ninguno de los medios señalados en el párrafo anterior".

[57] El tipo penal de trata agravada —por la existencia de dos víctimas— contempla una pena de 12 a 20 años de privación de la libertad, mientras que el delito de rufianismo contempla una pena de 6 a 10 años.

que el acceso carnal entre la adolescente y el acusado se produce en el contexto de una práctica de trata de personas—aunque la sentencia pretenda reducir los hechos a un simple rufianismo— y, por tal razón, consideramos que el citado Acuerdo Plenario 3-2011 no es aplicable al presente caso.

Hemos mencionado anteriormente que, indistintamente se trate de un delito cometido en un contexto de criminalidad organizada o se trate de un delito como expresión de prácticas co-delincuenciales o incluso unipersonales, el delito de trata expresa siempre una situación previa o provocada de relación asimétrica de dominio de una persona sobre otra. Esa relación asimética, de dominio entre el tratante y la víctima, es un elemento que se empieza a evidenciar a partir de cualquiera de los medios comisivos coercitivos, violentos o fraudulentos en el caso de las víctimas adultas y se presume *iure et de iure* en el caso de los menores de edad.

Igualmente, como hemos señalado anteriormente, el legislador penal ha considerado que los o las menores de edad se encuentran en una situación de especial vulnerabilidad, no frente a cualquier tipo de conductas, sino frente a las conductas de captación, transporte, acogida o retención que tengan el propósito de someterlas a explotación. Esta situación de especial vulnerabilidad —motivada por el fin de explotación— no puede ser la misma que aquella que, por ejemplo, supone el contacto de un sujeto con la víctima para mantener acceso carnal —pacífico y consentido— fuera de un fin de explotación. Esta última situación no viene marcada por un contexto vertical y asimétrico entre el sujeto activo y el sujeto pasivo, sino por un contexto generalmente horizontal entre los dos intervinientes de la relación sexual.

En Resumen, tanto el contexto asimétrico y vertical que caracteriza la relación entre el sujeto activo y la víctima en la trata de personas, como el fin de explotación de la víctima en este delito, impiden aceptar la relevancia del consentimiento de la víctima, especialmente cuando se trata de menores de edad.

Tanto el Acuerdo Plenario antes referido como la reforma legislativa posteriormente incorporada al artículo 173 de nuestro Código Penal otorgan relevancia excluyente de tipicidad de violación sexual a la voluntad de los adolescentes mayores de 14 años. Sin embargo, tal relevancia solo puede ser aceptada en aquellas prácticas sexuales que se produzcan en una relación horizontal, pacífica y ajena a cualquier contexto que se proponga la explotación sexual del menor de edad. Finalmente, es importante advertir con relación al Caso 1 —Resolución del 31 de agosto del 2010, Expediente 75-2010— cómo la Sala Penal Transitoria se concentra prioritariamente en evaluar si hubo consentimiento de las menores agraviadas y, en ese sentido, si medió algún medio comisivo violento, coactivo o fraudulento, y no tanto en valorar el trabajo sexual que realizaban las menores y las circunstancias en que tales actos se realizaban. Si el objeto de la valoración principal hubiera sido la correcta, esto es, calificar el aprovechamiento por parte de un sujeto adulto del ejercicio de la prostitución de menores como una situación de explotación sexual en sí misma, entonces hubiera resultado irrelevante concentrarse en evidenciar alguno de los medios comisivos ya enunciados.

Igual razonamiento se puede aplicar al caso 2—Resolución de 25 de enero de 2010, Expediente 3031-2009—, donde la Sala Suprema se concentra en la capacidad de las menores para consentir no sólo prácticas sexuales individuales sino la propia situación de la trata y, por tal motivo, llega a la calificación de los hechos como un acto de rufianismo[58]. Si el aprovechamiento de ejercicio de la prostitución ajena —al margen de si se utilizó o no algún medio comisivo— es en sí mismo una situación de explotación sexual de una menor de edad, entonces hubiera sido irrelevante la averiguación de la capacidad o no de las o los menores para consentir o no dicha situación de explotación.

Si la Suprema se hubiera enfocado en la valoración de la situación concreta de explotación de la víctima o del riesgo de alcanzar dicha situación, es muy probable que tuviéramos que replantear el sentido de algunos elementos de prueba recogidos durante las investigaciones ya actuadas en juicio.

Así por ejemplo, en los casos de versiones aparentemente contradictorias de una víctima menor de edad —sentencia del 28 de octubre

---

[58]   Especialmente en su sentido débil, tal como se ha definido en: MONTOYA VIVANCO, Yvan. "Manual de capacitación para operadores de justicia durante la investigación y el proceso penal en caso de trata de personas". p. 18. En: http: // www.oimperu.org/oim_site/documentos/Manual%20de%20capacitacion.pdf.

del 2011 del Expediente 1902-2011, la Sala Suprema, si hubiera logrado acreditar una situación objetiva de explotación laboral, debía
haberse inclinado por asumir la tesis incriminadora contenida en la
primera declaración brindada por la victima ante el fiscal o el juez y
rechazar la declaración de retractación hecha por la victima menor de
edad en sede de juicio oral. Ello en razón de que es la primera declaración de la menor la que se conduciría mejor con las evidencias sobre
la situación de explotación de la víctima.

5. A MANERA DE CONCLUSIÓN

– De todo lo mencionado hasta este punto, resulta importante evidenciar lo inadecuado de las líneas de interpretación del tipo penal
de trata de personas que viene desarrollando nuestra Corte Suprema
y, en ese sentido, proponer el replanteamiento del enfoque que debe
asumirse en el proceso de recaudación de elementos de prueba de los
hechos y la valoración de los mismos.

– La Corte Suprema se concentra en la validez del consentimiento
de los menores y en ese sentido en la existencia medios comisivos.
Ello la lleva a no tipificar los hechos como trata de personas. En todo
caso, la Corte Suprema reconduce los hechos a un tipo penal benigno
como el rufianismo.

– La Corte Suprema debió concentrarse primero en la situación
objetiva de la actividad de las víctimas menores. Luego, si su valoración es el de una situación de explotación o próxima de explotación.
Entonces, no tiene sentido evaluar los medios comisivos.

– El recaudo de elementos de prueba debe orientarse a evidenciar,
primero, la situación objetiva de la víctima y luego dar sentido a la
manifestación de ella, a su silencio o a sus contradicciones.

CRIMINALIDAD ADYACENTE: TERRORISMO YIHADISTA, DECOMISO Y CUESTIONES CONCURSALES

CUESTIONES CONCURSALES EN LOS DELITOS DE ORGANIZACIÓN O GRUPO CRIMINAL[1]

PATRICIA FARALDO CABANA[2]

Sumario: 1. Determinaciones previas. 2. Concursos entre los delitos de asociación ilícita y de organización o grupo criminal. 3. Concursos entre los delitos de asociación ilícita y organización o grupo criminal y los delitos singulares cometidos por los miembros. 4. Concursos entre los delitos de asociación ilícita y organización criminal y los delitos que tienen tipos agravados por la pertenencia o dirección de una asociación u organización. 5. Conclusiones. 6. Bibliografía.

Resumen: En este trabajo se analizan los problemas que plantea la coexistencia de los delitos de asociación ilícita y de participación en organización o grupo criminal, así como las dificultades que surgen a la hora de resolver los concursos entre estos delitos y los cometidos por los miembros y los jefes de dichas organizaciones y grupos, en particular teniendo en cuenta la existencia de numerosos tipos agravados de ciertos delitos por la pertenencia o la dirección de una organización.

Palabras clave: delincuencia organizada, concursos, Derecho penal, grupo criminal, organización criminal

[1] Este trabajo ha sido realizado con financiación del Freiburg Institute for Advanced Studies, Albert-Ludwigs-Universität de Friburgo, Alemania (10.13039/501100003190 REA grant agreement n° 609400). Se enmarca en las actividades para la consolidación y estructuración de unidades de investigación competitivas del Sistema Universitario de Galicia, modalidad de grupos de referencia competitiva (GRC2015/021), financiada por la Xunta de Galicia, y del proyecto de investigación "El sistema penal español en el período post-crisis" (DER2014-52674-R), financiado por el Programa Estatal de Investigación, Desarrollo e Innovación orientada a los Retos de la Sociedad del Ministerio de Economía y Competitividad.

[2] Catedrática de Derecho Penal, Universidade da Coruña. Eurias Senior Fellow, Freiburg Institute for Advanced Studies, Alemania. Adjunct Professor, Queensland University of Technology, Australia.

1. DETERMINACIONES PREVIAS

La problemática concursal de los delitos de organización o grupo criminal (arts. 570 *bis* a *quáter* del Código Penal, en adelante CP) se caracteriza por su enorme complejidad. A ella contribuyen tanto el diverso origen de los preceptos que integran la normativa vigente como la completa superposición que existe entre los delitos de asociación ilícita (arts. 515 a 521 CP) y de organización criminal, pero no entre los delitos de asociación ilícita y grupo criminal[3]. Además, también juegan un papel fundamental los numerosos tipos agravados por pertenencia o dirección de una asociación, organización o grupo en algunas figuras de la parte especial que suelen cometerse en el seno de organizaciones delictivas, como el blanqueo o la trata, pero no en otras también habitualmente vinculadas a grupos organizados, como el fraude de subvenciones, el tráfico de especies de flora o fauna amenazadas o el tráfico de material nuclear o radioactivo.

Con el fin de exponer los problemas que se plantean y las diferentes posibilidades que existen para resolverlos a continuación se analizan, en primer lugar, los concursos entre los delitos de asociación ilícita y los delitos de organización o grupo criminal; en segundo lugar, se estudia la solución que corresponde dar a los concursos de los delitos de asociación ilícita o de organización o grupo criminal y los delitos singulares cometidos por los miembros o jefes del colectivo; y en tercer lugar, se estudian los concursos cuando esos delitos singulares prevén un tipo agravado por pertenencia o dirección de la asociación, organización o grupo criminal, pues la respuesta penal habrá de ser necesariamente distinta en uno y otro caso. Se finaliza con unas conclusiones.

---

[3]   Como destaca la Circular 2/2011, de 2 de junio, de la Fiscalía General del Estado, sobre la reforma del Código Penal por Ley Orgánica 5/2010 en relación con las organizaciones y grupos criminales, apartado V A. Vid. al respecto, con extensa argumentación y abundantes aportaciones bibliográficas, FARALDO CABANA, Patricia, *Asociaciones ilícitas y organizaciones criminales en el Código Penal español*, Tirant lo Blanch, Valencia, 2012, pp. 19 y ss.; de la misma autora, "Sobre los conceptos de organización criminal y asociación ilícita", en VILLACAMPA ESTIARTE, Carolina (Coord.), *La delincuencia organizada: un reto a la política-criminal actual*, Thomson Reuters Aranzadi, Cizur Menor, 2013, pp. 45-92.

Conviene advertir que no se analiza aquí el delito de participación en estructuras u organizaciones cuya finalidad sea la financiación ilegal de partidos políticos, federaciones, coaliciones o agrupaciones de electores[4]. Se configura como un tipo especial de organización o grupo criminal, pero da lugar a una interesante problemática concursal que por falta de espacio no es posible abordar en este lugar[5].

2. CONCURSOS ENTRE LOS DELITOS DE ASOCIACIÓN ILÍCITA Y DE ORGANIZACIÓN O GRUPO CRIMINAL

En lo que respecta a las relaciones entre los delitos de asociación ilícita y de organización o grupo criminal[6], hay que tener en cuenta que existe una cláusula concursal en el art. 570 *quáter* 2, 2° inciso, CP, del siguiente tenor: "En todo caso, cuando las conductas previstas en dichos artículos [570 *bis* y *ter*] estuvieren comprendidas en otro precepto de este Código, será de aplicación lo dispuesto en la regla 4.ª del artículo 8", esto es, "en defecto de los criterios anteriores, el precepto penal más grave excluirá los que castiguen el hecho con pena menor". El que la remisión se haga exclusivamente al art. 8.4° CP plantea la duda relativa a si es obligatorio entender que se descartan las demás reglas de resolución del concurso aparente de leyes penales, que de

---

4   Art. 304 *ter* CP: "1. Será castigado con la pena de prisión de uno a cinco años, el que participe en estructuras u organizaciones, cualquiera que sea su naturaleza, cuya finalidad sea la financiación de partidos políticos, federaciones, coaliciones o agrupaciones de electores, al margen de lo establecido en la ley.
2. Se impondrá la pena en su mitad superior a las personas que dirijan dichas estructuras u organizaciones.
3. Si los hechos a que se refieren los apartados anteriores resultaran de especial gravedad, se impondrá la pena en su mitad superior, pudiéndose llegar hasta la superior en grado".

5   Baste la remisión a las acertadas consideraciones de PUENTE ABA, Luz María, "Pertenencia a una organización destinada a la financiación ilegal de partidos políticos (art. 304 ter)", en GONZÁLEZ CUSSAC, José Luis (Dir.), *Comentarios a la Reforma del Código Penal de 2015*, 2ª ed. Tirant lo Blanch, Valencia, 2015, pp. 959-964.

6   Recoge las distintas posiciones ESCUCHURI AISA, Estrella, "Comisión de delitos en el marco de organizaciones y grupos criminales. Algunos problemas que plantea la regulación del Código penal español en relación con la delincuencia organizada", en *Revista de Derecho y Proceso Penal* n° 37, 2015, pp. 147-156.

acuerdo con la regulación general del art. 8 CP son de aplicación preferente al principio de alternatividad recogido en su n° 4[7], o bien si los tres primeros números del art. 8 CP siguen siendo aplicables antes que el último.

Defiende la primera opción la Fiscalía General del Estado en la Circular 2/2011, de 2 de junio, sobre la reforma del Código penal por Ley Orgánica 5/2010 en relación con las organizaciones y grupos criminales. Entiende que se deberá "aplicar el tipo con pena más grave, esto es, el art. 570 *bis* CP" (apartado V A), apoyándose en que en otro caso habría que aplicar el criterio de especialidad, lo que "conduciría a privilegiar con una menor penalidad a aquellas agrupaciones que revistan una cierta formalidad asociativa con independencia de la gravedad de los delitos que persigan", lo que en su opinión "llevaría a la absurda consecuencia de que se premiaría el mayor desvalor de la conducta criminal que supone la utilización de una apariencia de legalidad…". Esta posición se basa en que existe una diferencia clara entre los conceptos de asociación ilícita y organización criminal: la forma jurídica institucionalizada de la primera frente a la carencia de estructura formal de la segunda. La Circular 2/2011 incluye en las asociaciones ilícitas aquellas agrupaciones que revisten una cierta formalidad asociativa, esto es, que suponen la utilización de una apariencia de legalidad "que normalmente será un factor que favorece el desenvolvimiento de los fines delictivos de la organización" (apartado V A)[8]. Esta posición no es correcta. Es cierto que desde el punto de vista sociológico el concepto de organización es más amplio que el de

---

[7]   Así lo entendió el Consejo de Estado en su Dictamen 1404/2009, sobre el Anteproyecto de Ley Orgánica por la que se modifica la Ley Orgánica 10/1995, de 23 de noviembre, del Código Penal, aprobado el 29 de octubre de 2009, consideración vigésimo novena.

[8]   Lo mismo proponen, tras la reforma de 2010, GARCÍA DEL BLANCO, Victoria, "Criminalidad organizada: organizaciones y grupos criminales", en ORTIZ DE URBINA GIMENO, Íñigo (Coord.), *Reforma penal. Memento práctico Francis Lefebvre*, Madrid, 2010, p. 560; SÁNCHEZ GARCÍA DE PAZ, Isabel, "Artículo 515", en GÓMEZ TOMILLO, Manuel/ JAVATO MARTÍN, Antonio M. (Dir.), *Comentarios prácticos al Código Penal. Tomo VI*, Thomson Reuters, Cizur Menor, 2015, p. 219; o VERA SÁNCHEZ, Juan Sebastián, "De las organizaciones y grupos criminales", en CORCOY BIDASOLO, Mirentxu/ MIR PUIG, Carlos (Dirs.), *Comentarios al Código Penal*, 2ª ed. Tirant lo Blanch, Valencia, 2015, p. 1717.

asociación, que tiene un contenido más jurídico-formal, e incluye tanto estructuras formales (el aparato burocrático, las iglesias, el ejército, los partidos políticos, los sindicatos, las sociedades mercantiles) como informales (bandas juveniles, grupos de amigos, familias mafiosas), y lo mismo entes lícitos que ilícitos. Ahora bien, hasta la reforma de 2010 dentro del concepto legal de asociación ilícita se incluían las bandas armadas y los grupos terroristas, que obviamente no se constituyen formalmente ni tienen personalidad jurídica[9]. Además, el art. 570 *quáter* 1 CP, modificado por la disposición adicional segunda de la LO 3/2011, de 28 de enero, por la que se modifica la Ley Orgánica 5/1985, de 19 de junio, del Régimen Electoral General, establece que "los jueces y tribunales, en los supuestos previstos en este Capítulo y el siguiente, acordarán la disolución de la organización o grupo y, en su caso, cualquier otra de las consecuencias de los artículos 33.7 y 129 de este Código". Esto significa que se pueden aplicar las consecuencias accesorias recogidas para entes que, por carecer de personalidad jurídica, no están comprendidos en el art. 31 *bis* CP, así como para personas jurídicas utilizadas como instrumento en la comisión de delitos que no prevén la responsabilidad penal de las personas jurídicas[10], pero también las penas previstas para las personas jurídicas que incurran en responsabilidad penal. Por lo tanto, cabe deducir de

---

[9]   La mayoría de los autores consideran innecesario que la asociación cuente con personalidad jurídica acorde a Derecho. Cfr. GARCÍA GONZÁLEZ, Javier, "Las causas de disolución y suspensión de un partido político previstas en la LO 6/2002 y su relación con el artículo 515 del Código Penal", en *Revista del Poder Judicial* n° 69, 2003, p. 69; GONZÁLEZ RUS, Juan José, "Aproximación político-criminal a la regulación de la criminalidad organizada después de la reforma de 2010", en GONZÁLEZ RUS, Juan José (Dir.), *La criminalidad organizada*, Tirant lo Blanch, Valencia, 2013, pp. 101 ss.; MORAL DE LA ROSA, Juan, *Aspectos penales y criminológicos del terrorismo*, Ediciones Estudios Financieros, Madrid, 2005, p. 181. Apuntan MARTELL PÉREZ-ALCALDE, Cristobal/ QUINTERO GARCÍA, D., "De las organizaciones y grupos criminales, arts. 570 *bis*, 570 *ter* y 570 *quáter* CP", en QUINTERO OLIVARES, Gonzalo (Dir.), *La Reforma Penal de 2010: Análisis y Comentarios*, Aranzadi Thomson Reuters, Cizur Menor, 2010, p. 361, que si no fuera así se privilegiaría "con menor penalidad a quienes se revisten de una cierta formalidad asociativa, con o sin registro, con independencia de la gravedad de los ilícitos que la agrupación o asociación persigue".

[10]   Vid. FARALDO CABANA, Patricia/ FARALDO CABANA, Cristina, "¿Responde penalmente la persona jurídica por la comisión de delitos alimentarios? Lími-

ello que pueden ser calificadas como organizaciones criminales tanto personas jurídicas como entes sin personalidad[11]. A ello se añade que no resultaría lógico privilegiar con una pena inferior a las agrupaciones de delincuentes que se revistan de una forma asociativa reconocida por el Ordenamiento jurídico, con independencia de la gravedad de los ilícitos cuya comisión persiguen[12].

De esta forma, desde la posición que aquí se sostiene sobre la relación entre la asociación ilícita y la organización criminal, parece preferible la segunda posición, tanto porque no existe justificación alguna para alterar los criterios de resolución del concurso aparente en este caso concreto[13], como porque la propia regla 4ª del art. 8 CP dispone su aplicación únicamente "en defecto de los criterios anteriores[14]". Sin embargo, lo cierto es que si los conceptos de asociación ilícita y organización criminal son sinónimos, y todas las clases de asociación ilícita son reconducibles a la asociación para delinquir[15], el único criterio aplicable de los cuatro contenidos en el art. 8 CP es, en efecto, el del nº 4, puesto que el contenido de los tipos penales coincide completamente, sin que pueda afirmarse la existencia de relaciones de especialidad, subsidiariedad o consunción entre ellos.

Discrepan de esta solución quienes entienden que "las asociaciones ilícitas de los núms. 3 a 5 deben considerarse normas especiales[16]",

---

tes y posibilidades de la aplicación de las consecuencias accesorias en España tras la reforma penal de 2010", en *La Ley* 2014-1, pp. 1684-1691.

[11] Como afirma GUDÍN RODRÍGUEZ-MAGARIÑOS, Antonio Evaristo, "Alcance de la reforma del Código Penal por la Ley Orgánica 3/2011 en relación a las "consecuencias" del delito del artículo 570 quáter", en *La Ley* 2011-2, p. 1652.

[12] Como señalan GARCÍA ALBERO en QUINTERO OLIVARES, Gonzalo (Dir.), *Comentarios al Código Penal Español. Tomo II (Artículos 234 a DF 7ª)*, 6ª ed. Thomson Reuters-Aranzadi, Cizur Menor, 2011, pp. 1711-1712; MARTELL PÉREZ-ALCALDE, Cristobal/ QUINTERO GARCÍA, D., "De las organizaciones", *cit.*, pp. 360-361.

[13] Como apunta GARCÍA DEL BLANCO, Victoria, "Criminalidad organizada", *cit.*, p. 572.

[14] Como señala GARCÍA ALBERO en QUINTERO OLIVARES, Gonzalo (Dir.), *Comentarios, II*, 6ª ed. *cit.*, p. 1711.

[15] Al respecto, ampliamente, FARALDO CABANA, Patricia, *Asociaciones ilícitas*, *cit.*, pássim.

[16] Así, SÁNCHEZ GARCÍA DE PAZ, Isabel, "Artículo 517", en GÓMEZ TOMILLO, Manuel/ JAVATO MARTÍN, Antonio M. (Dir.), *Comentarios prácticos al*

aplicándose con preferencia a los delitos de organización o grupo criminal. Dejando a un lado el que todas las asociaciones son para delinquir, la organización criminal no es un plus respecto de la asociación ilícita[17], de la cual constituiría una especie, como afirmaba alguna autora antes de la reforma de 2010[18], señalando como características distintivas del crimen organizado la comisión de delitos graves, la adopción de una estructura compleja y la pretensión de maximización del beneficio económico a través del control del poder económico y político utilizando medios ilícitos[19]. Que la asociación

---

Código Penal. Tomo VI, Thomson Reuters, Cizur Menor, 2015, p. 234. Vid. también GARCÍA ALBERO en QUINTERO OLIVARES, Gonzalo (Dir.), *Comentarios, II*, 6ª ed. *cit.*, p. 1711. A ello apunta igualmente la Circular 2/2011, de 2 de junio, de la Fiscalía General del Estado, cuando señala que "en relación con el resto de los supuestos de asociación ilícita tipificados en el art. 515 CP, esto es, asociaciones con fin lícito pero que emplean medios violentos o de alteración o control de la personalidad para conseguir sus fines, organizaciones de carácter paramilitar, así como aquellas que promueven a la discriminación, el odio o la violencia contra personas, grupos o asociaciones, esto es, supuestos de asociaciones ilícitas que no tienen por finalidad originaria y directa la comisión de delitos, ni se han constituido especialmente con tal objeto, hay que considerar que dichas conductas delictivas presentan características diferentes a las que configuran el tipo de organización criminal el art. 570 bis CP. Ante cada supuesto concreto deberán valorarse, pues, las circunstancias concurrentes en orden a apreciar la existencia de los elementos definidores de uno u otro tipo penal, el previsto en el artículo 570 bis o los recogidos en el artículo 515 en relación con el art. 517 CP" (apartado V A).

[17] Como afirma ZÚÑIGA RODRÍGUEZ, Laura, *Criminalidad organizada y sistema de derecho penal. Contribución a la determinación del injusto penal de organización criminal*, Comares, Granada, 2009, p. 58. En el mismo sentido, vid. también PÉREZ CEPEDA, Ana Isabel, *La seguridad como fundamento de la deriva del derecho penal postmoderno*, iustel, Madrid, 2007, p. 98.

[18] Cfr. SÁNCHEZ GARCÍA DE PAZ, Isabel, *La criminalidad organizada. Aspectos penales, procesales, administrativos y policiales*, Ministerio del Interior/ Dykinson, Madrid, 2005, p. 28. Apoyan esta postura GARCÍA ALBERO en QUINTERO OLIVARES, Gonzalo (Dir.), *Comentarios, II*, 6ª ed. *cit.*, p. 1705; VILLACAMPA ESTIARTE, C., *El delito de trata de seres humanos. Una incriminación dictada desde el Derecho Internacional*, Cizur Menor, Aranzadi Thomson Reuters, 2011, pp. 461-462.

[19] Cfr. SÁNCHEZ GARCÍA DE PAZ, Isabel, *La criminalidad organizada, cit.*, pp. 39-41; de la misma autora, "Función político-criminal del delito de asociación para delinquir: desde el Derecho penal político hasta la lucha contra el crimen organizado", en ARROYO ZAPATERO, Luis/ BERDUGO GÓMEZ DE LA TORRE, Ignacio (Eds.), *Homenaje al Dr. Marino Barbero Santos. Volumen II*,

ilícita, y no solo la organización delictiva, puede perseguir la comisión de delitos graves se desprende con toda claridad del art. 515 CP, que no distingue por la gravedad de las infracciones que pretende cometer la asociación para delinquir. A ello se une el que la definición del art. 570 *bis* CP no limita el objetivo que ha de buscar la organización a los de naturaleza mafiosa (beneficios o poder). Esta delimitación podría ser correcta si nuestro Ordenamiento hubiera optado por la tipificación en exclusiva de la organización criminal de tipo mafioso, que puede considerarse el prototipo de la delincuencia organizada, pero no ha sido así. Y pese a reiterados pronunciamientos jurisprudenciales y doctrinales en otro sentido[20], también hemos de descartar que la asociación se diferencie de la organización por su mayor estabilidad o permanencia, pues los tipos agravados por organización de los arts. 177 *bis* 6, 188.3 f), 189.2 f), 262.2, 271 c), 276 c) y 386.4 CP, entre otros, refieren la transitoriedad tanto a la asociación como a la organización. En Resumen, esta postura no se puede sostener con la interpretación de la que se parte en este trabajo.

Ediciones de la Universidad de Castilla-La Mancha/ Universidad de Salamanca, Cuenca, 2001, pp. 663-664.

[20] Vid. por ej. la SAN de 20-9-2007 (JUR 2008\261297); la STS de 28-10-1997 (RJ 7843), para la cual "tal asociación requiere formalmente una cierta consistencia, lejos de lo meramente esporádico, y por supuesto dentro de una cierta organización jerárquica"; o la STS de 10-4-2003 (RJ 3990). También SÁNCHEZ GARCÍA DE PAZ, Isabel, "Función político-criminal", *cit.*, pp. 668-669, quien considera que, frente a las asociaciones, es característico de las organizaciones "un grado mayor de estructuración y de permanencia en el tiempo que no está presentes, por ejemplo, en las meras 'bandas criminales'". O CARBONELL MATEU, Juan Carlos, "Observaciones en torno al proyecto de Ley sobre reforma del Código penal en relación a los delitos cometidos con ocasión del ejercicio de los derechos fundamentales y libertades públicas", en *Documentación Jurídica* 37/40, Vol. 2, 1983, p. 1300, cuando señala que una asociación que no incluya una pervivencia más allá de la comisión de un hecho concreto no se separa de sus miembros individuales. Señala explícitamente que es "requisito para poder hablar de asociación que exista un grupo de personas, sin que sea necesario un número determinado o mínimo, dirigidas a la consecución de un mismo fin, organizadas y estructuradas y con vocación de perdurar en el tiempo, descartando las uniones de personas, creadas con el propósito de la comisión de una única acción y sin distribución de funciones entre ellas", MORAL DE LA ROSA, Juan, *Aspectos penales*, *cit.*, p. 181.

Por su parte, la pertenencia o dirección de un grupo criminal no entra en ningún caso en concurso, ni aparente ni de otro tipo, con los delitos de asociación ilícita, ya que se trata de un supuesto de unión de tres o más personas que no reúne alguna de las características que integran el concepto de asociación ilícita[21]. Según el art. 570 *ter* CP, 2° inciso, modificado por la LO 1/2015, de 30 de marzo, por la que se modifica la Ley Orgánica 10/1995, de 23 de noviembre, del Código Penal, "se entiende por grupo criminal la unión de más de dos personas que, sin reunir alguna o algunas de las características de la organización criminal definida en el artículo anterior, tenga por finalidad o por objeto la perpetración concertada de delitos". De la comparación con la definición de la organización criminal en el art. 570 *bis* CP se desprende que la diferencia más notable radica en el nivel de complejidad de la estructura organizada, manteniéndose como elementos comunes la exigencia de un mínimo de tres personas[22] y la finalidad de cometer delitos. También es un elemento común, pese a lo que en una primera lectura podría parecer, la nota de estabilidad o permanencia[23]. Piénsese que el grupo criminal, al igual que la organización

---

[21] Como advierten MARTELL PÉREZ-ALCALDE, Cristobal/ QUINTERO GARCÍA, D., "De las organizaciones", *cit.*, p. 360. Vid. FARALDO CABANA, Patricia, *Asociaciones ilícitas*, *cit.*, pp. 112 ss.

[22] Habla de dos o más personas SILVA SÁNCHEZ, Jesús María, "La reforma del Código Penal: una aproximación desde el contexto", en *La Ley* 2010-4, p. 1790, en lo que parece un error de lectura.

[23] Sostienen que el grupo criminal se caracteriza, precisamente, por la ausencia de la nota de estabilidad, entre otros, CARRETERO SÁNCHEZ, Adolfo, "La organización y el grupo criminal en la reforma del Código Penal", en *La Ley* 2011-1, p. 1513; CORCOY, Mirentxu/ GÓMEZ, Víctor/ BESIO, M., "De las organizaciones y grupos criminales", en CORCOY BIDASOLO, Mirentxu/ MIR PUIG, Santiago (Dirs.), *Comentarios al Código Penal. Reforma LO 5/2010*, Tirant lo Blanch, Valencia, 2011, pp. 1113-1118, p. 1116; GARCÍA DEL BLANCO, Victoria, "Criminalidad organizada", *cit.*, pp. 565-566; MARTELL PÉREZ-ALCALDE, Cristobal/ QUINTERO GARCÍA, D., "De las organizaciones", *cit.*, p. 360; SÁNCHEZ GARCÍA DE PAZ, Isabel, "Artículo 570 *bis*", en GÓMEZ TOMILLO, Manuel/ JAVATO MARTÍN, Antonio M. (Dir.), *Comentarios prácticos al Código Penal. Tomo VI*, Thomson Reuters, Cizur Menor, 2015, p. 562; SILVA SÁNCHEZ, Jesús María, "La reforma", *cit.*, p. 1790; VIVES ANTÓN/ CARBONELL MATEU en VIVES ANTÓN, Tomás Salvador, y otros, *Derecho Penal. Parte Especial*, 3ª ed. Tirant lo Blanch, Valencia, 2010, p. 775. Exige "cierta permanencia", sobre la base de la alusión a la "formación no fortuita" que realiza el art. 1 de la Decisión marco 2008/841/JAI del Consejo, de 24 de octu-

criminal, tiene por objeto o finalidad la comisión de delitos, en plural, lo que va más allá, necesariamente, de una mera unión transitoria para la comisión de una sola infracción. En cualquier caso, no se debe entender estabilidad como duración indefinida[24], aunque incluya esta posibilidad, sino como capacidad de mantenerse en el tiempo mientras dure la voluntad de los asociados. Esta característica "es el reflejo del vínculo que une a sus integrantes y que va más allá del agruparse para la comisión de un hecho concreto[25]".

Por otro lado, carece de relevancia que en relación con la organización criminal se hable del "fin de cometer delitos", y en relación con el grupo criminal de que "tenga por finalidad o por objeto la perpetración concertada de delitos", pues también en el caso de la organización criminal la comisión de los delitos fin debe concertarse o coordinarse entre los integrantes. Al respecto, sin embargo, se ha dicho que "la alusión a la "concertación" indica que en el seno del grupo no existe una división de funciones entre planificadores y ejecutores: todos sus integrantes lo son indistintamente. Cuando esos papeles se distribuyen entre los miembros de la agrupación podemos estar en presencia de una 'organización[26]'". Esta posición no puede aceptarse. De acuerdo con el Diccionario de la Lengua Española, en su cuarta acepción, concertar es "traer a identidad de fines o propósitos cosas diversas o intenciones diferentes". La concertación no excluye ni la división de funciones, ni la existencia de relaciones de subordinación y jerarquía.

Así pues, en el caso del grupo criminal estamos ante una estructura de menor complejidad (que no necesariamente con menor número de

---

bre de 2008, relativa a la lucha contra la delincuencia organizada, la Circular 2/2011, de 2 de junio, de la Fiscalía General del Estado, apartado III A, aunque más adelante señale que se trata de una forma de delincuencia en grupo "sin vocación de permanencia ni estructura estable".

[24] Como parecen hacer, entre otros, CORCOY, Mirentxu/ GÓMEZ, Víctor/ BESIO, M., "De las organizaciones", cit., pp. 1114-1115.

[25] ZIFFER, Patricia S., El delito de asociación ilícita, Buenos Aires, Ad-Hoc, 2005, p. 74.

[26] GARCÍA RIVAS, Nicolás/ LAMARCA PÉREZ, Carmen, "Organizaciones y grupos criminales", en ÁLVAREZ GARCÍA, Javier/ GONZÁLEZ CUSSAC, José Luis (Dirs.), Comentarios a la reforma penal de 2010, Tirant lo Blanch, Valencia, 2010, p. 511.

miembros, visto que para la organización criminal bastan tres), una suerte de figura intermedia entre la codelincuencia y la organización criminal.

En cuanto al número de infracciones que han de integran el plan criminal, la definición del apartado primero del art. 570 *ter* CP alude a "la perpetración concertada de delitos". Se utiliza el plural, lo que debería llevar a la conclusión de que es necesaria una pluralidad de delitos. Ahora bien, de otros apartados del art. 570 *ter* 1 CP parece desprenderse que puede existir un grupo criminal dedicado a la comisión de un solo delito. En efecto, en la letra a) del primer apartado del art. 570 *ter* CP se señala que los autores serán castigados, "si la finalidad del grupo es cometer delitos de los mencionados en el apartado 3 del artículo anterior, con la pena de dos a cuatro años de prisión si se trata de *uno* o más delitos graves y con la de uno a tres años de prisión si se trata de delitos menos graves", en la letra b) se prevé la pena de seis meses a dos años de prisión "si la finalidad del grupo es cometer *cualquier otro delito grave*", mientras que en la letra c) se dispone que los autores serán castigados "con la pena de tres meses a un año de prisión cuando se trate de cometer *uno* o varios de los menos graves…". Si se acepta un entendimiento en este sentido[27], se hace más difícil la diferencia con los actos preparatorios punibles, y en particular con la conspiración. Cierto es que, como apuntan GARCÍA RIVAS/ LAMARCA PÉREZ[28], "en el delito de pertenencia a un "grupo criminal" la conducta adquiere un desvalor autónomo, no vinculado a la comisión de un delito concreto, sino a la lesión o puesta en peligro del interés (autónomo) protegido: el orden público material o, si se prefiere, la tranquilidad o paz en la convivencia ciudadana. Ello obligará al juez a trazar en cada caso una línea divisoria entre la simple concertación de voluntades carente de lesividad material y la propia conducta acreedora de la punición prevista en el art. 570 *ter*, es decir, la prisión entre tres meses y tres años en el tipo básico". Lo que no está claro es qué elementos utilizar para trazar esa línea divisoria, sobre todo en aquellos delitos que ya prevén la punición de

---

[27]   Como hace, por ej., GARCÍA DEL BLANCO, Victoria, "Criminalidad organiza-da", *cit.*, p. 567.

[28]   GARCÍA RIVAS, Nicolás/ LAMARCA PÉREZ, Carmen, "Organizaciones y gru-pos criminales", *cit.*, p. 511.

los actos preparatorios. A mi juicio, ya que no pueden referirse a la estructura organizativa, necesariamente más simple que en el caso de la organización criminal, deben estar relacionados con la capacidad expansiva inherente a las agrupaciones con finalidad de delinquir, que es lo que fundamenta tanto su incriminación independiente del castigo de las infracciones que integran el programa criminal como la elevada cuantía de las penas.

Ahora bien, hay argumentos en contra de entender que en la definición de grupo criminal cabe la unión de tres o más personas para la comisión de un único delito. Así, en primer lugar, tal entendimiento entra en contradicción con la definición de grupo criminal contenida en el mismo precepto, en la que se exige que el grupo "tenga por finalidad o por objeto la perpetración concertada de *delitos*". Y va más allá de lo que se considera "asociación estructurada" en el art. 1 de la Decisión marco 2008/841/JAI, antes citada, que inspiró la reforma de 2010 en materia de organización y grupo criminal: "una organización *no formada fortuitamente para la comisión inmediata de un delito* ni que necesite haber asignado a sus miembros funciones formalmente definidas, continuidad en la condición de miembro, o exista una estructura desarrollada". Además, el tenor literal del art. 570 *ter* CP permite una interpretación alternativa, en el sentido de que el grupo solo existe si tiene por finalidad o por objeto la perpetración concertada de una pluralidad de delitos, pero la pena varía según su gravedad, de forma que si al menos uno de ellos es un delito grave contra la vida o la integridad de las personas, la libertad, la libertad e indemnidad sexuales o la trata de seres humanos se impondrá pena de dos a cuatro años de prisión, aunque los demás sean delitos graves no incluidos en el apartado a), delitos menos graves o leves. Por su parte, si al menos uno de ellos es un delito menos grave de los mencionados en el apartado 3) del art. 570 *bis* CP (los ya citados contra la vida o la integridad de las personas, la libertad, etc.), la pena es de uno a tres años de prisión; si al menos uno es cualquier otro delito grave al margen de las categorías citadas se impondrá pena de prisión de seis meses a dos años, y si al menos uno es un delito menos grave también al margen de las categorías citadas se impondrá la pena de prisión de tres meses a un año; por último, para la perpetración reiterada de delitos leves se prevé la mitad inferior de la pena de prisión de tres meses a un año. Dogmáticamente, una solución interpretativa como la que aquí se adopta es preferible, ya que permite no incurrir en contradicción con el sistema de incriminación cerrada de los actos preparatorios. Piénsese, además, que de aceptarse la intención de cometer un solo delito se derogaría de hecho el sistema de punición excepcional de los actos preparatorios punibles cuando en ellos intervinieran más de dos personas, por lo que los resultados de una interpretación sistemática también son contrarios a esta forma de entender el concepto de grupo criminal.

En conclusión, cabe sostener desde un punto de vista técnico, y es preferible por razones dogmáticas y político-criminales, una interpretación que restrinja el concepto de grupo criminal a los que tienen por finalidad u objeto la comisión concertada de una pluralidad de infracciones penales. Sin embargo, hasta el momento la doctrina mayoritaria parece entender que en el concepto de grupo criminal cabe la unión de dos o más personas que tiene por finalidad u objeto la comisión de un solo delito, aunque criticando duramente lo que considera una opción equivocada del legislador[29].

3. CONCURSOS ENTRE LOS DELITOS DE ASOCIACIÓN ILÍCITA O DE ORGANIZACIÓN O GRUPO CRIMINAL Y LOS DELITOS SINGULARES COMETIDOS POR LOS MIEMBROS

La actual regulación no contiene ninguna mención de los posibles concursos entre los delitos de asociación ilícita o de organización o grupo criminal y los cometidos por los integrantes del ente en preparación o ejecución del plan criminal[30].

---

[29]   Por ej., MARTELL PÉREZ-ALCALDE, Cristobal/ QUINTERO GARCÍA, D., "De las organizaciones", *cit.*, p. 364; SILVA SÁNCHEZ, Jesús María, "La reforma", *cit.*, pp. 1790-1791. En contra, con razón, GARCÍA ALBERO en QUINTERO OLIVARES, Gonzalo (Dir.), *Comentarios, II*, 6ª ed. *cit.*, pp. 1705-1706.

[30]   El art. 174 CP 1944/73, en redacción otorgada por la LO 4/1980, de 21 de mayo, después de fijar las penas correspondientes a los fundadores, directores, presidentes y miembros activos, señalaba que "dichas penas se impondrán en su grado máximo cuando se hubiere cometido algún delito contra la vida o la libertad de las personas, sin perjuicio de la pena que por éstos correspondiere". Esta cláusula desapareció en el Código Penal de 1995.

Si se tiene presente que para castigar por los delitos de asociación, organización o grupo para delinquir no se exige la intervención del miembro o dirigente de la agrupación en la ejecución del programa delictivo que ésta pueda desarrollar, esto es, en la comisión de los delitos concretos cometidos por los miembros siguiendo el plan[31], resulta evidente que todo hecho delictivo cometido por un integrante de la asociación, organización o grupo en el marco proporcionado por éste da lugar a un concurso real de delitos con el de asociación, organización o grupo para delinquir. La única excepción consiste en que ese hecho pueda considerarse inherente al comportamiento típico como miembro o dirigente de la asociación, organización o grupo[32].

---

[31]   Vid. con extensa y convincente argumentación GARCÍA-PABLOS DE MOLINA, Antonio, "La problemática concursal en los delitos de asociaciones ilícitas", en *Anuario de Derecho Penal y Ciencias Penales* 1976, pp. 102-103; del mismo autor, *Asociaciones ilícitas en el Código penal*, Bosch, Barcelona, 1977, pp. 247-248. Es la posición asumida mayoritariamente en la doctrina. Vid. las referencias doctrinales que ofrece ESCUCHURI AISA, Estrella, "Comisión", *cit.*, pp. 157, nota nº 61, y 158, nota nº 63.

[32]   La tesis del concurso de delitos es prácticamente unánime en la doctrina y en la jurisprudencia. Vid. por todos CHOCLÁN MONTALVO, José Antonio, "Criminalidad organizada. Concepto de asociación ilícita. Problemas de autoría y participación", en GRANADOS PÉREZ, Carlos (Dir.), *La criminalidad organizada. Aspectos sustantivos, procesales y orgánicos*, CGPJ, Madrid, 2001, p. 251; DÍAZ Y GARCÍA CONLLEDO, Miguel, "Voz Asociación ilícita", en LUZÓN PEÑA, Diego-Manuel (Dir.), *Enciclopedia Penal Básica*, Comares, Granada, 2002, pp. 105-106; GARCÍA ÁLVAREZ, Pilar, *El Derecho penal y la discriminación. Especial referencia al extranjero como víctima de discriminaciones penalmente relevantes*, Tirant lo Blanch, Valencia, 2004, p. 277; GARCÍA-PABLOS DE MOLINA, Antonio, "La problemática concursal", *cit.*, p. 103, nota nº 58; del mismo autor, *Asociaciones ilícitas, cit.*, pp. 352-355; GONZÁLEZ RUS, Juan José, "Asociación para delinquir y criminalidad organizada (sobre la propuesta de desaparición del delito basada en una peculiar interpretación de la STS de 23 de octubre de 1997 —Caso Filesa—)", en *Actualidad Penal* 2000-2, marg. 568; QUINTERO OLIVARES en QUINTERO OLIVARES, Gonzalo (Dir.), *Comentarios II*, 6ª ed. *cit.*, p. 455; RODRÍGUEZ DEVESA, José María/ SERRANO GÓMEZ, Alfonso, *Derecho Penal Español. Parte Especial*, 18ª ed. Dykinson, Madrid, 1995, pp. 752-753; SÁNCHEZ GARCÍA DE PAZ, Isabel, *La criminalidad organizada*, p. 122; YACOBUCCI, Guillermo Jorge, "La noción de crimen organizado desde la política criminal y la teoría del delito", en PEÑA CABRERA FREYRE, A. Raúl/ MONTES FLORES, Efraín/ SÁNCHEZ MERCADO, M. A. (Coords.), *El Derecho penal contemporáneo. Libro homenaje al Profesor Raúl Peña Cabrera. Tomo I*, Ara editores, Lima, 2006, p. 642; ZÚÑIGA RODRÍ-

Téngase en cuenta no es punible la pertenencia a una asociación ilícita como miembro no activo. El art. 517 CP solo impone penas a los fundadores, directores y presidentes de las asociaciones y a los miembros activos. Esto plantea la duda acerca de si la comisión de delitos instrumentales para el sostenimiento de la asociación puede considerarse inherente a la conducta típica de integración como miembro activo de la asociación para delinquir, lo que obligaría a afirmar la unidad de hecho entre el delito de asociación para delinquir y esos otros delitos instrumentales. A estos efectos se suele diferenciar entre los delitos relacionados con la asociación (por ej., tenencia de armas) y los relacionados con el objetivo perseguido por la asociación, afirmándose que únicamente respecto de los primeros cabría hablar de unidad de hecho en relación con el delito permanente de la participación en asociación criminal. Esta distinción es relativa. En efecto, la actividad como miembro puede consistir en la realización de acciones que en sí consideradas son penalmente atípicas (por ej., facilitar un lugar de reunión, adquirir medios de transporte), pero otras sí suponen la comisión de delitos dirigidos al sostenimiento de la organización (por ej., el chantaje, el robo o el secuestro para obtener fondos). Por ello, el criterio de la inherencia del delito a la actividad como miembro de la organización ha de aplicarse restrictivamente, pues si no lo hacemos así puede llegarse a resultados absurdos. Piénsese en una asociación ilícita que exija a cada nuevo miembro, como prueba de lealtad, que cometa un robo con violencia. ¿Hemos de entender que el robo es una acción inherente a la integración como miembro, y por tanto considerarlo consumido en el delito de asociación ilícita? No parece correcto. Sin embargo, el delito de tenencia ilícita de armas sí puede ser considerado inherente a la condición de miembro en el caso de una organización paramilitar o armada.

En mi opinión, cabe hablar de inherencia cuando el hecho delictivo realizado por el sujeto ha de considerarse, al mismo tiempo, como fundamento o mantenimiento del estado antijurídico creado por el

---

GUEZ, Laura, "Criminalidad organizada y Derecho penal, dos conceptos de difícil conjunción", en AA.VV., *Cuestiones actuales del sistema penal. Crisis y desafíos*, Ara editores, Lima, 2008, pp. 320-321. En la jurisprudencia, cfr., entre otras, las SSTS de 17-1-1986 (RJ 147), 10-4-2003 (RJ 3990) y 16-7-2004 (RJ 5127).

delito permanente de asociación ilícita o de organización o grupo criminal, como ocurre en el ejemplo de la tenencia ilícita de armas. En este caso, se aplica un concurso ideal de delitos, pues hay una coincidencia parcial de las acciones. En otro caso el concurso de delitos es real, puesto que no existe unidad de hecho: por un lado, se encuentra la integración en la asociación ilícita o en la organización o grupo criminal y, por otro, la intervención en el concreto delito cometido[33]. Se trata de una opinión acogida también por el Tribunal Supremo y la Audiencia Nacional[34].

---

[33] Cfr. BERNAL DEL CASTILLO, Jesús, *La discriminación en el derecho penal*, Comares, Granada, 1998, p. 121; LAMARCA PÉREZ, Carmen, *Tratamiento jurídico del terrorismo*, Ministerio de Justicia, Madrid, 1985, p. 247; SÁNCHEZ GARCÍA DE PAZ, Isabel, *La criminalidad organizada, cit.*, pp. 122 ss.; de la misma autora, "Artículo 517", *cit.*, p. 234. Vid. también la Circular 2/2011, de 2 de junio, de la Fiscalía General del Estado, apartado V B. A favor del concurso ideal como solución a todos los supuestos, vid. SERRANO GÓMEZ/ SERRANO MAÍLLO en SERRANO GÓMEZ, Alfonso, et al., *Curso de Derecho Penal. Parte Especial*, 2ª ed. Dykinson, Madrid, 2015, p. 773; TAMARIT SUMALLA en QUINTERO OLIVARES, Gonzalo (Dir.), *Comentarios, II*, 6ª ed. *cit.*, p. 1539. En contra, LLOBET ANGLÍ, Mariona, "Delitos contra el orden público", en SILVA SÁNCHEZ, Jesús María (Dir.), *Lecciones de Derecho Penal. Parte especial*, 4ª ed. Atelier, Barcelona, 2015, p. 433, para quien la regla concursal del art. 570 *quáter* CP supone que "no debería apreciarse de forma conjunta el delito concreto cometido (o preparado o intentado) y el tipo de pertenencia a grupo o a organización delictiva. En estos casos concurre un concurso de normas, no de delitos, debiendo aplicarse sólo aquella figura que prevea mayor pena". Esta solución supone permitir en muchos casos que la preparación o ejecución de un solo delito de los integrantes del programa criminal consuma el desvalor de una organización dotada de una estructura interna y con formas de actuación que facilitan la realización de dicho programa y la impunidad de los miembros, lo que no estimo adecuado. Además, se contradice con lo que apunta la misma autora en "Terrorismo", en ORTIZ DE URBINA GIMENO, Íñigo (Coord.), *Reforma penal. Memento práctico Francis Lefebvre*, Francis Lefebvre, Madrid, 2010, p. 586, cuando afirma que "no se vulnera el principio "non bis in idem", pese a castigar a un mismo sujeto por pertenencia a organización terrorista y por la ejecución de delitos específicos en su seno, si los hechos en los que se basa cada imputación son distintos (a modo de ejemplo: por un lado, haber realizado tareas de información y vigilancia de potenciales futuras víctimas, y, por el otro, haber secuestrado a una persona)".

[34] SSAN de 18-5-1999 (ARP 2161) y 1-4-2003 (JUR 2004\262310), y SSTS de 15-4-1993 (RJ 3272), donde se apunta que se "produce una absoluta desconexión estructural entre el delito asociativo y los que puedan cometerse formando parte del grupo organizado, que serán incriminados particularmente en cada caso concreto; y 19-5-2003 (RJ 4454). Vid. no obstante otra línea jurisprudencial, que

4. CONCURSOS ENTRE LOS DELITOS DE ASOCIACIÓN ILÍCITA Y ORGANIZACIÓN CRIMINAL Y LOS DELITOS QUE TIENEN TIPOS AGRAVADOS POR LA PERTENENCIA O DIRECCIÓN DE UNA ASOCIACIÓN U ORGANIZACIÓN

Numerosos delitos recogen tipos agravados por pertenencia a una organización, asociación o grupo criminal, en ocasiones con una figura superagravada si se trata de los jefes o directores de tales entes. Se trata de los delitos de homicidio y asesinato[35], relativos a la trata de seres humanos[36], abusos y agresiones sexuales a menores de dieci-

---

se puede ejemplificar con la STS de 31-3-2003 (RJ 2694), según la cual se trata de un concurso aparente de leyes penales que se resuelve aplicando el criterio de consunción, de forma que la intervención en el delito de resultado absorbe la autoría del delito de colaboración con banda armada. Para CANCIO MELIÁ, Manuel, "El delito de pertenencia a una organización terrorista en el Código penal español", en LUZÓN PEÑA, Diego-Manuel (Dir.), *Derecho penal del Estado social y democrático de Derecho. Libro homenaje a Santiago Mir Puig*, La Ley, Madrid, 2010, p. 994, la infracción de terrorismo también consume el delito de pertenencia a la organización o grupo terrorista.

[35] Art. 138 CP: "1. El que matare a otro será castigado, como reo de homicidio, con la pena de prisión de diez a quince años.
2. Los hechos serán castigados con la pena superior en grado en los siguientes casos:
a) cuando concurra en su comisión alguna de las circunstancias del apartado 1 del artículo 140...".
Art. 140 CP: "1. El asesinato será castigado con pena de prisión permanente revisable cuando concurra alguna de las siguientes circunstancias:
... 3º Que el delito se hubiera cometido por quien perteneciere a un grupo u organización criminal".

[36] Art. 177 *bis* CP: "....6. Se impondrá la pena superior en grado a la prevista en el apartado 1 de este artículo e inhabilitación especial para profesión, oficio, industria o comercio por el tiempo de la condena, cuando el culpable perteneciera a una organización o asociación de más de dos personas, incluso de carácter transitorio, que se dedicase a la realización de tales actividades. Si concurriere alguna de las circunstancias previstas en el apartado 4 de este artículo se impondrán las penas en la mitad superior. Si concurriere la circunstancia prevista en el apartado 5 de este artículo se impondrán las penas señaladas en este en su mitad superior. Cuando se trate de los jefes, administradores o encargados de dichas organizaciones o asociaciones, se les aplicará la pena en su mitad superior, que podrá elevarse a la inmediatamente superior en grado. En todo caso se elevará la pena a

séis años[37], prostitución y corrupción de menores[38], descubrimiento y
revelación de secretos[39], hurto y robo con fuerza en las cosas[40], alteración de precios en concursos y subastas públicas[41], daños informáticos[42],

---

la inmediatamente superior en grado si concurriera alguna de las circunstancias previstas en el apartado 4 o la circunstancia prevista en el apartado 5 de este artículo".

[37] Art. 183 CP: "... 4. Las conductas previstas en los tres números anteriores serán
castigadas con la pena de prisión correspondiente en su mitad superior cuando
concurra alguna de las siguientes circunstancias:
... f) Cuando la infracción se haya cometido en el seno de una organización o de
un grupo criminal que se dedicare a la realización de tales actividades...".

[38] Art. 187 CP: "... 2. Se impondrán las penas previstas en los apartados anteriores
en su mitad superior, en sus respectivos casos, cuando concurra alguna de las
siguientes circunstancias:
... b) Cuando el culpable perteneciere a una organización o grupo criminal que
se dedicare a la realización de tales actividades...".
Art. 188 CP: "... 3. Se impondrán las penas superiores en grado a las previstas
en los apartados anteriores, en sus respectivos casos, cuando concurra alguna de
las siguientes circunstancias:
... f) Cuando el culpable perteneciere a una organización o asociación, incluso de
carácter transitorio, que se dedicare a la realización de tales actividades...".
Art. 189 CP: "... 2. Serán castigados con la pena de prisión de cinco a nueve
años los que realicen los actos previstos en el apartado 1 de este artículo cuando
concurra alguna de las circunstancias siguientes:
... f) Cuando el culpable perteneciere a una organización o asociación, incluso de
carácter transitorio, que se dedicare a la realización de tales actividades...".

[39] Art. 197 *quáter* CP: "Si los hechos descritos en este Capítulo se hubieran cometido en el seno de una organización o grupo criminal, se aplicarán respectivamente
las penas superiores en grado".

[40] Art. 235 CP: "1. El hurto será castigado con la pena de prisión de uno a tres
años:
... 9º. Cuando el culpable o culpables participen en los hechos como miembros
de una organización o grupo criminal que se dedicare a la comisión de delitos
comprendidos en este Título, siempre que sean de la misma naturaleza...".
Art. 240 CP: "... 2. Se impondrá la pena de prisión de dos a cinco años cuando
[en el delito de robo con fuerza en las cosas] concurra alguna de las circunstancias previstas en el artículo 235".

[41] Art. 262.2 CP: "El juez o tribunal podrá imponer alguna o algunas de las consecuencias previstas en el artículo 129 si el culpable perteneciere a alguna sociedad,
organización o asociación, incluso de carácter transitorio, que se dedicare a la
realización de tales actividades".

[42] Art. 264 CP: "... 2. Se impondrá una pena de prisión de dos a cinco años y multa
del tanto al décuplo del perjuicio ocasionado, cuando en las conductas descritas
concurra alguna de las siguientes circunstancias:
1.ª Se hubiese cometido en el marco de una organización criminal...".

delitos relativos a la propiedad intelectual[43] e industrial[44], corrupción en los negocios[45], blanqueo de bienes[46], defraudación a la Hacienda pública[47] y la Seguridad social[48], delitos contra los derechos de los

---

[43]   Art. 271 CP: "Se impondrá la pena de prisión de dos a seis años, multa de dieciocho a treinta y seis meses e inhabilitación especial para el ejercicio de la profesión relacionada con el delito cometido, por un período de dos a cinco años, cuando se cometa el delito del artículo anterior concurriendo alguna de las siguientes circunstancias: ... c) Que el culpable perteneciere a una organización o asociación, incluso de carácter transitorio, que tuviese como finalidad la realización de actividades infractoras de derechos de propiedad intelectual...".

[44]   Art. 276 CP: "Se impondrá la pena de prisión de dos a seis años, multa de dieciocho a treinta y seis meses e inhabilitación especial para el ejercicio de la profesión relacionada con el delito cometido, por un período de dos a cinco años, cuando concurra alguna de las siguientes circunstancias: ... c) Que el culpable perteneciere a una organización o asociación, incluso de carácter transitorio, que tuviese como finalidad la realización de actividades infractoras de derechos de propiedad industrial...".

[45]   Art. 286 *quáter* CP: "Si los hechos a que se refieren los artículos de esta Sección resultaran de especial gravedad se impondrá la pena en su mitad superior, pudiéndose llegar a la superior en grado.
Los hechos se considerarán, en todo caso, de especial gravedad cuando: ... c) se trate de hechos cometidos en el seno de una organización o grupo criminal...".

[46]   Art. 302 CP: "1. En los supuestos previstos en el artículo anterior se impondrán las penas privativas de libertad en su mitad superior a las personas que pertenezcan a una organización dedicada a los fines señalados en los mismos, y la pena superior en grado a los jefes, administradores o encargados de las referidas organizaciones".

[47]   Art. 305 *bis* CP: "1. El delito contra la Hacienda Pública será castigado con la pena de prisión de dos a seis años y multa del doble al séxtuplo de la cuota defraudada cuando la defraudación se cometiere concurriendo alguna de las circunstancias siguientes: ... b) Que la defraudación se haya cometido en el seno de una organización o de un grupo criminal...".

[48]   Art. 307 *bis* CP: "1. El delito contra la Seguridad Social será castigado con la pena de prisión de dos a seis a años y multa del doble al séxtuplo de la cuantía cuando la defraudación se cometa concurriendo alguna de las circunstancias siguientes: ... b) Que la defraudación se haya cometido en el seno de una organización o de un grupo criminal...".

ciudadanos extranjeros[49], delitos farmacológicos[50], tráfico de drogas
y precursores[51], falsificación de moneda y efectos timbrados[52], falsi-

---

[49] Art. 318 *bis* CP: "... 3. Los hechos a que se refiere el apartado 1 de este artículo
serán castigados con la pena de prisión de cuatro a ocho años cuando concurra
alguna de las circunstancias siguientes:
a) Cuando los hechos se hubieran cometido en el seno de una organización que
se dedicare a la realización de tales actividades. Cuando se trate de los jefes,
administradores o encargados de dichas organizaciones o asociaciones, se les
aplicará la pena en su mitad superior, que podrá elevarse a la inmediatamente
superior en grado...".

[50] Art. 362 *quáter* CP: "Se impondrán las penas superiores en grado a las señaladas
en los artículos 361, 362, 362 bis o 362 ter, cuando el delito se perpetre concurriendo alguna de las circunstancias siguientes:
... 3º Que el culpable perteneciera a una organización o grupo criminal que
tuviera como finalidad la comisión de este tipo de delitos...".

[51] Art. 369 CP: "1. Se impondrán las penas superiores en grado a las señaladas en
el artículo anterior y multa del tanto al cuádruplo cuando concurran alguna de
las siguientes circunstancias:
...2º. El culpable participe en otras actividades organizadas o cuya ejecución se
vea facilitada por la comisión del delito".
Art. 369 *bis* CP: "Cuando los hechos descritos en el artículo 368 se hayan realizado
por quienes pertenecieren a una organización delictiva, se impondrán las penas de
prisión de nueve a doce años y multa del tanto al cuádruplo del valor de la droga si
se tratara de sustancias y productos que causen grave daño a la salud y de prisión de
cuatro años y seis meses a diez años y la misma multa en los demás casos.
A los jefes, encargados o administradores de la organización se les impondrán las
penas superiores en grado a las señaladas en el párrafo primero...".
Art. 370 CP: "Se impondrá la pena superior en uno o dos grados a la señalada
en el artículo 368 cuando:
... 2º. Se trate de los jefes, administradores o encargados de las organizaciones a
que se refiere la circunstancia 2ª del apartado 1 del artículo anterior.
3º. Las conductas descritas en el artículo 368 fuesen de extrema gravedad.
Se consideran de extrema gravedad los casos en que... se trate de redes internacionales dedicadas a este tipo de actividades...".
Art. 371 CP: "... 2. Se impondrá la pena señalada en su mitad superior cuando
las personas que realicen los hechos descritos en el apartado anterior pertenezcan a una organización dedicada a los fines en él señalados, y la pena superior en
grado cuando se trate de los jefes, administradores o encargados de las referidas
organizaciones o asociaciones.
En tales casos, los jueces o tribunales impondrán, además de las penas correspondientes, la de inhabilitación especial del reo para el ejercicio de su profesión o industria por tiempo de tres a seis años, y las demás medidas previstas en el art. 369.2".

[52] Art. 386 CP: "... 4. Si el culpable perteneciere a una sociedad, organización o
asociación, incluso de carácter transitorio, que se dedicare a la realización de

ficación de tarjetas de crédito y débito y cheques de viaje[53], tráfico y depósito de armas, municiones y explosivos[54], y contrabando[55]. A su vez, conviene recordar que los delitos de organización criminal contemplan una agravación "si los delitos [objetivo de la organización] fueren contra la vida o la integridad de las personas, la libertad, la libertad e indemnidad sexuales o la trata de seres humanos" (art. 570

---

estas actividades, el juez o tribunal podrá imponer alguna o algunas de las consecuencias previstas en el artículo 129 de este Código".

[53] Art. 399 *bis* CP: "1. El que altere, copie, reproduzca o de cualquier otro modo falsifique tarjetas de crédito o débito o cheques de viaje, será castigado con la pena de prisión de cuatro a ocho años. Se impondrá la pena en su mitad superior... cuando los hechos se cometan en el marco de una organización criminal dedicada a estas actividades...".

[54] Art. 566 CP: "1. Los que fabriquen, comercialicen o establezcan depósitos de armas o municiones no autorizados por las leyes o la autoridad competente serán castigados:
1º. Si se trata de armas o municiones de guerra o de armas químicas, biológicas, nucleares o radiológicas o de minas antipersonas o municiones en racimo, con la pena de prisión de cinco a diez años los promotores y organizadores, y con la de prisión de tres a cinco años los que hayan cooperado a su formación.
2º. Si se trata de armas de fuego reglamentadas o municiones para las mismas, con la pena de prisión de dos a cuatro años los promotores y organizadores, y con la de prisión de seis meses a dos años los que hayan cooperado a su formación.
3º. Con las mismas penas será castigado, en sus respectivos casos, el tráfico de armas o municiones de guerra o de defensa, o de armas químicas, biológicas, nucleares o radiológicas o de minas antipersonas o municiones en racimo...".
Art. 568 CP: "La tenencia o el depósito de sustancias o aparatos explosivos, inflamables, incendiarios o asfixiantes, o de sus componentes, así como su fabricación, tráfico o transporte, o suministro de cualquier forma, no autorizado por las Leyes o la autoridad competente, serán castigados con la pena de prisión de cuatro a ocho años, si se trata de sus promotores y organizadores, y con la pena de prisión de tres a cinco años para los que hayan cooperado a su formación".
Art. 569 CP: "Los depósitos de armas, municiones o explosivos establecidos en nombre o por cuenta de una asociación con propósito delictivo, determinarán la declaración judicial de ilicitud y su consiguiente disolución".

[55] Art. 2 de la LO 12/1995, de 12 de diciembre, de represión del contrabando (en adelante LORC): "... 3. Cometen, asimismo, delito de contrabando quienes realicen alguno de los hechos descritos en los apartados 1 y 2 de este artículo, si concurre alguna de las circunstancias siguientes:
a)... cuando el contrabando se realice a través de una organización, con independencia del valor de los bienes, mercancías o géneros...".

bis 3 CP), y algo similar ocurre con los delitos de grupo criminal (art. 570 *ter* 1 CP).

A la hora de analizar estos concursos hay que empezar señalando que la mayoría de los tipos agravados solo comprenden la pertenencia o dirección de una organización o asociación, no de un grupo criminal. En estos casos, tratándose de un grupo criminal no se plantea un conflicto de normas, sino un concurso real entre el tipo básico del delito cometido y el art. 570 *ter* CP[56] (salvo que haya inherencia, en los términos recogidos en el apartado anterior). En efecto, se alude a los grupos criminales únicamente en los arts. 138.2 a) y 140.1.3° (homicidio y asesinato), 183.4 (delitos de abusos y agresiones sexuales a menores de dieciséis años), 187.2 b) (delitos relativos a la prostitución y corrupción de menores), 197 *quáter* (delitos de descubrimiento y revelación de secretos), 235.1.9ª y 240.2 (hurto y robo con fuerza en las cosas), 286 *quáter* c) (corrupción en los negocios), 305 *bis* 1 b) (delitos contra la Hacienda Pública), 307 *bis* 1 b) (delitos contra la Seguridad Social) y 362 *quáter* 3 CP (delitos farmacológicos). Por su parte, el art. 370 (delitos de tráfico de drogas) establece una agravante específica cuando se trate de redes internacionales dedicadas a este tipo de actividades, pero por razones sistemáticas hay que entender que esta superagravación solo es aplicable cuando exista una organización, pues únicamente a ella se refiere el art. 369 *bis* CP.

¿Qué ocurre cuando el delito preparado, intentado o cometido presenta un tipo agravado por la pertenencia o dirección de una organización o grupo criminal o de una asociación ilícita? La doctrina española se decanta mayoritariamente a favor de la apreciación de un concurso aparente de leyes penales, en el entendimiento de que optar

---

[56] Como apuntan las Circulares 2/2011, de 2 de junio, de la Fiscalía General del Estado, apartado V C; y 3/2011, de 11 de octubre, también de la Fiscalía General del Estado, sobre la reforma del Código Penal efectuada por la Ley Orgánica 5/2010, de 22 de junio, en relación con los delitos de tráfico ilegal de drogas y precursores, apartado 3.4. En este sentido, por ej., GONZÁLEZ RUS, Juan José, "Aproximación político-criminal", *cit.*, pp. 108-109; MARTÍNEZ PARDO, Vicente José, *Los delitos de tráfico de drogas: estudio jurisprudencial*, Edisofer, Madrid, 2013, p. 260; SUÁREZ LÓPEZ, José María, "Tratamiento penal de la criminalidad organizada en el tráfico de drogas", en GONZÁLEZ RUS, Juan José (Dir.), *La criminalidad organizada*, Tirant lo Blanch, Valencia, 2013, pp. 315-317.

por el concurso de delitos supondría una infracción del principio *non bis in idem*[57]. El concurso de leyes se resolvería por aplicación del principio de especialidad a favor del tipo agravado por organización del delito de que se trate[58].

Así se apunta entre los estudiosos de los delitos relativos a la propiedad intelectual e industrial[59]. Lo mismo sucede en los delitos de contrabando[60], aunque se ha defendido en alguna ocasión la aplicación de un concurso ideal[61]. También por la doctrina que se ha

---

[57] Así, entre otros, GARCÍA ALBERO en QUINTERO OLIVARES, Gonzalo (Dir.), *Comentarios, II*, 6ª ed. *cit.*, p. 1712; ROPERO CARRASCO, Julia, "¿Es necesario una reforma penal para resolver los problemas de atribución de responsabilidad y "justo" castigo de la delincuencia organizada?", en *Estudios Penales y Criminológicos* XXVII, 2007, p. 278; SÁNCHEZ GARCÍA DE PAZ, Isabel, *La criminalidad organizada*, *cit.*, pp. 123-124; de la misma autora, "Artículo 517", *cit.*, pp. 233-234; SUÁREZ-MIRA RODRÍGUEZ, C., "Del homicidio y sus formas", en GONZÁLEZ CUSSAC, José Luis (Dir.), *Comentarios a la Reforma del Código Penal de 2015*, 2ª ed. Tirant lo Blanch, Valencia, 2015, pp. 471-472, citando en el mismo sentido el informe del Consejo General del Poder Judicial al anteproyecto de 2012. Vid. también la Circular 2/2011, de 2 de junio, de la Fiscalía General del Estado, apartado V C.

[58] Así, por ej., GARCÍA ALBERO en QUINTERO OLIVARES, Gonzalo (Dir.), *Comentarios, II*, 6ª ed. *cit.*, p. 1712; GONZÁLEZ RUS, Juan José, "Aproximación político-criminal", *cit.*, p. 114. Vid. también la Circular 2/2011, de 2 de junio, de la Fiscalía General del Estado, apartado II B. Por su parte aplica el criterio de alternatividad SÁNCHEZ GARCÍA DE PAZ, Isabel, "Artículo 570 *quáter*", en GÓMEZ TOMILLO, Manuel/ JAVATO MARTÍN, Antonio M. (Dir.), *Comentarios prácticos al Código Penal. Tomo VI*, Thomson Reuters, Cizur Menor, 2015, p. 576, aun reconociendo que "en principio lo racional es que las relaciones entre ellos [los delitos de organización y grupo criminal y los tipos agravados por organización] se rigieran por el criterio de especialidad".

[59] Vid. RODRÍGUEZ MORO, Luis, *Tutela penal de la propiedad intelectual*, Tirant lo Blanch, Valencia, 2012, pp. 587 y ss.

[60] Vid. FARALDO CABANA, Patricia, "Contrabando a través de una organización", en FARALDO CABANA, Patricia (Dir.), *Comentarios a la legislación penal especial*, Lex Nova, Valladolid, 2012, pp. 111-112.

[61] Cfr. GARCÍA-PABLOS DE MOLINA, Antonio, "La eliminación del requisito de la cuantía en determinados supuestos delictivos", en COBO DEL ROSAL, Manuel (Dir.), *Comentarios a la Legislación Penal. Tomo III. Delitos e infracciones de contrabando*, Edersa, Madrid, 1984, p. 326. Sin embargo, no hay unidad de hecho porque no existe identidad ni total ni parcial entre los actos de ejecución de las infracciones concurrentes.

pronunciado en torno al delito de blanqueo de bienes[62], con alguna opinión discrepante[63]. Igualmente es la posición mayoritaria entre los expertos en los delitos contra los derechos de los ciudadanos extranjeros[64], aunque algún autor resuelve el concurso de leyes aplicando

---

[62] Vid. ARÁNGUEZ SÁNCHEZ, Carlos, *El delito de blanqueo de capitales*, Marcial Pons, Madrid-Barcelona, 2000, pp. 373-374; FARALDO CABANA, Patricia, "Cuestiones relativas a la autoría de los delitos de blanqueo de capitales", en PUENTE ABA, Luz María (Dir.), *Criminalidad organizada, terrorismo e inmigración. Retos contemporáneos de la política criminal*, Comares, Granada, 2008, pp. 184-186; PALMA HERRERA, José Manuel, *Los delitos de blanqueo de capitales*, Edersa, Madrid, 2000, pp. 797-798.

[63] En contra QUINTERO OLIVARES en QUINTERO OLIVARES, Gonzalo (Dir.), *Comentarios, II*, 6ª ed. *cit.*, pp. 454-455, que en el caso del blanqueo niega que exista concurso aparente con los delitos de asociación ilícita, afirmando que "el art. 515 es, de una parte "lex generalis", pero, sobre todo, es aplicable teóricamente "antes" de que se haya producido un concreto hecho delictivo, pues se colma con la sola orientación a cometerlos, por lo que no se produce problema de concurrencia de normas". En efecto, si no se ha iniciado la ejecución del blanqueo solo se podrá castigar por asociación ilícita. El problema concursal surge cuando en el marco de la asociación se ha iniciado la ejecución del delito de blanqueo, pues entonces concurren aparentemente dos delitos. Frente a ello, en lo que respecta a las relaciones con el delito de organización criminal QUINTERO entiende que "estaremos ante un concurso de normas a resolver por especialidad a favor de la presente [el art. 302 CP], salvo que se estime que lo previsto en el nº 1 del art. 302 y lo que se puede subsumir en el art. 570 bis son conductas en todo diferentes, lo cual no es fácil de sostener".

[64] Cfr. FERNÁNDEZ HERNÁNDEZ, Antonio, *Ley de partidos políticos y Derecho penal. Una nueva perspectiva en la lucha contra el terrorismo*, Tirant lo Blanch, Valencia, 2008, p. 160; PÉREZ CEPEDA, Ana Isabel, *Globalización, tráfico internacional ilícito de personas y derecho penal, Ley Orgánica 11/2003, de 29 de septiembre, de medidas concretas en materia de integración social de los extranjeros*, Comares, Granada, 2004, p. 276; RODRÍGUEZ MESA, María José, *Delitos contra los derechos de los ciudadanos extranjeros*, Tirant lo Blanch, Valencia, 2001, p. 115; SÁNCHEZ GARCÍA DE PAZ, Isabel, "Protección penal de los derechos de los ciudadanos extranjeros (Con atención a las reformas introducidas por las L.O. 15/2003 y 11/2003)", en CARBONELL MATEU, Juan Carlos, y otros (Coords.), *Estudios penales en homenaje al Profesor Cobo del Rosal*, Dykinson, Madrid, 2005, p. 834; de la misma autora, "Tráfico y trata de personas a través de organizaciones criminales", en PUENTE ABA, Luz María (Dir.), *Criminalidad organizada, terrorismo e inmigración. Retos contemporáneos de la política criminal*, Comares, Granada, 2008, pp. 289-290. Ésta fue la solución asumida por la Circular 1/2002, de 19 de febrero, de la Fiscalía General del Estado, sobre aspectos civiles, penales y contencioso-administrativos de la intervención del fiscal en materia de extranjería.

el principio de subsidiariedad o consunción o, en último caso, la alternatividad[65]. En lo que respecta al tráfico de drogas ésta es la opinión dominante[66]. Hay que puntualizar que se debe dar una solución

---

[65]   Así, por ej., MAYORDOMO RODRIGO, Virginia, *El delito de tráfico ilegal e inmigración clandestina de personas*, iustel, Madrid, 2008, pp. 184-185; VILLACAMPA ESTIARTE en QUINTERO OLIVARES, Gonzalo (Dir.), *Comentarios, II*, 5ª ed. *cit.*, p. 1251. Entienden que el art. 318 *bis* 3 a) CP absorbe el desvalor de la asociación ilícita y resulta preferente, PADILLA ALBA, Herminio Ramón, "El delito de tráfico ilegal de personas tras su reforma por la LO 11/2003, de 29 de septiembre", en *La Ley Penal* nº 14, 2005, pp. 5-23; PALOMO DEL ARCO, Andrés, "Criminalidad organizada y la inmigración ilegal", en GRANADOS PÉREZ, Carlos (Dir.), *La criminalidad organizada. Aspectos sustantivos, procesales y orgánicos*, CGPJ, Madrid, 2001, p. 201; SERRANO-PIEDECASAS, José Ramón, "Los delitos contra los derechos de los ciudadanos extranjeros", en AA.VV., *El extranjero en el Derecho penal español sustantivo y procesal*, CGPJ, Madrid, 2000, p. 318. Por su parte, RODRÍGUEZ MONTAÑÉS, María Teresa, "Ley de Extranjería y derecho penal", en *La Ley* 2001-2, p. 1741, resalta que aunque se entendiera que ninguno de los tipos absorbe al otro no sería posible el concurso de delitos porque se vulnera el principio *non bis in idem*, y el concurso entre los arts. 515.6 CP (ya derogado) y los núms. 1 y 2 del art. 318 *bis* CP lleva al absurdo, al resultar menos penado que aplicando directamente el nº 3 a). Aplica "como preferente el art. 318.5 bis [referencia que debe entenderse hecha al apartado 3 a), tras la entrada en vigor de la LO 1/2015, que alteró la numeración], que determina una pena más grave que la que resultaría de apreciar concurso de delitos", PÉREZ CEPEDA, Ana Isabel, *Globalización, cit.*, p. 276, quien unas líneas más adelante afirma, repitiendo palabras de QUINTERO, que "el art. 515 es, de una parte, "lex generalis", pero sobre todo, sería aplicable teóricamente "antes" de que se haya producido un concreto hecho delictivo, pues se colma con la sola orientación a cometerlos, por lo que no se produce concurrencia de normas". También a favor de la aplicación del tipo agravado con preferencia al delito de asociación ilícita LEÓN VILLALBA, Francisco Javier de, *Tráfico de personas e inmigración ilegal*, Tirant lo Blanch, Valencia, 2003, p. 273, parece que motivado por la mayor gravedad de las penas. En este sentido se había manifestado además la Circular 1/2002, de 19 de febrero, de la Fiscalía General del Estado, sobre aspectos civiles, penales y contencioso-administrativos de la intervención del Fiscal en materia de extranjería.

[66]   Así, resuelve el concurso aparente por el principio de especialidad GALLEGO SOLER, José-Ignacio, *Los delitos de tráfico de drogas. II. Un estudio analítico de los arts. 369, 370, 372, 374, 375, 377 y 378 del CP; y tratamientos jurisprudenciales*, Bosch, Barcelona, 1999, p. 201; JOSHI JUBERT, Ujala, "Sobre el concepto de organización en el delito de tráfico de drogas en la jurisprudencia del Tribunal Supremo (A propósito de la Sentencia del Tribunal Supremo de 19 de enero 1995, ponente Excmo. Sr. Bacigalupo)", en *Anuario de Derecho Penal y Ciencias Penales* 1995, p. 680; REY HUIDOBRO, Luis Fernando, "El delito de tráfico de

distinta en el caso de la circunstancia segunda del art. 369 CP, que se aplica "cuando el culpable participare en otras actividades organizadas o cuya ejecución se vea facilitada por la comisión del delito". Al respecto ya ha apuntado la Fiscalía General del Estado que esas actividades organizadas han de ser de carácter delictivo, aunque este adjetivo haya desaparecido en la reforma operada por la LO 15/2003, de 25 de noviembre, por la que se modifica la Ley Orgánica 10/1995, de 23 de noviembre, del Código Penal[67]. La razón es que esta agravación trae causa de lo dispuesto en la Convención de las Naciones Unidas contra el tráfico ilícito de estupefacientes, aprobada en Viena el 20 de diciembre de 1988, según la cual las Partes se comprometen a disponer lo necesario para que sus Tribunales y demás autoridades jurisdiccionales competentes puedan tener en cuenta como agravaciones del delito, entre otras, "la participación del delincuente en otras actividades delictivas internacionales organizadas" y "la participación del delincuente en otras actividades ilícitas cuya ejecución se vea facilitada por la comisión del delito". En cuanto al delito de trata de seres humanos, previsto en el art. 177 *bis* CP, se produce aquí una peculiaridad: el art. 570 *bis* 3 CP impone la pena en la mitad superior cuando los delitos cuya comisión constituye la finalidad de la organización criminal son delitos de trata de seres humanos, mientras que el art. 177 *bis* 6 impone la pena superior en grado e inhabilitación especial cuando el culpable de trata pertenece a una organización delictiva y la pena en su mitad superior, que puede elevarse a la pena superior en grado, cuando se trata de los jefes, administradores o encargados de tales organizaciones. Aunque podría pensarse que ambos preceptos concurren aparentemente, lo cierto es que no lo hacen. Se castiga por el tipo agravado de pertenencia a organización criminal cuando los delitos fin pretendidos por la organización son de trata, pero no

---

drogas tóxicas, estupefacientes o sustancias psicotrópicas, y figuras agravadas de primer grado, contenidas en el art. 344 *bis* a)", en COBO DEL ROSAL, Manuel (Dir.), *Comentarios a la Legislación Penal. Tomo XII*, Edersa, Madrid, 1990, pp. 361-363. En contra, BERISTAIN IPIÑA, Antonio, "Delitos de tráfico ilegal de drogas", en COBO DEL ROSAL, Manuel (Dir.), *Comentarios a la Legislación Penal. Tomo V. Vol. 2º*, Edersa, Madrid, 1985, p. 778.

[67] Circular 2/2005, de 31 de marzo, de la Fiscalía General del Estado, sobre la reforma del Código penal en relación con los delitos de tráfico ilegal de drogas, apartado I-3.

se ha iniciado su ejecución[68]. Se castiga por el tipo agravado de trata por pertenencia o dirección de una organización criminal cuando se ha iniciado la ejecución del delito de trata[69].

En estos supuestos, por tanto, no se aplicarían los delitos de asociación ilícita ni los de organización o grupo criminal, salvo que no se haya iniciado la ejecución de los delitos concretos o ésta no pueda probarse en el proceso, en cuyo caso se aplicarían[70].

En efecto, puede afirmarse que existe una relación de especialidad entre los tipos que concurren. Recordemos que en el concurso aparente se trata de una especialidad puramente lógica: esta regla se aplica cuando entre las leyes en conflicto existe una relación de género a especie. Cierto que los tipos agravados por la organización no son delitos de asociación para delinquir o de organización criminal a los que se añade un elemento que los caracteriza frente al género de la asociación ilícita/ organización criminal, antes bien, son delitos pertenecientes a otras familias delictivas completamente distintas, con diferente estructura y bien jurídico protegido. Sin embargo, no es ésta la perspectiva más importante en lo que se refiere a la resolución del concurso aparente de leyes penales, puesto que lo decisivo en este ámbito no es el solapamiento total o parcial de los hechos

---

[68]   Cfr. VILLACAMPA ESTIARTE, Carolina, "La cualificación del delito de trata de seres humanos por pertenencia a una organización o asociación criminal: exacerbación punitiva y duplicidades regulativas", en CASTILLEJO MANZANARES, Raquel, *Temas actuales en la persecución de los hechos delictivos*, La Ley, Madrid, 2012, pp. 427-428.

[69]   Cfr. DAUNIS RODRÍGUEZ, Alberto, *El delito de trata de seres humanos*, Tirant lo Blanch, Valencia, 2013, pp. 160-161; VILLACAMPA ESTIARTE, Carolina, *El delito, cit.*, pp. 466-467; de la misma autora, "La trata de seres humanos como manifestación de la delincuencia organizada. Especial referencia al derecho positivo español", en VILLACAMPA ESTIARTE, Carolina (Coord.), *La delincuencia organizada: un reto a la política-criminal actual*, Thomson Reuters Aranzadi, Cizur Menor, 2013, pp. 146-147.

[70]   En este sentido, expresamente, cfr. SÁNCHEZ GARCÍA DE PAZ, Isabel, "Inmigración ilegal y tráfico de seres humanos para su explotación laboral o sexual", en DIEGO DÍAZ-SANTOS, María Rosario/ FABIÁN CAPARRÓS, Eduardo A. (Coords.), *El sistema penal frente a los retos de la nueva sociedad*, Colex, Madrid, 2003, p. 128; de la misma autora, "Protección penal", *cit.*, p. 834; de la misma autora, "Tráfico", *cit.*, pp. 289-290; de la misma autora, "Artículo 570 quáter", *cit.*, p. 576. También LEÓN VILLALBA, Francisco Javier de, *Tráfico de personas, cit.*, p. 275.

subyacentes susceptibles de ser incluidos lógicamente en el tenor de los tipos convergentes, sino el solapamiento del desvalor que representan[71]. Hemos de analizar, por tanto, si el solapamiento de injustos es total, de modo que el desvalor del tipo general no solo esté enteramente cubierto por el tipo especial sino que además éste suponga la concreción de un *plus* o *minus*, bien de injusto o de culpabilidad, en relación con determinados hechos (*species*) del género representado por el tipo más amplio. "Se trata de formular un juicio hipotético negativo, en el que se suprima mentalmente la existencia del delito específico. Cuando suceda entonces que todo hecho sin excepción de los allí contemplados es susceptible de ser calificado con arreglo al precepto general, ha de afirmarse la relación de especialidad[72]". Pues bien, suprimido mentalmente el tipo agravado por la pertenencia a una organización los hechos allí contemplados son subsumibles en el precepto general, que en este caso está integrado por los delitos de asociación ilícita o los de organización o grupo criminal en concurso real con el tipo básico del delito de que se trate. En conclusión, los preceptos en cuestión se encuentran en relación de especialidad. El elemento distintivo entre los delitos de asociación ilícita o de organización o grupo criminal y las agravaciones por organización radica en que los primeros se sancionan sin necesidad de que efectivamente se haya cometido alguno de los delitos que integran el plan delictivo de la asociación, mientras que las segundas abarcan la pertenencia a la asociación, organización o grupo y la posterior comisión de uno de esos delitos. De esta forma, una aplicación conjunta de los delitos de asociación ilícita o de organización o grupo criminal y del tipo agravado supondría una doble valoración del mismo sustrato fáctico, pues si en los delitos de asociación ilícita y de organización o grupo criminal se sanciona simplemente la integración en un ente de las características citadas (sea como miembro, activo o no, sea como promotor, director, fundador, presidente o coordinador), sin necesidad de que se realice delito alguno en ejecución del plan criminal de la organización o grupo, en el tipo agravado se sanciona la realización de la conducta típica del delito de que se trate por parte de quien está integrado en la

---

[71] Cfr. GARCÍA ALBERO, Ramón, "*Non bis in idem" material y concurso de leyes penales*, Cedecs, Barcelona, 1995, p. 181.

[72] GARCÍA ALBERO, Ramón, "*Non bis in idem*", *cit.*, p. 322.

asociación, organización o grupo u ocupa una posición directiva en dicha agrupación ("jefes, administradores o encargados").

Ahora bien, la solución del concurso aparente de leyes penales a resolver por especialidad a favor de los tipos agravados supone que en algunos casos la pena que corresponde imponer es inferior a la que resultaría de aplicar un concurso real de delitos entre el tipo básico correspondiente y los delitos de organización o grupo criminal[73]. Así, la pena que corresponde imponer al dirigente de una organización criminal que ha tomado parte en la preparación o ejecución de un delito que tiene un tipo agravado por dirección de la organización criminal es inferior a la que se puede imponer conforme el art. 570 *bis* CP al dirigente que no ha intervenido en la comisión de delito alguno. Así sucede, por ej., en los delitos relativos a la prostitución y corrupción de menores (arts. 187 y 188 CP), antes mencionados, o en algunos casos de delitos contra la propiedad intelectual (arts. 270 ss. CP). Para solucionar estas incongruencias, la Circular 2/2011, de 2 de junio, de la Fiscalía General del Estado, recuerda la regla contenida en el art. 570 *quáter* 2 CP, según la cual "en todo caso, cuando las conductas previstas en dichos artículos estuvieran comprendidas en otro precepto de este Código será de aplicación lo dispuesto en la regla 4ª del art. 8", argumentando que "si bien, la regla prevista en el art. 8.4 tiene carácter subsidiario respecto del resto de los criterios establecidos en el art. 8 para la resolución de los conflictos de normas, sin embargo, su aplicación directa ha de prevalecer por decisión del legislador expresada en el citado artículo 570 quáter 2 in fine, opción justificada desde el planteamiento de que el mayor desvalor del hecho determina la aplicación de la pena más grave para evitar sanciones atenuadas incongruentes por la existencia de discordancias punitivas entre los distintos tipos penales" (p. 34). Este criterio se reitera en la Circular 3/2011, de 11 de octubre, de la Fiscalía General del Estado, sobre la reforma del Código Penal efectuada por la LO 5/2010, de 22 de junio, en relación con los delitos de tráfico ilegal de drogas y de precursores (apartado 3.3). En Resumen, se opta por aplicar, conforme al principio de alternatividad o consunción impropia, un concurso de delitos

---

[73]   Lo advierte, entre otros, GONZÁLEZ RUS, Juan José, "Aproximación político-criminal", *cit.*, p. 110.

entre los arts. 570 *bis* o 570 *ter* CP, según se trate de una organización
o de un grupo criminal, respectivamente, y el tipo básico del delito
cometido, prescindiendo del tipo agravado por organización siempre
que la pena que resulte aplicar en este concurso de delitos sea superior
a la que prevé el tipo agravado por organización[74].

Esta solución busca resolver disfunciones valorativas. Ahora bien,
lo hace recurriendo a una cláusula concursal que no es aplicable al
caso. La referencia al concurso de leyes a resolver mediante el principio de alternatividad supone que las conductas de organización o
grupo criminal están previstas como tales, esto es, como participación
o dirección de una organización o grupo criminal, que se castiga sin
necesidad de que se haya iniciado la ejecución de los delitos fin, en
otro precepto del Código Penal. Esto solo ocurre en los delitos de asociación ilícita, resolviéndose el concurso de leyes por alternatividad.
El concurso que se plantea entre los tipos básicos de los delitos fin
en concurso real con los delitos de organización criminal y los tipos
agravados por pertenencia o dirección de una organización en los
delitos fin no encaja en la cláusula del art. 570 *quáter* 2 CP. Se trata
de un concurso aparente de leyes penales que se resuelve aplicando
las reglas del art. 8 CP.

Ciertamente no falta quien propone la aplicación de un concurso
de delitos para resolver el problema planteado[75]. Como es sabido, el
concurso real se caracteriza por la existencia de una pluralidad de

---

[74]   En este sentido, vid. también CANCIO MELIÁ, Manuel, "Delitos de organi-
        zación: criminalidad organizada común y delitos de terrorismo", en DÍAZ-
        MAROTO Y VILLAREJO, Julio/ RODRÍGUEZ MOURULLO, Gonzalo (Dirs.),
        *Estudios sobre las reformas del Código Penal (operadas por las LO 5/2010, de
        22 de junio, y 3/2011, de 28 de enero)*, Civitas, Madrid, 2011, p. 654; MARTÍ-
        NEZ PARDO, Vicente José, *Los delitos de tráfico de drogas*, cit., pp. 258-260;
        SUÁREZ LÓPEZ, José María, "El tratamiento penal", cit., pp. 311-312, aun
        reconociendo que no es una solución satisfactoria. Analiza con detalle la cláusula
        y sus consecuencias, ESCUCHURI AISA, Estrella, "Comisión", cit., pp. 170-174.
[75]   Vid. por ej. MARTÍNEZ-BUJÁN PÉREZ, Carlos, *Derecho penal económico y de
        la empresa. Parte especial*, 5ª ed. Tirant lo Blanch, Valencia, 2015, p. 1031, sobre
        la relación entre el tipo específico de contrabando realizado a través de una orga-
        nización (art. 2.3 a) LORC) y los delitos de asociación para delinquir (art. 515.1
        CP) o de organización criminal (art. 570 *bis* CP), "siempre que la organización
        tenga por "objeto" cometer algún delito en los términos exigidos por esta última
        figura delictiva".

infracciones cometidas por el mismo autor provenientes de otras tantas acciones independientes. Dentro de estas hipótesis de pluralidad
delictiva se aplica un régimen especial, el concurso ideal, a aquéllas
en las que se aprecie unidad de hecho[76]. En el caso que analizamos no
hay esa unidad de hecho porque no existe identidad ni total ni parcial
entre los actos de ejecución de las infracciones concurrentes. Desde
el punto de vista adoptado, se ha de tener presente además que aun
dotando a los delitos de asociación ilícita y de organización o grupo
criminal de un contenido de injusto propio, más allá de la puesta en
peligro de los bienes jurídicos afectados por los delitos concretos cometidos por la organización, no es posible aplicar un concurso real
entre uno de estos delitos y esos otros cometidos, así como tampoco
entre el delito de asociación ilícita o de organización o grupo criminal
y los tipos agravados por la pertenencia o dirección de una organización[77]. La valoración plural no responde a una efectiva lesividad
material también plural.

Por último, se aplicarán los delitos de organización o grupo criminal en aquellos casos en que no se haya llegado a iniciar la ejecución
del delito-fin, es decir, cuando la organización o grupo no han iniciado su actividad delictiva, o ésta no pueda probarse en el proceso[78].

---

[76] Por unidad de hecho entiendo la identidad, al menos parcial, de los actos de
ejecución correspondientes a los tipos de los delitos concurrentes. Cfr. SANZ
MORÁN, Ángel José, *El concurso de delitos. Aspectos de política legislativa*,
Universidad de Valladolid, Valladolid, 1986, pp. 212-214. En contra se sitúan
quienes prefieren reducir el concurso ideal a los casos de identidad total. Vid.
por ej., GONZÁLEZ RUS, Juan José, "Artículos 73 y 75 al 78", en COBO DEL
ROSAL, Manuel (Dir.), *Comentarios al Código Penal. Tomo III. Artículos 24
a 94*, Cesej, Madrid, 2000, p. 1022, a quien puede objetarse que incluye entre
los casos de identidad total supuestos que deberían ser clasificados entre los de
identidad parcial: "cuando la acción común se corresponde con los actos de ejecución de un tipo que es, a su vez, parte de otro más amplio, de forma que puede
decirse que el hecho realiza ambos a la vez (plenamente el primero, parcialmente
el segundo)".

[77] Por tanto, rechazo el concurso real entre el tipo agravado por pertenencia a la
organización en el delito de tráfico de drogas y los delitos de asociación ilícita
que afirmaba con la regulación del Código Penal de 1944/73 REY HUIDOBRO,
Luis Fernando, *El delito de tráfico de estupefacientes*, Bosch, Barcelona, 1987,
pp. 361 ss.

[78] Cfr. LEÓN VILLALBA, Francisco Javier de, *Tráfico de personas, cit.*, pp. 273
ss.; RODRÍGUEZ MORO, Luis, *La tutela penal, cit.*, pp. 588-589; SÁNCHEZ

5. CONCLUSIONES

La existencia de dos familias delictivas que cubren el mismo ámbito de la criminalidad, como son los delitos de asociación ilícita y los de organización o grupo criminal, a la que se suma la previsión de tipos agravados por participación en una asociación u organización en numerosos delitos, pero no siempre utilizando la misma terminología, y previendo a veces (otras no) un tipo superagravado tratándose de los jefes, complica en grado sumo el tratamiento penal que ha de darse a los delitos cometidos en preparación o ejecución del plan criminal de una asociación u organización criminal. La solución más sencilla sería eliminar los delitos de asociación ilícita, innecesarios desde la creación de los delitos de organización y grupo criminal, eliminando también los tipos agravados de los delitos fin[79], de manera que en caso de cometerse un delito en el marco de la actividad asociativa se aplicase el delito en cuestión en concurso ideal (en casos de inherencia) o real con los delitos de organización o grupo criminal.

Y es que la técnica de crear tipos agravados por la pertenencia o la dirección de una organización presenta numerosos incoherencias. En primer lugar, llama la atención que la entidad de las consecuencias jurídicas previstas en los tipos agravados sea tan diversa entre sí. Por ej., la agravación supone la imposición de las penas superiores en grado a las señaladas en el tipo básico de tráfico de drogas y multa del tanto al cuádruplo para quienes participan en otras actividades organizadas (art. 369 CP), esto es, pena de prisión de seis a nueve años y multa del tanto al cuádruplo del valor de la droga si se tratara de sustancias y productos que causen grave daño a la salud y de prisión de tres a cuatro años y seis meses y la misma multa si se tratara de sustancias y productos que no causen ese grave daño. Además, para quienes cometan los hechos descritos en el art. 368 CP perteneciendo

---

[79]   GARCÍA DE PAZ, Isabel, *La criminalidad organizada, cit.*, p. 124; de la misma autora, "Tráfico", *cit.*, pp. 289-290; VILLACAMPA ESTIARTE, Carolina, *El delito, cit.*, pp. 466-467; de la misma autora, "La trata", *cit.*, pp. 146-147. Lo proponen directamente GONZÁLEZ RUS, Juan José, "Aproximación político-criminal", *cit.*, pp. 115 ss.; y PUENTE ABA, Luz María, "Tipos agravados en relación a los arts. 286 bis y ter (art. 286 quáter)", en GONZÁLEZ CUSSAC, José Luis (Dir.), *Comentarios a la Reforma del Código Penal de 2015*, 2ª ed. Tirant lo Blanch, Valencia, 2015, p. 930.

a una organización delictiva se les impone penas de prisión de nueve a doce años y multa del tanto al cuádruplo del valor de la droga si se trata de sustancias y productos que causen grave daño a la salud y de prisión de cuatro años y seis meses a diez años y la misma multa en los demás casos. A los jefes, encargados o administradores de la organización se les imponen penas superiores en grado a las recogidas en último lugar (art. 369 *bis* CP). Ahora bien, tratándose de tráfico de precursores se impone la pena del tipo básico en su mitad superior y la pena superior en grado respectivamente, a los integrantes y a los dirigentes (art. 371.2 CP). No resulta clara la razón de esta diferencia punitiva cuando la diferente significación del hecho ya se contempla en la distinta punición de los respectivos tipos básicos. Por otra parte, a veces la pertenencia a la organización se sanciona con una pena muy superior a la que resultaría de subir en un grado, como ocurre en el delito de corrupción de menores, cuya pena básica es de uno a cinco años, extendiéndose de cinco a nueve en el tipo agravado por pertenencia a una organización o asociación que se dedicare a la realización de tales actividades (art. 189.2 f) CP). En otras ocasiones, sin embargo, la existencia de una organización no supone un aumento de las penas para la persona física, permitiendo únicamente la imposición de consecuencias accesorias contra el ente colectivo. Así ocurre en los delitos de falsificación de moneda (art. 386.4 CP). Sin olvidar que a veces se prevé un tipo superagravado para los jefes, administradores o encargados (por ej., en los arts. 177 *bis*, 302, 318 *bis*, 369 *bis*, 371, 399 *bis* y 568 CP), y a veces no (como ocurre en los arts. 138 y 140, 187, 188 y 189, 197 *quáter*, 235 y 240, 262, 264, 271, 276, 286 *quáter*, 305 *bis*, 307 *bis*, 362 *quáter*, 386 CP y 2 LORC), y que en algún caso procede aplicar la agravación cuando el autor participa en "otras actividades organizadas o cuya ejecución se vea facilitada por la comisión del delito" de tráfico de drogas (art. 369 CP), lo que no suele tener parangón en otros tipos cualificados. Además, alguno de los tipos agravados, pero no todos, permite la imposición de consecuencias jurídicas derivadas del delito que no se contemplan en los delitos de asociación ilícita, aunque sí en los de organización o grupo criminal (vid. el art. 570 *quáter* 2 CP). Así sucede, por ej., con las penas de inhabilitación especial para profesión, oficio, industria o comercio por el tiempo de la condena en la trata de seres humanos (art. 177 *bis* 6 CP) o para licitar en subastas judiciales en la alteración de precios en concursos y subastas públicas (art. 262 CP). Esa diferente respuesta es prueba de que no responde a una opción meditada del legislador, dando lugar a incongruencias valorativas[80].

Por otra parte, si los delitos de asociación ilícita distinguen entre miembros activos y miembros no activos, sancionando únicamente a los primeros, y los delitos de organización y grupo criminal castigan ambos supuestos[81], los tipos agravados se conforman con la "pertenencia". Eso no debe llevar a entender que se trata de una pertenencia que puede ser activa o no. En efecto, se trata de tipos que agravan una conducta que constituye preparación (solo en los delitos fin que admiten la punición de los actos preparatorios, como el tráfico de drogas) o ejecución del plan criminal, de modo que aquí el miembro ya ha realizado un acto constitutivo de autoría o participación en el delito que se pretende agravar, lo que evidencia que su integración en la organización es activa. Ya en lo que respecta a la punición de los superiores, los delitos de asociación ilícita distinguen entre fundadores, directores y presidentes, y los de organización criminal entre promotores, organizadores, coordinadores y directores, mientras que los tipos agravados mencionan a los jefes, administradores o encargados. Y si los conceptos de jefe y administrador pueden entenderse referidos a quienes ocupan la cúspide de la organización, no puede predicarse lo mismo de los encargados, término que hace referencia a mandos intermedios con capacidad fáctica para la toma de decisiones[82], por lo que al aplicar el tipo agravado se amplía la posibilidad de sancionarles con pena superior a la que corresponde a los meros miembros de una asociación u organización criminal[83].

---

[80]   Vid. el análisis de ROPERO CARRASCO, Julia, "¿Es necesaria", cit., p. 271, nota nº 3; SUÁREZ GONZÁLEZ, Carlos J., "Organización delictiva, comisión concertada u organizada", en AA.VV., *Homenaje al Profesor Dr. Gonzalo Rodríguez Mourullo*, Thomson-Civitas, Madrid, 2005, pp. 1779 ss.

[81]   Cfr. FARALDO CABANA, Patricia, *Asociaciones ilícitas, cit.*, pp. 270 ss.

[82]   Para GALLEGO SOLER, José-Ignacio, *Los delitos de tráfico de drogas II, cit.*, p. 257, encargado "se aplica al que tiene cierta cosa a su cuidado o persona que dirige un negocio en representación del dueño de él", citando en su apoyo a BERISTAIN IPIÑA y REY HUIDOBRO.

[83]   En efecto, señalan las SSTS de 10-11-1994 (RJ 8808) y de 10-2-1997 (RJ 1550), en materia de tráfico de drogas, que cabe hablar de encargado en los casos en "que se destaque alguno que da instrucciones, facilita medios, prepara alojamientos, fija fechas, etc., en suma, que dirige la actuación de otros…".

Además, ha de tenerse en cuenta que para aplicar los tipos agravados por pertenencia a la organización o por tratarse de los jefes, administradores o encargados se exige en ocasiones que ésta se dedique a o persiga un objetivo criminal determinado, sin que baste un objetivo genérico de cometer delitos, como en los delitos de asociación ilícita y de organización o grupo criminal. Así, es necesario que la organización tenga "como finalidad la realización de actividades infractoras de derechos de propiedad intelectual" o "industrial" en los delitos relativos a la propiedad intelectual e industrial (arts. 271 c) y 276 c) CP), que esté "dedicada a los fines señalados en" los tipos básicos de blanqueo de bienes (art. 302 CP) y de tráfico de precursores (art. 371.2 CP), que se dedique "a la realización de tales actividades" en los delitos relativos a la prostitución y a la explotación sexual y corrupción de menores (arts. 187.2 b), 188.3 f) y 189.2 f) CP) y contra los derechos de los ciudadanos extranjeros (art. 318 *bis* 3 a) CP), a "este tipo de actividades" (art. 370 CP) en caso de tráfico de drogas, o bien lleve a cabo "otras actividades organizadas" delictivas distintas del tráfico de drogas en las que los miembros participan (art. 369.1.2 CP). A mi juicio, esa finalidad no debe entenderse como la única a que puede estar dedicada la organización para aplicar el tipo agravado correspondiente, pues supondría una restricción injustificada de su ámbito de aplicación, debido a que raras veces se encuentran casos de dedicación exclusiva a una concreta actividad ilícita. Es suficiente que entre otros fines lícitos o ilícitos la organización se dedique a alguno de los citados[84], aunque solo sea ocasionalmente. Sin olvidar que en

---

[84]   Cfr. en relación con el delito de blanqueo, ARÁNGUEZ SÁNCHEZ, Carlos, *El delito de blanqueo de capitales*, cit., p. 321; CARPIO DELGADO, Juana del, *El delito de blanqueo de bienes en el nuevo Código penal*, Tirant lo Blanch, Valencia, 1997, p. 405; DÍAZ Y GARCÍA CONLLEDO, Miguel, "Voz Blanqueo de bienes", en LUZÓN PEÑA, Diego-Manuel (Dir.), *Enciclopedia Penal Básica*, cit., pp. 216-217. En relación con el tráfico de drogas, entre otros, CONDE-PUMPIDO FERREIRO, Cándido, "El tratamiento penal del tráfico de drogas: las nuevas cuestiones", en AA.VV., *La problemática de la droga en España (Análisis y propuestas político-criminales)*, Edersa, Madrid, 1986, p. 139; GALLEGO SOLER, José-Ignacio, *Los delitos de tráfico de drogas II*, cit., pp. 199-200; ZARAGOZA AGUADO, Javier, "Tratamiento penal y procesal de las organizaciones criminales en el Derecho español. Especial referencia al tráfico ilegal de drogas", en SORIANO SORIANO, José Ramón (Dir.), *Delitos contra la salud pública y contrabando*, CGPJ, Madrid, 2000, p. 82. En contra, vid. por todos JORDANA

algún caso no es ya que no se exija que la organización o asociación se dedique a la realización de determinadas actividades delictivas, sino que ni siquiera se indica que deba tratarse de una organización o grupo criminal. Esto es lo que ocurre, por ej., en los delitos de contrabando.

En fin, las diferencias en la descripción típica y en las consecuencias que se contemplan en los tipos agravados confirman la impresión de que no hay una reflexión político-criminal seria detrás de su previsión. El legislador debería eliminar los tipos agravados, dejando que los casos de comisión de delitos por parte de personas integradas en organizaciones y grupos criminales se resuelvan aplicando un concurso real entre el delito cometido y el de organización o grupo criminal, que sería ideal en los casos de inherencia. Solo así se podría dar una respuesta más clara y satisfactoria a los delitos de los miembros o jefes de organización o grupos criminales en ejecución del plan criminal del ente.

6. BIBLIOGRAFÍA

ARÁNGUEZ SÁNCHEZ, Carlos, *El delito de blanqueo de capitales*, Marcial Pons, Madrid-Barcelona, 2000.

BERISTAIN IPIÑA, Antonio, "Delitos de tráfico ilegal de drogas", en COBO DEL ROSAL, Manuel (Dir.), *Comentarios a la Legislación Penal. Tomo V. Vol. 2º*, Edersa, Madrid, 1985, pp. 743-810.

BERNAL DEL CASTILLO, Jesús, *La discriminación en el derecho penal*, Comares, Granada, 1998.

CANCIO MELIÁ, Manuel, "El delito de pertenencia a una organización terrorista en el Código penal español", en LUZÓN PEÑA, Diego-Manuel (Dir.), *Derecho penal del Estado social y democrático de Derecho. Libro homenaje a Santiago Mir Puig*, La Ley, Madrid, 2010, pp. 987-1010.

–   "Delitos de organización: criminalidad organizada común y delitos de terrorismo", en DÍAZ-MAROTO Y VILLAREJO, Julio/ RODRÍGUEZ MOURULLO, Gonzalo (Dirs.), *Estudios sobre las reformas del Código Penal (operadas por las LO 5/2010, de 22 de junio, y 3/2011, de 28 de enero)*, Civitas, Madrid, 2011, pp. 643-670.

DE POZAS en CONDE-PUMPIDO FERREIRO, Cándido (Dir.), *Código Penal. Doctrina y jurisprudencia*, Trivium, Madrid, 1997, p. 3090..

CARBONELL MATEU, Juan Carlos, "Observaciones en torno al proyecto de Ley sobre reforma del Código penal en relación a los delitos cometidos con ocasión del ejercicio de los derechos fundamentales y libertades públicas", en *Documentación Jurídica* 37/40, Vol. 2, 1983, pp. 1277-1306.

CARPIO DELGADO, Juana del, *El delito de blanqueo de bienes en el nuevo Código penal*, Tirant lo Blanch, Valencia, 1997.

CARRETERO SÁNCHEZ, Adolfo, "La organización y el grupo criminal en la reforma del Código Penal", en *La Ley* 2011-1, pp. 1511-1513.

CHOCLÁN MONTALVO, José Antonio, "Criminalidad organizada. Concepto de asociación ilícita. Problemas de autoría y participación", en GRANADOS PÉREZ, Carlos (Dir.), *La criminalidad organizada. Aspectos sustantivos, procesales y orgánicos*, CGPJ, Madrid, 2001, pp. 215-268.

CONDE-PUMPIDO FERREIRO, Cándido (Dir.), *Código Penal. Doctrina y jurisprudencia*, Trivium, Madrid, 1997.

CONDE-PUMPIDO FERREIRO, Cándido, "El tratamiento penal del tráfico de drogas: las nuevas cuestiones", en AA.VV., *La problemática de la droga en España (Análisis y propuestas político-criminales)*, Edersa, Madrid, 1986, pp. 117-140.

CORCOY, Mirentxu/ GÓMEZ, Víctor/ BESIO, M., "De las organizaciones y grupos criminales", en CORCOY BIDASOLO, Mirentxu/ MIR PUIG, Santiago (Dirs.), *Comentarios al Código Penal. Reforma LO 5/2010*, Tirant lo Blanch, Valencia, 2011, pp. 1113-1118.

DAUNIS RODRÍGUEZ, Alberto, *El delito de trata de seres humanos*, Tirant lo Blanch, Valencia, 2013.

DÍAZ Y GARCÍA CONLLEDO, Miguel, "Voz Asociación ilícita", en LUZÓN PEÑA, Diego-Manuel (Dir.), *Enciclopedia Penal Básica*, Comares, Granada, 2002, pp. 103-114.

– "Voz Blanqueo de bienes", en LUZÓN PEÑA, Diego-Manuel (Dir.), *Enciclopedia Penal Básica*, Comares, Granada, 2002, pp. 193-221.

ESCUCHURI AISA, Estrella, "Comisión de delitos en el marco de organizaciones y grupos criminales. Algunos problemas que plantea la regulación del Código penal español en relación con la delincuencia organizada", en *Revista de Derecho y Proceso Penal* nº 37, 2015, pp. 133-175.

FARALDO CABANA, Patricia, "Cuestiones relativas a la autoría de los delitos de blanqueo de capitales", en PUENTE ABA, Luz María (Dir.), *Criminalidad organizada, terrorismo e inmigración. Retos contemporáneos de la política criminal*, Comares, Granada, 2008, pp. 161-194.

– *Asociaciones ilícitas y organizaciones criminales en el Código Penal español*, Tirant lo Blanch, Valencia, 2012.

– "Contrabando a través de una organización", en FARALDO CABANA, Patricia (Dir.), *Comentarios a la legislación penal especial*, Lex Nova, Valladolid, 2012, pp. 108-111.

– "Sobre los conceptos de organización criminal y asociación ilícita", en VILLACAMPA ESTIARTE, Carolina (Coord.), *La delincuencia organizada:*

un reto a la política-criminal actual, Thomson Reuters Aranzadi, Cizur Menor, 2013, pp. 45-92.

FARALDO CABANA, Patricia/ FARALDO CABANA, Cristina, "¿Responde penalmente la persona jurídica por la comisión de delitos alimentarios? Límites y posibilidades de la aplicación de las consecuencias accesorias en España tras la reforma penal de 2010", en *La Ley* 2014-1, pp. 1684-1691.

FERNÁNDEZ HERNÁNDEZ, Antonio, *Ley de partidos políticos y Derecho penal. Una nueva perspectiva en la lucha contra el terrorismo*, Tirant lo Blanch, Valencia, 2008.

GALLEGO SOLER, José-Ignacio, *Los delitos de tráfico de drogas. II. Un estudio analítico de los arts. 369, 370, 372, 374, 375, 377 y 378 del CP; y tratamientos jurisprudenciales*, Bosch, Barcelona, 1999.

GARCÍA ALBERO, Ramón, *"Non bis in idem" material y concurso de leyes penales*, Cedecs, Barcelona, 1995.

GARCÍA ÁLVAREZ, Pilar, *El Derecho penal y la discriminación. Especial referencia al extranjero como víctima de discriminaciones penalmente relevantes*, Tirant lo Blanch, Valencia, 2004.

GARCÍA DEL BLANCO, Victoria, "Criminalidad organizada: organizaciones y grupos criminales", en ORTIZ DE URBINA GIMENO, Íñigo (Coord.), *Reforma penal. Memento práctico Francis Lefebvre*, Madrid, 2010, pp. 553-589.

GARCÍA GONZÁLEZ, Javier, "Las causas de disolución y suspensión de un partido político previstas en la LO 6/2002 y su relación con el artículo 515 del Código Penal", en *Revista del Poder Judicial* nº 69, 2003, pp. 49-87.

GARCÍA-PABLOS DE MOLINA, Antonio, "La problemática concursal en los delitos de asociaciones ilícitas", en *Anuario de Derecho Penal y Ciencias Penales* 1976, pp. 88-116.

– *Asociaciones ilícitas en el Código penal*, Bosch, Barcelona, 1977.

– "La eliminación del requisito de la cuantía en determinados supuestos delictivos", en COBO DEL ROSAL, Manuel (Dir.), *Comentarios a la Legislación Penal. Tomo III. Delitos e infracciones de contrabando*, Edersa, Madrid, 1984, pp. 251-326.

GARCÍA RIVAS, Nicolás/ LAMARCA PÉREZ, Carmen, "Organizaciones y grupos criminales", en ÁLVAREZ GARCÍA, Javier/ GONZÁLEZ CUSSAC, José Luis (Dirs.), *Comentarios a la reforma penal de 2010*, Tirant lo Blanch, Valencia, 2010, pp. 503-520.

GONZÁLEZ RUS, Juan José, "Asociación para delinquir y criminalidad organizada (sobre la propuesta de desaparición del delito basada en una peculiar interpretación de la STS de 23 de octubre de 1997 —Caso Filesa—)", en *Actualidad Penal* 2000-2, margs. 561-585.

– "Artículos 73 y 75 al 78", en COBO DEL ROSAL, Manuel (Dir.), *Comentarios al Código Penal. Tomo III. Artículos 24 a 94*, Cesej, Madrid, 2000, pp. 903-1052.

– "Aproximación político-criminal a la regulación de la criminalidad organizada después de la reforma de 2010", en GONZÁLEZ RUS, Juan José

(Dir.), *La criminalidad organizada*, Tirant lo Blanch, Valencia, 2013, pp. 93-118.

GUDÍN RODRÍGUEZ-MAGARIÑOS, Antonio Evaristo, "Alcance de la reforma del Código Penal por la Ley Orgánica 3/2011 en relación a las "consecuencias" del delito del artículo 570 quáter", en *La Ley* 2011-2, pp. 1650-1657.

JOSHI JUBERT, Ujala, "Sobre el concepto de organización en el delito de tráfico de drogas en la jurisprudencia del Tribunal Supremo (A propósito de la Sentencia del Tribunal Supremo de 19 de enero 1995, ponente Excmo. Sr. Bacigalupo)", en *Anuario de Derecho Penal y Ciencias Penales* 1995, pp. 657-683.

LAMARCA PÉREZ, Carmen, *Tratamiento jurídico del terrorismo*, Ministerio de Justicia, Madrid, 1985.

LEÓN VILLALBA, Francisco Javier de, *Tráfico de personas e inmigración ilegal*, Tirant lo Blanch, Valencia, 2003.

LLOBET ANGLÍ, Mariona, "Terrorismo", en ORTIZ DE URBINA GIMENO, Íñigo (Coord.), *Reforma penal. Memento práctico Francis Lefebvre*, Madrid, 2010, pp. 581-618.

- "Delitos contra el orden público", en SILVA SÁNCHEZ, Jesús María (Dir.), *Lecciones de Derecho Penal. Parte especial*, 4ª ed. Atelier, Barcelona, 2015, pp. 415-440.

MANJÓN-CABEZA OLMEDA, Araceli, "Agravaciones del tráfico de drogas en la LO 15/2003", en *La Ley Penal* n°12, 2004, pp. 5-27.

MARTELL PÉREZ-ALCALDE, Cristobal/ QUINTERO GARCÍA, D., "De las organizaciones y grupos criminales, arts. 570 *bis*, 570 *ter* y 570 *quáter* CP", en QUINTERO OLIVARES, Gonzalo (Dir.), *La Reforma Penal de 2010: Análisis y Comentarios*, Aranzadi Thomson Reuters, Cizur Menor, 2010, pp. 357-368.

MARTÍNEZ-BUJÁN PÉREZ, Carlos, *Derecho penal económico y de la empresa. Parte especial*, 5ª ed. Tirant lo Blanch, Valencia, 2015.

MARTÍNEZ PARDO, Vicente José, *Los delitos de tráfico de drogas: estudio jurisprudencial*, Edisofer, Madrid, 2013.

MAYORDOMO RODRIGO, Virginia, *El delito de tráfico ilegal e inmigración clandestina de personas*, iustel, Madrid, 2008.

MORAL DE LA ROSA, Juan, *Aspectos penales y criminológicos del terrorismo*, Ediciones Estudios Financieros, Madrid, 2005.

PADILLA ALBA, Herminio Ramón, "El delito de tráfico ilegal de personas tras su reforma por la LO 11/2003, de 29 de septiembre", en *La Ley Penal* n° 14, marzo 2005, pp. 5-23.

PALMA HERRERA, José Manuel, *Los delitos de blanqueo de capitales*, Edersa, Madrid, 2000.

PALOMO DEL ARCO, Andrés, "Criminalidad organizada y la inmigración ilegal", en GRANADOS PÉREZ, Carlos (Dir.), *La criminalidad organizada. Aspectos sustantivos, procesales y orgánicos*, CGPJ, Madrid, 2001, pp. 169-214.

PÉREZ CEPEDA, Ana Isabel, *Globalización, tráfico internacional ilícito de personas y derecho penal, Ley Orgánica 11/2003, de 29 de septiembre, de medidas concretas en materia de integración social de los extranjeros*, Comares, Granada, 2004.

–   *La seguridad como fundamento de la deriva del derecho penal postmo-
    derno*, iustel, Madrid, 2007.
PUENTE ABA, Luz María, "Tipos agravados en relación a los arts. 286 bis y ter
    (art. 286 quáter)", en GONZÁLEZ CUSSAC, José Luis (Dir.), *Comentarios a
    la Reforma del Código Penal de 2015*, 2ª ed. Tirant lo Blanch, Valencia, 2015,
    pp. 929-932.
–   "Pertenencia a una organización destinada a la financiación ilegal de par-
    tidos políticos (art. 304 ter)", en GONZÁLEZ CUSSAC, José Luis (Dir.),
    Comentarios a la Reforma del Código Penal de 2015, 2ª ed. Tirant lo
    Blanch, Valencia, 2015, pp. 959-964.
QUINTERO OLIVARES, Gonzalo (Dir.), *Comentarios al Código Penal Español.
    Tomo I (Artículos 1 a 233)*, 6ª ed. Thomson Reuters-Aranzadi, Cizur Menor,
    2011.
–   *Comentarios al Código Penal Español. Tomo II (Artículos 234 a DF 7ª)*,
    6ª ed. Thomson Reuters-Aranzadi, Cizur Menor, 2011.
REY HUIDOBRO, Luis Felipe, *El delito de tráfico de estupefacientes*, Bosch, Bar-
    celona, 1987.
–   "El delito de tráfico de drogas tóxicas, estupefacientes o sustancias psico-
    trópicas, y figuras agravadas de primer grado, contenidas en el art. 344 bis
    a)", en COBO DEL ROSAL, Manuel (Dir.), *Comentarios a la Legislación
    Penal. Tomo XII*, EDERSA, Madrid, 1990, pp. 33-424.
RODRÍGUEZ DEVESA, José María/ SERRANO GÓMEZ, Alfonso, *Derecho Pe-
    nal Español. Parte Especial*, 18ª ed. Dykinson, Madrid, 1995.
RODRÍGUEZ MESA, María José, *Delitos contra los derechos de los ciudadanos
    extranjeros*, Tirant lo Blanch, Valencia, 2001.
RODRÍGUEZ MONTAÑÉS, María Teresa, "Ley de Extranjería y Derecho Pe-
    nal", en *La Ley* 2001-2, pp. 1736-1743.
RODRÍGUEZ MORO, Luis, *Tutela penal de la propiedad intelectual*, Tirant lo
    Blanch, Valencia, 2012.
ROPERO CARRASCO, Julia, "¿Es necesaria una reforma penal para resolver
    los problemas de atribución de responsabilidad y "justo" castigo de la delin-
    cuencia organizada?", en *Estudios Penales y Criminológicos* XXVII, 2007,
    pp. 267-321.
SÁNCHEZ GARCÍA DE PAZ, Isabel, "Función político-criminal del delito de
    asociación para delinquir: desde el Derecho penal político hasta la lucha
    contra el crimen organizado", en ARROYO ZAPATERO, Luis/ BERDUGO
    GÓMEZ DE LA TORRE, Ignacio (Eds.), *Homenaje al Dr. Marino Barbero
    Santos. Volumen II*, Ediciones de la Universidad de Castilla-La Mancha/ Uni-
    versidad de Salamanca, Cuenca, 2001, pp. 645-682.
–   "Inmigración ilegal y tráfico de seres humanos para su explotación labo-
    ral o sexual", en DIEGO DÍAZ-SANTOS, María Rosario/ FABIÁN CA-
    PARRÓS, Eduardo A. (Coords.), *El sistema penal frente a los retos de la
    nueva sociedad*, Colex, Madrid, 2003, pp. 113-138.
–   "Protección penal de los derechos de los ciudadanos extranjeros (Con
    atención a las reformas introducidas por las L.O. 15/2003 y 11/2003)",

en CARBONELL MATEU, Juan Carlos, et al. (Coords.), *Estudios penales en homenaje al Profesor Cobo del Rosal*, Dykinson, Madrid, 2005, pp. 807-836.

– *La criminalidad organizada. Aspectos penales, procesales, administrativos y policiales*, Ministerio del Interior/ Dykinson, Madrid, 2005.

– "Tráfico y trata de personas a través de organizaciones criminales", en PUENTE ABA, Luz María (Dir.), *Criminalidad organizada, terrorismo e inmigración. Retos contemporáneos de la política criminal*, Comares, Granada, 2008, pp. 259-292.

– "Artículo 515", en GÓMEZ TOMILLO, Manuel/ JAVATO MARTÍN, Antonio M. (Dir.), *Comentarios prácticos al Código Penal. Tomo VI*, Thomson Reuters, Cizur Menor, 2015, pp. 217-227.

– "Artículo 517", en GÓMEZ TOMILLO, Manuel/ JAVATO MARTÍN, Antonio M. (Dir.), *Comentarios prácticos al Código Penal. Tomo VI*, Thomson Reuters, Cizur Menor, 2015, pp. 230-235.

– "Artículo 570 bis", en GÓMEZ TOMILLO, Manuel/ JAVATO MARTÍN, Antonio M. (Dir.), *Comentarios prácticos al Código Penal. Tomo VI*, Thomson Reuters, Cizur Menor, 2015, pp. 553-566.

– "Artículo 570 quáter", en GÓMEZ TOMILLO, Manuel/ JAVATO MARTÍN, Antonio M. (Dir.), *Comentarios prácticos al Código Penal. Tomo VI*, Thomson Reuters, Cizur Menor, 2015, pp. 573-581.

SANZ MORÁN, Ángel José, *El concurso de delitos. Aspectos de política legislativa*, Universidad de Valladolid, Valladolid, 1986.

SERRANO GÓMEZ, Alfonso, et al., *Curso de Derecho Penal. Parte Especial*, 2ª ed. Dykinson, Madrid, 2015.

SERRANO-PIEDECASAS, José Ramón, "Los delitos contra los derechos de los ciudadanos extranjeros", en AA.VV., *El extranjero en el Derecho penal español sustantivo y procesal*, CGPJ, Madrid, 2000, pp. 359-398.

SILVA SÁNCHEZ, Jesús María, "La reforma del Código Penal: una aproximación desde el contexto", en *La Ley* 2010-4, pp. 1785-1793.

SUÁREZ GONZÁLEZ, Carlos J., "Organización delictiva, comisión concertada u organizada", en AA.VV., *Homenaje al Profesor Dr. Gonzalo Rodríguez Mourullo*, Thomson-Civitas, Madrid, 2005, pp. 1771-1790.

SUÁREZ LÓPEZ, José María, "El tratamiento penal de la criminalidad organizada en el tráfico de drogas", en GONZÁLEZ RUS, Juan José (Dir.), *La criminalidad organizada*, Tirant lo Blanch, Valencia, 2013, pp. 297-320.

SUÁREZ-MIRA RODRÍGUEZ, C., "Del homicidio y sus formas", en GONZÁLEZ CUSSAC, José Luis (Dir.), *Comentarios a la Reforma del Código Penal de 2015*, 2ª ed. Tirant lo Blanch, Valencia, 2015, pp. 465-486.

VERA SÁNCHEZ, Juan Sebastián, "De las organizaciones y grupos criminales", en CORCOY BIDASOLO, Mirentxu/ MIR PUIG, Carlos (Dirs.), *Comentarios al Código Penal*, 2ª ed. Tirant lo Blanch, Valencia, 2015, pp. 1716-1724.

VILLACAMPA ESTIARTE, Carolina, *El delito de trata de seres humanos. Una incriminación dictada desde el Derecho Internacional*, Cizur Menor, Aranzadi Thomson Reuters, 2011.

- "La cualificación del delito de trata de seres humanos por pertenencia a una organización o asociación criminal: exacerbación punitiva y duplicidades regulativas", en CASTILLEJO MANZANARES, Raquel, *Temas actuales en la persecución de los hechos delictivos*, La Ley, Madrid, 2012, pp. 397-435.
- "La trata de seres humanos como manifestación de la delincuencia organizada. Especial referencia al derecho positivo español", en VILLACAMPA ESTIARTE, Carolina (Coord.), *La delincuencia organizada: un reto a la política-criminal actual*, Thomson Reuters Aranzadi, Cizur Menor, 2013, pp. 113-156.

VIVES ANTÓN, Tomás Salvador, y otros, *Derecho Penal. Parte Especial*, 3ª ed. Tirant lo Blanch, Valencia, 2010.

YACOBUCCI, Guillermo Jorge, "La noción de crimen organizado desde la política criminal y la teoría del delito", en PEÑA CABRERA FREYRE, Raúl/ MONTES FLORES, Efraín/ SÁNCHEZ MERCADO, M. A. (Coords.), *El Derecho penal contemporáneo. Libro homenaje al Profesor Raúl Peña Cabrera. Tomo I*, Ara editores, Lima, 2006, pp. 617-658.

ZARAGOZA AGUADO, Javier, "Tratamiento penal y procesal de las organizaciones criminales en el Derecho español. Especial referencia al tráfico ilegal de drogas", en SORIANO SORIANO, José Ramón (Dir.), *Delitos contra la salud pública y contrabando*, CGPJ, Madrid, 2000, pp. 49-116.

ZIFFER, Patricia S., *El delito de asociación ilícita*, Buenos Aires, Ad-Hoc, 2005.

ZÚÑIGA RODRÍGUEZ, Laura, "Criminalidad organizada y Derecho Penal, dos conceptos de difícil conjunción", en AA.VV., *Cuestiones actuales del sistema penal. Crisis y desafíos*, Ara editores, Lima, 2008, pp. 285-326.
- *Criminalidad organizada y sistema de derecho penal. Contribución a la determinación del injusto penal de organización criminal*, Comares, Granada, 2009.

NORMAS MÍNIMAS SOBRE DECOMISO DE LOS INSTRUMENTOS Y DEL PRODUCTO DE LA DELINCUENCIA ORGANIZADA EN LA UNIÓN EUROPEA (DIRECTIVA 2014/42/UE) Y SU INCORPORACIÓN AL DERECHO ESPAÑOL

TERESA AGUADO CORREA[1]

Sumario: 1. Introducción 2. Marco jurídico vigente en la UE en relación con el embargo y el decomiso 3. Contexto de la Directiva 2014/42/UE 4. Directiva 2014/42/UE: Objeto, definiciones y ámbito de aplicación. 5. Incorporación al derecho español. 6. Conclusiones.

Resumen: La aprobación de la Directiva 2014/42/UE del Parlamento Europeo y del Consejo, de 3 de abril, sobre el embargo y el decomiso de los instrumentos y del producto del delito en la Unión Europea, ha dado lugar a que el marco jurídico vigente sobre embargo y decomiso haya sufrido importantes cambios en la UE, erigiéndose en la actualidad como el principal instrumento jurídico que regula el embargo y el decomiso como mecanismo eficaz de lucha contra la delincuencia organizada. Además de ocuparnos de algunas cuestiones relacionadas con la Directiva, analizamos la incorporación de la citada norma europea al derecho español.

Palabras clave: Delincuencia organizada, terrorismo, decomiso, embargo, decomiso no basado en condena, decomiso ampliado, decomiso de bienes de terceros, eurodelitos.

---

[1]   Prof. Titular de Derecho Penal Universidad de Sevilla.

1. INTRODUCCIÓN

La delincuencia organiza es junto con el terrorismo uno de los desafíos y de las amenazas más graves que en la actualidad afronta la Unión Europea, amenazas que requieren acciones coordinadas a nivel mundial, de la Unión Europea y nacional[2].

Los mecanismos de lucha contra de estas actividades delictivas de especial gravedad convergen en el decomiso y la recuperación de activos erigiéndose la Directiva 2014/42/UE del Parlamento Europeo y del Consejo, de 3 de abril de 2014, sobre el embargo y el decomiso de los instrumentos y del producto del delito en la Unión Europea, en el instrumento legal clave a nivel de la UE, al tratarse de una norma jurídica de carácter vinculante para los Estados miembros en la que se ha puesto de relieve la importancia del decomiso como uno de los medios más eficaces en la lucha contra la delincuencia organizada y otras actividades delictivas graves, aun cuando en los tres primeros considerandos de la citada norma se enfatiza el papel del embargo y el decomiso en relación con la delincuencia organizada, en los siguientes términos:

"(1)La motivación principal de la delincuencia organizada transfronteriza, incluida la de carácter mafioso, es la obtención de beneficios financieros. Por consiguiente, es necesario dotar a las autoridades competentes de los medios para localizar, embargar, administrar y decomisar el producto del delito. Sin embargo, la prevención y la lucha eficaces contra la delincuencia organizada deben alcanzarse neutralizando el producto del delito, y ampliarse, en ciertos casos, a cualquier bien que proceda de actividades de carácter delictivo[3]".

---

2   Comunicación de la Comisión al Parlamento Europeo, el Consejo, el Comité Social y Económico Europeo y el Comité de las Regiones. La Agenda Europea de Seguridad, Estrasburgo, 28.4.2015, COM (2015) 185 final, p. 14.

3   Cabe destacar, que con base en la enmienda 1 presentada por la Comisión de las Libertades Civiles, Justicia y Asuntos de Interior (en adelante, CLCJAI), en el Informe sobre la propuesta de Directiva del Parlamento Europeo y del Consejo sobre el embargo preventivo y el decomiso de los productos de la delincuencia en la Unión Europea, Ponente, Mónica Luisa Macovei, Documento A7-0178/2013, de 20 de mayo de 2013, informe aprobado por 48 votos a favor, 7 votos en contra y dos abstenciones, se ha incluido esta referencia a la delincuencia organizada "de carácter mafioso", si bien la versión española dista del texto aprobado por el Parlamento y el Consejo. En realidad, el inicio de este considerando 1,

"(2) Los grupos de delincuencia organizada no conocen fronteras y cada vez adquieren más activos en Estados miembros distintos de aquellos en los que están basados y en terceros países. Existe una necesidad cada vez mayor de cooperación internacional eficaz en materia de recuperación de activos y de asistencia jurídica mutua".

"(3) Entre los medios más eficaces en la lucha contra la delincuencia organizada, se encuentran el establecimiento de consecuencias jurídicas graves por la comisión de tales delitos, así como la detección eficaz y el embargo y el decomiso de los instrumentos y del producto del delito[4]".

---

debería ser "La motivación principal de la delincuencia organizada transfronteriza, incluidas las organizaciones criminales de tipo mafioso…", si nos fijamos en las versiones en otros idiomas ("including mafia-type criminal organisation" "comprese le organizzazioni criminali di stampo mafioso"; y "compris les organisations criminelles de type mafieux"). ARCIFA, G., "The new EU Directive on Confiscation: A good (even if still prudent) starting point for the post-Lisbon EU strategy on tracking and consfiscating illicit money", *I quaderni europei*, Maggio 2014, n. 64, p. 3, destaca que es la primera vez que en un documento legislativo se hace referencia a la mafia, referencias que, por el contrario, son habituales en documentos no legislativos de la Unión Europea, si bien no se ofrece en la Directiva una definición de la misma. Esta definición sí la podemos encontrar en la legislación italiana, en concreto, en el art. 416 bis del CP en el que se tipifica la participación en una "asociación de tipo mafioso": "L'associazione è de tipo mafioso quando coloro che ne fanno parte si avvalgono della forza di intimidazione del vincolo associativo e della condizione di asoggettamento e di omertà che ne deriva per commetere delitti, per acquisire in modo diretto o inidretto la gestione o comunque el controllo di attività economiche, di concessioni, di autorizzazione, appalti e servizi pubblici o per realizzare profiti o vantaggi ingiusti per sé o per altri, ovvero al fine di impedire od ostacolare il libero esercizio del voto o di procurare voti a sé o ad altri in occasione di cosultazioni elettorali". Sobre la criminalidad organizada de tipo mafioso, vid. MILITELLO, V., "Lucha contra la criminalidad organizada de tipo mafioso y el sistema penal italiano", *Problemas actuales de la justicia penal*, Colex, 2013, pp. 119 y ss. La inclusión de esta referencia a las organizaciones criminales de tipo mafioso es una manifestación más del "intrínseco valor simbólico" que posee el art. 416 bis CPI. Cfr. MILIA, R., "El valore simbolico dell'art. 416 bis", en *Asud'europa. Osservazioni al Codice Antimafia*, Anno 5, Numero 25, 4.07.2011 (www.piolatorre.it).

4   Considerando incluido a petición de la CLCJAI, si bien en la redacción propuesta por ésta se incluía *in fine* una alusión a la eficacia del decomiso ampliado que no ha sido tenido en cuenta en el texto final de la Directiva: "Los decomisos ampliados son particularmente eficaces".

No obstante, no podemos obviar que el fenómeno de la delincuencia organizada está a su vez íntimamente unido a otros fenómenos delictivos graves, y en particular a la financiación del terrorismo y al blanqueo de capitales, vinculación que ha sido destacada por la Comisión en su Comunicación al Parlamento Europeo, el Consejo, el Comité Social y Económico Europeo y el Comité de las Regiones "La Agenda Europea de Seguridad Unión Europea", de 24 de abril de 2015, documento en el que la Comisión Europea fija la estrategia con la que la Unión hará frente a las amenazas a la seguridad en la UE durante el período 2015-2020. En este documento, la Comisión se refirió a los vínculos que tiene la delincuencia organizada con el terrorismo ya que lo nutre "a través de canales como el suministro de armas, ingresos procedentes del tráfico de drogas y la infiltración de los mercados financieros y con el blanqueo de capitales[5]".

Recientemente, la Comisión ha vuelto a poner de manifiesto la estrecha relación que existe entre estos fenómenos delictivos en la Comunicación de la Comisión al Parlamento Europeo y al Consejo, titulada "Plan de acción para intensificar la lucha contra la financiación del terrorismo" (en adelante, Plan de Acción), de 2 de febrero de 2016[6], en los siguientes términos: "El problema de la financiación del

---

[5]   Comunicación de la Comisión al Parlamento Europeo y al Consejo, "Plan de acción para intensificar la lucha contra la financiación del terrorismo", Estrasburgo, 2.2.2016. COM (2016) 50 final, p. 14.

[6]   La UE contribuye a la prevención de la financiación del terrorismo mediante su legislación contra el blanqueo de capitales, la red de unidades de inteligencia financiera de la UE y el Programa de Seguimiento de la Financiación del Terrorismo UE-EE.UU. Con el fin de intensificar inmediatamente la financiación del terrorismo dentro del marco jurídico vigente, y a pesar de que aún no hace un año desde que se adoptara la cuarta Directiva de la Unión Europea destinada a responder a la amenaza del blanqueo de capitales —Directiva (UE) 2015/849 del Parlamento Europeo y del Consejo de 20 de mayo de 2015 relativa a la prevención de la utilización del sistema financiero para el blanqueo de capitales o la financiación del terrorismo, y por la que se modifica el Reglamento (UE) nº 648/2012 del Parlamento Europeo y del Consejo, y se derogan la Directiva 2005/60/CE del Parlamento Europeo y del Consejo y la Directiva 2006/70/CE de la Comisión—, la Comisión ya ha propuesto en el Plan de acción para intensificar la lucha contra la financiación del terrorismo, efectuar una serie de cambios en la 4ª Directiva contra el blanqueo de capitales, el primero de ellos relacionado con la necesidad de su rápida transposición y entrada en vigor, a más tardar que se aplique efectivamente a finales de 2016. También ha propuesto en su Plan

terrorismo no es nuevo. Desde hace muchos años se conocen características clave como sus vínculos estrechos con las redes de delincuencia organizada, y, a nivel de la UE, las legislaciones penales, la cooperación policial y la legislación para prevenir y combatir el blanqueo de capitales aportan ya una contribución importante".

La delincuencia organizada tiene un enorme coste humano, social y económico habiendo pretendido aprovecharse tanto de las lagunas en el sistema coercitivo como de su propio carácter transfronterizo. A día de hoy, en la lucha contra la delincuencia organizada, según consta en la Agenda Europea de Seguridad 2015-2020, se aspira a implantar medidas eficaces para "seguir el rastro del dinero", ampliando las competencias de las unidades de información financiera a fin de hacer un mejor seguimiento de las operaciones financieras de las redes de delincuencia organizada y de reforzar los poderes de las autoridades nacionales competentes para embargar y decomisar bienes ilícitos. También se pretende revisar el marco jurídico de las armas de fuego para reducir el acceso a ellas de delincuentes y terroristas. Las redes de delincuencia organizada también alimentan y financian actividades terroristas, por lo que es urgente ponerles coto[7].

Por otra parte, los recientes atentados perpetrados en la Unión Europea y en otras partes del mundo han puesto de manifiesto la necesidad de que la UE trabaje en todos los ámbitos para prevenir y combatir el terrorismo, sobre todo sobre la financiación. Los terroristas y las organizaciones terroristas necesitan financiación, por lo que cortar sus fuentes de financiación, complicarles la posibilidad de ser detectados al utilizar los fondos y utilizar adecuadamente la información del proceso de financiación son medidas que pueden, por ende, contribuir extraordinariamente a la lucha contra el terrorismo[8].

En la lucha contra la delincuencia organizada y el terrorismo no podemos olvidar, como nos ha recordado el Parlamento Europeo en su Resolución sobre la Agenda Europea de Seguridad, de 9 de julio de

---

de acción modificaciones de la 4ª Directiva contra el blanqueo de capitales que implican nuevas acciones para combatir la utilización del sistema financiero con fines de financiación del terrorismo. Vid. Plan de Acción, pp. 7 y ss.

[7]   Resolución del Parlamento Europeo, de 9 de julio de 2015, sobre la Agenda Europea de Seguridad (2015/2697 (RSP)), p. 3.

[8]   Plan de acción, p. 2

2015, que el objetivo de seguridad no se puede perseguir de forma aislada, sino que "la libertad, la seguridad y la justicia son objetivos que deben perseguirse en paralelo; que, para alcanzar la libertad y la justicia, las medidas de seguridad deben, por lo tanto, respetar siempre la democracia, el Estado de Derecho y los derechos fundamentales de acuerdo con los principios de necesidad y proporcionalidad, y deben estar sujetas al control democrático y la rendición de cuentas debidos; que la dimensión de la justicia no está suficientemente cubierta en la Agenda Europea de Seguridad[9]".

2. MARCO JURÍDICO VIGENTE EN LA UE EN RELACIÓN CON EL EMBARGO Y EL DECOMISO

El vigente marco jurídico relativo al embargo y el decomiso de los instrumentos y de los productos de la delincuencia se encuentra contemplado actualmente en los siguientes instrumentos jurídicos:

– Decisión Marco 2001/500/JAI del Consejo, de 26 de junio de 2001, relativa al blanqueo de capitales, la identificación, seguimiento, embargo, incautación y decomiso de los instrumentos y productos del delito[10].

---

[9]   Agenda Europea de Seguridad, p. 3. Además, como afirma el Parlamento Europeo, Resolución sobre la Agenda Europea de Seguridad, p. 4, en la lucha contra estos fenómenos delictivos, se debe buscar "el equilibrio adecuado entre políticas de prevención y medidas represivas, a fin de salvaguardar la libertad, la seguridad y la justicia; destaca que las medidas de seguridad deben aplicarse siempre de acuerdo con los principios del Estado de Derecho y la protección de los derechos fundamentales como el derecho a la privacidad y la protección de datos, la libertad de expresión y de asociación y las garantías procesales; pide a la Comisión, por consiguiente, que cuando ponga en práctica la Agenda de Seguridad tenga debidamente en cuenta la reciente sentencia del Tribunal de Justicia la Directiva sobre conservación de datos (asuntos acumulados C-293/12 y C-594/12), que establece que todos los instrumentos deben cumplir los principios de proporcionalidad, necesidad y legalidad e incluir las salvaguardias adecuadas de rendición de cuentas y recurso judicial; pide a la Comisión que analice debidamente las repercusiones de esta sentencia para cualquier instrumento que implique la retención de datos para fines policiales".

[10]   DO L 182 de 5.7.2001, p. 1.

– Decisión Marco 2005/212/JAI del Consejo, de 24 de febrero de 2005, relativa al decomiso de los productos, instrumentos y bienes relacionados con el delito[11].

– Decisión Marco 2003/577/JAI del Consejo, de 22 de julio de 2003, relativa a la ejecución en la Unión Europea de las resoluciones de embargo preventivo de bienes y de aseguramiento de pruebas[12]. No obstante, respecto a esta Decisión Marco debe tenerse presente que el mismo día en el que se aprobó la Directiva 2014/42/UE, sobre embargo y decomiso, también se aprobó, sobre la base del art. 82.1.a) TFUE, la Directiva 2014/41/UE, del Parlamento Europeo y del Consejo, de 3 de abril de 2014, relativa a la orden europea de investigación penal, en la cual se incluyen normas sobre reconocimiento mutuo del embargo y en la que se prevé la sustitución, a partir de mayo de 2017, de las disposiciones de la Decisión Marco 2003/577/JAI, relativas a la ejecución en la Unión Europea de las resoluciones de embargo preventivo de bienes y de aseguramiento de pruebas.

– Decisión Marco 2006/783/JAI del Consejo, de 6 de octubre de 2006, relativa a la aplicación del principio de reconocimiento mutuo de resoluciones de decomiso[13].

– Directiva 2014/42/UE del Parlamento Europeo y del Consejo, de 3 de abril de 2014, sobre el embargo y el decomiso de los instrumentos y del producto del delito en la Unión Europea[14], a través de la cual se modifican y amplían las disposiciones de las Decisiones marco 2001/500/JAI y 2005/212/JAI, permaneciendo en vigor algunas de sus disposiciones con el fin de mantener un cierto grado de armonización con respecto a las actividades delictivas no comprendidas en el ámbito de aplicación de la Directiva[15]. Las citadas Decisiones marco se desarrollaron esencialmente para luchar contra la delincuencia grave y organizada, si bien, aparte de las disposiciones sobre el decomiso ampliado (DM 2005/212/JAI), y puesto que el marco jurídico de la

---

11 DO L 68 de 15.3.2005, p. 49.
12 DO L 196 de 2.8.2003, p. 45.
13 DO L 328 de 24.11.2006, p. 59.
14 DOUE L 127, 29.04.2014, p. 39.
15 AGUADO CORREA, T., "La Directiva 2014/42/UE sobre embargo y decomiso en la Unión Europea: una solución de compromiso a medio camino", *Revista General de Derecho Europeo 35 (2015)*, p. 3.

UE en materia de Derecho penal sustantivo se aplica al decomiso de productos de cualquier infracción penal punible con penas de privación de libertad de más de un año, algunas disposiciones de las citadas Decisiones Marco deben permanecer en vigor, con el fin de mantener un cierto grado de armonización con respecto a las actividades delictivas no comprendidas en el ámbito de aplicación de la Directiva, de manera que se pueda proceder al decomiso de bienes de valor equivalente al de los instrumentos y productos derivados de esas infracciones penales[16].

En concreto se sustituyen —para los Estados miembros obligados por la Directiva, entre los que se encuentra España[17], y sin perjuicio del plazo de transposición que expiró el día 4 de octubre de 2016[18]— además del art. 1 letra a) de la Acción Común 98/699, los artículos 3 (Decomiso del valor) y 4 (Examen de la solicitud de asistencia) de la Decisión Marco 2001/500/JAI, "así como los cuatro primeros guiones de los artículos 1 y 3 de la Decisión Marco 2005/212/JAI". Respecto de esta última previsión cabe realizar la siguiente precisión, la traducción correcta al español sería "...así como los cuatro primeros guiones del artículo 1 y el artículo 3 de la DM...[19]", traducción que

---

[16]   Así permanecen en vigor, entre otros, los arts. 2 (Decomiso), 4 (Vías de recurso) y 5 (Garantías) de la DM 2005/212/JAI.

[17]   El Reino Unido y Dinamarca no participaron en su adopción, por lo que no quedan vinculadas a la misma ni sujetas a su aplicación, a reserva de la participación futura de Reino Unido en virtud de lo dispuesto en el art. 4 del Protocolo nº 21 sobre la posición del Reino Unido y de Irlanda respecto del espacio de libertad, seguridad y justicia.

[18]   En el texto de la Directiva publicado en el DOUE de 29 de abril, se disponía que el plazo de trasposición expiraba el 4 de octubre de 2015, habiendo sido ampliado dicho plazo a través de la corrección de errores de la Directiva, publicada en el DOUE L 138, de 13.05.2014, hasta el 4 de octubre de 2016. Consecuentemente, también ha sido corregido el plazo de presentación de informes previsto en el art. 13 D, ampliándose hasta el 4 de octubre de 2019. A fecha de 30 de marzo de 2016, tan solo Malta, Holanda y España habían aprobado las medidas legislativas necesarias para transponerla a sus respectivos ordenamientos jurídicos.

[19]   En la versión en inglés está redactado en los siguientes términos: "and the first four indents of Article 1 and Article 3 of Framework Decision 2005/212/JHA"; en francés, "ainsi que les quatre premiers tirets de l'article 1er et l'article 3 de la décision-cadre 2005/212/JAI"; y en italiano, ha sido traducido como "'nonqué l'article 1, primi quattro trattini, e l'articolo 3 della decisione quadro 2005/212/ GAI...".

implica que sigue vigente la definición de persona jurídica prevista en el quinto guión del art. 1 de la DM 2005/212/JAI[20].

Esta técnica de sustitución parcial de un instrumento previo que permanece, utilizada en la Directiva 2014/42/UE, ha sido criticada, no sin razón, al contribuir a la falta de taxatividad y, por ende, contravenir el principio de legalidad, en una materia como es la de cooperación judicial en asuntos penales que afecta a los derechos fundamentales de las personas, considerándose que la forma de proceder más respetuosa con lo dispuesto en el artículo 9 del Protocolo n° 36 del Tratado de Lisboa, hubiese sido la introducción de un instrumento totalmente nuevo[21].

Además de estos instrumentos jurídicos, no podemos dejar de mencionar la Decisión 2007/845/JAI del Consejo, de 6 de diciembre de 2007, sobre cooperación entre los organismos de recuperación de activos de los Estados miembros en el ámbito del seguimiento y la identificación de productos del delito o de otros bienes relacionados con el delito[22]; así como otras Directivas del Parlamento Europeo y del Consejo que deben ser tenidas en cuenta en la aplicación de la Directiva 2014/42/UE, en particular, de la Directiva 2010/64/UE del Parlamento Europeo y del Consejo; de la Directiva 2012/13/UE del Parlamento Europeo y del Consejo; y de la Directiva 2013/48/UE del Parlamento Europeo y del Consejo, relativas todas ella a los derechos procedimentales en los procesos penales (considerando 40 Directiva 2014/42/UE).

A pesar de la relevancia del decomiso como mecanismo de lucha contra fenómenos delictivos que amenazan la seguridad a nivel mundial, y de los instrumentos que se han aprobado en los últimos años a nivel de la Unión Europea, el Parlamento Europeo en su Resolución sobre la Agenda Europea de Seguridad 2015-2020, "Lamenta que instrumentos como la congelación y la confiscación de los bienes de origen delictivo no se utilicen sistemáticamente en todos los casos transfronterizos pertinentes", solicitando que se redoblen los

---

20   En la Propuesta de Directiva se preveía la sustitución completa del artículo 1.
21   Vid. en este sentido, ARCIFA, "The New EU Directive…", *I quaderni europei*, *cit.*, Maggio 2014, n. 64, p. 7.
22   DO L 332 de 18.12.2007, p. 103.

esfuerzos de los Estados miembros y de la Comisión en este aspecto (considerando 20).

3. CONTEXTO DE LA DIRECTIVA 2014/42/UE

La Propuesta de Directiva se presentó al Consejo y al Parlamento Europeo en marzo de 2012 y dio lugar a la aprobación de la Directiva 2014/42/UE, en el "contexto económico de crisis financiera y ralentización del crecimiento económico, que crea nuevas oportunidades para los delincuentes, incrementa la vulnerabilidad de nuestra economía y de nuestro sistema financiero y presenta nuevos retos para las autoridades públicas a la hora de financiar las necesidades cada vez mayores de servicios sociales y asistencia[23]".

En consonancia con su política para legislar mejor, la Comisión llevó a cabo una evaluación de impacto de otras alternativas políticas[24], evaluación basada, entre otros, en los Informes de aplicación elaborados por la Comisión sobre los actos jurídicos vigentes de la UE, en particular, sobre las Decisiones Marco de 2003/577/JAI, 2005/212/JAI y 2006/783/JAI[25]. En la citada evaluación, la Comisión tan solo consideró moderadamente satisfactorio el grado de aplicación de la Decisión 2007/845/JAI del Consejo sobre cooperación entre los organismos de recuperación de activos de los Estados miembros en el ámbito del seguimiento y la identificación de productos del delito o de otros bienes relacionados con el delito[26].

De las diversas opciones políticas de intervención[27], la Comisión, según reconoce en la Exposición de Motivos de la PD, se decantó por

---

[23]　Propuesta de Directiva, p. 2.

[24]　El informe de evaluación de impacto completo está disponible en: http: // ec.europa.eu/homeaffairs/policies/crime/crime_confiscation_en.htm

[25]　En estos informes se ponía de manifiesto que los Estados miembros habían aplicado de forma incompleta o incorrecta las mismas, por lo que los regímenes vigentes en relación con el decomiso ampliado y el reconocimiento mutuo de las resoluciones de embargo y decomiso no eran eficaces, resultando el decomiso obstaculizado como consecuencia de la disparidad de legislaciones.

[26]　Vid. Informe de la Comisión basado en el artículo 8 de la Decisión 2007/845/JAI del Consejo, de 6 de diciembre de 2007, COM(2011) 176 final de 12.4.2011.

[27]　Propuesta de Directiva, p. 9.

la opción legislativa máxima, en la creencia que esta podía contribuir a mejorar la armonización de las normas nacionales sobre decomiso y ejecución, a través de la modificación de las disposiciones vigentes sobre decomiso ampliado, la introducción del decomiso no basado en condena y decomiso de terceros, así como mediante la previsión de normas más eficaces sobre el reconocimiento mutuo de resoluciones de embargo preventivo y decomiso.

Sin embargo, aun cuando la Comisión hace referencia a la introducción de estas normas sobre reconocimiento mutuo, lo cierto es que ni en el articulado de la Propuesta de Directiva ni en la Directiva 2014/42/UE se han incluido las mismas, quedándose en un mero *desiderátum* que ha llevado a cuestionar la mención al art. 82.2 TFUE como base jurídica de la Directiva[28]. Bien es cierto que el mismo día en el que se aprobó la Directiva 2014/42/UE, se aprobó, sobre la base del art. 82.1.a) TFUE, la Directiva 2014/41/UE[29], del Parlamento Europeo y del Consejo, de 3 de abril de 2014, relativa a la orden europea de investigación penal, en la cual se incluyen normas sobre reconocimiento mutuo del embargo y en la que se prevé la sustitución, a partir de mayo de 2017, de la disposiciones de la Decisión Marco 2003/577/JAI, relativa a la ejecución en la Unión Europea de las resoluciones de embargo preventivo de bienes y de aseguramiento de pruebas[30]. En el considerando 5 de la Directiva 2014/41/UE se justifica la substitu-

---

[28]   Cfr. el documento de la European Criminal Bar Asocciation (en adelante, ECBA), "Statement on the Proposal for a Directive of the European Parliament and of the Council on the Freezing and Confiscation of Proceeds of crimen in the European Union", disponible en www.ecba.gov (consultado por última vez 30 de septiembre de 2014), p. 2, donde se pone de manifiesto la ausencia de cualquier referencia al reconocimiento mutuo.

[29]   DO L 130 de 1.05.2014. En la versión española hay una errata ya que en vez de Directiva 2014/41/UE reza como "Directiva 2014/41/CE".

[30]   A pesar de que hacía siete meses que se había aprobado esta Directiva 2014/41/UE, en España se aprobó la Ley 23/2014, de 20 de noviembre, de reconocimiento mutuo de resoluciones penales en la Unión Europea, mediante la cual se incorporaron al Derecho español, entre otras, la Decisión Marco 2003/577/JAI, de 22 de julio de 2003, relativa a la ejecución en la Unión Europea de las resoluciones de embargo preventivo de bienes y aseguramiento de pruebas (vid. DF 3ª b Ley 23/2014) y la Decisión Marco 2008/978/JAI, de 18 de diciembre de 2008, relativa al exhorto europeo de obtención de pruebas para recabar objetos, documentos y datos destinados a procedimientos en materia penal (DF 3ª g) Ley 23/2014). El Título VII de la Ley 23/2014 está dedicado a la "Resolución de

ción de esta DM 2003/577/JAI así como de la DM 2008/577/JAI, en los siguientes términos: "Desde la adopción de las Decisiones marco 2003/577/JAI y 2008/978/JAI resulta evidente que el marco existente para la obtención de pruebas es demasiado fragmentario y complicado. Por eso es necesario un nuevo planteamiento".

La Propuesta de Directiva de la Comisión fue apoyada en lo fundamental por la ponente del Informe de la Comisión de Libertades civiles, Justicia y Asuntos de Interior del Parlamento Europeo, Mónica Luisa Macovei, si bien en su informe puso de manifiesto la necesidad de reforzar las disposiciones sobre el decomiso no basado en condena y decomiso ampliado para "hacerlas más eficientes y que así sirvan realmente al objetivo de impedir utilizar los productos de la delincuencia para la comisión de futuros delitos o para su reinversión en actividades lícitas[31]".

El 25 de febrero del 2014, el Parlamento Europeo aprobó su Posición en primera lectura con vistas a la adopción de la citada Directiva y acordó transmitir dicha Posición del Parlamento al Consejo y a la Comisión, así como a los parlamentos nacionales. El Consejo, a través de su representante, mediante carta de 3 de diciembre de 2013, asumió el compromiso de aprobar la posición del Parlamento Europeo, de conformidad con el artículo 294, apartado 4, TFUE. El Presidente del Consejo había presentado previamente al Consejo una propuesta transaccional sobre el texto presentado por la Comisión, fruto de las extensas deliberaciones mantenidas en los órganos preparatorios del Consejo[32], si bien cabe observar que durante las negociaciones se llevaron a cabo cambios que no permiten alcanzar el grado de armonización deseado.

---

embargo preventivo de bienes y de aseguramiento de pruebas" (arts. 143 a 156) y el Titulo VIII a las "Resoluciones de decomiso" (arts. 157 a 172).

[31] En el texto del Proyecto de resolución legislativa del Parlamento sobre la propuesta de Directiva del Parlamento Europeo y del Consejo sobre el embargo preventivo y el decomiso de los productos de la delincuencia en la Unión Europea (COM (2012)0085-C70075/2012-2012/0036 COD), de 20 de mayo de 2013, se propusieron 59 enmiendas al texto de la Comisión, algunas de la cuales han sido tenidas en cuenta en la Posición del Parlamento Europeo, y por ende en la redacción final de la Directiva.

[32] Documento del Consejo de la Unión Europea, de 3 de diciembre de 2012, 17117/12.

4. DIRECTIVA 2014/42/UE: OBJETO, DEFINICIONES Y ÁMBITO DE APLICACIÓN

4.1. Objeto

Como se declara expresamente en el art. 1 Directiva, el objeto de la misma es "establecer normas mínimas sobre el embargo de bienes con vistas a su posible decomiso y sobre el decomiso de bienes en el ámbito penal" (art. 1.1), pretendiendo así dejar claro que la Directiva tan solo establece unas normas mínimas, pudiendo tener las legislaciones de los respectivos Estados miembros un mayor alcance. El objetivo de la misma no es otro que "facilitar el decomiso de bienes en asuntos penales" (considerando 41), a través de la aproximación de los regímenes facilitando al mismo tiempo la confianza mutua y la cooperación transfronteriza eficaz.

En el apartado 2 de este artículo 1, se aclara que la Directiva se entiende sin perjuicio de los distintos procedimientos que pueden utilizar los Estados Miembros para decomisar los bienes de los que se trate (art. 1.2), aclaración que ha sido incluida a petición del Consejo, y que debe entenderse en el sentido de que los Estados miembros pueden aplicar la Directiva a través de todo tipo de procedimiento adaptado a sus sistemas nacionales, ostentando los Estados miembros la facultad de iniciar ante cualquier tribunal competente procedimientos de decomiso en relación con procedimientos penales (considerando 10)[33].

Puesto que "embargo" y "decomiso", aun cuando están estrechamente relacionados, son conceptos independientes, no deben impedir a los Estados miembros poder aplicar lo dispuesto en esta Directiva con instrumentos que, con arreglo a sus respectivos ordenamientos jurídicos, sean considerados como sanciones o medidas (considerando 13).

---

[33] La CLCJAI propuso la inclusión de un nuevo "considerando 7 ter" que enumerase los posibles tribunales, en los siguientes términos: "Los Estados miembros tienen la facultad de adoptar procedimientos de decomiso en relación con procedimientos penales presentados ante cualquier tribunal, sea penal, civil, o administrativo" (enmienda 5).

4.2. Definiciones

Las definiciones contempladas en el artículo 2 Directiva 2014/42/UE proceden en su mayoría de Decisiones marco anteriores o de Convenios de las Naciones Unidas (Convención de Palermo o Convención contra la corrupción), en particular, del artículo 1 de la DM 2005/212/UE, cuyos cuatro primeros guiones —en los que se contemplaban las definiciones de "producto", "bienes", "instrumentos" y "decomiso"— han sido sustituidos, como veíamos anteriormente, por lo dispuesto en el art. 2 de la Directiva.

Las definiciones ofrecidas en este artículo son imprescindibles a la hora de delimitar el objeto y el alcance del comiso y del embargo, recayendo el protagonismo en la definición del término "producto" del delito, al ser su obtención la "motivación principal de la delincuencia organizada transfronteriza, incluida la de carácter mafioso" —sin que se pueda negar su importancia en otro tipo de actividades delictivas (considerando 1)—, y al constituir su neutralización una de las herramientas más eficaces para prevenir y luchar contra la delincuencia organizada (considerandos 1 y 3). De ahí la necesidad de que el concepto de producto que se maneje sea lo más amplio posible, con el fin de que no queden fuera las ventajas económicas indirectas de las actividades delictivas.

4.2.1. Producto

Uno de los mayores aciertos de la Directiva, al constituir un "avance notable" respecto de la DM 2005/212/JAI", es la nueva definición de "producto" que contempla en el número 1 del artículo 2, entendiéndose por éste: "toda ventaja económica derivada, directa o indirectamente, de infracciones penales; puede consistir en cualquier tipo de bien e incluye cualquier reinversión o transformación posterior del producto directo así como cualquier beneficio cuantificable".

Queremos llamar la atención sobre el cambio en la traducción del término "economic advantage" utilizado en la versión inglesa tanto en la Propuesta de Directiva como en la Directiva: en tanto que en la PD se tradujo como "beneficio económico" en la Directiva, de forma más correcta, se habla de "ventaja económica". Se aparta así de la traducción realizada en la Decisión Marco, en la que se define "productos" como "todo beneficio económico" a pesar de que el término inglés era, también en esta ocasión, "economic advantage". Aun cuando pareciera una mera cuestión terminológica sin importancia, esto no es así, el uso de uno u otro término (beneficio o ventaja) puede ser muy relevante a la hora de decidir cuál es el principio que rige en materia de determinación de la cuantía del producto[34].

La nueva definición de "producto" prevista en la Directiva, abarca tanto los productos directos como los indirectos[35]. Con el fin de despejar las dudas que se pudieran plantear sobre este concepto, cuya delimitación sigue generando debate a nivel doctrinal[36] y jurisprudencial, en el considerando 11 se aclara que: "...producto puede ser cualquier bien, aunque haya sido transformado o convertido, total o parcialmente, en otro bien, y el que haya sido entremezclado con otro bien adquirido legítimamente, hasta el valor estimado del producto entremezclado. También puede incluir los ingresos u otras ventajas económicas derivadas del producto del delito o de bienes procedentes de la transformación, conversión o mezcla de dicho producto". En relación con esta aclaración cabe destacar, por una parte, que en la línea de lo previsto en los instrumentos de las Naciones Unidas, en los casos en los que se haya entremezclado el producto del delito con bienes lícitos, se prevé la limitación del comiso del producto "hasta el valor estimado del producto entremezclado", debiéndose entender esta previsión como una expresión del principio de proporcionalidad; por otra parte, que la referencia contenida en la PD a las responsabili-

---

[34]   El propio Parlamento Europeo, como acabamos de ver, ya remarcó esta diferencia cuando instó a la Comisión a precisar en sus propuestas legislativas que el concepto de producto del delito definido en la Convención de Palermo de las Naciones Unidas y recogido en la Decisión marco 2008/841/JAI es más amplio que el de "beneficio".

[35]   La ECBA, "Statement on the Proposal...", cit., p. 4, consideró que la definición de "productos" como cualquier ventaja económica derivada de una infracción penal", prevista en el art. 2 (1) de la PD, era demasiado vaga y no podía conducir a una evaluación uniforme, por lo que se debería aclarar que solo se refiere a las ventajas económicas "directas" derivadas de una infracción criminal.

[36]   Sobre estas discusión vid. BLANCO CORDERO, I., "El comiso de ganancias: ¿brutas o netas?", Diario La Ley nº 7569, 2011, versión digital, pp. 14 y ss. Este autor considera más apropiado hablar de "productos brutos o netos", que de "ganancias brutas o netas" (p. 27).

dades pecuniarias eludidas como parte del producto indirecto ha sido suprimida en la Directiva.

Esta interpretación de producto no solo es válida para las infracciones penales contempladas en la presente Directiva, sino como se desprende de lo dispuesto en el considerando 14, "el concepto de "producto" definido en la presente Directiva debe interpretarse de manera similar en lo que se refiere a las infracciones penales no reguladas por la presente Directiva[37]".

En el Código penal español se sigue utilizando una terminología que se aparta de la utilizada a nivel internacional, lo que ha provocado una división doctrinal y jurisprudencial acerca del alcance de los distintos términos, sobre todo por lo que respecta a los "efectos" y "ganancias[38]" (arts. 127 y ss. CP).

4.2.2. Decomiso

No podemos pasar por alto el cambio que, a petición del Consejo, ha sufrido la definición del término "decomiso" en la Directiva, tanto respecto a la definición contemplada en la DM 2005/212/JAI como la prevista en la Propuesta de Directiva. En la Directiva tan solo se hace referencia al contenido de esta sanción, a la consecuencia que trae consigo, suprimiéndose la referencia a su naturaleza de pena o medida, entendiéndose por "decomiso" "la privación definitiva de un bien por un órgano jurisdiccional en relación con una infracción penal" (art. 2.4 D)[39]. Cabe destacar que la definición de decomiso recogida en la Directiva es muy parecida a la ofrecida en las Convenciones de Naciones Unidas, si bien se diferencia de éstas en que en la Directiva se exige que sea acordado por un órgano jurisdiccional, en tanto que

---

[37] Esta aclaración se incluyó a petición de la CLCJAI, cfr. enmienda 6.
[38] Sobre esta discusión vid. AGUADO CORREA, "Comentario al art. 127 CP", en *Comentarios prácticos al Código Penal, Tomo I*, Pamplona, 2015, p. 1006 y ss.
[39] Como afirma PIVA, D., "La proteiforme natura della confisca antimafia dalla dimensione interna a quella sovranazionale", *Diritto penale contemporaneo*, 1/2013, p. 201, dado el carácter "polifuncional" que ha adquirido el decomiso, en atención tanto a los presupuestos como a los destinatarios, más que de "decomiso" en singular se debería hablar de "decomisos" antimafia en plural, siendo el único elemento común que conservan, el efecto ablativo consiguiente a la expropiación y a la adquisición del bien por parte del Estado.

en las Convenciones de Naciones Unidas la privación definitiva puede ser por "decisión de un tribunal o de otra autoridad competente".

Con esta definición, la Directiva evita no ya pronunciarse sino ni tan siquiera referirse a un tema tan controvertido y tan polémico como el de la naturaleza jurídica de esta sanción, al suprimirse la referencia prevista en la DM 2005/212/JAI a su consideración como "pena o medida", referencia con la que se pretendía respetar la regulación de los distintos países[40]. No obstante, el carácter penal de esta sanción se puede afirmar, incluso en relación con el decomiso sin condena, modalidad de decomiso cuya naturaleza es la más discutida, si atendemos a lo afirmado por la CLCJAI: "Según el Servicio Jurídico del PE, la medida debe estar relacionada con una infracción penal. Sin perjuicio de su denominación en el Derecho nacional como decomiso civil, el art. 83, apartado 1, del TFUE no excluye este tipo de decomiso, siempre que pueda calificarse de "sanción penal", conforme a los criterios desarrollados en la sentencia dictada por el TEDH en el caso Engel (carácter penal, gravedad de la sanción). La "naturaleza penal" de este tipo de decomiso es una condición para cualquier armonización en virtud del artículo 83, apartado 1, del TFUE (apartado 37 del Servicio Jurídico del Consejo)[41]".

A pesar de lo afirmado por el legislador español en el Preámbulo de la LO 1/2015, negando que tanto el decomiso sin condena como el decomiso ampliado sean una "sanción penal" hay motivos de sobra para calificarla como "sanción penal" conforme a los criterios desarrollados en la sentencia a la que acabamos de aludir[42].

---

[40] En el art. 1 guión 4 de la DM 2005/212/JAI, se definía "decomiso" como "toda pena o medida dictada por un tribunal a raíz de un proceso penal relativo a una o varias infracciones penales, que tenga como consecuencia la privación definitiva de algún bien".

[41] Justificación de la enmienda 27 (art. 2.4. PD) y enmienda 33 (art. 5 PD), que tiene el mismo tenor literal.

[42] Sobre el carácter de sanción penal, vid. AGUADO CORREA, "Comiso: crónica de…", *Indret* 1/2014, pp. 21 y ss. Con la negación del carácter sancionador puede pretenderse "hurtar la aplicación de las exigencias de presunción de inocencia" consiguiendo una mayor eficacia en el procedimiento de decomiso, incluido en la LECr a través de la Ley 41/2015, de 5 de octubre, de modificación de la Ley de Enjuiciamiento Criminal para la agilización de la justicia penal y el fortalecimiento de las garantías procesales. Vid. en este sentido, NIEVA FENOLL, "El procedimiento de decomiso autónomo. En especial, sus problemas probatorios",

4.2.3. Persona jurídica

Como vimos anteriormente, la definición de persona jurídica prevista en el quinto guión del art. 1 de la DM 2005/212/JAI sigue vigente, entendiéndose por "persona jurídica" "toda entidad que tenga dicha condición con arreglo a la legislación nacional aplicable, excepto los Estados u otros organismos públicos en el ejercicio de la potestad pública y las organizaciones públicas internacionales".

En el art. 31 quinquies.1 CP se prevé que no son aplicables las disposiciones relativas a la responsabilidad penal de las personas jurídicas, "al Estado, o a las Administraciones públicas territoriales e institucionales, a los Organismos Reguladores, las Agencias y Entidades públicas Empresariales, a las organizaciones internacionales de derecho público, ni a aquellas otras que ejerzan potestades públicas de soberanía o administrativas".

Tras la reforma del CP a través de la LO 1/2015, en el art. 31 bis se considera a las personas jurídicas penalmente responsables de los delitos cometidos en nombre o por cuenta de la misma o en el ejercicio de las actividades de actividades sociales y por cuenta y en su "beneficio directo o indirecto", habiendo sustituido esta expresión a la que se utilizó en el art. 31 bis original en su redacción dada por la LO 5/2010 de "en su provecho".

En la Circular 1/2016, sobre la responsabilidad penal de las personas jurídicas conforme a la reforma del Código Penal efectuada por Ley Orgánica 1/2015", de 22 de enero de 2016, la Fiscalía General del Estado ha puesto de manifiesto que: "La sustitución en la LO 1/2015 del término "provecho" por el de "beneficio directo o indirecto" despeja las dudas en favor de la interpretación lata que permite extender la responsabilidad de la persona jurídica a aquellas entidades cuyo objeto social no persigue intereses estrictamente económicos, así co-

---

Diario La Ley, n° 8601, 9 de septiembre de 2015, Ref. D-322, disponible en www.laley.es, p. 11. No obstante, no podemos olvidar que ya el TC, en relación con el comiso ampliado que se acordaba en el ámbito de los delitos de tráfico de drogas, con carácter previo a su previsión legal a partir de la LO 5/2010, afirmó que "en la acreditación de la concurrencia de los presupuestos de una consecuencia accesoria como el comiso y en la imposición de la misma habrán de respetarse las garantías del proceso (art. 24.2 CE) y las exigencias del derecho a la tutela judicial efectiva (art. 24.1 CE) (SSTC 219/2006, FJ 9; 220/2006, FJ 8).

mo incluir los beneficios obtenidos a través de un tercero interpuesto (caso de las cadenas de sociedades), los consistentes en un ahorro de costes y, en general, todo tipo de beneficios estratégicos, intangibles o reputacionales.

La nueva expresión legal "en beneficio directo o indirecto" mantiene la naturaleza objetiva que ya tenía la suprimida "en provecho", como acción tendente a conseguir un beneficio, sin necesidad de que este se produzca, resultando suficiente que la actuación de la persona física se dirija de manera directa o indirecta a beneficiar a la entidad. Incluso cuando la persona física haya actuado en su exclusivo beneficio o interés o en el de terceros ajenos a la persona jurídica también se cumplirá la exigencia típica, siempre que el beneficio pueda alcanzar a esta, debiendo valorarse la idoneidad de la conducta para que la persona jurídica obtenga alguna clase de ventaja asociada a aquella".

Por consiguiente, en opinión de la FGE, "Solo quedarán excluidas aquellas conductas que, al amparo de la estructura societaria, sean realizadas por la persona física en su exclusivo y propio beneficio o en el de terceros, y resulten inidóneas para reportar a la entidad beneficio alguno, directo o indirecto[43]".

En la citada Circular 1/2016, la FGE ha considerado que "La posibilidad de admitir la comisión culposa en el delito de la persona física queda abierta desde el momento en que la acción se valora como beneficiosa para la sociedad desde una perspectiva objetiva", y a pesar de las dificultades teóricas, "toda vez que el art. 31 bis no describe la conducta concreta de la persona física, es en los correspondientes preceptos de la Parte Especial donde se ha de examinar la previsión de su comisión culposa".

Y de los cuatro grupos de conductas imprudentes susceptibles de generar un reproche penal a la persona jurídica, tres de ellas entran dentro del ámbito de aplicación del decomiso ampliado (art. 127 bis CP): las insolvencias punibles, el delito de blanqueo de capitales y los delitos de financiación del terrorismo. Tan sólo quedarían excluidos

---

[43]   Circular 1/2016, sobre la responsabilidad penal de las personas jurídicas conforme a la reforma del Código Penal efectuada por Ley Orgánica 1/2015", de 22 de enero de 2016, pp. 17 y 18.

los delitos contra los recursos naturales y el medio ambiente al no aparecer en el catálogo de actividades delictivas del art. 127 bis. 1 CP.

Respecto de las insolvencias punibles, el art. 261 bis se remite a los "delitos comprendidos en este Capítulo", que incluye la modalidad culposa (art. 259.3). También el art. 576.5 extiende la responsabilidad de la persona jurídica a la imprudencia grave en el incumplimiento de las obligaciones de prevención de las actividades de financiación del terrorismo (art. 576.4). La otra previsión legal, es en palabras de la FGE "más oscura pues el art. 302.2 parece remitirse solo a los "casos" del art. 302.1, esto es, a las organizaciones dedicadas al blanqueo. Sin embargo, cabe interpretar que la remisión que el art. 302.2 hace a "tales casos" se extiende también a "los supuestos previstos en el artículo anterior", lo que abarcaría la modalidad imprudente de blanqueo, reconocida en el art. 301.3. Esta exégesis resulta conforme con las obligaciones administrativas que la Ley 10/2010, de 28 de abril, *de prevención del blanqueo de capitales y de la financiación del terrorismo* impone a los sujetos obligados personas jurídicas (art. 2.1) y que demandan su imputación cuando una persona física cometa un delito de blanqueo imprudente en las circunstancias previstas en el art. 31 bis. Por otra parte, sería incoherente dar un tratamiento diferente al incumplimiento imprudente de los deberes de prevención del blanqueo y al de la financiación del terrorismo, sometidos al mismo régimen legal[44]".

4.3. *Ámbito de aplicación*

Según se dispone en el art. 3 "Ámbito de aplicación" de la Directiva, ésta se aplicará a las infracciones penales contempladas en:

"a) el Convenio establecido sobre la base del artículo K.3, apartado 2, letra c), del Tratado de la Unión Europea, relativo a la lucha contra los actos de corrupción en los que estén implicados funcionarios de las Comunidades Europeas o de los Estados miembros de la Unión Europea (1) ("el Convenio relativo a la lucha contra los actos de corrupción en los que estén implicados funcionarios");

---

44   CFGE 1/2016, pp. 19 y 20.

b) la Decisión Marco 2000/383/JAI del Consejo, de 29 de mayo de 2000, sobre el fortalecimiento de la protección, por medio de sanciones penales y de otro tipo, contra la falsificación de moneda con miras a la introducción del euro[45];

c) la Decisión Marco 2001/413/JAI del Consejo, de 28 de mayo de 2001, sobre la lucha contra el fraude y la falsificación de los medios de pago distintos del efectivo;

d) la Decisión Marco 2001/500/JAI del Consejo, de 26 de junio de 2001, relativa al blanqueo de capitales, la identificación, seguimiento, embargo, incautación y decomiso de los instrumentos y productos del delito;

e) la Decisión Marco 2002/475/JAI del Consejo, de 13 de junio de 2002, sobre la lucha contra el terrorismo[46];

f) la Decisión Marco 2003/568/JAI del Consejo, de 22 de julio de 2003, relativa a la lucha contra la corrupción en el sector privado;

g) la Decisión Marco 2004/757/JAI del Consejo, de 25 de octubre de 2004, relativa al establecimiento de disposiciones mínimas de los elementos constitutivos de delitos y las penas aplicables en el ámbito del tráfico ilícito de drogas[47];

---

[45]   Debe tenerse presente que la DM 2000/383/JAI a la que se refiere la letra b) del art. 3 Directiva 2014/42/UE, ha sido sustituida por la Directiva 2014/62/UE del Parlamento Europeo y del Consejo, de 15 de mayo de 2014 relativa a la protección penal del euro y otras monedas frente a la falsificación, y por la que se sustituye la Decisión marco 2000/383/JAI del Consejo. En esta Directiva 2014/62/UE no se hace ninguna alusión a la aplicación de la Directiva 2014/42/UE a las infracciones penales en ella contempladas, si bien ello no obsta para su aplicación ya que como se prevé en el art. 13 Directiva 2014/62/UE, las referencias a la Decisión marco 2000/383/JAI se entenderán hechas a la presente Directiva.

[46]   Esta DM fue modificada por la Decisión Marco 2008/919/JAI del Consejo, de 28 de noviembre de 2008, por la que se modifica la Decisión Marco 2002/475/JAI sobre la lucha contra el terrorismo. Por otra parte, debe tenerse en cuenta que recientemente se ha aprobado la Directiva (UE) 2017/541 del Parlamento Europeo y del Consejo relativa a la lucha contra el terrorismo, y por la que se sustituye la Decisión marco 2002/475/JAI del Consejo sobre la lucha contra el terrorismo.

[47]   Vid. Propuesta de Directiva del Parlamento Europeo y del Consejo por la que se modifica la Decisión marco 2004/757/JAI del Consejo, de 25 de octubre de

h) la Decisión Marco 2008/841/JAI del Consejo, de 24 de octubre de 2008, relativa a la lucha contra la delincuencia organizada;

i) la Directiva 2011/36/UE del Parlamento Europeo y del Consejo, de 5 de abril de 2011, relativa a la prevención y lucha contra la trata de seres humanos y a la protección de las víctimas y por la que se sustituye la Decisión marco 2002/629/JAI del Consejo;

j) la Directiva 2011/93/UE del Parlamento Europeo y del Consejo, de 13 de diciembre de 2011, relativa a la lucha contra los abusos sexuales y la explotación sexual de los menores y la pornografía infantil y por la que se sustituye la Decisión Marco 2004/68/JAI del Consejo;

k) la Directiva 2013/40/UE del Parlamento Europeo y del Consejo, de 12 de agosto de 2013, relativa a los ataques contra los sistemas de información y por la que se sustituye la Decisión Marco 2005/222/JAI del Consejo, así como cualquier otro acto jurídico, si en el acto de que se trate se establece expresamente que la presente Directiva se aplica a las infracciones penales que se armonicen en el mismo".

Por consiguiente, el ámbito de aplicación objetivo de la Directiva está integrado por dos grupos de infracciones penales: a) aquellas a las que ya se puede aplicar la Directiva por tratarse de las infracciones delictivas contempladas en los actos jurídicos enumerados en las letras a) a k) del art. 3 D; b) aquellas otras infracciones penales que, en un futuro, se contemplen en cualquier "otro acto jurídico, si en el acto de que se trate se establece expresamente que la presente Directiva se aplica a las infracciones penales que se armonicen en el mismo" (art. 3 *in fine*).

a) El primer grupo de infracciones penales a las que se puede aplicar la Directiva está integrado, en principio, por nueve de las diez actividades delictivas enumeradas en el artículo 83.1 TFUE, conocidos como los "eurodelitos" o "delitos europeos", en concreto: terrorismo, trata de seres humanos y explotación sexual de niños, tráfico ilícito de drogas, blanqueo de capitales, corrupción, falsificación de medios de pago, delincuencia informática y la delincuencia organizada. Decíamos, "en principio", pues debe tenerse presente que, dado que la

---

2004, relativa al establecimiento de disposiciones mínimas de los elementos constitutivos de delitos y las penas aplicables en el ámbito del tráfico ilícito de drogas, en lo que respecta a la definición de droga, COM (2013) 618.

delincuencia organizada es uno de los ámbitos delictivos incluidos en el inciso 1 del art. 83.1 TFUE, la Directiva se podrá aplicar a más ámbitos delictivos de los enumerados en las letras a) a k) del art. 3 de la misma, siempre que se cometan participando en una organización criminal, tal y como se define ésta en la Decisión marco 2008/841/JAI del Consejo, de 24 de octubre de 2008, relativa a la lucha contra la delincuencia organizada. Es lo que ocurre, por ejemplo, con el delito de tráfico de armas, que si bien es el único de los "eurodelitos" que no está contemplado en la enumeración de las letras a) a k) art. 3 D, se le podrá aplicar lo dispuesto en la Directiva siempre que el delito de tráfico de armas se haya cometido en el marco de una organización criminal.

b) Pero además, en el inciso final del art. 3 de la Directiva se prevé la ampliación del ámbito de aplicación de la misma *ad futurum*, como veíamos anteriormente, en los siguientes términos: "así como cualquier otro acto jurídico, si en el acto de que se trate se establece expresamente que la presente Directiva se aplica a las infracciones penales que se armonicen en el mismo". Se trata de una cláusula que no estaba contemplada en el texto de la propuesta de Directiva presentado por la Comisión, y que ha sido incluida a petición tanto del Consejo como de la CLCJAI del Parlamento Europeo[48]. Aun cuando no encontramos justificación expresa de esta novedad, es una cláusula que se podría poner en relación tanto con lo dispuesto en el inciso 2º del propio apartado 1 del art. 83 TFUE[49] como con el apartado 2 del mismo artículo[50], si bien es cierto que la Directiva no ha incluido referencia expresa alguna a este apartado 2 del artículo 83 TFUE como base jurídica de la misma, al redactarse en los siguientes términos: "Visto el Tratado de Funcionamiento de la Unión Europea y, en particular, su artículo 82, apartado 2, y su artículo 83, apartado 1". Con base en la ausencia de una referencia al apartado 2 del artículo 83,

---

[48]   Enmienda 28 del Informe CLCJAI.

[49]   En el inciso 2º del art. 83.1 TFUE se prevé que "Teniendo en cuenta la evolución de la delincuencia, el Consejo podrá adoptar una decisión que determine otros ámbitos delictivos que respondan a los criterios previstos en el presente apartado. Se pronunciará por unanimidad, previa aprobación del Parlamento Europeo", es decir, se contempla la ampliación del catálogo de los "eurodelitos".

[50]   Documento del Consejo 17177/12, p. 16.

se podría defender una interpretación restrictiva de esta cláusula *ad futurum*, en el sentido de que la Directiva tan solo podría ser aplicable a aquellos nuevos actos jurídicos que armonicen los nuevos "eurodelitos" que sean incorporados al catálogo de actividades delictivas previstas en el art. 83.1 TFUE[51]. El Parlamento Europeo, en las recomendaciones finales de la Resolución, de 11 de junio de 2013, "sobre la delincuencia organizada, la corrupción y el blanqueo de dinero: recomendaciones sobre las acciones o iniciativas que han de llevarse a cabo (informe provisional)[52]", ya apuntó la necesidad de crear nuevos eurodelitos: "Expresa su preocupación por el hecho de que un buen número de delitos denominados "emergentes" —como, por ejemplo, el tráfico ilegal de residuos, el tráfico ilegal de obras de arte y de especies protegidas, y la falsificación—, a pesar de que representan actividades sumamente rentables para las organizaciones delictivas, con un impacto socio-ambiental y económico especialmente negativo y de marcado carácter transnacional, no figuran entre los "eurodelitos"; considera que esos delitos deben tenerse debidamente en cuenta en las decisiones a escala europea, por lo que propone que el Consejo, en virtud de las facultades que le confiere el artículo 83, apartado 1, del TFUE, adopte una decisión que determine otros ámbitos delictivos, incluidos los enunciados anteriormente".

Por su parte, la previsión del apartado 2 de este artículo 83 TFUE, permite al Parlamento Europeo y al Consejo, a propuesta de la Comisión, "cuando la aproximación de las disposiciones legales y regla-

---

[51]   Esta interpretación quedaría avalada por lo dispuesto en el documento del Consejo 171771/12, p. 2, en el que se preveía una cláusula en términos casi idénticos a ésta. En este documento, cuando se aborda la cuestión del ámbito de la Directiva, se afirma "Con arreglo a la base jurídica de la propuesta, el ámbito de la Directiva se refiere únicamente a las infracciones objeto de una armonización a escala de la UE en los ámbitos de infracciones enumerados en el artículo 83, apartado 1, del TFUE los "eurodelitos". No obstante, en el seno de la doctrina italiana ya está siendo interpretada en el sentido de que prevé su aplicación solo a los delitos que sean armonizados en virtud de lo dispuesto en el art. 83.2 TFUE, así MAUGERI, "La Direttiva 2014/42/UE relativa alla confisca degli strumenti e dei proventi da reato nell'Unione Europea tra granzie ed efficienza: un "work in progress", *Diritto penale contemporaneo*, 2014, p. 4, interpretación que no es correcta al dejar fuera del ámbito de aplicación de la Directiva a los futuros "eurodelitos".

[52]   DOUE C 65 de 19 de febrero de 2016, p. 39, ap. 135.

mentarias de los Estados miembros en materia penal resulte imprescindible para garantizar la ejecución eficaz de una política de la Unión
en un ámbito que haya sido objeto de medidas de armonización, se
podrá establecer mediante directivas normas mínimas relativas a la
definición de las infracciones penales y de las sanciones en el ámbito
de que se trate". Este último apartado del art. 83 TFUE, es donde
realmente, en opinión de la Comisión, "se garantiza en particular una
política de la UE en materia de Derecho penal[53]", aun cuando las re-
ticencias y las advertencias sobre el uso del Derecho Penal en nuevos
sectores armonizados no se han hecho esperar[54].

Además, debe tenerse presente que el ámbito de aplicación del decomiso ampliado viene limitado también por un criterio temporal que
reduce significativamente el ámbito de aplicación de esta modalidad
de decomiso regulado en el art. 5 Directiva, con el fin cumplir con las
exigencias derivadas del principio de proporcionalidad. Como regla
general, el decomiso ampliado se puede acordar cuando se trate de
una infracción penal de aquellas que están enumeradas en el art. 3 de
la Directiva siempre que estén sancionadas con una "pena privativa
de libertad de al menos cuatro años", ya sea en el instrumento europeo correspondiente o en el derecho nacional, en virtud de lo dispuesto en la letra e) del art. 5.2 Directiva: "e) una infracción penal que sea
punible, de conformidad con el instrumento correspondiente del artículo 3 o, en caso de que el instrumento de que se trate no contenga un
umbral de pena, de conformidad con el Derecho nacional aplicable,
con una pena privativa de libertad de al menos cuatro años[55]".

---

[53]   "Comunicación de la Comisión al Parlamento Europeo, al Consejo, al Comité
Económico y Social Europeo y al Comité de las Regiones —Hacia una política
de Derecho penal de la UE: garantizar la aplicación efectiva de las políticas de la
UE mediante el Derecho penal", COM (2011) 573 final p. 8.

[54]   Véase el Dictamen del Comité Económico y Social Europeo sobre la "Comunicación de la Comisión al Parlamento Europeo, al Consejo, al Comité Económico
y Social Europeo y al Comité de las Regiones —Hacia una política de Derecho
penal de la UE: garantizar la aplicación efectiva de las políticas de la UE mediante el Derecho penal", DOUE C 191 DE 29.6.2012, p. 97.

[55]   En relación con este límite temporal debemos efectuar la siguiente consideración:
en la versión española se ha suprimido la referencia al máximo del umbral de pena, referencia que si está contemplada en los textos redactados en otros idiomas,
por lo que se debería proceder a redactar el mismo en los siguientes términos:
"con un pena privativa de libertad de una duración máxima de al menos cuatro

Desde nuestro punto de vista, la previsión incluida en esta letra e) del artículo 5.2 Directiva para aquellos casos en los que "el instrumento de que se trate no contenga un umbral de pena", es rechazable en la medida en que implica un plus de falta de armonización[56], al depender la posibilidad de acordar el decomiso ampliado de la sanción prevista en cada uno de los ordenamientos jurídicos. Este criterio no permite ofrecer una base coherente para la aproximación y aplicación uniforme del decomiso ampliado ni facilita el reconocimiento mutuo. Y es que si bien la limitación del ámbito de aplicación a través del criterio temporal permite ser más respetuoso con el principio de proporcionalidad, no se puede pasar por alto que por los términos en los que está redactado genera nuevas discrepancias en la legislación de la UE.

5. INCORPORACIÓN DE LA DIRECTIVA 2014/42/UE AL DERECHO ESPAÑOL

Esas normas mínimas de la Directiva 2014/42/UE han sido incorporadas al derecho español a través de diversos instrumentos jurídicos. La incorporación de esta Directiva 2014/42/UE[57] ha dado lugar a

---

años". Se trata de un error de traducción muy grave que debe ser subsanado cuanto antes, puesto que al suprimirse la referencia a la duración máxima y entenderse como un mínimo, quedarían fuera del ámbito de aplicación del decomiso ampliado muchos supuestos en los que éste se puede acordar.

[56] Crítico con este tipo de previsiones en las que se acude a un parámetro fijo (4 años) también se ha mostrado MILITELLO, V., "Hacia un Derecho penal europeo contra el crimen organizado", *IV Congreso internacional sobre prevención y represión del blanqueo de dinero*, Valencia, 2014, p. 237, en relación con la definición de organización criminal prevista en la DM 2008/841/JAI. En su opinión, "La referencia a un determinado nivel de pena, es, por tanto, común sólo en valor absoluto, pero mantiene un valor relativo diferenciado según los techos o los límites superiores en la pena que la propia jurisdicción establece a nivel interno".

[57] O mejor dicho de la Propuesta de Directiva pues el legislador español se ha basado en el texto presentado por la Comisión al Parlamento Europeo y al Consejo en el año 2012 más que en la propia Directiva y prueba de ello es la regulación del decomiso de bienes de terceros contemplado en el art. 127 quáter CP. Sobre el contenido de esta Propuesta de Directiva, vid. AGUADO CORREA, T., "Comiso: crónica de una reforma anunciada. Análisis de la Propuesta de Directiva sobre embargo y decomiso de 2012 y del Proyecto de reforma del Código Penal

cambios no solo en el ámbito penal sino también en el procesal. En el ámbito penal, podemos afirmar que el legislador ha preferido seguir en la transposición de las normas mínimas del decomiso, de nuevo como hiciera en la LO 5/2010[58], el lema "más vale que sobre que falte".

La incorporación se ha materializado a través de la LO 1/2015, de 30 de marzo, por la que se modifica la Ley Orgánica 10/1995, de 23 de noviembre, del Código Penal; mediante la Ley 41/2015, de 5 de octubre, de modificación de la Ley de Enjuiciamiento Criminal para la agilización de la justicia penal y el fortalecimiento de las garantías procesales y, por último, a través Real Decreto 948/2015, de 23 de octubre, por el que se regula la Oficina de Recuperación y Gestión de Activos. En este último, se afirma que lo que se pretende a través de las disposiciones incorporadas al derecho español a las que hemos aludido, es "darle a la investigación patrimonial y al decomiso el protagonismo que merecen en la lucha contra la vertiente económica de la delincuencia grave desarrollada por organizaciones y entramados criminales, logrando así su estrangulamiento financiero" (II).

5.1. Código Penal

En el Código Penal ha tenido lugar una ambiciosa reforma de la regulación del decomiso que toma en consideración la Directiva 2014/42/UE, como unas normas mínimas que estima insuficientes para "facilitar instrumentos legales que sean más eficaces en la recuperación de activos procedentes del delito y en la gestión económica de los mismos". La reforma del CP en esta materia está presidida, una vez más, por el principio "más vale que sobre que falte". Y es que las normas sobre embargo y decomiso contempladas en la Directiva 2014/42/UE tienen un ámbito de aplicación limitado a nueve de los eurodelitos contemplados en el art. 83.1.1° TFUE, limitación del ámbito de aplicación motivada por el principio de proporcionalidad que ha sido ignorada por el legislador español en la LO 1/2015, habiendo

---

de 2013", *Indret* 1/2014. Sobre la Directiva, vid. AGUADO CORREA, T., "La Directiva 2014/42/UE...", *RGDE 35 (2015)*, p. 3.

58 AGUADO CORREA, "Decomiso de los productos de la delincuencia organizada. "Garantizar que el delito no resulte provechoso", *Revista Electrónica de Ciencia Penal y Criminología* 15-05, 2013, p.27.

elevado a régimen general aplicable a casi cualquier tipo de infracción, el régimen especial previsto en la Directiva 2014/42/UE para infracciones penales que son "especial gravedad" (art. 83.1.1° TFUE)[59].

Tras la reforma del CP a través de la LO 1/2015 la regulación del decomiso y, parte de la del embargo, se contempla en los arts. 127 a 127 octies del CP afectando las novedades, especialmente, a tres de las modalidades del decomiso: el decomiso ampliado (arts. 127 bis, 127 quinquies y 127 sexies CP), el decomiso sin sentencia (art. 127 ter CP) y al decomiso de bienes de terceros (arts. 127 quáter CP). El art. 128 CP, dedicado al principio de proporcionalidad en relación con los efectos e instrumentos no ha sido modificado en su contenido aunque sí en cuanto a su carácter, pues ha pasado a tener carácter de ley ordinaria, como el resto de preceptos dedicados a la regulación del decomiso, en virtud de lo dispuesto en la Disposición Final 7ª LO 1/2015.

5.1.1. Decomiso ampliado (art. 127 bis CP)

La regulación general del decomiso ampliado está prevista en el art. 127 bis CP, si bien en los arts. 127 quinquies y sexies nos encontramos con una modalidad de decomiso ampliado de difícil explicación y justificación[60]. Puesto que nos interesa el presupuesto de aplicación de ambas modalidades de decomiso ampliado, nos centraremos en la actividades delictivas contempladas en el art. 127 bis 1 CP que pueden dar lugar a acordar ambas modalidades de decomiso ampliado, y que exceden con creces las actividades delictivas contempladas en el art. 5 Directiva, habiendo hecho caso omiso el legislador español del criterio temporal al que aludíamos anteriormente.

En tanto que en el art. 5 de la Directiva se prevé la aplicación del decomiso ampliado en relación con tan sólo 9 de las actividades delictivas conocidas como los eurodelitos (art. 83.1.2° TFUE) y no en todos los casos, sino que se prevé un límite temporal con el fin de

---

59   Sobre la regulación del decomiso y el embargo en los arts. 127 a 127 *octies* vid. AGUADO CORREA, "Comentarios a los artículos 127 a 128 CP" en *Comentarios Prácticos al Código Penal, Tomo I*, Pamplona, 2015, Thomson-Aranzadi, pp. 1001 a 1052.
60   AGUADO CORREA, "Comentarios a los arts. 127 quinquies y sexies", en *Comentarios Prácticos al...*, pp. 1041 y 1042.

respetar las exigencias derivadas del principio de proporcionalidad, el legislador español ha previsto el decomiso ampliado en relación con 18 actividades delictivas enumeradas en las letras a) a r) art. 127 bis CP. A lo que se suma que la enumeración en él contenida no se puede considerar como *numerus clausus*, puesto que la previsión del decomiso ampliado en los casos delitos cometidos no solo en el seno de una organización criminal sino también de un grupo criminal, permite la aplicación de este precepto a cualquier actividad delictiva prevista en el Código penal que haya sido cometida en el seno de estas organizaciones o grupos criminales. Además, en virtud de lo dispuesto en el art. 362 sexies CP, el decomiso ampliado será aplicable en los casos en los que la persona haya sido condenada por un delito contra la salud pública de los previstos en los artículos 359 a 362 quinquies CP, al prever el decomiso de "los bienes, medios, instrumentos y ganancias con sujeción a lo dispuesto en los artículos 127 a 128 CP".

5.1.2. Decomiso sin condena (art. 127 ter CP)

Por lo que respecta al decomiso sin condena, los presupuestos que se exigen en este art. 127 ter CP difieren considerablemente de los previstos en el art. 4.2 Directiva para esta modalidad de decomiso, que además se regula con carácter subsidiario respecto del decomiso basado en condena o decomiso directo regulado en el apartado 1 del art. 4 Directiva 2014/42/UE. En el art. 4.1 *in fine* de la Directiva se exige que "los procedimientos podrían haber conducido a una resolución penal condenatoria si el sospechoso o acusado hubiera podido comparecer en juicio", y que se trate de una "infracción penal que pueda dar lugar, directa o indirectamente, a una ventaja económica", debiéndose acudir al considerando 20 de la misma para determinar si se trata de una de estas infracciones. El decomiso sin condena, en virtud de lo dispuesto en el art. 127 ter CP se puede acordar en más supuestos que los previstos en la Directiva, tanto en los casos en los que el sujeto haya fallecido (art. 127 a ter) CP) como en aquellos otros en los que no se le imponga pena por estar exento de responsabilidad criminal o por haberse ésta extinguido (art. 127 ter c) CP).

Además, cabe resaltar otra diferencia importante: el decomiso sin condena no se puede acordar en los casos del comiso ampliado, al configurarse con carácter subsidiario respecto del decomiso directo como se deduce de la siguiente expresión: "En caso de que no sea posible efectuar el decomiso sobre la base del apartado 1…" (art. 4.2 D). Este carácter subsidiario e incluso de *ultima ratio*, se confirma en el considerando 15 cuando se establece la forma en que deben proceder los Estados miembros cuando el sospechoso o acusado se haya fugado, debiendo "adoptar todas las medidas oportunas y exigir que se convoque a la persona de que se trate o que se ponga en su conocimiento el procedimiento de decomiso". El legislador español, por el contrario, permite que se acuerde este decomiso sin condena, incluso en los casos de decomiso ampliado ya que en el art. 127 ter CP se faculta al juez o tribunal a acordar el decomiso previsto en los artículos anteriores, entre los cuales se encuentra el art. 127 bis CP dedicado al decomiso ampliado. Por el contrario, este decomiso sin condena no podría ser acordado en los supuestos regulados en el art. 127 quinquies CP (decomiso ampliado en caso de actividad delictiva previa continuada) porque no se encuentra entre los artículos anteriores al art. 127 ter CP.

En cuanto al círculo de sujetos pasivos de esta modalidad de decomiso, en el CP se evita la referencia al "sospechoso o acusado" utilizada en la Directiva y se prefiere usar la referencia genérica a "sujeto", aclarándose en el apartado 2 del art. 127 ter CP que este decomiso sin condena "solamente podrá dirigirse contra quien haya sido formalmente acusado o contra el imputado[61] con relación al que existan indicios racionales de criminalidad cuando las situaciones a que se refiere el párrafo anterior hubieran impedido la continuación del procedimiento penal". Por su parte, la Directiva exige que en "dichos procedimientos podrían haber conducido a una resolución penal

---

[61] En relación con el término "imputado", debe tenerse presente que a través de la LO 13/2015, de 5 de octubre, de modificación de la Ley de Enjuiciamiento Criminal para el fortalecimiento de las garantías procesales y la regulación de las medidas de investigación tecnológica, se ha sustituido el término imputado en la LECr por "investigado o encausado" según la fase procesal (Vid. Preámbulo apartado V y Artículo único, apartado vigésimo). El término "investigado" "servirá para identificar a la persona sometida a investigación por su relación con un delito; en tanto que con el término "encausado" se "designará, de manera general, a aquél a quien la autoridad judicial, una vez concluida la instrucción de la causa, imputa formalmente el haber participado en la comisión de un hecho delictivo concreto (Preámbulo, apartado V).

condenatoria si el sospechoso o acusado hubiera podido comparecer en juicio" (art. 4.2. *in fine*)

5.1.3. Decomiso de bienes de terceros (art. 127 quáter CP)

En relación con la regulación del decomiso de bienes de terceros regulado en el art. 127 quáter CP, debemos denunciar que el legislador español no ha tenido en cuenta la regulación de esta modalidad de decomiso contemplada en el art. 6 Directiva 2014/42/UE, sino la prevista en el art. 6 de la Propuesta de Directiva de la que dista considerablemente en cuanto a la forma y al contenido[62]. Por otra parte, no podemos pasar por alto la amplitud del ámbito de aplicación del decomiso de bienes de terceros regulado en el CP por la vulneración del derecho a la propiedad del tercero y del principio de proporcionalidad que puede implicar su previsión con carácter principal[63], a pesar de que en la Directiva se reconoce a los Estados miembros la facultad de configurarlo como una medida subsidiaria o alternativa del decomiso directo (considerando 25). En tercer y último lugar, no podemos dejar de mencionar que el legislador español presume, salvo prueba en contrario, que el tercero ha tenido motivos para sospechar que se trataba de bienes procedentes de una actividad ilícita o que eran transferidos para evitar su decomiso, cuando los bienes o efectos le hubiesen sido transferidos por un precio inferior, circunstancia que tiene su origen en lo dispuesto en el art. 6.2. b) de la Propuesta de Directiva, no habiendo tenido en cuenta el legislador español en la LO 1/2015, de 30 de marzo, que el art. 6 Directiva ha sido redactado en otros términos, exigiendo que la transferencia o la adquisición se haya realizado por "un importe significativamente inferior al valor del mercado". Este cambio, que permite ser más respetuoso con los derechos del tercero de buena fe y con el principio de proporcionalidad[64], ha sido ignorado por el legislador español, en su denodada búsqueda de

---

[62]   Sobre la regulación del decomiso de bienes de terceros en la Propuesta de Directiva, AGUADO CORREA, "Comiso: crónica de...", *Indret* 1/2014, pp. 44 y ss.; sobre los cambios de la regulación de la Directiva respecto a ésta, AGUADO CORREA, "La Directiva 2014/42/UE...", *RGDE* 35 (2015), pp. 24 y ss.

[63]   AGUADO CORREA, "Comiso: crónica de...", *Indret* 1/2014, p. 47.

[64]   AGUADO CORREA, "La Directiva 2014/42/UE...", *RGDE* 35 (2015), p. 25.

una mayor eficacia aun a costa de la vulneración de los derechos y garantías de los terceros adquirientes de buena fe.

A través del decomiso de bienes de terceros regulado en el art. 127 quáter CP, en realidad se facilita acordar el decomiso sobre los bienes de sujetos que son responsables de un delito de blanqueo de capitales, doloso o imprudente, sin necesidad de iniciar un proceso penal con el fin de declarar la responsabilidad criminal de los mismos, por la vía de considerarlos "terceros" a efectos del decomiso[65]. En los supuestos en los que el sujeto conozca la procedencia delictiva sepa que han sido transferidos para evitar su decomiso (art. 127 quáter CP), estaríamos ante una conducta constitutiva de un delito de blanqueo de capitales tipificada en el art. 301.1 CPE. En el caso de que el tercero hubiera tenido motivos para sospechar que procedían de una actividad ilícita o que eran transferidos para evitar su decomiso, estaríamos ante un delito de blanqueo de capitales imputable a título de imprudencia (art. 301.3 CP). En la misma línea, VIDALES RODRÍGUEZ[66] insiste en el riesgo de que una vez incautados los bienes, decaiga el interés por la persecución del eventual delito cometido, entre otros, el delito de blanqueo de capitales.

5.2. Ley de Enjuiciamiento Criminal

A través de la Ley 41/2015, de 5 de octubre, de modificación de la Ley de Enjuiciamiento Criminal para la agilización de la justicia penal y el fortalecimiento de las garantías procesales, se ha procedido, de forma no muy acertada como ha puesto ya de manifiesto la doctrina procesalista[67], a la incorporación de la Directiva 2014/42/UE al derecho español, articulando los cauces para permitir la efectividad de algunas figuras de decomiso, mediante la previsión de la intervención

---

[65] AGUADO CORREA, "Comiso: crónica de…", *Indret* 1/2014, p. 50.
[66] "Consecuencias accesorias: decomiso (arts. 127 a 127 octies)", en *Comentarios a la reforma del Código Penal de 2015*, Valencia, 2015, Tirant lo Blanch, p. 8.
[67] Entre otros, vid. NIEVA FENOLL, "El procedimiento de…", *Diario La Ley*, 2015, pp. 1-23; GASCÓN INCHAUSTI, "Las nuevas herramientas procesales para articular la política criminal de *decomiso total*: la intervención en el proceso penal de terceros afectados por el decomiso y el proceso para el decomiso autónomo de los bienes y productos del delito", *Revista General de Derecho Procesal 38 (2016)*, pp. 1-71.

penal de los terceros afectados por el decomiso y con la incorporación de un nuevo procedimiento de decomiso autónomo.

Recordemos que en la Directiva 2014/42/UE, se reconoce a los Estados miembros "la facultad de iniciar ante cualquier tribunal competente procedimientos de decomiso en relación con procedimientos penales" (considerando 10). Esta facultad se ha materializado en la Ley 41/2015, de 5 de octubre, a través del nuevo procedimiento de decomiso autónomo (arts. 803 ter e) a 803 ter u) LECr), regulado en el nuevo Título III ter del Libro IV en la LECr, bajo la rúbrica "De la intervención de terceros afectados por el decomiso y del procedimiento de decomiso autónomo". El procedimiento de decomiso autónomo, según se desprende de lo dispuesto en el art. 803 ter e) 2 LECr, en particular, será aplicable en los siguientes casos: "a) Cuando el fiscal se limite en su escrito de acusación a solicitar el decomiso de bienes reservando expresamente para este procedimiento su determinación. b) Cuando se solicite como consecuencia de la comisión de un hecho punible cuyo autor haya fallecido o no pueda ser enjuiciado por hallarse en rebeldía o incapacidad para comparecer en juicio". Es decir, puede iniciarse a instancia del MF cuando exista un hecho punible y su autor haya fallecido o no pueda ser enjuiciado por hallarse en rebeldía o en situación para comparecer en juicio, así como cuando el fiscal se reserve la acción de decomiso, para el caso de haber recaído sentencia condenatoria firme por el delito del que proviene el patrimonio objeto del procedimiento.

Por otra parte, y puesto que la Directiva 2014/42/UE afecta sustancialmente a los derechos personales no solo de los sospechosos o acusados, sino también de terceros no procesados, resultaba necesario establecer garantías específicas y recursos judiciales para garantizar la protección de sus derechos fundamentales al aplicar la misma. Por ello, en el art. 8.1 Directiva se ha extendido a todas las personas afectas por las medidas en ella previstas, el reconocimiento del derecho a una tutela judicial efectiva y a un juicio justo. Entre los derechos que se reconocen a los terceros, se hace referencia expresa en la Directiva al derecho a ser oídos de que gozan los terceros que reclamen la propiedad de los bienes de que se trate, o que reclamen otros derechos de propiedad (derechos reales o *ius in rem*), como el derecho de usufructo (considerando 33 Directiva 2014/42/UE). Además, la orden de embargo debe ser comunicada a la persona afectada tan pronto como sea posible después de su ejecución, si bien se admite que por razones de necesidad de la investigación, se pueda posponer la comunicación de dicha orden a la persona afectada (art. 8.2 Directiva y considerando 33 Directiva 2014/42/UE). En el art. 8.7 Directiva 2014/42/UE se reconoce el derecho de defensa de todos los afectados por la misma, en relación con todas las modalidades de decomiso reguladas en la Directiva y no solo en relación con el decomiso sin condena, si bien se refiere tan solo al derecho que les corresponde respecto a la determinación de los productos e instrumentos y no respecto de la infracción penal[68]. A través de la reforma de la LECr mediante la Ley 41/2015, se ha pretendido garantizar estos derechos a través de la regulación de la intervención en el proceso penal de terceros afectados por el decomiso (arts. 803 ter a) a 803 ter d) LECr), aun cuando no de una forma totalmente satisfactoria para algunos autores[69].

5.3. RD 948/2015, de 23 de octubre, por el que se regula la Oficina de Recuperación y Gestión de Activos

A través de las previsiones contenidas en el RD 948/2015, se incorpora al derecho español lo dispuesto en el art. 10 Directiva 2014/42/UE[70], con la pretensión de "optimizar la prevención y la lucha contra la delincuencia organizada transfronteriza, incluida la de carácter organizado, neutralizando el producto del delito, pues se entiende que

---

[68] "Sin perjuicio de lo dispuesto en la Directiva 2012/13/UE y en la Directiva 2013/48/UE, las personas cuyos bienes se vean afectados por la resolución de decomiso tendrán derecho a acceder a un abogado durante todo el procedimiento de decomiso, por lo que respecta a la determinación de los productos e instrumentos" (art. 8.7 D).

[69] Entre otros, vid. NIEVA FENOLL, "El procedimiento de...", *Diario La Ley,* 2015, pp. 16 y 17 y GASCÓN INCHAUSTI, "Las nuevas herramientas", *RGD-Pr 38 (2016)*, pp. 8 y ss.

[70] La Decisión 2007/845/JAI del Consejo, de 6 de diciembre de 2007, sobre la cooperación entre los Organismos de Recuperación de Activos de los Estados miembros en el ámbito de la localización e identificación de productos del delito o de otros bienes relacionados con el delito, sólo requería la creación de Organismos con el fin de "facilitar el seguimiento y la identificación de los productos de actividades delictivas y otros bienes relacionados con el delito que puedan ser objeto de una orden de embargo preventivo, incautación o decomiso...".

la principal motivación de esta forma de delincuencia es la obtención de beneficios financieros" (I).

Con el fin de mejorar la gestión de activos intervenidos se ha revisado la regulación contenida en el art. 367 septies LECr y se ha creado una Oficina de Recuperación y Gestión de Activos (ORGA)[71], cuyas funciones son, según lo dispuesto en el art. 3 del RD 948/2015, "la localización y recuperación de efectos, bienes, instrumentos y ganancias procedentes de actividades delictivas, su conservación, administración y realización" (apartado 1); asimismo, le corresponde resolver sobre la adjudicación del uso de los efectos embargados cautelarmente y sobre las medidas de conservación que deban ser adoptadas (apartado 2); constituyendo igualmente una función esencial de la ORGA, el asesoramiento técnico a los juzgados, tribunales y fiscalías, que lo soliciten en materia de ejecución de embargos y decomisos, a los efectos de evitar actuaciones antieconómicas y garantizar, dentro del respeto a la ley y con el cumplimiento de todas las garantías procesales, el máximo beneficio económico (apartado 3).

A raíz de la reforma, las Oficinas de Recuperación de Activos[72] son sustituidas por una Oficina de Recuperación y Gestión de Activos, teniendo lugar un cambio de denominación motivado por las nuevas

---

[71]   Recordemos que las Oficinas de Recuperación de Activos se crearon en España a través de la LO 5/2010 mediante la inclusión del art. 367 septies en la LECr, si bien transcurridos cinco años aún no se había desarrollado reglamentariamente dicha previsión. En el art. 367 septies 1 LECr (LO5/2010) se regulaban las funciones de estas ORAs en los siguientes términos: "El Juez o Tribunal, a instancia del Ministerio Fiscal, podrá encomendar la localización, conservación, administración y realización de los efectos, bienes, instrumentos y ganancias procedentes de actividades delictivas cometidas en el marco de una organización criminal a una Oficina de Recuperación de Activos". En la actualidad, tras su reforma a través de la LO 1/2015, el art. 367 septies LECr reza así: "El juez o tribunal, de oficio o a instancia del Ministerio Fiscal o de la propia Oficina de Recuperación o Gestión de activos, podrá encomendar la localización, la conservación y la administración de los efectos, bienes, instrumentos y ganancias procedentes de actividades delictivas cometidas en el marco de una organización criminal".

[72]   En España se habían designado como ORAs al Centro de Inteligencia contra el Terrorismo y el Crimen Organizado (CITCO) y a la Fiscalía Especial Antidroga. Vid. AGUADO CORREA, T. Embargo preventivo y comiso en los delitos de tráfico de drogas y otros delitos relacionados: Presente y ¿futuro?, *Estudios Penales y Criminológicos, volumen XXXIII*, pp. 298 y 299, n.p.p. 96.

funciones de administración y gestión de los bienes que le corresponden junto a la inicial función de localización y recuperación de bienes. La ampliación de funciones pretende salvar la ineficacia de los mecanismos tradicionales de realización de los bienes, venta por persona especializada o subasta pública, a los que los órganos judiciales han recurrido al no existir órganos especializados en la gestión de los bienes decomisados.

En el RD 948/2015, se afirma que "La nueva regulación del decomiso y la puesta en marca de la Oficina de Recuperación y Gestión de Activos facilitarán una mayor eficacia contra la delincuencia económica, normalmente una criminalidad de delincuentes poderosos, que aparece especialmente organizada y que tanto daño ocasiona al Estado democrático de derecho. Se hará así realidad el principio de que el delito que genera ilícitas ganancias nunca pueda compensar a su autor" (RD 948/2015 II).

Con la finalidad de dar cumplimiento al mandato establecido en la Disposición transitoria primera y la Disposición final primera del Real Decreto 948/2015, de 23 de octubre, se ha dictado la Orden JUS/188/2016, de 18 de febrero, por la que se determina el ámbito de actuación y la entrada en funcionamiento operativo de la Oficina de Recuperación y Gestión de Activos y la apertura de su cuenta de depósitos y consignaciones[73].

En la citada Orden se determina la entrada en funcionamiento operativo de manera progresiva, de acuerdo con el plan de acción aprobado el 10 de febrero de 2016 por la Dirección General de la citada Oficina y se configura la actividad de la Oficina en varias fases.

La primera de ellas, con carácter inmediato, contempla las actuaciones a impulsar exclusivamente de oficio por la Oficina, independientemente de la fecha en la que el bien haya sido decomisado o embargado y de la actividad delictiva de la que traiga causa (art. 3.1 Orden), en los términos establecidos en el apartado 3 del art. 2 Orden que reza así: "Cuando la Oficina actúe a iniciativa propia, en el marco de cualquier actividad delictiva, lo hará cuando resulte conveniente en atención a la naturaleza o especiales circunstancias de los bienes, previa autorización judicial, de conformidad con lo previsto en las leyes

---

[73]   BOE nº 44, de 20 de febrero de 2016.

penales y procesales e independientemente de la fecha del embargo o decomiso".

Posteriormente y de forma escalonada, dependiendo de un criterio territorial[74], el funcionamiento operativo de la Oficina se extiende a las actuaciones a instancia de Juzgados y Tribunales o la Fiscalía, respecto de la localización y gestión de bienes embargados o decomisados desde el 24 de octubre de 2015, fecha de entrada en vigor del Real Decreto 948/2015, de 23 de octubre, siempre que el embargo o decomiso se produzca en el marco de una actividad delictiva de las contempladas en el artículo 127 bis del Código Penal (art. 3.2 Orden), en los siguientes términos: "Cuando la Oficina actúe a instancia del Juez o Tribunal o del Ministerio Fiscal, lo hará en el ámbito de las actividades delictivas cometidas en el marco de una organización criminal, así como del resto de las actividades delictivas propias del ámbito del decomiso ampliado, en los términos previstos en las leyes penales y procesales y respecto a bienes cuya localización, embargo o decomiso se haya acordado a partir del 24 de octubre de 2015" (art. 2.2 Orden). Por último, se prevé que la fecha de entrada en funcionamiento en materia de cooperación internacional sea el día 1 de junio de 2016 (art. 3.3 Orden).

Asimismo el plan de acción delimita la función de gestión de bienes por la Oficina. Por una parte, dado que la competencia relativa a la gestión de los depósitos judiciales actualmente se encuentra distribuida entre el Ministerio de Justicia y las Comunidades Autónomas con competencias en la materia, se establece que el funcionamiento operativo de la Oficina no alterará el régimen de los depósitos judiciales, sin perjuicio de que en el futuro pudiera asumir funciones en relación con los mismos. Por otra parte, no se contempla, en el ámbito de gestión de los bienes encomendados a la Oficina, la administración

---

[74]   Así las fechas de entrada en funcionamiento, conforme a lo dispuesto en el art. 3. 2 Orden son: a) 1 de marzo de 2016, en el ámbito de la provincia de Cuenca. b) 1 de junio de 2016 en el ámbito de la Comunidad Autónoma de Castilla-La Mancha. c) 1 de octubre de 2016 en el ámbito de las Comunidades Autónomas cuyas competencias en justicia siguen asumidas por el Ministerio de Justicia, así como en el ámbito de los órganos de jurisdicción estatal. d) 1 de enero de 2017 para el resto del territorio del Estado.

de sociedades en tanto no se acuerde expresamente mediante resolución de la Secretaría de Estado de Justicia (art. 5 Orden).

Por último, la orden tiene también por objeto fijar la apertura de la Cuenta de Depósitos y Consignaciones de la Oficina de Recuperación y Gestión de Activos en virtud de la Disposición final primera del Real Decreto 948/2015, de 23 de octubre, bajo el nombre de "Oficina de Recuperación y Gestión de Activos" (art. 4 Orden).

6. CONCLUSIONES

El ámbito de aplicación objetivo de la Directiva se limita a infracciones penales graves, introduciéndose en relación con algunas actividades delictivas un límite temporal cuando se trata de la modalidad de decomiso ampliado, lo cual no ha sido tenido en cuenta por el legislador español ya que ha incorporado lo dispuesto en la norma europea como una norma general para todo tipo de infracciones, tomando al "pie de la letra" la consideración de las normas establecidas en la Directiva 2014/42/UE, como "normas mínimas sobre el embargo con vistas a su posible decomiso y sobre el decomiso de bienes en el ámbito penal" (art. 1 Directiva 2014/42/UE). Buena prueba de ello es la regulación del decomiso ampliado, decomiso sin condena y decomiso de bienes de terceros, tras la reforma del CP a través de la LO 1/2015, como hemos tenido ocasión de constatar a lo largo de este trabajo. Los jueces y tribunales son los encargados ahora de dilucidar algunas de las cuestiones que el legislador ha dejado sin resolver o en las que ha provocado confusión, así como de garantizar el respeto de los derechos fundamentales y del principio de proporcionalidad en la aplicación de las modalidades de decomiso previstas en los arts. 127 a 127 octies. CP. Por último, hay que valorar positivamente la creación de una Oficia de Gestión y Recuperación de Activos que permita erigir el decomiso como uno de los mecanismos más eficaces en la lucha contra la delincuencia organizada.

7. BIBLIOGRAFÍA

AGUADO CORREA, T., "Decomiso de los productos de la delincuencia organizada. "Garantizar que el delito no resulte provechoso", *Revista Electrónica de Ciencia Penal y Criminología* 15-05, 2013.

AGUADO CORREA, T., "Embargo preventivo y comiso en los delitos de tráfico de drogas y otros delitos relacionados: presente y ¿futuro?", *Estudios Penales y Criminológicos*, vol. XXXIII, 2013.

AGUADO CORREA, T., "Comiso: crónica de una reforma anunciada. Análisis de la Propuesta de Directiva sobre embargo y decomiso de 2012 y del Proyecto de reforma del Código Penal de 2013", *Indret* 1/2014.

AGUADO CORREA, T., "La Directiva 2014/42/UE sobre embargo y decomiso en la Unión Europea: una solución de compromiso a medio camino", *Revista General de Derecho Europeo* 35 (2015).

AGUADO CORREA, T., "Comentarios a los artículos 127 a 128 CP", *Comentarios Prácticos al Código Penal, Tomo I*, Pamplona, Thomson-Aranzadi, 2015.

ARCIFA, G., "The new EU Directive on Confiscation: A good (even if still prudent) starting point for the post-Lisbon EU strategy on tracking and consfiscating illicit money", *I quaderni europei*, Maggio 2014, n° 64, p. 3, disponible en www.cde.unict.it/quadernierupei/giuridichi/64_20.pdf

BLANCO CORDERO, I., "El comiso de ganancias: ¿brutas o netas?", *Diario La Ley* n° 7569, 2011, versión digital, disponible en www.laley.es.

GASCÓN INCHAUSTI, F., "Las nuevas herramientas procesales para articular la política criminal de *decomiso total*: la intervención en el proceso penal de terceros afectados por el decomiso y el proceso para el decomiso autónomo de los bienes y productos del delito", *Revista General de Derecho Procesal 38 (2016)*, disponible en www.iustel.com.

MAUGERI, A. M., "La Direttiva 2014/42/UE relativa alla confisca degli strumenti e dei proventi da reato nell'Unione Europea tra granzie ed efficienza: un 'work in progress'", *Diritto penale contemporáneo*, 2014, disponible en www.penalecontemporaneo.it.

MILIA, R., "El valore simbolico dell'art. 416 bis", en *Asud'europa. Osservazioni al Codice Antimafia*, Anno 5, n° 25, disponible en www.piolatorre.it.

MILITELLO, V., "Lucha contra la criminalidad organizada de tipo mafioso y el sistema penal italiano", *Problemas actuales de la justicia penal*, Madrid, Colex, 2013.

MILITELLO, V., "Hacia un Derecho penal europeo contra el crimen organizado", *IV Congreso internacional sobre prevención y represión del blanqueo de dinero*, Valencia, 2014, p. 237.

NIEVA FENOLL, J., "El procedimiento de decomiso autónomo. En especial, sus problemas probatorios", *Diario La Ley*, n° 8601, 9 de septiembre de 2015, Ref. D-322, disponible en www.diariolaley.laley.es.

PIVA, D., "La proteiforme natura della confisca antimafia dalla dimensione interna a quella sovranazionale", *Diritto penale contemporaneo*, 1/2013.

VIDALES RODRÍGUEZ, C., "Consecuencias accesorias: decomiso (arts. 127 a 127 octies)", en GONZÁLEZ CUSSAC, J.L. (Dir.) *Comentarios a la reforma del Código Penal de 2015*, Tirant lo Blanch, Valencia, 2015, Documento *(Tol 5009942)*.

NUEVOS RETOS PARA LA INTELIGENCIA ESTRATÉGICA ANTE EL DESARROLLO DE LAS AMENAZAS HÍBRIDAS

JULIA PULIDO GRAGERA[1]

Sumario: 1. Introducción. 2. Amenazas híbridas en un contexto de escenario asimétrico. 3. La importancia de la implementación de nuevas estrategias contrainsurgentes. 3.1. Implementación de Estrategias contrainsurgentes en la fase de planeamiento. 4. La Inteligencia Híbrida como elemento de las estrategias contrainsurgentes. 5. Conclusiones; 6. Bibliografía.

Resumen: En la actualidad, los cambios que se están produciendo en el ámbito internacional repercuten directamente en las estrategias de Seguridad y Defensa de los Estados. La adecuación de las mismas se traduce en el modelaje de respuestas estatales frente a la consolidación de fenómenos delincuenciales complejos que se manifiestan de forma global. La actualización tanto de políticas como de procedimientos de seguridad y defensa que confluyan bajo una sinergia de patrones de actuación internacional, es una prioridad para el mantenimiento del equilibrio en las estrategias de *securitización* tanto regionales como globales.

En este sentido, y manteniendo el carácter de vanguardia en las políticas de seguridad, la transformación de las comunidades de inteligencia es primordial, sobre todo, en relación a la puesta en práctica de nuevas estrategias y tácticas que prevean amenazas no convencionales y se adecúen, en términos de eficacia y eficiencia, a los continuos cambios operativos de, los que hacen gala, los fenómenos delincuenciales complejos, en todo su espectro.

Palabras clave: Relaciones Internacionales, Seguridad Internacional, Comunidad de Inteligencia, Inteligencia estratégica, amenazas híbridas.

---

[1] Profesora de Relaciones Internacionales. Universidad Europea de Madrid.

1. INTRODUCCIÓN

Ante el escenario de interactuación y transversalidad entre los actores que componen la sociedad internacional, se producen surgimientos de nuevos riesgos y amenazas a la Seguridad internacional, cuya naturaleza no comparte la delimitación tradicional que, hasta los últimos diez años, imperaba en el panorama global. Nos encontramos, por tanto, ante hechos delictivos que se posicionan, desde un punto de vista táctico, más allá de lo conocido y analizado hasta el momento, produciendo situaciones de incertidumbre que se extienden más allá de lo recomendable.

La consolidación de los llamados fenómenos delincuenciales complejos[2], término para designar las convergencias y la multidimensionalidad del terrorismo internacional y la amalgama de delitos tipificados como crimen organizado, junto con la confusión en la catalogación de conflictos, riesgos y amenazas que no comparten una tipología claramente definida, supone el vislumbramiento de un escenario cuyas respuestas van más allá de las convencionales.

En este sentido, políticas estatales tradicionalmente enfocadas a la salvaguarda de la seguridad nacional desde una óptica exclusivamente de configuración de estrategias territoriales, con un enfoque a la defensa de la seguridad interior, provocan, a largo plazo, situaciones de autarquía internacional, causadas por la demora en la adecuación de los planes de Seguridad internacional y Defensa a los requerimientos que la globalización, en su amplio espectro, demanda.

Cabe citar la repercusión y la trascendencia transnacional de la inclusión de los Estados en coaliciones internacionales con el objeto de participar en operaciones fuera de área bajo los auspicios de organizaciones internacionales de seguridad como la Organización de Naciones Unidas, o bajo la unión de países *ad hoc*, las denominadas, *Task Force* que se traducen en coaliciones no permanentes de Estados conformados ante una amenaza común identificada que incide directa o indirectamente en la seguridad e intereses nacionales.

---

[2]   Pulido Gragera, J y Sansó-Rubert, D. "A Phenomenological Analysis of Terrorism and Organized Crime from a Comparative Criminological Perspective" *Journal of Law and Criminal Justice*. December 2014, Vol. 2, nº 2, pp. 113-131.

La cooperación en estrategias, políticas y procedimientos en el ámbito de la Seguridad Internacional, plantea opciones de complementariedad en la implementación de medios y capacidades ante situaciones de respuesta frente a fenómenos delincuenciales complejos[3] o situaciones de conflictos híbridos, de naturaleza no convencional.

En este sentido, una de las cuestiones primordiales a llevar a cabo, como parte del proceso de cambio y adaptación de las Comunidades de Inteligencia a los retos actuales es, por una parte, la identificación y tratamiento de los elementos que conforman las amenazas híbridas y por otra, el reforzamiento de la cooperación internacional entre Servicios y Agencias de Inteligencia.

2. AMENAZAS HÍBRIDAS EN UN CONTEXTO DE ESCENARIO ASIMÉTRICO

Uno de los errores que los Estados occidentales han cometido en los últimos años, es la catalogación de actos delictivos de naturaleza claramente no convencional como fenómenos delincuenciales tradicionales, recogiéndolos en sus corpus normativos. Un ejemplo de ello, son aquellos actos delictivos y punibles de naturaleza violenta y cruenta, con impacto social y con características propias de métodos de grupos terroristas convencionales. En este sentido, a esos grupos ya se les cataloga como grupos terroristas, sin observar si su naturaleza, estructura y objetivos se corresponden como tales[4].

Éste, es el caso del DAESH (ISIS) para muchos de los Estados europeos que han sufrido y sufren sus efectos, tanto desde la perspectiva de víctimas de actos de naturaleza terrorista, como por ser fuente

---

3   Ídem.
4   En este sentido, hay que diferenciar el concepto de terrorismo del de insurgencia. Como insurgencia se entiende "al movimiento organizado que intenta hacerse con el control de un Estado por medio de la propaganda, la guerra de guerrillas y el terrorismo. Por lo tanto, las actividades terroristas que puedan realizar un grupo insurgente se considera parte de la táctica, al igual que la subversión o la guerra de guerrilla". Véase García Cantalapiedra, D. Y Díaz Matey, G. "EEUU, el uso de la inteligencia y la doctrina de contrainsurgencia norteamericana: lecciones para Afganistán". *Documento de Trabajo*. Real Instituto Elcano. DT 54/2008.22/12/2008.

para reclutadores de fanáticos y extremistas, con el fin de posibilitar la unión a sus filas.

Por lo tanto, se pueden considerar novedosas e impactantes las estrategias y tácticas empleadas por grupos complejos como el DAESH en la región de Oriente Medio y Magreb. La utilización de medios y capacidades virtuales, facilitados por los avances tecnológicos, modifican sustancialmente lo considerado, hasta el momento, como terrorismo.

Por ello, si tradicionalmente se establecían estrategias de contrainsurgencia en espacios territoriales caracterizados por luchas prolongadas, infraestructura política y el uso de guerra de guerrillas como elemento táctico fundamental[5], en la actualidad, el tratamiento por parte de la comunidad internacional a las acciones del DAESH, en la zona de Siria o Iraq, no deben ceñirse a las consideraciones que tradicionalmente han caracterizado a las operaciones contraterroristas, sino, más bien, a operaciones de contrainsurgencia en escenarios híbridos.

En estos escenarios híbridos operan no solamente grupos de contrainsurgencia o proto-insurgencia[6] que ejecutan actos de terrorismo para alcanzar sus objetivos, sino que hay que tener en cuenta actividades de financiación complementarias como tráficos ilícitos, trata de blancas, blanqueo de capitales, junto con la utilización de mafias para fomentar la inmigración ilegal indiscriminada hacia Europa, pu-

---

[5] Drew, D. *Insurgency and counterinsurgency. American Military Dilemmas and Doctrinal Proposals.* Air University Press. 1988. pp. 5-7.

[6] Según afirma García Guindo, de forma textual la proto-insurgencia "es una actividad instrumental. Ésta, puede ayudar a incrementar su base de reclutamiento, llamar la atención de los públicos doméstico e internacional en busca de apoyo económico, político, moral y establecer diferencias con respecto a otros grupos o facciones rivales que pretendan consolidarse. Incluso cuando esta violencia deja de ser inspiradora de la movilización social, su carácter coercitivo alimenta (aunque sea de manera forzosa) la acción colectiva y genera a su vez un desgaste progresivo que mina y hace que se tambaleen las estructuras de gobierno, incapaces de cumplir con la tarea esencial de garantizar protección y seguridad a la población". García Guindo, M: "Movimientos insurgentes: El papel, capacidades y respuestas de los Estados", *Revista Política y Estrategia*, n° 123, 2014 pp. 35-52. Véase también Byman, D. "Understanding Proto-Insurgencies". *Journal of Strategic Studies*. 31 (2), pp. 165-200, 2008.

diéndose convertir, a posteriori, en vías de tránsito de insurgentes o terroristas.

Toda esta amalgama de amenazas que, hasta hace pocos años se trataban de forma individual con respuestas *ad hoc*, requiere en la actualidad, de un tratamiento preventivo y ofensivo transversal, poliédrico e integral. Es decir, poniendo el enfoque en la combinación de elementos y estrategias cívico-militares, traducidas éstas, en el reforzamiento de las Comunidades de Inteligencia de los Estados. Sustancialmente, debe considerarse un cambio no sólo en las tácticas contraterroristas, sino de las estrategias y el planeamiento de Inteligencia.

En el caso de la Unión Europea, no es nuevo afirmar que el logro de una plena cooperación entre los distintos Servicios de Inteligencia es una cuestión utópica[7]. Está claro que una primera aproximación a la colaboración entre agencias se alcanza tras la consecución de un entendimiento en determinadas materias clave que guardan intrínseca relación con las amenazas globales[8]. Esto se logra cuando se establece un acuerdo en cuanto a procedimientos operativos preventivos.

Las dificultades comienzan cuando el interés por compartir información e Inteligencia por parte de los Estados, afecta directamente a cuestiones prioritarias de su Seguridad Nacional. En este punto, los Estados se muestran reacios a compartir información, sobre todo, cuando se carece de un marco de creación de confianza entre los países inmersos en dicha cooperación[9]. Por ello, la colaboración desde un nivel bilateral, resultará más provechosa en términos de eficacia y eficiencia, puesto que el control del equilibrio de poder entre dos entes estatales, resulta más asumible que en una cooperación multilateral[10].

En este sentido, y a modo de Resumen, se puede afirmar que existen dos grandes tipos de cooperación internacional en materia de Inteligencia. Por un lado, la forma bilateral, siendo ésta la más común. La cuál, a su vez, reviste dos tipos: cooperación tácita, llevada a ca-

---

[7]   Pulido Gragera, J. "La Cooperación Internacional entre Servicios de Inteligencia", *Al Servicio del Estado: Inteligencia y Contrainteligencia en España* (monografía). *Revista Arbor*. Centro Superior de Investigaciones Científicas (CSIC). 2005. N° 709.
[8]   Ídem.
[9]   Ídem.
[10] Ídem.

bo por medio de relaciones de confianza entre oficiales de los Servicios, y cooperación expresa, realizada en base a la firma oficial de los *Memorandum* de entendimiento (MOU´s) entre las agencias, lo que garantiza la confidencialidad tanto de la información como de los procedimientos[11].

La segunda forma de cooperación internacional es la realizada en el ámbito multilateral. La particularidad de la misma se centra en la complejidad de su implementación efectiva, debido a lo mencionado anteriormente, con respecto a los recelos en el intercambio de información entre múltiples Estados. Para que este intercambio interestatal se realice de forma óptima conforme a criterios de eficacia, se debe producir entre países que, o bien, compartan los mismos intereses en cuestiones de Seguridad global (Grupo Egmont, grupo TREVI, grupo Kilowatt)[12], o entre Estados que estén situados en la misma región (Centro Contraterrorista del Sudeste Asiático promovido desde ASEAN)[13].

Volviendo a la naturaleza híbrida de la amenaza, cabe realizarse la siguiente pregunta: ¿se pueden definir las actuaciones (entendidas como procesos de radicalización, reclutamiento y actos terroristas, en sí) realizadas por DAESH en España, Francia, Bélgica o en cualquier Estado europeo como acciones cometidas por un grupo terrorista transnacional? O ¿se deberían catalogar como la proyección táctica y operacional de acciones de insurgencia en un escenario híbrido?

A este respecto y estudiando las etapas de guerra insurgente[14] de Mao, se observa que existe un paralelismo, no carente de matices,

---

[11]   Lefebvre, S. "The Difficulties and Dilemmas of International Intelligence Cooperation". *International Journal of Intelligence and Counter intelligence*, nº 16, 2003. p. 533.

[12]   Ídem.

[13]   Ídem.

[14]   Según García Guindo, "Mao describe que en una primera fase la insurgencia evita la confrontación abierta y limita su actividad a acciones que desgastan los recursos del enemigo. En una segunda etapa la guerrilla se enfrentaría a las fuerzas enemigas tratando de alcanzar una situación de punto muerto que provoque la evacuación de las ciudades y del territorio en disputa. Finalmente, una vez que la insurgencia cuenta con una base de operaciones adecuada, puede generar una fuerza militar con la que pasar a la ofensiva, destruir al ejército enemigo y hacerse con el control del Estado". García Guindo, M: "Movimientos insurgentes:

con la estrategia implementada por el DAESH[15] en la zona de influencia táctica. En términos operativos, se puede afirmar que, en la actualidad, la ofensiva se encuentra entre la segunda y la tercera etapa maoísta. El hecho diferencial radica en que una posible toma de control de las instituciones legítimas de los Estados, no se corresponde a una única unidad estatal, sino al espectro de una región con fronteras permeables.

Si consideramos esta hipótesis, las actuaciones terroristas de individuos yihadistas en Occidente que actúan en nombre de Alá jurando lealtad al DAESH, se podría analizar desde la perspectiva de una proyección de las acciones híbridas implementadas en su zona de influencia Oriental como parte de su táctica de propaganda sangrienta hacia Occidente, y no bajo una definición clara de actividades perpetradas por un grupo terrorista o por lobos solitarios. Esta hipótesis sería válida si consideramos una proyección de esta neoinsurgencia a través de la utilización de los artificios que los avances tecnológicos y de comunicación favorecidos por la globalización ofrecen, como forma de afianzar la legitimidad de su poder en las zonas subyugadas, además de utilizarse como estrategia de captación y reclutamiento de occidentales.

En este sentido, sin pretender llegar a ser alarmistas, la globalización de este tipo de amenaza es un hecho. No debemos olvidar, en la tipología de amenazas a la seguridad, a los "Estados fallidos" o a las amenazas emanadas de entes estatales que suponen la creación de inestabilidades regionales o de forma bilateral. En este sentido, para los Estados, es un hecho fundamental, identificar los objetivos de seguridad estratégicos, diferenciando los intereses vitales de los coyunturales enfocados a una transformación de Comunidad de Inteligencia.

Ante una situación de transformación de la Comunidad de Inteligencia, se impone la necesidad de revisar los procedimientos tanto de obtención como de análisis de información, incidiendo en la

El papel, capacidades y respuestas de los Estados", *Revista Política y Estrategia*, nº 123, 2014. pp. 35-52 Véase también: Mao, Tse-Tung. *La Guerra prolongada*. México, Ediciones Roca, 1973.

15   García Cantalapiedra, D. y Díaz Matey, G: " EE.UU. y el papel de la inteligencia en conflictos asimétricos", *UNISCI Papers*, nº 34, Madrid, UNISCI. 2008.

importancia de la Inteligencia Humana (HUMINT) considerando la inteligencia estratégica tanto política como militar, uno de los elementos indispensables, junto con la adaptación de estrategias anti/ contra terroristas y contrainsurgentes.

3. LA IMPORTANCIA DE LA IMPLEMENTACIÓN DE NUEVAS ESTRATEGIAS CONTRAINSURGENTES

Una de las características actuales que imperan en la realidad internacional, es el mundo cambiante en relación a criterios tradicionales establecidos. La concepción *hobbesiana* de Estado y la configuración de las políticas estratégicas tanto de unidades estatales como de organizaciones internacionales en los ámbitos preventivos y reactivos, necesitan una revisión y reestructuración. Superada queda la delimitación entre Seguridad interior y exterior y la configuración tanto de fuerzas militares como policiales en base a si se trata de cuestiones que afecten a la Defensa o a delitos delincuenciales. Actualmente, se establecen medios militares en lucha anti/contra terrorista y se utilizan unidades policiales como formadores en programas de entrenamiento y capacitación en escenarios postconflicto.

Desde el punto de vista de lucha preventiva, las políticas de Inteligencia de los Estados deben adecuarse a la evolución de estructuras de gobierno y poder que están surgiendo bajo la denominación de "subgobiernos[16]", y que se confunden bajo criterios de "Estados fallidos" o espacios territoriales ocupados por insurgencias.

Desde el fenómeno del crimen organizado, el debate de espacios de subgobierno no sólo se enfoca a los grupos caracterizados por actuar a través de acciones terroristas, sino que lo podemos trasladar a espacios intra urbanos como los surgidos en capitales como Río de Janeiro, Caracas, etc. en donde la delincuencia común y los grupos de

---

[16]   Keister, J. "The Illusion of Chaos Why Ungoverned Spaces Aren't Ungoverned, and Why That Matters". *Policy Analysis*. Cato Institute. N° 766. Diciembre 2014.

criminalidad organizada o BACRIM campan anárquicamente en las favelas[17].

Tradicionalmente, se ha considerado el ámbito de la inteligencia estratégica restringido a la esfera de la Seguridad Nacional, incluyendo lo relativo a la inteligencia militar dentro y fuera de área, pero la evolución natural del concepto de seguridad, obligado, en gran medida, por la multidisciplinareidad y transversalidad de los fenómenos considerados, en la actualidad, como riesgos y amenazas híbridas, abarca áreas, sobre las que, hasta ahora, solamente se aplicaban metodologías muy concretas de actuación.

Todo ello cambia, y dichas metodologías tanto de análisis de información como de identificación de indicadores de alerta que permitan realizar, a posteriori, una correcta evaluación del riesgo y la amenaza, se encuentran en permanente evolución para lograr reducir el umbral de incertidumbre que afecta a todos los ámbitos en los que la Seguridad se vuelve indispensable[18].

El debate por tanto, no se encuentra en qué se debe mejorar de las políticas preventivas o de Inteligencia, sino qué estrategias se deben establecer en la convivencia de amenazas tradicionales con híbridas y sobre todo, en aquellos espacios en los que conviven gobiernos legítimos con espacios subgobernados por grupos con naturaleza de proto-insurgencia[19].

Por lo tanto, una de las cuestiones que en la actualidad preocupan en gran medida a los gobiernos occidentales es la identificación de los riesgos y amenazas y adecuar las respuestas estatales a los mismos.

Desde que Hoffman, acuñara la expresión "guerra híbrida[20]", la proyección de esta denominación a otro tipo de amenazas ha sido constante. De ahí que observemos la catalogación de fenómenos complejos con el adjetivo "híbrido" en todas sus variantes. Valga como

---

[17]   North, D et al. "Limited Access Orders in the Development World: A new Approach to the Problems of Developme *Policy Research Working Paper*. World Bank. Washington. 2007.

[18]   Pulido, J y Sansó-Rubert, D. O.C.

[19]   García Guindo, M. OC.

[20]   Hoffman, F. *Conflicts in the 21th Century: The Rise of Hybrid Wars*. Potomac Institute for Foreign Policy Studies. Arlington. 2007.

ejemplo la identificación de conflictos híbridos, amenazas híbridas, espacios híbridos, etc.

De ello se traduce que la realidad internacional actual no es comparable con la realidad imperante hace diez años, en la que los académicos y los decisores políticos trataban de buscar, bajo criterios técnicos, la mejor manera para reestructurar tanto las funciones como los sistemas de inteligencia, por ejemplo, a las nuevas formas de terrorismo islamista[21], o se trataban de equiparar los procedimientos policiales a lo que se consideraban delitos estrictamente catalogados de naturaleza común acaecidos en el ámbito de la Seguridad interior.

Con todo este escenario de indudable interés, surge el interrogante acerca de la efectividad de las políticas actuales de Seguridad y Defensa en occidente. Aunque resulte una pregunta un tanto presuntuosa, tiene que desembocar en una profunda reflexión.

Desde el punto de vista de participación de los Estados en operaciones internacionales, una de las cuestiones que afectan sobre manera a las políticas de Defensa de los Estados, es su participación en las mismas y la adecuación de sus medios y capacidades militares al teatro de operaciones. Durante los últimos años, se ha observado que la mayoría de los conflictos en los que Estados han tomado partida, han sido los de naturaleza intraestatal, producidos por luchas étnicas, secesiones o luchas por recursos naturales. Bajo el Derecho Internacional, las intervenciones militares de potencias extranjeras se han establecido bajo los auspicios de Resoluciones del Consejo de Seguridad de Naciones Unidas, a través del art. 42 de la Carta de ONU en su capítulo VII, por medio de operaciones de mantenimiento de la paz (Cascos azules), fuerzas multinacionales o intervenciones a cargo de organizaciones regionales[22].

Sin entrar en detalle al análisis de la tipología de conflicto y sus distintas formas de resolución, no hay duda de la importancia que

---

[21]　Pulido Gragera, J. "La Cooperación Internacional entre Servicios de Inteligencia", *Al Servicio del Estado: Inteligencia y Contrainteligencia en España* (monografía). *Revista Arbor*. Centro Superior de Investigaciones Científicas (CSIC). No 709. 2005.

[22]　Véase a este respecto la Carta de Naciones Unidas, capítulo VII, artículo 42. "Acción en caso de amenazas a la paz, quebrantamientos de la paz o actos de agresión".

han tenido las operaciones de contrainsurgencia en el siglo XX. Si durante las últimas tres décadas, académicos y expertos han estado cuestionando la viabilidad de las estrategias de contrainsurgencia tradicionales por motivos de universalización de sus enfoques[23] destacando la teoría clásica"*Hearts and Minds*[24]" o la enfocada al Coste-Beneficio[25], en la actualidad, la necesidad de establecer un tipo de contrainsurgencia de carácter global, siguiendo el modelo de los Tres Pilares COIN (*Three Pillars of COIN*) de Kilcullen[26] parece que es uno de los más acertados.

Este modelo está enfocado a dar respuesta a movimientos islamistas radicales, por lo que, tal y como se ha analizado en apartados anteriores, la concepción poliédrica de la amenaza es un factor imprescindible. Una de las cuestiones fundamentales es el establecimiento de redes de colaboración y cooperación entre los actores implicados en la estrategia de contrainsurgencia, caracterizados por una visión multidisciplinar y controlando[27] lo que considera Kilcullen los tres pilares fundamentales: "el pilar de Seguridad (asuntos militares, policiales, construcción de un marco de Derechos Humanos, etc.); el pilar Político (establecimiento de apoyos, logro de legitimidad e implementación de medidas DDR[28]); finalmente, el pilar Económico (consecución de medidas industriales, comerciales, fomento de desarrollo económico, etc.)[29]".

Pero todos estos enfoques, incluidas la doctrina de Guerra Global al Terror implementada por Bush tras los atentados del 9/11 y las llamadas *Operations Other than War* (OOTW)[30], que abarcan el espectro completo de operaciones no consideradas como guerra convencional, mantienen un elemento vulnerable que desde un punto de vista táctico y operacional contrasta con el futuro de las operaciones

---

23   García de Guindo, M. O.c.
24   Dixon, P. "Hearts and Minds"? British Counter-Insurgency from Malaya to Iraq, *Journal of Strategic Studies*, 32:3, 353-381. 2009.
25   Long, A. On "Other War". Lessons from Five Decades of RAND Counterinsurgency Research. Rand Corporation Ed. 2006.
26   Kilcullen, D. *Counterinsurgency*. Oxford University Press. 2010.
27   García Guindo, M. O.c.
28   Medidas de Desarme, Desmovilización y Reintegración.
29   Kilcullen, o.c.
30   García Cantalapiedra, D y Díaz Matey, G. O.C.

internacionales: la unilateralidad estratégica en intervenciones militares.

Actualmente, la eficacia y eficiencia en el gasto de defensa es uno de los puntos fundamentales de todos los gobiernos y administraciones. El marco de actuación que aportan los Tratados fundacionales de organizaciones internacionales de seguridad y defensa colectiva de cara a una intervención militar en base a la Carta de Naciones Unidas, es un elemento práctico y eficaz para controlar el gasto militar. Las coaliciones conformadas para intervenciones fuera de área deben suponer una racionalización de los medios y capacidades aportados por los Estados que participan en las mismas. De esta forma, el gasto es compartido y la estrategia, táctica y medidas operacionales también deben serlo.

En este sentido, las actuales condiciones de crisis económica que afectan a numerosos Estados, junto con la importancia de la opinión pública en los países, provocan que las intervenciones militares de forma unilateral en escenarios fuera de área, sean una cuestión del pasado. Esto favorece las coaliciones y las operaciones lideradas por Organizaciones Internacionales.

Desde este punto de vista, el planteamiento de las estrategias de contrainsurgencia, deben sufrir una revisión.

3.1. Implementación de Estrategias Contrainsurgentes en la fase de planeamiento

Uno de los motivos por lo que se cuestionan las doctrinas y estrategias COIN es la aplicación de forma universal a conflictos de naturaleza insurgente en cualquier parte del Globo sin tener en cuenta las especificidades del Estado, idiosincrasia, características estratégicas, geopolíticas, etc. Cuando un Estado en solitario era el que aplicaba este tipo de estrategias, podría alcanzar los objetivos esperados, aunque con reservas, valga como clásico ejemplo la participación de Estados Unidos en la Guerra de Vietnam. La adecuación al medio y la flexibilidad a los cambios solía ser más fácil siendo solamente un país implicado.

Las operaciones futuras implican la participación de más de dos fuerzas militares de distintas nacionalidades por lo que el conocimiento de Estado en conflicto debe armonizarse entre la coalición.

Aunque una de las estrategias o teoría que, actualmente, se está aplicando en intervenciones militares surge como un enfoque nuevo de participación cívico-militar, no sería erróneo considerarlo como una nueva doctrina contrainsurgente de la que se derivaría estrategias COIN confeccionadas *ad hoc* en cada zona de conflicto. Se trata del Enfoque Integral o *Comprenhensive Approach*[31].

El Enfoque Integral apuesta por una combinación de acciones que van más allá de las puramente militares para la gestión de crisis internacionales, introduciendo elementos "diplomáticos, informativos, económicos, políticos o civiles[32]". Escenarios complejos y cambiantes con la inclusión de una multiplicidad de actores no estatales, como los establecidos en Afganistán o Iraq, motivaron a reflexionar sobre si la aplicación exclusivamente de fuerza militar, era la solución al conflicto.

La poliedrización de las amenazas y la complejidad de los conflictos en el teatro de operaciones, motivó que los Estados ampliaran no solamente la capacidad de cooperación cívico-militar, sino que establecieran sinergias entre todos los actores que, de forma estratégica, intervienen en un conflicto desde todos los planos y a todos los niveles[33]. En este sentido, también se amplía el catálogo de actores en el proceso decisorio ante la resolución de un conflicto y crisis, haciendo partícipes de la misma a todas las partes implicadas. Como consecuencia de ello, la pluralidad de actores involucrados reduce en gran medida el umbral de toma de decisiones erróneas, por la inclusión de percepciones multifactoriales[34].

---

[31]   Pareja Rodríguez, I. y Colom Piella, G. "El Enfoque Integral (*Comprehensive Approach*) a la gestión de crisis internacionales". *ARI*. Real Instituto Elcano. Madrid. 2008.

[32]   Ídem.

[33]   Colom, G. "El Enfoque Integral en los Conflictos Híbridos" en VV.AA. *El Enfoque Multidisciplinar de los Conflictos Híbridos*. Documentos de Seguridad y Defensa. Ministerio de Defensa. Madrid. P. 25. 2012.

[34]   Herrero de Castro, R. *La Realidad Inventada. Percepciones y Proceso de Toma de decisiones en Política Exterior*. Plaza y Valdés. Madrid. 2006.

En este sentido, la propuesta de establecer las estrategias de contrainsurgencia de abajo hacia arriba en la fase de planeamiento previo al establecimiento de operaciones, es un procedimiento adecuado si la pretensión es implementar acciones en Estados con una insurgencia de naturaleza híbrida. Es decir, el conocimiento previo del teatro de operaciones es el factor esencial para que una estrategia de estas características cumpla con su cometido. Si tradicionalmente, en operaciones convencionales se ha desarrollado un planteamiento estratégico y acompañando al mismo, las acciones tácticas y operacionales *ad hoc*, las futuras operaciones COIN deben caracterizarse por realizarse de forma contraria. De forma coloquial, conformarse "a la carta" en función de los condicionantes del escenario en conflicto conocido en la fase de planificación pre operacional con el objetivo de favorecer la adecuación de los medios y capacidades militares al teatro de operaciones futuras. Cuanto mayor sea el conocimiento de los grupos sociales, costumbres, motivaciones, etc., más sencillo resultará la planificación operativa. Por lo tanto, la Inteligencia y las operaciones militares se retroalimentan[35].

De esta forma, la necesidad de tener una unidad de mando y reforzar la cooperación entre las distintas Fuerzas Armadas es fundamental. Unido a ello, el reforzamiento del nivel de compromiso de los Estados en las Organizaciones Internacionales de Seguridad y Defensa colectiva es básico para la sincronización en el desarrollo de la estrategia COIN.

Finalmente, todo ello, sin la implementación de una Inteligencia política y militar eficaz y eficiente no se podría desarrollar este modelo.

4. LA INTELIGENCIA HÍBRIDA COMO ELEMENTO DE LAS ESTRATEGIAS CONTRAINSURGENTES

Tal y como se ha mencionado en apartados anteriores, se requiere la necesidad de crear espacios de interés como un paso futuro en el plano de la optimización de la Seguridad regional. Estos espacios de

---

[35]   García Cantalapiedra, D y Díaz Matery, G. O.C.

interés están fundamentados en los retos a los que los Estados tienen que enfrentarse y que complican, en gran medida, las respuestas preventivas, por la naturaleza cambiante y multifactorial de las amenazas.

Desarrollada la idea de un modelo de estrategia COIN enfocado de abajo-arriba, no se puede desligar del mismo, el papel de la Inteligencia en todas sus dimensiones.

Si se produce un cambio sustancial de este tipo de estrategias, fundamentalmente por la rapidez de los cambios en las tácticas de los grupos insurgentes, llegando a confundirse los actos de subversión, con actos terroristas y con empleo de táctica de guerrilla, la adecuación de la Inteligencia debe modelarse, flexibilizándose a los mismos.

Un hecho queda claro. No se pueden establecer operaciones contrainsurgentes sin una adecuada Inteligencia. Ésta debe producirse, también de abajo hacia arriba[36] y debe tener un alto porcentaje de obtención de información a través de HUMINT. Un ejemplo claro fue el fracaso de las fuerzas armadas estadounidenses en Afganistán. "Fue la primera vez que se utilizaban a efectivos "locales" en operaciones. Se pensaba que podían llegar a la victoria utilizando apoyo local combinado con fuerzas sobre el terreno y apoyo aéreo. Fracasaron ya que el enemigo luchaba como insurrectos[37]". El conocimiento previo a través de un fomento del HUMINT de la fuerza enemiga, hubiera supuesto un efectivo despliegue de fuerzas internacionales.

Una de los enfoques más efectivos de obtención y análisis de información sobre el terreno es la combinación de técnicas provenientes de disciplinas empíricas combinables.

Ya se han realizado estudios, en los que la utilidad de la combinación de técnicas y metodologías[38] por ejemplo Criminológicas e Internacionalistas, fomenta la adquisición de un conocimiento holístico sobre un escenario.

---

[36] García Cantalapiedra, D. y Díaz Matey, G. "EEUU, el uso de la inteligencia y la doctrina de contrainsurgencia norteamericana: lecciones para Afganistán". *Documento de Trabajo*. Real Instituto Elcano. DT 54/2008.22/12/2008.http://www.realinstitutoelcano.org/wps/portal/web/rielcano_es/contenido?WCM_GLOBAL_CONTEXT=/elcano/elcano_es/zonas_es/dt54-2008 (Consultado 17/3/16).

[37] Ídem.

[38] Pulido, J. y Sansó-Rubert, D. O.C.

En este sentido, se está produciendo un cambio en la conceptualización y aplicación de disciplinas empíricas que se han considerado independientes como las Relaciones Internacionales y la Criminología[39]. La necesidad de combinar métodos en escenarios cambiantes favorece la formación de equipos multidisciplinares mucho más flexibles lo que logra disminuir el umbral de incertidumbre en un teatro de operaciones.

Uno de los aspectos a tener en cuenta en la Inteligencia actual es el análisis en red, es decir, el conocimiento tanto de la colectividad, como de los individuos que la conforman. Desde el punto de vista de la disciplina Criminológica, la idoneidad, por tanto, de la implementación de metodologías identificatorias, que permitan la elaboración de perfiles psicológicos, se traduce en el establecimiento de dos niveles de obtención de indicadores. Por un lado, desde un patrón grupal y en segundo lugar desde un punto de vista de perfilación individual. Desde el plano grupal se llevaría a cabo a nivel estratégico, mientras que los niveles tácticos y operativos se centrarían en el patrón del sujeto[40]. Aplicando metodologías identificatorias se establecen análisis predictivos mucho más precisos.

En este sentido, tradicionalmente, la identificación de sujetos catalogados en el espectro de riesgo y amenaza a través de la medición de la voluntad de la comisión de acto delictivo en los fenómenos delincuenciales complejos, solían establecerse en función de la pertenencia del sujeto a una colectividad criminal, obviando pautas de comportamiento favorecidas por el entorno o por desequilibrios estructurales de índole social. Actualmente, el análisis en red desde patrones criminógenos, facilitan el conocimiento individual del sujeto, llegando a alcanzar un nivel prospectivo de patrones conductuales.

Con respecto a la disciplina de las Relaciones Internacionales en las acciones de Inteligencia, uno de los aspectos a considerar es la implementación de metodologías propias de las organizaciones empresariales a los tipos de Inteligencia política y militar, utilizadas habitualmente para establecer escenarios de riesgo-país-inversión, pero absolutamente válidos en la realización de análisis de zonas. Métodos

[39] Ídem.
[40] Ídem.

como el PESTEL, volcado en el análisis estratégico de los diferentes factores que inciden en un territorio (Político, Económico, Social, Tecnológico y Legal) se combinan con otros como el DAFO (análisis de Debilidades, Amenazas, Fortalezas y Oportunidades)[41]. Ambos enfoques establecen por un lado, los criterios identificables, y por otro lado, la metodología analítica[42].

El conocimiento de las sinergias, relaciones entre grupos sociales, líderes políticos y religiosos, y en definitiva, de las relaciones y triangulaciones de los Estados en sus acciones multilaterales, desde un sustento teórico y empírico internacionalista, facilita en gran medida las acciones de inteligencia, junto con el conocimiento más preciso de los patrones conductuales.

Unido a esto, el fomento de una reserva de Inteligencia, entendida ésta como aquellos especialistas académicos, periodistas, empresarios, etc. que son expertos en una materia concreta y que puede resultar de gran utilidad a los órganos de Inteligencia de forma coyuntural[43]. La utilización puntual de esta masa crítica favorece la racionalización de los medios y capacidades en Inteligencia, contribuyendo a flexibilizar y adaptar al medio a la Comunidad. Se evita, por tanto dedicar gastos ingentes a formar a oficiales de inteligencia en materias concretar y que pueden necesitar varios años para ello. De esta forma, se identifican a los individuos que tienen ya la formación adquirida y son especialistas.

Para ello, se requiere una Comunidad de Inteligencia en la que se fomente la especialización de cada una de las agencias que la componen y enfocada a una participación más activa en el plano internacional.

---

41   Matilla, K. *Los modelos de planificación estratégica en la teoría de las Relaciones Públicas*. Editorial UOC. Barcelona. 2011. P. 80.
42   Pulido, J y Sansó-Rubert, D. O.C.
43   Véase a este respecto *Glosario de Inteligencia*. Ministerio de Defensa. Diciembre 2007.

5. CONCLUSIONES

Como primera conclusión general al respecto es la necesidad de que las estructuras de Seguridad y Defensa se adecuen a los nuevos requerimientos de la realidad internacional.

Derivada de esta conclusión, hay que destacar que esta transformación debe realizarse de forma racional. El gasto en seguridad debe redireccionarse, no solamente desde un punto de vista físico, sino creando inversión en el fomento y refuerzo de la Inteligencia, adaptada a los nuevos retos con un incremento de formación en HUMINT y una racionalización del gasto en Inteligencia Técnica.

En estos momentos, la importancia tanto de la Armada como de las Fuerzas y Cuerpos de Seguridad en el espacio marítimo, en Estados con fronteras costeñas es un hecho indiscutible. Tanto para dar respuesta a amenazas que provengan desde el exterior ya sea la inmigración ilegal indiscriminada o cualquier tipo de tráficos ilegales, como para reforzar las fronteras y aguas territoriales, la modernización de las fuerzas y los medios navales, en el amplio espectro, tanto en efectivos como en medios, es una cuestión que no debe quedar relegada en el proceso de reformulación de la Seguridad comunitaria.

Otra conclusión a destacar es la relativa a la formación de los oficiales de Inteligencia, ya sean militares o civiles. Ésta debe ser una constante, junto con la utilización de otros mecanismos que complementen las actividades tanto de obtención como de análisis. En este sentido, la creación de una reserva de Inteligencia activa es un dato primordial.

Unido a ello, la formación en Inteligencia Criminal o Policial debe ser una prioridad, en los Estados, concretamente en el ámbito de la Unión Europea. La existencia tanto de Europol en el área policial, como del ITCEN como órgano de integración de Inteligencia en el seno de la PESC, deben trabajar en constante coordinación interorgánica como parte de la institución supranacional que es la UE.

Una de las cuestiones que provocan reflexión es la existencia de órganos de Inteligencia con competencias internas y externas. Esto tiende a producir duplicidades e incompatibilidades en procedimientos y confusión en operaciones. Una política clara a este respecto, reduce en gran medida estas cuestiones, pero cuanto más se demore la limitación competencial, con más dificultad se producirá una cesión de funciones y competencias.

Finalmente, la concienciación desde la escuela y los centros educativos a la sociedad de la necesidad de colaborar en los aspectos de Seguridad, es algo imprescindible. La colaboración ciudadana debe asumirse como un hecho necesario para poder realizar políticas preventivas de los riesgos y las amenazas, no solamente desde el punto de vista de una correcta implementación de los procedimientos de comunicación estratégica por parte del Estado, sino realizando campañas de concienciación y formación sobre el uso de redes sociales y herramientas virtuales que ayuden a limitar el manejo indebido e ilícito de las mismas.

En definitiva, crear una nueva conciencia de Seguridad e Inteligencia que lleve a poner en práctica nuevos planes y procedimientos preventivos flexibles que logren adecuar las actuaciones conforme a la naturaleza de la amenaza.

6. REFERENCIAS BIBLIOGRÁFICAS

BUZAN, B., WÆVER, O. & de Wilde, J. *Security: A new framework for analysis*. Boulder: Lynne Rienner. 1998.

BYMAN, D. "Understanding Proto-Insurgencies". *Journal of Strategic Studies*. 31 (2). 2008.

COLOM, G. "El Enfoque Integral en los Conflictos Híbridos" en VV.AA. *El Enfoque Multidisciplinar de los Conflictos Híbridos*. Documentos de Seguridad y Defensa. Ministerio de Defensa. Madrid. 2012.

DIXON, P. "Hearts and Minds"? British Counter-Insurgency from Malaya to Iraq, *Journal of Strategic Studies*, 32:3, 2009. 353-381.

DREW, D. *Insurgency and counterinsurgency. American Military Dilemmas and Doctrinal Proposals*. Air University Press. 1998.

GARCÍA CANTALAPIEDRA, D. y Díaz Matey, G.: "EE.UU. y el papel de la inteligencia en conflictos asimétricos", *UNISCI Papers*, nº 34, Madrid, UNISCI. 2008.

– "EEUU, el uso de la inteligencia y la doctrina de contrainsurgencia norteamericana: lecciones para Afganistán". *Documento de Trabajo*. Real Instituto Elcano. DT 54/2008.22/12/2008.http: //www.realinstitutoelcano.org/wps/portal/web/rielcano_es/contenido?WCM_GLOBAL_CONTEXT=/elcano/elcano_es/zonas_es/dt54-2008. (consultado 06/03/16).

GARCÍA GUINDO, M. "Movimientos insurgentes: El papel, capacidades y respuestas de los Estados", *Revista Política y Estrategia*, nº 123, 2014.

HERRERO DE CASTRO, R. *La Realidad Inventada. Percepciones y Proceso de Toma de decisiones en Política Exterior*. Plaza y Valdés. Madrid. 2006.

HOFFMAN, F. *Conflicts in the 21th Century: The Rise of Hybrid Wars*. Potomac Institute for Foreign Policy Studies. Arlington. 2007.

KEISTER, J. "The Illusion of Chaos Why Ungoverned Spaces Aren't Ungoverned, and Why That Matters". *Policy Analysis*. Cato Institute. N° 766. Diciembre 2014.

KEOHANE, R.O. & Nye, J.S. *Power and interdependence in the information age. Foreign Affairs*, Vol. 77, Issue 5, 1998.

KILCULLEN, D. *Counterinsurgency*. Oxford University Press. 2010.

LEFEBVRE, S. "The Difficulties and Dilemmas of International Intelligence Cooperation". *International Journal of Intelligence and Counter intelligence*, n° 16, 2003.

LONG, A. On *"Other War". Lessons from Five Decades of RAND Counterinsurgency Research*. Rand Corporation Ed. 2006.

MAO, TSE-TUNG. *La Guerra prolongada*. México, Ediciones Roca. 1973.

MATILLA, K. *Los modelos de planificación estratégica en la teoría de las Relaciones Públicas*. Editorial UOC. Barcelona. 2011.

NORTH, D. et al. "Limited Access Orders in the Development World: A new Approach to the Problems of Development" *Policy Research Working Paper*. World Bank. Washington. 2007.

PAREJA RODRÍGUEZ, I. y COLOM PIELLA, G. "El Enfoque Integral (*Comprehensive Approach*) a la gestión de crisis internacionales". *ARI*. Real Instituto Elcano. Madrid. 2008.

PULIDO GRAGERA, J. y SANSÓ-RUBERT, D. "A Phenomenological Analysis of Terrorism and Organized Crime from a Comparative Criminological Perspective" *Journal of Law and Criminal Justice*. December 2014, Vol. 2, n° 2, pp. 113-131.

PULIDO GRAGERA, J. "La Cooperación Internacional entre Servicios de Inteligencia", *Al Servicio del Estado: Inteligencia y Contrainteligencia en España* (monografía). *Revista Arbor*. Centro Superior de Investigaciones Científicas (CSIC). N° 709. 2005.

VV.AA. *Glosario de Inteligencia*. Ministerio de Defensa. Diciembre 2007.

EL BLANQUEO DE CAPITALES Y LOS PARAÍSOS FISCALES

LA IMPUTACIÓN OBJETIVA EN LOS CASOS DE CONTAMINACIÓN/ DESCONTAMINACIÓN DEL OBJETO MATERIAL EN EL BLANQUEO DE CAPITALES[1]

DINO CARLOS CARO CORIA

Sumario: 1. Planteamiento general. 2. La dogmática de la contaminación/descontaminación del objeto material. 2.1. Teoría de la significancia. 2.2. Teoría del comiso. 3. Delimitación del objeto material conforme a la imputación objetiva. 3.1. La peligrosidad *ex-ante* del objeto material. 3.2. Despenalización y prescripción del delito previo. 3.3. Las adquisiciones de buena fe. 3.4. Mezcla de bienes. 3.5. Otros casos. 4. Conclusiones. 5. Bibliografía.

Resumen: La complejidad de los procesos de blanqueo de capitales abarca los casos de sustitución, transformación e intercambio de bienes, aunque el objeto originario pueda desaparecer en dicha cadena. De ello surge la cuestión de hasta dónde o hasta cuándo se puede seguir diciendo que un bien tiene o mantiene un "origen delictivo". La misma duda se presenta en los supuestos de mezcla de bienes de origen ilícito con activos de proveniencia lícita, donde la solución fácil o "a la mano", desde el punto de vista forense, pasa generalmente por considerar que la totalidad del patrimonio está contaminado, quedando en manos del imputado probar lo contrario, en desmedro del *nemo tenetur* y la presunción de inocencia como producto de esa suerte de inversión de la carga probatoria. Frente a ello, y a propósito de estos casos, aquí se pone en valor esa ya vieja herramienta dogmática, la imputación objetiva, tan recurrida para la explicación de los delitos "de sangre" y solo recientemente explotada para abordar complejos casos del Derecho penal económico y empresarial. Y es que, como se pondrá de relieve, el problema de la delimitación del patrimonio contaminado no es otro que la determinación de la peligrosidad *ex-ante* del objeto material, como presupuesto

---

[1]   Esta contribución corresponde a la ponencia presentada el 6 de noviembre de 2015 en el Congreso Internacional sobre "Criminalidad Organizada Transnacional: una amenaza a la seguridad de los Estados Democráticos", organizado por el Observatorio de la Criminalidad Transnacional de la Universidad de Salamanca/España (crimtrans.usal.es).

de la conducta jurídicamente relevante en el blanqueo de capitales. Este punto de partida permite un tratamiento más sistemático y coherente de los diversos grupos de casos, a los que la doctrina de la parte especial —del lavado de activos— suele darles respuestas casuísticas, o soluciones generales pero con excepciones o correctivos que impiden apreciar un tratamiento acorde con esa predictibilidad propia de la dogmática penal contemporánea.

Palabras clave: blanqueo de capitales, lavado de activos, imputación objetiva, contaminación de activos, descontaminación de activos, incautación, decomiso, objeto material del delito, peligrosidad *ex-ante*.

1. PLANTEAMIENTO GENERAL

En la medida que los bienes a reciclar pueden provenir de modo directo o indirecto de cualquier delito previamente cometido, se acepta que el propio blanqueo de capitales también se configure como delito fuente de un nuevo acto de lavado o reciclaje, con ello se da paso a la sanción del llamado *"lavado sustitutivo o por sustitución"*, en donde los bienes se intercambian, el bien originario se sustituye o se transforma completamente, al punto de no quedar nada de ese bien primigenio; así como a la punición del *"lavado en cadena"*, es decir la sucesión de diversos actos de reciclaje en base al mismo bien u otros que deriven del mismo[2].

Los procesos de sustitución y blanqueo en cadena pueden corresponder, según cada caso, a supuestos de conversión de activos, específicamente a conductas de transformación o transferencia de bienes, y en ellos es común que se produzca la mezcla o contaminación de activos de origen lícito con los de procedencia ilícita. La admisión de estas modalidades típicas requiere sin embargo la identificación de límites precisos a fin de evitar una sobrecriminalización *ad infinitum* o la punición de conductas por la simple conexión causal, por lejana que fuera, con bienes que han sido objeto de actos de blanqueo de

---

[2] GALVEZ VILLEGAS, Tomás Aladino, *El delito de lavado de activos. Criterios sustantivos y procesales, Análisis de la Ley n° 27765*, 2ª ed., Lima, Jurista Editores, 2009, pp. 92-93. GARCÍA CAVERO, Percy, *Derecho penal económico, Parte Especial*, T. II, Lima, Grijley, 2007, p. 502. ARÁNGUEZ SÁNCHEZ, Carlos, *El delito de blanqueo de capitales*, Barcelona, Marcial Pons, 2000, p. 193.

capitales. El injusto del lavado de activos no puede reducirse "*a cualquier contacto con los bienes originarios en la ejecución de conductas delictivas, dado que se termina atribuyendo a los bienes de origen ilícito una capacidad ilimitada de contaminación respecto a los de procedencia lícita, cuando éstos se intercambian o se mezclan*[3]". Por esa vía, en un corto tiempo podría llegarse a considerar contaminada una parte esencial de la economía legal[4].

La necesidad de diferenciar los activos de fuente ilícita de aquéllos de procedencia lícita, tanto en los casos de transformación o conversión total o parcial de bienes, como de mezcla, ha quedado claramente expresada en las Convenciones de Viena[5], de Palermo[6] y de

---

[3]   ARIAS HOLGUÍN, Diana Patricia, *Aspectos político-criminales y dogmáticos del tipo de comisión doloso de blanqueo de capitales (art. 301 CP)*, Madrid, Iustel, 2011, p. 325.

[4]   BLANCO CORDERO, Isidoro, *El delito de blanqueo de capitales*, 2ª ed., Pamplona, Aranzadi, 2002, p. 288.

[5]   Convención de las Naciones Unidas contra el Tráfico Ilícito de Estupefacientes y Sustancias Sicotrópicas de 20.12.88, aprobada por el Perú mediante la Resolución Legislativa n° 25352 de 26.11.91 y ratificada el 12.12.91.
"*Artículo 5.- Decomiso (…)*
6. a) Cuando el producto se haya transformado o convertido en otros bienes, éstos podrán ser objeto de las medidas aplicables al producto mencionadas en el presente artículo.
b) Cuando el producto se haya mezclado con bienes adquiridos de fuentes lícitas, sin perjuicio de cualquier otra facultad de incautación o embargo preventivo aplicable, se podrán decomisar dichos bienes hasta el valor estimado del producto mezclado.
c) Dichas medidas se aplicarán asimismo a los ingresos u otros beneficios derivados de:
i) el producto.
ii) los bienes en los cuales el producto haya sido transformado o convertido; o
iii) los bienes con los cuales se haya mezclado el producto de la misma manera y en la misma medida que el producto. (…).
8. Lo dispuesto en el presente artículo no podrá interpretarse en perjuicio de los derechos de terceros de buena fe. (…)"

[6]   Convención de las Naciones Unidas Contra la Delincuencia Organizada Transnacional o Convención de Palermo, adoptada el 15.11.00, aprobada por el Perú mediante la Resolución Legislativa n° 27527 de 8.10.01 y ratificada mediante el D.S. N° 088-2001-RE de 20.11.01.
"*Artículo 12. Decomiso e incautación (…)*

Mérida[7]. Conforme a esta regulación de Derecho penal internacional, las medidas de coerción reales como el embargo o la incautación, o

---

3. Cuando el producto del delito se haya transformado o convertido parcial o totalmente en otros bienes, esos bienes podrán ser objeto de las medidas aplicables a dicho producto a tenor del presente artículo.
4. Cuando el producto del delito se haya mezclado con bienes adquiridos de fuentes lícitas, esos bienes podrán, sin menoscabo de cualquier otra facultad de embargo preventivo o incautación, ser objeto de decomiso hasta el valor estimado del producto entremezclado.
5. Los ingresos u otros beneficios derivados del producto del delito, de bienes en los que se haya transformado o convertido el producto del delito o de bienes con los que se haya entremezclado el producto del delito también podrán ser objeto de las medidas previstas en el presente artículo, de la misma manera y en el mismo grado que el producto del delito. (…).
7. Los Estados Parte podrán considerar la posibilidad de exigir a un delincuente que demuestre el origen lícito del presunto producto del delito o de otros bienes expuestos a decomiso, en la medida en que ello sea conforme con los principios de su derecho interno y con la índole del proceso judicial u otras actuaciones conexas.
8. Las disposiciones del presente artículo no se interpretarán en perjuicio de los derechos de terceros de buena fe. (…)"

[7]   Convención de las Naciones Unidas contra la Corrupción o Convención de Mérida, adoptada el 31.10.03, aprobada por el Perú mediante la Resolución Legislativa n° 28357 de 6.10.04 y ratificada mediante D.S. n° 075-2004-RE de 20.10.04.
"Artículo 31. Embargo preventivo, incautación y decomiso (…)
4. Cuando ese producto del delito se haya transformado o convertido parcial o totalmente en otros bienes, éstos serán objeto de las medidas aplicables a dicho producto a tenor del presente artículo.
5. Cuando ese producto del delito se haya mezclado con bienes adquiridos de fuentes lícitas, esos bienes serán objeto de decomiso hasta el valor estimado del producto entremezclado, sin menoscabo de cualquier otra facultad de embargo preventivo o incautación.
6. Los ingresos u otros beneficios derivados de ese producto del delito, de bienes en los que se haya transformado o convertido dicho producto o de bienes con los que se haya entremezclado ese producto del delito también serán objeto de las medidas previstas en el presente artículo, de la misma manera y en el mismo grado que el producto del delito. (…)
8. Los Estados Parte podrán considerar la posibilidad de exigir a un delincuente que demuestre el origen lícito del presunto producto del delito o de otros bienes expuestos a decomiso, en la medida en que ello sea conforme con los principios fundamentales de su derecho interno y con la índole del proceso judicial u otros procesos.
9. Las disposiciones del presente artículo no se interpretarán en perjuicio de los derechos de terceros de buena fe" (…)

la consecuencia jurídico-patrimonial del delito que se concreta en el comiso o decomiso, sólo pueden afectar el patrimonio contaminado, dejándose indemnes los activos de fuente lícita.

Aunque estas reglas no han sido plenamente implementadas en el Derecho peruano, debe aceptarse su aplicación directa e inmediata porque conforme al art. 55 de la Constitución, los tratados vigentes celebrados por el Estado forman parte del Derecho nacional[8], y si versan sobre derechos reconocidos por la Constitución, en este caso el patrimonio que se puede ver afectado por el embargo, la incautación o el comiso, se consideran que tienen rango constitucional conforme a la Cuarta Disposición Final y al contenido de los arts. 2 y 3 de la Ley Fundamental[9]. Evidentemente las Convenciones de Viena, de Palermo y de Mérida no son tratados sobre Derechos Humanos, pero contemplan reglas que afectan y protegen derechos fundamentales como el patrimonio de la persona, en concreto el derecho a diferenciar y salvaguardar de cualquier medida temporal o definitiva el patrimonio de origen lícito. Acorde con ello, el art. 253 del Código Procesal Penal de 2004 impone que la restricción de estos derechos fundamentales a través de las medidas coercitivas se someta a las garantías y principios esenciales como los de proporcionalidad y razonabilidad[10] que, aplicados al caso, conllevan la necesidad de que una investigación por lavado de activos, y por ende la sentencia final, sólo puedan afectar los bienes de origen ilícito.

2. LA DOGMÁTICA DE LA CONTAMINACIÓN/ DESCONTAMINACIÓN DEL OBJETO MATERIAL

Zanjado lo anterior, el siguiente problema consiste en establecer las reglas de imputación, o de no imputación, cuando el objeto mate-

---

[8]   NOVAK, Fabián y Elizabeth SALMÓN, *Las obligaciones internacionales del Perú en materia de Derechos Humanos*, Lima, PUCP, 2000, p. 108. SAN MARTÍN CASTRO, César, *Derecho procesal penal*, Vol. I, 2ª ed., Lima, Grijley, 2003, p. 19.

[9]   NOVAK, Fabián y Elizabeth SALMÓN, *Las obligaciones internacionales del Perú en materia de Derechos Humanos*, cit., p. 123.

[10]   CÁCERES JULCA, Roberto, *Las medidas de coerción procesal, Sus exigencias constitucionales, procesales y su aplicación jurisprudencial*, Lima, Idemsa, 2006, pp. 39 ss.

rial del delito es el producto de la mezcla entre activos de origen lícito
e ilícito, o cuando dicho objeto ha sido transformado o sustituido.

2.1. Teoría de la significancia

Los planteamientos más difundidos en esa dirección son los de
Barton[11], expuestos y adaptados para el Derecho español por Blanco
Cordero[12], quien propone resolver o establecer los nexos entre los
bienes y la conducta delictiva previa aplicando los mismos criterios
que sirven para atribuir un determinado resultado a una conducta[13],
por ello analiza el valor de las teorías de la causalidad, en concreto la
equivalencia de las condiciones, de la adecuación y de la imputación
objetiva, decantándose por ésta última: *"un bien no procede de un
hecho delictivo (...) cuando según la teoría de la imputación objetiva
se rompe el nexo causal existente conforme a consideraciones normativas. Se podría decir que la causalidad exigida con un delito previo
no se da cuando éste no es jurídicamente significativo para el bien[14]"*.

Bajo esa línea, considera por ejemplo que los casos de mezcla de
bienes lícitos e ilícitos sobre los cuales se ejecutan conductas de lavado posteriores, y la hipótesis de plusvalía y rendimiento de los bienes
mezclados, deben resolverse conforme al criterio de la *"significancia
jurídica"*: *"allí donde la correlación entre elementos manchados y no
manchados de un bien lleve al resultado de que los primeros no son
significativos para el bien, la mezcla no debe considerarse proveniente
de un delito previo[15]"*, significancia que Barton concreta en base a
criterios *"socioeconómicos"*, o más bien matemáticos, si la parte del
bien que se origina en un delito anterior fluctúa entre el 1/1000 y el
5/100, entre 0.1% y 5%, entonces el bien no puede considerarse de

---

11   Su conocido trabajo sobre el objeto de la acción en el lavado de dinero, BAR-
      TON, Stephan, "Das Tatobjekt der Geldwäshe: Wann rührt ein Gegenstand aus
      einer der im Katalog des § 261 I Nr. 1-3 StGB bezeichnet Straftaten her?", en
      Neue Zeitschrift für Strafrecht, vol. 4, 1993, pp. 159 ss.
12   BLANCO CORDERO, Isidoro, *El delito de blanqueo de capitales, cit.*, pp. 294
      ss.
13   ARÁNGUEZ SÁNCHEZ, Carlos, *El delito de blanqueo de capitales, cit.*, p. 208.
14   BLANCO CORDERO, Isidoro, *El delito de blanqueo de capitales, cit.*, p. 295.
15   Ibid., p. 297.

procedencia ilícita, si supera el 5% ya se erige como un bien idóneo para el blanqueo[16].

Pero en estricto, Barton apuesta por una teoría de la imputación objetiva que no aplica, identifica una serie de supuestos en los que a su juicio no existe *"significación jurídica"* sin explicar si ello correspon-de al criterio de peligrosidad de la acción (riesgo permitido o no crea-ción de un riesgo jurídicamente relevante) o al ámbito de protección de la norma (no realización del riesgo en el resultado)[17]. De otro lado, aplica arbitrariamente un criterio matemático sin una base dogmática o de Derecho positivo.

Partiendo igualmente del nivel de significancia, Blanco Cordero considera que *"el recurso al principio de proporcionalidad y al aná-lisis del caso concreto en relación con el grado de correlación entre la parte legítima y la delictiva, han de ser utilizados por el juez en la decisión de estos supuestos*[18]*".* Así, junto a las teorías de la causalidad impone otros correctivos jurídico-civiles, la adecuación social y las re-ducciones teleológicas[19], aunque sacrificando para ello la coherencia de su planteamiento. Por ejemplo considera, en base a la equivalencia de las condiciones, que los bienes producidos por una corporación no están contaminados aún cuando el delincuente ha adquirido una par-ticipación en la empresa con dinero de origen ilegal[20], o con base en la teoría de la adecuación también concluye que no está manchado el jugoso premio obtenido mediante un ticket de lotería comprado con dinero de fuente ilícita[21]. De esta manera Blanco Cordero *"resuelve cada uno de los supuestos problemáticos en base a una teoría de la causalidad distinta, con lo que su argumentación, aceptable caso por caso, pierde coherencia si es valorada en su conjunto*[22]*".*

---

[16]   Ibid., p. 297, notas 332 y 335.
[17]   ARÁNGUEZ SÁNCHEZ, Carlos, *El delito de blanqueo de capitales, cit.,* p. 208.
[18]   BLANCO CORDERO, Isidoro, *El delito de blanqueo de capitales, cit.,* p. 300.
[19]   Ibid., pp. 295 ss. Le sigue, MARTÍNEZ-BUJÁN PÉREZ, Carlos, *Derecho penal económico y de la empresa, Parte especial,* 3ª ed., Valencia, Tirant lo Blanch, 2011, p. 488.
[20]   BLANCO CORDERO, Isidoro, *El delito de blanqueo de capitales, cit.,* p. 291.
[21]   Ibid., p. 293.
[22]   ARÁNGUEZ SÁNCHEZ, Carlos, *El delito de blanqueo de capitales, cit.,* p. 209, extendiendo tal crítica a DEL CARPIO DELGADO, Juana, *El delito de blanqueo de bienes en el nuevo Código Penal,* Valencia, Tirant lo Blanch, 1997, p. 109,

También en la doctrina española, Aránguez Sánchez ha postulado la incapacidad de rendimiento de la teorías de la equivalencia de las condiciones, de la adecuación o de la imputación objetiva para fundamentar la descontaminación del bien, porque se trata de construcciones que por el contrario sirven para fundamentar o afirmar la relación de causalidad entre la conducta y el resultado, y no para romper ese nexo o vínculo entre el bien y el delito precedente[23]. Para este autor es necesario en consecuencia recurrir a una interpretación teleológica, es decir al fin de la regulación contra el blanqueo de capitales, *"que no es otro que el aislamiento de los beneficios procedentes de un delito grave del tráfico económico legal[24]"*. Criterio teleológico que no es otro que el usado por algunas teorías de la imputación objetiva para establecer si una conducta se ha realizado en un resultado, imputación objetiva que el autor había rechazado de inicio como una herramienta útil en este terreno.

Antes bien, la interpretación teleológica que postula Aránguez Sánchez parece jugar un rol meramente secundario o auxiliar, y es que pese a las críticas a Barton e Isidoro Blanco, el autor enfrenta el supuesto básico de mezcla de bienes de procedencia ilícita con los de origen lícito, adoptando los planteamientos del propio Barton, quien *"resuelve el supuesto en base a la significación jurídica de la parte sucia en relación a la limpia[25]"*. Ante el modelo de Barton, el autor español sólo incorpora dos matizaciones, por un lado cuestiona la relevancia del criterio porcentual[26], plantea que un mejor criterio es *"considerar que siempre que se pueda conocer que una parte de un*

---

quien también ha postulado acudir a la teorías de la equivalencia de las condiciones, de la adecuación y de la imputación objetiva.

23   ARÁNGUEZ SÁNCHEZ, Carlos, *El delito de blanqueo de capitales*, cit., p. 209. Del mismo modo, ARIAS HOLGUÍN, Diana Patricia, *Aspectos político-criminales y dogmáticos del tipo de comisión doloso de blanqueo de capitales (art. 301 CP)*, cit., p. 325, nota 244.

24   ARÁNGUEZ SÁNCHEZ, Carlos, *El delito de blanqueo de capitales*, cit., pp. 209-210.

25   Ibid., p. 211.

26   Como se explicó antes, para Barton si la parte de origen delictivo no supera el rango de 0.1% a 5%, entonces el bien no se reputará contaminado, si supera el 5% será lo contrario, y *"Entre esos límites la cuestión ha de resolverse atendiendo a cada caso concreto, dependiendo del tipo de objeto que se trate y la forma en la que se mezcló con bienes de ilícita procedencia"*, Ibid., p. 211.

bien tiene procedencia ilícita, entonces ese bien puede ser objeto material del blanqueo[27]". En segundo término, dado que la descontaminación por mezcla solo tiene sentido cuando el bien tenga una unidad, si el bien es divisible —dinero por ejemplo— podrá escindirse la parte de origen delictivo, entonces "*si de un conjunto pueden separarse (antes de la mezcla) los bienes de ilícita procedencia, éstos no pierden tal condición, aunque supongan una parte insignificante del conjunto (luego de la mezcla)*[28]".

Este mismo tratamiento de los casos de mezcla es extendido por el autor a otros cuatro supuestos generalmente referidos en la doctrina como casos autónomos, pero que en rigor configuran modalidades de aquélla: 1) los beneficios ordinarios producidos por el bien de origen ilícito (los intereses de un depósito bancario, las utilidades de las acciones) también adoptan ese origen ilícito, porque derivan directamente de dicho bien y se mezclan con éste, salvo que el bien originalmente ilícito sea divisible en cuyo caso sólo se contamina el beneficio en la proporción correspondiente[29]; 2) los beneficios extraordinarios (ganar la lotería!) producidos por el bien de origen ilícito (el ticket) no se contaminan porque solo una ínfima parte del capital tiene origen ilegal, careciendo de la significación necesaria para extender el efecto contaminante[30]; 3) las trasmisiones parciales de un bien parcialmente proveniente de un delito grave (una cuenta bancaria mezcla capitales de origen ilícito y lícito, y se transfiere una parte de dicho capital a otra cuenta), están contaminadas en la proporción que de origen ilícito tenía el bien producto de la mezcla[31]; y, 4) si se transforma el bien por el trabajo de un tercero, no hay contaminación si dicho bien no tiene un valor significativo frente al trabajo realizado (lienzo/pintura)[32].

El autor finalmente analiza tres supuestos más distintos a la mezcla: 5) en los casos de devaluación (carro nuevo/carro depreciado o incluso chatarra) y revalorización (un inmueble que multiplica su va-

---

[27] Ibid., p. 211.
[28] Ibid., pp. 211-212, textos entre paréntesis añadidos.
[29] Ibid., pp. 212-213.
[30] Ibid., p. 213.
[31] Ibid., p. 215.
[32] Ibid., p. 216.

lor por el cambio de uso o la mayor demanda) del bien de origen ilícito, dicho origen subsiste, porque se trata exactamente del mismo bien,
y en el último caso se produce el contagio de la ilicitud originaria a la
parte revalorizada; 6) si el bien de origen ilícito se adquiere "*de buena
fe*", sin poder conocerse el origen ilícito, el bien se descontamina, al
menos provisionalmente, aunque en su lugar queda contaminado el
bien obtenido como contraprestación por la transmisión, el nexo de
ilicitud resurge si luego otro adquiere el mismo bien sabiendo de su
origen delictivo, por ello se considera en rigor que la adquisición de
buena fe es solo un supuesto de "*transacción económica neutra*" incapaz de afectar el bien jurídico[33]; y, 7) si se produce la prescripción o
despenalización del hecho delictivo, el origen delictivo del bien desaparece, el bien se descontamina[34].

2.2. Teoría del comiso

Ahora bien, la conocida vinculación entre contaminación/descon-
taminación y comiso ha sido defendida en el Derecho penal alemán
por Vogel[35], y en Suiza por Graber[36]. Este último sostiene que solamente podría ser bien apto para la confiscación o decomiso —y, por
ende, para el lavado de activos[37]—, la parte de origen ilegal y no el
resto, conclusión que viene avalada de cierta forma por los arts. 5.6.b)
de la Convención de Viena, 12.4 de la Convención de Palermo y 31.5
de la Convención de Mérida que, en los casos de mezcla, resuelven que
sólo podrán decomisarse los bienes hasta el valor estimado del producto de origen delictivo mezclado. En la literatura española, Palma
Herrera considera que quienes proponen resolver los casos de mezcla
conforme a la "*significancia*" o la "*cognoscibilidad*" cometen el yerro
de equiparar el objeto material con la totalidad del bien sobre el que

---

[33]   Ibid., p. 217.
[34]   Ibid., pp. 218-219.
[35]   Citado por ARÁNGUEZ SÁNCHEZ, Carlos, *El delito de blanqueo de capitales*,
        cit., p. 209.
[36]   Citado por BLANCO CORDERO, Isidoro, *El delito de blanqueo de capitales*,
        cit., p. 298.
[37]   Ibid., p. 298, vid la nota explicativa 341.

recae la conducta típica[38], cuando en estricto *"el objeto material será el bien pero sólo en la proporción en la que el mismo procede de un delito (...) Y sí, como hemos visto, basta con una sola peseta de procedencia delictiva para entender realizado el tipo penal, aunque sólo sea de origen delictivo, el bien, en esa ínfima parte, podrá ser objeto material de un delito de blanqueo[39]"*.

En esta línea de ideas, en los casos de revalorización del bien por el trabajo de un tercero, el incremento económico suscitado deberá estimarse de origen lícito[40]. En el supuesto de transformación no se pierde el origen ilícito porque el art. 127.1 del Código Penal español, aún tras la reforma mediante la Ley Orgánica 1/2015 de 30 de marzo, impone que el decomiso procede *"cualesquiera que sean las transformaciones que hubieren podido experimentar"* los bienes[41], conclusión compatible con el art. 102 del Código Penal peruano, reformado por el art. 1 de la Ley N° 20076 de 19.8.13, que extiende el comiso a *"los efectos o ganancias del delito, cualesquiera sean las transformaciones que estos hubieren podido experimentar"*.

Luego, en los casos de sustitución, y concretamente en la adquisición por un tercero de buena fe, Palma Herrera interpreta que el nexo del bien con el delito previo no se pierde nunca, aunque en los casos de buena fe decaiga la pretensión estatal de decomisar para salvaguardar de modo excepcional al adquirente[42], como puede deducirse *a contrario* del contenido del art. 127 *quater* del texto español. Solución que expresamente asume la parte final del texto vigente del art. 102 del Código Penal peruano, y que para un sector de la doctrina también contemplaba el art. 102 del Código peruano tras la reforma mediante el art. 1 del Decreto Legislativo N° 982 de 22.7.07[43], aunque esto podía ponerse en duda por la ausencia de una declaración

---

[38] PALMA HERRERA, José Manuel, *Los delitos de blanqueo de capitales*, Madrid, Edersa, 2000, pp. 363-364.

[39] Ibid., pp. 363-364.

[40] Ibid., p. 364.

[41] Ibid., p. 364.

[42] Ibid., p. 366.

[43] GARCÍA CAVERO, Percy, *Lecciones de Derecho penal, Parte general*, Lima, Grijley, 2008, p. 750, *"el decomiso debe tener como límite la adquisición onerosa por un tercero de buena fe, en la medida que, de otro modo, se afectaría sensiblemente la seguridad en el tráfico patrimonial"*.

expresa de tutela al adquirente de buena fe, la que sí podía deducirse del texto original de 1991 del art. 102 que excluía el comiso de bienes *"que pertenezcan a terceros no intervinientes en la infracción[44]"*, y más porque el art. 948 del Código Civil, pese a la buena fe, excluye la adquisición *a non domino* de bienes muebles *"adquiridos con infracción de la ley penal"*.

Finalmente, Palma Herrera señala que únicamente la despenalización del hecho previo tiene la aptitud suficiente para descontaminar o desvincular el bien de su origen delictivo, lo que no acontece con la prescripción que *"no niega la existencia de un hecho típico y antijurídico previo[45]"*, aunque también aquí se pierda el interés estatal de perseguir el blanqueo de capitales porque no existen bienes decomisables[46].

Arias Holguín adopta los postulados de Palma Herrera, para ella el comiso define el límite para la constitución del objeto material del blanqueo, *"porque justamente éste es el instrumento mediante el cual el ordenamiento jurídico proscribe la circulación por el sistema financiero de los activos que son originados en la ejecución de conductas delictivas. Fuera de estos eventos los bienes son transferibles y disponibles[47]"*. Y frente a las críticas que inciden en la evidente diferencia de fines entre el blanqueo y el comiso[48], la autora niega que la función del tipo de blanqueo estribe en el aseguramiento del comiso, pues *"tan solo se trata de buscar el recurso para realizar el juicio sobre si los bienes que se han originado en la comisión de conductas delictivas, pero que mediante otras operaciones o transacciones se han sustituido o transformado, reúnen las características requeridas para ser el objeto material de esta incriminación[49]"*. Bajo esta perspectiva, la verdade-

---

[44]   CASTILLO ALVA, José Luis, *Las consecuencias jurídico-económicas del delito*, Lima, Idemsa, 2001, pp. 230-231.

[45]   PALMA HERRERA, José Manuel, *Los delitos de blanqueo de capitales*, cit., p. 367.

[46]   Ibid., pp. 368-369.

[47]   ARIAS HOLGUÍN, Diana Patricia, *Aspectos político-criminales y dogmáticos del tipo de comisión doloso de blanqueo de capitales (art. 301 CP)*, cit., pp. 325-326.

[48]   ARÁNGUEZ SÁNCHEZ, Carlos, *El delito de blanqueo de capitales*, cit., p. 209.

[49]   ARIAS HOLGUÍN, Diana Patricia, *Aspectos político-criminales y dogmáticos del tipo de comisión doloso de blanqueo de capitales (art. 301 CP)*, cit., p. 326.

ra complicación de los casos de mezcla, como en el comiso, son los problemas de prueba para determinar qué bienes o qué parte de éstos tienen origen ilícito y cuáles no. Por ejemplo, no es aceptable calificar como íntegramente de origen ilegal un bien mezclado respecto del cual sólo se ha probado su ilegalidad en una parte, y cargar al titular de los bienes con la prueba de que sí existe una parte de origen legal[50]. Aunque, como concluye Arias Holguín, dicho debate no puede afectar el juicio sobre la idoneidad de los límites del comiso para constituir el objeto material del delito de blanqueo de capitales[51].

3. DELIMITACIÓN DEL OBJETO MATERIAL CONFORME A LA IMPUTACIÓN OBJETIVA

3.1. La peligrosidad *ex-ante* del objeto material

La revisión de todos estos aportes evidencia los esfuerzos de la doctrina de la parte especial por delimitar o acotar la conexión entre el bien y su origen delictivo, o dicho de otro modo por determinar en qué casos el objeto material del delito es un objeto idóneo para la comisión del lavado de activos. No estamos por lo tanto ante un problema de determinación de la relación o grado de accesoriedad o integración entre el delito precedente y el blanqueo como se ha sostenido, tampoco se trata de un problema de causas equivalentes o de adecuación social, al menos no como ha sido descrito por la doctrina referida.

El asunto de la idoneidad o suficiencia del objeto material de la conducta debe enfrentarse desde la perspectiva de la imputación objetiva[52]. Y es que definir si el patrimonio que deriva de la mezcla de

---

[50]   BLANCO CORDERO, Isidoro, *El delito de blanqueo de capitales*, cit., p. 298. Precisamente los arts. 5.7 y 12.7 de la Convenciones de Viena y de Palermo, respectivamente, postulan un mecanismo de inversión de la carga de la prueba, el imputado deberá probar el origen lícito de los supuestos bienes blanqueados, regla que no puede adoptarse conforme al Derecho peruano que reconoce a nivel constitucional la presunción de inocencia (art. 2.24.e).

[51]   ARIAS HOLGUÍN, Diana Patricia, *Aspectos político-criminales y dogmáticos del tipo de comisión doloso de blanqueo de capitales (art. 301 CP)*, cit., p. 326.

[52]   Para GARCÍA CAVERO, Percy, *El delito de lavado de activos*, Lima, Jurista Editores, 2013, la imputación objetiva no tendría espacio en la determinación del

activos de doble fuente, legal e ilegal, o si el bien adquirido de buena fe son activos en el sentido del tipo de blanqueo, es determinar la condición de idoneidad del objeto material y, por esa vía, definir el grado de desvaloración o no de la conducta que se ejerce sobre dicho objeto. En otras palabras, la capacidad del objeto material para la comisión del delito de lavado de activos incide directamente en la peligrosidad de la conducta para lesionar el bien jurídico desde una perspectiva *ex-ante*[53], si los actos de conversión o transferencia recayeran sobre objetos descontaminados, entonces son tan atípicos como la tentativa inidónea por la *"absoluta impropiedad del objeto"* (art. 17 del CP). En efecto, ésta última se define precisamente recurriendo a *"la peligrosidad de la acción cometida por el agente, mediante la cual es imposible consumar el delito, porque (...) el objeto (es) inapropiado. Estas características indican una falta de capacidad potencial para hacer factible la consumación. La apreciación de esta potencialidad del medio (...) y por consiguiente de la acción, debe hacerse ex ante e in concreto. Dicho de otro modo, el juez debe colocarse, idealmente, en la misma posición en que se encontraba el agente al comenzar la ejecución de su acción y apreciar, según los conocimientos que tenía, si la acción podía, según las circunstancias del caso, desembocar en la realización del tipo legal. (...) El peligro del que se trata es el que representa la acción realizada para los bienes jurídicos de terceros*[54]*".

---

origen delictivo del bien *"porque ha sido formulada para imputar sucesos a personas, no para atribuir cualidades a los objetos"* (p. 106), con lo que parece dejar de lado que en la dogmática penal actual existe un relativo consenso en torno a que la concreción de prácticamente todos los elementos del tipo, entre ellos el objeto material, obedece a criterios normativos, de allí que el propio autor termina recurriendo a la imputación objetiva cuando concluye que *"la solución a la cuestión del alcance del origen delictivo debe partir de la premisa que toda duda interpretativa sobre un elemento típico debe responderse desde el fin de protección de la norma que contiene el elemento en cuestión"* (p. 107). Y como se recuerda, la propia noción de fin de protección de la norma no corresponde sino al viejo criterio de imputación objetiva esbozado por Roxin desde los años 60 para establecer si la conducta productora de un riesgo jurídicamente desaprobado, se ha realizado en un resultado penalmente trascendente.

[53] Vid. ampliamente sobre la peligrosidad *ex-ante* de la conducta, CARO CORIA, Dino Carlos, *Derecho penal del ambiente, Delitos y técnicas de tipificación*, Lima, Gráfica Horizonte, 1999, pp. 492 ss.

[54] HURTADO POZO, José y Víctor PRADO SALDARRIAGA, *Manual de Derecho penal, Parte general*, T. II, 4ª ed. Lima, Idemsa, 2011, §19/2176-2178.

Si la peligrosidad *ex-ante* de la conducta de lavado depende o deriva, al menos en parte, de la condición del objeto material que, en el caso del blanqueo, es un bien derivado de un delito previo y por ende *"contaminado"* o *"manchado"* por su origen, entonces el objeto no puede ser sino un objeto peligroso, es decir un objeto respecto del cual cabe predicar su peligrosidad también desde una perspectiva *ex-ante*. La peligrosidad del objeto, o de la *"cosa"* como solía denominarse en la literatura penal decimonónica, no es una categoría nueva en el Derecho penal si tomamos en cuenta la existencia de múltiples tipos de la parte especial que fundan la antijuricidad material, entre otros elementos, con la descripción de una situación o circunstancia en la que un objeto o un bien, de lícito o ilícito comercio, aparece también, para usar la misma expresión que en el lavado de activos, *"contaminado"* o *"manchado"* por: 1) una condición intrínseca al objeto, 2) por la propia conducta típica, 3) por su conexión con un hecho del pasado, o 4) por su vinculación a una conducta futura.

Ejemplos del primer grupo son el tipo de tráfico ilegal de *"residuos o desechos tóxicos o peligrosos"* (art. 307 del CP), el delito de manipulación de *"armas químicas"* (art. 279-A del CP) o la conducta de posesión de *"drogas tóxicas"* (art. 296 pf. 2 del CP), en estos casos la peligrosidad del objeto es inherente al bien independientemente del tipo de conducta que pueda recaer sobre el mismo. El segundo caso corresponde por ejemplo al delito de hacer en todo o en parte un documento falso o adulterar uno verdadero (art. 427 pf. 1 del CP), en este supuesto la peligrosidad del objeto es producto de la propia actividad delictiva, peligrosidad que en el ejemplo citado estriba en que el documento falso o adulterado *"pueda dar origen a derecho u obligación o servir para probar un hecho"*. En el tercer grupo la peligrosidad deriva de un hecho del pasado, como en la receptación (art. 194 del CP) o el lavado de activos, aquí la peligrosidad se profundiza o se proyecta en nuevos cursos peligrosos o lesivos, a través de las conductas típicas que recaen sobre el objeto[55]. Finalmente, el cuarto

---

[55]   Una aproximación dogmática a este tipo de conexión corresponde a la tesis de la subsecuencia y conexidad delictiva, recientemente expuesta, con referencias expresas al blanqueo de capitales, entre otros tipos de la legislación española, por BALMACEDA QUIRÓS, Justo Fernando, *Delitos conexos y subsiguientes, Un estudio de la subsecuencia delictiva*, Barcelona, Atelier, 2014, pp. 199 y

caso puede ejemplificarse con el tipo de posesión, transporte, adquisición o venta no autorizada de *"insumos químicos o productos"* (art. 296-B del CP), aquí la peligrosidad de la cosa sólo puede explicarse por su conexión con un futuro hecho ilícito, que para la ley se concreta en *"el objeto (el fin) de destinarlos a la producción, extracción o preparación ilícita de drogas*[56]*"*.

En varios de estos casos la peligrosidad del objeto material demanda, además de las prohibiciones penales, diferentes grados de inocuización, una serie de reglas previas o coetáneas a la norma penal[57] para la administración eficiente del riesgo de uso, manipulación, transporte, resguardo, tenencia, etc., que pueden ir desde la aplicación de reglas administrativas indicadoras de los niveles de riesgo permitido, para el transporte de residuos peligrosos por ejemplo, hasta el embargo, la incautación, el decomiso, la pérdida de dominio o incluso la destrucción del objeto, como en el caso de las drogas o los billetes falsificados que son de ilícito comercio.

En el caso concreto del lavado de activos provenientes de un delito anterior, las reglas de interdicción de los capitales de origen ilegal abarcan: 1) la aplicación de la incautación y/o el comiso como consecuencia del delito anterior; 2) el sistema de prevención que impone obligaciones administrativas o de *compliance* a diferentes sujetos obligados, dentro y fuera del sistema financiero, para la evitación de potenciales conductas de lavado y la identificación del presunto patrimonio ilícito: conocimiento del cliente, debida diligencia, desvinculación del cliente, monitoreo constante de operaciones inusuales, e identificación y reporte de operaciones sospechosas (incluso reforzada penalmente a través del delito del art. 5 del D. Leg. N° 1106);

---

ss., como una construcción propia, y más avanzada a mi entender, frente a los planteamientos de los de delitos subordinados (*ancillary offenses*) de Abrams, de la participación amplia coordinada genérica de una dirección propuesta por Molina Fernández, y de la norma de resguardo de Sánchez-Ostiz (p. 393). Para Balmaceda Quirós los presupuestos dogmáticos esenciales de la subsecuencia delictiva derivan de "una adecuada combinación de bien jurídico, dolo y grado de accesoriedad" (p. 389), presupuestos que reúne precisamente el tipo de blanqueo de capitales (p. 403), como un supuesto especial de "subsecuencia en cadena" (p. 118).

[56]   Texto entre paréntesis fuera del original.

[57]   Propias de la norma penal secundaria, como el comiso.

3) las prohibiciones propiamente penales de negociar con bienes de origen ilegal, esto es las diferentes modalidades del lavado de activos; y, 4) las consecuencias patrimoniales del propio delito de lavado y su tutela cautelar.

Frente a este panorama, la determinación normativa de la peligrosidad *ex-ante* del objeto material deberá obedecer en primer término a criterios teleológicos derivados del ámbito de protección de la norma: no están permitidas las conductas de conversión, transferencia, ocultamiento o tenencia, únicamente si el objeto de origen delictivo es idóneo, desde una perspectiva general *ex-ante*, para insertarse en el tráfico legal o lícito de bienes. En segundo lugar, y como complemento necesario para dicha determinación, deberá atenderse al sistema de reglas previas o coetáneas a la norma penal para el tratamiento de tales objetos, las que se erigen como *ratio cognoscendi* de los niveles de riesgo permitido[58] porque, para decirlo en palabras de Jakobs, "*deja de estar permitido aquél comportamiento que el propio Derecho define como no permitido, prohibiéndolo ya por su peligrosidad concreta o abstracta, incluso bajo amenaza de pena o multa administrativa[59]*".

Desde esta perspectiva de valoración que estimo dogmáticamente correcta, quedan sin espacio las propuestas que definen la descontaminación del objeto en casos de mezcla con criterios de gran acento cuantitativo como el de Barton de la "*significancia jurídica*", que incluso acude a fórmulas matemáticas como el límite del 5% que si bien aporta seguridad jurídica, carece de asidero legal y dogmático desde la perspectiva de la imputación objetiva, porque ni siquiera implica una determinación del riesgo permitido conforme a una ya criticable razón de cálculo de costes y beneficios[60]. Y si bien Blanco Cordero recurre a correctivos cualitativos como el principio de proporcionalidad, que en rigor inspira a todo el Derecho punitivo, finalmente se ciñe a criterios cuantitativos cuando postula el análisis del caso concreto en relación con el grado de correlación entre la parte legítima y

---

[58]   CARO CORIA, Dino Carlos, "El valor de la infracción administrativa en la determinación del riesgo permitido en el Derecho penal económico", en: *ADPE* n° 1, 2011, pp. 20-21.

[59]   JAKOBS, Günther, *La imputación objetiva en Derecho penal*. Lima, Grijley. 1998, p. 48.

[60]   Ibid., p. 43.

la delictiva. La perspectiva de Aránguez Sánchez tampoco es convincente porque sólo se funda en la perspectiva teleológica que conecta el objeto al bien jurídico protegido, sin referencia alguna a la regulación que soporta el tratamiento jurídico del objeto material.

A su vez, la delimitación del objeto material bajo los mismos límites del comiso, como defienden Palma Herrera y Arias Holguín, tiene la virtud de emparentar dos conceptos con tres elementos comunes: 1) el objeto material del lavado y el objeto del comiso derivan de un injusto penal (conducta típica y antijurídica)[61], que eventualmente puede ser el mismo; 2) dentro de las múltiples posibilidades del tipo alternativo de lavado se tiene el caso en que el objeto material es un bien decomisable —*"(...) con la finalidad de evitar (..) su (...) decomiso"*—; y, 3) la peligrosidad del objeto del lavado se asemeja a la peligrosidad objetiva de la cosa que fundamenta el comiso y emana del *"pronóstico de probabilidad de que (los objetos peligrosos) pudieran ser utilizados en el futuro para la comisión de nuevos delitos, sin necesidad de que el autor del hecho previo fuera además culpable y sin necesidad asimismo de que los citados instrumentos tuvieran que pertenecer forzosamente a aquél[62]"*.

Esa última semejanza es de la mayor trascendencia porque abona en la delimitación del objeto material del lavado aquí defendida con base en la imputación objetiva, pues la peligrosidad objetiva de la cosa decomisada sirve también para la fundamentación de las consecuencias accesorias contra la persona jurídica, peligrosidad corporativa que se ha venido construyendo partiendo de la imputación objetiva, bajo conceptos como el riesgo o defecto de organización, o deficiente administración del riesgo[63], conforme ha establecido el Acuerdo Ple-

---

[61]   En relación al comiso, GRACIA MARTÍN, Luis, Miguel Ángel BOLDOVA PASAMAR y M. Carmen ALASTUEY DOBÓN, *Lecciones de consecuencias jurídicas del delito*, 2ª ed., Valencia, Tirant lo Blanch, 2000, p. 394. GARCÍA CAVERO, Percy, *Lecciones de Derecho penal. Parte general.*, cit., p. 749.

[62]   GRACIA MARTÍN, Luis y otros, *Lecciones de consecuencias jurídicas del delito*, cit., p. 394. GARCÍA CAVERO, Percy, *Lecciones de Derecho penal, Parte general, cit.*, p. 747, texto entre paréntesis añadido.

[63]   CARO CORIA, Dino Carlos, "Responsabilidad penal de la persona jurídica en el Derecho penal peruano e iberoamericano", en Guzmán Dálbora, José Luis, *El penalista liberal, Libro homenaje a Manuel de Rivacoba y Rivacoba*, Buenos Aires, Hammurabi, 2004, p. 1022 ss.

nario N° 7-2009/CJ-116 de 13.11.09[64]. Como señala Feijóo Sánchez, *"La 'teoría de la imputación objetiva' es una teoría normativa que pretende averiguar el sentido y fin de las normas con relevancia penal. Por ello para solucionar esta problemática es preciso —una vez más— determinar la finalidad político criminal de las consecuencias accesorias para las personas colectivas. Partiendo, como ya he defendido, de la idea de que estas consecuencias tienen como finalidad combatir la peligrosidad objetiva de la persona jurídica o agrupación basada en un defecto de organización que facilita la comisión de hechos antijurídicos, las ideas desarrolladas por la doctrina alemana, especialmente por TIEDEMANN y SCHÜNEMANN, tienen gran utilidad para resolver esta problemática. La consecuencia para la persona jurídica sólo tiene sentido en aquellos casos en los que la actuación delictiva de la persona física se debe a un defecto de organización o a una gestión empresarial criminógena de la empresa o asociación que se mantiene o que se puede repetir después de la comisión del hecho delictivo por parte de la persona física. En ese momento se muestra necesaria la adopción de una medida preventiva para que no se vuelvan a repetir hechos de esas características[65]"*.

Ahora bien, esta gran conexión entre el objeto material del delito de lavado y el comiso no justifica concluir que el objeto material equivale a un bien decomisable, con ello se dejaría de lado tanto la perspectiva teleológica ya expuesta, como la extensa regulación que permite configurar sistemáticamente la noción de riesgo permitido conforme a la imputación objetiva y que, conforme se ha visto, trasciende el ámbito del decomiso que en tal contexto sólo puede aceptarse como un criterio más, acaso auxiliar o incluso irrelevante en determinados casos. Por citar dos ejemplos, se puede decomisar los instrumentos del delito conforme al art. 102 del CP, pero estos no conforman el objeto material del tipo de lavado; a su vez, la reforma de 2013 del art. 102 introdujo en la parte final el llamado comiso por

---

[64]   Fundamentos Jurídicos 11° y 15° B.
[65]   FEIJÓO SÁNCHEZ, Bernardo, "La responsabilidad penal de las personas jurídicas, ¿un medio eficaz de protección del medio ambiente?", en *RPCP*, n° 9, p. 283.

"valor equivalente[66]", aplicable de forma subsidiaria o por defecto, cuando el comiso ya no puede realizarse sobre los efectos o ganancias del delito, solución que mantiene el art. 127.3 del CP español incluso tras la reforma de 2015.

En esta perspectiva, el recurso a la imputación objetiva para la concreción de la peligrosidad del objeto material del delito de lavado, implica dejar de lado las no poco comunes soluciones subjetivas, consistentes en bloquear la punición cuando es difícil o imposible probar el dolo del agente más allá de toda duda razonable[67], éstas son insatisfactorias porque no contemplan la exclusión de grupos de conductas en las que el sujeto por ejemplo conoce de modo actual o potencial el origen ilícito del bien, pero sencillamente no tiene el deber de evitar la conducta de traficar con dichos bienes. En el estado actual de la teoría del delito no sólo el dolo es un filtro de la tipicidad, sino y antes que él, el tipo objetivo, de modo que es dogmáticamente incorrecto resolver casos con el filtro subjetivo cuando éstos ni siquiera implican la realización de una conducta no permitida[68].

La jurisprudencia de la Corte Suprema y de la Sala Penal Nacional sigue este derrotero, la Sala Penal Permanente ha establecido por ejemplo que la canalización de una transacción a través del circuito financiero formal elimina la presunción respecto del origen ilícito de los fondos[69], si el dinero proviene del propio canal financiero entonces dichos activos, y el cliente en particular, han tenido que ser sometidos a las reglas de prevención por parte del o los sujetos obligados del sector financiero que han servido de canal previo para su incorpora-

---

[66]   Siguiendo la Recomendación 4 del GAFI de 2012, Vid. FATF/OECD, *Estándares internacionales sobre la lucha contra el lavado de activos y el financiamiento del terrorismo y la proliferación, Las Recomendaciones del GAFI*, París, 2012, p. 12.

[67]   FABIÁN CAPARRÓS, Eduardo, *El delito de blanqueo de capitales*, Madrid, Colex, 1998, pp. 300 y 390. CÓRDOBA RODA, Juan y Mercedes GARCÍA ARÁN, *Comentarios al Código Penal, Parte especial*, T. I. Madrid-Barcelona, Marcial Pons, 2004, pp. 1155-1156.

[68]   CANCIO MELIÁ, Manuel, "Algunas reflexiones sobre lo objetivo y lo subjetivo en la teoría de la imputación objetiva", en *Estudios de Derecho penal*. Lima, Palestra-C&A 2010, p. 148.

[69]   Ejecutoria de la Sala Penal Permanente de 26.5.04, Recurso de Nulidad N° 2202-2003/Callao, considerando 8° y 9°, en: SAN MARTÍN CASTRO, César, *Jurisprudencia y precedente penal vinculante, Selección de ejecutorias de la Corte Suprema*, Lima, Palestra, 2007, pp. 549-550.

ción en dicho mercado. Aunque el imputado desde el punto de vista fáctico o natural haya podido sospechar del origen ilegal, ello es irrelevante porque conforme a la imputación objetiva ha actuado bajo el principio de confianza, no ha realizado una conducta no permitida al operar con activos provenientes del propio circuito financiero y cuyo tránsito a través del mismo, en caso los bienes tuvieran origen ilegal, debió ser bloqueado y reportado oportunamente por el operador financiero competente. La Sala Penal Nacional es más explícita en la tesis de que el circuito financiero es un medio de descontaminación del objeto material, en el caso Duany Pazos señaló que "*es de tenerse en cuenta que la transferencia de las acciones se sustentó en el pago de cheques de gerencia de un Banco como el Atlantic Security Bank, que como es parte del sistema financiero formal estaba en la obligación de realizar los controles por transacciones sospechosas, debiéndose estimar que la entrega de cheques por parte de quien había contratado sus servicios profesionales generaba confianza sobre su licitud (principio de confianza)*[70]".

3.2. Despenalización y prescripción del delito previo

La capacidad de rendimiento de la imputación objetiva para la delimitación del objeto material del delito en general[71], también puede apreciarse frente a los casos de lavado de activos enunciados por la literatura de la parte especial. Los casos de despenalización y de prescripción del delito previo suponen un cambio del estatus jurídico del objeto material, éste pasa de ser "*peligroso*" a no serlo, y la inexistencia de un objeto peligroso determina la inidoneidad absoluta de la

---

[70]   Del mismo modo, el Auto de la Sala Penal Nacional de 8.4.09, Expediente N° 945-08-C, caso Juan Duany Pazos y otros, fundamento séptimo.

[71]   Vid. por ejemplo, PASTOR MUÑOZ, Nuria, *Los delitos de posesión y de estatus: una aproximación político criminal y dogmática*, Barcelona, Atelier 2005, pp. 33 ss. SILVA SÁNCHEZ, Jesús María, "La dimensión temporal del delito y los cambios de "status" jurídico-penal del objeto de acción", en *Estudios de Derecho penal*, Lima, Grijley, 2000, pp. 180 ss. CARO CORIA, Dino Carlos. "El delito de enriquecimiento ilícito", en: San Martín Castro, César, Dino Carlos Caro Coria y José Leandro Reaño Peschiera, *Los delitos de tráfico de influencias, enriquecimiento ilícito y asociación para delinquir*, Lima, Jurista Editores, 2002, pp. 216-220.

conducta para cometer lavado de activos, en el caso específico de la prescripción la presunción de inocencia se mantiene incólume ante el decaimiento de la obligación del Estado de investigar y eventualmente sancionar un hecho de relevancia penal[72]. Dicho de otro modo, si se parte como aquí de una concepción material de la prescripción[73], si la conducta de lavado de activos se realiza sobre bienes que podría reputarse emanan de un delito previo, pero el delito anterior ya ha prescrito al momento de realizarse la conducta de blanqueo, estamos ante un caso de ausencia de objeto material[74].

No puede por ello admitirse el planteamiento de Blanco Cordero, según el cual *"Las causas de extinción de la responsabilidad criminal (entre ellas la prescripción) suponen, precisamente, que con anterioridad ha existido responsabilidad criminal generada por la comisión de un hecho punible, es decir, de un hecho típico, antijurídico, culpable y punible (...) La existencia de una causa de extinción de la responsabilidad criminal no impide mantener que se ha cometido un hecho típico y antijurídico, con lo que se cumple el requisito exigido por el tipo del blanqueo (...) la prescripción del delito (...) no descontamina los bienes, que siguen siendo idóneos para el blanqueo de capitales por proceder de una actividad delictiva[75]"*.

La discrepancia con esta tesis se debe precisamente a su punto de partida, forma parte del estado de la cuestión considerar que la prescripción del delito no implica una renuncia a la presunción de inocencia, de modo que su acaecimiento no permite afirmar que estamos o estuvimos ante un hecho típico, antijurídico y culpable. El problema en estricto es otro y estriba en saber si la prescripción del delito previo impide que éste pueda ser objeto de investigación y prueba, al

---

[72] MEINI MÉNDEZ, Iván, "Sobre la prescripción de la acción penal", en *Imputación y responsabilidad penal*, Lima, Ara Editores, 2009, pp. 281, 291.

[73] PASTOR, Daniel R, *Prescripción de la persecución y Código Procesal Penal*, Buenos Aires, Editores del Puerto, 1993, p. 52. RAGUÉS I VALLÈS, Ramón, *La prescripción penal: fundamentos y aplicación*, Barcelona, Atelier, 2004, pp. 41 ss.

[74] Acerca de la cuestión de la descontaminación como consecuencia de la prescripción del delito tributario, aunque advirtiendo que en principio la punibilidad por lavado de dinero no queda excluida por la prescripción del delito previo VOβ, Marko, *Die Tatobjekte der Geldwäsche*, Köln, Carl Heymanns, 2007, p. 138.

[75] BLANCO CORDERO, Isidoro, "El delito fiscal como actividad delictiva previa del blanqueo de capitales", en *RECPC*, n° 13-01, Granada, 2011, 01:35.

menos a nivel del hecho punible (conducta típica y antijurídica), en el proceso por lavado de activos a fin de establecerse si existen bienes de origen delictivo, opción a la que abona la llamada autonomía o independencia del lavado de activos frente al delito fuente o anterior. Desde mi punto de vista debe negarse esta posibilidad porque una de las consecuencias de la prescripción es impedir que el hecho punible pueda ser nuevamente investigado para efectos punitivos.

3.3. Las adquisiciones de buena fe

Los llamados supuestos de *"adquisición de buena fe"*, generalmente han recibido tratamientos desde la perspectiva de la imputación subjetiva, la falta de dolo por déficit cognitivo, quien de buena fe compra un bien de origen ilícito adquiere un bien descontaminado, se pierde el origen delictivo como una suerte de premio a esa buena fe, al desconocimiento del objeto contaminado. Este salvamento subjetivo es quizás producto del tratamiento también subjetivista que la buena fe ha recibido desde el Derecho civil, en particular la llamada "buena fe creencia" o "buena fe subjetiva", y con menor intensidad la llamada "buena fe probidad" o "buena fe objetiva". Ante ambas manifestaciones de tan buena fe, se activa una regulación protectora de quien desconoce que participa en el tráfico de un bien manchado, la transferencia o adquisición conserva sus efectos, y el desconocimiento de ese origen delictivo impide que el adquirente realice el tipo de blanqueo de capitales.

Pero esta lectura subjetiva debe ceder frente a un planteamiento acorde con la imputación objetiva. Con un ejemplo, si el órgano recaudador del tributo (la SUNAT) cobra el impuesto que el lavador paga por la renta de un negocio inexistente con dinero de origen ilegal, la descontaminación del bien recibido por la SUNAT no se debe a la ausencia de dolo corporativo o de los órganos del ente recaudador, sino a la realización de una conducta neutral o habitual en el marco de la prohibición de regreso.

3.4. Mezcla de bienes

Si se mezclan activos de fuente ilícita y lícita, la contaminación de éstos últimos no dependerá de una cuantía sino de sí, desde una perspectiva *ex-ante*, la conducta del lavador subordina la renta lícita a la ilícita, sometiendo ambas a un proceso de reciclaje. Quien deposita dinero sucio en una cuenta con dinero de origen legal mezcla patrimonios sólo en sentido fáctico, pero no los arriesga en conjunto, en ese caso la necesidad de diferenciarlos conforme a las Convenciones de Viena, de Palermo y de Mérida es imperativa.

Pero si el lavador compra acciones con dinero de origen legal e ilegal, entonces el acto de inversión ha subordinado todo el dinero, la colocación se extiende al dinero limpio porque éste ha sido consolidado con el sucio en un nuevo negocio. La comparación con los juegos de azar es ilustrativa, quien apuesta grandes sumas de dinero con la expectativa de enriquecerse lícitamente puede ganar o perder su patrimonio si no acierta en la apuesta, y quien lava bienes —de origen mixto: legal e ilegal— con la expectativa de defraudar el sistema antilavado de activos, igualmente puede *"ganar"* si logra hacerlo sin ser descubierto o perderlo todo porque *ex ante* lo arriesgó en conjunto pese a esa posibilidad. Conforme a este razonamiento, en los casos de transmisiones parciales de un bien parcialmente proveniente de un delito previo —el lavador compra un inmueble y paga el 30% del precio con dinero de origen ilegal y el saldo con dinero limpio, luego vende a otro el 60% del bien—, la fusión entre los bienes de origen legal e ilegal justifica el tratamiento de toda la masa o parte de ella como de origen ilegal.

En ese sentido, es ilustrativa la reciente regla del art. 102 pf. 3 del CP peruano, según el cual *"Cuando los efectos o ganancias del delito se hayan mezclado con bienes de procedencia lícita, procede el decomiso hasta el valor estimado de los bienes ilícitos mezclados, salvo que los primeros hubiesen sido utilizados como medios o instrumentos para ocultar o convertir los bienes de ilícita procedencia, en cuyo caso procederá el decomiso de ambos tipos de bienes"*. Aunque la fórmula legal contiene un evidente error gramatical, ello no debe impedir su adecuada comprensión, cuando señala *"salvo que los primeros hubiesen sido utilizados como medios o instrumentos para ocultar o convertir los bienes de ilícita procedencia"*, es fácil advertir que esos *"primeros"*, atendiendo al orden de la redacción, no son otros que *"los efectos o ganancias del delito"*, lo que llevaría al absurdo de entender que la regla está pensada para los casos de mezcla de bienes, todos, de origen ilícito, cuando el problema a resolver es el de la mezcla de bienes de origen lícito con los de origen ilícito.

Desde una perspectiva sistemática, dejando de lado el *lapsus* del legislador, el art. 102 impone una regla acorde con los criterios de imputación objetiva aquí expuestos, si los bienes de origen lícito son utilizados como medio para encubrir o blanquear los activos provenientes de un delito precedente, entonces la peligrosidad *ex ante* de la cosa, base del comiso como se ha señalado con anterioridad y por ende *ratio cognoscendi* o indicador auxiliar del objeto material del blanqueo, se extiende a la totalidad de los bienes mezclados. Y es que *"si se acredita que la mezcla tiene como objetivo utilizar el dinero limpio para lavar el sucio, entonces resultará contaminada la totalidad de la mezcla (...), el dinero limpio constituirá entonces el instrumento del delito de blanqueo, resultando por lo tanto también contaminado[76]"*.

Con otro ejemplo[77], si una cuenta bancaria de US$100.000 incluye US$50.000 originados en el fraude fiscal, quien conociendo del origen ilícito transfiere US$80.000, realiza el tipo de blanqueo de capitales porque al menos US$30.000 están contaminados. Acorde con ello, para Blanco Cordero, si alguien ha defraudado por 7.000 € y todo su patrimonio líquido está en una única cuenta por 70.000 € y transfiere a un tercero la suma de 30.000 €, no puede admitirse la tesis según la cual el 10% de lo transferido está contaminado, sólo habrá delito si es que la transferencia supera los 63.000 €. Lo mismo ocurre si los 70.000 € están repartidos en 10 cuentas por igual y la transferencia por 30.000 € proviene de 5 de ellas, en ese caso no tiene porqué presumirse que esas 5 cuentas corresponden precisamente al dinero contaminado, debiendo reputarse ello más bien de las otras 5 cuentas que no se usaron para las transferencias[78].

---

[76] BLANCO CORDERO, Isidoro, *El delito de blanqueo de capitales*, 3ª ed., Pamplona, Aranzadi, 2012, p. 357, 4ª ed., 2015, p. 454.

[77] CARO CORIA, Dino Carlos, "Lavado de activos provenientes del delito tributario", en: Ambos, Kai, Dino Carlos Caro Coria y Ezequiel Malarino, *Lavado de activos y Compliance, Perspectiva internacional y derecho comparado*, Lima, Jurista Editores, 2015, pp. 164-166.

[78] BLANCO CORDERO, Isidoro, "El delito fiscal como actividad delictiva previa del blanqueo de capitales", cit., 01:30-01:31.

Pero conforme a lo aquí defendido, no es aceptable en cambio la solución que da Blanco Cordero[79] al caso de una cuenta con 200.000 €, de los cuales 100.000 € provienen del delito fiscal, si A y B retiran 100.000 € cada uno entonces, conforme al principio *in dubio pro reo*, para el autor no se comete lavado de activos porque se presume que cada uno retiró la parte limpia. A mi juicio, más allá de las variantes financieras (cuenta mancomunada o no, retiro a doble firma o no), queda claro que solo el primero, salvo específicos supuestos de coautoría, aunque supiera del origen ilícito, realiza una conducta atípica porque conforme al principio *in dubio pro reo*, y tratándose de bienes fungibles, no hay razones suficientes para considerar que las primeras sumas de dinero utilizadas son las contaminadas. Del mismo modo, quien realiza el segundo retiro, más allá de si conocía o no del origen ilícito, objetivamente podría realizar la tipicidad de lavado de activos porque su conducta recae sobre el dinero contaminado. En este caso la punición estará condicionada desde luego a un análisis estricto de tipicidad dado que el simple retiro de dinero manchado solo podrá realizar el delito de lavado de activos, en la medida que tengan el sentido por ejemplo de *guardar*, *custodiar* u *ocultar* bienes de origen delictivo.

3.5. *Otros casos*

La misma regla debe aplicarse al tratamiento de los beneficios ordinarios y extraordinarios producidos por el bien de origen ilícito, los primeros —las ganancias, los intereses, las rentas, los frutos del bien— forman parte del resultado esperado y perseguido por la conducta, de modo que se integran —se contaminan— al patrimonio ilícito, a diferencia de los beneficios extraordinarios —ganar la lotería!— donde el resultado es obra absoluta del azar o de la casualidad y no es, por ende, objetivamente imputable a una conducta que, desde una perspectiva *ex-ante*, ni siquiera puede entenderse como el inicio o la continuación de un proceso orientado a ocultar el origen ilegal de un bien.

---

[79]   Ibid., 01:30.

Llevada esta concepción al terreno de la transformación de bienes de origen ilícito por el trabajo o la obra de un tercero —el terreno de origen ilegal es edificado con el aporte de fuente lícita, el oro producto de la minería ilegal que es altamente refinado mediante un proceso técnico—, y descontando los supuestos de *"buena fe"* o conductas neutras como se ha señalado antes, estos casos de mezcla corresponden a actos que subordinan o contaminan ese mayor valor de origen lícito con el bien de fuente ilícita.

Y finalmente en relación a los casos problemáticos para la literatura de la parte especial, pocas dudas cabe albergar en torno a los supuestos de devaluación —el inmueble que pierde valor tras un terremoto o el sometimiento a un proceso judicial de reivindicación con inscripción de la demanda— y revalorización —las acciones de empresas mineras que ganan valor por la extraordinaria subida del precio de los metales— del bien de origen ilícito, se trata de procesos esperados desde una perspectiva *ex-ante*, por ordinarios o extraordinarios que puedan ser. La regla social no varía, así como nadie discutiría si el menor o el mayor valor siguen correspondiendo al mismo bien si éste hubiera sido adquirido con fuentes lícitas, tampoco cabe hacerlo cuando la fuente fue ilícita.

4. CONCLUSIONES

Aunque las Convenciones de Viena, de Palermo y de Mérida, al igual que las legislaciones internas, demandan diferenciar en el blanqueo de capitales los bienes de origen lícito e ilícito, especialmente en los casos de mezcla, de modo que la actividad cautelar y las consecuencias del delito recaigan solo sobre estos últimos; la doctrina de la parte especial no suele plantear soluciones sistemáticas que tengan como punto de partida una estricta delimitación del objeto material del delito.

La cuestión de la idoneidad o suficiencia del objeto material de la conducta debe abordarse desde la perspectiva de la imputación objetiva, la capacidad del objeto material para la comisión del delito de lavado de activos incide directamente en la peligrosidad de la conducta para lesionar el bien jurídico desde una perspectiva *ex-ante*, si los actos de ocultamiento o tenencia recayeran sobre objetos desconta-

minados, entonces serían atípicos como la tentativa inidónea por la
"*absoluta impropiedad del objeto*".

Luego, si la peligrosidad *ex-ante* de la conducta de lavado depende
o deriva, al menos en parte, de la condición del objeto material que,
en el caso del blanqueo, es un bien derivado de un delito previo y por
ende "*contaminado*" por su origen, entonces se trata de un objeto
peligroso, un objeto respecto del cual cabe predicar su peligrosidad
también desde una perspectiva *ex-ante*. Esa peligrosidad del objeto
también se aprecia en múltiples tipos de la parte especial que fundan
la antijuricidad material, entre otros elementos típicos, con la descripción de una situación o circunstancia en la que un objeto o un bien,
de lícito o ilícito comercio, aparece también "*contaminado*" por una
condición intrínseca al objeto, por la propia conducta típica, por su
vinculación a una conducta futura o por su conexión con un hecho
del pasado. Este último supuesto corresponde precisamente a los tipos
de receptación y blanqueo de capitales, en los que existe una conexión
y subsecuencia delictiva "en cadena".

Esa peligrosidad del objeto material demanda, en adición a las
prohibiciones penales, diferentes grados de inocuización, una serie
de reglas previas o coetáneas a la norma penal (la norma primaria)
para la administración eficiente del riesgo de uso, manipulación, tenencia, etc. En el caso concreto del banqueo de capitales, las reglas
de interdicción de los bienes de origen ilegal abarcan desde prohibiciones penales hasta deberes de prevención de origen administrativo
o autoimpuestos desde una perspectiva de *compliance*. Así, la determinación normativa de la peligrosidad *ex-ante* del objeto material
debe obedecer en primer término a criterios teleológicos derivados del
ámbito de protección de la norma: no están permitidas las conductas
de conversión, transferencia, ocultamiento o tenencia, únicamente si
el objeto de origen delictivo es idóneo, desde una perspectiva general
ex-ante, para insertarse en el tráfico legal o lícito de bienes. En segundo lugar, y como complemento necesario para dicha determinación,
deberá atenderse a ese sistema de reglas previas o coetáneas a la norma penal para el tratamiento de tales objetos, las que se erigen como
indicio o *ratio cognoscendi* de los niveles de riesgo permitido.

Este abordaje desde la imputación objetiva, aquí esbozado de manera general, puede dispensar un tratamiento más sistemático de los

grupos de casos planteados por la doctrina de la parte especial. Así, y con un último ejemplo, en los supuestos de mezcla de activos de fuente ilícita y lícita, la contaminación de éstos últimos no dependerá de una cuantía o de una "significancia" de difícil aprehensión, sino de sí, desde una perspectiva *ex-ante*, la conducta del lavador subordina la renta lícita a la ilícita, sometiendo ambas a un proceso común de reciclaje. Si esos bienes de origen lícito se instrumentalizan para encubrir o blanquear los activos provenientes de un delito precedente, entonces la peligrosidad *ex ante* de la cosa se extiende a la totalidad de los bienes mezclados.

5. BIBLIOGRAFÍA

ARÁNGUEZ SÁNCHEZ, Carlos, *El delito de blanqueo de capitales*, Barcelona, Marcial Pons, 2000.

ARIAS HOLGUÍN, Diana Patricia, *Aspectos político-criminales y dogmáticos del tipo de comisión doloso de blanqueo de capitales (art. 301 CP)*, Madrid, Iustel, 2011.

BALMACEDA QUIRÓS, Justo Fernando, *Delitos conexos y subsiguientes, Un estudio de la subsecuencia delictiva*, Barcelona, Atelier, 2014.

BARTON, Stephan, "Das Tatobjekt der Geldwäshe: Wann rührt ein Gegenstand aus einer der im Katalog des § 261 I Nr. 1-3 StGB bezeichnet Straftaten her?", en *Neue Zeitschrift für Strafrecht*, vol. 4, 1993.

BLANCO CORDERO, Isidoro, *El delito de blanqueo de capitales*, 2ª ed., Pamplona, Aranzadi, 2002, 3ª ed., 2012, 4ª ed., 2015.

BLANCO CORDERO, Isidoro, "El delito fiscal como actividad delictiva previa del blanqueo de capitales", en *RECPC*, n° 13-01, Granada, 2011.

CÁCERES JULCA, Roberto, *Las medidas de coerción procesal, Sus exigencias constitucionales, procesales y su aplicación jurisprudencial*, Lima, Idemsa, 2006.

CANCIO MELIÁ, Manuel, "Algunas reflexiones sobre lo objetivo y lo subjetivo en la teoría de la imputación objetiva", en *Estudios de Derecho penal*. Lima, Palestra-C&A 2010.

CARO CORIA, Dino Carlos, *Derecho penal del ambiente, Delitos y técnicas de tipificación*, Lima, Gráfica Horizonte, 1999.

CARO CORIA, Dino Carlos. "El delito de enriquecimiento ilícito", en: San Martín Castro, César, Dino Carlos Caro Coria y José Leandro Reaño Peschiera, *Los delitos de tráfico de influencias, enriquecimiento ilícito y asociación para delinquir*, Lima, Jurista Editores, 2002.

CARO CORIA, Dino Carlos, "Responsabilidad penal de la persona jurídica en el Derecho penal peruano e iberoamericano", en Guzmán Dálbora, José Luis, *El penalista liberal, Libro homenaje a Manuel de Rivacoba y Rivacoba*, Buenos Aires, Hammurabi, 2004.

CARO CORIA, Dino Carlos, "El valor de la infracción administrativa en la determinación del riesgo permitido en el Derecho penal económico", en: *ADPE* n° 1, 2011.

CARO CORIA, Dino Carlos, "Lavado de activos provenientes del delito tributario", en: Ambos, Kai, Dino Carlos Caro Coria y Ezequiel Malarino, *Lavado de activos y Compliance, Perspectiva internacional y derecho comparado*, Lima, Jurista Editores, 2015.

CASTILLO ALVA, José Luis, *Las consecuencias jurídico-económicas del delito*, Lima, Idemsa, 2001.

CÓRDOBA RODA, Juan y Mercedes GARCÍA ARÁN, *Comentarios al Código Penal, Parte especial*, T. I. Madrid-Barcelona, Marcial Pons, 2004.

DEL CARPIO DELGADO, Juana, *El delito de blanqueo de bienes en el nuevo Código Penal*, Valencia, Tirant lo Blanch, 1997.

FABIÁN CAPARRÓS, Eduardo, *El delito de blanqueo de capitales*, Madrid, Colex, 1998.

FATF/OECD, *Estándares internacionales sobre la lucha contra el lavado de activos y el financiamiento del terrorismo y la proliferación, Las Recomendaciones del GAFI*, París, 2012.

FEIJOÓ SÁNCHEZ, Bernardo, "La responsabilidad penal de las personas jurídicas, ¿un medio eficaz de protección del medio ambiente?", en *RPCP*, n° 9.

GALVEZ VILLEGAS, Tomás Aladino, *El delito de lavado de activos. Criterios sustantivos y procesales, Análisis de la Ley N° 27765*, 2ª ed., Lima, Jurista Editores, 2009.

GARCÍA CAVERO, Percy, *Derecho penal económico, Parte Especial*, T. II, Lima, Grijley, 2007.

GARCÍA CAVERO, Percy, *Lecciones de Derecho penal, Parte general*, Lima, Grijley, 2008.

GARCÍA CAVERO, Percy, *El delito de lavado de activos*, Lima, Jurista Editores, 2013.

GRACIA MARTÍN, Luis, Miguel Ángel BOLDOVA PASAMAR y M. Carmen ALASTUEY DOBÓN, *Lecciones de consecuencias jurídicas del delito*, 2ª ed, Valencia, Tirant lo Blanch, 2000.

HURTADO POZO, José y Víctor PRADO SALDARRIAGA, *Manual de Derecho penal, Parte general*, T. II, 4ª ed. Lima, Idemsa, 2011.

JAKOBS, Günther, *La imputación objetiva en Derecho penal*. Lima, Grijley. 1998.

MARTÍNEZ-BUJÁN PÉREZ, Carlos, *Derecho penal económico y de la empresa, Parte especial*, 3ª ed., Valencia, Tirant lo Blanch, 2011.

MEINI MÉNDEZ, Iván, "Sobre la prescripción de la acción penal", en *Imputación y responsabilidad penal*, Lima, Ara Editores, 2009.

NOVAK, Fabián y Elizabeth SALMÓN, *Las obligaciones internacionales del Perú en materia de Derechos Humanos*, Lima, PUCP, 2000.

PALMA HERRERA, José Manuel, *Los delitos de blanqueo de capitales*, Madrid, Edersa, 2000.

PASTOR, Daniel R, *Prescripción de la persecución y Código Procesal Penal*, Buenos Aires, Editores del Puerto, 1993.

PASTOR MUÑOZ, Nuria, *Los delitos de posesión y de estatus: una aproximación político criminal y dogmática*, Barcelona, Atelier 2005.

RAGUÉS I VALLÈS, Ramón, *La prescripción penal: fundamentos y aplicación*, Barcelona, Atelier, 2004.

SAN MARTÍN CASTRO, César, *Derecho procesal penal*, Vol. I, 2ª ed., Lima, Grijley, 2003.

SAN MARTÍN CASTRO, César, *Jurisprudencia y precedente penal vinculante, Selección de ejecutorias de la Corte Suprema*, Lima, Palestra, 2007, pp. 549-550.

SILVA SÁNCHEZ, Jesús María, "La dimensión temporal del delito y los cambios de "status" jurídico-penal del objeto de acción", en *Estudios de Derecho penal*, Lima, Grijley, 2000.

VOβ, Marko, *Die Tatobjekte der Geldwäsche*, Köln, Carl Heymanns, 2007.

LA NECESARIA DELIMITACIÓN DEL ÁMBITO DE APLICACIÓN DEL DELITO DE BLANQUEO DE CAPITALES

JUANA DEL-CARPIO-DELGADO[1]

Sumario: 1. Introducción. 2. Argumentos relacionados con la técnica de tipificación. 3. Coherencia con los documentos internacionales y regionales. 4. Razones lógico-sistemáticas y teleológicas. 5. A manera de recapitulación. 6. Bibliografía

Resumen: *En este trabajo se analizan las razones que permiten sostener que el art. 301.1 Cp sólo contiene una modalidad de blanqueo, es decir, adquirir, poseer, utilizar, convertir, transmitir o realizar cualquier otro acto sobre bienes, sabiendo que proceden de una actividad delictiva, cometida por él o por cualquier tercera persona, para ocultar o encubrir su origen ilícito o para ayudar a la persona que haya participado en la infracción o infracciones a eludir las consecuencias legales de sus actos.*

Palabras clave: Blanqueo de capitales, autoblanqueo, concepto, modalidades de conducta.

1. INTRODUCCIÓN[2]

Tras la aprobación de la Ley Orgánica 5/2010, de 22 de junio, por la que se modifica la Ley Orgánica 10/1995, de 23 de noviembre, del Código Penal (en adelante, Cp), el art. 301.1 Cp dispone que: "El que

---

[1] Profesora Titular de Derecho penal. Universidad Pablo de Olavide.
[2] Agradezco al Titulado Superior de Apoyo a la Investigación de la Universidad Pablo de Olavide, Álvaro Guijo Garzón, su valiosa ayuda en la corrección del texto. Abreviaturas utilizadas: *Art:* artículo; *CGPJ:* Consejo General del Poder Judicial; *Cp:* Código penal; *CPC:* Cuadernos de Política Criminal; *DLeg:* Decreto Legislativo; *EPC:* Estudios Penales y Criminológicos; *FJ:* Fundamento jurídico; *RDF: Revista de Derechos Fundamentales; RDPC:* Revista de Derecho Penal y Criminología; *RECPC:* Revista Electrónica de Ciencia Penal y Criminología; *RGDP:* Revista General de Derecho Penal; *RGLJ: Revista General de Legislación y Jurisprudencia; RP:* Revista Penal; *STS:* Sentencia del Tribunal Supremo.

adquiera, posea, utilice, convierta, o transmita bienes, sabiendo que éstos tienen su origen en una actividad delictiva, cometida por él o por cualquiera tercera persona, o realice cualquier otro acto para ocultar o encubrir su origen ilícito, o para ayudar a la persona que haya participado en la infracción o infracciones a eludir las consecuencias legales de sus actos, …".

Como puede observarse, en la descripción de las conductas el legislador utiliza dos técnicas de tipificación: el casuismo y la cláusula general. Por un lado, se mencionan expresamente cinco verbos típicos: adquirir, poseer, utilizar, convertir o transmitir. Por otro lado, una cláusula general: la realización de "cualquier otro acto".

Además del conocimiento del origen delictivo de los bienes, se contemplan dos elementos de naturaleza subjetiva: para ocultar o encubrir su origen ilícito o para ayudar a la persona que haya participado en la infracción o infracciones a eludir las consecuencias legales de sus actos.

La variedad de opiniones respecto al bien jurídico protegido por el delito de blanqueo de capitales contrasta con la polarización de la doctrina en torno a la determinación de la conducta típica del art. 301.1 Cp. Las respuestas a la pregunta: ¿qué castiga este precepto?, pueden ser agrupadas en torno a quienes optan por una interpretación amplia y quienes sostienen una interpretación restrictiva.

Desde una perspectiva amplia, un sector de la doctrina es de la opinión de que este artículo castiga dos modalidades de conductas. Por un lado, adquirir, poseer, utilizar, convertir o transmitir bienes sabiendo que éstos tienen origen en una actividad delictiva. Y, por otro lado, realizar cualquier otro acto sobre bienes, procedentes de una actividad delictiva, para ocultar o encubrir su origen ilícito o para ayudar a la persona que haya participado en la infracción o infracciones a eludir las consecuencias legales de sus actos[3]. Dos modalidades

---

[3]   A favor de una interpretación amplia antes de la reforma de 2010, se han manifestado entre otros, GÓMEZ INIESTA, *El delito de blanqueo de capitales en el Derecho español*, Barcelona, 1996, pp. 51 y ss.; VIVES ANTÓN/GONZÁLEZ CUSSAC, en Vives Antón (coord.), *Comentarios al Código penal de 1995*, tomo II, Valencia, 1996, p. 1464; VIDALES RODRÍGUEZ, *Los delitos de receptación y legitimación de capitales en el Código penal de 1995*, Valencia, 1997, p. 97; ARÁNGUEZ SÁNCHEZ, *El delito de blanqueo de capitales*, Madrid, 2000, pp.

de blanqueo de capitales cuyo ámbito de aplicación es completamente distinto.

Por el contrario, otro sector de la doctrina sostiene que cualquiera de las conductas descritas expresamente en el tipo, es decir, adquirir, poseer, utilizar, convertir, transmitir o realizar cualquier otro acto sobre bienes, sabiendo que proceden de una actividad delictiva, sólo es subsumible en el art. 301.1 Cp, en tanto que el autor actúe para ocultar o encubrir su origen delictivo o para ayudar a la persona que haya participado en la infracción o infracciones a eludir las consecuencias legales de sus actos[4]. En consecuencia, se sostiene que el art. 301.1 Cp sólo contempla una modalidad de blanqueo de capitales.

---

220 y ss.; CALDERÓN CEREZO, "Análisis sustantivo del delito (I): Prevención y represión del blanqueo de capitales, en Zaragoza Aguado (dir.), *Prevención y represión del blanqueo de capitales*, Estudios de Derecho Judicial 28-2000, Madrid, 2000, pp. 272 y ss.; ABEL SOUTO, *El delito de blanqueo en el Código penal español*, Barcelona, 2005, pp. 93 y ss., 290 y ss. Con posterioridad a la reforma, entre otros, ABEL SOUTO, *La Ley Penal*, 2011, p. 7; FERNÁNDEZ TERUELO, *La Ley*, 2011, pp. 1 y 4; REBOLLO VARGAS, en Álvarez García (dir.), *Derecho penal español. Parte especial (II)*, Valencia, 2001, pp. 780 y s.; TERRADILLOS BASOCO, *Lecciones y materiales para el estudio del Derecho penal*, 2012, p. 168; BLANCO CORDERO, *El delito de blanqueo de capitales*, 3ª ed., 2012, pp. 437, 504 y ss.; CORCOY BIDASOLO, *RDF*, 2012, p. 65; MATALLÍN EVANGELIO, *RGDP*, 2013, p. 19; LORENZO SALGADO, en Abel Souto/ Sánchez Stewart. (coords.), *III Congreso sobre prevención y represión del blanqueo de dinero*, 2013, p. 224.

4   Así, entre otros, antes de la reforma de 2010, DEL-CARPIO-DELGADO, *El delito de blanqueo de bienes en el nuevo Código penal*, 1997, pp. 167 y 286 y ss.; FABIÁN CAPARRÓS, *El delito de blanqueo de capitales*, Madrid, 1998, pp. 360 y s.; FARALDO CABANA, "Aspectos básicos del delito de blanqueo de bienes en el Código penal de 1995", *Estudios Penales y Criminológicos*, nº XXI, 1998, pp. 139 y s.; DÍAZ-MAROTO Y VILLAREJO, *El blanqueo de capitales en el Derecho español*, Madrid, 1999, pp. 16 y s.; PALMA HERRERA, *Los delitos de blanqueo de capitales*, Madrid, 2000, pp. 418 y s.; GARCÍA ARÁN, en Córdoba Roda/ García Arán (dirs.), *Comentarios al Código penal. Parte especial*, Tomo I, Madrid, 2004, pp. 1155, y ss.; GÓMEZ BENÍTEZ, "Reflexiones técnicas y de política criminal sobre el delito de blanqueo de bienes", *Cuadernos de Política Criminal*, nº 91, 2007, pp. 11 y s. Tras la reforma, mantienen esta interpretación, entre otros, DEL-CARPIO-DELGADO, *RP*, 2011, pp. 22 y ss.; EL MISMO, *RGDP* 2011, pp. 11 y ss.; FABIÁN CAPARRÓS, "Consideraciones dogmáticas y político-criminales sobre el blanqueo imprudente de capitales", *Revista General de Derecho Penal*, nº 16, 2011, p. 11; FERNÁNDEZ DE CEVALLOS Y TO-

El problema que ahora se presenta es que, tras la reforma de 2010 del Cp, desde una interpretación amplia, se asume, tal como se propugna para la adquisición, conversión y transferencia, que la "mera" posesión o utilización de los bienes de procedencia delictiva puede ser constitutiva de un delito de blanqueo de capitales doloso o por imprudencia grave[5]. En consecuencia, la incorporación de la posesión y utilización como modalidades específicas de blanqueo, supone criminalizar no sólo conductas de la actividad negocial sino también conductas socialmente adecuadas o acciones de la vida cotidiana que nada tienen que ver con el delito de blanqueo de capitales[6]. Sin embargo, desde nuestro punto de vista, la reforma del Código penal de 2010 no impide seguir manteniendo una interpretación restrictiva con base en los argumentos que a continuación se desarrollan.

RRES, *Blanqueo de capitales y principio de lesividad*, 2013, p. 297; FARALDO CABANA, *EPC*, 2014, pp. 62 y ss.

[5]   En este sentido, QUINTERO OLIVARES, en tanto que, si "se atiende *literalmente* a esa afirmación habrá que concluir que podría constituir delito de blanqueo no solamente el uso por ejemplo, del automóvil robado, sino también el de cualquier bien mueble o inmueble cuyo origen esté teñido de delictuosidad como, por ejemplo, la vivienda construida cometiendo un delito urbanístico perfectamente conocido por su propietario o poseedor", "Sobre la ampliación del comiso y el blanqueo, y la incidencia en la receptación civil", *Revista Electrónica de Ciencia Penal y Criminología*, n° 12, 2010, pp. 12 y s.

[6]   De esta opinión, entre otros, ABEL SOUTO, *La Ley Penal*, 2011, p. 7; MANSO PORTO, "El blanqueo de capitales entre la dogmática y la política criminal internacional: resultados desde una perspectiva de derecho comparado", *Estudios Penales y Criminológicos*, n° XXXI, 2011, pp. 323 y s.; BERMEJO/AGUSTINA SANLLEHÍ, "El delito de blanqueo de capitales", en Silva Sánchez (dir.), *El nuevo Código penal. Comentarios a la reforma*, Madrid, 2012, pp. 448 y 452; BLANCO CORDERO, *El delito de blanqueo de capitales*, 3ª ed., 2012, p. 437; CONDE-PUMPIDO FERREIRO/SÁNCHEZ-JUNCO MANS, en Conde-Pumpido Ferreiro (dir.), *Código penal comentado, 3ª ed., con concordancias y jurisprudencia. Actualizado a la LO 5/2010 de 23 de junio de 2010*, tomo I, Barcelona, 2012, pp. 1090 y ss.; TERRADILLOS BASOCO, *Lecciones y materiales para el estudio del Derecho penal*, 2012, p. 168; VIDALES RODRÍGUEZ, *RGDP*, 2012, pp. 15 y s.; LORENZO SALGADO, en Abel Souto/ Sánchez Stewart. (coords.), *III Congreso sobre prevención y represión del blanqueo de dinero*, 2013, p. 224; MATALLÍN EVANGELIO, *RGDP*, 2013, pp. 19 y s.

2. ARGUMENTOS RELACIONADOS CON LA TÉCNICA DE TIPIFICACIÓN

1. Con anterioridad a la reforma de 2010 del Código Penal, Aránguez Sánchez, partidario de una interpretación amplia, sostenía que si la intención del legislador hubiera sido la de referirse exclusivamente a aquellas adquisiciones, conversiones o transmisiones, orientadas a cualquiera de las finalidades, el orden de los sintagmas de la frase hubiera sido el siguiente: "El que adquiera, convierta, transmita o realice cualquiera otro acto para ocultar o encubrir el origen de los bienes, sabiendo que éstos...[7]". Es decir, el inciso "sabiendo que éstos tienen..." no debería interponerse entre las conductas expresamente mencionadas con los "otros" actos que sí exigen determinadas finalidades.

Tras la reforma de 2010 del Código penal, Blanco Cordero, afirma que uno de los motivos por los que, a su juicio, el legislador opta por una interpretación amplia, es el gramatical. Sostiene que la nueva redacción del art. 301.1 Cp aleja mucho las conductas de adquirir, poseer, utilizar, convertir o transmitir de la exigencia subjetiva de la intención de ocultar o encubrir el origen de los bienes. Y es que, continúa el autor, si el legislador hubiese querido que tales finalidades típicas hubiesen abarcado estas conductas, las debería haber adelantado de manera que "cubriesen como un paraguas todas las conductas". A juicio de este autor, la redacción correcta hubiese sido "el que, para ocultar o encubrir su origen ilícito, o para ayudar a la persona que haya participado en la infracción o infracciones a eludir las consecuencias legales de sus actos, adquiera, posea, utilice, convierta, transmita o realice cualquier acto sobre los bienes, sabiendo que éstos tienen su origen en una actividad delictiva, cometida por él o por cualquier tercera persona...[8]".

Al respecto, la STS 1080/2010 expone el hecho de que la posición de la coma después de la palabra delito, ahora "actividad delictiva", separando, por un lado, los actos de adquirir, convertir y transmitir de, por otro lado, cualquier otro acto, "parece sugerir" que la exigencia de la finalidades de ocultar o encubrir su origen ilícito, o para

---

7 ARÁNGUEZ SÁNCHEZ, *El delito de blanqueo de capitales*, 2000, p. 223.
8 BLANCO CORDERO, *El delito de blanqueo de capitales*, 3ª ed., 2012, p. 505.

ayudar a la persona que haya participado en la infracción o infracciones a eludir las consecuencias legales de sus actos, se contrae exclusivamente a los actos que sean diversos de aquellos que consisten en adquirir convertir o transmitir. Esta interpretación supondría, tal como se resalta en la mencionada resolución judicial, que cualquier entrega de un bien de procedencia delictiva sería siempre, supuesto el elemento subjetivo de la consciencia o la temeridad en la imprudencia, un delito de blanqueo. Por lo tanto, tendría pena de seis meses a seis años incluso la mera entrega a un tercero ajeno al delito de un bien por escaso que sea su valor, por la exclusiva y simple circunstancia de proceder de un robo violento[9]. En esta sentencia se declara con "claridad y contundencia[10]" que "no parece que tal sea la voluntad legislativa al tipificar este delito de blanqueo. Ni se compadece con la definición extrapenal[11]".

En el mismo sentido, la STS 265/2015 resalta que la inclusión en la redacción de dos incisos —"sabiendo que éstos tienen su origen en una actividad delictiva", "cometida por él o por cualquier tercera persona"—, conduce a algunos intérpretes a estimar, erróneamente, que la finalidad esencial del blanqueo —ocultar o encubrir el origen ilícito del dinero— sólo se predica de "cualquier otro acto", y no de todas las conductas descritas en el tipo. Desde esta posición se afirma, continúa la sentencia, que el mero hecho de poseer o utilizar bienes procedentes de una actividad delictiva, conociendo su procedencia, integra el delito de blanqueo, pero esta interpretación "no puede considerarse acertada". Según esta resolución, "para comprender mejor la conducta típica conviene prescindir transitoriamente de estos dos incisos, y precisar las acciones que configuran el tipo como: el que adquiera, posea, utilice, convierta, transmita o realice cualquier otro acto para ocultar o encubrir el origen ilícito de bienes procedentes de una actividad delictiva.... La esencia del tipo es, por tanto, la expre-

---

[9] Lo mismo cabe decir de la familia que utiliza el televisor sustraído previamente por uno de sus miembros, ejemplo que se puede encontrar en el Auto 627/20014 de la Audiencia Provincial de Palma de Mallorca, AAP Palma de Mallorca, 07.11.2014.

[10] Así, expresamente, STS 1ª, 29.04.2015 (Id. Cendoj: 28079120012015100245; MP: Cándido Conde-Pumpido Tourón), FJ: Décimo.

[11] STS 1ª, 20.10.2010 (Id. Cendoj: 28079120012010101016; MP: Luciano Varela Castro), FJ: Décimo cuarto.

sión "con la finalidad de ocultar o encubrir el origen ilícito". Finalidad u objeto de la conducta que debe encontrarse presente en todos los comportamientos descritos por el tipo[12]".

2. Abel Souto, partidario de una interpretación amplia, también ha argumentado que la semántica del adjetivo "otro", como "cosa distinta de aquella de que se habla", parece cumplir una función de separación entre los verbos adquirir, convertir o transmitir y las conductas tendentes a la ocultación, encubrimiento o auxilio[13]. Sin embargo, esto supondría, tal como lo refiere Gómez Benítez, que en ese cualquier otro acto no podrían incluirse precisamente las conductas mencionadas anteriormente, "pese a ser éstas las formas paradigmáticas" de blanquear los bienes[14]. La cuestión es, si ese "otro acto" sólo es relevante penalmente si el sujeto lo realiza con cualquiera de las dos finalidades exigidas en el tipo, cuál es la razón por las que las conductas expresamente mencionadas, que de no estarlo podrían ser consideradas dentro del "otro acto", son relevantes penalmente sin la concurrencia de esas finalidades[15].

En algunos fenómenos delictivos, como en el caso del blanqueo, una técnica de tipificación basada únicamente en el casuismo puede ser perturbadora en tanto que es imposible que el tipo describa todas

---

[12] STS 1ª, 29.04.2015 (Id. Cendoj: 28079120012015100245; MP: Cándido Conde-PumpidoTourón), FJ Noveno.

[13] ABEL SOUTO, *El delito de blanqueo en el Código penal español*, 2005, p. 95.

[14] GÓMEZ BENÍTEZ, *CPC*, 2007, p. 12. A estas consideraciones TERRADILLOS BASOCO responde que esa conclusión "absurda" no es inevitable. Ni siquiera es posible, pues una lectura atenta refleja que "actuar para" consume (es más complejo que) actuar a sabiendas; de modo que cuando se actúa incorporando los fines típicos, cualquier comportamiento puede adquirir naturaleza delictiva. Mientras que, a falta de esa orientación teleológica, sólo algunos —los "paradigmáticos"— pueden ser delito, "El delito de blanqueo de capitales en el Derecho español", en Cervini/ Cesano/ Terradillos, *El delito de blanqueo de capitales de origen delictivo. Cuestiones dogmáticas y político-criminales. Un enfoque comparado: Argentina-Uruguay-España*, Argentina, 2008, p. 237.

[15] Por ello, DÍAZ Y GARCÍA CONLLEDO resalta que, la interpretación amplia tiene la dificultad de explicar porque la Ley limitaría a la adquisición, conversión y transmisión las conductas que no requieren ulterior finalidad, "pues parece claro que hay otras que pondrían en peligro similar el orden socioeconómico", "Blanqueo de bienes", en Luzón Pena (dir.), *Enciclopedia Penal Básica*, Granada, 2002, p. 206.

las formas a través de las cuales el sujeto puede "blanquear" bienes de procedencia delictiva. Así, a diferencia de otras legislaciones nacionales, la española no prevé expresamente como conducta típica la "administración", tal como se prevé, por ejemplo, en el Código penal de Austria[16].

Pero también puede ocurrir que una determinada interpretación de los verbos típicos deje fuera conductas que pueden ser idóneas para blanquear bienes. Así, por ejemplo, con relación a la conducta típica que consiste en transmitir, un sector de la doctrina española opina que lo más apropiado es trasladar la definición de transmisión que proporciona el Derecho Civil al blanqueo de capitales. Consecuentemente, la transmisión debe suponer la realización de cualquier transferencia, cesión o traspaso de bienes de procedencia delictiva, a título gratuito u oneroso, que si bien implica generalmente la incorporación de derechos sobre los bienes, no requiere la obtención de un incremento patrimonial ni la tenencia material de los bienes, siendo suficiente que se obtenga el poder de disposición sobre éstos[17].

Sin embargo, desde nuestro punto de vista, con ser correcta esta interpretación, es insuficiente en tanto que no da cabida, entre otros, a supuestos en los que la transmisión no supone la cesión de los derechos sobre los bienes o un cambio de titularidad. Por ejemplo, el transporte o traslado, de bienes de procedencia delictiva, al extranjero o desde el extranjero, o dentro del territorio nacional, tal como se prevé en la legislación de EE.UU[18]. Nos referimos a la *transmisión*

---

[16]   Véase, § 165.2) del Código penal de Austria.
[17]   De esta opinión, entre otros, ARÁNGUEZ SÁNCHEZ, *El delito de blanqueo de capitales*, 2000, p. 227 y nota 283; PALMA HERRERA, *Los delitos de blanqueo de capitales*, 2000, p. 427 y ss.; ABEL SOUTO, *El delito de blanqueo en el Código penal español*, 2005, pp. 119 y ss.
[18]   Véase, §1956 (a) (2) 18 United States Code Annotated.Esta conducta típica también está prevista en el art. 282 del Código penal de Turquía. Lo mismo cabe decir de la legislación peruana en tanto que el art. 3 del DLeg. 1106 de lucha eficaz contra el lavado de activos y otros delitos relacionados a la minería ilegal y crimen organizado, tipifica expresamente el transporte, traslado, ingreso o salida por territorio nacional de dinero o títulos valores de origen ilícito, véase al respecto, DEL-CARPIO-DELGADO, "La normativa internacional del blanqueo de capitales: análisis de su implementación en las legislaciones nacionales. España y Perú como caso de estudio", *Estudios Penales y Criminológicos*, vol. XXXV, 2015, pp. 657 y ss.

material o fáctica, entendida como el desplazamiento o traslado de los bienes de un lugar a otro o la disposición física en el espacio que se realiza sobre aquellos susceptibles de serlo, como los muebles. En este desplazamiento o traslado, es indiferente que el autor del delito sea el que directamente transmita los bienes o lo haga a través de otros medios, por ejemplo, contratando un servicio de transporte o a través del correo. Es irrelevante la transmisión de la posesión de una persona a otra porque la misma que posee los bienes puede trasladarlos de un lugar a otro sin perder en este caso la posesión sobre los mismos[19]. Lo mismo cabe decir del término "adquirir". Antes de la reforma de 2010, un sector de la doctrina consideraba que la adquisición debe suponer la incorporación del bien a un nuevo patrimonio por medio de cualquier título, oneroso o gratuito[20]. Por el contrario, desde una perspectiva amplia se sostenía que también debía quedar incluido el derecho de posesión[21].

Ahora bien, quienes excluyen la transmisión material o fáctica del concepto de transmisión o afirman que el derecho de posesión no podía incluirse dentro de la adquisición, no consideraban que estas conductas, en general, fueran atípicas. Tanto quienes se manifiestan de acuerdo con una interpretación restrictiva como quienes consideran preferible una interpretación amplia del art. 301.1 Cp, sostienen que este tipo de comportamientos podían o pueden tener cabida dentro de la cláusula abierta del cualquier otro acto[22].

---

[19]   Al respecto, véanse entre otros, BLANCO CORDERO, *El delito de blanqueo de capitales,* 1997, p. 313; DEL-CARPIO-DELGADO, *El delito de blanqueo de bienes en el nuevo Código penal,* 1997, pp. 185 y s.

[20]   De esta opinión, por ejemplo, ARÁNGUEZ SÁNCHEZ, *El delito de blanqueo de capitales,* 2000, p. 225; PALMA HERRERA, *Los delitos de blanqueo de capitales,* 2000, p. 422; ABEL SOUTO, *El delito de blanqueo en el Código penal español,* 2005, p. 106.

[21]   Así, entre otros, BLANCO CORDERO, *El delito de blanqueo de capitales,* 1997, p. 308; DEL-CARPIO-DELGADO, *El delito de blanqueo de bienes en el nuevo Código penal,* 1997, p. 173; DÍAZ Y GARCÍA CONLLEDO, en Luzón Pena (dir.), *Enciclopedia Penal Básica,* 2002, p. 207; GARCÍA ARÁN, en Córdoba Roda/ García Arán (dirs.), *Comentarios al Código penal. Parte especial,* Tomo I, 2004, p. 1156.

[22]   En este sentido, expresamente, PALMA HERRERA, *Los delitos de blanqueo de capitales,* 2000, p. 423; ABEL SOUTO, *El delito de blanqueo en el Código penal español,* 2005, p. 121. BLANCO CORDERO, *El delito de blanqueo de capitales,*

Tal como lo vienen demostrando las investigaciones realizadas en el ámbito policial y judicial, el blanqueo de capitales no consiste en la realización de un solo acto, sino que se trata de una pluralidad de acciones, que en ocasiones resultan difícilmente catalogables en cualquiera de las conductas descritas expresamente en el art. 301, 1 Cp. Ahora bien, aunque en el plano teórico pueden no tener mucha importancia las diferencias entre un acto constitutivo de adquisición y conversión, o si dentro de la adquisición también puede considerarse el derecho de posesión, hay que tener en cuenta que en aplicación del principio acusatorio, el procesado debe conocer con precisión los hechos que son objeto de la acusación y su subsunción típica. Quizá por ello, puede afirmarse que la utilización de la locución cualquier "otro" acto, se debe al temor del legislador de no dejar fuera de lo punible determinadas conductas que no puedan ser abarcadas por cualquiera de las expresamente mencionadas. Ahora bien, esto no supone asumir acríticamente la oportunidad de utilizar este tipo de cláusulas en tanto que puede constituir una violación a los principios de seguridad y taxatividad jurídicas[23]. Por ello, bajo esta fórmula sólo deben quedar abarcadas conductas que sean lo suficientemente adecuadas o idóneas para dar lugar a la ocultación o encubrimiento del origen delictivo de los bienes u otras que se realicen sobre bienes de procedencia delictiva para ayudar a los intervinientes en el delito previo a eludir las consecuencias legales de sus actos[24].

    3ª ed., 2012, p. 461; FARALDO CABANA, *EPC*, 20114, p. 59, nota a pie nº 36. En el mismo sentido, MATALLÍN EVANGELIO considera que el art. 301.1 Cp, en su versión de 1995, mantiene un "concepto limitado" de blanqueo que no criminaliza directamente la posesión o utilización, aunque sí lo hace a través de la sanción de la realización de cualquier otro acto, y también a través de las conductas de ocultación o encubrimiento previstas en el art. 301.2 Cp, *RGDP*, 2013, pp. 16 y s.

[23]   Así, en este sentido, entre otras, STS 1ª, 09.11.2012 (Id. Cendoj: 28079120012012100995; MP: Juan Ramón Berdugo Gómez de la Torre), FJ: quinto; STS 1ª, 06.02.2013 (Id. Cendoj: 28079120012013100103; MP: Alberto Gumersindo Jorge Barreiro), FJ: Décimo; STS 1ª, 06.03.2013 (Id. Cendoj: 28079120012013100251; MP: Alberto Gumersindo Jorge Barreiro) FJ: Undécimo; STS 1ª, 22.03.2013 (Id. Cendoj: 28079120012013100314; MP: Juan Ramón Berdugo Gómez de la Torre), FJ: Vigésimo octavo.

[24]   Así, DEL-CARPIO-DELGADO, *El delito de blanqueo de bienes en el nuevo Código penal*, 1997, p. 193; PALMA HERRERA, *Los delitos de blanqueo de capi-*

3. También se ha afirmado, desde quienes defienden una interpretación amplia, que si la adquisición, conversión o transmisión tienen que ser realizadas con cualquiera de las finalidades descritas en el tipo, tales verbos serían meramente ejemplificativos y su inclusión en el art. 301 Cp no tendría ningún sentido, ya que podían quedar incluidos en el cualquier otro acto[25]. En este sentido, Martínez-Buján Pérez considera que mediante la reforma de 2010 del Cp, el legislador ha confirmado la validez de esta interpretación amplia, en tanto que la mención de la utilización y posesión como nuevas modalidades específicas, "cobra pleno sentido si se trata de modalidades tasadas dentro de un tipo que no requiere la constatación de finalidad alguna y que es independiente del segundo tipo que se describe[26]", es decir, del cualquier otro acto[27]. En suma, se afirma que el legislador al incorporar estas conductas pretende castigar la "mera" adquisición, posesión, utilización, conversión o transmisión de bienes de procedencia delictiva, sin necesidad de que el autor actúe con algunas finalidades previstas en este tipo[28].

Dos cuestiones al respecto. En la descripción de las conductas el legislador español utiliza dos técnicas de tipificación, el casuismo y la cláusula general. Por un lado, se menciona expresamente cinco verbos

---

tales, 2000, p. 433; BLANCO CORDERO, *El delito de blanqueo de capitales*, 3ª ed., 2012, p. 508.

[25]   ARÁNGUEZ SÁNCHEZ, *El delito de blanqueo de capitales*, 2000, pp. 223 y s. En este sentido también TERRADILLOS BASOCO, en tanto que considera que parece "coherente entender que los actos de adquirir, convertir o transmitir tienen una significación y una función precisas, lo que los convertiría en delictivos cuando concurra consciencia del origen delictivo de los bienes", en Cervini/ Cesano/ Terradillos, *El delito de blanqueo de capitales de origen delictivo*, 2008, p. 236.

[26]   MARTÍNEZ-BUJÁN PÉREZ, *Derecho penal económico y de la Empresa*, 3ª ed., 2011, p. 490. En el mismo sentido, ABEL SOUTO, en Abel Souto/ Sánchez Stewart. (coords.), *III Congreso sobre prevención y represión del blanqueo de dinero*, 2013, pp. 175 y s.

[27]   Aunque desde un punto de vista distinto, VIDALES RODRÍGUEZ también considera que la reforma avala una interpretación amplia. Así considera que al admitir la posibilidad del autoblanqueo en relación con las conductas enumeradas en el primer inciso pero excluyendo las conductas claramente encubridoras, la reforma convalidaría una interpretación amplia del tipo, *RGDP*, 2012, p. 13.

[28]   Esta opinión también parece compartirla BLANCO CORDERO, *El delito de blanqueo de capitales*, 3ª ed., 2012, pp. 469 y s.

típicos: adquirir, poseer, utilizar, convertir o transmitir; por otro lado, una cláusula general: la realización de "cualquier otro acto".

Desde nuestro punto de vista, el hecho de que el legislador haya decidido incorporar expresamente dos conductas más, la posesión y utilización, a las ya existentes, no es argumento suficiente para afirmar que está optando por una interpretación amplia. Al margen del rechazo manifestado por importantes sectores doctrinales[29], la introducción de estas conductas típicas en el art. 301.1 Cp es innecesaria[30]. No sólo porque la posesión podía tener cabida desde una perspectiva amplia dentro de la adquisición, sino fundamentalmente porque, como hemos visto, el tipo contiene una cláusula abierta en la que podían quedar abarcadas ambas conductas[31]. Por ello no compartimos

---

[29] En este sentido, véanse entre otros, CASTRO MORENO, "Reflexiones críticas sobre las nuevas conductas de posesión y utilización en el delito de blanqueo de capitales en la reforma del Anteproyecto de 2008", *La Ley*, 2009-5, pp. 1388 y ss.; QUINTERO OLIVARES, *RECPC*, 2010, pp. 12 y s.; ABEL SOUTO, *La Ley Penal*, 2011, pp. 17 y s.; DÍAZ-MAROTO Y VILLAREJO, en Díaz-Maroto y Villarejo (dir.), *Estudios sobre las reformas del Código penal*, 2011, pp. 464 y s.; FERNÁNDEZ TERUELO, *La Ley*, 2011, pp. 4 y s.; VIDALES RODRÍGUEZ, *RGDP*, 2012, pp. 13 y s. A juicio de MATALLÍN EVANGELIO, las conductas de adquisición, posesión, uso, respecto de las que no existe compromiso de tipificación, no deberían haberse incorporado al art. 301.1 Cp o cuando menos, considera que se habría limitado en función, por ejemplo, de la tipología del delito fuente, *RGDP*, 2013, p. 20. En sentido contrario DE ALFONSO LASO, quien es de la opinión que las modificaciones que el legislador realiza son "todas ellas para bien, por lo que sin duda han de ser acogidas desde una perspectiva ilusionante en aras de combatir el delito", "La modificación del delito de blanqueo de capitales, arts. 301 y 302", en QUINTERO OLIVARES (Dir.): *La Reforma Penal de 2010: Análisis y comentarios*, Pamplona, 2010, p. 254.

[30] Aunque desde ciertos sectores de la doctrina se considere que la introducción de estas conductas responde a las obligaciones o recomendaciones contenidas en la normativa internacional. Así, DE ALFONSO LASO, en QUINTERO OLIVARES, G. (Dir.): *La Reforma Penal de 2010: Análisis ycomentarios*, 2010, p. 255; FARALDO CABANA, *EPC*, 20114, p. 60; BERMEJO/AGUSTINA SANLLEHÍ, en Silva Sánchez (dir.), *El nuevo Código penal. Comentarios a la reforma*, La Ley, Madrid, 2012, p. 454.

[31] Así, BERDUGO GÓMEZ DE LA TORRE/ FABIÁN CAPARRÓS, en tanto que en su opinión, "lo que ha hecho el legislador ha sido tipificar expresamente ciertos casos que los Tribunales han castigado al amparo de la preocupante cláusula general —que, por lo demás, permanece en el precepto— conforme a la cual puede recaer en el tipo el que "realice cualquier otro acto" de finalidad encubridora", "La "emancipación" del delito de blanqueo de capitales en el Derecho penal

la opinión de Hurtado Adrián, quien considera que su incorporación expresa en el Código penal "permite cubrir eventuales zonas de impunidad[32]".

Muchas veces, el celo por no dejar nada sin castigar, este alarde terminológico del que hace gala el legislador, sólo consigue introducir elementos de confusión e inseguridad en la determinación de la conducta típica y, desde luego, aunque se considere que se han incluido a "meros efectos aclaratorios[33]", es superflua si no aporta la claridad necesaria que toda norma penal requiere por aplicación del principio de taxatividad[34]. Y, aunque resulte extraño, teniendo en cuenta la voracidad punitiva de los últimos tiempos, la introducción de estas conductas en el art. 301.1 Cp ni avala una interpretación amplia, ni menos tiene por qué modificar el ámbito de aplicación de este precepto tal como ha sido configurado desde una interpretación restrictiva que nosotros defendemos.

Como hemos afirmado en trabajos anteriores, las conductas expresamente mencionadas en el art. 301.1 Cp deben cumplir una función indiciaria sobre la naturaleza o las características de las conductas que puedan quedar abarcadas dentro del "cualquier otro acto[35]". Sólo así se podría evitar que en aplicación de esta amplísima cláusula

---

español, *La Ley*, 2010, pp. 11 y s. Así, también, MANJÓN-CABEZA OLMEDA, "Ganancias criminales y ganancias no declaradas. (El desbordamiento del delito fiscal y del blanqueo)", en Álvarez García y otros (coords.), *Libro Homenaje al Profesor Luis Rodríguez Ramos*, Valencia, 2013, p. 670.

32   HURTADO ADRIÁN, "Blanqueo de capitales. (Art. 301.1)", en Juanes Peces (dir.), *Reforma del Código penal. Perspectiva económica tras la entrada en vigor de la Ley orgánica 5/2010 de 22 de junio. Situación jurídico-penal del empresario*, Madrid, 2010, pp. 249 y s.

33   En ese sentido, resaltando que la introducción de estas conductas no suponen una novedad material, DÍAZ Y GARCÍA CONLLEDO, en Abel Souto/ Sánchez Stewart, *III congreso sobre prevención y represión del blanqueo de dinero*, 2013, p. 289.

34   Así, por ejemplo, VIDALES RODRÍGUEZ, considera que si la reforma de 2010 pretendía unificar la definición de blanqueo a efectos penales y administrativos, tal objetivo no se ha conseguido, sino por el contrario produce unos "claros efectos perturbadores", *RGDP*, 2012, p. 14.

35   DEL-CARPIO-DELGADO, *El delito de blanqueo de bienes en el nuevo Código penal*, 1997, p. 169; EL MISMO, *RP*, 2011, pp. 25 y ss.; EL MISMO, *RGDP*, 2011, pp. 21 y ss.

se castiguen conductas que nada tienen que ver con el blanqueo de capitales, o como autoría lo que *stricto sensu* sería una forma de participación.

En este sentido, la STS56/2014 resalta la necesidad de interpretar esta expresión de forma que se evite que la excesiva generalización de su contenido suponga una vulneración del principio de legalidad, por falta de determinación de la conducta típica. A tal fin considera que una restricción de su contenido puede venir dada por la exigencia de que este cualquier otro acto "implique una operación directa, personal o interpuesta, con los bienes sobre los que se actúa, pues los tres verbos rectores, adquirir, por sí o por persona o institución interpuesta, convertir y transmitir, suponen una actuación operativa directa sobre los bienes de procedencia ilícita y delictiva[36]".

Para concluir, si bien un análisis de la conducta típica debe partir de la literalidad del precepto para no infringir el principio de legalidad, tal como refiere Palma Herrera[37], el argumento de carácter sintáctico en el que se basan quienes defienden una interpretación amplia de la conducta típica prevista en el art. 301. 1 Cp no es suficiente, en tanto que la redacción del tipo permite también una interpretación restrictiva, más acorde con otros principios del ordenamiento jurídico como el de intervención mínima, proporcionalidad, entre otros. Y es que, la ausencia en el lugar adecuado de las comas, su colocación, ausencia o exceso y el orden de la descripción de las conductas típicas[38], no son argumentos suficientes para descartar la posibilidad de realizar una interpretación restrictiva, tal como se sostiene en las resoluciones judiciales vistas anteriormente.

---

[36] STS 1ª, 06.02.2014 (Id. Cendoj: 28079120012014100211; MP: Andrés Martínez Arrieta), FJ: Vigésimo. En el mismo sentido, STS 1ª, 27.06.2014 (Id. Cendoj: 28079120012014100520; MP Carlos Granados Pérez).

[37] PALMA HERRERA, *Los delitos de blanqueo de capitales*, 2000, p. 408.

[38] Resaltando que estas deficiencias técnicas no dejan cerrada la cuestión del ámbito de aplicación del art. 301.1 Cp, DÍAZ Y GARCÍA CONLLEDO, en Abel Souto/ Sánchez Stewart, *III congreso sobre prevención y represión del blanqueo de dinero*, 2013, p. 289.

3. COHERENCIA CON LOS DOCUMENTOS INTERNACIONALES Y REGIONALES

Abel Souto considera que la Convención de Viena de 1988, el Convenio de Estrasburgo y la Directiva 91/308 CEE, "demandan que se tipifique la mera adquisición, posesión o utilización de bienes con conocimiento de que proceden de determinados delitos, conductas para las que no exigen ningún propósito[39]". Apoyando esta postura, Martínez-Buján Pérez sostiene que, en coherencia con los textos supraestatales, el legislador habría decidido castigar, por ejemplo, la simple adquisición de bienes delictivos carentes de finalidades[40]. También se alega que el GAFI dejó claro que era necesario castigar la posesión y la utilización sin que importe la finalidad con la que se llevan a cabo. Por ello, y "porque los principios constitucionales y los conceptos fundamentales del ordenamiento jurídico español no lo impiden", el legislador español habría optado por una interpretación amplia[41].

En nuestra opinión, estas afirmaciones no son del todo correctas, por lo que no pueden ser asumidas en su totalidad.

En primer lugar, dentro de los documentos internacionales debe distinguirse según el documento en cuestión, tenga naturaleza penal o administrativa. Además, debe tenerse en cuenta el grado de vinculación de estos documentos con el legislador penal, porque si bien algunos son de obligado cumplimiento para el Estado Parte, otros, como los informes o recomendaciones, no lo son.

1. La normativa internacional que prevé la tipificación como delito de las conductas constitutivas de blanqueo de capitales distingue en-

---

[39]	ABEL SOUTO, *El delito de blanqueo en el Código penal español*, 2005, p. 97; EL MISMO, en Abel Souto/ Sánchez Stewart. (coords.), *III Congreso sobre prevención y represión del blanqueo de dinero*, 2013, p. 175.

[40]	MARTÍNEZ-BUJÁN PÉREZ, *Derecho penal económico y de la Empresa*, 4ª ed., 2013, p. 607.
Aunque refiriéndose a la totalidad de la reforma producida en 2010 del Código penal, como afirma MANJÓN-CABEZA OLMEDA, ni las Convenciones de Naciones Unidas ni las Directivas de la Unión Europea "son las culpables de nuestro actual texto legal", en Álvarez García y otros (coords.), *Libro Homenaje al Profesor Luis Rodríguez Ramos*, Valencia, 2013, p. 664.

[41]	BLANCO CORDERO, *El delito de blanqueo de capitales*, 3ª ed., 2012, p. 505.

tre aquellas que son de obligada tipificación por los Estados Parte, de aquellas cuya tipificación queda condicionada a reserva de los principios constitucionales y de los conceptos fundamentales del ordenamiento jurídico de los Estados Parte.

Por un lado, de conformidad con el art. 3.1.b).i) de la Convención de Viena, deben tipificarse como delito la conversión o la transferencia de bienes a sabiendas de que tales bienes proceden de alguno o algunos de los delitos relativos al tráfico ilícito de drogas, o de un acto de participación en tal delito o delitos, con objeto de ocultar o encubrir el origen ilícito de los bienes o de ayudar a cualquier persona que participe en la comisión de tal delito o delitos a eludir las consecuencias jurídicas de sus acciones. La misma disposición con ligeras variaciones que veremos más adelante se contiene en las Convenciones de Palermo[42] y Mérida[43] y en el Convenio de Varsovia[44].

Los verbos utilizados en la descripción del tipo son dos: la "conversión" y la "transferencia", si bien en el Convenio de Varsovia se utiliza el término transmisión. En estos documentos internacionales, la conversión o la transferencia requieren que el sujeto actúe con una determinada finalidad. Estas finalidades son dos: (i) ocultar o encubrir el origen ilícito de los bienes; o (ii) ayudar a cualquier persona que participe en la comisión de tal delito o delitos a eludir las consecuencias jurídicas de sus acciones. La primera de ellas se expresa en términos del bien, en tanto que el sujeto debe actuar para encubrir el origen ilícito del bien. Así, toda conversión o transferencia de bienes puede tener el efecto de ocultar o encubrir el origen de los bienes, pero lo que se exige es que se haga con ese propósito, que el sujeto actúe con esa motivación. La segunda finalidad se refiere a ayudar a cualquier persona a eludir las consecuencias legales de su participación en el delito o delitos. Como se determina en los Comentarios a la Convención de Viena, existe un solapamiento entre estos dos propósitos pues en

---

42 NACIONES UNIDAS, *Convención de las Naciones Unidas contra la Delincuencia Organizada Transnacional,* Palermo, 2000.
43 NACIONES UNIDAS, *Convención de las Naciones Unidas contra la Corrupción,* Mérida, 2003.
44 CONSEJO DE EUROPA, *Convenio del Consejo de Europa relativa al blanqueo, seguimiento, embargo y comiso de los productos del delito y a la financiación del terrorismo,* Varsovia, 2005.

muchos casos ambos serán coincidentes, ya que el origen ilícito de los bienes se encubrirá a fin de reducir la posibilidad de decomisarlos y de sentenciar al delincuente[45].

Por otro lado, de conformidad con el art. 3.1.b).i) de la Convención de Viena, el legislador nacional también debe tipificar como delito la ocultación o el encubrimiento de la naturaleza, el origen, la ubicación, el destino, el movimiento o la propiedad reales de bienes, o de derechos relativos a tales bienes, a sabiendas de que proceden de alguno o algunos de los delitos relativos al tráfico ilícito de drogas, o de un acto de participación en tal delito o delitos. Los verbos típicos utilizados en este precepto también son dos, "ocultación" y "encubrimiento"; aunque este último verbo, en las Convenciones de Palermo y Mérida, y en el Convenio de Varsovia, es sustituido por el de "simulación". Como podrá observarse, en la descripción de estas conductas no se requiere que el autor deba actuar con alguna finalidad o propósito, tal como se exige para la conversión y la transferencia, sin embargo, de acuerdo con los Comentarios a la Convención de Viena, esto parece estar implícito en el lenguaje utilizado[46].

En segundo lugar, también se prevén algunas conductas sujetas a la cláusula de salvaguarda o reserva. El art. 3.1.c) de la Convención de Viena dispone que a reserva de sus principios constitucionales y de los conceptos fundamentales de su ordenamiento jurídico, los Estados Parte se comprometen a tipificar como delito la adquisición, la posesión o la utilización de bienes a sabiendas, en el momento de recibirlos, de que tales bienes proceden de alguno o algunos de los delitos tipificados de conformidad con el inciso a) del presente párrafo o de un acto de participación en tal delito o delitos. Esta cláusula de reserva también se contiene en el resto de la normativa internacional, si bien en las Convenciones de Palermo y Mérida se dice: "con sujeción a los conceptos básicos de su ordenamiento jurídico". Esta cláusula tiene como objetivo principal, según se desprende de los Comentarios a la Convención de Viena, reconocer las dificultades de algunos Estados en relación con el alcance de estas conductas. Se afirma que, si

---

[45]   NACIONES UNIDAS, *Comentarios a la Convención de las Naciones Unidas contra el Tráfico Ilícito de Estupefacientes y Sustancias Sicotrópicas*, Nueva York, 1998, párr. 3.49.

[46]   NU, *Comentarios a la Convención de Viena*, 1998, párr. 3.50.

bien éstas suelen estar contenidas en algunas normas o resoluciones judiciales, pueden ser irreconciliables con la tipificación expresa de algunas conductas[47]. Sin embargo, según los redactores del Informe Explicativo al Convenio de Varsovia, en el que también se prevé esta cláusula, en la medida en que la tipificación de cualquiera de las conductas no es contraria a dichos principios o conceptos, el Estado Parte tiene la obligación de tipificar como delito las conductas descritas anteriormente[48].

Con todo, aunque los anteriores documentos internacionales tengan carácter vinculante, eso no supone que España, como Estado Parte, tenga la obligación de incorporar literalmente sus disposiciones en su Derecho interno porque, por lo general, éste exige niveles más altos de claridad y de especificidad con la finalidad de respetar el principio de legalidad y con éste el de seguridad jurídica. Por ello, las definiciones de blanqueo de capitales que se dan en los instrumentos internacionales deben ser consideradas como una definición de mínimos o como un punto de referencia a partir del cual el legislador penal español debe tipificar como delito el blanqueo de capitales. En este tema, como en cualquier otro previsto en la normativa internacional, la descripción de los tipos penales queda reservada al derecho interno de los Estados Parte, tal como se dispone, por ejemplo, en la Convención de Mérida. En el numeral 9 del art. 30 de esta Convención se reconoce expresamente que: "Nada de lo dispuesto en la presente Convención afectará al principio de que la descripción de los delitos tipificados con arreglo a ella y de los medios jurídicos de defensa aplicables o demás principios jurídicos que regulan la legalidad de una conducta queda reservada al derecho interno de los Estados Parte y de que esos delitos habrán de ser perseguidos y sancionados de conformidad con ese derecho".

Además de tener en cuenta este principio, también hay que considerar que, como hemos advertido *supra,* en estos instrumentos internacionales se contiene una cláusula de salvaguarda según la cual la tipificación como delitos de la "mera" adquisición, posesión o utilización debe ser acorde con la Constitución y los principios fundamen-

---

[47]   NU, *Comentarios a la Convención de Viena*, 1998, párr. 3.66.
[48]   CONSEIL DE L'EUROPE, *Rapport explicatif* STCE n° 198, párr. 94.

tales del ordenamiento jurídico de cada uno de los Estados Parte. Lo que supone que el legislador nacional, a partir de la determinación del bien jurídico que pretende proteger, contemplará una definición más amplia o más restrictiva del blanqueo de capitales que la prevista en estas Convenciones y que no entre en conflicto con su ordenamiento jurídico.

Resumiendo. Según la normativa internacional vista anteriormente, el legislador español, en primer lugar, tiene la obligación de tipificar como delito la conversión y transmisión siempre que el autor de las mismas actúe para ocultar o encubrir el origen ilícito de los bienes; o, para ayudar a cualquier persona que participe en la comisión de tal delito o delitos a eludir las consecuencias jurídicas de sus acciones. En segundo lugar, el legislador, sólo si ello no supone una contravención a nuestros principios constitucionales y a los conceptos fundamentales de nuestro ordenamiento jurídico, se compromete a tipificar la "mera" adquisición, posesión o utilización de bienes, siempre que en el momento de recibirlos conozcan su procedencia delictiva[49]. Al respecto, cabe recordar que en el Informe del CGPJ ya se resaltaba que las conductas que el artículo 3.1 de la Convención incluye en su tercer grupo bajo la letra c), adquisición, posesión y utilización, no son de obligatoria tipificación por los Estados Parte, a diferencia de las conductas de los dos primeros grupos de las letras a) (delitos de tráfico de drogas) y b) (delito de blanqueo por conversión, transferencia, o por ocultación o encubrimiento)[50].

2. A nivel regional, las Directivas aprobadas en el seno de la Unión Europea y del Consejo reproducen lo previsto en los documentos internacionales vistos anteriormente. Así, el art. 1.2 de la Directiva 2005/60/CE, dispone que "las siguientes actividades, realizadas intencionadamente, se considerarán blanqueo de capitales: a) la conversión o la transferencia de bienes, a sabiendas de que dichos bienes proceden de una actividad delictiva o de la participación en ese tipo de actividad, con el propósito de ocultar o encubrir el origen ilícito de los

---

[49] En este sentido, BLANCO CORDERO, *El delito de blanqueo de capitales*, 3ª ed., 2012, p. 467.

[50] CGPJ, *Informe sobre el Anteproyecto de Ley Orgánica de reforma de la Ley Orgánica 10/1995, de 23 de noviembre, del Código penal*, 18 de febrero de 2009, p. 121.

bienes o de ayudar a personas que estén implicadas en dicha actividad a eludir las consecuencias jurídicas de su acto; ... c) la adquisición, posesión o utilización de bienes, a sabiendas, en el momento de la recepción de los mismos, de que proceden de una actividad delictiva o de la participación en ese tipo de actividad; ...[51]".

Como se observa, esta Directiva, al igual que las anteriores, prescinde de la cláusula de reserva. Es decir, al describir las conductas constitutivas de blanqueo, no distingue entre las conductas cuya tipificación es obligatoria para los Estados de aquellas cuya tipificación queda condicionada a los principios constitucionales y los conceptos básicos de los ordenamientos jurídicos internos[52]. Y es que, en esta clase de documentos, esta cláusula de reserva no es necesaria. Las Directivas, al ser de naturaleza administrativa[53], no vinculan ni menos obligan al legislador penal a tipificar como delitos determinadas conductas constitutivas de blanqueo de capitales[54].

Cuando se aprueba la primera Directiva 91/308/CEE, si bien en uno de sus considerandos se mantiene que "el blanqueo de capitales debe combatirse principalmente con medidas de carácter penal", su artículo 2 dispone que los Estados miembros velarán para que "el blanqueo de capitales, tal y como se define en la presente Directiva, quede prohibido[55]", pero en su contenido no se menciona de qué for-

---

[51]   PARLAMENTO EUROPEO/ CONSEJO DE LA UNIÓN EUROPEA, "Directiva 2005/60/CE del Parlamento Europeo y del Consejo", de 26 de octubre de 2005 relativa a la prevención de la utilización del sistema financiero para el blanqueo de capitales y para la financiación del terrorismo, Diario Oficial de la Unión Europea, n° L 309, 25.11.2005.

[52]   ARÁNGUEZ SÁNCHEZ, El delito de blanqueo de capitales, 2000, pp. 116 y s.

[53]   Al respecto, véase, PALMA HERRERA, Los delitos de blanqueo de capitales, 2000, p. 47.

[54]   En sentido contrario, MATALLÍN EVANGELIO ya que en su opinión "la normativa comunitaria impone obligaciones de tipificación con relación al blanqueo de capitales". Y que la aplicación de los "contenidos penales" de las Directivas, que determina obligaciones legislativas futuras para los Estados miembros, exigirá su transposición mediante ley orgánica. Sin embargo, en el desarrollo de su trabajo termina concluyendo, al igual que se hace en este trabajo, que las Directivas Europeas no imponen "ninguna obligación concreta de criminalización para los Estados miembros", RGDP, 2013, pp. 4, 14 y s.

[55]   CONSEJO DE LAS COMUNIDADES EUROPEAS, Directiva 91/308/CEE del Consejo, de 10 de junio de 1991, relativa a la prevención de la utilización del sis-

ma o a través de qué normas, si administrativas o penales, el blanqueo debe quedar prohibido[56]. Precisamente por ello, tras su firma, los Estados tuvieron que suscribir una declaración en la que se comprometían a tomar, antes del 31 de diciembre de 1922 a más tardar, "todas las medidas necesarias para poner en vigor una legislación penal que les permita cumplir sus obligaciones derivadas", tanto de la Convención de Viena como del Convenio del Consejo de Europa[57].

En la Directiva 2005/60/CE desaparece toda mención a la necesidad de combatir el blanqueo de capitales a través de medidas penales y en el encabezamiento del artículo 1 se dispone únicamente que los Estados miembros "velarán porque el blanqueo de capitales y la financiación del terrorismo queden prohibidos". Por ello, el compromiso que asumen los Estados miembros es poner en vigor las "disposiciones legales, reglamentarias y administrativas" necesarias para dar cumplimiento a lo dispuesto en la presente Directiva a más tardar el 15 de diciembre de 2007.

Como puede apreciarse, España no está obligada por las Directivas de la Unión Europea sobre el blanqueo de capitales a tipificar la "mera" adquisición, posesión o utilización, porque son normas de naturaleza administrativa que no vinculan al legislador penal. Por ello, es incorrecto afirmar, tal como hacen algunos autores, que el legislador español está obligado a tipificar estas modalidades de blanqueo, porque así lo "demandan" estos instrumentos.

3. Aunque de una naturaleza completamente distinta a los documentos anteriores, es oportuno referirnos también a los documentos del Grupo de Acción Financiera Internacional (GAFI o FATF). Según se dispone en la Tercera de las Recomendaciones del GAFI (versión

tema financiero para el blanqueo de capitales, Diario Oficial de las Comunidades Europeas N° 166, 26.06.1991.

56   PALMA HERRERA, _Los delitos de blanqueo de capitales_, 2000, p. 48.

57   CONSEJO DE LAS COMUNIDADES EUROPEAS, "Declaración de los representantes de los Gobiernos de los Estados miembros reunidos en el seno del Consejo", _Diario Oficial de las Comunidades Europeas_, n° 166, 26.06.1991, p. 83.

2012), los países "deben tipificar el lavado de activos en base a la Convención de Viena y la Convención de Palermo[58]".

Este organismo, en su informe de evaluación mutua de 2006 sobre la acomodación de la legislación española a tales recomendaciones resaltaba que, en general, el blanqueo de capitales está tipificado de acuerdo con estos documentos internacionales. Sin embargo, se señala que el art. 301 Cp no castiga de manera expresa las conductas de posesión y utilización, ni menos existe como alternativa una lista abierta en la que puedan incluirse las conductas que recaigan sobre el producto del delito que cubra la posesión y la utilización en toda su extensión requerida tal como se prevé en el art. 3 (1) (c) (1) de la Convención de Viena y en el artículo 6 (1) (b) (i) de la Convención de Palermo. Si bien, se reconoce que estas conductas podrían ser subsumibles en el art. 301.2 Cp si se trata de la ocultación o encubrimiento de la verdadera naturaleza, origen, ubicación, destino, movimiento o derechos sobre los bienes o propiedad de los mismos; o en el "cualquier otro acto" del art. 301.1 Cp, si se realizan con la finalidad de ocultar o encubrir el origen ilícito de los bienes o de ayudar a la persona que haya participado en el delito o delitos a eludir las consecuencias jurídicas de sus actos[59]. A pesar de ello, y de resaltar que según los Fiscales, el delito de blanqueo de capitales se aplica con éxito y de no contar con estadísticas completas sobre los procedimientos y condenas por lavado de dinero, "recomiendan" que el legislador penal tipifique de manera expresa en al art. 301 Cp las conductas de posesión y utilización en los términos previstos por las Convenciones de Viena y Palermo[60].

Esta puede ser la razón por la que el legislador decide incorporar expresamente estas conductas en el Código penal[61] de forma que, tal como se declara en el Informe de evaluación mutua realizado en

---

[58]   GAFI-FATF, *Las Recomendaciones Del GAFI, Estándares internacionales sobre la lucha contra el lavado de activos y el financiamiento del terrorismo y la proliferación*, Febrero de 2012.

[59]   GAFI-TATF, *Third Mutual Evaluation Report on Anti-Money Laundering and Combating The Financing of Terrorism, Spain*, 23 June 2006, párrs. 8 y 87.

[60]   GAFI-TATF, *Third Mutual Evaluation Report on Anti-Money Laundering and Combating The Financing of Terrorism, Spain*, 23 June 2006, párr. 112.

[61]   De esta opinión, BLANCO CORDERO, *El delito de blanqueo de capitales*, 3ª ed., 2012, p. 505; CORCOY BIDASOLO, *RDF*, 2012, p. 66.

2014, una de las "principales deficiencias técnicas detectadas", fue abordada a través de la modificación de 2010 del Código penal que introdujo la posesión y la utilización[62]. Según el mencionado documento, el blanqueo de capitales está tipificado como delito con arreglo a los arts. 3 (1) (b) y (c) de la Convención de Viena y al art. 6 (1) de la Convención de Palermo, de una forma que, en líneas generales, es acorde con las Recomendaciones del GAFI[63].

Reconociendo la labor que viene realizando el GAFI en la lucha contra el blanqueo de capitales, no por ello la legislación penal debe adecuarse, sin más, al contenido de sus Recomendaciones ni menos a las que se realizan a través de sus informes de evaluación, en tanto que sería más que discutible reconocer, sin ningún tipo de condicionamiento, cualquier efecto vinculante para el legislador penal[64]. Si así fuera, entonces todos los países habrían incorporado tal cual la normativa internacional sobre blanqueo a sus respectivas legislaciones nacionales[65]. Se habría consumado esa colonización jurídica que se denuncia o, tal como también se recomienda, se tendrían que prever penas más duras aún de las que ya se contemplan en el Código penal. Pero esto realmente no es así ni tiene por qué ser así y vamos a verlo con dos ejemplos.

El primero relacionado con el principio de que la descripción de los delitos queda reservada al Derecho interno. Si bien el art. 468 *ter* del Código penal italiano castiga el empleo o utilización de dinero, bien u otra utilidad procedente del delito, en "actividad económica o financiera", no puede decirse, que se castigue la "mera" posesión

---

[62]   La misma referencia puede encontrarse en, GAFI-FATF, *Mutual Evaluation Fourth Follow-Up Report Anti-Money Laundering and Combating the Financing of Terrorism, Spain*, 22 October 2010, párr. 108.

[63]   GAFI-FATF *Medidas contra el blanqueo de capitales y la financiación del terrorismo, Informe de Evaluación Mutua*, diciembre 2014, párra. a3.1.

[64]   Y es que tiene razón BAJO FERNÁNDEZ, cuando afirma que este organismo internacional "confunde los fines preventivos, políticos y policiales en la lucha contra la criminalidad organizada con la función del Derecho penal", en "El desatinado delito de blanqueo de capitales", en Bajo Fernández/Bacigalupo S. (edits.), *Política criminal y blanqueo de capitales*, Madrid 2009, p. 12.

[65]   Por ello, estamos de acuerdo con la opinión de CORCOY BIDASOLO, cuando afirma que "pese a la falta de legitimidad democrática, viene condicionando a los Estados no solo a perseguir el blanqueo, sino que lo define y determina las conductas típicas", *RDF*, 2012, p. 66.

o utilización tal como se prevé en la Convención de Viena. Y no por ello, en el informe de evaluación mutua realizado en 2006 se recomienda que se tipifiquen tales conductas en los mismos términos previstos en la citada Convención[66]. Es más, tras la reforma de 2014 del Código penal italiano, el art. 648 ter castiga el empleo, sustitución, transferencia, en actividad económica, financiera, empresarial o especulativa, del dinero, o bien otra utilidad procedente de la comisión de un delito doloso, *de modo que "dificulten u obstaculicen la identificación de su origen delictivo[67]"*. Como podrá observarse, en ninguno de los dos preceptos se castigan conductas de mera adquisición, posesión o utilización.

Otro ejemplo puede ser la normativa peruana. El DLeg. nº 1106, de lucha eficaz contra el lavado de activos y otros delitos relacionados a la minería ilegal y crimen organizado, prevé tres tipos básicos de blanqueo de capitales en los que, además de requerir que el sujeto conozca el origen ilícito de los bienes, debe actuar "con la *finalidad*" de evitar la identificación del origen, incautación o decomiso de éstos. Para conseguir esta finalidad, el sujeto puede: (i) convertir o transferir bienes (Art. 1. Actos de conversión y transferencia); (ii) adquirir, utilizar, guardar, administrar, custodiar, recibir, ocultar o mantener en su poder bienes (art. 2. Actos de ocultamiento y tenencia); o (iii) transportar, trasladar, hacer ingresar o hacer salir bienes (Art. 3. Transporte, traslado, ingreso o salida por territorio nacional de dinero o títulos valores de origen ilícito). Como puede observarse, todas las conductas expresamente previstas son típicas siempre que el sujeto actúe con la finalidad descrita en el respectivo precepto[68]. Y hay que hacer hincapié en que esta exigencia se extiende a las conductas que según la normativa internacional no requieren tal finalidad, como es el caso,

---

[66] GAFI-TATF, *Mutual Evaluation Report on Anti-Money Laundering and Combating The Financing of Terrorism, Italy*, 28 February 2006.

[67] LEGGE 15 dicembre 2014, n. 186, Disposizioni in materia di emersione e rientro di capitalidetenutiall'esterononche per ilpotenziamentodellalottaall'evasionefiscale. Disposizioni in materia di autoriciclaggio, GU n. 292 del 17-12-2014.

[68] Véase ampliamente al respecto, CARO CORIA, "Sobre el tipo básico de lavado de activos", *Anuario de Derecho Penal Económico y de la Empresa*, nº 2, 2012, pp. 196 y ss.; GÁLVEZ VILLEGAS, *El delito de lavado de activos. Criterios sustantivos y procesales. Análisis del Decreto Legislativo nº 1106*, 2014, pp. 159 y ss.

por ejemplo, de la adquisición o utilización. Ahora bien, al igual que sucede con Italia, en los informes de evaluación mutua no se ha recomendado un cambio legislativo que permita castigar estas conductas sin tener en cuenta las finalidades por las que el sujeto las realiza, o tal como se contemplan en las Convenciones de Viena o de Palermo.

El segundo ejemplo está relacionado con la compatibilidad de las recomendaciones del GAFI con los principios de nuestro ordenamiento jurídico. En las conclusiones principales del Informe de 2014, se declara expresamente que España ha logrado "éxitos significativos" en la investigación, persecución y enjuiciamiento de delitos de blanqueo de capitales" en tanto que las autoridades han demostrado su capacidad para trabajar con éxito en importantes y complejos casos de blanqueo de capitales hasta lograr una condena, y muestran niveles muy elevados de eficacia en la investigación, persecución y enjuiciamiento de estos delitos. "No obstante, el efecto disuasorio y la proporcionalidad de las sanciones impuestas por delitos de blanqueo de capitales es motivo de preocupación. Las multas suelen cifrarse en millones de euros, pero las penas de prisión impuestas en la práctica son bajas, incluso en casos graves de blanqueo, al igual que los períodos de inhabilitación previstos para profesionales declarados culpables de haber colaborado a sabiendas en delitos de blanqueo de capitales". Por ello, teniendo en cuenta que "recientemente se ha observado una tendencia a imponer sanciones más severas, aunque los motivos no están claros", recomiendan que debiera considerarse la conveniencia de que los jueces dispongan de orientaciones sobre condenas, o si se podrían adoptar otras medidas que fomenten esta reciente tendencia, especialmente en los casos más graves de blanqueo de capitales. En suma, recomiendan penas más graves[69].

Desde luego que, por ejemplo, para legislaciones que contemplan la pena de prisión perpetua para los reincidentes en delitos de robo con violencia o intimidación(véanse las famosas leyes de los *Three*

---

[69]   Esta recomendación contrasta con la denuncia que realiza un sector doctrinal sobre el castigo con penas desproporcionadas conductas muy alejadas de la puesta en peligro del bien jurídico que protege este delito. Así, MUÑOZ CONDE, "El delito de blanqueo de capitales y el Derecho penal del enemigo", en Abel Souto/ Sánchez Stewart. (coords.), *III Congreso sobre prevención y represión del blanqueo de dinero*, Valencia 2013, p. 376.

Strikes en Estados Unidos*)*, una pena de prisión de hasta seis años, tal como se contempla para el delito de blanqueo de capitales en el Código penal español, puede que no sea considerada como disuasoria ni menos proporcional. Sin embargo, el pretendido efecto disuasorio que se busca a través de la previsión y/o imposición de penas muy graves es más que cuestionable. En países que han contemplado o contemplan penas especialmente severas para castigar el blanqueo de capitales, como la cadena perpetua o prisión por tiempo de más de 20 años, tal efecto disuasorio es nulo, tal como lo demuestra el número de procedimientos y condenas por este delito[70]. Por ello, las recomendaciones que se realizan a través del GAFI no tienen por qué ser consideradas como de obligado cumplimiento o trasladadas sin más al Código penal. Cualquier reforma que se pretenda realizar con base a éstas, debe hacerse respetando los principios que rigen el ordenamiento jurídico español y, sobre todo, en coherencia con los límites del *ius puniendi*.

Visto lo anterior, en los documentos internacionales que vinculan al legislador penal, la conversión o la transmisión son típicas en tanto que el sujeto actúa con la finalidad de ocultar o encubrir el origen ilícito de los bienes o ayudar a los intervinientes en el delito previo a eludir las consecuencias legales de sus actos. Si este elemento debe estar presente en la comisión de estas dos conductas, por coherencia, también deben estarlo para el resto de ellas, es decir, en la adquisición, posesión o utilización. Pero no creemos oportuno realizar un razonamiento en sentido contrario que termine avalando precisamente lo

---

[70] Así, por ejemplo, en el Informe del GAFI sobre Evaluación Mutua del régimen antilavado de activos (ALA) y contra el financiamiento del terrorismo (CFT) del Perú de 2008, se establecía expresamente que "Tanto las penas aplicables a las personas físicas en función de la comisión del delito de lavado de activos —que van desde los ocho hasta los quince años de privación de libertad, y de los diez hasta los treinta y cinco años en alguna de sus formas agravadas (artículo 3 de la Ley 27765 y artículo 29 del Código Penal según texto dado por el artículo 1° Decreto Legislativo n° 982)—, así como las consecuencias jurídicas accesorias y sanciones administrativas imponibles a las personas jurídicas de conformidad con las disposiciones de la SBS referidas presentemente, *se estiman eficaces, proporcionales y disuasivas. No obstante, no se presentó evidencia de su aplicación en casos concretos*", Informe de Evaluación Mutua, Antilavado de Activos y contra el Financiamiento del terrorismo del Perú (3ra Ronda), julio de 2008, p. 14.

que se denuncia. Quienes defienden una interpretación amplia y se apoyan en la normativa internacional para afirmar que la tipicidad de las conductas expresamente previstas no está condicionada a que el autor las realice con cualquiera de las finalidades típicas, pretenden convertir en regla lo que es una excepción. Así, asumen tácita o expresamente que, como en los documentos internacionales se castiga la "mera" adquisición, posesión o utilización, también debería castigarse la "mera" conversión o transferencia, algo que, insistimos, no disponen los documentos internacionales que vinculan al legislador penal[71].

4. RAZONES LÓGICO-SISTEMÁTICAS Y TELEOLÓGICAS

En los epígrafes anteriores hemos concluido que, en primer lugar, no existen razones gramaticales ni de técnica legislativa que obliguen a asumir una interpretación amplia, por cuanto el tenor literal del tipo, también admite una interpretación restrictiva. Y, en segundo lugar, los instrumentos internacionales que vinculan al legislador penal tampoco obligan a castigar la "mera" adquisición, posesión, conversión, utilización o transmisión de bienes de procedencia delictiva. Siendo importantes estas dos razones para avalar una interpretación restrictiva, puede que no sean suficientes. Dado lo farragoso que ha terminado siendo el contenido del art. 301.1 Cp, es necesario que no se interprete de manera excesivamente formalista y sea obligado interpretarlo utilizando otros métodos como el lógico-sistemático o el teleológico.

1. Tanto quienes defienden una interpretación amplia como estricta del ámbito de aplicación del art. 301.1 Cp coinciden en una premisa: las absurdas consecuencias a que nos lleva considerar como constitutivas de delito de blanqueo de capitales la "mera" posesión

---

[71]   DEL-CARPIO-DELGADO, *RP*, 2011, p. 23; EL MISMO, *RGDP*, 2011, pp. 13 y s. Así también FARALDO CABANA, para quien "la obligación de interpretar las normas nacionales de conformidad con la normativa internacional lleva a entender necesariamente que el objetivo de ocultar o encubrir el origen ilícito o ayudar a la persona a eludir las consecuencias de sus actos es predicable de las conductas de conversión o transmisión. Si lo es de ellas, gramaticalmente también lo es de las restantes, que no están expresamente excluidas", *EPC*, 2014, pp. 65 y s.

o utilización de los bienes de origen delictivo[72]. Así, retomando un ejemplo anterior, sería constitutiva de blanqueo de capitales, doloso o por imprudencia grave, la conducta de la mujer que acepta el anillo de compromiso adquirido por su futuro marido con dinero procedente de un delito de malversación de caudales públicos, o la utilización del coche, que tiene origen en un acto de cohecho en el que ha intervenido su futuro suegro, para ser traslada a la iglesia[73].

Sin embargo, la diferencia fundamental entre ambas posturas es que quienes optan por una interpretación amplia no tienen más que asumir que esto es o puede ser así[74]. En este sentido, Abel Souto considera que para quienes sostienen que el art. 301.1 Cp "a la luz tanto de la interpretación gramatical y teleológica como de los documentos internacionales, no solo actos indeterminados tendentes a la ocultación, encubrimiento o auxilio, sino también *la nuda adquisición, conversión y transmisión de bienes* con conocimiento de que derivan de un delito, pero sin importar la finalidad que guía al blanqueador, *la Ley Orgánica 5/2010 equipararía la posesión y utilización objetivas*

---

[72] Así, por ejemplo, entre otros, CASTRO MORENO, *La Ley,* 2009, p. 1; QUINTERO OLIVARES, *RECPC,* nº 12, 2010, p. 20; ABEL SOUTO, *La Ley Penal,* 2011, pp. 6, 9 y 14; DEL-CARPIO-DELGADO, *RP* 2011, pp. 26 y s.; CORCOY BIDASOLO, *RDF,* 2012, p. 65; MANJÓN-CABEZA OLMEDA en Álvarez García y otros (coords.), *Libro Homenaje al Profesor Luis Rodríguez Ramos,* 2013, p. 671; REBOLLO VARGAS, *RDPC,* 2013, pp. 221 y s.; FARALDO CABANA, *EPC,* 20114, p. 59.

[73] DEL-CARPIO-DELGADO, *RP,* 2011, p. 22. Otros muchos ejemplos al respecto pueden encontrarse en el trabajo de BLANCO CORDERO, *El delito de blanqueo de capitales,* 3ª ed., 2012, pp. 487 y s.

[74] Por ello, no entendemos la postura de REBOLLO VARGAS, cuando analizando las conductas típicas opta por una interpretación amplia, para posteriormente considerar que "atender a la relevancia de los comportamientos que consistan en la: "adquisición, posesión o utilización de bienes, a sabiendas, en el momento de la recepción de los mismos, de que proceden de una actividad delictiva o de la participación en una actividad delictiva", por ser constitutivas de actividades de blanqueo de capitales, art. 1.2.c, Ley 10/2010, de 28 de abril, *es una opción interpretativa que no comparto,* dado que la consecuencia directa de ello es que si un sujeto conoce la procedencia ilícita de los bienes y simplemente los utiliza cabe entender que esa utilización es jurídicamente relevante". Precisamente esa es la consecuencia que supone asumir que el precepto castiga, por un lado, el adquirir, poseer, utilizar o transmitir bienes; y, por otro, la realización de cualquier acto con cualquiera de las finalidades descritas en el tipo, *RDPC,* 2013, pp. 2 y ss.

a las tres últimas conductas[75]". Así también, Blanco Cordero, quien modificando su postura inicial, es de la opinión de que la nueva redacción del art. 301.1 Cp da cabida a la sanción de muchas de las denominadas *acciones neutras o neutrales,* en tanto que el precepto comprende no sólo actos indeterminados tendentes a la ocultación, encubrimiento o auxilio, sino "también la adquisición, conversión, posesión, utilización y transmisión de bienes con conocimiento de que derivan de un delito, sin importar la finalidad que guía al blanqueador[76]".

Por el contrario, quienes sostenemos una interpretación restrictiva, tanto antes de la reforma del 2010 como posterior a ella, excluimos, en un primer plano, que en el art. 301.1 Cp tengan cabida estos comportamientos[77]. Y es que como hemos visto, la atipicidad de estas conductas ya se puede fundamentar en el tenor literal del art. 301.1 Cp. Si partimos de una interpretación restrictiva, el precepto contiene un elemento que restringe la punibilidad del comportamiento a los supuestos en los que el sujeto actúa para ocultar o encubrir el origen

---

[75]   ABEL SOUTO, *La Ley Penal,* 2011, p. 7 (cursivas nuestras). Para este autor con la incorporación de estos comportamiento "carentes de finalidades" seguramente se "deseaba salvar obstáculos probatorios, "aunque el castigo de la mera posesión puede vulnerar el *ne bis in idem* y en el enmarañado marco de las conductas típicas del art. 301 queda muy poco espacio para otorgar a la simple utilización un ámbito de aplicación propio", p. 14. Así, también expresamente, DE ALFONSO LASO, quien afirma que "tal vez ahora haya de interpretarse la norma a favor de la punición de los actos neutros de consumo", con base en la introducción de la conducta típica de utilizar bienes. De esta forma, según este autor, si el sujeto es conocedor de la procedencia ilícita de los bienes y los utiliza, habrá que plantearse la posibilidad de entender esa utilización como típica, "La modificación del delito de blanqueo de capitales, arts. 301 y 302", en QUINTERO OLIVARES, G. (Dir.): *La Reforma Penal de 2010: Análisis y comentarios,* 2010, p. 256.

[76]   BLANCO CORDERO, *El delito de blanqueo de capitales,* 3ª ed., 2012, pp. 504 y ss. Si bien el autor considera más acertado, en la línea de su posición anterior, "que todas las conductas se realizasen con las finalidades especificadas en el tipo". Además, asumiendo la necesidad de restringir el ámbito de aplicación de la "mera" posesión o utilización de bienes, desarrolla una interpretación restrictiva de ambos términos, así como otros criterios que, si bien asume que son puramente orientativos, pueden servir para delimitar la "frontera entre la tipicidad y atipicidad", pp. 474 y ss.

[77]   Así, entre otros, DEL-CARPIO-DELGADO, *RGDP,* 2011, pp. 17 y ss.; EL MISMO, *RP,* 2011, pp. 22 y ss.; FARALDO CABANA, *EPC,* 20114, pp. 62 y ss.

ilícito de los bienes o para ayudar a las personas que hayan participado en la infracción o infracciones a eludir las consecuencias legales de sus actos[78]. Siendo así, entonces, la conducta de quien simplemente posee o recibe un bien de procedencia delictiva o lo utiliza, no realiza un hecho típico de blanqueo[79].

2. Vidales Rodríguez, partidaria de una interpretación amplia, considera que la reforma de 2010 del Cp parece avalar esta interpretación. Con todo, advierte que ello supone abogar "en favor de un concepto de blanqueo *sui generis* que se aparta de su configuración a nivel internacional y de la redacción que, siguiendo ésta, se había adoptado en nuestro país hasta la entrada en vigor del Código penal de 1995[80]". Y tiene razón en esta última advertencia.

Son muchas las definiciones que desde el punto de vista económico, sociológico o criminológico se han dado a este fenómeno criminal. Sin embargo, podemos afirmar que el blanqueo de capitales es el proceso mediante el cual se pretende que los bienes de origen delictivo pierdan tal cualidad con la finalidad de incorporarlos en el tráfico económico. Es decir, el delito de blanqueo trata de evitar que los bienes de origen delictivo se integren en el sistema económico legal con apariencia de haber sido obtenidos de forma lícita[81].

---

[78] Así, por ejemplo, PÉREZ MANZANO, quien asume que una interpretación restrictiva "puede ayudar a afirmar la atipicidad de algunas conductas neutrales dado que para que sean conductas cotidianas o neutrales no debe concurrir dicha finalidad de ocultación", "Neutralidad delictiva y blanqueo de capitales: el ejercicio de la abogacía y la tipicidad del delito de blanqueo de capitales", *La ley Penal* nº 53, 2008, p. 6. En el mismo sentido, BAJO FERNÁNDEZ, en Bajo Fernández/Bacigalupo S. (edits.), *Política criminal y blanqueo de capitales*, Madrid 2009, p. 20.

[79] A esta conclusión también llega DE ALFONSO LASO. Este autor, partidario de una interpretación amplia, reconoce que la "única vía por la que ahora puede resultar impune la mera utilización de los bienes, habrá de ser la de anudar la interpretación de la palabra utilizar con la expresión "o cualquier otro acto", y "ambas ponerlas en íntima conexión con la finalidad perseguida por el que la utiliza", en QUINTERO OLIVARES, G. (Dir.): *La Reforma Penal de 2010: Análisis y comentarios*, 2010, p. 257.

[80] VIDALES RODRÍGUEZ, *RGDP*, 2012, p. 13.

[81] Así, entre otros, BLANCO CORDERO, *El delito de blanqueo de capitales*, 1997, p. 101; VIDALES RODRÍGUEZ, *Los delitos de receptación y legitimación de capitales*,1997, p. 71; FABIÁN CAPARRÓS, *El delito de blanqueo de capitales*, 1998, p. 115; MARTÍNEZ-BUJÁN PÉREZ, *Derecho penal económico. Parte*

¿Cómo se consigue esta incorporación o integración? Muchos especialistas han analizado las fases por las que discurre el blanqueo, sin embargo, siendo importantes, en la actualidad la clasificación más ampliamente asumida es la que diseñó el GAFI, en la que se distinguen tres fases: colocación, transformación e integración. Si bien, en la doctrina española se ha publicado un trabajo en el que se rechaza el modelo analítico utilizado por el GAFI y se formula una propuesta de reorganización de las tipologías de las formas de introducción de bienes procedentes del delito en el tráfico jurídico. En este trabajo, Prieto Del Pino/ García Magna/ Martín Pardo distinguen cuatro categorías de conductas: colocación, transformación y blanqueo, que son tres clases de conductas que dan lugar a la introducción de los bienes en el sistema económico lícito; la cuarta categoría, a la que denominan periférica, incluye los actos consistentes en transportar, almacenar o transformar el producto del delito fuera del tráfico ilícito, actos que estos autores consideran que no suponen su introducción en el sistema económico lícito[82].

Como ha puesto de manifiesto la doctrina, las distintas propuestas elaboradas para determinar las fases del blanqueo o las "formas de introducción en el tráfico lícito[83]", no deben ser vistas como las únicas a través de las cuales se blanquean los bienes, ni que necesariamente éste sea el orden para conseguir la integración de éstos en el tráfico

---

especial, 1999, p. 293; ARÁNGUEZ SÁNCHEZ, *El delito de blanqueo de capitales*, 2000, pp. 35 y ss.; GARCÍA ARÁN, en Córdoba Roda/ García Arán (dirs.), *Comentarios al Código penal. Parte especial*, Tomo I, 2004, p. 1151; CORCOY BIDASOLO, *RDF*, 2012, p. 65.

Un concepto ligado fundamentalmente al control del dinero por parte de Hacienda Pública formula BAJO FERNÁNDEZ, para quien el blanqueo es una "estratagema por la que un sujeto poseedor de dinero sustraído al control de las Haciendas Públicas, lo incorpora al discurrir de la legitimidad, ocultando la infracción fiscal implícita y, en su caso, el origen delictivo de la riqueza, en Bajo Fernández/Bacigalupo S. (edits.), *Política criminal y blanqueo de capitales*, 2009, p. 13.

[82]   PRIETO DEL PINO/ GARCÍA MAGNA/ MARTÍN PARDO, "La deconstrucción del concepto de blanqueo de capitales*", In Dret*, 2010, p. 6.

[83]   PRIETO DEL PINO/ GARCÍA MAGNA/ MARTÍN PARDO, *In Dret*, 2010, pp. 5 y ss.

económico[84]. Estas fases se han elaborado sobre la base de hechos que ya han sido descubiertos y deben ser vistas como un recurso metodológico que facilite el análisis de este fenómeno, por lo que no deben descartarse otras tipologías elaboradas no sólo por organismos oficiales encargados de la lucha contra el blanqueo sino también por la doctrina[85].

Teniendo en cuenta lo anterior, cabe formularse la siguiente cuestión: ¿la mera posesión o utilización de bienes, sabiendo que proceden de una actividad delictiva o por negligencia inexcusable, sin ninguna otra finalidad que el mero uso o disfrute, puede formar parte de este proceso? Desde nuestro punto de vista, la respuesta debe ser negativa[86]. La realización de estos comportamientos no supone enmascaramiento alguno del origen delictivo de los bienes de forma que, difícilmente puede afirmarse que la mera posesión o uso de los bienes provoca que éstos "disimulen" o pierdan su cualidad ilícita. En tal sentido, la STS 1080/2010 declara que "no puede olvidarse que la razón de política criminal de estos tipos delictivos es evitar que los autores de delitos logren la incorporación al tráfico económico legal, de los bienes, dinero, ganancias y beneficios procedentes de sus actividades delictivas. Político criminalmente disminuye el incentivo del comportamiento delictivo que sus autores no puedan disfrutar de lo

---

[84] Así, por ejemplo, ARÁNGUEZ SÁNCHEZ, renuncia a realizar un estudio detallado de las fases del blanqueo entre otros motivos por su "práctica inaplicación de esos comportamientos estancos a la descripción de mecanismos de blanqueo, pues éstos pueden ubicarse indistintamente, bien en una fase, bien en otra, sin que pueda establecerse una rígida distinción", *El delito de blanqueo de capitales,* 2000, pp. 41 y s.

[85] Véanse al respecto, PRIETO DEL PINO/ GARCÍA MAGNA/ MARTÍN PARDO, *In Dret,* 2010, p. 6; BLANCO CORDERO, *El delito de blanqueo de capitales,* 3ª ed., 2012, p. 62; VIDALES RODRÍGUEZ, *RGDP,* 2012, p. 4; EL MISMO, "Introducción" en Vidales Rodríguez (dir.), *Régimen jurídico de la prevención y represión del blanqueo de capitales,* Valencia, 2015, p. 15.

[86] Por ello, LORENZO SALGADO, de acuerdo con la interpretación amplia del art. 301.1 Cp, termina asumiendo que hay que extremar el rigor interpretativo y considerar atípicas aquellas acciones que no tengan una mínima idoneidad para llegar a comprometer el bien jurídico, "por no resultar apropiadas en el caso concreto para ocultar o encubrir el origen de los bienes y por su falta de aptitud para dificultar las funciones de persecución del delito base", en Abel Souto/ Sánchez Stewart. (coords.), *III Congreso sobre prevención y represión del blanqueo de dinero,* Valencia 2013, pp. 224 y s.

ilícitamente obtenido logrando la apariencia de licitud que haga jurídicamente incuestionable dicho disfrute[87]".

En esta resolución judicial quedó probado que la acusada entregó importantes cantidades de dinero que los otros dos acusados en la misma causa recibieron sabiendo que el mismo procedía del tráfico ilícito de drogas. La Sentencia de la Audiencia Provincial de Palma de Mallorca, que condenó a los tres acusados por blanqueo de capitales, se justifica porque objetivamente el dinero que se adquiere y transmite tiene origen ilícito. Y, subjetivamente, porque ese origen o era conocido o la ignorancia al respecto era fruto de la voluntad de no saberlo, debiendo al menos considerarse que concurre dolo eventual. Por ello se valoran los hechos como subsumibles en el tipo penal del artículo 301.1 del Código Penal. Sin embargo, el Tribunal Supremo considera que los hechos probados no proclaman que la entrega de dinero que se atribuye a la recurrente tuviera la finalidad de su incorporación al tráfico económico legal, en tanto que expresamente se proclama muy diversamente que el objetivo era lograr ciertos comportamientos de los otros tres coacusados.

El mismo criterio puede apreciarse en la STS 884/2012, en la que se resalta que lo fundamental para apreciar la existencia del delito de blanqueo de capitales es atender a la idoneidad de los comportamientos imputados para incorporar bienes ilícitos al tráfico económico y, cómo no, a la intención del autor, a su propósito de rentabilizar en canales financieros seguros las ganancias obtenidas. Para colmar el juicio de tipicidad no bastará, por tanto, con la constatación del tipo objetivo. "Será indispensable acreditar la voluntad de activar un proceso de integración o reconversión de los bienes obtenidos mediante la previa comisión de un hecho delictivo, logrando así dar apariencia de licitud a las ganancias asociadas al delito[88]".

3. Quienes defienden una interpretación amplia también han afirmado que, tras la introducción de la posesión y utilización, el art. 301.1 Cp pretende castigar la mera posesión injustificada de bienes

---

[87]   STS 1ª, 20.10.2010 (Id. Cendoj: 28079120012010101016; MP: Luciano Varela Castro), FJ: Décimo cuarto.

[88]   STS 1ª, 08.11.2012 (Id. Cendoj: 28079120012012100965; MP: Manuel Marchena Gómez), FJ: Noveno.

o cualquier enriquecimiento ilícito[89]. En este sentido, Quintero Olivares, analizando el Proyecto de Ley de 2009, del que trae causa la reforma de 2010 del Código penal, con relación a la "modalidad de blanqueo consistente en la posesión o uso de un bien sabiendo cuál es su origen", considera que el pre-legislador deseaba incriminar "la posesión injustificable de bienes", tal como reclaman diferentes acuerdos internacionales para la lucha contra la criminalidad organizada, y que "hasta ahora era atípica[90]". Más taxativamente, Aguado Correa, siguiendo al autor anterior, sostiene que "España cuenta con un nuevo delito de 'posesión de bienes injustificados[91]'".

Aunque puede reconocerse que una interpretación exclusivamente literal o gramatical del art. 301.1 Cp lo posibilita, lo cierto es que, desde una interpretación lógico sistemática, no tiene ningún sentido que en un mismo precepto se contemplen no sólo dos clases de comportamientos distintos, sino hasta tres. En primer lugar, adquirir, convertir o transmitir bienes, sabiendo que éstos tienen su origen en una actividad delictiva; en segundo lugar, la posesión injustificada de bienes o el enriquecimiento ilícito; y, en tercer lugar, la realización de cualquier otro acto para ocultar o encubrir su origen ilícito o para ayudar a la persona que haya participado en la infracción o infracciones a eludir las consecuencias legales de sus actos.

Asumir tácita o expresamente que tras la reforma de 2010 el art. 301.1 Cp castiga también la posesión injustificada de bienes o el enriquecimiento ilícito, supone convertir el blanqueo de capitales o pretender utilizar esta figura delictiva para castigar actos que son propios del delito de posesión injustificada de bienes o del delito de enriquecimiento ilícito que, si bien están contemplados en otras legislaciones comparadas[92], en nuestra legislación son atípicos o pueden tener cabida en otros preceptos del Código penal, pero en ningún caso cons-

---

[89]   Así, expresamente, VIDALES RODRÍGUEZ, *RGDP*, 2012, p. 15; ABEL SOUTO, "Jurisprudencia penal reciente sobre el blanqueo de dinero, volumen del fenómeno y evolución del delito en España" en Abel Souto/ Sánchez Stewart. (coords.), *IV Congreso Internacional sobre prevención y represión del blanqueo de dinero*,2014, pp. 166 y s.

[90]   QUINTERO OLIVARES, *RECPC*, n° 12, 2010, p. 13.

[91]   AGUADO CORREA, *RECPC*, 2013, pp. 13 y s.

[92]   Un análisis sobre la regulación del delito de enriquecimiento ilícito en la normativa internacional puede verse en el trabajo de DEL-CARPIO-DELGADO,

tituyen conductas de blanqueo[93]. Como se establece en el Informe del Consejo General del Poder Judicial al Anteproyecto de 2009 de Ley Orgánica de reforma del Código penal, la pretensión de sancionar a quien simplemente posee o utiliza los bienes conociendo su origen delictivo, no está incriminando conductas que resulten propiamente de blanqueo, "ya que las conductas de poseer o utilizar no suponen necesariamente un acto de disimulo del origen de los bienes, porque no comportan, ni siquiera, un cambio de titularidad real o aparente, como podría suceder en la modalidad de adquisición[94]".

3. Aunque, con muchas reservas, puede aceptarse que los principios constitucionales y los conceptos fundamentales del ordenamiento jurídico español[95] no impiden castigar la mera posesión o utilización de bienes de origen delictivo, sin que importe la finalidad con la que se llevan a cabo, sin embargo, es muy cuestionable que tales conductas, así configuradas, merezcan reproche penal a través del delito de blanqueo de capitales.

Sin entrar en el debate sobre el bien jurídico protegido en el delito de blanqueo de capitales, la doctrina reconoce que son varios los intereses que pueden resultar afectados por su comisión, es decir, se trata de un delito que protege un bien jurídico de naturaleza pluriofensiva. En este sentido, se afirma que, además de la Administración de Justicia, se protege el orden socioeconómico, o un elemento o aspecto

---

"El delito de "enriquecimiento ilícito": análisis de la normativa internacional", *Revista General de Derecho penal*, nº 23, 2015, pp. 2 y ss.

[93] Ahora bien, no cabe desconocer que algunas veces, en la práctica esto está siendo así. FARALDO CABANA, considera con razón que, el hecho de que para la condena no se precise una prueba directa y concreta de la comisión del delito previo bastando una prueba indiciaria, combinada con la tenencia y disfrute de los bienes procedentes de este delito, aproximan el castigo del autoblanqueo al delito de enriquecimiento ilícito, *EPC*, 20114, pp. 69 y s.

[94] CGPJ, *Informe sobre el Anteproyecto de Ley Orgánica de reforma de la Ley Orgánica 10/1995, de 23 de noviembre, del Código penal*, 18 de febrero de 2009, p. 120.

[95] Así, expresamente BLANCO CORDERO. Para este autor, desde una perspectiva internacional, "el GAFI ya dejó claro que era necesario castigar la posesión y la utilización sin que importe la finalidad con la que se lleva a cabo, porque los principios constitucionales y los conceptos fundamentales del ordenamiento jurídico español no lo impiden", *El delito de blanqueo de capitales*, 3ª ed., 2012, p. 505.

particular de éste[96]. Partiendo de esta premisa, habrá que cuestionarse si la mera posesión o utilización de los bienes de procedencia ilícita, por ejemplo, tal como están configuradas desde quienes defienden una interpretación amplia, supone una puesta en peligro o lesión de estos bienes jurídicos protegidos[97]. Y la cuestión cobra especial interés si tenemos en cuenta que, al menos teóricamente, tras la reforma de 2015 del Código penal, cabe la posibilidad de configurar un delito de blanqueo de bienes procedentes de lo que tradicionalmente ha constituido una falta de hurto, es decir, de un delito que puede originar bienes cuyo valor no supera los 400€.

Si se pretende garantizar que el delito no resulte provechoso o evitar las supuestas lagunas de punibilidad que cabría apreciar si no se tipifican estas conductas, no hay obstáculo alguno para que la mera posesión, utilización o la adquisición, por ejemplo, puedan tener cabida, de concurrir todos los requisitos, en otros preceptos del Código penal, como en el delito de receptación o en el encubrimiento[98]. También cabe la posibilidad de aplicar cualquiera de las modalidades de comiso que, tras la reforma de 2015, se contemplan en el Código penal o la figura del partícipe a título lucrativo[99].

4. Por las razones anteriores también descartamos que en el art. 301.1 Cp se incluyen determinadas conductas que estaban previstas en el derogado art. 344 bis i) del Código penal de 1973; o que, se trata de un "tipo de aislamiento", al igual que sucede con el § 261.1 St-GB[100]. Si esto tuviera que ser así, que no lo descartamos por la deriva represiva de la política criminal de los últimos años, entonces tendría

---

96   Así, MATALLÍN EVANGELIO, *RGDP*, 2013, p. 39.
97   En este sentido también VIDALES RODRÍGUEZ, quien a pesar de mantener una interpretación amplia, se cuestiona que estas conductas pueden tener entidad suficiente como para suponer al menos la puesta en peligro del orden socioeconómico, *RGDP*, 2012, p. 14.
98   En este sentido, PALMA HERRERA, *Los delitos de blanqueo de capitales*, 2000, p. 691, DEL-CARPIO-DELGADO, *RP*, 2011, pp. 27 y s.; EL MISMO; *RGDP*, 2011, p. 24.
99   En este sentido, VIDALES RODRÍGUEZ, *RGDP*, 2012, pp. 14 y s.
100   Así, expresamente, ABEL SOUTO, "La reforma penal, de 22 de junio de 2010, en materia de blanqueo de dinero", en Abel Souto/ Sánchez Stewart. (coords.), *II Congreso sobre prevención y represión del blanqueo de dinero*, Valencia, 2011, p. 87. De la misma opinión, BLANCO CORDERO, *El delito de blanqueo de capitales*, 3ª ed., 2012, p. 463.

que proponerse una reforma penal para que, al igual que ya se hiciera en 1992, se contemple por separado en dos preceptos cada una de las conductas que, según los autores que defienden una interpretación amplia, se contienen en el art. 301.1 Cp. O, tal como se contempla en la legislación penal alemana, se diferencie en párrafos separados por un lado, las conductas tendentes a la ocultación o encubrimiento; y, por otro lado, el "tipo de aislamiento" que castigue la mera adquisición, posesión, utilización, conversión o transmisión. Y, aunque también pueda plantearse la posibilidad de castigar como delitos la posesión injustificada de bienes o el enriquecimiento ilícito, es muy cuestionable que pueda realizarse en sede del blanqueo de capitales.

Ahora bien, quienes defienden una interpretación amplia, conscientes de la amplitud del tipo, realizan una interpretación restrictiva de las conductas típicas expresamente mencionadas. Así, por ejemplo, se realiza una interpretación lo más restrictiva posible del término posesión, de forma que se entiende por tal "la tenencia (material o no) de bienes procedentes de un delito disponibles real y efectivamente[101]", excluyéndose de esta forma a los servidores de la posesión en tanto que éstos no ostentan un título jurídico posesorio sobre los bienes[102]. También proponen y desarrollan criterios que permitan diferenciar entre conductas que pueden ser subsumibles en este delito, de otras que no lo son pero que pueden ser abarcadas por otros preceptos contenidos en el Código penal, o simplemente, de las que son atípicas. Si bien, la mayoría de los criterios propuestos para fundamentar la atipicidad de las conductas de la vida cotidiana o de los negocios

---

[101]   En este sentido, BLANCO CORDERO, *El delito de blanqueo de capitales*, 3ª ed., 2012, pp. 479 y s.

[102]   De una opinión distinta, ABEL SOUTO. De los ejemplos que este autor pone (que aparecen inicialmente de en el trabajo de ARÁNGUEZ SÁNCHEZ, *El delito de blanqueo de capitales*, 2000, pp. 244 y s.), el trabajador de un garaje que custodia el vehículo de un narcotraficante o el guardarropa de cualquier establecimiento que queda al cuidado del abrigo de éste, puede concluirse que en su opinión, aquel que tiene materialmente el bien, aun cuando carezca de la disponibilidad sobre el mismo, realiza la conducta típica de poseer, *La Ley Penal*, 2011, p. 9. También DE ALFONSO LASO, quien opina que con la mención expresa de la posesión "se despejan así las dudas en todas las acciones en que el sujeto activo del blanqueo de capitales tenía una función meramente de guardián de los bienes procedencia ilícita", en Quintero Olivares (Dir.): *La Reforma Penal de 2010: Análisis y comentarios*, 2010, pp. 254 y s.

socialmente adecuados coinciden con los criterios desarrollados por la doctrina alemana como, por ejemplo, el de la adecuación social, la teoría de los actos de la vida cotidiana o actos neutrales, entre otros. Siendo importantes estos criterios para restringir el ámbito de aplicación del tipo, desde nuestro punto de vista no pueden ser trasladados sin más a la legislación penal española porque ésta, a diferencia de la alemana, sí permite una interpretación restrictiva en los términos expuestos en este trabajo.

5. A MANERA DE RECAPITULACIÓN

Reafirmando la necesidad de una interpretación restrictiva del art. 301.1 Cp, defendida desde nuestros primeros trabajos, cualquiera de las conductas expresamente previstas en este precepto, así como el cualquier otro acto, sólo constituye blanqueo de capitales si el sujeto lo realiza con la finalidad de ocultar, encubrir o ayudar. Y este es el criterio que se recoge en la STS 265/2015 y en otras que hemos mencionado a lo largo del desarrollo de este trabajo.

Sin embargo, siendo positivo que últimamente el Tribunal Supremo haya terminado por delimitar, en base a la concurrencia de cualquiera de las dos finalidades, el ámbito de aplicación del delito de blanqueo de capitales del art. 301.1 Cp, no es suficiente. No debe caerse en el error de sobrevalorar la capacidad restrictiva de este criterio porque ello puede suponer subjetivizar el tipo de forma que la tipicidad de las conductas dependa fundamentalmente de la intención del autor, cayendo así en un Derecho penal del ánimo. Por el contrario, es prioritario analizar las características objetivas de cada una de las conductas expresamente previstas[103], así como del "cualquier otro

---

[103]   Por ello, no podemos estar de acuerdo con ARIAS HOLGUÍN cuando afirma que quienes defendemos una interpretación restrictiva en base a las finalidades descritas en el tipo no estemos obligados a delimitar el alcance de cada una de las conductas típicas expresamente previstas porque éstas quedarían abarcadas en la expresión "cualquier otro acto", *Aspectos político-criminales y dogmáticos del tipo de comisión doloso de blanqueo de capitales. (Art. 301 CP)*, Madrid, 2011, p. 264 nota 79.

acto", para determinar su idoneidad para el logro de la correspondiente finalidad u objetivo[104].

Al margen de ello, y ya en relación con otros elementos del tipo, será necesario establecer otros criterios que restrinjan, por ejemplo, los bienes susceptibles de constituirse como objeto material. Téngase en cuenta que, como hemos advertido anteriormente, tras la reforma de 2015 del Código penal, cabe la posibilidad de configurar un delito de blanqueo de bienes procedentes de la comisión de la antigua falta de hurto. Así, por ejemplo, si un sujeto adquiere un bien que tiene su origen en la comisión de una falta de hurto del art. 234.2 Cp con la finalidad de ocultar su origen delictivo, desde una interpretación restrictiva, ese hecho puede ser constitutivo de un delito de blanqueo de capitales, aunque el valor del bien sea de 50 € o no supere los 400€. En este caso, podría argumentarse que por el valor del bien, éste no puede considerarse como "capital", tal como reza la nomenclatura del delito, pero además habría que aplicarse el criterio de la insignificancia por el valor de la cosa, aunque la cuantía de los bienes no sea un elemento del tipo. Pero en cualquier caso, los tribunales tendrían que considerar el criterio de lesividad para concluir que la comisión de ese hecho no supone una puesta en peligro de o de los bienes jurídicos protegidos por el blanqueo de capitales. Con todo, quedan aún por resolver muchos otros problemas relacionados con el ámbito de aplicación, como el castigo del autoblanqueo, su delimitación de otras figuras penales afines, la configuración de la imprudencia grave como delito común, entre otros.

6. BIBLIOGRAFÍA

ABEL SOUTO (2005), *El delito de blanqueo en el Código penal español*, Editorial Bosch, Barcelona.
  - (2011), "La expansión penal del blanqueo de dinero operada por la Ley orgánica 5/2010, de 22 de junio", *La Ley Penal*, nº 79, 34 pp.
  - (2014), "Jurisprudencia penal reciente sobre el blanqueo de dinero, volumen del fenómeno y evolución del delito en España" en Abel Souto/

---

[104] DEL-CARPIO-DELGADO, *El delito de blanqueo de bienes en el nuevo Código penal*, 1997, p. 290.

Sánchez Stewart. (coords.), *IV Congreso Internacional sobre prevención y represión del blanqueo de dinero*, Tirant lo Blanch, Valencia, pp. 137-201.

AGUADO CORREA (2013), "Decomiso de los productos de la delincuencia organizada: 'Garantizar que el delito no resulte provechoso'". *Revista Electrónica de Ciencia Penal y Criminología*, 27 pp.

ARÁNGUEZ SÁNCHEZ (2000), *El delito de blanqueo de capitales*, Marcial Pons, Madrid.

ARIAS HOLGUÍN (2011), *Aspectos político-criminales y dogmáticos del tipo de comisión doloso de blanqueo de capitales. (Art. 301 CP)*, Iustel, Madrid.

BAJO FERNÁNDEZ (2009), "El desatinado delito de blanqueo de capitales", en Bajo Fernández/Bacigalupo S. (edits.), *Política criminal y blanqueo de capitales*, Marcial Pons, Madrid, pp. 11-20.

BERDUGO GÓMEZ DE LA TORRE/FABIÁN CAPARRÓS (2010), "La "emancipación" del delito de blanqueo de capitales en el Derecho penal español", *La Ley,* 17 pp.

BERMEJO/AGUSTINA SANLLEHÍ (2012), "El delito de blanqueo de capitales", en Silva Sánchez (dir.), *El nuevo Código penal. Comentarios a la reforma,* La Ley, Madrid, pp. 439-462.

BLANCO CORDERO (1997), *El delito de blanqueo de capitales*, Aranzadi, Pamplona.

– (2012), *El delito de blanqueo de capitales*, 3ª ed., Aranzadi, Pamplona.

CALDERÓN CEREZO (2000), "Análisis sustantivo del delito (I): Prevención y represión del blanqueo de capitales", en Zaragoza Aguado (dir.), *Prevención y represión del blanqueo de capitales*, Estudios de Derecho Judicial 28, Madrid, pp. 263-288.

CARO CORIA (2012), "Sobre el tipo básico de lavado de activos", *Anuario de Derecho Penal Económico y de la Empresa*, nº 2, pp. 193-223.

CASTRO MORENO (2009), "Reflexiones críticas sobre las nuevas conductas de posesión y utilización en el delito de blanqueo de capitales en la reforma del Anteproyecto de 2008", *La Ley*, pp. 1387-1394.

– (2013), "Consideraciones críticas sobre la aplicación e interpretación del tipo subjetivo de los delitos de blanqueo de capitales", en Álvarez García y otros (coords.), *Libro Homenaje al Profesor Luis Rodríguez Ramos*, Tirant lo Blanch, Valencia, pp. 447-464.

COMISIÓN DE LAS COMUNIDADES EUROPEAS, *Comunicación de la comisión al parlamento europeo y al consejo Productos de la delincuencia organizada Garantizar que "el delito no resulte provechoso"*, Bruselas, 20-11-2008, COM(2008) 766 final.

CONDE-PUMPIDO FERREIRO/SÁNCHEZ-JUNCO MANS (2012), en Conde-Pumpido Ferreiro (dir.), *Código penal comentado, 3ª ed., con concordancias y jurisprudencia. Actualizado a la LO 5/2010 de 23 de junio de 2010*, tomo I, Editorial Bosch, Barcelona.

CONSEIL DE L'EUROPE, *Rapportexplicatif*, STCE nº 198.

CONSEJO DE EUROPA (2005), *Convenio del Consejo de Europa relativa al blanqueo, seguimiento, embargo y comiso de los productos del delito y a la financiación del terrorismo*, Varsovia.

CONSEJO DE LAS COMUNIDADES EUROPEAS (1991), *Declaración de los representantes de los Gobiernos de los Estados miembros reunidos en el seno del Consejo*, Diario Oficial de las Comunidades Europeas n° 166, 26.06.1991.

CONSEJO DE LAS COMUNIDADES EUROPEAS (1991), *Directiva 91/308/ CEE del Consejo, de 10 de junio de 1991, relativa a la prevención de la utilización del sistema financiero para el blanqueo de capitales*, Diario Oficial de las Comunidades Europeas n° 166, 26.06.1991.

CONSEJO GENERAL DEL PODER JUDICIAL (2009), *Informe sobre el Anteproyecto de Ley Orgánica de reforma de la Ley Orgánica 10/1995, de 23 de noviembre, del Código penal*, Madrid.

CORCOY BIDASOLO (2012), "Expansión del Derecho Penal y Garantías Constitucionales", *Revista de Derechos Fundamentales*, n° 8, pp. 45-76.

DE ALFONSO LASO (2010), "La modificación del delito de blanqueo de capitales, arts. 301 y 302", en Quintero Olivares (Dir.): *La Reforma Penal de 2010: Análisis y comentarios*, Aranzadi, Pamplona, pp. 253-258.

DEL-CARPIO-DELGADO (1997), *El delito de blanqueo de bienes en el nuevo Código penal*, Tirant lo Blanch, Valencia.

– (2011), "La posesión y utilización como nuevas conductas en el delito de blanqueo de capitales", *Revista General de Derecho Penal*, n° 15, 28 pp.

– (2011), "Principales aspectos de la reforma del delito de blanqueo. Especial referencia a la reforma del art. 301.1 del Código penal", *Revista Penal*, n° 28, pp. 5-28.

– (2015), "El delito de "enriquecimiento ilícito": análisis de la normativa internacional, *Revista General de Derecho penal*, n° 23, 67 pp.

– (2015), "La normativa internacional del blanqueo de capitales: análisis de su implementación en las legislaciones nacionales. España y Perú como caso de estudio", *Estudios Penales y Criminológicos*, vol. XXXV, pp. 657-731.

DÍAZ Y GARCÍA CONLLEDO (2002), "Blanqueo de bienes", en Luzón Pena (dir.), *Enciclopedia Penal Básica*, Comares, Granada, pp. 193-220.

– (2013), "El castigo del autoblanqueo en la reforma penal de 2010. La autoría y la participación en el delito de blanqueo de capitales", en Abel Souto/ Sánchez Stewart, *III congreso sobre prevención y represión del blanqueo de dinero*, Tirant lo Blanch, Valencia., pp. 281-299.

DÍAZ-MAROTO Y VILLAREJO (1999), *El blanqueo de capitales en el Derecho español*, Dykinson, Madrid.

– (2011), "El blanqueo de capitales", en Díaz-Maroto y Villarejo (dir.), *Estudios sobre las reformas del Código penal. (Operadas por las LO 5/2010, de 22 de junio, y 3/2011, de 28 de enero)*, Civitas, Madrid/Pamplona, pp. 453-476.

FABIÁN CAPARRÓS (1998), *El delito de blanqueo de capitales*, Colex, Madrid.

- (2011), "Consideraciones dogmáticas y político-criminales sobre el blanqueo imprudente de capitales", *Revista General de Derecho Penal*, n° 16, 33 pp.

FARALDO CABANA (1998), "Aspectos básicos del delito de blanqueo de bienes en el Código penal de 1995", *Estudios Penales y Criminológicos*, n° XXI, pp. 116-165.

- (2014), "Antes y después de la tipificación expresa del autoblanqueo de capitales", *Estudios penales y Criminológicos*, vol. XXXIV, pp. 41-79.

FERNÁNDEZ DE CEVALLOS Y TORRES (2013), *Blanqueo de capitales y principio de lesividad*, Ratio Legis, Salamanca.

FERNÁNDEZ TERUELO (2007), "Respuesta penal frente a fraudes cometidos en internet: estafa, estafa informática y los nudos de la red", *Revista de Derecho Penal y Criminología*, 2ª Época, n° 19, pp. 217-243.

- (2011), "El nuevo modelo de reacción penal al blanqueo de capitales (los nuevos tipos de blanqueo, la ampliación del comiso y la integración del blanqueo en el modelo de responsabilidad penal de las empresas)", *La Ley*, n° 7657, 21 pp.

GAFI-FATF (2006), *Third Mutual Evaluation Report on Anti-Money Laundering and Combating The Financing of Terrorism*, Spain.

- (2008), *Informe de Evaluación Mutua, Antilavado de Activos y contra el Financiamiento del terrorismo del Perú* (3ra Ronda).

- (2010), *Mutual Evaluation Fourth Follow-Up Report Anti-Money Laundering and Combating the Financing of Terrorism, Spain.*

- (2012), *Las Recomendaciones del GAFI, Estándares internacionales sobre la lucha contra el lavado de activos y el financiamiento del terrorismo y la proliferación.*

- (2014), *Medidas contra el blanqueo de capitales y la financiación del terrorismo, Informe de Evaluación Mutua.*

GÁLVEZ VILLEGAS (2014), *El delito de lavado de activos. Criterios sustantivos y procesales. Análisis del Decreto Legislativo n° 1106*, Editorial Pacífico, Lima-Perú.

GARCÍA ARÁN (2004), en Córdoba Roda/ García Arán (dirs.), *Comentarios al Código penal. Parte especial*, Tomo I, Marcial Pons, Madrid/Barcelona.

GARCÍA SAN MARTÍN (2015), "La concreción del delito antecedente en el blanqueo de capitales", *La Ley*, 20 pp.

GÓMEZ BENÍTEZ (2007), "Reflexiones técnicas y de política criminal sobre el delito de blanqueo de bienes y su diferencia con la defraudación fiscal", *Cuadernos de Política Criminal*, n° 91, pp. 5-26.

- (2014), "El delito previo al delito de blanqueo de capitales y a vueltas con el delito fiscal", *Análisis GA&P*, mayo, 3 pp.

GÓMEZ INIESTA (1994), "Medidas internacionales contra el blanqueo de dinero y su reflejo en el Derecho español, en Arroyo Zapatero/Tiedeman (eds.), *Estudios de Derecho Penal Económico*, Ediciones de la Universidad de Castilla-La Mancha, pp. 137-158.

- (1996), *El delito de blanqueo de capitales en el Derecho español*, Cedecs Editorial, Barcelona.
GUTIÉRREZ RODRÍGUEZ (2015), "Acelerar primero para frenar después: la búsqueda de criterios restrictivos en la interpretación del delito de blanqueo de capitales", *RGDP*, n° 24, 2015, 22 pp.
HURTADO ADRIÁN (2010), "Blanqueo de capitales. (Art. 301.1)", en Juanes Peces (dir.), *Reforma del Código penal. Perspectiva económica tras la entrada en vigor de la Ley orgánica 5/2010 de 22 de junio. Situación jurídico-penal del empresario*, El Derecho, Madrid, pp. 243-264.
LORENZO SALGADO (2013), "El tipo agravado de blanqueo cuando los bienes tengan su origen en el delito de tráfico de drogas en Abel Souto/ Sánchez Stewart. (coords.), *III Congreso sobre prevención y represión del blanqueo de dinero*, Tirant lo Blanch, Valencia, pp. 223-250.
MANJÓN-CABEZA OLMEDA (2013), "Ganancias criminales y ganancias no declaradas. (El desbordamiento del delito fiscal y del blanqueo)", en Álvarez García y otros (coords.), *Libro Homenaje al Profesor Luis Rodríguez Ramos*, Tirant lo Blanch, Valencia, pp. 654-698.
MANSO PORTO (2011), "El blanqueo de capitales entre la dogmática y la política criminal internacional: resultados desde una perspectiva de derecho comparado", *Estudios Penales y Criminológicos*, n° XXXI, pp. 305-324.
MARTÍNEZ-BUJÁN PÉREZ (1999), *Derecho penal económico. Parte especial*, Tirant lo Blanch, Valencia.
- (2013), *Derecho penal económico y de la Empresa, Parte especial*, 4ª ed., Tirant lo Blanch, Valencia.
MATALLÍN EVANGELIO (2013), "El 'autoblanqueo' de capitales", *Revista General de Derecho Penal*, n° 20, 47 pp.
MOLINA FERNÁNDEZ (2009), "¿Qué se protege en el delito de blanqueo de capitales?: reflexiones sobre un bien jurídico problemático, y a la vez aproximación a la "participación" en el delito"; en Bajo Fernández/Bacigalupo Saggese, *Política criminal y blanqueo de capitales*, Marcial Pons, Madrid, pp. 91-123.
MUÑOZ CONDE(2013), "El delito de blanqueo de capitales y el Derecho penal del enemigo", en Abel Souto/ Sánchez Stewart. (coords.), *III Congreso sobre prevención y represión del blanqueo de dinero*, Tirant lo Blanch, Valencia.
NACIONES UNIDAS (1988), *Convención de las Naciones Unidas contra el Tráfico Ilícito de Estupefacientes y Sustancias Sicotrópicas*, Viena.
- (1998), *Comentarios a la Convención de las Naciones Unidas contra el Tráfico Ilícito de Estupefacientes y Sustancias Sicotrópicas*, Nueva York.
- (2000), *Convención de las Naciones Unidas contra la Delincuencia Organizada Transnacional*, Palermo.
- (2003), *Convención de las Naciones Unidas contra la Corrupción*, Mérida.
PALMA HERRERA (2000), *Los delitos de blanqueo de capitales*, Edersa, Madrid.

PARLAMENTO EUROPEO/ CONSEJO DE LA UNIÓN EUROPEA (2005), *Directiva 2005/60/CE del Parlamento Europeo y del Consejo*, de 26 de octubre de 2005 relativa a la prevención de la utilización del sistema financiero para el blanqueo de capitales y para la financiación del terrorismo, Diario Oficial de la Unión Europea, n° L 309, 25.11.2005.

PÉREZ MANZANO (2008), "Neutralidad delictiva y blanqueo de capitales: el ejercicio de la abogacía y la tipicidad del delito de blanqueo de capitales", *La ley Penal*, n° 53, pp. 5-32.

PRIETO DEL PINO/ GARCÍA MAGNA/ MARTÍN PARDO (2010), "La deconstrucción del concepto de blanqueo de capitales", *In Dret*, n° 3, 36 pp.

QUINTERO OLIVARES (1996), en Quintero Olivares (dir.), Comentarios a la Parte especial del Derecho Penal, Aranzadi, Pamplona.

– (2010), "Sobre la ampliación del comiso y el blanqueo, y la incidencia en la receptación civil", *Revista electrónica de Ciencia Penal y Criminología*, n° 12, 20 pp.

REBOLLO VARGAS (2011), en Álvarez García (dir.), *Derecho penal español. Parte especial* (II), Tirant lo Blanch, Valencia.

– (2013), "La deslegitimación de la prevención del blanqueo de capitales en España. Análisis crítico de algunos aspectos de la Ley 10/2010, de 28 de abril, de Prevención del Blanqueo de Capitales y de la Financiación del Terrorismo, *Revista de Derecho Penal y Criminología*, n° 10, pp. 187-236.

TERRADILLOS BASOCO (2008), "El delito de blanqueo de capitales en el Derecho español", en Cervini/Cesano/Terradillos, *El delito de blanqueo de capitales de origen delictivo. Cuestiones dogmáticas y político-criminales. Un enfoque comparado: Argentina-Uruguay-España*, Alveroni Ediciones, Argentina, pp. 203-265.

– (2012), *Lecciones y materiales para el estudio del Derecho penal. Tomo IV. Derecho penal. Parte especial (Derecho penal económico)*, Iustel, Madrid.

VARELA CASTRO (2013), "Últimas líneas jurisprudenciales en sede de blanqueo", en Abel Souto/ Sánchez Stewart. (coords.), *III Congreso sobre prevención y represión del blanqueo de dinero*, Tirant lo Blanch, Valencia, pp. 387-388.

VIDALES RODRÍGUEZ (1997), *Los delitos de receptación y legitimación de capitales en el Código penal de 1995*, Tirant lo Blanch, Valencia.

– (2012), "Blanqueo, ¿qué es blanqueo? (estudio del art. 301.1 del Código penal español tras la reforma de la L.O. 5/2010) *Revista General de Derecho Penal*, n° 18, 29 pp.

– (2015), "Introducción" en Vidales Rodríguez (dir.), *Régimen jurídico de la prevención y represión del blanqueo de capitales*, Tirant lo Blanch, Valencia.

VIVES ANTÓN/GONZÁLEZ CUSSAC (1996), en Vives Antón (coord.), *Comentarios al Código penal de 1995*, tomo II, Tirant lo Blanch, Valencia.

LA PRUEBA DEL DELITO ANTECEDENTE EN EL BLANQUEO DE CAPITALES

JERÓNIMO GARCÍA SAN MARTÍN[1]

Sumario: 1. La actividad delictiva precedente como elemento objetivo del tipo de blanqueo de capitales y su concreción. 2. La prueba del delito antecedente en la doctrina jurisprudencial. 3. Conclusiones.

Resumen: El presente trabajo de investigación refiere a la controvertida determinación y concreción de la actividad delictiva antecedente, fuente originaria de los bienes, como elemento objetivo del delito de blanqueo de capitales, así como su debida acreditación y el tipo de prueba que sirve a su evidencia, todo ello en el marco del tipo penal contenido en el art. 301 del CP y las posiciones jurisprudenciales más significativas que lo desarrollan.

Palabras clave: blanqueo de capitales, delito antecedente, prueba indiciaria, enriquecimiento ilícito

1. LA ACTIVIDAD DELICTIVA PRECEDENTE COMO ELEMENTO OBJETIVO DEL TIPO DE BLANQUEO DE CAPITALES Y SU CONCRECIÓN

El artículo 301 del Código Penal, en su apartado primero y tras la redacción operada por la LO 5/2010 de 22 de junio, viene a disponer que "*El que adquiera, posea, utilice, convierta, o transmita bienes, sabiendo que éstos tienen su origen en una actividad delictiva, cometida por él o por cualquiera tercera persona, o realice cualquier otro acto para ocultar o encubrir su origen ilícito, o para ayudar a la persona que haya participado en la infracción o infracciones a eludir las consecuencias legales de sus actos, será castigado con la pena de prisión de*

---

[1] Profesor Contratado Doctor (acreditado) de Derecho Penal de la Universidad Pablo de Olavide de Sevilla.

seis meses a seis años y multa del tanto al triplo del valor de los bienes. En estos casos, los jueces o tribunales, atendiendo a la gravedad del hecho y a las circunstancias personales del delincuente, podrán imponer también a éste la pena de inhabilitación especial para el ejercicio de su profesión o industria por tiempo de uno a tres años, y acordar la medida de clausura temporal o definitiva del establecimiento o loca. Si la clausura fuese temporal, su duración no podrá exceder de cinco años. La pena se impondrá en su mitad superior cuando los bienes tengan su origen en alguno de los delitos relacionados con el tráfico de drogas tóxicas, estupefacientes o sustancias psicotrópicas descritos en los artículos 368 a 372 de este Código. En estos supuestos se aplicarán las disposiciones contenidas en el artículo 374 de este Código. También se impondrá la pena en su mitad superior cuando los bienes tengan su origen en alguno de los delitos comprendidos en los Capítulos V, VI, VII, VIII, IX y X del Título XIX o en alguno de los delitos del Capítulo I del Título XVI".

Modificación legislativa que, además de avalar expresamente la oportunidad del autoblanqueo o la inclusión de nuevos tipos agravados, viene a sustituir la exigencia de que los bienes tengan su origen en "un delito" por la exigencia de que los bienes tengan su origen en una "actividad delictiva". Sustitución terminológica propuesta por el Consejo Fiscal en su Informe sobre el Anteproyecto de LO por la que se modifica la LO 10/1995, de 23 de noviembre, del Código Penal, aduciendo para ello una mejor correspondencia de la expresión "actividad delictiva" con la autonomía del delito de blanqueo y con la no exigencia de una resolución judicial que se pronuncie sobre un delito antecedente concreto, bastando con quede probado en términos fácticos, y todo ello en línea con una ya sentada doctrina jurisprudencial al respecto, y como claros exponentes las SSTS de 29 de septiembre de 2001, 10 de febrero de 2003, 27 de enero, 23 de febrero y 13 de diciembre de 2005, 27 de enero y 5 de octubre de 2006, 22 de enero, 25 de abril y 4 de junio de 2007, o 28 de enero de 2010, entre otras muchas.

Sustitución terminológica respecto de la que señala ABEL SOUTO, que "si el Tribunal Supremo hasta ahora no había tenido ningún problema para sancionar el blanqueo sin condena previa por el delito antecedente, no se termina de entender la necesidad de la modificación, sobre todo cuando resulta tan perturbadora como para que algunos se cuestionen si con ella ahora las faltas integran el hecho previo del blanqueo[2]. La reforma resultaba innecesaria porque ya el art. 300 del Código Penal[3] evidencia que el blanqueo simplemente requiere un hecho antecedente típico y antijurídico, pero no precisa ninguna declaración de culpabilidad del autor previo, ni su castigo efectivo. A tal punto llega la desvinculación del hecho antecedente con el blanqueo que, a diferencia del encubrimiento y la receptación, la pena no se encuentra limitada, en modo alguno, por la que corresponda a la infracción base, lo que confirma la autonomía o independencia del blanqueo y su desconexión con el delito previo[4]".

Subrayada desconexión del blanqueo con el delito antecedente, según consolidada doctrina jurisprudencial que, no obstante y como bien apuntan BERDUGO GÓMEZ DE LA TORRE y FABIÁN CAPARRÓS "en este nuevo contexto normativo sorprende que se mantenga la agravación prevista en el párrafo segundo del art. 301.1, según el cual debe imponerse la pena en su mitad superior —cuando los bienes tengan su origen en alguno de los delitos relacionados con el tráfico de drogas tóxicas, estupefacientes o sustancias psicotrópicas descritos en los artículos 368 a 372 de este Código—. A la luz de los principios de lesividad y proporcionalidad, ¿acaso el blanqueo de bienes derivado del narcotráfico implica mayor desvalor que el que se practica sobre otros? Incluso apreciando la situación desde la perspectiva de quienes relativizan la autonomía del delito respecto del injusto de la previa infracción, ¿merece especial atención el lavado de los bienes del narcotráfico que el de las ganancias de otros mercados ilegales organizados, como el comercio de personas, armas u órganos

---

2 Discusión doctrinal en torno a la posibilidad de que las faltas puedan o no conformar el delito antecedente a efectos del blanqueo de capitales, que ha devenido estéril ante la reciente aprobación de la Ley Orgánica 1/2015, de 30 de marzo, por la que se modifica la Ley Orgánica 10/1995, de 23 de noviembre, del Código Penal, y por la que se suprimen las faltas; dando paso a la ya inapelable oportunidad de que el ahora delito leve conforme a tal efecto el delito antecedente.
3 Art. 300 CP: "Las disposiciones de este capítulo se aplicarán aun cuando el autor o el cómplice del hecho de que provengan los efectos aprovechados fuera irresponsable o estuviera personalmente exento de pena".
4 ABEL SOUTO, M., *La expansión penal del blanqueo de dinero operada por la Ley Orgánica 5/2010, de 22 de junio*, La Ley Penal n° 79, Sección Estudios, Febrero 2011, Ed. La Ley, p. 3.

humanos? A partir de estos argumentos, sorprende aún más que la LO 5/2010 haya introducido un párrafo tercero a este art. 301 en el que, con idéntica técnica y consecuencias que el que acabamos de comentar, agrave la pena —cuando los bienes tengan su origen en alguno de los delitos comprendidos en los Capítulos V, VI, VII, VIII, IX y X del Título XIX (Delitos contra la Administración Pública) o en alguno de los delitos del Capítulo I (De los delitos sobre la ordenación del territorio) del Título XVI—. Es obvio que la reforma, fruto de una enmienda transaccional debatida en el Congreso, encontró acogida en atención a los escándalos de corrupción bien conocidos a través de los *mass media*. La indiscutible gravedad de los vínculos entre blanqueo y corrupción no justifica, a nuestro juicio, este agravamiento específico del castigo[5]".

En cuanto a la finalidad perseguida por la sustitución terminológica, se postula DEL CARPIO DELGADO quien sostiene que "puede que el legislador, teniendo en cuenta el criterio unánime de la jurisprudencia y la recomendación del Consejo Fiscal, haya decidido sustituir el término delito por el de actividad delictiva para acabar así con la polémica doctrinal que gira en torno a si el término delito debe ser interpretado como un hecho típico y antijurídico, bastando con la prueba de su existencia en el proceso que se sustancie por el presunto blanqueo, o si éste no sería tal sin una sentencia penal firme y definitiva anterior en la que se pruebe que los bienes tienen su procedencia en dicho delito. Al respecto, en los documentos internacionales y europeos, el término actividad delictiva es considerado como hecho típico y antijurídico constitutivo de delito[6]".

A mi juicio, la sustitución terminológica operada con la reforma del Código Penal, mediante de la LO 5/2010, de 22 de junio, no conlleva ninguna mutación de la realidad objeto de acreditación o restricción o relajación alguna del consiguiente elemento objetivo

---

5   BERDUGO GÓMEZ DE LA TORRE, I. y FABIÁN CAPARRÓS, E.A., *La "emancipación" del delito de blanqueo de capitales en el Derecho penal español*, Diario La Ley nº 7535, Sección Doctrina, 27 de diciembre de 2010, Año XXXI, Ed. La Ley, p. 4

6   DEL CARPIO DELGADO, J., *La posesión y utilización como nuevas conductas en el delito de blanqueo de capitales*, Revista General de Derecho Penal 15 (2011), Ed. Iustel, p. 4.

del tipo. Resulta difícilmente justificable desgajar una categorización autónoma y ajena al término "delito" mediante el recurso al término "actividad delictiva", o dicho de otro modo, "delito" y "actividad delictiva" se identifican con el concepto y la acción, respectivamente, de una misma realidad del todo indisoluble; de modo que "delito" es un acto, cuanto menos, típico y antijurídico, y "actividad delictiva" representa la actividad consistente en cometer actos, cuanto menos, típicos y antijurídicos. Por tanto, si el propósito del legislador, con la consiguiente sustitución terminológica, se residenciaba, como han puesto de manifiesto las voces doctrinales más autorizadas, en el refrendo expreso de la innecesariedad de la existencia de una previa sentencia condenatoria firme, tal modificación ha de entenderse estéril a tal cometido, por cuanto el término "actividad delictiva", indefectiblemente, sigue refiriendo a acciones típicas y antijurídicas y no a la relajación o exención de su prueba.

Con independencia de lo apuntado respecto al alcance de dicha sustitución terminológica y acercándonos al núcleo esencial del presente trabajo, partiendo de la, prácticamente, unánime consideración doctrinal y jurisprudencial que pasa por reconocer la actividad delictiva antecedente y fuente originaria de los bienes, como un elemento objetivo del delito de blanqueo de capitales, a partir de ahí quisiera detenerme en orden a exponer las siguientes consideraciones en torno a la extensión de dicho elemento objetivo del tipo y, consiguientemente, de la realidad cuya prueba ha de resultar exigible:

1º) Si por actividad delictiva no podemos entender sino la comisión de acciones, cuanto menos, típicas y antijurídicas, siendo la actividad delictiva precedente un elemento objetivo del tipo del blanqueo de capitales, y siendo exigible la constatación de todos y cada uno de los elementos del tipo para poder fundamentar una sentencia condenatoria, concluimos con palmaria obviedad, que resulta exigible acreditar, para fundamentar una sentencia condenatoria por la comisión de un delito de blanqueo de capitales, la precedente comisión de al menos una acción típica y antijurídica.

2º) Que las acciones típicas y antijurídicas, en el plano estricto de una verdad jurídica y como realidad no siempre coincidente con una verdad material, son las que así quedan declaradas o determinadas en una sentencia y devenida firme, tras el consiguiente proceso con sujeción a todos y cada uno de los principios que, inderogablemente, le son propios. A sensu contrario, todo lo demás, no son acciones típicas y antijurídicas, serán sospechas, conjeturas, indicios, etc…, de acciones típicas y antijurídicas. De modo que, prescindir de la exigencia de su constatación, bien en sentencia precedente o en la misma en la que se resuelve el delito de blanqueo y en todo caso firme, no puede ser calificado, sin más, como particularidad o singularidad de la persecución de este delito por las dificultades probatorias que el mismo conlleva, sino como la peligrosa e indeseable convalidación de la renuncia a constatar uno de los elementos del tipo penal, a todas luces injustificada.

3º) Que la doctrina jurisprudencial y gran parte de la científica que ha abordado este particular, unánime al considerar la no exigencia de una sentencia precedente y de su firmeza, y de avalar la oportunidad y conveniencia de servirse de la prueba indiciaria a efectos de acreditar los elementos del tipo (que constituye una realidad distinta, por cuanto una cosa es el medio de prueba y el tipo de prueba y otra es el objeto de la prueba), no determina qué entiende por acción típica y antijurídica sin su declaración o determinación por una sentencia firme. ¿Estaremos, para esta doctrina, en presencia de una acción típica y antijurídica precedente cuando así se haga constar en un atestado policial, cuando se incoen diligencias previas, cuando se le tome por tales hechos declaración a un posible autor en calidad de imputado (o investigado), cuando se transformen las diligencias previas en procedimiento abreviado o en procedimiento Sumario, o tal vez cuando se declare la apertura de juicio oral por la posible comisión de tales hechos típicos y antijurídicos precedentes?

4º) Trayendo a colación las posiciones jurisprudenciales mayoritarias que abogan por la innecesariedad de concretar el tipo penal precedente, no requiriéndose, subrayan, ni la demostración plena de un acto delictivo específico, ni de los concretos partícipes en el mismo, o aquellas posiciones jurisprudenciales, llamadas restrictivas, cuya exigencia pasa por concretar la naturaleza de los delitos previos, me pregunto ¿cómo es posible concluir que una acción es típica penalmente, si la misma no se pone en relación con un tipo penal determinado?, ¿o no es una acción típica sino aquella en la que concurren todos y cada uno de los elementos subjetivos y objetivos del tipo? Es decir, una acción con vocación de tipicidad, deviene atípica penalmente con que un solo elemento del tipo penal, subjetivo u objetivo, no concurra, por lo que ¿cómo podemos saber si concurren o no todos los elementos del tipo penal y, por tanto si existe o no actividad delictiva precedente, si no sabemos de qué tipo penal se trata? Y para mayor abundamiento, si la actividad delictiva es, cuanto menos, acción típica y antijurídica, y la antijuricidad exige la no concurrencia de causa de justificación, ¿cómo es posible prescindir de la exacta concreción o determinación del tipo penal precedente, del tiempo y lugar de la acción, de sus partícipes..., y poder al tiempo determinar la no concurrencia de causa de justificación alguna y, en consecuencia, que la acción es antijurídica? A modo de ejemplo, ¿cómo podemos determinar si concurre o no la causa de justificación de estado de necesidad como eximente completa, y por tanto que la acción es antijurídica, si no conocemos siquiera de que delito se trata, ni las circunstancias personales del autor, ni el contexto en el que se comete? En síntesis, si no queda perfectamente concretado tanto el tipo penal precedente y sus circunstancias de tiempo y lugar, así como sus partícipes, no es posible rechazar la concurrencia de cualquier causa de justificación y, por ende, concluir que la acción precedente es antijurídica.

5º) Si los subtipos agravados de blanqueo de capitales, previstos en los párrafos segundo y tercero del apartado 1 del artículo 301, prevén la imposición de las penas en su mitad superior cuando los bienes tengan su origen en alguno de los delitos expresamente enumerados en sus respectivos textos, y resultando por ello incuestionable que para poder subsumir la consiguiente acción en cualesquiera de estos subtipos agravados será preciso concretar que el delito antecedente es uno de los allí descritos, ninguna razón encuentro para no extender la exigibilidad de dicha concreción en el tipo básico aunque sólo fuera para excluir la subsunción de la acción en cualesquiera de los subtipos agravados.

2. LA PRUEBA DEL DELITO ANTECEDENTE EN LA DOCTRINA JURISPRUDENCIAL

Desde tiempo atrás a la entrada en vigor de la LO 5/2010 de 22 de junio por la que se modificó la redacción del artículo 301 del Código Penal, la jurisprudencia del Tribunal Supremo venía entendiendo la no exigencia de la condena previa por el delito del que procedían los bienes ahora blanqueados; así, la STS n° 1704/2001, de 29 de septiembre, ya apuntaba que "ni en la definición del delito de blanqueo ni en la definición de la forma genérica de receptación se exige la previa condena por el delito del que proceden los bienes que se aprovechan u ocultan. La ausencia de semejante requisito en el tipo cuestionado es, por lo demás, rigurosamente lógica desde una perspectiva de política criminal puesto que, tratándose de combatir eficazmente un tráfico de drogas en todos los tramos del circuito económico generado por dicha delincuencia, carecería de sentido esperar, en la persecución penal de estas conductas, a que se declarase la responsabilidad de quien en el tráfico hubiera participado".

En un sentido similar, las SSTS de 19 y 23 de diciembre de 2003, tras admitir que la existencia del delito previo constituye un elemento objetivo (normativo) del tipo y su prueba condición, asimismo, de tipicidad, señalan que, en ningún caso, la jurisprudencia requiere que hubiera procedido sentencia condenatoria firme, bastando con que el sujeto activo conozca que los bienes tengan como origen un hecho típico y antijurídico, y ni siquiera se considera preciso que se determine la autoría del delito precedente, por cuanto tal requisito, necesidad de condena previa, haría imposible en la práctica la aplicación del tipo de blanqueo.

Posición doctrinal que, a mi juicio, sugiere a la confusión entre uno de los elementos objetivos del tipo (que los bienes procedan de una actividad delictiva), y el elemento subjetivo del tipo (el conocimiento por el sujeto activo de que los bienes tienen su origen en una actividad delictiva); realidades en ningún caso coincidentes, y cuya prueba sigue un proceso de inferencia sustancialmente distinto.

Consideración de la actividad delictiva antecedente como elemento objetivo del tipo que, a pesar de prescindirse de la exigencia de una sentencia condenatoria previa, la propia STS 928/2006, de 5 de octubre, en ningún caso cuestiona, así como, consecuentemente, la necesidad de su prueba, señalando expresamente que "el origen delictivo de los bienes es evidentemente un elemento del tipo penal objetivo con todas las consecuencias que de ello se derivan. En lo que aquí interesa como elemento del tipo debe ser objeto de prueba, y, en este sentido se debe destacar que no rige al respecto ninguna regla especial". Posicionamiento que le sirve para apuntar a continuación que "por lo tanto, son aplicables a la prueba del origen delictivo de los bienes los principios enunciados en las SSTC 174/85, 175/85 y 229/88, según las cuales el derecho a la presunción de inocencia no se pone a que la convicción judicial en un proceso penal pueda formarse sobre la base de una prueba indiciaria. Es decir: el delito origen de los bienes puede ser probado por indicios y no es necesario, pues el texto del art. 301 CP no lo exige, que exista una sentencia judicial que lo haya constatado en un proceso anterior determinado, sin que el acusado por el delito del art. 301 CP haya sido el autor del delito".

Posición jurisprudencial que es confirmada, aunque matizada, por la STS 155/2009, de 26 de febrero (Ponente Excmo. Sr. D. Juan Ramón Berdugo Gómez de la Torre), sosteniendo que "el Tribunal, sin necesidad de la previa declaración de un hecho como delito grave, sí tiene que hacer una interpretación valorativa de este elemento normativo y concluir que los bienes a ocultar proceden de hechos susceptibles de ser calificados como un delito grave de tráfico de drogas. En definitiva esta Sala tiene establecido que no es preciso acreditar una condena anterior por el delito de que proceden los bienes o dinero lavado, siendo bastante con establecer la relación con actividades delictivas y la inexistencia de otro posible origen del dinero, en función de los demás datos disponibles. Dicho de otra forma, que dados los indicios, la conclusión razonable sea su origen delictivo".

En palabras de GARCÍA PÉREZ, "consiguientemente, y esto es lo importante, la constancia de la procedencia criminal de los bienes que son objeto de los actos típicos de blanqueo, no requerirá de otras exigencias que la de la presencia antecedente de una actividad delictiva que permita, en atención a las circunstancias del caso concreto, la exclusión de otros posibles orígenes, sin que sea necesaria ni la demostración plena de un acto delictivo específico, ni de los concretos partícipes en el mismo[7]".

En cuanto al recurso a la prueba indiciaria como medio de inferencia privilegiado en el delito de blanqueo de capitales en orden a

---

[7] GARCÍA PÉREZ, J.J., *La prueba en el delito de blanqueo de capitales: aspectos prácticos*, Diario La Ley nº 7177, Sección Doctrina, 19 de mayo de 2009, Año XXX, Ref. D-179, Ed. La Ley, p. 4.

la acreditación del elemento objetivo del tipo referenciado, la STS 801/2010, de 23 de septiembre, resume la doctrina probatoria en esta materia, señalando que para el enjuiciamiento de delitos de blanqueo de bienes de procedencia ilegal, la prueba indiciaria, a partir de la afirmación inicial de que no es precisa la condena previa del delito base del que proviene el capital objeto de blanqueo, aparece como el medio más idóneo y, en la mayor parte de las ocasiones, único posible para tener por acreditada su comisión (SSTS de 4 de julio de 2006 y de 1 de febrero de 2007), designándose como indicios más habituales en esta clase de infracciones, los siguientes:

a) La importancia de la cantidad de dinero blanqueado.

b) La vinculación de los autores con actividades ilícitas o grupos o personas relacionados con ellas.

c) Lo inusual o desproporcionado del incremento patrimonial del sujeto.

d) La naturaleza y características de las operaciones económicas llevadas a cabo, por ejemplo, con el uso de abundante dinero en metálico.

e) La inexistencia de justificación lícita de los ingresos que permiten la realización de esas operaciones.

f) La debilidad de las explicaciones acerca del origen lícito de esos capitales.

g) La existencia de sociedades "pantalla" o entramados financieros que no se apoyen en actividades económicas acreditadamente lícitas (SSTS 202/2006, de 2 de marzo, 1260/2006, de 1 de diciembre y 28/2010, de 28 de enero).

En consonancia con lo anterior, ya la STS 1065/2005, de 29 de julio, sentaba que la creación de espacios de impunidad sería particularmente grave con relación a la más grave de las delincuencias: la delincuencia organizada que adopta modos y maneras empresariales que se vertebran alrededor del principio de eliminación de toda prueba directa. Por su parte, y en relación concreta a las redes de narcotráfico y blanqueo de capitales, las SSTS 866/2005, de 20 de junio y 1505/2005, de 23 de febrero, y respecto a la especial idoneidad de la prueba indiciaria para investigar este tipo de delincuencia, sostenían que está unánimemente admitido por la Comunidad Internacional y por la cultura más garantista, que la utilización de métodos inducti-vos sobre bases indiciarias, está absolutamente justificada, si se quiere conseguir los efectos previstos por el legislador. El Grupo de Acción Financiera Internacional (GAFI) y los instrumentos internacionales de cooperación en materia de blanqueo de capitales, constituye la polí-tica vertebral de la Unión Europea y de la cooperación con terceros países. Uno de los factores esenciales que constituyen la base de la demostración de esta clase de operaciones, es el de la ocultación de los bienes o de la imposibilidad de explicar su origen.

Al respecto del recurso a la prueba indiciaria y los indicios ha-bituales que sirven a tal inferencia, apunta la STS 91/2014 de 7 de febrero, que, no obstante, "esta doctrina no puede ser entendida como una relajación de las exigencias probatorias; sino como otra forma de probanza que puede conducir al siempre exigible grado de certe-za objetiva preciso para un pronunciamiento penal condenatorio. Se enlaza así con declaraciones de textos internacionales (art. 3.3 de la Convención de Viena de 1988, art. 6.2.c) del Convenio de Estrasbur-go de 1990 o art. 6.2.f) de la Convención de Nueva York contra la Delincuencia Organizada Transnacional) que destacan que la lucha contra esas realidades criminológicas exige esta herramienta de valo-ración probatoria, que, por otra parte, es clásica y no exclusiva de esta modalidad criminal".

Por su parte, la STS 350/2014, de 29 de abril, afirma que "igual-mente hay que tener en cuenta que, como señala el Tribunal Europeo de Derechos Humanos de Estrasburgo, en las sentencias dictadas en los casos Murray contra el Reino Unido (STEDH de 6 de febrero de 2006) y Telfner contra Austria (STEDH de 20 de marzo de 2001), cuando existen indicios suficientemente relevantes por sí mismos de la comisión de un determinado delito, y el acusado no proporciona explicación lógica alguna de su conducta, el Tribunal puede deducir racionalmente que esta explicación alternativa no existe y dictar sen-tencia condenatoria fundada en dichos indicios".

En cuanto a la posible afectación del derecho fundamental a la presunción de inocencia por el recurso a la prueba indiciaria, cons-tituye doctrina constitucional reiterada, y como exponente la STC 189/1998, de 28 de septiembre, que "sólo cabrá constatar la vulnera-ción del derecho a la presunción de inocencia cuando no haya pruebas de cargo válidas, es decir, cuando los órganos judiciales hayan valorado una actividad probatoria lesiva de otros derechos fundamentales o carente de garantías, o cuando no se motive el resultado de dicha valoración, o, finalmente, cuando por ilógico o insuficiente no sea razonable el iter discursivo que conduce de la prueba al hecho probado".

En este ámbito, además de los supuestos de inferencias ilógicas e inconsecuentes, el Tribunal Constitucional ha considerado, asimismo, insuficiente las inferencias no concluyentes, incapaces también de convencer objetivamente de la razonabilidad de la plena convicción judicial. Inferencias no concluyentes respecto de las que la referenciada STC 189/1998 señala que el mayor riesgo de una debilidad de este tipo en el razonamiento judicial, se produce en el ámbito de la denominada prueba de indicios, que es la caracterizada por el hecho de que su objeto no es directamente el objeto final de la prueba, sino otro intermedio que permite llegar a éste a través de una regla de experiencia fundada en que usualmente la realización del hecho base comporta la de la consecuencia.

Por otro lado, a falta de prueba directa, también la prueba indiciaria puede sustentar su pronunciamiento de condena sin menoscabo del derecho a la presunción de inocencia, siempre que:

a) Los indicios se basen en hechos plenamente probados y no en meras sospechas, rumores o conjeturas.

b) Que los hechos constitutivos del delito o la participación del acusado en el mismo, se deduzcan de los indicios a través de un proceso mental razonado y acorde con las reglas del criterio humano, detallado en la sentencia condenatoria.

Como se dijo en las SSTC 135/2003, de 30 de junio, y 263/2005, de 24 de octubre, el control constitucional de la racionalidad y solidez de la inferencia en que se sustenta la prueba indiciaria, puede efectuarse tanto desde el canon de su lógica o coherencia (de modo que será irrazonable si los indicios acreditados descartan el hecho de que se hace desprender de ellos o no conduzcan naturalmente a él), como desde el de su suficiencia o carácter concluyente (no siendo, pues, razonable cuando la inferencia es excesivamente abierta, débil o imprecisa), si bien en este último caso se debe ser especialmente prudente, puesto que son los órganos judiciales quienes, en virtud del principio de inmediación, tienen un conocimiento cabal, completo y obtenido con todas las garantías del acervo probatorio.

En cuando al grado de concreción del delito antecedente, y sin perjuicio de lo anteriormente apuntado respecto al recurso a la prueba indiciaria y a los límites garantizados por el derecho fundamental a la presunción de inocencia, como sostiene GÓMEZ BENÍTEZ respecto al nivel de precisión exigible, "coexisten dos líneas jurisprudenciales, que se van decantando poco a poco a favor de la segunda. La primera línea —extensiva— no exige que en las sentencias condenatorias quede constancia como hecho probado de la actividad delictiva de la que proceden los bienes —tráfico de estupefacientes, corrupción, delitos patrimoniales, etcétera—, sino tan solo una mínima identificación de la existencia de una actividad delictiva (SSTS 928/2006, de 5 de octubre y 145/2008, de 8 de abril, por ejemplo). La segunda línea jurisprudencial —restrictiva— exige que en la sentencia se concrete, al menos, la naturaleza de los delitos previos de los que proceden los bienes objeto de blanqueo: Será preciso identificar en los hechos probados, aunque sea de forma mínima, el delito origen de los bienes y luego valorar la prueba sobre su existencia. Esta identificación y prueba son elementos imprescindibles para afirmar luego que el autor conocía el origen delictivo de los bienes (STS 189/2010, de 9 de marzo)[8]".

A mi juicio, y una vez sentadas las posiciones jurisprudenciales que afrontan la problemática de la prueba del delito antecedente en el blanqueo de capitales, advierto lo que considero un tibio error, no obstante, con sustanciales consecuencias; así, entiendo que se vienen confundiendo dos realidades en ningún caso identificables: el tipo de prueba (prueba directa, indirecta o indiciaria, preconstituida, etc..) con el objeto de la prueba (realidad a acreditar); y dicho fenómeno, reincido, a mi particular juicio, es lo que conduce a la proscrita práctica consistente en confundir, y consiguientemente sustituir, "la prueba indiciaria para acreditar la actividad delictiva precedente" con "la prueba indiciaria para acreditar indicios de una actividad delictiva precedente".

---

8   GÓMEZ BENÍTEZ, J.M., *El delito previo al delito de blanqueo de capitales y a vueltas con el delito fiscal*, Análisis Gómez-Acebo & Pombo, Mayo 2014, pp. 1 y 2.

Es decir, resulta a todas luces incuestionable la oportunidad del recurso a la prueba indiciaria como tipo de prueba hábil para la acreditación de los elementos del tipo de un determinado delito y la participación del acusado en los mismos, máxime en aquellos delitos, como el blanqueo de capitales, en los que el acceso a la prueba directa deviene, en ocasiones, una tarea sumamente compleja si no imposible; no obstante, una cosa es la oportunidad del recurso a la prueba indiciaria, que ya de por sí supone una relajación de los métodos de inferencia para alcanzar evidencias, y otra muy distinta es la relajación o dispensa de la realidad a acreditar, el objeto de la prueba, o, peor aún, la exoneración de la exigibilidad de acreditar todos y cada uno de los elementos del tipo en orden a fundamentar una sentencia condenatoria. Esta última realidad, entiendo, es la que viene advirtiéndose en la doctrina jurisprudencial mayoritaria, al extender la relajación que supone el recurso a la prueba indiciaria a la realidad susceptible de acreditar, como si ésta fuera la consecuencia inevitable de aquella.

Denuncia que fundamento en el examen de los indicios habituales que viene señalando la jurisprudencia mayoritaria en orden a inferir la comisión de un delito precedente, tales como lo inusual o desproporcionado del incremento patrimonial del sujeto o la debilidad de las explicaciones acerca del origen lícito de esos capitales, entre otros, y sin que ninguno de ellos sirva a la constatación de una acción típica y antijurídica precedente, sino todo lo más a la sospecha o indicios de una actividad delictiva precedente que, como decíamos más arriba, no son realidades identificable. Indicios que, no obstante, servirían para acreditar un enriquecimiento injusto o injustificado del acusado, que tendría virtualidad en el ámbito penal, siempre y cuando el legislador hubiera, como en otras legislaciones, tipificado expresamente esta conducta como delito.

En relación los indicios habituales, anteriormente referenciados, ha de significarse que la doctrina jurisprudencial ha venido otorgando, en este tipo de delitos, la condición de indicio a las explicaciones inverosímiles y/o carentes de lógica de los acusados, o a la debilidad de dichas explicaciones o a la ausencia de toda explicación alternativa razonable o convincente sobre el origen y/o procedencia de los bienes. A tal efecto, la STS de 1 de marzo de 2005 declara que "en estos casos se trata únicamente de constatar que existiendo prueba directa de los elementos objetivos del delito y de la participación en el hecho del acusado, no se le contrapone una explicación racional y únicamente verosímil sino que por el contrario las manifestaciones del acusado, por su total ausencia de explicación alternativa plausible, refuerzan la convicción racionalmente deducida de la prueba practicada". Por su parte, la STS de 19 de enero de 2005, menciona como indicio, a la ausencia de toda explicación por parte del recurrente sobre tales adquisiciones y el destino que pensaba darles, y añade que no se trata de que tenga que probar su inocencia, lo que supondría una inadmisible manifestación de inversión de carga de la prueba, "más limitadamente lo que está diciendo, que ante la existencia de prueba de cargo vía indicios, le era exigible ofrecer una explicación exculpatoria que eliminase o disminuyera la naturaleza incriminatoria de aquellos indicios, y en esta dialéctica, el silencio manifestado o las explicaciones inverosímiles confirman y refuerzan la potencia incriminatoria de aquellos indicios. En definitiva, la falta de explicación plausible equivale a que no hay explicación posible...".

Al respecto, y como bien apunta MIRANDA ESTRAMPES, "una adecuada interpretación de dicha doctrina, respetuosa con el derecho a guardar silencio y el derecho a no confesarse culpable (art. 24.2 CE), debería llevarnos a negar todo valor probatorio al silencio del acusado y/o a la inverosimilitud de su relato o coartada y, por tanto, a descartar la tesis jurisprudencial que le atribuye la condición probatoria de indicio. Su valor, como destaca un sector de nuestra doctrina, es meramente argumentativo (o argumental) en la medida en que se limita a reforzar la racionalidad de la inferencia de participación criminal del acusado obtenida a partir de los indicios aportados por la acusación. Indicios que, por tanto, deben reunir, por sí mismos, la condición de sólidos y suficientes. Inferencia de participación que ante la ausencia de una hipótesis fáctica alternativa creíble y/o verosímil, aportada y acreditada por el acusado, adquiere un mayor grado de conclusividad e, indirectamente, robustece la hipótesis fáctica incriminatoria de la acusación. La debilidad y/o inverosimilitud de la explicación del acusado sobre el origen del dinero o de los bienes no puede ser utilizada como un criterio de facilitación probatoria para la acusación ni como un mecanismo de reducción del estándar de prueba exigido en el proceso penal. La acreditación de los elementos integrantes del delito de blanqueo de capitales exige de la concurrencia de indicios sólidos y concluyentes que permitan inferir —más allá de toda duda razonable— la participación del acusado en los hechos. La ausencia de una explicación alternativa razonable se limita, por tanto, a robustecer la racionalidad y conclusividad de la inferencia de participación alcanzada por el Tribunal sobre la base de un cuadro indiciario lo suficientemente rico y sólido y, a su vez, plenamente acreditado[9]".

3. CONCLUSIONES

A modo de conclusión del presente trabajo doctrinal, quisiera advertir, en primer término, la insustancial y estéril sustitución terminológica operada en el texto del artículo 301, por la LO 5/2010 de modificación del Código Penal, por cuanto el término "actividad delictiva", como fuente originaria de los bienes objeto de blanqueo, continúa refiriéndose, indefectiblemente, a acciones típicas y antijurídicas.

En segundo lugar, y en cuanto a la delimitación y concreción de este particular elemento objetivo del tipo de blanqueo de capitales, la actividad delictiva antecedente como fuente originaria de los bienes, sugiero la imposibilidad de determinar una acción como delictiva, acción típica y antijurídica, sin concretar el tipo penal precedente, en orden a corroborar la concurrencia de todos los elementos subjetivo y objetivos del tipo, y sin concretar las circunstancias de tiempo y lugar y partícipes, en orden a corroborar la ausencia de causa de justificación y consiguientemente la antijuricidad de la acción.

Asimismo, por acción típica y antijurídica no puedo entender sino aquella que ha sido previa o simultáneamente declarada por una sentencia, tras el debido proceso y con sujeción a los principios procesales que le son propios, y que ha alcanzado firmeza; de modo tal, que eximiendo los presupuestos de determinación lógica de esta realidad, no se alcanzará la evidencia de una acción típica y antijurídica sino meras sospechas, conjeturas o, todo lo más, indicios de una actividad

---

[9]   MIRANDA ESTRAMPES, M., *Blanqueo de capitales, presunción de inocencia y prueba indiciaria*, Diario La Ley n° 7736, Sección Tribuna, 15 de noviembre de 2011, Año XXII, Ref. D-433, Ed. La Ley, p. 3.

delictiva previa; realidad ajena al elemento objetivo del tipo que nos ocupa.

Por último, quisiera advertir la, a mi juicio, confusión que vicia las posiciones jurisprudenciales mayoritarias entre el tipo de prueba y el objeto de la prueba, lo que conduce inevitablemente a trasladar tal confusión a los resultados exigibles y los alcanzados, sustituyendo, así, erróneamente la prueba indiciaria sobre la actividad delictiva antecedente, por la prueba indiciaria sobre indicios de actividad delictiva antecedente, lo que viene a suponer de facto, la inexigibilidad de acreditación de uno de los elementos objetivos del tipo en orden a fundamentar una sentencia condenatoria.

4. BIBLIOGRAFÍA

ABEL SOUTO, M., La expansión penal del blanqueo de dinero operada por la Ley Orgánica 5/2010, de 22 de junio, La Ley Penal nº 79, Sección Estudios, Febrero 2011, Ed. La Ley.

BERDUGO GÓMEZ DE LA TORRE, I. y FABIÁN CAPARRÓS, E.A., La "emancipación" del delito de blanqueo de capitales en el Derecho penal español, Diario La Ley nº 7535, Sección Doctrina, 27 de diciembre de 2010, Año XXXI, Ed. La Ley.

DEL CARPIO DELGADO, J., La posesión y utilización como nuevas conductas en el delito de blanqueo de capitales, Revista General de Derecho Penal 15 (2011), Ed. Iustel.

GARCÍA PÉREZ, J.J., La prueba en el delito de blanqueo de capitales: aspectos prácticos, Diario La Ley nº 7177, Sección Doctrina, 19 de mayo de 2009, Año XXX, Ref. D-179, Ed. La Ley.

GÓMEZ BENÍTEZ, J.M., El delito previo al delito de blanqueo de capitales y a vueltas con el delito fiscal, Análisis Gómez-Acebo & Pombo, Mayo 2014

MIRANDA ESTRAMPES, M., Blanqueo de capitales, presunción de inocencia y prueba indiciaria, Diario La Ley nº 7736, Sección Tribuna, 15 de noviembre de 2011, Año XXII, Ref. D-433, Ed. La Ley.

LA NOCIÓN JURÍDICA DE "PARAÍSO FISCAL" Y LA CUESTIONABLE CONSISTENCIA DE LA LUCHA CONTRA LA EVASIÓN INTERNACIONAL

Mª SILVIA VELARDE ARAMAYO[1]

Sumario: 1. La tributación de las actividades empresariales transfronterizas. 2. La regulación de los paraísos fiscales. 2.1. Medidas unilaterales: el caso español. 2.2. Acuerdos bilaterales: especial referencia al Convenio hispano-panameño, a la *Foreign Account Tax Compliance Act* (FATCA) y a los Acuerdos Intergubernamentales (IGA's) con Estados Unidos. 2.3. Mecanismos multilaterales. 2.3.1. La Unión Europea y los territorios de ultramar. 2.3.2. La OCDE y el Foro de Transparencia Internacional. 2.3.3. El Acuerdo de Berlín sobre información financiera. 3. Conclusiones. 4. Bibliografía.

Resumen: El artículo analiza la escasa carga tributaria que soportan las actividades empresariales transfronterizas a consecuencia de los elevados niveles de elusión fiscal internacional. Examina y cuestiona la eficacia de las medidas unilaterales, bilaterales y multilaterales adoptadas por España para combatir el uso de paraísos fiscales. También estudia las consecuencias jurídicas generadas por la precaria regulación actual, desde una perspectiva teórica y jurisprudencial.

Palabras clave: "Paraísos Fiscales", "Elusión tributaria", "Evasión fiscal", "BEEPS", "FATCA".

---

[1]   Profesora Titular de Derecho Financiero y Tributario de la Universidad de Salamanca.

1. LA TRIBUTACIÓN DE LAS ACTIVIDADES EMPRESARIALES TRANSFRONTERIZAS

Hace un par de años la OCDE[2] publicó un análisis sobre la estructura tributaria de los países que la integran —entre ellos los EE.MM. de la Unión Europea— correspondiente al período 1965-2013, que muestra la evolución del impuesto sobre sociedades durante casi cincuenta años. A pesar de la globalización y del crecimiento de la economía mundial, el impuesto sobre sociedades apenas habría pasado del 2.1 al 2.9% del PIB y su significado porcentual en términos efectivos habría disminuido, pasando del 8.8 al 8.5% del total de ingresos recaudados. En otras palabras, ahora recaudamos menos ingresos por el impuesto sobre sociedades que hace medio siglo; cifra que, por otra parte, contrasta con lo que ha ocurrido en el ámbito de la imposición sobre la renta personal, que se habría incrementado pasando del 6.8 al 8.6% del PIB aunque en términos recaudatorios, habría disminuido ligeramente pasando del 26.2 al 24.5% del total de ingresos tributarios.

Por otra parte, según la UNCTAD, hoy en día, el elemento clave a la hora de localizar la inversión extranjera directa es el factor tributario, y en concreto, los impuestos que gravan las utilidades empresariales; ello explica, en parte, que durante 2014 el impuesto sobre sociedades recaudado en los países desarrollados (como por ejemplo, en el conjunto de Estados Miembros de la Unión Europea) haya sido del 11% mientras que el recaudado en los países en vías en desarrollo se haya situado en el 21%[3], es decir, casi el doble. Esos mismos datos señalan que el impuesto sobre sociedades en las economías en vías de desarrollo se acercaría al 4% del PIB en tanto que en las economías desarrolladas apenas constituiría el 2% del PIB; panorama muy diferente al que reflejan los impuestos sobre la renta de las personas físicas que suponen el 2% del PIB en las economías en desarrollo y el 8% del PIB de las economías desarrolladas[4].

---

2   Vid. OCDE, "Revenue Statistics 2014" (Tax levels and tax structures 1965-2013), OCDE, París, 2014.
3   Vid. UNCTAD, "World Investment Report 2015", New York, 2015.
4   Op. cit. nº 2.

Otro tipo de indicadores, como por ejemplo, los del BANCO MUNDIAL, muestran que entre 2004 y 2012 el pago del impuesto sobre sociedades ha sido menos gravoso a nivel mundial, y que durante los tres años de la crisis financiera (2008-2010), cerca de cuarenta y siete economías habrían reducido sus tipos de gravamen (entre ellos Grecia, Reino Unido, Canadá, Eslovenia o Indonesia)[5] o introducido beneficios fiscales significativos en dicho tributo (es el caso de Austria, España, Australia o Tailandia)[6]. También el FONDO MONETARIO

---

[5]   "Reducing the corporate income tax rate was a change that many governments made during the financial crisis. In 2008-10 around 47 economies cut their rates. Moldova temporarily reduced its rate from 15% to 0%, effectively eliminating any tax on profits in 2008-11, then set the rate at 12% from January 1, 2012. Some economies (Canada, Fiji, Greece, Indonesia, Slovenia, the United Kingdom) reduced their rates gradually, over several years. Others introduced temporary additional rate reductions. Vietnam cut its corporate income tax rate from 25% to 17.5% in 2009 as part. of a stimulus package for small and medium-size businesses, and then restored the standard rate for the following year. Other economies abolished their minimum income tax (France, Timor). Romania, having introduced a minimum income tax in May 2009, abolished it in October 2010. Some economies amended their income tax brackets rather than reducing rates. Portugal introduced tax brackets for profit tax in January 2009. Taxable corporate income up to €12,500 became subject to half the standard tax rate, while all income over this amount was taxed at the standard 25% rate". *Vid.* WORLD BANK, "Doing Business 2015 (Going Beyond Efficiency). Comparing Business Regulations for Domestic Firms in 189 Economies", 12th. Edition, World Bank, Washington, 2015, p. 87.

[6]   "Other economies abolished their minimum income tax (France, Timor-Leste). Romania, having introduced a minimum income tax in May 2009, abolished it in October 2010. Some economies amended their income tax brackets rather than reducing rates. Portugal introduced tax brackets for profit tax in January 2009. Taxable corporate income up to €12,500 became subject to half the standard tax rate, while all income over this amount was taxed at the standard 25% rate. To stimulate investment in specific areas, some economies increased the percentage of allowance that could be applied on certain assets or allowed the deduction of more expenses. Thailand, for example, encouraged capital investment with accelerated depreciation for equipment and machinery acquired before December 2010. Australia introduced an investment allowance —an up— front deduction of 30% of the cost of new plant contracted for between January 1, 2009, and June 30, 2009, and installed by June 30, 2010. Austria introduced accelerated depreciation (30% for the first year) for tangible fixed assets produced or acquired within a specified time period. Spain introduced unlimited tax depreciation for investments made in new fixed assets and immovable property in 2009 and 2010, later extending this to investments made before December 31,

INTERNACIONAL[7] ha subrayado que después de la crisis, y una vez reanudado el crecimiento económico, en términos generales, los impuestos se han incrementado, *con la única excepción del impuesto sobre sociedades* que todavía no ha regresado a los niveles previos a la crisis, entre otras razones, por el establecimiento de generosos mecanismos de compensación de bases imponibles negativas de ejercicios anteriores, y porque, como ya señalamos, desde 2008 más de la mitad de las economías avanzadas han recortado su tipo de gravamen, al menos, en una ocasión[8].

Evidentemente, esta situación también se debe a los mecanismos de elusión tributaria (y no sólo a los problemas de evasión fiscal) implementados por algunas empresas multinacionales, buenas conocedoras de una pluralidad de instrumentos de planificación fiscal, y que ahora ha saltado a la palestra internacional gracias a casos alarmantes como los de *Google, Starbucks, Amazon, Fiat, Cadbury, General Electric,* etc. En este contexto, según el FONDO MONETARIO INTERNA-CIONAL, Estados Unidos, por ejemplo, cada año pierde 60 billones de dólares a consecuencia de la planificación fiscal de sus multinacio-

---

2012". *Vid.* WORLD BANK, "Doing Business 2015 (Going Beyond Efficiency). Comparing Business Regulations for Domestic Firms in 189 Economies", 12th. edition, World Bank, Washington, 2015, p. 87-88.

7   *Vid.* INTERNATIONAL MONETARY FOUND, "Fiscal Monitor: Taxing Times", October 2013, *IMF Publication Services*, Washington, 2013.

8   Según el FMI "Most revenue components (taxes on goods and services, personal income taxes, and social security contributions) rose, reflecting the implementation of tax hikes (largely focused on the personal income tax and the value-added tax) and the resumption of economic growth. *One exception is the CIT, which has not yet returned to its precrisis average.* Four factors have likely contributed to the hysteresis of the CIT in advanced economies. First, about half of advanced economies cut the CIT rate permanently at least once after 2008. Second, loss carry-forward has likely been reducing the tax base since the crisis. Organization for Economic Co-operation and Development countries in which gross operating surpluses fell the most in 2009 are also countries in which CIT recovered the least between 2009 and 2013. Third, the share of gross operating surpluses to GDP declined in most advanced economies during 2008-13 (0.6 percentage points, on average). Finally, asset price declines, a proxy for the contribution of the financial sector to government revenues, appear to be associated with changes in CIT revenues". *Vid.* INTERNATIONAL MONETARY FOUND, "Fiscal Monitor. Now is the time: Fiscal Policies for Sustainable Growth", April 2015, *IMF Publication Services*, Washington, 2015.

nales[9]; aunque otros autores como ZUCMAN[10] y GRAVELLE[11] señalan que sólo en 2013 el importe oscilaría entre 55 y 133 billones de dólares. Tratándose de los Estados Miembros de la Unión Europea, no existen estimaciones fiables sobre su cuantía –aunque se cree que la evasión y elusión tributaria podrían estar en un trillón de euros al año[12]–, debido a lo cual la necesidad de cuantificar el problema ha sido incluida en el reciente paquete sobre transparencia fiscal de la Comisión Europea[13], en el marco de su ambicioso programa de lucha contra la elusión del impuesto sobre sociedades y la competencia fiscal perniciosa[14].

Ahora bien, como destaca un Informe de la OCDE[15], no podemos obviar que no todos los países dedican los mismos recursos económicos a las tareas de inspección y recaudación tributaria, y así por

---

[9]   *Vid.* INTERNATIONAL MONETARY FOUND, "Fiscal Monitor: Taxing Times", October 2013, *IMF Publication Services*, Washington, 2013, p. 33.

[10] *Vid.* ZUCMAN, Gabriel "Taxing across Borders: Tracing Personal Wealth and Corporate Profits", *Journal of Economic Perspectives*, vol. 28, nº 4, fall, 2014, p. 121-148.

[11] *Vid.* GRAVELE, Jane "Tax Havens: International Tax Avoidance and Evasion", *Congressional Research Service,* Report R40623, Congreso de los Estados Unidos, Washington, 15 de enero de 2015, p. 22.

[12] *Vid.* http: //ec.europa.eu/taxation_customs/taxation/tax_fraud_evasion/a_huge_problem/index_en.htm (fecha de consulta: 17 de marzo de 2015).

[13] "There is extensive evidence that tax evasion and corporate tax avoidance are persistent in the EU, and they are widely estimated to cost public budgets billions of Euros a year. However, the clandestine nature of these activities, coupled with the absence of estimates in several Member States, mean that precise figures are not available. Reliable statistics on the incidence and impact of tax evasion and avoidance would allow for better targeted policy measures and provide a yardstick for measuring their success. Therefore, the Commission, including Eurostat, will work with Member States to explore how more comparable and reliable data on the scale and economic impact of tax evasion and avoidance could be compiled. To this end, a FISCALIS project group has been launched, with a view to encouraging greater transparency between Member States on their national tax gap data and the methodologies for calculating it". *Vid.* Communication from the Commission to the European Parliament and the Council on Tax Transparency to Fight Tax Evasion and Avoidance COM (2015) 136 final de 18 de marzo de 2015, p. 6.

[14] *Vid.* el Programa de trabajo de la Comisión Europea para 2015. Comunicación de la Comisión al Parlamento Europeo, al Consejo, al Comité Europeo de Asuntos Económicos y Sociales, y al Comité de las Regiones, COM (2014) 910 final, 16 de diciembre de 2014.

[15] *Vid.* OECD "Tax Administration 2015. Comparative information on OECD and other advanced and emerging economies", *OECD Publishing*, París, 2015, p. 182.

ejemplo, mientras España dedica el 0.110% del PIB, otros países como Bélgica, Alemania, o Hungría, dedican un porcentaje aún mayor
(0.304%, o 0.275%, 0.423% respectivamente). Como advierte ese
mismo Informe —que compara la situación existente en cincuenta y seis
países (de los cuales treinta y cuatro pertenecen a la Organización)—, sólo un 20% (once países) informan de manera periódica sobre la "brecha
tributaria" (estimación de la pérdida de ingresos tributarios generados
por el fraude o evasión fiscal) existente en la mayor parte de sus impuestos, un 43% (veinticuatro países) se limita a informar sólo sobre la brecha existente en alguno de sus principales impuestos, y muy pocos (trece
países) hacen públicas sus estimaciones[16]. No obstante, la Unión Europea
sí que cuenta con datos sobre la brecha fiscal existente en el IVA[17] y algunos países como Suecia[18], Finlandia[19], o el Reino Unido[20] han efectuado
estimaciones domésticas o están en ello[21].

---

[16]   Vid. OECD "Tax Administration 2015. Comparative information on OECD and
       other advanced and emerging economies", OECD Publishing, París, 2015, p. 132.
[17]   Vid. "Study to quantify and analyze the VAT Gap in the EU-27 Member States.
       Final Report", CPB Netherlands Bureau for Economic Policy Analysis, The Ha-
       gue, 2013. Informe preparado para la Comisión Europea y publicado en 2013:
       TAXUD/2012/DE/316.
[18]   En el documento elaborado por la Agencia Tributaria Sueca (Informe de 8 de
       enero de 2014) —y que corresponde al período 2007-2012— se pone de mani-
       fiesto (página 32) que el impuesto sobre sociedades es el tributo que presenta el
       nivel más bajo de información tributaria (un promedio de 1.10), esto es, infor-
       maciones que proceden de fuentes distintas al propio contribuyente (el promedio
       más alto lo asignan al impuesto a la propiedad: 7.08). Hay que tener en cuenta
       que el promedio general del conjunto de sus impuestos oscila en una horquilla
       que va del 2.21 al 5.55. Vid. "The development of the tax gap in Sweden 2007-
       12, Skatteverket Report, Solna, 8 de enero de 2014.
[19]   En el caso de Finlandia la estimación de la brecha fiscal constituye uno de los
       proyectos estratégicos. Por el momento, sólo cuentan con datos relativos al frau-
       de en el IVA vid. "Finish Tax Administration. Annual Report 2014", VEROS
       katt, 2014, p. 22 y 34.
[20]   El Reino Unido estima en 1.3 billones de Libras la brecha tributaria generada
       por la evasión del impuesto sobre sociedades sin contar la brecha procedente de
       las empresas de servicios que se estima en 1.1 billones de Libras. Vid. HM Re-
       venue & Customs, "Measuring tax gaps 2014. Tax gap estimates for 2012-13",
       HM Revenue& Customs, October 16, 2014.
[21]   En otros países como Dinamarca, la cuestión se ha convertido en una prioridad
       absoluta para la Administración Tributaria. Vid. "Styrket indsats mod skattely.
       Bekæmpelse af grænseoverskridende skatteunddragelse og skattelykonstruktio-
       ner", Regeringen, noviembre de 2014.

Tratándose de España, los informes anuales de recaudación tributaria de la Agencia Estatal de la Administración Tributaria señalan que la recaudación del impuesto sobre sociedades descendió un 6.2% en 2014[22], un 7% en 2013[23], y que en general ha ido disminuyendo desde el año 2006[24], con la única excepción del ejercicio 2012 debido a una serie de medidas coyunturales[25]. Al margen de estos datos oficiales, otros estudios[26] hablan de un desplome de los ingresos generados por el Impuesto de Sociedades, que en cuatro años (2007 a 2011) habría descendido en 28.212 millones de euros, esto es, en un 63%, *sin que ello pueda atribuirse sólo a la crisis o a la evolución de la actividad económica del país.*

Centrándonos en el problema de la evasión fiscal en España, existen algunos trabajos y datos sobre su incidencia en el ámbito del IRPF[27] o del IVA[28], entre los que destaca el estudio realizado en 2013 por la

22 *Vid.* AEAT, "Informe Anual de Recaudación Tributaria 2014", Servicio de estudios tributarios y estadísticas, *AEAT*, Madrid, 2014, p. 20.
23 *Vid.* AEAT, "Informe Anual de Recaudación Tributaria 2013", Servicio de Estudios Tributarios y Estadísticas, *AEAT*, Madrid, 2013, p. 8 y 20.
24 En 2012 "El Impuesto de Sociedades devengado subió (+11,2%) **por primera vez desde 2006**, por los efectos de las medidas tanto en la base imponible como en el tipo efectivo". *Vid.* AEAT, "Informe Anual de Recaudación Tributaria 2012", Servicio de Estudios Tributarios y Estadísticas, *AEAT*, Madrid, 2012, p. 17. En el mismo sentido *vid.* "Recaudación y Estadísticas del Sistema Tributario español 2001-2011", Ministerio de Hacienda y Administraciones Públicas, Dirección General de Tributos, 2013, p. 10.
25 *Vid.* AEAT, "Informe Anual de Recaudación Tributaria 2012", Servicio de Estudios Tributarios y Estadísticas, *AEAT*, Madrid, 2012, p. 13.
26 Vid. SINDICATO DE TÉCNICOS DE HACIENDA. Comunicado de 20 de marzo de 2012: "Gestha ve injusta la tributación de las grandes empresas", disponible en: http: //www.ioncomunicacion.es/busqueda.php?s=evasion+fiscal
27 *Vid.* FEDEA, "El hueco que deja el diablo. Una estimación del Fraude en el IRPF con micro-datos tributarios", *Estudios sobre la Economía Española*, Mayo de 2014. Según los autores de dicho Informe, el grado de cumplimiento en el IRPF sería distinto en función del tipo de renta declarada; y así por ejemplo, el grado de cumplimiento sería del 39% en el caso de los rendimientos del capital mobiliario y del 105% tratándose de rendimientos del trabajo personal.
28 MORENO VALERO, en base a los datos de la Comisión Europea, sostiene que: "El fraude fiscal *transfronterizo* cuesta a las arcas de los Estados miembros alrededor de 60.000 millones de euros, cifra que supone el 10 por 100 de los ingresos totales por IVA" *Vid.* MORENO VALERO, P.A. "El fraude en el IVA y sus desencadenantes", *Crónica Tributaria* nº 139, 2011, pp. 165-178. También

Comisión Europea[29] que sostiene que la brecha fiscal en el IVA español estaría en torno al 1.4% del PIB. También hay una serie de publicaciones y estimaciones sobre cuestiones vinculadas, como por ejemplo el problema de la economía sumergida (que en España rondaría el 24.6% del PIB[30]), numerosas propuestas para combatir el fraude fiscal[31], el problema de la tipificación del delito fiscal tras la Ley Orgánica 7/2012 de 27 de diciembre[32], etc.; sin embargo, no existe ningún estudio específico sobre fraude y elusión en el ámbito del impuesto sobre sociedades. Paralelamente, un estudio de TAX JUSTICE NETWORK (2011) sitúa a España en el puesto número diez de la evasión fiscal mundial[33], y el Sindicato de Inspectores de Hacienda (GESTHA) afirma que tres cuartas partes (un 71,77%) de la evasión fiscal en España se localiza en las 41.582 empresas de mayor tamaño, mientras que las Pymes sólo serían responsables del 17% del total de fraude fiscal[34].

---

vid. PULIDO ALBA, E.J. "El fraude fiscal en España: Una estimación con datos de Contabilidad Nacional", Tesis doctoral inédita, *Universidad de Salamanca*, 2014.

[29] Vid. EUROPEAN COMMISSION, *"Study to quantify and analyze the VAT Gap in the EU-27 Member States. Final Report"*, TAXUD/2012/DE/316, Warsaw, Julio de 2013, p. 29.

[30] *Vid.* JORDI SARDÁ en colaboración con el Sindicato de Técnicos de Hacienda (GESTHA), "La Economía sumergida pasa factura", enero de 2014. http: // www.gestha.es/archivos/actualidad/2014/2014-0129_INFORME_LaEconomia-SumergidaPasaFactura.pdf (fecha de la consulta: 21 de septiembre de 2015).

[31] *Vid.* ORGANIZACIÓN PROFESIONAL DE INSPECTORES DE HACIENDA DEL ESTADO, *"Reforma fiscal española y agujeros negros de fraude. Propuestas y Recomendaciones"*, trabajo coordinado por Carbajo Vasco, Madrid, 2014.

[32] *Vid.* ALONSO GALLO, J. "El delito fiscal tras la Ley Orgánica 7/2012", *Actualidad Jurídica Uría Menéndez* nº 34, 2013; CALVO VÉRGEZ, J.: "El nuevo delito fiscal tras la aprobación de la Ley Orgánica 7/2012, de 27 de diciembre", *Quincena Fiscal* nº 3, febrero, 2013, pp. 49-73; y, MUÑOZ CUESTA, F. J.: "La reforma del delito fiscal operada por LO 7/2012, de 27 de diciembre", *Aranzadi Doctrinal* nº 11/2013.

[33] *Vid.* TAX JUSTICE NETWORK, *"The Cost of tax abuse. A briefing paper on the cost of tax evasion worldwide"*, 2011, p. 3. Disponible en: http: //www.taxjustice.net/wp-content/uploads/2014/04/Cost-of-Tax-Abuse-TJN-2011.pdf

[34] Vid. SINDICATO DE TÉCNICOS DE HACIENDA. Comunicado de 9 de agosto de 2011: "El fraude en las grandes empresas y fortunas triplica al de Pymes y autónomos, según Gestha", disponible en: file: ///C: /Users/Silvia/Downloads/El-fraude-en-grandes-empresas-triplica-al-de-pymes-y-autonomos%20(1).pdf La-

Como ya indicamos, no contamos con estimaciones oficiales sobre el fraude y la elusión fiscal en el impuesto sobre sociedades, sin embargo, resulta significativo que en las estadísticas publicadas por la Agencia Estatal de la Administración Tributaria[35] la demografía empresarial —distribución de declarantes según su situación económica— fuera la siguiente: 319.077 empresas inactivas, 623.101 empresas con pérdidas, 1.049.444 empresas cuya base imponible es igual o inferior a cero, y tan sólo 385.331 empresas con bases imponibles iguales o superiores a cero. La situación es preocupante ya que hemos consultado las estadísticas del impuesto de sociedades correspondiente a los ejercicios 2006 a 2012, y el resultado ha sido similar: el número de empresas inactivas, con pérdidas declaradas o con base imponibles negativas, duplica o triplica el número de empresas que presentan bases imponibles positivas sujetas a gravamen[36]. Tampoco aporta información relevante las Memorias de la Agencia Estatal de la Administración Tributaria que se limitan a mencionar el número de actuaciones de control del fraude tributario (número de Actas de inspección instruidas, número de expedientes sancionadores, número de denuncias por delitos contra la Hacienda Pública, etc.) y que en cualquier caso, no desglosan los datos en función del tipo de impuesto o de contribuyente[37]. En Resumen, pese a la magnitud del problema, no tenemos datos oficiales o estudios fiables sobre la evasión y elusión del impuesto sobre sociedades en España.

---

mentablemente, no se explica la metodología y las fuentes utilizadas a la hora de realizar estas estimaciones, sólo se sostiene que se ha tomado como punto de partida la estadística del IRPF de 2009, declarado en junio de 2010. Si ello es así, los datos sólo serían válidos en el caso de algunas Pymes pero no tratándose de Grandes Empresas y de otras Pymes sujetas al impuesto de sociedades.

[35] Vid. AEAT, "Estadísticas por partidas del Impuesto sobre Sociedades del año 2013". Disponible en: http: //www.agenciatributaria.es/AEAT.internet/datosabiertos/catalogo/hacienda/Estadistica_por_partidas_del_Impuesto_sobre_Sociedades.shtml

[36] Vid. AEAT, "Estadísticas por partidas del Impuesto sobre Sociedades". Disponible en: http: //www.agenciatributaria.es/AEAT.internet/datosabiertos/catalogo/hacienda/Estadistica_por_partidas_del_Impuesto_sobre_Sociedades.shtml

[37] Vid. AEAT, "Memorias de la Agencia Tributaria". Disponible en: http: //www.agenciatributaria.es/AEAT.internet/Inicio/La_Agencia_Tributaria/Memorias_y_estadisticas_tributarias/Memorias/Memorias.shtml

Ahora bien, como las decisiones de inversión se encuentran fuertemente condicionadas por el aspecto tributario y ello incide de manera substancial en los niveles de inversión extranjera directa y de desarrollo sostenible de numerosos países, la UNCTAD[38] ha reclamado que cualquier iniciativa encaminada a erradicar el problema de la elusión fiscal internacional *"tome en consideración el impacto económico que ello generaría en los países receptores de inversión"* al tratarse de un problema sistémico; sobre todo si se tiene en cuenta que gran parte de la inversión internacional procede o se origina en empresas situadas en paraísos fiscales o en centros financieros offshore. Así por ejemplo, sólo en 2012 un 30% de la inversión internacional en acciones (unos 6.5 trillones de dólares) se canalizó a través de centros offshore, esto es, mediante paraísos fiscales o jurisdicciones SPE[39] (como Holanda, Luxemburgo o Rusia).

También conviene tener en cuenta que el nivel y procedencia de la inversión extranjera difiere mucho en cada región. Así por ejemplo, Latinoamérica y el Caribe reciben, aproximadamente, el 27% de dicha inversión (un 19% procedente de jurisdicciones SPE y sólo un 8% de entidades situadas en paraísos fiscales), Europa el 35% (de los cuales 32% procede de jurisdicciones SPE y apenas un 3% de paraísos fiscales), y las economías en transición el 60% (el 19% tendría su origen en jurisdicciones SPE y el 41% en territorios calificados como paraísos fiscales).

En ese mismo sentido, según las estimaciones de la UNCTAD, las aportaciones empresariales en los países en vías de desarrollo, se encontrarían distribuidas de la siguiente manera: 60% correspondería a impuestos, 10% a contribuciones a la seguridad social, y 30% a otros conceptos como cánones y regalías por la explotación de recursos naturales. Pues bien, el 60% procedente de las cargas tributarias, correspondería en su mayor parte –un 49%– a impuestos indirectos sobre bienes y servicios, y *sólo el 21% de la recaudación procedería*

---

[38]   *Vid.* UNCTAD, "World Investment Report 2015", New York, 2015.

[39]   En las operaciones de planificación fiscal internacional es frecuente incluir alguna SPE *(special purpose entity)* o SPV *(special purpose vehicle)* sobre todo en aquellas operaciones que se limitan a la adquisición o financiación de cierto tipo de activos. Generalmente se trata de sucursales creadas con la finalidad de "aislar" algunos riesgos financieros.

del impuesto sobre sociedades (esto es, un 12,6%). En cuanto a los países desarrollados, el aporte tributario sería del 59%, sin embargo, *sólo el 11% procedería del impuesto sobre sociedades.* Es más, a nivel mundial, las cargas tributarias suponen un 56% del total de ingresos tributarios de los países, sin embargo, *únicamente el 12% procede del impuesto sobre sociedades,* mientras que, por ejemplo, la recaudación de los impuestos sobre la renta personal estaría en torno al 34% y los impuestos sobre bienes y servicios en el 37%.

Todos estos datos ponen de relieve que la planificación fiscal de las empresas multinacionales no sólo perjudica a los países de los que procede la inversión sino también a los países receptores de la misma, ya que la recaudación procedente de las utilidades empresariales es baja en comparación con otro tipo de tributos. Las empresas multi-nacionales cada día pagan menos impuestos sobre sociedades por las utilidades empresariales que obtienen en diversos países del mundo; y así por ejemplo, en India más de cuarenta de las mayores empresas del mundo aportan sólo el 16,3%[40], y en Sudáfrica, treinta cinco multina-cionales, aportan únicamente el 23,9% de la recaudación procedente de dicho tributo[41].

En este contexto, algunos casos de elusión tributaria han sido tan notorios que han suscitado acalorados debates sobre la carga tribu-taria real que soportan las empresas multinacionales; así, desde hace algún tiempo, las posibles soluciones se han centrado en la propuesta elaborada por la Comisión Europea para establecer una base impo-nible común consolidada del impuesto sobre sociedades (BICCIS), y en el proyecto preparado por la OCDE para combatir la erosión de la base imponible y el transporte de utilidades (BEPS) que estima dicho problema en una horquilla que oscila entre 100 y 240 billones de dó-

---

[40]   *Vid.* PRICEWATERHOUSE AND COOPERS, "Total tax contribution: How much in taxes do Indian companies really pay?, 2008. Disponible en: https: // www.pwc.in/assets/pdfs/total-tax-contribution.pdf (fecha de acceso: 29 de sep-tiembre de 2015).

[41]   *Vid.* PRICEWATERHOUSE AND COOPERS, "Total tax contribution (South Africa): A closer look into the value created by large companies for the fiscus in the form of taxes", 2011. Disponible en el siguiente enlace: http: //www.pwc. co.za/en/assets/pdf/total-tax-contribution-october-2013.pdf (fecha de acceso: 29 de septiembre de 2015).

lares al año[42]. A ello hay que añadir otro tipo de iniciativas como el proyecto de inspectores fiscales sin fronteras (IFSF) auspiciado por el G-20, la labor para implementar el intercambio automático de información tributaria, o la adopción de algunos documentos especialmente relevantes en el tema como por ejemplo, el Manual práctico sobre transferencia de precios para países en desarrollo (2013), el nuevo Modelo de Convenio de Naciones Unidas de doble imposición entre países desarrollados y países en vías de desarrollo (2011), o la versión —condensada— del Modelo de Convenio de imposición sobre la renta y el capital (2014) de la OCDE. En cualquier caso, se trata de propuestas que, de momento, no han conseguido frenar el problema y parecen simples parches para apaciguar el debate público y la insistencia de algunos países especialmente interesados en combatir el problema. Hoy por hoy, el alcance de la lucha contra el fraude y la elusión fiscal internacional es muy reducido pues si no se modifican una serie de aspectos estructurales, la batalla prácticamente se convierte en misión imposible.

2. LA REGULACIÓN DE LOS PARAÍSOS FISCALES

Como acabamos de señalar, las multinacionales (en adelante MNE) generan utilidades empresariales de carácter transfronterizo con un coste tributario que no guarda relación adecuada con la cuantía de los ingresos que generan, y ello se debe, en buena parte, a la deficiente regulación legal y a la imposibilidad de satisfacer, simultáneamente, los criterios de CIN (*capital import neutrality*) y CEN (*capital export neutrality*) sin antes armonizar el tipo impositivo que grava las utilidades empresariales, ni siquiera en el ámbito de la Unión Europea. Lógicamente, ello también obedece a las ventajas de las que disfruta la actividad empresarial gracias a la globalización de los mercados y al libre movimiento de capitales.

Ahora bien, en un gran número de ocasiones, las MNE no necesitan violar de manera flagrante la regulación tributaria (fraude o evasión) ya que pueden "difuminar" la carga tributaria que les corresponde

---

[42]   *Vid.* OECD-G20 Base Erosion and Profit Shifting Project *"Measuring and Monitoring BEPS"*, Action 11: 2015 Final Report, París, 2015, p. 15.

mediante una buena planificación fiscal (elusión, economía de opción, etc.), y lo mismo sucede, con los contribuyentes de rentas altas que son quienes, en última instancia, se encuentran detrás de las personas jurídicas (que no dejan de ser meras "ficciones" del Derecho). Otras veces, nos encontramos con entidades ficticias que se han creado, exclusivamente, con la finalidad de diluir riesgos (SPE o SPV) o, con el propósito de "encubrir", "blanquear", "ocular", "esconder" el dinero generado por la corrupción y otro tipo de actividades ilícitas.

Es, precisamente, en este contexto, en el cual adquiere gran relevancia la noción de "paraíso fiscal" cuyos perfiles cada vez son más confusos e inexactos, tanto a nivel interno como internacional, y que se utilizan para facilitar que las MNE y los contribuyentes de rentas altas paguen menos impuestos, y como no, para ocultar el origen o la titularidad de las cuentas bancarias. Por ello, desde hacen muchos años se viene insistiendo, de manera casi cansina, en la necesidad de erradicar la existencia de centros financieros offshore y paraísos fiscales; sin embargo, eso no es posible si los países o territorios afectados se niegan a cooperar.

Hasta la fecha, contamos con medidas "unilaterales", "bilaterales", y "multilaterales". Veamos su contenido y eficacia:

2.1. Medidas unilaterales. El caso español

Entre las medidas unilaterales, la más conocida consiste en la utilización de listas negras o *black list* (como sucede en España, Francia, Portugal, Polonia, etc.), aunque también son muy habituales las recaracterizaciones, recalificaciones, e imputaciones tributarias (típicas del derecho anglosajón), y en general, todo un cúmulo de normas antievasión (transferencia de precios, subcapitalizaciones, etc.) que pretenden obstaculizar las operaciones y transacciones desde o hacia zonas de baja o nula tributación, y que en un buen número de casos se vinculan a una serie de ficciones y presunciones jurídicas. Muchos países han incorporado este tipo de medidas en su legislación interna o doméstica, sin embargo, también es cierto que otro buen número de países han preferido guardar silencio sobre la calificación de determinados países o territorios como paraísos fiscales (Reino Unido, Irlanda, Dinamarca, Alemania, etc.), es decir, han optado por no hacer un catálogo de oasis fiscales y por no incorporar medidas específicas que obstaculicen su utilización, dejando su control —de manera genérica— en manos de la Administración Tributaria, y acudiendo, en caso de necesidad, a la teoría del *"fraus legis"* en sede administrativa y judicial (Suecia, Holanda, Austria, etc.)[43]. Ello obedece a la escasa eficacia de este tipo de normas en supuestos transfronterizos (en ocasiones encadenados de manera laberíntica), es decir, a la imposibilidad de combatir con normas nacionales un problema de carácter transnacional.

En el caso de España, el Real Decreto nº 1080/1991, de 5 de julio, determina los países o territorios que se consideran "paraísos fiscales". La norma en origen contaba con un único artículo, sin embargo, el Real Decreto nº 116/2003, de 31 de enero, modificó su texto introduciendo un nuevo artículo que disponía lo siguiente: "Los países y territorios a los que se refiere el artículo 1 que firmen con España un Acuerdo de intercambio de información tributaria o un Convenio para evitar la doble imposición con cláusula de intercambio de información, *dejarán de tener la consideración de paraísos fiscales en el momento en que dichos Convenios o Acuerdos entren en vigor"*. Pues bien, si uno acude a los ochenta y ocho Convenios de doble imposición suscritos por España, podrá comprobar que la mayor parte de ellos sí incorporan la cláusula de intercambio de información exigida por el artículo 2 del Real Decreto nº 1080/1991, de 5 de julio.

Más adelante, la disposición adicional primera de la Ley nº 36/2006, de 29 de noviembre, de medidas para la prevención del fraude fiscal, estableció que tendrán la consideración de paraísos fiscales los países o territorios que se determinen reglamentariamente, señalando además que: (a) *Dejarán de tener la consideración de paraíso fiscal aquellos países o territorios que firmen con España un Convenio para evitar la doble imposición internacional con cláusula de intercambio de información o un Acuerdo de intercambio de información en materia tributaria* en el que expresamente se establezca que dejarán de tener dicha consideración, desde el momento en que estos Convenios o Acuerdos se apliquen; y (b) Que los países o territorios

---

[43]   Sobre la aplicación de las normas antievasión en distintos países de la Unión Europea *vid.* nuestro artículo *"A Common GAAR to protect the harmonized Corporate Tax Base: More chaos in the laberynth"*, EC Tax Review, vol. 25, issue 1, february 2016, p. 4 y ss.

a los que se refiere el párrafo anterior *volverán a tener la considera-ción de paraíso fiscal a partir del momento en que tales Convenios o Acuerdos dejen de aplicarse.*

En otras palabras, se establecía un mecanismo "flexible" que per-mitía excluir y/o reintroducir a un país o territorio en la lista de paraí-sos fiscales (calificación reglamentaria) en base a criterios sumamente laxos: "*la firma* de un Convenio de doble imposición o de un Acuerdo de intercambio de información" (dejaban de tener la consideración de paraíso fiscal) o el momento en que dichos Convenios o Acuerdos "*dejaran de aplicarse*" (instante a partir del cual se recuperaba la con-dición jurídica de paraíso fiscal); sin determinar en este último caso, ni siquiera las causas y plazos determinantes para la inaplicación del Convenio o Acuerdo (consentimiento de las partes, imposibilidad de cumplimiento, cambio de las circunstancias, denuncia, enmienda, mo-dificación, etc.)

Recientemente, la Ley nº 26/2014, de 27 de noviembre, por la que se modifican una serie de normas tributarias, volvió a modificar la definición de paraíso fiscal en los siguientes términos: "La relación de países y territorios que tienen la consideración de paraísos fiscales *se podrá actualizar atendiendo a los siguientes criterios*: (a) La existencia con dicho país o territorio de un Convenio para evitar la doble im-posición internacional con cláusula de intercambio de información, un Acuerdo de intercambio de información en materia tributaria o el Convenio de Asistencia Administrativa Mutua en Materia Fiscal de la OCDE y del Consejo de Europa enmendado por el Protocolo 2010; (b) Que no exista un "efectivo" intercambio de información tributaria en los términos previstos por el apartado 4 de la disposición adicional de dicha norma legal; y, (c) Los resultados de las evaluaciones inter pares realizadas por el Foro Global de Transparencia e intercambio de información con fines fiscales (volveremos sobre este asunto en el punto 2.3). Dicha norma jurídica también estableció que se conside-rará que el intercambio de información es "*efectivo*" cuando exista: (a) Convenio para evitar la doble imposición internacional con cláu-sula de intercambio de información, siempre que en dicho Convenio no se establezca expresamente que el nivel de intercambio de infor-mación tributaria es insuficiente a los efectos de esta disposición; (b) Acuerdo de intercambio de información en materia tributaria; o (c) se haya suscrito el Convenio de Asistencia Administrativa Mutua en Materia Fiscal de la OCDE y del Consejo de Europa.

En otras palabras, en el Ordenamiento jurídico español la calificación reglamentaria de un país o territorio como "paraíso fiscal" se encuentra íntimamente relacionada con los Convenios y Acuerdos internacionales suscritos en materia de intercambio de información tributaria y con la pretendida "efectividad" de dicha cláusula; y así llegamos al absurda situación conforme a la cual, *"un país no se considera paraíso fiscal si ha firmado un CDI que incluya cláusula de intercambio de información con España, siempre que dicho intercambio sea efectivo, esto es, que se trate de un país o territorio al que le sea aplicable un Convenio o Acuerdo de intercambio de información"*. Lamentable técnica legislativa que al introducir criterios flexibles de "actualización" ha convertido la calificación reglamentaria en un terreno muy inestable.

En efecto, se introduce una noción dinámica absolutamente enclenque, que ha suscitado numerosos conflictos judiciales. Así por ejemplo, una empresa pesquera gallega que desarrollaba una parte de sus actividades en las islas Malvinas alegó en sede judicial la insuficiente actualización de la lista de paraísos fiscales que no tuvo en cuenta que a nivel internacional las islas Malvinas no se consideran paraíso fiscal[44]. Tampoco han faltado confusiones; y así por ejemplo, la Audiencia Nacional dispuso la nulidad de las liquidaciones practicas a una empresa, ya que la Administración Tributaria confundió la "República Dominicana" (que no se considera paraíso fiscal) con "Dominica" (que sí lo es), es decir, trató una transacción transfronteriza de carácter ordinario como si fuera una operación con personas o entidades residentes en paraísos fiscales aplicando, indebidamente, una serie de normas antievasión[45].

En otras ocasiones, las empresas han invocado los Convenios para esquivar la aplicación de las normas anti-elusión; y así por ejemplo, se ha intentado deducir pagos efectuados a cuentas bancarias en la

---

[44]   *Vid.* Sentencia de la Audiencia Nacional, Sala de lo Contencioso-Administrativo, de 4 de diciembre de 2014 (Recurso Contencioso-Administrativo nº 441/2011).
[45]   *Vid.* Sentencia de la Audiencia Nacional, Sala de lo Contencioso-Administrativo, de 9 de marzo de 2011 (Recurso Contencioso-Administrativo nº 161/2010).

isla de Jersey, acreditando que la entidad extranjera que prestaba el servicio (receptora de dichos pagos) era una entidad de Derecho Irlandés (país que no tiene la consideración de paraíso fiscal y con el que España ha suscrito CDI con cláusula de intercambio de información) aunque dicha empresa tuviera su cuenta bancaria en las islas del Canal. El Tribunal Supremo, al tiempo de señalar que no basta con exhibir o aportar contratos (y que se debe probar la prestación del servicio en sentido material) ha señalado que *un gasto tiene su origen en un paraíso fiscal* cuando "el pago del servicio se realice a través de una entidad de crédito no residente en un paraíso fiscal, *pero que efectúa una mediación a favor de una entidad de crédito residente en un paraíso fiscal,* o que aún no teniendo su residencia en tales paraísos fiscales, disponga en los mismos de sucursales o agencias a través de las cuales se efectúe el pago del servicio con independencia del lugar de residencia de la persona o entidad prestadora del mismo[46]".

En sentido similar se ha pronunciado la Audiencia Nacional en relación a la necesidad de acreditar la "efectiva prestación de los servicios". Así por ejemplo, ha desestimado el recurso interpuesto por una entidad domiciliada en Irlanda que tenía su sede de dirección efectiva en Gibraltar. Aunque los pagos a la empresa se ingresaron (a través de la Oficina principal del Banco Pastor en la Coruña) en una cuenta bancaria de la empresa en el National Bank of New York (a través de una sucursal en Suiza), la Audiencia Nacional consideró que se debía denegar la *deducibilidad de una serie de gastos empresariales* (justificados en una hipotética prestación de servicios) por tratarse de una entidad que si bien ha acreditado su domicilio fiscal en Irlanda, en realidad reside en un paraíso fiscal (Gibraltar) caracterizado por el tratamiento tributario que se otorga a las *Exempt Companies* (no sujetas a ningún gravamen, salvo el pago de una licencia anual equivalente al 0,05% del capital nominal) y las *Qualifying Companies* (a las que se les exige un gravamen reducido, cercano al 2%)[47].

La Audiencia Nacional también ha rechazado que el tratamiento tributario previsto para las sociedades residentes en otros Estados

---

[46]   *Vid*. Sentencia del Tribunal Supremo, Sala de lo Contencioso-Administrativo, de 19 de enero de 2011 (Recurso de Casación nº 1024/2006).

[47]   *Vid*. Sentencia de la Audiencia Nacional, Sala de lo Contencioso-Administrativo, de 23 de febrero de 2012 (Recurso Contencioso-Administrativo nº 195/2009).

Miembros (EE.MM.) de la Unión Europea (consistente en no practicar ninguna retención en la fuente a la distribución de dividendos entre empresas matrices y filiales) se extienda a sociedades domiciliadas en Estados integrados en el Espacio Económico Europeo (EEE), pese a que la Sentencia del Tribunal de Justicia de Luxemburgo de 11 de junio de 2009[48] dispone que no se pueden establecer diferencias de trato entre las sociedades de los EE.MM de la Unión Europea y las sociedades de los países pertenecientes al EEE (como Noruega e Islandia). Así, ha desestimado el recurso interpuesto por un residente fiscal en Suiza, propietario de una empresa constituida conforme a las leyes de *Liechtenstein* que, amparándose en el CDI entre Suiza y España, pretendía la *devolución de las retenciones practicadas en el ámbito del Impuesto a la Renta de no Residentes* (casi dos millones de euros)[49].

Finalmente, señalar que alguna decisión judicial ha evitado que aquellas entidades que operan en paraísos fiscales puedan acceder a las ventajas previstas por el Ordenamiento tributario español. Así por ejemplo, el Tribunal de Justicia de las Islas Baleares ha indicado que no es admisible acogerse a un *beneficio fiscal* (deducciones en la cuota del impuesto de sociedades) a través de una reinversión en acciones de sociedades domiciliadas en paraísos fiscales (las islas Caimán)[50]. Lamentable que dicha circunstancia no se hubiera previsto de antemano en la normativa que regulaba la deducción por reinversión y que este tipo de "lagunas" quede a merced de la interpretación judicial.

Lógicamente, los casos vinculados a paraísos fiscales no siempre se resuelven a favor de la Administración Tributaria, y así por ejemplo, el Tribunal Supremo estimó el recurso contencioso-administrativo interpuesto contra una Resolución del Ministro de Economía y Hacienda que denegaba una serie de *incentivos regionales* (*subvenciones*) a un proyecto de hotel de cuatro estrellas y campo de golf, debido a que gran parte del accionariado de la empresa promotora residía

---

[48] *Vid.* Sentencia del Tribunal de Justicia de Luxemburgo de 11 de junio de 2009. Asunto Comisión Europea c/Países Bajos, C-521/07.

[49] *Vid.* Sentencia de la Audiencia Nacional, Sala de lo Contencioso-Administrativo, de 27 de febrero de 2014 (Recurso Contencioso-Administrativo 108/2011).

[50] *Vid.* Sentencia del Tribunal Superior de Justicia de las Islas Baleares, Sala Contencioso-Administrativa, de 29 de marzo de 2012 (Recurso Contencioso-Administrativo nº 292/2010).

fiscalmente en las islas Bermudas. Según el Tribunal Supremo "es dudoso incluso que el artículo 13.2 (f) de la Ley General de Subvenciones 38/2003, de 17 de diciembre, pueda ser interpretado en este sentido, pues se refiere a "personas o entidades", y no a los socios; ni sería fácil aplicar esa supuesta prohibición sin que normativamente se precisaran los requisitos cualitativos y cuantitativos para hacerlo[51]". En otras palabras, según el Tribunal Supremo, sí se pueden conceder subvenciones de dinero público a personas que residen en paraísos fiscales, lo cual, ciertamente, es otro sinsentido de nuestra regulación.

También resulta absurdo que tanto la Audiencia Nacional, y más adelante el Tribunal Supremo admitan la *deducibilidad de aquellos impuestos pagados en países que tienen la consideración de paraíso fiscal*, como sucede con Dubai[52]. Lo lógico sería modificar la legislación tributaria y no admitir la deducción por doble imposición internacional cuando se trate de empresas que operan en países o territorios calificados como paraísos fiscales. Nada de esto sucede.

En este mismo orden de ideas, algunas decisiones judiciales resultan sorprendentes, entre ellas, una Sentencia de la Audiencia Nacional que resuelve un recurso interpuesto por una entidad residente en Irlanda, propietaria de cincuenta y siete apartamentos turísticos en Benalmádena (Málaga), y cuyo capital social pertenecía en un 99.99% a otra entidad domicilia en la Isla de Man (que, a su vez, era subsidiaria de una sociedad anónima constituida y residente en el Reino Unido). En un primer momento, la Administración Tributaria denegó la *exención del gravamen especial sobre bienes inmuebles de entidades no residentes*[53] al entender que la propiedad indirecta de los inmuebles

---

51   *Vid*. Sentencia del Tribunal Supremo, Sala de lo Contencioso-Administrativo, de 19 de enero de 2010 (Recurso de Casación 1136/2007.

52   *Vid*. Sentencia del Tribunal Supremo, Sala de lo Contencioso-Administrativo, de 15 de junio de 2011 (Recurso de Casación nº 718/2007).

53   Según el Art. 40 del Real Decreto Legislativo 5/2004 de 5 de marzo, que aprueba el Texto Refundido de la Ley del Impuesto a la Renta de no Residentes: "Gravamen especial sobre bienes inmuebles de entidades no residentes. Las entidades residentes en un país o territorio que tenga la consideración de paraíso fiscal, que sean propietarias o posean en España, por cualquier título, bienes inmuebles o derechos reales de goce o disfrute sobre éstos, estarán sujetas al impuesto mediante un gravamen especial". El impuesto consiste en el 3% del valor catastral de los inmuebles.

la ostentaba una entidad ubicada en un paraíso fiscal (la isla de Man) con el que España no habría suscrito un CDI que incluyera cláusula de intercambio de información; sin embargo, más tarde, la Audiencia Nacional estimó íntegramente el recurso planteado por la empresa en estos términos: "acreditado que el dueño de la entidad irlandesa propietaria de los apartamentos es, a su vez, una entidad subsidiaria de una sociedad británica, no consideramos que pueda excluirse la aplicación de la exención, pues esta última entidad resulta ser, ineludiblemente, la que ostenta la propiedad indirecta de los bienes, *aunque sea con la intermediación de una compañía residente en un paraíso fiscal*[54]". En Resumen, se obvia la evidente conexión con uno de los paraísos fiscales más importantes de Europa y, nuevamente, queda al descubierto la deficiente regulación jurídica ya que, en nuestra opinión, debería denegarse cualquier exención a personas o entidades vinculadas directa o indirectamente, o de cualquier manera, con un territorio calificado como paraíso fiscal.

Algo similar, sucedió en el caso de una entidad domiciliada en las Islas Vírgenes Británicas (propietaria de dos inmuebles destinados a construir un par de aparcamientos en Girona) perteneciente a una persona física residente en Londres desde 1985. Según el Tribunal Superior de Justicia de Cataluña: "la perspectiva de la lucha contra el fraude no se ve comprometida negativamente por cuanto si bien la sociedad recurrente reside en un paraíso fiscal, la totalidad de sus acciones corresponden a una persona física domiciliada en el Reino Unido, por lo que, procede la estimación del recurso con la correspondiente anulación de la liquidación y sanciones impuestas[55]".

Tampoco se entiende que la Audiencia Nacional dejara sin efecto algunas sanciones tributarias señalando que "la voluntariedad de la infracción concurre cuando el contribuyente conoce la existencia del hecho imponible y lo oculta a la Administración Tributaria, a diferencia de los supuestos en los que lo declara, aunque sea incorrectamente, en razón a algunas deficiencia u obscuridades de la norma tributaria que justifican una divergencia de criterio jurídico razonable

---

[54] *Vid.* Sentencia de la Audiencia Nacional, Sala de lo Contencioso-Administrativo, de 27 de junio de 2013 (Recurso Contencioso-Administrativo nº 329/2010).

[55] *Vid.* Sentencia del Tribunal Superior de Justicia de Cataluña, Sala de lo Contencioso-Administrativo, de 9 de septiembre de 2013 (Recurso Contencioso-Administrativo nº 1212/2009).

y razonada, en cuyo caso nos encontraríamos ante un mero error, que no puede ser sancionable[56]. Y digo que no se entiende la aplicación de este argumento en casos evidentes de planificación fiscal, como por ejemplo, la transferencia como marca (*goodwill*) de una institución educativa (el colegio San Estanislao de Kostka) a una entidad holandesa controlada por dos sociedades domiciliadas en las Antillas Neerlandesas (*Curaçao*). Cómo se puede hablar de "error" cuando estamos ante un esquema diseñado para poder deducir cuantías importantes (en concepto de pago de "cánones") a través de sociedades instrumentales controladas por entidades residentes en un paraíso fiscal; y que además, no se sancione tales comportamientos[57].

En el mismo sentido, tampoco ayudan algunas decisiones del Tribunal de Justicia de la Unión Europea que, sutilmente, amparan el funcionamiento de algunos paraísos fiscales. Así por ejemplo, en el marco de un litigio entre una entidad bancaria situada en Gibraltar (que operaba en España bajo el régimen de libre prestación de servicios, esto es, sin ningún establecimiento permanente pero sí con el apoyo de dos despachos de abogados en Marbella) y la Administración del Estado español que le impuso dos sanciones económicas (por importe de 1.700.000 euros) por negarse a proporcionar la información solicitada por el Servicio Ejecutivo español para la prevención del blanqueo de capitales, el Tribunal de Luxemburgo señaló que una normativa de estas características (que prevé que las autoridades españolas pueden solicitar información relevante sobre sus actividades en territorio español, y en caso de negativa, imponer sanciones económicas) sólo es compatible con el Derecho Comunitario siempre que la misma sea "proporcionada", esto es, "si en el momento de los hechos del litigio principal, no existía un mecanismo eficaz que garantizara una cooperación plena y completa de las unidades de información financiera[58]. Según el Tribunal de la Unión Europea, las entidades de

---

56   *Vid.* Sentencia de la Audiencia Nacional, Sala de lo Contencioso-Administrativo, de 22 de mayo de 2014 (Recurso Contencioso-Administrativo nº 267/2011).

57   *Vid.* Sentencia de la Audiencia Nacional, Sala de lo Contencioso-Administrativo, de 22 de mayo de 2014 (Recurso Contencioso-Administrativo nº 267/2011).

58   *Vid.* Sentencia del Tribunal de Justicia de la Unión Europea, Sala Tercera, de 25 de abril de 2013 (Caso Jyske Bank Gibraltar Ltd. contra la Administración del Estado español).

crédito deben transmitir la información requerida a la UIF (Unidad de información financiera) del Estado Miembro en cuyo territorio se encuentran (UIF del Estado Miembro de origen) y será dicho Organismo el que se coordine e intercambie la información con las UIF de los demás Estados Miembros de la Unión Europea. Para los Magistrados de Luxemburgo, una normativa que impone a las entidades de crédito que operan en su territorio la obligación de facilitar *directamente* la información solicitada, sólo será proporcionada cuando el mecanismo previsto por las normas comunitarias "no permita a dicha UIF obtener esta información a través de la UIF del Estado Miembro en el que se encuentra la entidad de crédito". Así, la UIF del Estado Miembro de acogida (España) debe obtener la información necesaria de la UIF del Estado de origen (Reino Unido), pues ello supone para la entidad de crédito afectada (situada en Gibraltar) *una carga económica y administrativa menor* que la obligación de facilitar directamente dicha información al Estado Miembro de acogida (España).

Algo parecido sucede en relación al fraude fiscal en el IVA, muchas veces, vinculado a países o territorios calificados como paraísos fiscales. En esto contexto, por ejemplo, el Tribunal de Justicia de la Unión Europea ha declarado contrario al Derecho Comunitario la normativa polaca que denegaba la deducción del IVA a una empresa fabricante de sistemas de refrigeración y que recurría a los servicios de otra empresa situada en un paraíso fiscal para prestar el servicio de postventa. Según la legislación polaca (Ley del IVA de 8 de enero de 1993) "no se podrá practicar una reducción del importe del impuesto adeudado ni la devolución de la diferencia con respecto al impuesto devengado por una importación de servicios acometida por el sujeto pasivo, en relación con el cual el pago de la contraprestación se efectúe directa o indirectamente a una persona que tenga su domicilio, su sede, o su administración central en alguno de los territorios o países indicados en el Anexo nº 9 de la Ley", esto es, en un paraíso fiscal. Pues bien, según el Tribunal de Luxemburgo, la Directiva 2006/112/CE del Consejo, de 28 de noviembre de 2006, relativa al Sistema común en el IVA, debe interpretarse en el sentido de que "no autoriza a mantener una legislación nacional aplicable en el Estado Miembro interesado ...que excluye con carácter general el derecho a deducir el IVA soportado por la importación de servicios cuya contraprestación se pague directa o indirectamente a una persona establecida en algún

Estado o territorio calificado como paraíso fiscal por la citada legislación[59]". En otras palabras, *se puede deducir el IVA vinculado a la prestación de servicios (generalmente ficticios), prestados por entidades domiciliadas en paraísos fiscales,* ya que los Estados Miembros no están autorizados a mantener exclusiones del derecho a la deducción del IVA aplicado con carácter general a cualquier gasto relacionado con la adquisición de bienes y servicios.

Al margen de este panorama jurisprudencial, todas aquellas transacciones y operaciones transfronterizas con personas o entidades domiciliadas en aquellos países o territorios calificados por el Real Decreto nº 1080/1991 de 5 de julio como paraíso fiscal, que hayan suscrito un CDI con cláusula de intercambio de información tributaria o un Acuerdo de intercambio de información con España, han quedado salvaguardados, protegidos, y a buen recaudo de cualquier norma nacional que pretenda combatir la evasión fiscal. En efecto, de los cuarenta y ocho países incluidos en la calificación reglamentaria original, el Principado Andorra, Chipre, Emiratos Árabes Unidos, Barbados, Jamaica, la República de Malta, la República de Singapur, la República de Panamá, el Gran Ducado de Luxemburgo, y la República de Trinidad y Tobago han firmado CDI que incluyen cláusula de intercambio de información. Además, las Antillas Neerlandesas, Aruba, las Bahamas, y San Marino, han suscrito Acuerdos de intercambio de información; y por último, el Principado de Mónaco, Macao, Santa Lucía, San Vicente y las Granadinas, la isla de Man, las islas Cook, y las islas Caimán, han suscritos preacuerdos de intercambio de información en materia tributaria con España.

No consta documentación que acredite en qué medida el intercambio de información tributaria con España es efectivo, y ni siquiera los criterios en virtud de los cuales la Administración española valora o evalúa dicha cooperación administrativa. Así, mientras las transacciones transfronterizas con personas o entidades domiciliadas en auténticos paraísos fiscales —en sentido sustancial aunque no jurídico formal— quedan "normalizadas", otras actividades internacionales de menor calado, padecen el rigor de la Administración Tributaria,

---

[59]   *Vid.* Sentencia del Tribunal de Justicia de la Unión Europea, Sala Séptima, de 30 de septiembre de 2010 (caso Oasis East Sp.z.o.o contra Minister Finansòw).

precisamente, debido a la ausencia de un CDI, aunque no se trate de paraísos fiscales. Es el caso, por ejemplo, de Nicaragua, Honduras, o Guatemala que no han firmado CDI con España, circunstancia que ha provocado que algunos cooperantes de ONG's —desplazados a dichos países— hayan tenido problemas a la hora de acceder a una exención en el IRPF español prevista para los rendimientos del trabajo realizados en el extranjero (la legislación española exige demostrar que en el territorio en el que se han realizado los trabajos se les ha aplicado un impuesto de naturaleza "idéntica o similar" al IRPF español y que no se trate de un paraíso fiscal)[60]. Este tipo de regulación genera diferencias importantes, y así por ejemplo, el Tribunal Superior de Justicia del País Vasco ha aplicado la exención a los rendimientos del trabajo percibidos por un cooperante desplazado a El Salvador (ya que existía CDI con España) y ha denegado ese mismo tratamiento a los rendimientos percibidos por esa misma persona y actividad en Nicaragua (al no tener suscrito un CDI con España)[61].

2.2. Medidas bilaterales: incidencia de la *Foreign Account Tax Compliance Act* (FATCA) y de los Acuerdos Intergubernamentales (IGA's) con Estados Unidos

Se trata, fundamentalmente, de la introducción y desarrollo de la *"cláusula de intercambio de información tributaria"* —prevista en el Art. 26 del Modelo de Convenio de la OECD[62]— que numerosos países, durante los últimos quince años, han ido incorporando en sus respectivas redes de Convenios de doble imposición internacional (CDI) con la finalidad de obtener cooperación en esta materia que, por otra parte, no

---

[60]   *Vid.* la Consulta de la Hacienda Foral de Vizcaya de 1 de julio de 2008 relativa al tratamiento de los rendimientos del trabajo y retribuciones derivadas de la relación laboral entre cooperantes y una ONG, en relación a países que no son paraísos fiscales pero que no han suscrito un CDI con España.

[61]   *Vid.* Sentencia del Tribunal Superior de Justicia del País Vasco, Sala de lo Contencioso Administrativo, de 22 de febrero de 2011 (Recurso Contencioso Administrativo nº 830/2008). También *vid.* la Sentencia del mismo Tribunal, de 15 de diciembre de 2010 (Recurso Contencioso Administrativo 860/2010).

[62]   *Vid.* ORGANISATION FOR ECONOMIC CO-OPERATION AND DEVELO-PMENT, "Model Tax Convention on Income and on Capital", condensed version (as it read on 15 July 2014), París, OECD publishing, 2014.

ha tenido la eficacia que se esperaba. Como señala la propia OECD y el G-20 en la acción número seis del proyecto BEPS (*base erosion and profit shifting*), el abuso de los CDI constituye una de las fuentes más importantes para conseguir la erosión de la base y el transporte ficticio de utilidades[63], y en consecuencia, son un aspecto crucial en la planificación fiscal internacional ya que permite transportar cuantiosas sumas de dinero (lícito e ilícito) hacia centros offshore y paraísos fiscales.

En este contexto, por ejemplo, si acudimos al CDI suscrito entre España y Panamá (recordemos el escándalo de los "papeles de Panamá[64]", en los que aparecen nombres de políticos, empresarios, deportistas, directores de cine, intelectuales, etc. de todo el mundo, que habrían creado sociedades ficticias para ocultar su patrimonio o para evadir y eludir impuestos) comprobaremos que el mencionado CDI incluye una cláusula de intercambio de información tributaria[65], con tres

---

[63] "Existing domestic and international tax rules should be modified in order to more closely align the allocation of income with the economic activity that generates that income. *Treaty abuse is one of the most important sources of BEPS concerns*. The Commentary on Article 1 of the OECD Model Tax Convention already includes a number of examples of provisions that could be used to address treaty-shopping situations as well as other cases of treaty abuse, which may give rise the double non taxation" *Vid.* ORGANISATION FOR ECONOMIC CO-OPERATION AND DEVELOPMENT/G-20, "*Base Erosion and Profit Shifting Project*", "Preventing the Granting of Treaty Benefits in Inappropriate Circumstances", Action 6: 2015 Final Report, París, OECD publishing, 2015, p. 15.

[64] Se trata de millones de documentos internos del despacho de abogados panameño Mossack & Fonseca, considerado como uno de los cinco mayores registradores mundiales de sociedades "offshore", a los que han tenido acceso el diario alemán "Süddeustche Zeitung" y el Consorcio Internacional de Periodistas de investigación (ICIJ).

[65] El Art. 26 (Intercambio de información) del Convenio entre el Reino de España y la República de Panamá para evitar la doble imposición en materia de impuestos sobre la renta y sobre el patrimonio y prevenir la evasión fiscal, hecho en Madrid el 7 de octubre de 2010 (BOE n° 158 de 4 de julio de 2011) dispone lo siguiente: "1. Las autoridades competentes de los Estados contratantes intercambiarán la información que previsiblemente pueda resultar de interés para aplicar lo dispuesto en el presente Convenio, o para la administración o la aplicación del Derecho interno relativo a los impuestos de toda naturaleza o denominación exigibles por los Estados contratantes, sus subdivisiones políticas o entidades locales, en la medida en que la imposición así exigida no sea contraria al Convenio. El intercambio de información no está limitado por los artículos uno y dos. 2. La información recibida por un Estado contratante en virtud del apartado 1 será mantenida secreta de la misma forma

restricciones genéricas[66], al tiempo que prevé —expresamente— que los Estados signatarios no podrán negarse a proporcionar información con relevancia tributaria alegando que la misma se encuentra en poder de bancos, instituciones financieras o de personas fiduciarias, y tampoco tratándose de información relacionada con los derechos de propiedad o la participación de una persona en empresas panameñas[67].

Dicha cláusula se desarrolla con detalle en la disposición IX del *Protocolo adicional al Convenio de doble imposición internacional*; desarrollo que, sin duda, restringe su eficacia al establecer que:

1. Los Estados contratantes no se obligan al intercambio *automático o espontáneo* de información tributaria.

2. La información se proporcionará *previo requerimiento* de alguno de los Estados contratantes, y se intercambiará, con independencia de que la conducta objeto del requerimiento pueda o no constituir un delito.

3. Sólo se solicitará el intercambio de información "una vez utilizadas todas y cada una de las fuentes de información disponibles por

---

que la información obtenida en virtud del Derecho interno de este Estado y sólo se comunicará a las personas o autoridades (incluidos los tribunales y órganos administrativos) encargados de la gestión o recaudación de los impuestos a los que hace referencia el apartado 1, de los procesos o procedimientos legales para la aplicación efectiva de estos impuestos o de la resolución de los recursos en relación con los mismos o de la persecución de delitos tributarios. Estas personas o autoridades sólo utilizarán esta información para dichos fines. Podrán revelar la información en las audiencias públicas de los tribunales o en las sentencias judiciales".

[66] Según Art. 26.3 del CDI hispano-panameño: "En ningún caso las disposiciones de los párrafos 1 y 2 pueden interpretarse en el sentido de obligar a un Estado contratante a: (a) Adoptar medidas administrativas **contrarias a su legislación o práctica administrativa** o a las del otro Estado contratante; (b) Suministrar información **que no se pueda obtener sobre la base de su propia legislación o en el ejercicio de su práctica administrativa normal** o de las del otro Estado contratante; y (c) Suministrar información que revele un secreto empresarial, industrial, comercial o profesional o un proceso industrial, o información cuya comunicación sea contraria al orden público".

[67] El Art. 26.4 del CDI hispano-panameño dispone que: "En ningún caso las disposiciones del apartado 3 se interpretarán en el sentido de permitir a un Estado Contratante negarse a proporcionar información únicamente porque esta se encuentre en poder de bancos, otras instituciones financieras, o de cualquier persona que actúe en calidad representativa o fiduciaria o porque esté relacionada con derechos de propiedad o la participación en una persona"

la legislación tributaria interna de cada uno de los Estado contratantes".

4. La "asistencia administrativa" prevista no incluirá medidas que: (a) Se dirijan a la *mera recolección de datos no relacionados con una actuación de comprobación o investigación abierta*; y (b) No se aplicará en aquellos casos en los cuales "sea improbable que la información solicitada resulte relevante" para controlar o administrar los asuntos fiscales de un contribuyente de alguno de los Estados contratantes (*fishing expeditions*). Esto supone que el intercambio se articula, básicamente, en el ámbito de las actuaciones de comprobación (se comprueba lo que ya se conoce) y no de investigación (se investiga lo que se desconoce).

5. La información obtenida, no se podrá transmitir a un tercer Estado.

6. El Estado que solicita la información, en el momento de hacer su requerimiento deberá proveer información suficiente para identificar a la persona objeto de investigación (número de cuenta bancaria, datos del registro, número de identificación fiscal, etc.), señalar el período de tiempo sobre el que se solicita información, describir de manera detallada la información que se solicita, indicar el propósito, motivo o "fundamento fiscal" para el que se solicita la información, y señalar, si es posible, el nombre y dirección de la persona que pueda estar en posesión de la información solicitada, etc. Por consiguiente, hay que tener prácticamente "toda la información" antes de cursar la solicitud.

7. Una vez efectuado el requerimiento, se establece el procedimiento y plazos para enviar la información solicitada: 15 días para acusar recibo de la recepción, 60 días para notificar posibles defectos en el requerimiento, 6 meses para obtener e intercambiar la información solicitada "salvo que por razones de la complejidad de la información solicitada o de dificultades presentadas en su obtención, se requiera un plazo mayor", en cuyo caso, el Estado requerido notificará al otro Estado el "tiempo estimado" para entregar la información solicitada. Probablemente, una vez agotados los plazos, la entidad o las personas investigadas ya hayan transferido su patrimonio o el dinero de sus cuentas a otro país, o los hayan puesto a nombre de un testaferro.

8. Los Estados contratantes "entienden" que el requerimiento busca "garantizar un proceso justo al contribuyente", y en consecuencia, las demoras que se produzcan en el ejercicio de los derechos y garantías reconocidos a las personas, en relación a la decisión de la Administración de un Estado contratante de transmitir información con relevancia tributaria a las autoridades competentes del otro Estado contratante, "no se computarán a efectos de los límites temporales previstos en el Convenio". A mayores, el Protocolo adicional dispone que los derechos y garantías reconocidos a las personas en un Estado contratante, se entenderán aplicables en dicho Estado en el curso del procedimiento de intercambio de información. En otras palabras, habrá que conocer qué garantías, derechos, recursos, formas de oponerse, etc. reconoce Panamá a sus contribuyentes, ya que las personas o entidades investigadas seguramente harán buen uso de toda esa "artillería" para dilatar, obstruir y entorpecer el acceso a la información requerida.

9. La información recibida podrá ser utilizada para otros fines siempre que la autoridad competente del Estado que suministra la información lo "autorice", en cuyo caso, el Estado que la recibe garantizará que la información será transmitida "únicamente" a la entidad gubernamental que solicitó la autorización, "que no podrá divulgarla" o "entregarla a cualquier otra autoridad". Lógicamente, este tipo de salvedades son de muy difícil cumplimiento en el caso español, y así por ejemplo, si nos ponemos estrictos, las autoridades tributarias no estarían habilitadas para compartir la información obtenida con el Ministerio Fiscal, lo cual es absurdo.

Como podemos apreciar, el ámbito de aplicación de la cláusula de intercambio de información contenida en el CDI suscrito entre España y Panamá es restringido y su eficacia muy limitada. Así se explica que la Administración Tributaria española no haya tenido acceso a datos relevantes desde el punto de vista tributario (como por ejemplo, información bancaria, mercantil, o financiera de las familias propietarias de los tres principales grupos hoteleros españoles: Meliá, Riú y Martinón), y que alguno de estos contribuyentes hayan podido acogerse a la amnistía fiscal de 2012 y regularizar su situación tributaria sin dificultad. En cambio, tratándose de contribuyentes que no han declarado sus cuentas en Panamá, y que tampoco han regularizado su situación tributaria (al no haberse acogido a la última amnistía fiscal), habrá que esperar a que España —a la vista de los nuevos datos— formalice un requerimiento de información tributaria, y que Panamá envíe dicha información dentro de los plazos previstos por el Convenio.

Nos preguntamos entonces ¿para qué ha servido la cláusula de intercambio de información prevista en el CDI hispano-panameño de 7 de octubre de 2010?, y la respuesta es simple: básicamente ha servido para excluir a este país de la lista española de paraísos fiscales, erosionando gravemente la recaudación tributaria española. Mientras España dejaba de considerar a Panamá como paraíso fiscal, otros países de la Unión Europea (Portugal, Eslovenia, Polonia, Croacia, Grecia, Lituania, Letonia, etc.) sí lo calificaban y lo siguen considerando como tal, y hace un par de meses —a raíz del escándalo— Francia lo ha vuelto a incluir en su parca lista negra (junto a Botswana, Brunei, Guatemala, Niue, Nauru y las islas Marshall). En este sentido, debería cuestionarse la conveniencia y precariedad de la regulación jurídica vigente: una lista de paraísos desmantelada —que no incluye ninguna referencia expresa a las consecuencias derivadas de la inclusión en la misma—, la firma de CDI que garantizan el intercambio de información tributaria sólo de manera formal, la evidente descoordinación entre los distintos países de la Unión Europea (cada uno con su propia lista de paraísos fiscales o sin ella), etc. no parece el mejor camino para erradicar el problema.

En realidad, las cláusulas de intercambio de información incluidas en los CDI contienen muchos recovecos y rendijas jurídicas que, junto a la evidente falta de voluntad política, ponen en seria cuestión su eficacia. Más interesantes resultan los *Acuerdos de intercambio de información tributaria*, esto es, instrumentos suscritos —expresamente— para incrementar la obtención de datos con relevancia tributaria. Al tiempo de redactar este artículo, los Acuerdos firmados por España son cinco[68]

---

[68]   Las negociaciones para suscribir este tipo de Acuerdos con otros países y territorios se encuentran en fase avanzada pero todavía no se han concretado; en este sentido, existen Canjes de notas con: Guernsey (26 de noviembre de 2004 y 17 de febrero de 2005), las islas Caimán (26 de noviembre de 2004 y 26 de abril de 2005), las islas Cook (8 de junio de 2011), las islas de Man (29 de junio de 2005), Bermudas (30 de septiembre de 2009), Jersey (26 de noviembre de 2004 y 14 de febrero de 2005), Macao (27 de junio de 2013), Mónaco (6 de marzo de 2013), Santa Lucía (23 de

(Andorra[69], Aruba[70], Bahamas[71], San Marino[72] y las Antillas holandesas[73]), todos ellos con micro-estados europeos (Andorra y San Marino) que tienen Acuerdos monetarios con la Unión Europea (que, por

mayo de 2011), San Vicente y las Granadinas (18 de mayo de 2011), Montserrat
(26 de noviembre de 2004 y 7 de abril de 2005), las islas Turcas y Caicos (26 de noviembre de 2004 y 4 de abril de 2005), las islas Vírgenes (26 de noviembre de 2004 y
11 de mayo de 2005), y Anguila (26 de noviembre de 2004 y 21 de enero de 2005).
Hay que subrayar que, por una parte, muchos de estos documentos, se refieren
—exclusivamente— al intercambio de información tributaria en el ámbito de los
rendimientos del ahorro en forma de pago de intereses (conviene tener en cuenta
que este tipo de rendimientos se encuentran armonizados por la Directiva 2014\48\
UE del Consejo de 24 de marzo de 2014 que modifica la Directiva 2003\48\CE del
Consejo de 3 de junio de 2003 sobre fiscalidad de los rendimientos del ahorro en
forma de pago de intereses), y que además, por otro lado, se trataría de Acuerdos con
el Reino Unido e Irlanda del Norte en nombre y representación de todos estos territorios, salvo en los canjes de notas con las islas del canal (Jersey y Guernesey) y la isla
de Man, territorios cuyos vínculos con la corona británica son más que evidentes.

[69]   *Vid.* Acuerdo entre el Reino de España y el Principado de Andorra para el intercambio de información en materia fiscal, suscrito en Madrid el 14 de enero de
2010 (BOE n° 283 de 23 de noviembre de 2010).

[70]   *Vid.* Acuerdo sobre intercambio de información en materia tributaria entre el
Reino de España y el Reino de los Países Bajos en nombre de Aruba, suscrito en
Madrid el 24 de noviembre de 2008 (BOE n° 282, de 23 de noviembre de 2009).

[71]   *Vid.* Acuerdo sobre intercambio de información en materia tributaria entre el
Reino de España y la Commonwealth de las Bahamas y Memorándum de entendimiento entre las autoridades competentes del Reino de España y de la Commonwealth de las Bahamas en relación con la interpretación o aplicación del
Acuerdo entre el Reino de España y la Commonwealth de las Bahamas sobre el
intercambio de información en materia tributaria y el reconocimiento de otros
compromisos pactados entre las autoridades competentes, suscrito en Nassau el
11 de marzo de 2010 (BOE n° 169, de 15 de julio de 2011).

[72]   *Vid.* Acuerdo sobre intercambio de información en materia tributaria entre el
Reino de España y la República de San Marino, suscrito en Roma el 6 de septiembre de 2010 (BOE n° 134, de 6 de junio de 2011).

[73]   *Vid.* Acuerdo sobre el intercambio de información en materia tributaria entre
el Reino de España y el Reino de los Países Bajos en nombre de las Antillas
holandesas, suscrito en Madrid el 10 de junio de 2008 (BOE n° 283, de 24 de
noviembre de 2009).
Conviene recordar que desde el 10 de noviembre de 2010 las Antillas Neerlandesas dejaron de existir como tales. A partir de dicha fecha San Martín y Curaçao
tienen el mismo status que Aruba (forman parte del Reino de los Países Bajos
pero gozan de independencia), mientras que el resto de islas de las antiguas Antillas Neerlandesas (Saba, San Eustaquio y Bonaire) han pasado a formar parte de
los Países Bajos.

ejemplo, les permite utilizar el Euro[74]), y con *territorios* estrechamente vinculados a países miembros de la Unión Europea, como sucede con el Reino de los Países Bajos (Aruba y las Antillas holandesas) y el Reino Unido[75] (es el caso de la Commonwealth de las Bahamas).

Prácticamente todos estos Acuerdos, suelen regular el intercambio de información tributaria "*previo requerimiento*" con profusas limitaciones y salvedades (confidencialidad, posibilidad de denegar el requerimiento, etc.). Por lo general, mejoran la situación previa (aplicación del art. 26 del MC OCDE) en determinados aspectos (plazos mucho más breves, posibilidad de efectuar inspecciones fiscales conjuntas en el extranjero, etc.) y algunos incluso prevén el intercambio "*espontáneo*" de información tributaria en supuestos concretos (cuando el país que proporciona la información tenga "razones" para sospechar que el otro Estado contratante perderá parte de su recaudación tributaria, o cuando el investigado "obtenga reducciones o exenciones tributarias que conlleven un incremento del impuesto aplicable en el otro país", o cuando existan razones para suponer que se producen transferencias ficticias de beneficios en el seno de grupos empresariales, etc.). Con todo, este tipo de Acuerdos —en su mayoría suscritos en el bienio 2008/2010— han dado pocos frutos, y de momento, parece mucho más efectivo, como sucede en otros países, que la Administración Tributaria adquiera datos con relevancia tributaria por otras vías [así por ejemplo, según la prensa alemana[76] e inglesa[77], en 2008 la Agencia de inteligencia extranjera germana *(Bundesnachrichtendienst)* compró en 5 millones de euros un DVD con información relativa a las cuentas corrientes de más de 900 ciudadanos alemanes en el LGT Bank de Liechtenstein, permitiendo que el Fisco alemán recuperara más de 180 millones de euros; y más tarde, también compró —en 2.5 millones de euros— información sobre las

---

[74]   *Vid. Acuerdo Monetario entre la Unión Europea y el Principado de Andorra* Diario Oficial de la Unión Europea n° 369/1 de 17 de diciembre de 2011; y, el Convenio Monetario entre la República italiana, en nombre de la Comunidad Europea, y la República de San Marino, Diario Oficial de las Comunidades Europeas C-209 de 27 de julio de 2001).

[75]   Pese al Brexit, a día de hoy, el Reino Unido sigue formando parte de la Unión Europea.

[76]   *Vid. The Spiegel* online international, 2 y 3 de febrero de 2010.

[77]   *Vid. BBC news,* 1 de febrero de 2010.

cuentas corrientes de más de 1.500 ciudadanos alemanes en la sucursal suiza del banco británico HSBC, gestión gracias a la cual pudo recuperar otros 100 millones de euros).

En efecto, si lo que se busca es eficacia, desde luego, la cláusula de intercambio de información prevista en los CDI vigentes y en los escasos Acuerdos de intercambio de información, tal como se encuentran actualmente diseñados, no constituye, en nuestra opinión, el camino más idóneo. Ahora bien, a diferencia del caso alemán, en el cual el Tribunal Constitucional[78] ha dado por válidas las investigaciones sobre evasión fiscal basadas en la información adquirida (léase "robada") a terceros; en otros países, como por ejemplo España, la admisión de ese tipo de pruebas no estaría exenta de polémica (recordemos la doctrina del "fruto del árbol envenenado[79]" según la cuál uno no puede ser condenado en base a pruebas ilícitas) pese a que algunas decisiones judiciales ya han admitido como prueba datos de esas características (así ha sucedido en el caso de un empresario condenado, por la Sección Sexta de la Audiencia Provincial de Madrid[80], a siete

---

[78] *Vid.* la Sentencia del Tribunal Constitucional alemán 2 BvR2101/09 de 9 de noviembre de 2010: http: //www.bundesverfassungsgericht.de/SharedDocs/Pressemitteilungen/DE/2010/bvg10-109.html.

[79] En relación al fundamento y orígenes de esta conocida doctrina en el derecho estadounidense *vid.* el conocido artículo de BRANSDORFER, Mark S. "*Miranda Right-to-Counsel Violations and the fruit of the Poisonous Tree Doctrine*", Indiana Law Journal, volume 62, issue 4, fall 1987, p. 1061 y ss. Disponible en: http: //www.repository.law.indiana.edu/cgi/viewcontent.cgi?article=2092&context=ilj

[80] Según la Audiencia Provincial: "De lo actuado se ha puesto de manifiesto como señala el Fiscal y este Tribunal comparte: (1) La tenencia de un patrimonio depositado en HSBC (Suiza) no conocido previamente por la Administración que no consta en ninguna de las declaraciones de patrimonio realizadas por D. Juan Enrique (2) Que este patrimonio le pertenece aunque esté utilizando la sociedad interpuesta OMEGA ASESORES SA. (3) Que no existe correspondencia entre este patrimonio y el que previamente revelaba en sus declaraciones de renta y patrimonio. (4) Que el recurrente tanto durante el procedimiento de inspección tributaria, como en la instrucción judicial y el acto de la vista oral ha negado mantener cuentas en HSBC Suiza o cualquier relación con la sociedad OMEGA ASESORES S.A. (5) Que no ha aportado ningún certificado de la entidad bancaria en este sentido. (6) Que no ha hecho manifestación alguna a lo largo del procedimiento, en particular en los momentos procesalmente oportunos, a la circunstancia de que las referidas rentas no estuviesen sujetas a gravamen, estuviesen exentas o prescritas, limitándose a negar la titularidad de las cuentas del HSBC. (7) Que no se ha impugnado la liquidación practicada por la AEAT

años de presión y a indemnizar con más de cuatro millones de euros a la Hacienda Pública por la comisión de tres delitos fiscales en base a documentos sustraídos por el informático Hervé Falciani al *HSBC Private Bank Suisse*, que confirma la Sentencia del Juzgado de lo Penal nº 31 de Madrid de 2 de junio de 2015).

Al margen de lo anterior, entre los mecanismos bilaterales, el más relevante es, sin duda, el suscrito con Estados Unidos el pasado 1 de julio de 2014[81], a consecuencia de la adopción de la Ley de cumplimiento tributario de cuentas extranjeras o *Foreign Account Tax Compliance Act* (en adelante FATCA), y que prevé el intercambio anual y automático de información tributaria entre ambos países. La FATCA fue aprobada por el Congreso de Estados Unidos el 18 de marzo de 2010, entró en vigor el 1 de enero de 2013, y sus disposiciones se incorporaron al capítulo IV del U.S. Code *(Taxes to enforce reporting on certain foreign accounts)*; en concreto se recogen en el Título 26 *(Internal Revenue Code)*, Subtítulo A *(Income Taxes)*, Secciones 1471 a 1474. La mencionada norma establece una retención del 30% a título definitivo (aplicable sobre cualquier pago de fuente estadounidense[82]) que deberán aplicar las sucursales extranjeras de carácter financiero y no financiero que operen en Estados Unidos y que no

---

en el sentido de denunciar el error en la calificación y cálculo de las cuotas que ahora se alega. Procede, así pues, integrar en la base liquidable general de D. Juan Enrique correspondiente a los periodos 2005, 2006 y 2007, una ganancia patrimonial no justificada por el patrimonio ocultado en las cuentas del HSBC (Suiza)".
Vid. la Sentencia nº 852/2015 de 9 de diciembre de 2015 disponible en: http://www.poderjudicial.es/search/doAction?action=contentpdf&databasematch=AN&reference=7574442&links=delito%20fiscal&optimize=20160114&publicinterface=true

[81] *Vid.* el Acuerdo entre el Reino de España y los Estados Unidos de América para la mejora del cumplimiento fiscal internacional y la implementación de la *Foreign Account Tax Compliance Act*-FATCA (Ley de cumplimiento tributario de cuentas extranjeras), suscrito en Madrid el 14 de mayo de 2013 (BOE de 1 de julio de 2014). También *vid.* el documento complementario a dicho documento, esto es, el "Acuerdo de autoridades competentes del Reino de España y de los Estados Unidos de Norteamérica" de 30 de noviembre de 2015, Boletín Oficial del Ministerio de Economía y Hacienda (BOMEH) nº 3/2016 (Registro 48462).

[82] Se incluyen los pagos de intereses, dividendos, rentas, salarios, premios, anualidades, compensaciones, remuneraciones, emolumentos, y cualquier otra ganancia, rendimiento o ingreso de carácter periódico. También se aplica a los

cumplan con los deberes de información previstos en el párrafo (b) de la Section 1471 *(Withholdable payments to foreign financial institutions)*, o lo que es lo mismo, establece una retención en la fuente que no se aplica si las sucursales extranjeras suscriben un acuerdo con el Secretario del Tesoro de los Estados Unidos comprometiéndose a proporcionar información sobre las cuentas corrientes que tengan sus residentes y nacionales en dichas instituciones (información sobre la titularidad de las cuentas, direcciones, números de cuenta, saldos, ingresos, reintegros, etc.).

Además, con la finalidad de reducir algunos problemas legales derivados de la implementación de la FACTA, Estados Unidos ha optado por suscribir —como mecanismo paralelo y simultáneo— Acuerdos Intergubernamentales *(Intergovernmental Agreements* o IGA's) con aquellos países con los que mantiene relaciones económicas y diplomáticas (Reino Unido, Irlanda, Noruega, Dinamarca, Alemania, etc.), empleando el Modelo 1 (Francia, Canadá, Colombia, Costa Rica) o el Modelo 2 (Chile, Japón, Suiza, Austria)[83] en función de la preexistencia o no de un Convenio de doble imposición o de un Acuerdo de intercambio de información en materia tributaria, y de la fecha en la que se hubiera adoptado dicho Acuerdo (antes o después del 1 de julio de 2014).

Así, conforme al Acuerdo hispano-estadounidense de 1 de julio de 2014, Estados Unidos se compromete a proporcionar información sobre cada "cuenta española sujeta a comunicación de información[84]" en instituciones financieras de ese país (nombre y domicilio de los residentes españoles que sean titulares de cuentas en instituciones finan-

---

incrementos y ganancias derivadas de la venta o disposición de cualquier tipo de propiedad.

[83]   Los IGA's suscritos por Estados Unidos se pueden consultar en la página Web del Departamento del Tesoro considera: https: //www.treasury.gov/resource-center/tax-policy/treaties/Pages/FATCA.aspx

[84]   Se como "cuenta española sujeta a comunicación de información" aquellas abiertas en instituciones financieras estadounidenses: (a) Cuentas de depósito, cuyo titular sea una persona física residente en España, siempre que en dicha cuenta se abonen, al menos, diez dólares al año en concepto de pago de intereses; y (b) Cuentas que no sean de depósito, cuyo titular sea una persona o entidad residente en España, que perciban rentas de fuente estadounidense sujetas al Art. 61 del *Internal Revenue Code*.

cieras de EE.UU., número de cuentas, importe bruto de los intereses y dividendos abonados, importe de otras rentas de fuente estadounidense abonadas en la cuenta, etc.). Por su parte, España se compromete a proporcionar información sobre cada "cuenta estadounidense sujeta a comunicación de información[85]" en cualquier institución financiera española. En la medida en que se cumpla el IGA, las instituciones financieras españolas que operan en Estados Unidos no estarán obligada a la retención del 30% prevista por el *Internal Revenue Code*.

Así, el IGA español se ha ido aplicando progresivamente, y desde el pasado 1 de enero de 2016 se despliega íntegramente, o lo que es lo mismo, desde hace unos meses ambas partes deberán proporcionar toda la información prevista en los apartados 1 al 7 del Art. 2.2.(a) de dicho Acuerdo. Conviene tener presente que la información objeto de intercambio se encuentra protegida por las normas de confidencialidad y no divulgación previstas en el CDI hispano-estadounidense de 22 de febrero de 1990 (BOE de 22 de diciembre de 1990), y muy especialmente en el párrafo segundo de la nueva versión del artículo 27 (intercambio de información y asistencia administrativa)[86] incorporado a través del *Protocolo que modifica el Convenio de 22 de julio*

---

[85] Se considera como "cuenta estadounidense sujeta a comunicación de información" aquellas cuentas abiertas en cualquier institución financiera española, cuyo titular o titulares sean una o más personas estadounidenses o entidades no estadounidense controladas por personas estadounidenses.

[86] Según el párrafo dos del nuevo artículo 27 del CDI hispano-estadounidense "La información recibida por un Estado contratante en virtud de este artículo se mantendrá en secreto en igual forma que la información obtenida en virtud del Derecho interno de ese Estado y sólo se comunicará a las personas o autoridades (incluidos los tribunales y órganos administrativos) que intervengan en la gestión o recaudación de los impuestos a los que se hace referencia en el apartado 1 de este artículo, en su aplicación efectiva o en la persecución del incumplimiento relativo a dichos impuestos, en la resolución de los recursos relativos a los mismos, o en la supervisión de tales actividades. Dichas personas o autoridades sólo utilizarán esta información para dichos fines. Podrán revelar la información en las audiencias públicas de los tribunales o en las sentencias judiciales. La autoridad competente del Estado contratante que reciba la información en virtud de este artículo puede, con el consentimiento por escrito del Estado contratante que facilita la información, hacerla accesible para su utilización a otros efectos permitidos por las disposiciones de un acuerdo sobre asistencia jurídica mutua en vigor entre los Estados contratantes que permita el intercambio de información tributaria"

de 1990 y el Memorándum de entendimiento de 14 de enero de 2013 (Boletín Oficial de las Cortes Generales n° 300 de 14 de julio de 2014, y n° 306 de 22 de julio de 2014).

El mecanismo FATCA/IGA unido a lo previsto en la nueva versión del Art. 27 del CDI hispano-estadounidense constituye uno de los instrumentos más recios en lo concerniente al intercambio de información tributaria, sin embargo, su aplicación práctica resulta muy compleja (métodos para transmitir la información, notificación de archivos erróneos, formas de subsanación, incumplimientos "significativos", responsabilidades inherentes a la protección de datos, registro de las instituciones financieras españolas en la lista FII —*Foreign Financial Institutions*— del *Internal Revenue Service, etc.*) y conlleva elevados costes administrativos (según el Acuerdo cada autoridad competente asumirá los gastos ordinarios propios en los que incurran, salvo si se trata de costes extraordinarios, en cuyo caso, deberán establecer el mecanismo de reparto de los mismos con antelación suficiente) y un buen número de recursos humanos. Además, la información que Estados Unidos se obliga a proporcionar, no incluye la relativa al "territorio de los Estados Unidos" en los términos definidos en el art. 1 del Acuerdo, esto es, información sobre cuentas en Samoa estadounidense, la Commonwealth de las islas Marianas del norte, Guam, el Estado libre asociado de Puerto Rico, o las Islas vírgenes estadounidenses; aunque sí, por ejemplo, información sobre las cuentas que tengan las personas o entidades españolas en el Estado de Delaware que constituye un gran centro financiero (también conocido como *"the land of free-tax shopping"* por las generosas ventajas fiscales que concede[87]).

2.3. Mecanismos multilaterales

2.3.1. La Unión Europea y los territorios de ultramar

En primer lugar, hay que subrayar que la Unión Europea hasta la fecha no ha adoptado ninguna norma comunitaria destinada a combatir el problema de los paraísos fiscales; sin embargo, en junio de

---

[87] La información tributaria de Delaware se puede consultar en: http: //delaware.gov/topics/TaxCenterhttp: //delaware.gov/topics/TaxCenter

2015, como parte de su ambicioso plan para una tributación más justa y eficiente de las sociedades en la Unión Europea (*A fair and efficient Corporate Tax System in the European Union*) publicó una lista de "jurisdicciones tributarias no cooperativas" (*the dirty thirty*)[88] que básicamente consistió en compilar las listas negras de algunos de sus Estados Miembros, de forma tal que si un territorio o país se consideraba como paraíso fiscal en al menos diez Estados Miembros de la Unión Europea, automáticamente quedaba incorporado en la lista conjunta publicada en la página Web de la Comisión Europea[89], cuyo contenido, en principio, se actualizará periódicamente con la finalidad de reflejar los cambios introducidos por los Estados Miembros en sus propias listas negras. Ahora bien, probablemente, debido a la presión pública derivada del escándalo de los "papeles de Panamá", los Ministros de Economía y Finanzas de la Unión Europea, en la reunión del ECOFIN de 22 de abril de 2016, acordaron crear una lista única de paraísos fiscales y de medidas para combatirlos, a lo cual hay que añadir la adopción de un sistema automatizado de intercambio de información que les permitirá compartir datos sobre la identidad real de los propietarios de aquellas empresas fiscalmente opacas, estructuras fiduciarias, sociedades instrumentales y otras entidades no transparentes.

En principio, la lista conjunta se publicará a lo largo de este año, de manera tal que habrá que esperar un poco para conocer los crite-

---

[88]   La mencionada lista se puede consultar en el siguiente enlace: http: //ec.europa.eu/taxation_customs/taxation/gen_info/good_governance_matters/lists_of_countries/index_en.htm

[89]   El Plan de la Comisión Europea señala: "As an immediate first step, the Commission has published an EU-wide list of third country non-cooperative tax jurisdictions, compiled from Member States' independent national blacklists which were discussed in the December 2014 Platform on Good Tax Governance. Those jurisdictions included on the EU-wide list were identified by at least 10 Member States. The list, published on the Commission's website, offers Member States a transparent tool to compare their national lists and adjust their respective approaches to non-cooperative tax jurisdictions as necessary. Going forward, the Commission will amend this list on a periodic basis to reflect changes to Member States' own national lists". *Vid.* COMMUNICATION FROM THE COMMISSION TO THE EUROPEAN PARLIAMENT AND THE COUNCIL, *A Fair and Efficient Corporate Tax System in the European Union: 5 key areas for action"*, Brussels 17.6.2015, COM (2015) 302 final.

rios de inclusión y las medidas que la Unión Europea pretende adoptar; entre otras, seguramente, penalizar a aquellas entidades financieras y asesores fiscales que ayuden a sus clientes a "ocultar" dinero en paraísos fiscales. Con todo, resulta complicado, ya que muchos de los territorios calificados como paraísos fiscales dependen de algunos Estados Miembros de la Unión Europea, como sucede por ejemplo, con los países y territorios de ultramar (PTU) que disfrutan de un régimen de asociación con la Unión Europea en virtud del cual se les aplica las disposiciones de la cuarta parte del Tratado de Funcionamiento de la Unión Europea (TFUE). En efecto, según el Artículo 198 del TFUE "los Estados Miembros convienen en asociar a la Unión Europea los países y territorios no europeos que mantienen relaciones especiales con *Dinamarca, Francia, Países Bajos y Reino Unido* enumerados en el Anexo II; esto es, Groenlandia, Nueva Caledonia y sus dependencias, la Polinesia francesa, las tierras australes y antárticas francesas, las islas Wallis y Futura, Mayotte, San Pedro y Miquelón, *Aruba*, las *Antillas neerlandesas* (Bonaire, *Curaçao*, Saba, San Eustaquio, San Martín), *Anguila*, las *islas Caimán*, las *islas Malvinas* (*Falkland*), Georgia del Sur y las islas Sándwich del Sur, *Montserrat*, Santa Elena y sus dependencias, el territorio antártico británico, los territorios británicos del Océano índico, las *islas Turcas y Caicos*, las *islas* Vírgenes *británicas, y* las *Bermudas.*

En otras palabras, el régimen especial de asociación con la Unión Europea se aplica a más de diez países y territorios calificados como paraísos fiscales en el Real Decreto 1080/1991 de 5 de julio, a lo que hay que añadir, según lo previsto en el Artículo 355.3 del TFUE, *"los territorios europeos cuyas relaciones exteriores asuma un Estado Miembro"* (por ejemplo, Gibraltar); teniendo en cuenta que además, según lo previsto en el Artículo 355.5 inciso © del TFUE las disposiciones del Tratado "también se aplican a las *islas del Canal* (*Jersey* y *Guernsey*) y a la *isla de Man* en la medida necesaria para asegurar la aplicación del régimen previsto para dichas islas en el Tratado relativo a la adhesión de nuevos Estados miembros a la Comunidad Económica Europea y a la Comunidad Europea de la Energía Atómica, firmado el 22 de enero de 1972".

Por una parte, se trata de territorios que forman parte del territorio aduanero común (Artículo 200.2 del TFUE); y por otro lado, conforme a lo dispuesto en el Artículo 199.5 del TFUE, en las relaciones entre estos países o territorios y los Estados Miembros de la Unión Europea, "el derecho de establecimiento de sus nacionales y sociedades se regula de conformidad con las disposiciones y normas de procedimiento previstas en el capítulo relativo al derecho de establecimiento[90] y sobre una base no discriminatoria[91]". Esto significa que dos de las libertades fundamentales garantizadas por la Unión Europea (derecho de establecimiento[92] y libre movimiento de capitales[93]) también se aplican a una serie de territorios considerados como paraísos fiscales.

Siendo esto así, conviene tener presente algunas decisiones del Tribunal de Justicia de la Unión Europea. Así por ejemplo, en la Sentencia de 5 de mayo de 2011 (asunto C-384/09 *Prunus SARL y Polonium vs. el Directeur des Services Fiscaux de Aix-en-Provence*) relativo a unas sociedades registradas en las Islas Vírgenes Británicas, el Tribunal de Luxemburgo ha señalado que los "PTU se benefician de la liberación de los movimientos de capitales establecida en el artículo 63 del TFUE en su calidad de Estados terceros"; admitiendo al mismo tiempo, que la aplicación de algunas exenciones tributarias pueda estar condicionada (tratándose de sociedades domiciliadas en el territorio de un PTU) "a la existencia de un Convenio de asistencia administrativa celebrado entre un Estado miembro y dicho territorio para luchar contra el fraude y la evasión fiscal". En sentido similar, en la Sentencia de 5 de junio de 2014 (asuntos acumulados XBV

---

90   Es decir, conforme a lo dispuesto en el Título IV, Capítulo II del TFUE.
91   Según lo previsto en el Artículo 18 del TFUE "en el ámbito de aplicación de los Tratados, y sin perjuicio de las disposiciones particulares previstas en los mismos, *se prohibirá toda discriminación por razón de la nacionalidad*".
92   El Artículo 49 del TFUE dispone lo siguiente: "1. En el marco de las disposiciones siguientes, quedarán prohibidas las restricciones a la libertad de establecimiento de los nacionales de un Estado miembro en el territorio de otro Estado miembro. *Dicha prohibición se extenderá igualmente a las restricciones relativas a la apertura de agencias, sucursales o filiales por los nacionales de un Estado miembro establecidos en el territorio de otro Estado miembro*".
93   Según el Artículo 63 del TFUE: "1. En el marco de las disposiciones del presente capítulo, *quedan prohibidas todas las restricciones a los movimientos de capitales entre Estados miembros y entre Estados miembros y terceros países*". Hay que tener en cuenta que los territorios comprendidos en el régimen de asociación con la Unión Europea no son Estados Miembros stricto sensu pero tampoco se los considera como países terceros.

C-24/12 y TBG Limited C-27/12 vs. Staatssecretaris van Financiën de los Países Bajos) concerniente a unas sociedades establecidas en las Antillas neerlandesas, el Tribunal de Justicia de la Unión Europea ha indicado que "el Derecho de la Unión debe interpretarse en el sentido de que no se opone a una medida fiscal de un Estado miembro que, al perseguir de manera efectiva y proporcionada el objetivo de lucha contra la evasión fiscal, restrinja los movimientos de capitales entre ese Estado Miembro y su propio PTU".

Finalmente, hay que tener en cuenta la Decisión 2013/755/UE del Consejo de 25 de noviembre de 2013 relativa a la asociación de los países y territorios de ultramar con la Unión Europea (Decisión de Asociación de ultramar)[94] que, en su Capítulo III, establece que ninguna de sus disposiciones "se podrá interpretar con el fin de impedir la adopción o la ejecución de medidas destinadas a prevenir la evasión o el fraude fiscal *de conformidad con las disposiciones fiscales de los Acuerdos destinados a evitar la doble imposición, o de otros Acuerdos fiscales, o de la legislación fiscal vigente*"; señalando más adelante (Art. 73) que "la Unión y los PTU *promoverán* la cooperación en materia fiscal para facilitar la recaudación de ingresos fiscales *legítimos* y el desarrollo de medidas de aplicación efectiva de los principios de buena gobernanza en materia fiscal, que incluyan la transparencia, el intercambio de información y una competencia fiscal leal".

En definitiva, mera retórica a la hora de combatir un problema (la existencia de paraísos fiscales) que obedece, precisamente, a la opacidad y fisonomía del Sistema tributario de algunos territorios PTU. En nuestra opinión, la "Decisión de Asociación de ultramar" debería estar condicionada al intercambio *automático y anual* de información tributaria *con todos* los Estados Miembros de la Unión Europea, de modo que, en caso de incumplimiento, no se les aplique los beneficios derivados de la Asociación, entre ellos, la asistencia financiera sufragada con fondos de la Unión Europea (como el que les brinda el Fondo Europeo de Desarrollo —que entre el 1 de enero de 2014 y el 31 de diciembre de 2020 les proporcionará una ayuda de 364,5 millones de euros— o el Banco Europeo de Inversiones —que les entregará ayu-

---

[94] *Vid.* Diario Oficial de la Unión Europea de 19 de diciembre de 2013 L 344/1.

das de hasta 100 millones de euros en dicho período—), la posibilidad de obtener subvenciones públicas, y las ventajas aduaneras.

2.3.2. La OCDE y el Foro de Transparencia Internacional

Desde hace más de quince años, el Organismo más activo en la lucha contra los paraísos fiscales ha sido la Organización de Cooperación y Desarrollo Económico[95], que ya en 1998 reconocía que la noción de paraíso fiscal "no tenía un sentido técnico preciso[96]", al tiempo que señalaba los factores clave que permitían su identificación: (a) Imposición nominal o no imposición sobre las partidas de renta más relevantes; (b) Falta de transparencia o marco regulador excesivamente laxo o permisivo; (c) Carencia de un intercambio efectivo de información con relevancia tributaria; y (d) Ausencia de actividades sustanciales ya que, por lo general, son jurisdicciones que no ofrecen un entorno industrial o comercial, ni otro tipo de ventajas susceptibles de atraer el desarrollo o la instalación de actividades empresariales que no sean meramente pasivas. Así, en el año 2000 determinó la existencia de 35 "paraísos fiscales" y "47 regímenes preferenciales nocivos" (en materias tales como seguros, servicios financieros, fondos de inversión, centros de distribución, etc.)[97]; sin embargo, la mayoría de esos países y territorios se comprometieron a eliminar las prácticas "desleales" que venían aplicando con la finalidad de esquivar una serie de "medidas defensivas" de carácter multilateral.

A los países que se comprometieron a incrementar los niveles de transparencia e intercambio efectivo de información tributaria se los denominó "jurisdicciones colaboradoras" en contraposición con los

---

[95]   Vid. VELARDE ARAMAYO, Mª Silvia "Competencia fiscal desleal, intercambio de información, y elusión internacional" en la obra de colectiva "*Derecho económico e internacionalización empresarial*", Ratio Legis, Salamanca, 2006, p. 93.

[96]   *Vid.* ORGANISATION FOR ECONOMIC CO-OPERATION AND DEVELOPMENT, "*Harmful Tax Competition: An Emerging Global Issue*", París, 1998, p. 20 ss.

[97]   *Vid.* ORGANISATION FOR ECONOMIC CO-OPERATION AND DEVELOPMENT "*Towards Global Tax Cooperation. Report to the 2000 Ministerial Council Meeting and Recommendations by the Committee on Fiscal Affairs. Progress in identifying and eliminating Harmful Tax Practices*", París 25 de mayo de 2000.

paraísos o "jurisdicciones no colaboradoras" que, en 2002, eran sólo siete (Andorra, Liechtenstein, Liberia, Mónaco, las islas Marshall, Nauru y Vanuatu)[98]. Además, en 2006 la propia OCDE anunciaba en relación a los "regímenes preferenciales nocivos" que dieciocho habían sido abolidos, catorce sustancialmente modificados, y trece ya no se consideraban dañinos. Por último, en 2009, la OCDE abandonaba la noción de "paraísos fiscales", limitándose a diferenciar entre: (a) Jurisdicciones (cuarenta países, entre ellos, España) que habían implementado de manera sustancial los criterios tributarios internacionalmente acordados (*internationally agreed tax* standards); (b) Jurisdicciones (treinta paraísos fiscales y ocho centros financieros, entre ellos, Suiza y Luxemburgo) que se habían comprometido pero que, todavía no habían implementado los criterios tributarios internacionalmente acordados; y (c) Jurisdicciones que no se habían comprometido ni implementado los criterios tributarios internacionalmente aceptados (Uruguay, Malasia, Costa Rica y Filipinas), pero que lo harían más tarde[99].

En otras palabras, en la actualidad la OCDE, tácitamente, no considera a ningún país o territorio como "paraíso fiscal", y sus esfuerzos en esta materia se han desplazado hacia otros ámbitos. En efecto, ahora sus iniciativas se encaminan en dos direcciones: (1) Luchar contra la erosión de la base y el transporte ficticio de utilidades (proyecto BEPS); y (2) Cooperar para que numerosos países incrementen sus niveles de transparencia e intercambio efectivo de información tributaria. En este último contexto, a instancias de la OCDE y con el apoyo del G20, en 2009 se reestructuró el Foro Mundial de Transparencia e intercambio de información tributaria (que la OCDE —con la participación de aquellos países que se habían comprometido a implementar los criterios internacionales de intercambio de información tributaria— creó en el año 2000), y que desde entonces es el encargado de

---

[98]   *Vid.* ORGANISATION FOR ECONOMIC CO-OPERATION AND DEVELOPMENT *"List of uncooperative Tax Havens"*, París, April 18, 2002.
[99]   *Vid.* ORGANISATION FOR ECONOMIC CO-OPERATION AND DEVELOPMENT *"A progress Report on the Jurisdictions surveyed by the OECD Global Forum in implementing the internationally agreed Tax Standard"*, París, 2 de abril de 2009.

monitorizar y revisar (*peer review process*) la legislación de los países que lo componen.

En este período, las 135 jurisdicciones que componen el Foro Mundial se han comprometido al intercambio de información tributaria "previo requerimiento", y otras 96 jurisdicciones han decidido implementar, en los próximos dos años, el intercambio "automático" de información tributaria sobre cuentas financieras. Actualmente, este Foro Internacional es el único organismo competente para evaluar a las distintas jurisdicciones en lo concerniente a su nivel de cooperación en temas de transparencia de intercambio de información con fines fiscales.

Como ya mencionamos, el Foro se encarga de monitorizar la evolución de cada país; y en concreto, propone y hace un seguimiento detallado de las reformas normativas que los países deben acometer si quieren pasar a la siguiente fase del proceso de evaluación. Las reformas que suele "recomendar" se estructuran en tres grandes bloques: disponibilidad de la información (normas bancarias, normas contables, y normas sobre identificación de propietarios, etc.), acceso a la información (derechos y garantías de los contribuyentes afectados, autoridades que pueden tener acceso a la información, etc.), e intercambio de información (red de Convenios suscritos, confidencialidad, plazos, etc.).

En la Declaración de resultados de Barbados (29-30 de octubre de 2015) el Foro ha señalado que los primeros intercambios de información tributaria se producirán en 2017 (Alemania, Anguila, Argentina, Barbados, Bélgica, Bermudas, Bulgaria, Colombia, Corea, Croacia, Curaçao, Chipre, Dinamarca, Dominica, Eslovenia, España, Estonia, Finlandia, Francia, Gibraltar, Grecia, Groenlandia, Guernesey, Hungría, India, Irlanda, Islandia, Isla de Man, Islas Caimán, Islas Feroe, Islas Turcas y Caicos, Islas Vírgenes Británicas, Italia, Jersey, Letonia, Liechtenstein, Lituania, Luxemburgo, Malta, Mauricio, México, Montserrat, Niue, Noruega, Países Bajos, Polonia, Portugal, Reino Unido, República Checa, República Eslovaca, Rumanía, San Marino, Seychelles, Sudáfrica, Suecia, Trinidad y Tobago) y 2018 (Albania, Alemania, Andorra, Antigua y Barbuda, Arabia Saudita, Aruba, Australia, Austria, Bahamas, Belice, Brasil, Brunei Darussalam, Canadá, Chile, República Popular China, Costa Rica, Emiratos Árabes Unidos, Ghana, Granada, Hong Kong, Indonesia, Israel, Islas Cook, Islas Marshall, Japón, Macao, Malasia, Mónaco, Nueva Zelanda, Panamá, Qatar, Rusia, Samoa, San Cristóbal y Nieves, Santa Lucía, San Vicente y las Granadinas, Singapur, San Martín, Suiza, Turquía, y Uruguay). Por el momento, sólo Bahréin, Nauru, Vanuatu no han fijado un plazo concreto para comenzar a compartir información con relevancia tributaria.

Habrá que esperar y ver cómo se desarrollan dichos intercambios teniendo en cuenta que el resultado de las evaluaciones permitirá —una vez concluido todo el proceso— elaborar una lista global de jurisdicciones no colaboradoras. También destacar que aparte de las jurisdicciones y países que componen el Foro, quince Organismos internacionales participan en el mismo en calidad de Observadores, entre otros: Naciones Unidas, el Banco Mundial, el Fondo Monetario Internacional, el Secretariado de la Commonwealth, la Organización Mundial de las Aduanas, el Banco de reconstrucción y desarrollo europeo, el Banco europeo de inversiones, el Banco Africano de Desarrollo, el Centro Interamericano de Administraciones Tributarias, el Foro Africano de Administraciones Tributarias, el Banco de Desarrollo Interamericano, el Banco de Desarrollo Asiático, la Corporación Financiera Internacional, la Comunidad del Caribe (CARICOM), y el Centro de Estudios de Administraciones Tributarias (CREDAF). Finalmente, indicar que todavía se desconocen las medidas que se adoptarán contra los países y jurisdicciones que no colaboren, sin embargo, todo hace presumir que serán medidas económicas de carácter multilateral.

El siguiente cuadro resume el grado de cumplimiento (de la segunda y última fase del proceso de evaluación) de los países y jurisdicciones que componen el Foro Mundial, a 26 de julio de 2016[100]:

---

[100] No han pasado a la segunda fase del proceso de evaluación: Micronesia, Guatemala, Kazajistán, Líbano, y Trinidad y Tobago. Tratándose de Naurú y Vanatú.

Australia, Belgium, Canada, China (People's Republic of), Colombia, Denmark, Finland, France, Iceland, Idia, Ireland, Isle of Man, Japan, Korea, Lithuania, Mexico, New Zealand, Norway, Slovenia, South Africa, Spain, Sweden.	**Compliant**
Albania, Argentina, Aruba, Austria, Bahamas, Bahrain, Belize, Bermuda Botswana, Brazil, British Virgin Islands, Cameroon, Cayman Islands, Chile, Cook Islands, Cyprus, Czech Republic, El Salvador, Estonia, Former Yugoslav Republic of Macedonia, Gabon, Georgia, Georgia, Germany, Ghana, Gibraltar, Greece, Grenada, Guemsey, Hong Kong (China), Hungary, Italy, Jamaica, Jersey, Kenya, Latvia, Liechtenstein, Luxembourg, Macao (China), Malaysia, Malta, Mauritania, Mauritius, Monaco, Montserrat, Netherlands, Nigeria, Niue, Pakistan, Philippines, Poland, Portugal, Qatar, Russia, San Marino Senegal, Singapore, Slovak Republic, Saint Kitts and Nevis, Saint Lucia, Saint Vincent and the Grenadines, Saudi Arabia, Seychelles, Switzerland, Turks and Caicos Islands, United Kingdom, United States, Uruguay	**Largely Compliant**
Andorra, Anguila, Antigua and Barbuda, Barbados, Costa Rica Curaçao, Indonesia, Israel, Samoa, Sin Maarten, Turkey, United Arab Emirates	**Partially Compliant**

Fuente: Foro Mundial de transparencia e intercambio de información tributaria.

Reiteramos lo indicado en el párrafo anterior: es necesario esperar y ver cómo se desarrolla el intercambio de información monitorizado por el Foro mundial de transparencia. En todo caso, "sorprende" que países y jurisdicciones tradicionalmente consideradas como paraísos fiscales hayan superado, total o parcialmente, dicho proceso de evaluación; y que, por consiguiente, no vayan a integrar la futura relación de "jurisdicciones no colaboradoras".

2.3.3. El Acuerdo multilateral de intercambio de información financiera

En octubre de 2014 un total de 89 jurisdicciones adoptaron un nuevo mecanismo multilateral —diseñado por la OCDE y el G-20— para el intercambio automático de información de cuentas financieras que, en el caso de España, comenzará a aplicarse en septiembre de 2017[101].

---

[101]   *Vid.* BOE n° 193 de 13 de agosto de 2015, p. 73651.

El mencionado Acuerdo sólo se aplica a las cuentas financieras (en entidades bancarias, entidades de inversión, entidades aseguradoras, y entidades de custodia) superiores a 250.000 dólares[102] y afecta, sobre todo, a los rendimientos de inversión mobiliaria (intereses, dividendos, etc.). Por razones de extensión, en este artículo no analizaremos el contenido de este prometedor mecanismo que sigue la pauta marcada por el FATCA aunque con notables diferencias. Por último, ya para concluir, también destacar la importancia de la Directiva 2015/2376 del Consejo, de 8 de diciembre de 2015, y de la Directiva 2016/881 del Consejo, de 25 de mayo de 2016, que modifican de manera sustancial el contenido y funcionamiento de la Directiva 2011/16/UE sobre intercambio automático y obligatorio de información tributaria en el ámbito de la Unión Europea.

3. CONCLUSIONES

Primera. A nivel internacional no existe una noción jurídica de paraíso fiscal y tampoco existen criterios claros que permitan incluir o excluir a un determinado país o territorio dentro de dicha categoría. Sólo se cuenta con algunas características generales —brindadas por la OCDE hace ya varios años— que, en ocasiones, coadyuvan a su identificación. Así, en un gran número de casos, las llamadas "listas negras" se confeccionan de manera discrecional o aplicando criterios endebles que varían de un país a otro.

Segunda. Los datos económicos muestran con claridad la ineficacia de las medidas unilaterales y bilaterales para combatir la elusión fiscal internacional. Esto se aprecia de manera especial en el impuesto que grava a las sociedades (beneficios y utilidades empresariales) cuya recaudación —a nivel global— es más baja que hace cincuenta años pese al proceso de globalización económica, o si se prefiere, gracias al mismo.

Tercera. No se puede satisfacer de manera simultánea los criterios de neutralidad en la importación y exportación de capital sin armonizar el tipo impositivo aplicable en el impuesto que grava los beneficios

---

[102] *Vid.* OCDE *"Standard for automatic Exchange of Financial Account information in Tax Matters"*, OCDE *Publishing, París, 2014.*

empresariales. Mientras esto siga así, continuarán existiendo zonas de baja y alta tributación, y obviamente, seguirán los desplazamientos de flujos de inversión hacia dichos territorios. El problema es ahora de carácter sistémico y circular, siendo muy significativos los recientes datos de la UNCTAD según los cuales el 27% de la inversión extranjera que llega a Latinoamérica, y el 60% de aquella que nutre las economías en transición, tiene su origen en paraísos fiscales y jurisdicciones SPE.

Cuarta. En el caso español, la técnica utilizada por el legislador a la hora calificar un territorio como paraíso fiscal, en función de la existencia y efectividad de un Convenio de doble imposición, es inadecuada. Se ha querido establecer un mecanismo flexible y dinámico que a la postre ha desvirtuado la eficacia de una serie de normas anti-elusión. A ello hay que sumar algunas decisiones judiciales, que lejos de contribuir a la tarea, han permitido que algunas sociedades situadas en paraísos fiscales o controladas por personas físicas y jurídicas domiciliadas en dichos territorios, disfruten de subvenciones públicas, queden exoneradas de impuestos, o logren acceder —de manera indirecta— al tratamiento previsto para los Estados Miembros de la Unión Europea.

Quinta. Resulta bochornoso que, hasta la fecha, la Unión Europea no haya armonizado la relación países que considera paraísos fiscales, y que tampoco haya regulado las medidas aplicables a las operaciones con dichos territorios, y/o establecido criterios jurídicos y económicos para incluir o excluir a un territorio en dicho elenco. Es cierto que la competencia en el ámbito de la imposición directa sigue en manos de cada uno de los Estados Miembros, pero también es verdad que los excesivos niveles de fraude y elusión fiscal ponen en jaque las libertades comunitarias. El artículo 325 del TFUE prevé la lucha contra el fraude y exige brindar una protección eficaz a los Estados Miembros: nada de eso se ha hecho hasta ahora por falta de voluntad política.

Sexta. En los últimos años el debate jurídico internacional que rodea a los paraísos fiscales se ha modificado. Ahora lo que se busca es implementar, incrementar y monitorizar el intercambio efectivo de información tributaria transfronteriza. El objetivo consiste en conseguir niveles aceptables de información tributaria y que el intercambio se convierta en un mecanismo automático y continuo. Algunas medidas bilaterales y multilaterales apuntan en esta dirección, pero todavía queda camino por recorrer. Mientras tanto, algunos Gobiernos prefieren emplear mecanismos no convencionales, mucho más eficientes pero muy poco ortodoxos.

4. BIBLIOGRAFÍA CITADA

Convenios y Acuerdos Internacionales.

Convenio entre el Reino de España y la República de Panamá para evitar la doble imposición en materia de impuestos sobre la renta y sobre el patrimonio y prevenir la evasión fiscal, Madrid 7 de octubre de 2010 (BOE nº 158 de 4 de julio de 2011.

Acuerdo entre el Reino de España y los Estados Unidos de América para la mejora del cumplimiento fiscal internacional y la implementación de la *Foreign Account Tax Compliance*, suscrito en Madrid el 14 de mayo de 2013 (BOE de 1 de julio de 2014).

Acuerdo de autoridades competentes del Reino de España y de los Estados Unidos de Norteamérica de 30 de noviembre de 2015, Boletín Oficial del Ministerio de Economía y Hacienda (BOMEH) nº 3/2016 (Registro 48462).

Acuerdo Monetario entre la Unión Europea y el Principado de Andorra, Diario Oficial de la Unión Europea nº 369/1 de 17 de diciembre de 2011.

Convenio Monetario entre la República italiana, en nombre de la Comunidad Europea, y la República de San Marino, Diario Oficial de las Comunidades Europeas C-209 de 27 de julio de 2001).

Acuerdo sobre intercambio de información en materia tributaria entre el Reino de España y la Commonwealth de las Bahamas y Memorándum de entendimiento entre las autoridades competentes del Reino de España y de la Commonwealth de las Bahamas en relación con la interpretación o aplicación del Acuerdo entre el Reino de España y la Commonwealth de las Bahamas sobre el intercambio de información en materia tributaria y el reconocimiento de otros compromisos pactados entre las autoridades competentes, suscrito en Nassau el 11 de marzo de 2010 (BOE nº 169, de 15 de julio de 2011).

Acuerdo entre el Reino de España y el Principado de Andorra para el intercambio de información en materia fiscal, suscrito en Madrid el 14 de enero de 2010 (BOE nº 283 de 23 de noviembre de 2010).

Acuerdo sobre intercambio de información en materia tributaria entre el Reino de España y el Reino de los Países Bajos en nombre de Aruba, suscrito en Madrid el 24 de noviembre de 2008 (BOE nº 282, de 23 de noviembre de 2009).

Acuerdo sobre intercambio de información en materia tributaria entre el Reino de España y la República de San Marino, suscrito en Roma el 6 de septiembre de 2010 (BOE nº 134, de 6 de junio de 2011).

Acuerdo sobre el intercambio de información en materia tributaria entre el Reino de España y el Reino de los Países Bajos en nombre de las Antillas holandesas, suscrito en Madrid el 10 de junio de 2008 (BOE nº 283, de 24 de noviembre de 2009).

Canjes de notas entre el Reino de España y diversos países y territorios: Guernesey (26 de noviembre de 2004 y 17 de febrero de 2005), Islas Caimán (26 de noviembre de 2004 y 26 de abril de 2005), Islas Cook (8 de junio de 2011), Islas de Man (29 de junio de 2005), Bermudas (30 de septiembre de 2009), Jersey (26 de noviembre de 2004 y 14 de febrero de 2005), Macao (27 de junio de 2013), Mónaco (6 de marzo de 2013), Santa Lucía (23 de mayo de 2011), San Vicente y las Granadinas (18 de mayo de 2011), Montserrat (26 de noviembre de 2004 y 7 de abril de 2005), las islas Turcas y Caicos (26 de noviembre de 2004 y 4 de abril de 2005), Islas Vírgenes (26 de noviembre de 2004 y 11 de mayo de 2005), y Anguila (26 de noviembre de 2004 y 21 de enero de 2005).

Documentos de Organismos Internacionales y Agencias Tributarias foráneas:

EUROPEAN UNION, *Communication from the Commission to the European Parliament and the Council, Tax Transparency to Fight Tax Evasion and Avoidance*, Brussels 18.3.2015, COM (2015) 136 final.

EUROPEAN UNION, *Communication from the Commission to the European Parliament and the Council, A Fair and Efficient Corporate Tax System in the European Union: 5 key areas for action"*, Brussels 17.6.2015, COM (2015) 302 final.

CPB NETHERLANDS BUREAU FOR ECONOMIC POLICY ANALYSIS, *"Study to quantify and analyze the VAT Gap in the EU-27 Member States. Final Report"*, The Hague, 2013. Informe preparado para la Comisión Europea y publicado en 2013: TAXUD/2012/DE/3.1

DANISH TAX ADMINISTRATION, *"Styrket indsats mod skattely. Bekæmpelse af grænseoverskridende skatteunddragelse og skattelykonstruktioner"*, Regeringen, noviembre de 2014.

FINISH TAX ADMINISTRATION, "Annual report 2014", VEROSkatt, 2014.

HER MAJESTY'S REVENUE AND CUSTOMS (HRMC), "Measuring tax gaps 2014. Tax gap estimates for 2012-13", *HM Revenue& Customs*, London, October 16, 2014.

INTERNATIONAL MONETARY FOUND, *"Fiscal Monitor: Taxing Times"*, October 2013, *IMF Publication Services*, Washington, 2013.

ORGANISATION FOR ECONOMIC CO-OPERATION AND DEVELOPMENT, "Model Tax Convention on Income and on Capital", condensed version (as it read on 15 July 2014), París, OECD publishing, 2014.

ORGANISATION FOR ECONOMIC CO-OPERATION AND DEVELOPMENT/G-20, *"Base Erosion and Profit Shifting Project"*, "Preventing the Granting of Treaty Benefits in Inappropriate Circumstances", Action 6: 2015 Final Report, París, OECD Publishing, 2015.

OECD-G20 Base Erosion and Profit Shifting Project *"Measuring and Monitoring BEPS"*, Action 11: 2015 Final Report, París, OECD Publishing, 2015.

ORGANISATION FOR ECONOMIC CO-OPERATION AND DEVELOPMENT, *"Harmful Tax Competition: An Emerging Global Issue"*, París, OECD Publishing, 1998.

ORGANISATION FOR ECONOMIC CO-OPERATION AND DEVELOPMENT *"Towards Global Tax Cooperation. Report to the 2000 Ministerial Council Meeting and Recommendations by the Committee on Fiscal Affairs. Progress in identifying and eliminating Harmful Tax Practices"*, París, OECD Publishing, 2000.

ORGANISATION FOR ECONOMIC CO-OPERATION AND DEVELOPMENT *"List of uncooperative Tax Havens"*, París, 2002.

ORGANISATION FOR ECONOMIC CO-OPERATION AND DEVELOPMENT *"A progress Report on the Jurisdictions surveyed by the OECD Global Forum in implementing the internationally agreed Tax Standard"*, París, OECD Publishing, 2009.

ORGANISATION FOR ECONOMIC CO-OPERATION AND DEVELOPMENT *"Revenue Statistics 2014"* (Tax levels and tax structures 1965-2013), OCDE, París, OECD Publishing, 2014.

ORGANISATION FOR ECONOMIC CO-OPERATION AND DEVELOPMENT *"Tax Administration 2015. Comparative information on OECD and other advanced and emerging economies"*, OECD Publishing, París, 2015.

SKATTEVERKET REPORT, *"The development of the tax gap in Sweden 2007-12"*, Solna, 08.01.2014.

TAX JUSTICE NETWORK, *"The Cost of tax abuse. A briefing paper on the cost of tax evasion worldwide"*, 2011. Disponible en: http: //www.taxjustice.net/wp-content/uploads/2014/04/Cost-of-Tax-Abuse-TJN-2011.pdf

UNITED NATIONS CONFERENCE ON TRADE AND DEVELOPMENT (UNCTAD) *"World Investment Report 2015"*, New York, 2015.

WORLD BANK, *"Doing Business 2015 (Going Beyond Efficiency). Comparing Business Regulations for Domestic Firms in 189 Economies"*, 12th. Edition, World Bank, Washington, 2015.

Libros y artículos.

ALONSO GALLO, J. "El delito fiscal tras la Ley Orgánica 7/2012", *Actualidad Jurídica Uría Menéndez* n° 34, 2013.

BACIGALUPO, E. "Sobre el concurso de delito fiscal y blanqueo de dinero", *Civitas*, Madrid, 2012.

BRANSDORFER, Mark S. *"Miranda Right-to-Counsel Violations and the fruit of the Poisonous Tree Doctrine"*, *Indiana Law Journal*, volume 62, issue 4, fall 1987, p. 1061 y ss. Disponible en la siguiente dirección: http: //www.repository.law.indiana.edu/cgi/viewcontent.cgi?article=2092&context=ilj

CALVO VÉRGEZ, J.: "El nuevo delito fiscal tras la aprobación de la Ley Orgánica 7/2012, de 27 de diciembre", *Quincena Fiscal* n° 3, febrero de 2013, pp. 49-73.

DOMÍNGUEZ PUNTAS, A. "Delito fiscal y blanqueo de capitales", *Francis Lefebvre*, 2011.
FEDEA, "El hueco que deja el diablo. Una estimación del fraude en el IRPF con micro-datos tributarios", Estudios sobre la Economía Española, Mayo de 2014.
GRAVELE, Jane "Tax Havens: International Tax Avoidance and Evasion", *Congressional Research Service*, Report R40623, Congreso de los Estados Unidos, Washington, 15 de enero de 2015.
MORENO VALERO, P.A. "El fraude en el IVA y sus desencadenantes", Crónica Tributaria nº 139, 2011, pp. 165-178.
MUÑOZ CUESTA, F. J.: "La reforma del delito fiscal operada por LO 7/2012, de 27 de diciembre", *Aranzadi Doctrinal* nº 11, 2013.
ORGANIZACION PROFESIONAL DE INSPECTORES DE HACIENDA DEL ESTADO, "Reforma fiscal española y agujeros negros de fraude. Propuestas y Recomendaciones", trabajo coordinado por el profesor Domingo Carbajo Vasco, Madrid, 2014.
PULIDO ALBA, E.J. "El fraude fiscal en España: Una estimación con datos de Contabilidad Nacional", Tesis doctoral inédita, Universidad de Salamanca, 2014.
PRICEWATERHOUSE AND COOPERS, "Total tax contribution: How much in taxes do Indian companies really pay?, 2008. Disponible en: https: //www.pwc.in/assets/pdfs/total-tax-contribution.pdf (fecha de acceso: 29 de septiembre de 2015).
PRICEWATERHOUSE AND COOPERS, "Total tax contribution (South Africa): A closer look into the value created by large companies for the fiscus in the form of taxes", 2011. Disponible en el siguiente enlace: http: //www.pwc.co.za/en/assets/pdf/total-tax-contribution-october-2013.pdf.
SARDÁ, Jordi (en colaboración con el Sindicato de Técnicos de Hacienda), "La Economía sumergida pasa factura", enero de 2014. Disponible en la siguiente dirección electrónica: http: //www.gestha.es/archivos/actualidad/2014/20140129_INFORME_LaEconomiaSumergidaPasaFactura.pdf.
SINDICATO DE TÉCNICOS DE HACIENDA. Comunicado de 20 de marzo de 2012: "Gestha ve injusta la tributación de las grandes empresas". Documento disponible en la siguiente dirección electrónica: http: //www.ioncomunicacion.es/busqueda.php?s=evasion+fiscal
SINDICATO DE TÉCNICOS DE HACIENDA. Comunicado de 9 de agosto de 2011: "El fraude en las grandes empresas y fortunas triplica al de Pymes y autónomos, según Gestha". Documento disponible en: file: ///C: /Users/Silvia/Downloads/El-fraude-en-grandes-empresas-triplica-al-de-pymes-y-autnomos%20(1).pdf
VELARDE ARAMAYO, Mª Silvia *"A Common GAAR to protect the harmonized Corporate Tax Base: More chaos in the labyrinth"*, EC Tax Review, vol. 25, issue 1, February 2016. También *vid*. "Competencia fiscal desleal, intercambio de información, y elusión internacional" en la obra de colectiva

"*Derecho económico* e *internacionalización empresarial*", Ratio Legis, Salamanca, 2006, p. 93.

ZUCMAN, Gabriel "Taxing across Borders: Tracing Personal Wealth and Corporate Profits", *Journal of Economic Perspectives*, vol. 28, nº. 4, fall, 2014, p. 121-148.

Sentencias consultadas.

Sentencia del Tribunal de Justicia de la Unión Europea, Sala Tercera, de 25 de abril de 2013 (Caso Jyske Bank Gibraltar Ltd. contra la Administración del Estado español).

Sentencia del Tribunal de Justicia de la Unión Europea, Sala Séptima, de 30 de septiembre de 2010 (caso Oasis East Sp.z.o.o contra Minister Finansòw).

Sentencia del Tribunal Constitucional alemán 2 BvR2101/09 de 9 de noviembre de 2010. Disponible en: http: //www.bundesverfassungsgericht.de/SharedDocs/Pressemitteilungen/DE/2010/bvg10-109.html

Sentencia del Tribunal Supremo, Sala de lo Contencioso-Administrativo, de 19 de enero de 2011 (Recurso de Casación nº 1024/2006).

Sentencia del Tribunal Supremo, Sala de lo Contencioso-Administrativo, de 19 de enero de 2010 (Recurso de Casación nº 1136/2007).

Sentencia del Tribunal Supremo, Sala de lo Contencioso-Administrativo, de 15 de junio de 2011 (Recurso de Casación nº 718/2007).

Sentencia del Tribunal Superior de Justicia del País Vasco, Sala de lo Contencioso Administrativo, de 22 de febrero de 2011 (Recurso Contencioso Administrativo nº 830/2008).

Sentencia del Tribunal Superior de Justicia del País Vasco, Sala de lo Contencioso Administrativo, de 15 de diciembre de 2010 (Recurso Contencioso Administrativo nº 860/2010).

Sentencia de la Audiencia Nacional, Sala de lo Contencioso-Administrativo, de 4 de diciembre de 2014 (Recurso Contencioso-Administrativo nº 441/2011).

Sentencia de la Audiencia Nacional, Sala de lo Contencioso-Administrativo, de 9 de marzo de 2011 (Recurso Contencioso-Administrativo nº 161/2010).

Sentencia de la Audiencia Nacional, Sala de lo Contencioso-Administrativo, de 23 de febrero de 2012 (Recurso Contencioso-Administrativo nº 195/2009).

Sentencia de la Audiencia Nacional, Sala de lo Contencioso-Administrativo, de 27 de febrero de 2014 (Recurso Contencioso-Administrativo nº 108/2011).

Sentencia del Tribunal Superior de Justicia de las Islas Baleares, Sala Contencioso-Administrativa, de 29 de marzo de 2012 (Recurso Contencioso-Administrativo nº 292/2010).

Sentencia de la Audiencia Nacional, Sala de lo Contencioso-Administrativo, de 27 de junio de 2013 (Recurso Contencioso-Administrativo nº 329/2010).

Sentencia del Tribunal Superior de Justicia de Cataluña, Sala de lo Contencioso-Administrativo, de 9 de septiembre de 2013 (Recurso Contencioso-Administrativo nº 1212/2009).

Sentencia de la Audiencia Nacional, Sala de lo Contencioso-Administrativo, de 22 de mayo de 2014 (Recurso Contencioso-Administrativo nº 267/2011).

Sentencia de la Audiencia Provincial de Madrid nº 852/2015, sección 6ª, de 9 de diciembre de 2015.

Páginas Web:

https: //www.treasury.gov/resource-center/tax-policy/treaties/Pages/FATCA.aspx
http: //delaware.gov/topics/TaxCenterhttp: //delaware.gov/topics/TaxCenter
http: //ec.europa.eu/taxation_customs/taxation/gen_info/good_governance_matters/lists_of_countries/index_en.htm

ASPECTOS PROCESALES: VALORACIÓN DE LA PRUEBA DEL AGENTE ENCUBIERTO, ARREPENTIDOS

LA DECLARACIÓN DEL "DELATOR" COINVESTIGADO, COENCAUSADO, COPROCESADO O COACUSADO COMO MEDIO DE PRUEBA EN LA LUCHA CONTRA LA CRIMINALIDAD ORGANIZADA TRANSNACIONAL

Mª PAULA DÍAZ PITA[1]

Al Prof. Muñoz Conde,
por enseñarme a "buscar la verdad"

Sumario: 1. La figura del "delator" en los supuestos de delitos cometidos por organizaciones y grupos criminales: estado actual de la cuestión. 2. La admisibilidad y naturaleza jurídica de la declaración del "delator" coinvestigado, coencausado, coprocesado o coacusado. 3. Los criterios de valoración de la declaración del "delator" coinvestigado, coencausado, coprocesado o coacusado: ¿control de la credibilidad? 3.1. Los criterios de verificación intrínsecos o subjetivos de la credibilidad. 3.2. Los criterios de verificación extrínsecos u objetivos: la corroboración de las declaraciones. 4. La declaración del "delator" coinvestigado, coencausado, coprocesado o coacusado, el derecho de presunción de inocencia y la libre valoración de la prueba. 5. A modo de conclusión.

Resumen: La investigación y la obtención de pruebas para la persecución de los delitos cometidos por organizaciones y grupos criminales generan numerosos problemas ya que resulta difícil descubrir y acreditar en juicio sus actividades y los sujetos que las integran. Estas circunstancias hacen que, en estos casos, sea muy frecuente que el origen de un proceso penal se encuentre en las declaraciones de los "delatores". Pero tales declaraciones no se encuentran reguladas como medios de prueba en la LECrim lo que genera numerosos problemas relacionados con la valoración de las mismas siendo conveniente que el legislador abordara tal previsión.

---

[1]   Profesora Titular (acred.) de Derecho Procesal. Universidad de Sevilla.

Palabras clave: proceso penal, prueba, valoración, delator, coinvestigado, coencausado, coprocesado, coacusado, declaraciones incriminatorias, derecho premial.

1. LA FIGURA DEL "DELATOR" EN LOS SUPUESTOS DE DELITOS COMETIDOS POR ORGANIZACIONES Y GRUPOS CRIMINALES: ESTADO ACTUAL DE LA CUESTIÓN

El fenómeno de la globalización sumado a la ausencia de fronteras en el territorio de la Unión Europea que tantos beneficios reporta en muchos aspectos de parcial o total libertad de circulación de mercancías y personas y de intensificación y facilitación de relaciones de toda índole entre los países que conforman la comunidad internacional y, por ende, la europea, muestra su cara menos amable en el progresivo incremento y expansión de las actividades delictivas de las organizaciones y grupos criminales.

La transnacionalidad y el desconocimiento de las fronteras, constituye, por consiguiente, una de las notas características de estas organizaciones y grupos criminales de tal manera que, en palabras de Kofi A. Annan, ex Secretario General de la ONU, "uno de los contrastes más marcados que existen en el mundo actual es el abismo entre lo civil y lo incivil. Cuando digo "lo civil" quiero decir la civilización: los siglos acumulados de conocimientos que sientan las bases del progreso. Cuando digo "lo civil" también quiero decir la tolerancia: el pluralismo y el respeto con los que aceptamos a los diversos pueblos y nutrimos de ellos nuestras fuerzas. Y, por último, quiero decir la sociedad civil: los grupos de ciudadanos, empresas, sindicatos, profesores y periodistas, los partidos políticos y demás grupos que desempeñan una función esencial en el funcionamiento de toda sociedad. Por el contrario, alineadas contra esas fuerzas constructivas, cada vez en mayor número y con armas más potentes, se encuentran las fuerzas de lo que denomino la "sociedad incivil". Se trata de terroristas, criminales, traficantes de drogas, tratantes de personas y otros grupos que desbaratan las buenas obras de la sociedad civil. Sacan ventaja de las fronteras abiertas, de los mercados libres y de los avances tecnológicos que tantos beneficios acarrean a la humanidad[2]".

Como consecuencia de ello, la investigación y la obtención de pruebas para la persecución de los delitos cometidos por organizaciones y grupos criminales generan numerosos problemas tanto a las autoridades judiciales como policiales, ya que resulta sumamente difícil descubrir y, posteriormente, acreditar en juicio sus actividades (generalmente variadas y complejas) y, sobre todo, los sujetos que las integran.

El silencio (la ya conocida "omertà" italiana) que envuelve y protege la existencia de estas organizaciones y grupos criminales y, por consiguiente, la dificultad de descubrir a sus integrantes y los entresijos de sus actividades ilícitas, obliga a las autoridades policiales y judiciales a recurrir, en no pocas ocasiones a técnicas de obtención de información a través de las denominadas fuentes humanas (HUMINT), que a decir de SACRISTÁN PARIS[3] "son imprescindibles para obtener información crítica que no puede ser obtenida por otros medios y por ello constituye una de las principales prioridades en materia de obtención", y, más concretamente se recurre a la delación, a lograr que alguno de los sujetos que integran estos grupos contribuya con su declaración a revelar no solo sus integrantes sino también sus actividades delictivas, ya que "no hay nada más eficaz y que cause tanto daño a una organización criminal, en extensión, profundidad y en duración (...)".

Esta técnica de lucha contra las organizaciones y grupos criminales que desarrollan su actividad delictiva en el territorio de varios países ha sido contemplada y prevista tanto en instrumentos internacionales como en el ámbito más reducido de la Unión Europea.

Al respecto, cabe mencionar, en el ámbito internacional, la conocida Resolución 55/25 de la Asamblea General de las Naciones Unidas, de 15 de noviembre de 2000 que aprueba la Convención de las Nacio-

---

2   KOFI A. ANNAN. "Prefacio a la Convención de las Naciones Unidas contra la delincuencia organizada transnacional y sus Protocolos". *Oficina de las Naciones Unidas contra la droga y el delito*. Viena, 2004.

3   SACRISTÁN PARIS, F. *La cultura de inteligencia. La inteligencia en la lucha contra las nuevas amenazas: La delincuencia organizada transnacional. Parte II (Capítulo 6 a conclusiones)*, Instituto Universitario de investigaciones sobre seguridad interior, Documento de Investigación sobre seguridad interior, doc-ISIe, nº 11/2012, www.iuisi.es, pp. 2 y 3.

nes Unidas contra la Delincuencia Organizada Transnacional[4], en cuyo art. 26 bajo la rúbrica de *Medidas para intensificar la cooperación
con las autoridades encargadas de hacer cumplir la ley* se establece
que "1. Cada Estado Parte adoptará medidas apropiadas para alentar
a las personas que participen o hayan participado en grupos delictivos organizados a: a) Proporcionar información útil a las autoridades
competentes con fines investigativos y probatorios sobre cuestiones
como: i) La identidad, la naturaleza, la composición, la estructura, la
ubicación o las actividades de los grupos delictivos organizados; ii)
Los vínculos, incluidos los vínculos internacionales, con otros grupos
delictivos organizados; iii) Los delitos que los grupos delictivos organizados hayan cometido o puedan cometer; b) Prestar ayuda efectiva
y concreta a las autoridades competentes que pueda contribuir a privar
a los grupos delictivos organizados de sus recursos o del producto del
delito. 2. Cada Estado Parte considerará la posibilidad de prever, en los
casos apropiados, la mitigación de la pena de las personas acusadas que
presten una cooperación sustancial en la investigación o el enjuiciamiento respecto de los delitos comprendidos en la presente Convención. 3.
Cada Estado Parte considerará la posibilidad de prever, de conformidad
con los principios fundamentales de su derecho interno, la concesión de
inmunidad judicial a las personas que presten una cooperación sustancial
en la investigación o el enjuiciamiento respecto de los delitos comprendidos en la presente Convención. 4. La protección de esas personas será
la prevista en el artículo 24 de la presente Convención. 5. Cuando una
de las personas mencionadas en el párrafo 1 del presente artículo que se
encuentre en un Estado Parte pueda prestar una cooperación sustancial
a las autoridades competentes de otro Estado Parte, los Estados Parte
interesados podrán considerar la posibilidad de celebrar acuerdos o arreglos, de conformidad con su derecho interno, con respecto a la eventual
concesión, por el otro Estado Parte, del trato enunciado en los párrafos 2
y 3 del presente artículo".

Mientras que en el ámbito de la Unión Europea destaca la Decisión Marco del Consejo de 24 de Octubre de 2008 relativa a la lucha

---

4   Convención contra la delincuencia organizada transnacional, Nueva Cork, 15 de
    noviembre de 2000, firmada por España en Palermo el 13 de Diciembre de 2000.
    Ratificada por España a través del Instrumento de Ratificación de 21 de febrero
    de 2002 (BOE de 29 de septiembre de 2003).

contra la delincuencia organizada en cuyo art. 4, bajo la rúbrica de *Circunstancias especiales*, se dispone que "Todos los Estados miembros podrán adoptar las medidas necesarias para que las sanciones previstas en el artículo 3 puedan reducirse o no aplicarse si, por ejemplo, el autor del delito: a) abandona sus actividades delictivas, y b) proporciona a las autoridades administrativas o judiciales información que estas no habrían podido obtener de otra forma, y que les ayude a: i) impedir, acabar o atenuar los efectos del delito, ii) identificar o procesar a los otros autores del delito, iii) encontrar pruebas, iv) privar a la organización delictiva de recursos ilícitos o beneficios obtenidos de sus actividades delictivas, o v) impedir que se cometan otros delitos mencionados en el artículo 2".

Conscientes de que puede ser que algún miembro de estos grupos coopere espontáneamente en la investigación de estos supuestos delictivos, pero que lo frecuente es, por el contrario, que lo haga a cambio de algún beneficio, tanto en el ámbito internacional como en el europeo se acude a esta técnica de intercambio "delación-premio", en la creencia de su efectividad en la lucha contra la criminalidad organizada transnacional.

Este intercambio delación-premio ya había dado lugar al surgimiento (particularmente en el Derecho italiano) del llamado "Derecho premial" que se sitúa en el seno no del Derecho procesal sino del Derecho penal, denominado así por prever una serie de beneficios penales (que van desde la atenuación de la pena señalada al delito de que se trate hasta la exención e incluso la total remisión de la misma en ciertos casos y bajo determinadas condiciones) para aquellos sujetos que implicados en determinados delitos, generalmente de tipo asociativo, realicen alguna de las siguientes conductas: o bien simplemente que se disocien de la organización sin efectuar declaración alguna acerca de las actividades del grupo o de quienes sean los componentes del mismo (la llamada *"disociación silenciosa"*), o bien que, además de disociarse, proporcionen datos sobre las actividades delictivas desarrolladas por la organización y, además, delaten a sus cómplices en el delito o delitos cometidos o por cometer (la llamada *"disociación-delación"*).

A tales colaboradores-delatores se les ha denominado de muy diversas maneras: arrepentido, colaborador, delator, testigo principal, prueba cómplice, "pentiti", testigo de la Corona, etc.; siendo que, en efecto, esta figura ha venido estando ligada a los delitos asociativos que suponen un ataque a intereses colectivos, a los de la sociedad en general y, en definitiva, a los intereses del propio Estado.

Estos comportamientos que integran el llamado "Derecho premial[5]" interesan a efectos procesales ya que supone la presencia de una pluralidad de investigados, encausados, procesados o acusados en el proceso penal, lo que genera una multiplicidad de problemas siendo el más llamativo de todos ellos el valor como medio de prueba de las declaraciones incriminatorias de unos contra otros.

Si bien es cierto que hasta no hace demasiado tiempo se ha venido usando el término "coimputado" para designar aquellos supuestos de presencia de una pluralidad de imputados en el proceso penal, no lo es menos que desde la entrada en vigor de la Ley Orgánica 13/2015, de 5 de octubre, de modificación de la Ley de Enjuiciamiento Criminal para el fortalecimiento de las garantías procesales y la regulación de las medidas de investigación tecnológica, no parece seguir siendo el más adecuado.

Y, en efecto, a partir de esta LO de 2015, si bien el sujeto (en singular) contra el que se dirige el proceso sigue recibiendo diferentes denominaciones dependiendo de la fase en que se encuentre, sin embargo de todas las posibles denominaciones vinculadas a cada una de las fases procesales se abandona el término "imputado" dado que, como explica el legislador en el apartado V del Preámbulo de la mencionada LO, era necesario "(...) evitar las connotaciones negativas y estigmatizadoras de esa expresión, acomodando el lenguaje a la realidad de lo que acontece en cada una de las fases del proceso penal (...)".

Es por ello que, desde la LO de 2015, se distingue entre *investigado*, entendiendo por tal el sujeto sometido a investigación por su relación con el delito y al que, provisionalmente, se atribuye la presunta participación en un hecho o hechos delictivos; *encausado*, que sería el sujeto al que el órgano judicial, una vez concluida la fase de instrucción, atribuye

---

[5]   RESTA, E. "Il Diritto penale premiale. "Nuove" strategie di controllo sociale" en AA.VV. *Dei delitti e delle pene*, año I, n° 1, enero-abril, 1983, p. 41; el mismo, *L'ambiguo Diritto*, Milán, 1984, p. 125., lo define como una situación nueva que vive el Derecho penal y por el cual la consecuencia jurídica del hecho criminal, la pena, se atenúa o desaparece a modo de premio por el cambio de conducta del sujeto criminal. Para este autor el Derecho premial es, en definitiva, aquel fenómeno "(...) por el cual a la pena consecuencia de un delito viene aplicado un premio consistente en una despenalización".

formalmente la presunta participación en el hecho o hechos delictivos; *procesado*, que es el sujeto contra el que se ha dictado un auto de procesamiento, y, por último, *acusado*, que es el sujeto contra el que se ha presentado escrito de calificación o acusación provisional.

Por consiguiente, a nuestro juicio, en lo sucesivo (y hasta nuevas reformas legislativas), dada la desaparición del término "imputado" del que obviamente deriva el de "coimputado", de concurrir varios sujetos como parte pasiva en el proceso penal, es más correcto sustituir el término "coimputados" por los de *"coinvestigados", coencausados", "coprocesados"* o *"coacusados"*, dependiendo de la fase en que aquél se halle.

Por otro lado, la admisibilidad, la naturaleza jurídica y el valor que haya de otorgarse a las declaraciones incriminatorias del coinvestigado, coencausado, coprocesado o coacusado no son cuestiones novedosas, sino todo lo contrario. No hay más que acudir a la magnífica e intemporal obra de Cesare Beccaria *"De los delitos y de las penas"* cuyo Capítulo 37, que lleva por título *Atentados, cómplices, impunidad*, abordaba ya esta cuestión al afirmar que "Algunos tribunales ofrecen impunidad al cómplice de un grave delito que descubriere los otros. Este recurso tiene sus inconvenientes y sus ventajas. Los inconvenientes son que la nación autoriza la traición, detestable aún entre los malvados; porque siempre son menos fatales a una sociedad los delitos de valor que los de vileza, por cuanto el primero no es frecuente, y con solo una fuerza benéfica que lo dirija conspirará al bien público; pero la segunda es más común y contagiosa, y siempre se reconcentra en sí misma. Además de esto, el Tribunal hace ver la propia incertidumbre y la flaqueza de la ley, que implora el socorro de quien la ofende. Las ventajas son evitar delitos importantes, y que siendo manifiestos los efectos y ocultos los autores atemoricen al pueblo. Contribuye también a mostrar que quien es falto de fe con las leyes, esto es, con el público, es probable que lo sea con un particular. Pareciérame que una ley general, la cual prometiese impunidad al cómplice manifestador de cualquier delito, fuese preferible a una especial declaración en un caso particular; porque así evitaría las uniones con el temor recíproco que cada cómplice tendría de revelarse a otro, y el tribunal no hará atrevidos los malhechores, viendo éstos en caso particular pedido su socorro".

Ya en el ámbito del Derecho penal español (que no procesal), los antecedentes históricos de esta figura son numerosos desde la etapa del

Derecho anterior a la Codificación (en la España "primitiva o prerroma-
na", en el Derecho Romano, en el Derecho Canónico y en el Derecho
español histórico) hasta la etapa de la Codificación[6]; siendo de destacar
que, a partir de la entrada en vigor de la Ley Orgánica 10/1995, de 23
de noviembre, del Código Penal (en adelante CP), se amplía la posibilidad de aplicar las beneficiosas consecuencias de la delación con fines de
colaboración con la justicia penal de tal manera que el elenco de figuras
delictivas para las que se prevén aquellos "premios" se amplía a los delitos de terrorismo[7], delitos de tráfico de drogas, delitos de rebelión y
sedición[8] y delito de cohecho[9].

---

[6]   Esto es, en el Código Penal de 1822, los Proyectos de la etapa absolutista de
      1830, 1831 y 1834, en el Código Penal de 1848, en la Edición Reformada de
      1850, en el Código Penal de 1870, en la Legislación especial y Proyectos de Có-
      digo Penal anteriores al Código Penal de 1928, en el Código Penal de 1928, en
      el Código Penal de 1932, en la Legislación especial anterior al Código Penal de
      1944, en el Código Penal de 1944, en la Legislación especial vigente hasta la Ley
      Orgánica 2/1981, de 4 de mayo, a partir de las Leyes Orgánicas 2/1981, de 4 de
      mayo y 9/1984, de 26 de diciembre, en los sucesivos Proyectos y Anteproyectos
      de Código Penal de 1980, 1983, 1992 y 1994. Todos estos antecedentes ya fue-
      ron objeto de una examen exhaustivo y en profundidad en la obra DÍAZ PITA,
      M.P. *El coimputado*, Valencia, 2000, pp. 32 a 78, a la que nos remitimos.
[7]   Disponía el art. 579 del CP en su redacción originaria que "En los delitos pre-
      vistos en esta sección, los Jueces y Tribunales, razonándolo en sentencia, podrán
      imponer la pena inferior en uno o dos grados a la señalada por la Ley para el
      delito de que se trate, *cuando el sujeto haya abandonado voluntariamente sus
      actividades delictivas y se presente a las autoridades confesando los hechos en
      que haya participado y además colabore activamente con éstas para impedir la
      producción del delito o coadyuve eficazmente a la obtención de pruebas decisivas
      para la identificación o captura de otros responsables o para impedir la actuación
      o el desarrollo de bandas armadas, organizaciones o grupos terroristas a los que
      haya pertenecido o con los que haya colaborado*".
[8]   Disponía el art. 480, en su redacción originaria que "1. Quedará exento de pena
      el que, implicado en un delito de rebelión, *lo revelare a tiempo de poder evitar sus
      consecuencias*. 2. A los meros ejecutores que depongan las armas antes de haber he-
      cho uso de ellas, sometiéndose a las autoridades legítimas, se les aplicará la pena de
      prisión inferior en grado. La misma `pena se impondrá si los rebeldes se disolvieran
      o sometieran a la autoridad legítima antes de la intimación o a consecuencia de ella".
[9]   Establecía el art. 427 del CP en su redacción originaria que "Quedará exento de
      pena por el delito de cohecho el particular que haya accedido ocasionalmente a
      la solicitud de dádiva o presente realizada por autoridad o funcionario público
      y *denunciare el hecho a la autoridad* que tenga el deber de proceder a su averi-
      guación, antes de la apertura del correspondiente procedimiento, siempre que no
      hayan transcurrido más de diez días desde la fecha de los hechos".

Esta ampliación ha ido creciendo hasta tal punto que en la actualidad el "Derecho premial" se extiende a los delitos contra la hacienda pública (art. 305.6 CP[10]), los delitos contra la seguridad social (art. 307.5 CP[11]), el delito de obtención de subvenciones o ayudas de las Administraciones Públicas falseando las condiciones requeridas para la concesión u ocultando las que la hubiesen impedido (art. 308.7 CP[12]), los delitos contra la salud pública (art. 376 CP), el delito de cohecho (art. 426 CP[13]), el

---

[10]　Art. 305.6 del CP "Los Jueces y Tribunales podrán imponer al obligado tributario o al autor del delito la pena inferior en uno o dos grados, siempre que, antes de que transcurran dos meses desde la citación judicial como imputado satisfaga la deuda tributaria y reconozca judicialmente los hechos. Lo anterior será igualmente aplicable respecto de otros partícipes en el delito distintos del obligado tributario o del autor del delito, *cuando colaboren activamente para la obtención de pruebas decisivas para la identificación o captura de otros responsables, para el completo esclarecimiento de los hechos delictivos o para la averiguación del patrimonio del obligado tributario o de otros responsables del delito*".

[11]　Art. 307.5 del CP "Los Jueces y Tribunales podrán imponer al obligado frente a la Seguridad Social o al autor del delito la pena inferior en uno o dos grados, siempre que, antes de que transcurran dos meses desde la citación judicial como imputado, satisfaga la deuda con la Seguridad Social y reconozca judicialmente los hechos. Lo anterior será igualmente aplicable respecto de otros partícipes en el delito distintos del deudor a la Seguridad Social o del autor del delito, *cuando colaboren activamente para la obtención de pruebas decisivas para la identificación o captura de otros responsables, para el completo esclarecimiento de los hechos delictivos o para la averiguación del patrimonio del obligado frente a la Seguridad Social o de otros responsables del delito*".

[12]　Art. 308. 7 del CP "Los Jueces y Tribunales podrán imponer al responsable de este delito la pena inferior en uno o dos grados, siempre que, antes de que transcurran dos meses desde la citación judicial como imputado, lleve a cabo el reintegro a que se refiere el apartado 5 y reconozca judicialmente los hechos. Lo anterior será igualmente aplicable respecto de otros partícipes en el delito distintos del obligado al reintegro o del autor del delito, *cuando colaboren activamente para la obtención de pruebas decisivas para la identificación o captura de otros responsables, para el completo esclarecimiento de los hechos delictivos o para la averiguación del patrimonio del obligado o del responsable del delito*".

[13]　Art. 426 del CP "Quedará exento de pena por el delito de cohecho el particular que, habiendo accedido ocasionalmente a la solicitud de dádiva u otra retribución realizada por autoridad o funcionario público, *denunciare el hecho a la autoridad que tenga el deber de proceder a su averiguación antes de la apertura del procedimiento, siempre que no haya transcurrido más de dos meses desde la fecha de los hechos*".

delito de malversación (art. 434 CP[14]), los delitos de rebelión y sedición (arts. 480[15] y 549[16] CP), los delitos de terrorismo (art. 579 bis CP) y, por último, los delitos cometidos por organizaciones y grupos criminales (art. 570 quáter CP).

De todos los supuestos en los que el CP prevé un "premio a la delación" nos interesa destacar, por un lado, lo dispuesto en el art. 376, párrafo 1º del CP respecto de los delitos contra la salud pública, y, por el otro, lo previsto en el art. 570 quáter. 4 del CP en relación con los delitos cometidos por organizaciones y grupos criminales, cuyos contenidos son casi idénticos.

Inserto en el Capítulo III (*De los delitos contra la salud pública*) del Título XVII del CP que lleva por rúbrica *De los delitos contra la seguridad colectiva*, el art. 376, párrafo 1º, dispone que "En los casos previstos en los artículos 361 a 372, los jueces o tribunales, razonándolo en la sentencia, podrán imponer la pena inferior en uno o dos grados a la señalada por la ley para el delito de que se trate, siempre que el sujeto haya abandonado voluntariamente sus actividades delictivas y haya colaborado activamente con las autoridades o sus agentes bien para impedir la producción del delito, bien para obtener pruebas decisivas para la identificación o captura de otros responsables o para impedir la actuación o el desarrollo de las organizaciones o asociaciones a las que haya pertenecido o con las que haya colaborado".

---

[14]   Art. 434 del CP "*Si el culpable de cualquiera de los hechos tipificados en este Capítulo hubiere reparado de modo efectivo e íntegro el perjuicio causado al patrimonio público, o hubiera colaborado activamente con las autoridades o sus agentes para obtener pruebas decisivas para la identificación o captura de otros responsables o para el completo esclarecimiento de los hechos delictivos, los jueces y tribunales impondrán al responsable de este delito la pena inferior en uno o dos grados*".

[15]   Art. 480 del CP "*1. Quedará exento de pena el que, implicado en un delito de rebelión, lo revelare a tiempo de poder evitar sus consecuencias. 2. A los meros ejecutores que depongan las armas antes de haber hecho uso de ellas, sometiéndose a las autoridades legítimas, se les aplicará la pena de prisión inferior en grado. La misma pena se impondrá si los rebeldes se disolvieran o sometieran a la autoridad legítima antes de la intimación o a consecuencia de ella*".

[16]   Art. 549 del CP "*Lo dispuesto en los artículos 479 a 484 es también aplicable al delito de sedición*".

En similares términos, en relación con los delitos cometidos por organizaciones y grupos criminales, el art. 570 quáter, 4 del CP, inserto en el Capítulo VI (*De las organizaciones y grupos* criminales) del Título XXII, que lleva por rúbrica *De los delitos contra el orden público*, prevé asimismo la posibilidad de que "4. Los jueces o tribunales, razonándolo en la sentencia, podrán imponer al responsable de cualquiera de los delitos previstos en este Capítulo la pena inferior en uno o dos grados, siempre que el sujeto haya abandonado de forma voluntaria sus actividades delictivas y haya colaborado activamente con las autoridades o sus agentes, bien para obtener pruebas decisivas para la identificación o captura de otros responsables o para impedir la actuación o el desarrollo de las organizaciones o grupos a que haya pertenecido, bien para evitar la perpetración de un delito que se tratara de cometer en el seno o a través de dichas organizaciones o grupos".

Es de destacar que ambos preceptos tienen su origen en el primigenio art. 376 del CP relativo al delito de tráfico de drogas, en su redacción de 1995, en el que se previó expresamente que "en los delitos previstos en los artículos 368 a 372, los Jueces o Tribunales, razonándolo en la sentencia, podrán imponer la pena inferior en uno o dos grados a la señalada por la Ley para el delito de que se trate, siempre que el sujeto haya abandonado voluntariamente sus actividades delictivas, y se haya presentado a las autoridades confesando los hechos en que hubiera participado y haya colaborado activamente con éstos, bien para impedir la producción del delito, bien para obtener pruebas decisivas para la identificación o captura de otros responsables o para impedir la actuación o el desarrollo de las organizaciones o asociaciones a las que haya pertenecido o con las que haya colaborado".

El contenido de este último artículo constituyó una importante novedad en nuestro ordenamiento penal que ya venía siendo reclamada, para estos tipos delictivos, por varios autores[17] que aconsejaban su introducción en el CP dada la configuración que venía adoptando el tráfico de estupefacientes y los graves inconvenientes que su punición entrañaba.

---

[17]   En este sentido ver, por todos, REY HUIDOBRO, L.F. *El delito de tráfico de estupefacientes*, Barcelona, 1987, pp. 273 y ss.

Para un sector de la doctrina, la dificultad que suponía el descubrimiento de las organizaciones criminales relacionadas con el narcotráfico, hacia necesario introducir el privilegio que preveía este precepto de una posible reducción de pena para aquellos sujetos en quienes concurrieran las circunstancias exigidas por aquél ya que, como señalara REY HUIDOBRO[18] ello contribuía "(…) a impedir la formación de organizaciones dedicadas al tráfico de drogas, pues al estar sus miembros predispuestos en cualquier momento a que un socio arrepentido les ponga en manos de la policía, les exigirá encontrar personas de la más absoluta confianza, lo que no siempre lograrán".

El art. 376 del CP (en su redacción originaria) fue objeto de nueva redacción por la Ley 15/2003, de 25 de noviembre, por la que se modificó la Ley Orgánica 19/1995, de 23 de noviembre, del Código Penal suprimiéndose el párrafo que exigía que el sujeto "*se haya presentado a las autoridades confesando los hechos en que hubiera participado*", quedando redactado de la siguiente manera: "En los delitos previstos en los artículos 368 a 372, los Jueces o Tribunales, razonándolo en la sentencia, podrán imponer la pena inferior en uno o dos grados a la señalada por la Ley para el delito de que se trate, siempre que el sujeto haya abandonado voluntariamente sus actividades delictivas y haya colaborado activamente con las autoridades o sus agentes bien para impedir la producción del delito, bien para obtener pruebas decisivas para la identificación o captura de otros responsables o para impedir la actuación o el desarrollo de las organizaciones o asociaciones a las que haya pertenecido o con las que haya colaborado".

La justificación de la supresión de este requisito para los delitos de tráfico de drogas, había que buscarla, como ya señalara SÁNCHEZ GARCÍA DE PAZ[19] en que estas figuras tuvieron escasa aplicación en la práctica "(…) ante la dificultad de reunir todos los requisitos exigidos: en particular la exigencia de que el sujeto abandone voluntariamente sus actividades delictivas y se presente a las autoridades

---

[18]   REY HUIDOBRO, L.F. "La nueva regulación de los delitos de tráfico de drogas", en *La Ley*, Año XVII, nº 3989, 6 de marzo de 1996, p. 4.

[19]   SÁNCHEZ GARCÍA DE PAZ, I. "El coimputado que colabora con la Justicia Penal. Con atención a las reformas introducidas en la regulación española por las Leyes Orgánicas 7/ y 15/2003", *Revista Electrónica de Ciencia Penal y Criminología* 07-05 (2005) http: //criminet. ugr.es/recpc.

confesando los delitos cometidos, cuando lo habitual es que la disposición a colaborar se produzca sólo después de que el sujeto ha sido detenido e imputado y se enfrenta así a la amenaza del proceso y la pena, o que se autoimpute[20]".

Esta es la razón por la que en los vigentes arts. 376, párrafo 1º del CP (respecto de los delitos contra la salud pública) y 570 quáter. 4 del CP (en relación con los delitos cometidos por organizaciones y grupos criminales) se ha omitido, igualmente, el requisito antes mencionado que, por el contrario, sí sigue exigiéndose en relación con los delitos de terrorismo en el art. 579 bis del CP[21].

Por otro lado, ambos preceptos, tanto el art. 376, párrafo 1º CP como el art. 570 quáter. 4 CP, al igual que ya lo hacía el precedente art. 376 CP (en su redacción originaria), prevén que "(...) los Jueces y tribunales, *razonándolo en sentencia, podrán imponer la pena inferior en uno o dos grados* (...) a la señalada por la Ley para el delito de que se trate (...)" cuando el sujeto o sujetos colaboren en los términos en ellos previstos, de tal manera que, por un lado, se pretende otorgar al juzgador absoluta discrecionalidad a la hora de dilucidar si la aplicación del beneficio de atenuación de la pena como premio a la delación queda plenamente justificado en atención a las circunstancias de cada caso concreto, no existiendo, por consiguiente, imposición al órgano

---

[20]　En este mismo sentido señala ZARAGOZA AGUADO, J. "Tratamiento penal y procesal de las organizaciones criminales en el Derecho español. Especial referencia al tráfico ilegal de drogas", en AA.VV. *Cuadernos de Derecho Judicial*, nº 5, 2000, CGPJ, Madrid, 2000, p. 88 que "(...) la praxis judicial concretada en pocos pero relevantes ejemplos ha impuesto por razones de política criminal la necesidad de otorgar respaldo legal a un instrumento del proceso penal que juega un papel importante respecto a esas gravísimas manifestaciones criminales en su triple función de medio de prueba, medio de obtención de pruebas y elemento de disociación dentro de esas organizaciones delictivas".

[21]　Dispone el art. 579 bis. 3 del CP que "En los delitos previstos en este Capítulo, los jueces y tribunales, razonándolo en sentencia, podrán imponer la pena inferior en uno o dos grados a la señalada para el delito de que se trate, cuando el sujeto haya abandonado voluntariamente sus actividades delictivas, *se presente a las autoridades confesando los hechos en que haya participado* y colabore activamente con éstas para impedir la producción del delito, o coadyuve eficazmente a la obtención de pruebas decisivas para la identificación o captura de otros responsables o para impedir la actuación o el desarrollo de organizaciones, grupos u otros elementos terroristas a los que haya pertenecido o con los que haya colaborado".

judicial a la hora de hacer efectivas tales medidas premiales; y, de otro, el requisito del razonamiento en Sentencia recuerda a Jueces y Tribunales la obligación que tienen de observar lo dispuesto respecto de la motivación de sus resoluciones tanto en el art. 741 de la Ley de Enjuiciamiento Criminal (en adelante LECrim) como en el art. 120 de la Constitución Española (en adelante CE); siendo que esta exigencia constituye, a la postre, la vía de introducción del deber del órgano judicial de valorar adecuadamente las declaraciones inculpatorias que proceden del sujeto delator, cuestión ésta de la que nos ocuparemos posteriormente.

Pues bien, de todos estos comportamientos que integran el llamado "Derecho premial", específicamente para el ámbito de los delitos cometidos por organizaciones y grupos criminales, nos interesa destacar exclusivamente aquel que consiste no solo en apartarse, alejarse o disociarse de la organización criminal sino también en facilitar a las autoridades pruebas para lograr la identificación de los copartícipes en el delito o para impedir la producción de delitos o la actuación o el desarrollo de las organizaciones y grupos criminales, a cambio siempre de un "premio", ya que son, precisamente estas declaraciones delatorias de los cómplices en el delito o delitos las que integrarán, posteriormente, supuestos concretos de declaraciones inculpatorias de coinvestigados, coencausados, coprocesados o coacusados.

No obstante, hemos de advertir, con carácter previo al análisis de la cuestión que intitula este capítulo que el estudio de estas declaraciones, va, evidentemente, más allá de su valor como medios de prueba y se extiende asimismo a su valor como presupuesto de la adopción de medidas cautelares personales y como base de la atribución de la condición de investigado; además de que poseen una evidente importancia cuando se analizan temas como la conformidad y el reconocimiento de hechos en los casos de pluralidad de sujetos pasivos en el proceso penal.

Estos últimos temas que acabamos de mencionar han sido ya objeto de un profundo, riguroso y serio análisis en dos monografías de nuestra autoría[22] y en varios artículos[23] y capítulos de libro[24] que nos enorgullece hayan sido casi literalmente reproducidos en una reciente

---

[22] DÍAZ PITA, M.P. "*El coimputado*", *op. cit.*; la misma, "*Conformidad, reconocimiento de hechos y pluralidad de imputados en el procedimiento abreviado*", Valencia, 2006.

obra, que es una especie de síntesis y glosa de lo que ya habíamos dejado sentado entonces en la totalidad de las obras citadas.

2. LA ADMISIBILIDAD Y NATURALEZA JURÍDICA DE LA DECLARACIÓN DEL "DELATOR" COINVESTIGADO, COENCAUSADO, COPROCESADO O COACUSADO

Sorprende y mucho que aun hoy en día no exista una regulación legal expresa de estas declaraciones en el ámbito del Derecho procesal penal español, lo que ha suscitado cuestiones tales como si estas declaraciones incriminatorias tienen carácter de prueba; de ser así, cual sea su naturaleza jurídica, y, por último, si en su valoración como medio de prueba han de seguirse o no determinados criterios que, a la postre, justifiquen su idoneidad para entender enervado el derecho de presunción de inocencia en la sentencia.

A pesar de la ausencia de previsión legal, esta cuestión ha sido, no obstante, profusamente analizada tanto por la doctrina[25] como por la

---

23　DÍAZ PITA, M.P. "Reconocimiento de hechos y pluralidad de imputados en el procedimiento abreviado tras la reciente reforma operada por la L.O. 8/2002 y la Ley 38/2002, de 24 de octubre de reforma parcial de la ley de enjuiciamiento criminal", en *Revista Actualidad Penal*, 2003, pp. 417 a 448.

24　DÍAZ PITA, M.P. "Declaración inculpatoria del coimputado, derecho de presunción de inocencia y doctrina del TEDH", en AA.VV. *"Temas actuales de Derecho penal. Desafíos del Derecho Penal contemporáneo"*, Trujillo (Perú), 2004, pp. 326 a 348; la misma, "Declaración inculpatoria del coimputado en el proceso penal y derecho de presunción de inocencia en la doctrina del TEDH", en AA.VV. *"Derecho Constitucional para el siglo XXI. Tomo I"*, Navarra, 2003, pp. 2041 a 2058; la misma, "Pluralidad de imputados en el proceso penal español: prueba de cargo y declaración inculpatoria del coimputado", en AA. VV. *"La actividad procesal del Ministerio Público Fiscal-I"*, Buenos Aires (Argentina), 2007, pp. 685 a 717; la misma, "Atentados, cómplices, impunidad: la admisibilidad de la denominada "Prueba Cómplice", en el Proceso Penal Español", en AA.VV. *"Leer Beccaria Hoje"*. Coleção Porque Ler os Clássicos. Volume 1, Río de Janeiro (Brasil), 2009, pp. 83 a 137; la misma, "La declaración incriminatoria del coimputado conforme", en AA.VV. *"El caso de "Alberto Fujimori Fujimori". la sentencia. doctrina y jurisprudencia: Perú: 7 de abril de 2009"*, Lima (Perú), 2011, pp. 166 a 226.

25　Véase, entre otros, MUÑOZ CONDE, F. "Cómo imputar a título de autores a las personas que, sin realizar acciones ejecutivas, deciden la realización de un delito en el ámbito de la delincuencia organizada y empresarial", en *Anuario de*

Jurisprudencia del TS y del TC, lo que queda patente en las numerosas resoluciones emanadas de ambos Tribunales en torno a esta cuestión. En origen, la defensa de la ubicación de las citadas declaraciones como una especie de la prueba de testigos la ostentaron de forma constante, casi apenas sin fisuras, la Jurisprudencia emanada del Tribunal Supremo desde 1986 a la que se une, en menor medida, la doctrina del Tribunal Constitucional.

Derecho Penal. Friburgo 2001; el mismo, *Modernas tendencias en la Ciencia del Derecho Penal y en la Criminología*, UNED Madrid 2001; el mismo, *La búsqueda de la verdad en el proceso penal*, Buenos Aires (Argentina) Ediciones 2000 y 2003; el mismo, "Problemas de autoría y participación en el derecho penal económico, o ¿cómo imputar a título de autores a las personas que sin realizar acciones ejecutivas, deciden la realización de un delito en el ámbito de la delincuencia económica empresarial?", en AA.VV. *Manuales de formación continuada*, nº 14, 2001, pp. 181 a 260; el mismo, "Problemas de autoría y participación en el derecho penal económico, o ¿cómo imputar a título de autores a las personas que sin realizar acciones ejecutivas, deciden la realización de un delito en el ámbito de la delincuencia económica empresarial?", en *Revista Penal*, nº 9, 2002, pp. 59 a 98; el mismo, "Prueba prohibida y valoración de las grabaciones audiovisuales en el proceso penal", en *Revista Penal* nº 14, 2004, pp. 96 a 123; el mismo, *De las prohibiciones probatorias al Derecho procesal penal del enemigo*, Buenos Aires (Argentina), 2008; el mismo, "De la prohibición de autoincriminación al Derecho Procesal Penal del enemigo", en *Boletim da Faculdade di Directo. Studia Iuridica. Universidade de Coimbra. 100 ad honorem 5*, Coimbra, 2009, pp. 1013 a 1039; MARTÍNEZ GARCÍA, E. *Eficacia de la prueba ilícita en el proceso penal*, Valencia, 2003; CARBALLO ARMAS, P. *La presunción de inocencia en la jurisprudencia del Tribunal Constitucional*, Madrid, 2004; SÁNCHEZ GARCÍA DE PAZ, I. *La criminalidad organizada: aspectos sociales, procesales, policiales*, Madrid, 2005; MIRANDA ESTAMPRES, J.M. "La declaración del coimputado como prueba de cargo suficiente: análisis desde la perspectiva de la doctrina del Tribunal Constitucional", en *Revista Xuridica Galega* nº 58, 2008, pp. 13 a 24; BUJOSA VADELL, L. "La prueba de referencia en el sistema penal acusatorio". *Pensamiento Jurídico*. Bogotá (Colombia). nº 21 enero-abril 2008, pp. 53 a 82.; DUARTES DELGADO, E. "El imputado colaborador en los delitos de narcotráfico", *Revista del Instituto Panamericano de Derecho Procesal*, Año 2009 nº 269-270; CÚNEO LIBARONA, M. *La declaración del coimputado en el proceso penal*, Buenos Aires (Argentina) 2010; OCHOA ROMERO, R.A. "La elevación a rango constitucional de los beneficios por colaboración con la autoridad en el ámbito del crimen organizado". *Revista Diritto e Processo. Anuario Giuridico. Università di Perugia*, 8/2012; ALCÁCER GUIRAO, R. "El silencio de los coimputados", en *La Ley digital*, nº 7827/2012, pp. 1 y ss.

Al respecto, la primera de las resoluciones del TS que abordó la cuestión de la naturaleza testifical de las declaraciones fue la STS de 12 de mayo de 1986[26] cuya virtualidad consistió en conceptuarlas como un "testimonio impropio", construyendo así una figura procesal nueva y hasta ese momento desconocida en nuestro derecho probatorio[27].

Sólo pocos días más tarde emana la STS de 21 de mayo de 1986 que vino a ratificar y consolidar la doctrina mantenida por el Alto Tribunal en la inmediatamente anterior, aunque esta vez omitiendo toda referencia a la extraña institución del "testimonio impropio" y confiriendo a la declaración incriminatoria del coinvestigado, coencausado, coprocesado o coacusado, un puro valor de testimonio[28].

No faltaron, sin embargo, algunas Sentencias del TS que, o bien, omitieron toda referencia a la naturaleza de las declaraciones inculpatorias de los coinvestigados, coencausados, coprocesados o coacusados, o bien, les otorgaron diferentes denominaciones tales como "imputación del coimputado", "manifestación de un coimputado", "declaración de los coautores", "inculpación del recurrente por su coacusado", "declaración del coprocesado", "imputación correal o

---

[26]　Para la STS de 12 de mayo de 1986 "(...) si bien es cierto que la declaración del coprocesado no es, propiamente (...) un medio ordinario de prueba, en cuanto ni puede asimilarse a la "contra se pronunciato" que vertebra entitativamente la confesión ni son del todo declaraciones, pues se efectúan carentes de la obligación de veracidad exigibles a los testigos e incluso sólo muy mediata y relativamente pueden ser reputados terceros ajenos en trance de reconstrucción de hechos pasados, lo cierto es que este testimonio impropio (...)"

[27]　Esta Sentencia fue reproducida íntegramente por otras muchas entre las que cabe citar las SSTS 4 junio 1991; 25 marzo 1994; 20 febrero 1996; 26 febrero 1996; 21 mayo 1996; 4 junio 1996; 29 enero 1997; 16 febrero 1998; 9 marzo 1998; 3 abril 1998; STS 13 octubre 1998.

[28]　La configuración de las declaraciones como "testimonio del coimputado" desprovisto del adjetivo "impropio", fue la más reiterada en la doctrina del TS. Buena muestra de ello son, entre otras, las SSTS de 4 de diciembre de 1987; 27 de diciembre de 1989; 29 de octubre de 1990; 28 de mayo de 1991; 5 de noviembre de 1991; 18 de noviembre de 1991; 4 de diciembre de 1991; 26 de abril de 1993; 11 de mayo de 1993; 16 de junio de 1993; 30 de septiembre de 1993; 20 de mayo de 1994; 14 de septiembre de 1994; 14 de febrero de 1995; 14 de marzo de 1996; 20 de abril de 1996; 22 de octubre de 1996; 14 de febrero de 1997; 27 de febrero de 1997; 3 de febrero de 1998; 27 de marzo de 1998; 3 de abril de 1998; 6 de abril de 1998.

imputación por parte del coprocesado", "imputación de coautoría verificada por el coprocesado", "declaración implicativa del coencausado", "declaración del coimputado", o "manifestaciones del coimputado", ninguna de las cuales parecía aparentemente poseer relación alguna con la supuesta naturaleza testifical de aquellas[29].

No obstante, en ninguna de las numerosas Sentencias emanadas del TS era posible hallar una explicación, siquiera mínima, que razonara el encuadramiento de la figura de la declaración inculpatoria del coinvestigado, coencausado, coprocesado o coacusado en la prueba de testigos, siendo necesario acudir, para ello, a alguna de las Sentencias del TC en las que muy escuetamente justificaba la postura del TS.

Es el caso de la STC 137/1988, de 7 de Julio en la que se señaló expresamente que "es claro (...) que las declaraciones de los coencausados por su participación en los mismos hechos no está prohibida por la Ley procesal, y no cabe dudar tampoco del carácter testimonial de sus manifestaciones, *basadas en un conocimiento extraprocesal de tales hechos*".

A partir de aquí, en Sentencias posteriores el TC se limitó a reproducir el contenido de la expresada resolución afianzándose, por tanto, la teoría de que las declaraciones eran, en verdad, auténticos testimonios independientemente de que fueran vertidas en el mismo o en distintos procedimientos[30], aseverándose, incluso, de forma categórica tal interpretación, como ocurría, por ejemplo, en la STC 200/1996, de 3 de diciembre en la que se dice expresamente que "(...) la naturaleza de dicha prueba es reconducible a la testifical en todo lo referente a las manifestaciones inculpatorias de los demás imputados (...)".

Sin embargo, como ya señalara FLORES PRADA[31] con la STC 153/1997, de 29 de Septiembre "(...) parece advertirse, indirectamen-

---

[29]   SSTS de 2 de octubre de 1987; 31 de diciembre de 1987; 8 de marzo de 1989; 18 de septiembre de 1990; 28 de enero de 1991; 5 de noviembre de 1991; 4 de diciembre de 1991; 3 de abril de 1992; 15 de abril de 1992; 6 de junio de 1992; 16 de julio de 1992; 15 de noviembre de 1992; 26 de julio de 1993; 21 de enero de 1994; 22 de abril de 1996.

[30]   En este sentido se expresan, entre otras, las SSTC 98/1990, de 24 de mayo; 161/1990, de 19 de octubre; 51/1995, de 23 de febrero y 86/1995, de 6 de junio.

[31]   FLORES PRADA, I., *El valor probatorio de las declaraciones de los coimputados*, Madrid, 1998, p. 12.

te, un cambio de orientación en la posición del Alto Tribunal con respecto a la naturaleza de la declaración del coimputado, al distinguir claramente entre la declaración prestada por el testigo y las cautelas que deben acompañar a la valoración de la declaración del acusado (...)".

Y en efecto, la mencionada STC señaló al respecto que "(...) cuando la única prueba de cargo consiste en la declaración de un coimputado —como ocurre en este caso— es preciso recordar (...) que el acusado, a diferencia del testigo, no solo no tiene la obligación de decir la verdad sino que puede callar total o parcialmente o incluso mentir (...) en virtud de los derechos a no declarar contra sí mismo y a no confesarse culpable, reconocidos en el artículo 24.2 de la CE, y que son garantías instrumentales del más amplio derecho a la defensa (...)".

Se inició así un importante giro en la doctrina del TC[32] que sin dejar de calificar la declaración de testimonio, reconoció ya expresamente una de las diferencias básicas entre la deposición de un testigo y la de un coinvestigado, coencausado, coprocesado o coacusado: su distinta posición procesal a la que van aparejadas una serie de derechos y obligaciones que legal y constitucionalmente hablando son, a todas luces, marcadamente diferentes como es el caso de la obligación de veracidad para los testigos y el derecho al silencio de los coinvestigados, coencausados, coprocesados o coacusados.

Es por ello que, en la actualidad, tanto el TS como el TC afirman, por un lado, el carácter de medio de prueba que ostentan estas declaraciones, y, por otro, que éstas poseen una naturaleza jurídica distinta en función de la situación que el sujeto ocupe dentro del proceso penal; de tal manera que de producirse una situación en la que los sujetos coinvestigados, coencausados, coprocesados o coacusados están sometidos a un único proceso, la declaración que uno de ellos vierta implicando en el hecho o hechos a otro u otros se evacuará en concepto de investigado, encausado, procesado o acusado; mientras que

---

32   Este cambio en la doctrina del TC tiene su reflejo, entre otras, en las SSTC 49/1998, de 2 de marzo y 115/1998, de 1 de junio, en las que se observa una expresa remisión a la STC 153/1997, de 29 de septiembre, y en la conocida STS 322/1999, de 5 de marzo recaída en el llamado "Caso Anabel Segura".

de no darse aquella situación (los sujetos son juzgados en procesos se-parados o siendo sometidos a un único proceso el sujeto que propala se conforma o se dicta respecto de él auto de sobreseimiento libre por la circunstancia prevista en el nº 3 del art. 637 de la LECrim.) aquél depondrá en calidad de testigo.

Por consiguiente, en ausencia de regulación legal expresa, ha de aplicarse el criterio de la analogía, caso por caso, con la finalidad de determinar la naturaleza jurídica de la declaración a los efectos de verificar el cauce procedimental adecuado para su introducción en el proceso, de tal manera que, en algunos supuestos la citada propala-ción puede equipararse ontológicamente a las deposiciones proceden-tes de un testigo, mientras que en otros se asimilaría a la declaración del investigado, encausado, procesado o acusado.

3. LOS CRITERIOS DE VALORACIÓN DE LA DECLARACIÓN DEL "DELATOR" COINVESTIGADO, COENCAUSADO, COPROCESADO O COACUSADO: ¿CONTROL DE LA CREDIBILIDAD?

Dicho lo anterior y siendo incuestionable, de un lado, la admisibi-lidad de las declaraciones inculpatorias de los coinvestigados, coen-causados, coprocesados o coacusados como medio de prueba y, de otro, la diferente naturaleza jurídica que poseen dependiendo de la posición procesal que ocupe el sujeto que vierte las propalaciones, cabe preguntarse cómo ha de valorarse esta diligencia probatoria.

Si como hemos señalado en el epígrafe precedente las citadas de-claraciones, aún cuando no se hayan expresamente previstas en la LECrim como medios de prueba, son, no obstante, asimilables, según los casos, de un lado, a la prueba de testigos y, de otro, a la mera declaración de un investigado, encausado, procesado o acusado, la primera conclusión que puede alcanzarse en orden a su valoración es que, tanto en uno como en otro caso el órgano judicial que recibe tales declaraciones no se haya sujeto a criterios de valoración tasados, sino todo lo contrario, de tal manera que la actividad de apreciación de los resultados arrojados por la práctica de este medio de prueba quedaría supeditada exclusivamente al criterio de la libre apreciación de la prueba o apreciación en conciencia previsto en el art. 741 LE-Crim.

Sin embargo, tanto el TS como el TC al resolver, respectivamente, recursos de casación y amparo, por supuesta vulneración del derecho de presunción de inocencia, partiendo de la base de que tales declaraciones han de ser tomadas con extrema cautela en tanto en cuanto de ellas se deriva un alto riesgo de falta de credibilidad, fijaron una serie de criterios de verificación de la fiabilidad de tales manifestaciones que, desde las primeras Sentencias emanadas de ambos Tribunales sobre esta cuestión, se dividieron en dos grandes grupos: de un lado, los criterios de verificación intrínsecos o subjetivos, y, de otro, los criterios de verificación extrínsecos u objetivos (denominados también elementos de corroboración).

3.1. Los criterios de verificación intrínsecos o subjetivos de la credibilidad

En el ámbito del proceso penal español la determinación de la credibilidad de las declaraciones inculpatorias del coinvestigado, coencausado, coprocesado o coacusado se ha venido centrando, desde la aparición de las primeras Sentencias del TS y del TC dictadas sobre esta materia, en la cuestión de si aquellas manifestaciones pueden ser aisladamente consideradas como prueba de cargo suficiente para justificar la condena del sujeto o sujetos acreedores de las mismas o si, por el contrario, es preciso la concurrencia de otras pruebas que confirmen o corroboren su fiabilidad. Esto es, si bastaría con la credibilidad intrínseca o subjetiva de aquellas declaraciones, o si sería necesario apreciar, además, una credibilidad extrínseca u objetiva.

En este sentido, tanto el TC como el TS, y fundamentalmente este último, exigieron para estimar creíbles las declaraciones, la concurrencia de determinados elementos de verificación subjetivos o intrínsecos: unos de naturaleza positiva y otros de carácter negativo.

La primera de las Sentencias del TS que alude a los elementos de verificación intrínsecos de la fiabilidad de las manifestaciones incriminatorias de los coinvestigados, coencausados, coprocesador o coacusados fue la de 12 de mayo de 1986 en cuyo FD 2º se señaló que el "(...) testimonio del coimputado, puede cuando menos estimarse como constitutivo de esa mínima actividad probatoria de cargo (...) siempre que no concurran las dos circunstancias (...) de que: a) Exista o subyazca en la causa motivo alguno que conduzca a deducir, aunque fuere indiciariamente, que el coimplicado haya prestado su declaración guiado *por móviles de odio personal, obediencia a una tercera persona, soborno policial mediante o a través de una sedicente promesa de trato procesal más favorable, etc.,* b) *Que la declaración inculpatoria se haya prestado con ánimo de autoexculpación*".

Poco tiempo después de pronunciarse esta Sentencia emanó la STS de 21 de mayo de 1986 que vino a complementar a la anteriormente citada al señalar que la declaración "(...) habrá de valorarse a la luz de un conjunto de elementos especialmente orientadores al respecto: a) *personalidad del delincuente y relaciones que, precedentemente, mantuviese con el señalado por el mismo como copartícipe*; b) examen riguroso acerca de la *posible existencia de motivos particulares —venganza, resentimiento— que, llevándole a la acusación de un inocente, permitan tildar su testimonio de falso o espurio*; c) *búsqueda de una eventual coartada que facilite su exculpación o propia disculpa*".

A la citada Sentencia le sigue otra de 21 de mayo de 1986 (posteriormente reiterada por las de 17 de junio de 1986 y de 16 de diciembre de 1986) que tiene como particularidad más relevante la de sustituir el término "motivos particulares" por el de *"móviles turbios e inconfesables"* y el añadir a aquellos motivos *el odio personal* y el *soborno*, señalando que la concurrencia de estos elementos podría restar a la declaración "fuerte dosis de verosimilitud o credibilidad".

Posteriormente la STS de 21 de enero de 1994 hizo referencia a la "(...) *reiteración, precisión y seguridad* (...)" en las declaraciones; la STS de 25 de marzo de 1994 afirmó "(...) no detectarse incredibilidad subjetiva (...) basada en intereses extraños que puedan privar a referidos testimonios del estado de certidumbre en que consiste la convicción judicial", añadiendo que "se destaca también la *persistencia en la incriminación*, cual se comprueba con las diferentes declaraciones realizadas a lo largo de más de dos años por los sujetos mencionados (...)"; y, por último, la STS de 20 de mayo de 1994 destacó la concurrencia en la declaración inculpatoria del coinvestigado, coencausado, coprocesado o coacusado de las notas de la *espontaneidad, univocidad, coherencia lógica y reiteración*.

Por tanto, por exigencia de la Jurisprudencia del TS, el órgano judicial de instancia ante el que se desarrollaba el juicio oral habría de determinar si las declaraciones vertidas ofrecían en sí mismas y aisladamente consideradas elementos suficientes que pudieran conducir a determinar la credibilidad intrínseca o subjetiva de las mismas, debiendo, para ello, verificar la concurrencia de esos criterios positivos y negativos.

3.2. Los criterios de verificación extrínsecos u objetivos: la corroboración de las declaraciones

Pero la credibilidad de la declaración inculpatoria vino suscitando en el Derecho procesal español la cuestión de si, constatada su fiabilidad intrínseca o subjetiva, tal manifestación poseía virtualidad por sí misma para fundar la condena del sujeto o de los sujetos acreedores de la misma, o si, por el contrario, era necesario la concurrencia de otros elementos de prueba que confirmaran el contenido incriminatorio de tales declaraciones; en otros términos, el problema que se planteaba consistía en determinar si era suficiente que la declaración inculpatoria fuera intrínseca o subjetivamente creíble o si, por el contrario, habría de exigirse, además, la concurrencia de una credibilidad extrínseca u objetiva.

Para dar respuesta a esta problemática, en el ámbito del Derecho Procesal penal español hay que acudir a la doctrina del TS y del TC.

Y, en este sentido, las resoluciones dictadas por el TS en torno a esta cuestión resultan sumamente contradictorias observándose una línea argumentativa fluctuante que tiene su origen en la exigencia de que las citadas declaraciones vengan confirmadas por elementos externos u objetivos que confirmen su credibilidad (la llamada *chiamata di correo vestita* en términos del Derecho procesal penal italiano), pasa por un giro hacia la consideración de la sola declaración desnuda (*chiamata di correo nuda o svestita*) como prueba de cargo suficiente para fundamentar la condena, y culmina finalmente (hasta el momento presente) con una vuelta hacia atrás exigiéndose de nuevo aquellos elementos objetivos a los que se ha hecho referencia (con excepción de muy contadas Sentencias).

La primera de las orientaciones citadas, que exigía para atribuir credibilidad a las declaraciones inculpatorias de un coinvestigado, coencausado, coprocesado o coacusado que éstas vinieran verificadas por otros elementos extrínsecos confirmatorios de aquélla fiabilidad subjetiva o intrínseca, entiende que tales elementos han de consistir en otras pruebas conjuntamente con las cuales poder generar un apoyo probatorio suficiente para motivar la condena del sujeto contra el que se declara[33].

La segunda de las corrientes jurisprudenciales citadas es la seguida por la STS de 12 de mayo de 1986 en la que expresamente se señala que la sola declaración inculpatoria de un coinvestigado, coencausado, coprocesado o coacusado es suficiente para fundamentar la condena de aquél o aquellos contra los que se declara siempre que en la misma no concurran motivos de falta de credibilidad subjetiva.

Pero la doctrina que emana del TS en esta materia sufre un giro espectacular marcado por la STS de 21 de mayo de 1986 (reiterada meses más tarde por las SSTS de 17 de junio de 1986 y de 16 de diciembre de 1986) que pasa a constituirse en el más claro precedente en la exigencia de verificaciones extrínsecas al señalar categóricamen-

---

[33]   Ello se deduce claramente del contenido de algunas Sentencias del TS entre las cuales destacan las SSTS de 27 de septiembre de 1982; de 23 de enero de 1985 y de 23 de febrero de 1985. La primera de ellas, la STS de 27 de septiembre de 1982, puso de manifiesto que la "(...) actividad probatoria (..) existe y puede concretarse en la declaración prestada en juicio oral por uno de los autores con referencia a la intervención personal y directa en los hechos del recurrente; en la declaración testifical (...) en los datos objetivos (...), referencias (...) que terminantemente destruyen la presunción de inocencia (...)". La segunda, de 23 de enero de 1985, señaló que "(...) se comprueba y verifica que, dicho Tribunal, contó con los siguientes elementos de averiguación: a) ante la Policía (...) el también acusado, Antonio A.N. afirma que, el hecho de autos lo cometieron él y el recurrente (...)", avalando esta prueba otras tales como el reconocimiento en rueda, la declaración de testigos, la declaración de la víctima, la confesión de uno de los implicados y la prueba documental consistente en un plano o croquis del lugar de los hechos; y, por último, la STS de 23 de febrero de 1985, donde se reseñó que "(...) la función jurisdiccional de la instancia se desenvolvió, antes de asumir las conclusiones condenatorias, a través de unas pruebas, ciertamente mínimas pero suficientes, tales fueron la declaración de una de las coprocesadas que, ante la Policía y después ante el propio Juez, explicó adecuadamente los hechos y la participación de los recurrentes en relato en parte ratificado por alguno de los presentes inculpados (...)", y por otras pruebas como la testifical.

te que "(...) *el órgano judicial no debe, de un modo rutinario o sistemático, fundar una resolución de condena sic et simpliciter en la mera acusación de un coprocesado* (...)".

Por consiguiente, a partir de esta Sentencia la mayoría de las resoluciones de este Alto Tribunal exigen la concurrencia en la valoración de estas declaraciones de dos tipos de requisitos necesarios para que puedan ser consideradas creíbles: de un lado, los requisitos subjetivos, representados por la no concurrencia de determinadas circunstancias de naturaleza intrínseca; y, de otro lado, los requisitos objetivos, sintetizados en el hecho de que la declaración, por sí sola, no es prueba de cargo suficiente para destruir el derecho de presunción de inocencia siendo preciso que las mismas vengan apoyadas por otros elementos probatorios.

Y decimos que son la mayoría porque bien es cierto que algunas de las Sentencias del TS seguían sosteniendo que la sola manifestación inculpatoria del coinvestigado, coencausado, coprocesado o coacusado serviría, aisladamente considerada, como base para fundamentar la condena del sujeto contra el que se declara[34].

Pues bien, en cumplimiento de la máxima citada, esto es, de la necesidad de que concurra requisitos objetivos en las declaraciones que corroboren su credibilidad subjetiva, son numerosas las Sentencias[35] dictadas por el TS, pudiendo destacarse entre ellas tres por la importancia de su contenido: a saber, las SSTS de 29 de octubre de 1990, de

---

[34]　Buena muestra de ello son, entre otras, la STS de 17 de noviembre de 1992 en la que se dice que las acusaciones de los coimputados no requieren "(...) de una confirmación por otras pruebas. Tales consideraciones, propias más bien de un sistema de prueba tasada, no resultan válidas en el sistema del art. 741 LECrim", y la STS de 3 de abril de 1992 en la que se señala que "tal prueba directa es bastante por sí misma, ya que el sistema de prueba tasada ha sido derogado por la Ley de Enjuiciamiento Criminal y con él el apotegma del viejo sistema de "testis unus, testis nullus" que ha perdido por ello toda vigencia, ya que lo esencial es que exista prueba y se produzca en el plenario, y tal prueba puede aparecer constituida por la declaración acusatoria de un solo testigo (...)".

[35]　Entre otras, las SSTS de 31 diciembre de 1987; 28 de mayo de 1991; 28 enero 1991; 4 de diciembre de 1991; 15 de abril de 1992; 21 de enero 1993; 21 de enero de 1994; 28 de junio de 1995; 1 de febrero de 1996; 29 de enero de 1997; 9 de mayo de 1998.

25 de marzo de 1994 y, por último la más completa de todas ellas, la STS de 14 de febrero de 1995.

La primera de ellas, la STS de 29 de octubre de 1990 señala en su FD 1º que "tras el análisis de cada supuesto a la luz de los enunciados precedentes el testimonio del coimputado puede cuando menos llegar a estimarse como constitutivo de esa mínima actividad probatoria de cargo, idónea, por lo tanto —*máxime si coincide con otros apoyos probatorios*— para desvirtuar la presunción de inocencia"; "El testimonio del coprocesado (...) merece, pues, una especial estimación. El mismo, *en conjunto con los restantes elementos,* unos directos y otros indirectos, llevan a la conclusión de deber considerarse desvirtuado el derecho a la presunción de inocencia".

Por su parte, la STS de 25 de marzo de 1994 señala que "la precedencia de algún incidente entre el recurrente y alguno de los correos, a la vista del tono y contenido de las manifestaciones de éstos, no puede tener entidad para desvirtuar la verosimilitud de las mismas *corroboradas,* además (...) a través de declaraciones de testigos".

Y, por último, la STS de 14 de febrero de 1995 deja constancia de que la cuestión de la aptitud de las declaraciones inculpatorias de los coimputados para enervar la presunción de inocencia se constituye en "(...) *un problema no de legalidad sino de credibilidad*", siendo que "el vicio que hace inatendible la declaración del coimputado (...) es la mendacidad. Los móviles espurios tales como el odio, la venganza, la enemistad, la autoexculpación, el soborno, el resentimiento, o el deseo de obtener ventajas y beneficios penales o carcelarios se constituyen en causas de invalidación aunque no absolutas. *Porque la prueba del testimonio vertido por el coimputado debe ir acompañada de otras pruebas que lo corroboren (...)*". "Las dudas con que han de ser recibidas esas manifestaciones quedaron sin embargo superadas por las demás pruebas que en cada caso confirmaron su contenido".

Por tanto, para que las declaraciones inculpatorias de un coinvestigado, coencausado, coprocesado o coacusado proporcionen visos de verosimilitud suficientes para destruir el derecho de presunción de inocencia y justificar la condena del destinatario o destinatarios de las mismas, a tenor de lo señalado por la Jurisprudencia del TS, no basta con la mera credibilidad subjetiva o intrínseca de las propalaciones, sino que, por el contrario, es necesario que en las mismas concurran otros elementos objetivos o extrínsecos, es decir, otros elementos de prueba que confirmen su fiabilidad.

En cuanto a esas pruebas que sirven para corroborar las declaraciones del coinvestigado, coencausado, coprocesado o coacusado el TS aludió a "plurales indicios incriminatorios", "indicios que reputa suficientes para corroborar probatoria la expresada imputación", "credibilidad del testimonio refrendado además por distintas declaraciones", "existencia tanto de prueba directa como indirecta", "pruebas testificales y periciales que se constituyen en elementos objetivos no discutidos por las partes que refuerzan y complementan las declaraciones prestadas", "existe copiosa prueba de toda clase", y un largo etcétera de expresiones que denotan su inclinación a estimar como elementos de corroboración de la credibilidad de las declaraciones otras pruebas ya sean directas, ya indirectas o indiciarias[36].

Paralelamente, el TC, en numerosas Sentencias, siguió la línea iniciada por la Jurisprudencia del TS a la que se remite en ocasiones, sosteniendo, por tanto, la misma postura de este último desde el ATC 343/1987, de 18 de marzo[37].

De entre todas las Sentencias emanadas del TC hemos de destacar, sin embargo, muy especialmente la STC 153/1997, de 29 de septiembre que, de alguna manera explicita aun más la doctrina emanada del TS, al señalar que "(...) cuando la única prueba de cargo consiste en la declaración de un coimputado (...) es preciso recordar la doctrina de este Tribunal, conforme a la cual el acusado a diferencia del testigo, no solo no tiene obligación de decir la verdad sino que puede callar total o parcialmente o incluso mentir (...). *Es por ello por lo que la declaración incriminatoria del coimputado carece de consistencia plena como prueba de cargo cuando siendo única (...) no resulta mínimamente corroborada por otras pruebas en contra del recurrente (...)*[38]".

---

[36] Entre otras muchas SSTS hemos recogido las expresiones contenidas en las de 23 de febrero 1996; 26 de febrero de 1996; 28 de octubre de 1996; 23 de mayo de 1996; 3 de octubre de 1996; 9 de marzo de 1998.

[37] En el mismo sentido, entre otras, las SSTC 137/1988, de 7 de julio; 50/1992, de 2 de abril; 153/1997, de 29 de septiembre; 49/1998, de 2 de marzo; 115/1998, de 1 de junio.

[38] Esta STC es literalmente reproducida, entre otras, por las SSTC 49/1998, de 2 de marzo y 115/1998, de 1 de junio.

No obstante, a partir del año 2000 tanto el TS como el TC, en la totalidad de sus resoluciones, han dejado de examinar las alegaciones de infracción del derecho de presunción de inocencia fundadas en la falta de credibilidad de las declaraciones incriminatorias de los coimputados por concurrencia o no de criterios de verificación intrínsecos u subjetivos, acogiendo la doctrina de algunas de sus anteriores Sentencias[39].

Sin embargo, tanto el TS como el TC siguen exigiendo la concurrencia de verificaciones extrínsecas u objetivas en el sentido de que, al estimar que la declaración de un coinvestigado, coencausado, coprocesado o coacusado constituye "una *prueba sospechosa,* toda vez que el coimputado no se encuentra en la causa en la misma posición que el testigo, no tiene obligación de decir la verdad y puede perseguir con su actitud colaboradora la obtención de algunos beneficios", "(...) *tales declaraciones exigen un plus al efecto de ser valoradas como prueba de cargo suficiente,* que este Tribunal ha concretado en la exigencia de (...) resultar *"mínimamente corroboradas" por algún hecho o dato, o circunstancia externa que avalen su credibilidad (...)*[40]".

Lo cierto es que el carácter de prueba sospechosa y la exigencia de esa mínima corroboración lo atribuye y la exige el TC de forma constante (siguiendo a las SSTC de 2 de Marzo y 1 de Junio de 1998) a partir de sus Sentencias 68/2001 y 69/2001 (FJ 5 y 32, respectivamente), 68/2002 (FJ 6) y 70/2002 (FJ 11), exclusivamente cuando la declaración inculpatoria de los coimputados es la única prueba de cargo.

Pero el TC (y también el TS) sigue sin determinar qué se entiende por corroboración mínima, ya que, a partir de la STC 68/2001, de 17 de marzo (seguida de forma constante tanto por el TC como por el TS), solo se acierta a señalar de forma vaga e inconcreta que *"la*

---

[39]   Entre otras, las SSTC 68/2001, de 17 de marzo; 69/2001, de 17 de marzo, 72/2001 de 26 de marzo; 57/2002, de 13 de marzo; 125/2002, de 20 de mayo; 132/2002, de 22 de julio; 233/2002, de 9 de diciembre; 25/2003, de 10 de febrero; 312/2005, de 12 de diciembre; 258/2006, de 11 de septiembre; 70/2007, de 16 de abril; 230/2007, de 5 de noviembre; y las SSTS 279/2000, de 3 de marzo; 153/2002, de 14 de octubre; 118/2004, de 12 de julio; 132/2004, de 29 de septiembre; 137/2005, de 14 de junio, 932/2005, de 14 de julio; 160/2006, de 22 de mayo; 230/2007, de 5 de octubre.

[40]   En el mismo sentido véase, entre otras, la STS 932/2005, de 14 de Julio.

exigencia de corroboración se concreta en dos ideas: por una parte, que *la corroboración no ha de ser plena, ya que ello exigiría entrar a valorar la prueba,* posibilidad que está vedada a este Tribunal, *sino mínima*; y, por otra, que *no cabe establecer qué ha de entenderse por corroboración en términos generales,* más allá de la idea obvia de que la veracidad objetiva de la declaración del coimputado ha de estar avalada por algún hecho, dato o circunstancia externa, *debiendo dejar al análisis caso por caso la determinación de si dicha mínima corroboración se ha producido o no".*

Y, posteriormente, la STC 233/2002, de 9 diciembre, resume, también de manera inconcreta y trata de justificar la exigencia de corroboración al señalar que *"en suma, los pronunciamientos de este Tribunal sobre la incidencia en la presunción de inocencia de la declaración incriminatoria de los coimputados, cuando es prueba única, han quedado consolidados con los siguientes rasgos: a) la declaración incriminatoria de un coimputado es prueba legítima desde la perspectiva constitucional; b) la declaración incriminatoria de un coimputado es prueba insuficiente y no constituye por sí misma actividad probatoria de cargo mínima para enervar la presunción de inocencia; c) la aptitud como prueba de cargo mínima de la declaración incriminatoria de un imputado se adquiere a partir de que su contenido quede mínimamente corroborado; d) se considera corroboración mínima la existencia de hechos, datos o circunstancias externas que avalen de manera genérica la veracidad de la declaración; y d) la valoración de la existencia de corroboración mínima ha de realizarse caso por caso. (...)".*

4. LA DECLARACIÓN DEL "DELATOR" COINVESTIGADO, COENCAUSADO, COPROCESADO O COACUSADO, EL DERECHO DE PRESUNCIÓN DE INOCENCIA Y LA LIBRE VALORACIÓN DE LA PRUEBA

El control de la corroboración (de la verificación extrínseca u objetiva) de la fiabilidad de la declaración incriminatoria del coinvestigado, coencausado, coprocesado o coacusado que en la actualidad, y de forma constante, llevan a cabo tanto el TS como el TC al resolver, respectivamente, los recursos de casación y amparo para determinar si ha de quedar o no enervado el derecho de presunción de inocencia proclamado en el art. 24.2 de la CE, nos conduce, nuevamente, a preguntarnos si, como ya planteara FLORES PRADA[41] "(...) esta postura no afecta al principio de libre valoración de la prueba o, dicho en otras palabras, si con ello no convierte el Supremo [y el TC] la declaración del coimputado en una suerte de prueba legal o tasada".

Al respecto cabe recordar que desde la importante y trascendental STC 31/1981, de 28 de julio, "el principio de libre valoración de la prueba, recogido en el artículo 741 de la LECrim, supone que los distintos elementos de prueba puedan ser ponderados libremente por el Tribunal de instancia, a quien corresponde, en consecuencia, valorar su significado y trascendencia en orden a la fundamentación del fallo contenido en la sentencia. Pero para que dicha ponderación pueda llevar a desvirtuar la presunción de inocencia, es preciso la concurrencia de una mínima actividad probatoria producida con las garantías procesales que de alguna forma pueda entenderse de cargo y de la que se pueda deducir, por tanto, la culpabilidad del procesado, y es el TC quien ha de estimar la existencia de dicho presupuesto en caso de recurso. Por otra parte, las pruebas a las que se refiere el artículo 741 de la LECrim son "las pruebas practicadas en el juicio", luego el Tribunal penal sólo queda vinculado a lo alegado y probado dentro de él (*secundum allegata et probata*)" (FJ 3º).

Es por ello que la mencionada STC de 1981 vino a fijar los requisitos y presupuestos necesarios que han de concurrir para entender enervado el derecho de presunción de inocencia y que pueden resumirse en los siguientes:

1) En primer lugar, que se haya practicado una mínima actividad probatoria,

2) En segundo lugar, que en la práctica de la misma se hayan observado todas las garantías procesales (tanto las derivadas de la legislación ordinaria como las exigidas por la CE),

3) En tercer lugar, que tal actividad probatoria pueda estimarse de cargo y de la que, por tanto, quepa deducir la culpabilidad del sujeto, y

4) Por último, que las pruebas se hayan practicado en el juicio oral (salvo los conocidos supuestos de prueba anticipada y de lectura de

---

41   FLORES PRADA, I. *op. cit.*, p. 28.

declaraciones sumariales llevadas al plenario con respeto de los principios de inmediación y contradicción)[42].

Por consiguiente, el órgano judicial de instancia ante el que se practican las pruebas, a la hora de determinar si ha quedado o no destruido el derecho de presunción de inocencia, ha de llevar a cabo, a partir de esta STC, dos operaciones: una de carácter objetivo, y otra de naturaleza subjetiva.

La primera de ellas (la de carácter objetivo) consiste en constatar si existen o no verdaderas pruebas para lo cual, de un lado, es necesario precisar si en la práctica de las diligencias probatorias se han observado todas las garantías procesales, y, de otro, si contienen elementos incriminadores o de cargo; la segunda (la de naturaleza subjetiva), por

---

[42] Al análisis de tales requisitos se refieren, entre otros, ALBACAR, J.L. "El principio de libre apreciación de la prueba en la doctrina del Tribunal Constitucional", en *La Ley*, 1981-1, nº 4, pp. 1086 y ss.; GARCÍA CARRERO, M. "La apreciación de la prueba en conciencia en el proceso penal, y la protección constitucional de la presunción de inocencia", en *Poder Judicial*, 1982, pp. 68 y ss.: CÓRDOBA RODA, J. "El derecho a la presunción de inocencia y la apreciación judicial de la prueba. Un estudio de dos Sentencias de los Tribunales Constitucional y Supremo", en *Revista Jurídica de Cataluña*, 1982, pp. 22 y ss.; ALAMILLO CANILLAS, F. "La presunción de inocencia y el recurso de casación penal", en *La Ley*, 1983-1, pp. 1148 y ss.; ROMERO ARIAS, E. *La presunción de inocencia. Estudio de alguna de las consecuencias de la constitucionalización de este derecho fundamental*, Pamplona, 1985, pp. 61 y ss.; FERNÁNDEZ ENTRALGO, J. "Presunción de inocencia, libre apreciación de la prueba y motivación de las sentencias", en *Revista General de Derecho* oct-nov, 1986, números 505-506, pp. 4280 y ss.; ASENCIO MELLADO, J.M. "La prueba. Garantías constitucionales derivadas del artículo 24.2", en *Poder Judicial*, nº 4, 1986, pp. 35 y ss.; TOMAS Y VALIENTE, F. "'In dubio pro reo', libre apreciación de la prueba y presunción de inocencia", en *Revista Española de Derecho Constitucional*, nº 29, 1987, pp. 20 y ss.; MASCARELL NAVARRO, M.J. "La carga de la prueba y la presunción de inocencia", en *Justicia* 1987, pp. 616 y ss.; VÁZQUEZ SOTELO, J.L. *Presunción de inocencia del imputado e íntima convicción del Tribunal*, Barcelona, 1984, pp. 356 y ss.; VEGAS TORRES, J. *Presunción de inocencia y prueba en el proceso penal*, Madrid, 1993, pp. 47 y ss.; BORRAJO INIESTA, I. "Presunción de inocencia. Investigación y prueba", en AA.VV. *La prueba en el proceso penal*, Cuadernos de Derecho Judicial, CJPG, Madrid, 1996, pp. 15 y ss.; MIRANDA ESTRAMPES, M. *La mínima actividad probatoria en el proceso penal*, Barcelona, 1997, pp. 176 y ss.; IGARTUA SALAVERRIA, J. *Valoración de la prueba, motivación y control en el proceso penal*, Valencia, 1995, pp. 135 y ss.; FLORES PRADA, I. *op. cit.*, p. 28.

su parte, equivaldría a la determinación del resultado arrojado por la práctica de las pruebas, es decir, a la valoración de las mismas.

Si trasladamos todo ello al ámbito de las declaraciones inculpatorias de los coinvestigados, coencausados, coprocesados o coacusados, resultaría que el órgano judicial de instancia habría de efectuar dos actividades distintas y complementarias entre sí en orden a constatar si aquéllas poseen o no virtualidad suficiente para fundamentar la condena del sujeto o sujetos contra los que se declara, a saber:

1) En primer lugar, habrá de determinar si constituyen o no verdaderas pruebas a los efectos de la destrucción del derecho de presunción de inocencia, lo que supondrá llevar a cabo un control sobre si las citadas declaraciones incriminatorias han sido prestadas con observación de todas las garantías procesales y si de ellas cabe inferir elementos incriminadores o de cargo.

2) Y, en segundo lugar, correspondería al órgano de instancia, sobre la base de la conceptuación de la declaración inculpatoria del coinvestigado, coencausado, coprocesado o coacusado como mínima actividad probatoria de cargo suficiente para destruir el derecho de presunción de inocencia, llevar a cabo la valoración del resultado arrojado por la práctica de este medio de prueba. Y es, precisamente, en este segundo momento, informado por el principio de la libre valoración de la prueba, en el que el juzgador de instancia habrá de determinar la credibilidad que le ofrece el contenido de la declaración.

Pero si la determinación de la concurrencia o no de tales elementos de verificación de la credibilidad de las declaraciones inculpatorias de los coinvestigados, coencausados, coprocesados o coacusados pertenece al estricto ámbito de la libre valoración de la prueba, ¿no se están extralimitando tanto el TS como el TC en sus funciones, resolviendo respectivamente los recursos de casación y amparo por presunta violación del derecho de presunción de inocencia, al exigir la concurrencia de corroboración por otras pruebas para considerar fiable la declaración?

Al respecto, a nuestro juicio, ni el TS ni el TC, al resolver recursos de casación y amparo, pueden llevar a cabo una revisión de la valoración de las pruebas practicadas en el juicio oral ante el órgano judicial de instancia, dado que, de un lado, ninguno de ellos se ve amparado por el principio de inmediación, y, de otro, su función está dirigida exclusivamente a la constatación de si en la práctica de la prueba se han vulnerado determinadas normas ordinarias o constitucionales o si el juzgador no dispuso de prueba alguna en la que fundamentar la condena del sujeto.

Desde nuestro punto de vista, entendemos que tanto al TS como al TC, no le es dado determinar los criterios de valoración que los órganos judiciales de instancia hayan de seguir en la apreciación de las pruebas practicadas ante ellos, como de hecho hacen respecto de las declaraciones inculpatorias de los coinvestigados, coencausados, coprocesados o coacusados al exigir a aquéllos la observancia de la verificación externa (de la corroboración) para determinar la credibilidad de sus declaraciones incriminatorias[43].

---

[43] Esta exigencia de corroboración de las declaraciones del coinvestigado, coencausado, coprocesado o coacusado sigue manteniéndose hoy en día por el TS, siendo buena muestra de ello, entre otras, la STS 1397/2011, de 22 de diciembre, en cuyo FD 1º se señala que "a) La declaración incriminatoria de un coimputado es prueba legítima desde la perspectiva constitucional. b) La declaración incriminatoria de un coimputado es prueba insuficiente y no constituye por sí misma actividad probatoria de cargo mínima para enervar la presunción de inocencia. c) La aptitud como prueba de cargo mínima de la declaración de un coimputado se adquiere a partir de que su contenido quede mínimamente corroborado. d) Se considera corroboración mínima la existencia de hechos, datos o circunstancias externos que avalen de manera genérica la veracidad de la declaración y la intervención en el hecho concernido. Deben ser autónomos e independientes de lo declarado por el coimputado. e) La valoración de la existencia de corroboración del hecho concreto ha de realizarse caso por caso. f) La declaración de un coimputado no se corrobora con la de otro coimputado. No hay recíproca corroboración (...) El *leiv motiv* de toda la jurisprudencia constitucional en esta materia está constituido por el principio de que la veracidad objetiva de lo declarado por el coimputado ha de estar avalada por algún dato o circunstancia externa que debe verificarse caso por caso, y ello porque su papel en el proceso es híbrido: es imputado en cuanto a su implicación en los hechos enjuiciados, y es un testigo en relación a la intervención de terceros, pero esta simultaneidad de situaciones desdibuja su condición de tal y por ello no se le exige promesa o juramento, y su contenido es sospechoso por poder venir inspirado en odio, venganza o premios o ventajas para él derivados de su heteroincriminación. No obstante la desconfianza no debe ser magnificada porque no debe olvidarse que por mucha desconfianza que se pueda suscitar, en el propio Código Penal existen tipos penales constituidos, precisamente, sobre la figura del testimonio del coimputado como ocurre con los arts. 376 y 579 —las figuras del arrepentimiento activo en los delitos de tráfico de drogas y en materia de terrorismo—, es decir en relación a las más típicas manifestaciones delictivas de la delincuencia organizada. En definitiva, la singularidad del testimonio del coimputado —cuando es única prue-

Sin embargo, un buen número de Sentencias del TS[44], al revisar en casación las dictadas por los órganos judiciales de instancia por supuesta vulneración del derecho de presunción de inocencia, controlan

---

ba— es que es insuficiente para fundar en él una condena, su declaración debe venir confirmada por datos externos, es decir de otra fuente de prueba distinta de la facilitada por el propio imputado. Es en este punto donde la jurisprudencia constitucional ha ido perfilando con diversos elementos qué se deba entender por corroboración y cual debe ser su contenido, y en tal sentido se pueden citar las siguientes aportaciones: a) STC 72/2001: la declaración de un coimputado no constituye corroboración mínima de la declaración de otro coimputado. b) STC 181/2002: los elementos cuyo carácter corroborador ha de ser valorado por el Tribunal Constitucional —y por tanto también eventualmente por esta Sala de Casación— son los que exclusivamente aparezcan expresados en la resolución impugnada como determinantes de la condena. c) STC 207/2002: los datos externos que corroboren la versión del coimputado se deben producir, precisamente en relación con la participación del recurrente en los hechos punibles que el Tribunal estima probados. d) STC 233/2002: los elementos de credibilidad objetiva de la declaración, como puede ser la inexistencia de animadversión, el mantenimiento de la versión facilitada, o su coherencia, carecen de relevancia como factores externos de corroboración, tales datos solo podrán entrar en consideración después de que la declaración del coimputado, integrada con las corroboraciones sea ya suficiente desde la perspectiva constitucional. e) SSTC 17/2004 y 30/2005: la existencia de la corroboración ha de ser especialmente intensa en los supuestos en que concurran excepciones o circunstancias en relación a la regularidad constitucional en la práctica del coimputado, es decir, cuando, por ejemplo, las declaraciones incriminatorias del coimputado no se incorporan regularmente a la vista oral con todas las garantías. f) SSTC 55/2005 y 165/2005: no se acepta que la futilidad del testimonio de descargo facilitado por el acusado pueda ser utilizado como elemento de mínima corroboración de un coimputado, por no ser en sí misma determinante para corroborar la concreta participación que se atribuye al acusado. En definitiva, el Tribunal Constitucional sigue en esta materia la doctrina del TEDH que manifiesta "…..*los delicados problemas* —del testimonio del coimputado— *ya que, por su propia naturaleza, dichas declaraciones son susceptibles de ser el resultado de manipulaciones, de perseguir únicamente el objetivo de acogerse a los beneficios que la Ley italiana concede a los arrepentidos o incluso de tratarse de venganzas personales…*".. Por eso el Tribunal exige que, en tales casos, las declaraciones de arrepentidos, tales declaraciones sean corroboradas por otros medios de prueba — párrafos 156 a 159 de la STEDH, Labita vs. Italia, 6 Abril de 2000—".
En el mismo sentido se pronuncian, entre otras, las SSTS 60/2012, de 8 de febrero; 1745/2014, de 9 de abril; 3087/2014, de 12 de julio; 1233/2015, de 24 de marzo.

44   En este sentido, entre otras, las SSTS de 21 mayo de 1986; 17 de junio de 1986; 22 de junio de 1987; 29 de octubre de 1990; 28 de enero de 1991; 6 de julio de 1992; 21 de enero de 1993; 21 de enero de 1994; 28 de junio de 1995; 26 de febrero de 1996; 29 de enero de 1997; 9 de marzo de 1998; 6 de abril de 1998; 27 de marzo de 1998; 3 de abril de 1998.

que por parte de aquellos se hayan tenido en consideración la concurrencia de los elementos de verificación extrínsecos u objetivos, esto es, de la corroboración; y aun cuando el propio TS se cuida de señalar que tales elementos son, en realidad, factores "meramente orientadores al respecto", lo cierto es que si la Sala constata la ausencia de corroboración, casa la sentencia condenatoria recurrida dictando, a continuación, otra absolutoria, de lo que se deduce, como ya señalara MIRANDA ESTRAMPES[45] que "(…) tales notas o condiciones actúan como auténticas reglas de valoración de la prueba, sometidas a revisión casacional".

Sin embargo, esta tendencia jurisprudencial a configurar la declaración inculpatoria del coimputado como una prueba de valoración tasada, se invierte en no pocas Sentencias del TS[46] en las que ya se refleja una crítica a anteriores y coetáneas resoluciones en el sentido de que el Alto Tribunal se ha extralimitado en sus funciones al resolver el recurso de casación por infracción del derecho de presunción de inocencia.

En tal sentido es significativa la STS de 14 de septiembre de 1994 en la que ya se señaló expresamente que "(…) *El juzgador es el único competente para valorar las pruebas, y deberá hacerlo en conciencia* (véanse los artículos 117.3 de la Constitución Española y 741 de la Ley de Enjuiciamiento Criminal)"; y, en la misma línea, se sitúan, de un lado, la STS de 24 de enero de 1996 conforme a la cual "(…) *la credibilidad del coimputado (…) es un tema de valoración o de apreciación probatoria y, como tal, fuera del campo de la presunción de inocencia y de un eventual control casacional*", y, de otro, la STS de 20 de abril de 1996 en la que se expresa que "(…) *es a la Sala de Instancia a la que corresponde, en definitiva, llevar a efecto la valoración de tales medios probatorios* (art. 117.3 CE y art. 741 LECrim) (…)".

El TS argumenta, además, en otras Sentencias que la imposibilidad de revisión en vía casacional de la credibilidad de las declaraciones

---

[45]   MIRANDA ESTRAMPES, M. *La mínima actividad probatoria en el proceso penal, op. cit.*, p. 580.
[46]   En este sentido, entre otras, las SSTS de 8 marzo de 1989; 3 de abril de 1992; 15 de abril de 1992; 26 de julio de 1993; 14 de septiembre de 1994; 18 de marzo de 1995; 24 de enero de 1996; 11 de enero de 1997; 4 de febrero de 1997; 22 de enero de 1998; 27 de enero de 1998; 4 de febrero de 1998.

inculpatorias se deriva, asimismo, del hecho de que solo el tribunal a quo ha gozado del principio de inmediación que necesariamente ha de presidir la práctica de las pruebas de naturaleza personal. Y, así, se manifestaron, entre otras, la STS de 22 de septiembre de 1996 en la que se señala que "en suma: se trata del juicio del Tribunal "a quo" sobre la veracidad de los dichos de las personas que declararon en su presencia, que esta Sala no puede revisar por no haber visto ni oído directamente las declaraciones sobre cuyo valor probatorio basa su crítica de la sentencia el recurrente"; y la STS de 3 de octubre de 1996 en la que se dice que "la credibilidad de las declaraciones de la coimputada, es un problema de escrupulosa valoración que, presidida por la inmediación judicial capta matices normativos que resultan inaprensibles fuera de ese contexto. De ahí (...) que el Tribunal de casación no pueda (...) juzgar con fundamento sobre su fiabilidad, por lo que queda fuera del campo de la presunción de inocencia y de un eventual control casacional".

Pero quizás la STS que mejor resume esta orientación jurisprudencial sea la Sentencia 168/2003, de 26 de febrero en la que expresamente se señala que "(...) estas sentencias [se refiere a las SSTC 181/2002, de 14 de octubre y 207/2002, de 29 de noviembre] vienen a concebir o, a dar la apariencia de concebir las corroboraciones que debe tener en cuenta el Tribunal sentenciador como pruebas autónomas de la declaración del coimputado sin cuya previa existencia ni siquiera se puede entrar a valorar esta por decirlo en los términos de la STC 207/2002 (...) "... si la finalidad de la exigencia de corroboración mínima a través de elementos externos viene exigida por la necesidad de enervar o superar la desconfianza que despierta la declaración realizada sin amparo en la obligación de decir verdad, debe prestarse especial atención a que esos elementos sean realmente confirmaciones mínimas e independientes de que los hechos se pudieron producir como los relata el coimputado..." —F. cuarto. *Ello nos llevaría a la conclusión de que la declaración del coimputado sólo puede ser valorada cuando lo afirmado por él queda acreditado por otros datos, debiendo verificarse la existencia de tales corroboraciones con el contenido expuesto con carácter previo, pues tendrían valor de presupuesto. Esta concepción no puede compartirse sin alterar el valor de la corroboración en sí misma considerada, que de argumento de apoyo —corroborar es dar mayor fuerza a la razón, al argumento o a la opinión aducidos con nuevos raciocinios o datos— se convierte en prueba autónoma de naturaleza tasada que actúa como llave que permitiría valorar la declaración del coimputado".*

Por otro lado, la propia Sala 2ª del TS delimita las funciones que, en estos casos concretos y también, en términos generales, le corresponde en vía casacional al establecer en algunas de sus resoluciones, como es el caso del ATS de 31 de enero de 1996 que "(...) la función, Sala II, en vía casacional, no incluye en modo alguno realizar una nueva valoración del material probatorio que, con inmediación irrepetible, ha conocido el Tribunal de instancia, único que puede valorarlo en conciencia para dictar el fallo condenatorio".

Pero, a renglón seguido señala que "(...) sí son funciones del Tribunal Supremo, Sala II, en esta materia: a) comprobar que el Tribunal sentenciador contó con prueba de cargo suficiente, aun cuando fuera mínima, para dictar sentencia condenatoria del acusado como partícipe en un hecho que se puede afirmar cometido; b) verificar que esa prueba ha sido obtenida, en correctas condiciones de publicidad, inmediación y posibilidad de contradicción, normalmente en vista oral y pública, y sin violentar derechos ni libertades fundamentales, lo que las privaría de efectos; y c) observar si, en la preceptiva motivación de la sentencia, se razona por el Tribunal de instancia el proceso seguido para llegar a la condena de acuerdo con criterios de lógica y decantada experiencia y, en su caso, del saber científico, sobre todo si ha debido proceder a realizar deducciones o inferencias sobre la base de prueba indirecta o indiciaria".

Respecto al alcance del control de esa motivación el ATS de 9 de abril de 1997 señala que "discute el recurrente la valoración de la prueba realizada por el Tribunal "a quo", olvidando que el sistema procesal penal español parte de la plena atribución al órgano juzgador de la responsabilidad de valorar la prueba practicada, ajustándose a criterios lógicos y racionales. En tal sentido, según la jurisprudencia de esta Sala (...) la valoración de la prueba en la sentencia de acuerdo con principios de lógica y experiencia, son aspectos que puede verificar y revisar la Sala de casación, pero sin que pueda hacer una nueva valoración de las pruebas, función que corresponde al Tribunal ante el que se han practicado".

Y, de igual forma la STS de 3 de febrero de 1998 señala que "el Tribunal de instancia, al motivar su resolución, explica los medios de prueba en mérito de los cuales ha formado su convicción inculpatoria respecto del hoy recurrente. Existe, pues prueba tanto del hecho como de la participación del acusado. Y, esto comprobado, no es misión de este Alto Tribunal efectuar una nueva valoración de las pruebas practicadas, por ser ello competencia del Tribunal de instancia, ante el que se han practicado las pruebas, que, por ello, ha visto y oído directamente a los acusados, testigos y peritos que han depuesto en el plenario. En tal sentido, la credibilidad que merezcan las versiones de los coimputados es algo que sólo el Tribunal de instancia puede reconocer".

Obviamente estamos en desacuerdo con el doctrina que, emanada del TS y del TC, exige, en la mayoría de sus resoluciones, entrar a valorar si existen "hechos, datos o circunstancias externas que avalen la veracidad de la declaración", ya que, en fin y a la postre, están valorando la credibilidad de las declaraciones y, excediéndose, por consiguiente, en sus funciones, además de implicar ello una valoración de la prueba que, como hemos señalado anteriormente, corresponde exclusivamente a los órganos judiciales de instancia.

En consecuencia con todo lo expuesto, hemos de señalar que, a nuestro juicio, a la vista de la última dirección jurisprudencial a la que hemos hecho referencia, la cuestión de la credibilidad de la declaración inculpatoria de un coinvestigado, coencausado, coprocesado o coacusado, pertenece al exclusivo ámbito de la valoración de la prueba, de tal manera que tanto el TS como el TC no están facultados, so pena de excederse en sus prerrogativas, para exigir que el órgano de instancia acate la observancia de determinados criterios tasados de verificación de aquella fiabilidad, ya que ello supondría una patente vulneración del principio de la libre apreciación de las pruebas.

Cabría preguntarse, entonces, hasta donde alcanzan los límites de actuación del TS y del TC al conocer, respectivamente, de los recursos de casación y amparo por supuesta vulneración del derecho de presunción de inocencia, en los supuestos de declaraciones inculpatorias de los coinvestigados, coencausados, coprocesados o coacusados, pudiendo concluirse que, a nuestro juicio, tales facultades se pueden extender a los siguientes extremos:

1) En primer lugar, a la comprobación de si se ha practicado la prueba de la declaración inculpatoria del coinvestigado, coencausado, coprocesado o coacusado con la observancia de todas las garantías procesales y constitucionales.

2) Y, en segundo lugar, el control casacional y en amparo podrá extenderse, a nuestro juicio, a la verificación de ausencia o presencia de motivación de la resolución, siempre y cuando tal revisión no implique, en sí misma, una sustitución de los criterios empleados por el órgano de instancia para valorar la prueba.

5. A MODO DE CONCLUSIÓN

Para concluir, hemos de señalar que la multiplicidad de problemas que genera la valoración de las declaraciones inculpatorias de los coinvestigados, coencausados, coprocesados o coacusados podrían ser solventados, a nuestro juicio, con una expresa regulación de las mismas dentro de la categoría de los medios de prueba. Solo así las divergencias interpretativas en cuanto a su naturaleza y valoración quedarían, quizás, definitivamente superadas.

Por consiguiente, y descendiendo al caso concreto de la lucha contra las organizaciones y grupos criminales, y, por ende, de la criminalidad organizada transnacional, tal conveniencia de previsión de este medio de prueba es aún más necesaria ya que, como se expresó al comienzo de este capítulo, teniendo en consideración la dificultad que presenta el descubrimiento y acreditación en juicio de sus actividades y de los sujetos que las integran, es muy frecuente que el origen de estos procesos penales se encuentre en las declaraciones de "delatores" coinvestigados, coencausados, coprocesados o coacusados.

6. BIBLIOGRAFÍA

ALAMILLO CANILLAS, F. "La presunción de inocencia y el recurso de casación penal", en *La Ley*, 1983-1, pp. 1146 y ss.

ALBACAR, J.L. "El principio de libre apreciación de la prueba en la doctrina del Tribunal Constitucional", en *La Ley*, 1981-1, nº 4, pp. 1086 y ss.

ALCÁCER GUIRAO, R. "El silencio de los coimputados", en *La Ley digital*, nº 7827/2012, pp. 1 y ss.

ASENCIO MELLADO, J.M. "La prueba. Garantías constitucionales derivadas del artículo 24.2", en *Poder Judicial*, n° 4, 1986, pp. 35 y ss.

BORRAJO INIESTA, I. "Presunción de inocencia. Investigación y prueba", en AA.VV. *La prueba en el proceso penal*, Cuadernos de Derecho Judicial, CJPG, Madrid, 1996, pp. 15 y ss.

BUJOSA VADELL, L. "La prueba de referencia en el sistema penal acusatorio". *Pensamiento Jurídico*. Bogotá (Colombia). n° 21 enero-abril 2008, pp. 53 y ss.

CARBALLO ARMAS, P. *La presunción de inocencia en la jurisprudencia del Tribunal Constitucional*, Madrid, 2004.

CORDOBA RODA, J. "El derecho a la presunción de inocencia y la apreciación judicial de la prueba. Un estudio de dos Sentencias de los Tribunales Constitucional y Supremo", en *Revista Jurídica de Cataluña*, 1982, pp. 21 y ss.

CÚNEO LIBARONA, M. *La declaración del coimputado en el proceso penal*, Buenos Aires (Argentina) 2010.

DÍAZ PITA, M.P. *El coimputado*, Valencia, 2000.

– "Reconocimiento de hechos y pluralidad de imputados en el procedimiento abreviado tras la reciente reforma operada por la L.O. 8/2002 y la Ley 38/2002, de 24 de octubre de reforma parcial de la ley de enjuiciamiento criminal", en *Revista Actualidad Penal*, 2003, pp. 417 y ss.

– "Declaración inculpatoria del coimputado, derecho de presunción de inocencia y doctrina del TEDH", en AA.VV. *"Temas actuales de Derecho penal. Desafíos del Derecho Penal contemporáneo"*, Trujillo (Perú), 2004, pp. 326 y ss.

– "Declaración inculpatoria del coimputado en el proceso penal y derecho de presunción de inocencia en la doctrina del TEDH", en AA.VV. *"Derecho Constitucional para el siglo XXI. Tomo I"*, Navarra, 2003, pp. 2041 y ss.

– "Pluralidad de imputados en el proceso penal español: prueba de cargo y declaración inculpatoria del coimputado", en AA. VV. *"La actividad procesal del Ministerio Público Fiscal-I"*, Buenos Aires (Argentina), 2007, pp. 685 y ss.

– "Atentados, cómplices, impunidad: la admisibilidad de la denominada "Prueba Cómplice", en el Proceso Penal Español", en AA.VV. *"Leer Beccaria Hoje"*. Coleçâo Porque Ler os Clássicos. Volume 1, Río de Janeiro (Brasil), 2009, pp. 83 y ss.

– "La declaración incriminatoria del coimputado conforme", en AA.VV. *"El caso de "Alberto Fujimori Fujimori". la sentencia. doctrina y jurisprudencia: Perú: 7 de abril de 2009"*, Lima (Perú), 2011, pp. 166 y ss.

DUARTES DELGADO, E. "El imputado colaborador en los delitos de narcotráfico", *Revista del Instituto Panamericano de Derecho Procesal*, Año 2009 n° 269-270.

FERNÁNDEZ ENTRALGO, J. "Presunción de inocencia, libre apreciación de la prueba y motivación de las sentencias", en *Revista General de Derecho* oct-nov, 1986, números 505-506, pp. 4275 y ss.

FLORES PRADA, I., *El valor probatorio de las declaraciones de los coimputados*, Madrid, 1998.

GARCÍA CARRERO, M. "La apreciación de la prueba en conciencia en el proceso penal, y la protección constitucional de la presunción de inocencia", en *Poder Judicial*, 1982, pp. 67 y ss.

IGARTUA SALAVERRIA, J. *Valoración de la prueba, motivación y control en el proceso penal*, Valencia, 1995.

KOFI A. ANNAN. "Prefacio a la Convención de las Naciones Unidas contra la delincuencia organizada transnacional y sus Protocolos". *Oficina de las Naciones Unidas contra la droga y el delito*. Viena, 2004.

MARTÍNEZ GARCÍA, E. *Eficacia de la prueba ilícita en el proceso penal*, Valencia, 2003.

MASCARELL NAVARRO, M.J. "La carga de la prueba y la presunción de inocencia", en *Justicia* 1987, pp. 603 y ss.

MIRANDA ESTAMPRES, J.M. *La mínima actividad probatoria en el proceso penal*, Barcelona, 1997.

– "La declaración del coimputado como prueba de cargo suficiente: análisis desde la perspectiva de la doctrina del Tribunal Constitucional", en *Revista Xuridica Galega* n° 58, 2008, pp. 13 y ss.

MUÑOZ CONDE, F. "Cómo imputar a título de autores a las personas que, sin realizar acciones ejecutivas, deciden la realización de un delito en el ámbito de la delincuencia organizada y empresarial", en *Anuario de Derecho Penal*. Friburgo 2001.

– *Modernas tendencias en la Ciencia del Derecho Penal y en la Criminología*, UNED Madrid 2001.

– *La búsqueda de la verdad en el proceso penal*, Buenos Aires (Argentina) Ediciones 2 000 y 2003.

– "Problemas de autoría y participación en el derecho penal económico, o ¿cómo imputar a título de autores a las personas que sin realizar acciones ejecutivas, deciden la realización de un delito en el ámbito de la delincuencia económica empresarial?", en AA.VV. *Manuales de formación continuada*, n° 14, 2001, pp. 181 y ss.

– "Problemas de autoría y participación en el derecho penal económico, o ¿cómo imputar a título de autores a las personas que sin realizar acciones ejecutivas, deciden la realización de un delito en el ámbito de la delincuencia económica empresarial?", en *Revista Penal*, n° 9, 2002, pp. 59 y ss.

– "Prueba prohibida y valoración de las grabaciones audiovisuales en el proceso penal", en *Revista Penal* n° 14, 2004, pp. 96 y ss.

– *De las prohibiciones probatorias al Derecho procesal penal del enemigo*, Buenos Aires (Argentina), 2008; el mismo, "De la prohibición de autoincriminación al Derecho Procesal Penal del enemigo", en *Boletim da Faculdade di Directo. Studia Iuridica. Universidade de Coimbra. 100 ad honorem 5*, Coimbra, 2009, pp. 1013 y ss.

OCHOA ROMERO, R.A. "La elevación a rango constitucional de los beneficios por colaboración con la autoridad en el ámbito del crimen organizado". *Revista Diritto e Processo. Anuario Giuridico. Università di Perugia*, 8/2012.

REY HUIDOBRO, L.F. *El delito de tráfico de estupefacientes*, Barcelona, 1987.

– "La nueva regulación de los delitos de tráfico de drogas", en *La Ley*, Año XVII, n° 3989, 6 de marzo de 1996.

RESTA, E. "Il Diritto penale premiale. "Nuove" strategie di controllo sociale" en AA.VV. *Dei delitti e delle pene*, año I, n° 1, enero-abril, 1983.

– *L'ambiguo Diritto*, Milán, 1984.

ROMERO ARIAS, E. *La presunción de inocencia. Estudio de alguna de las consecuencias de la constitucionalización de este derecho fundamental*, Pamplona, 1985.

SACRISTÁN PARIS, F. *La cultura de inteligencia. La inteligencia en la lucha contra las nuevas amenazas: La delincuencia organizada transnacional. Parte II (Capítulo 6 a conclusiones)*, Instituto Universitario de investigaciones sobre seguridad interior, Documento de Investigación sobre seguridad interior, doc-ISIe, n° 11/2012, www.iuisi.es

SÁNCHEZ GARCÍA DE PAZ, I. "El coimputado que colabora con la Justicia Penal. Con atención a las reformas introducidas en la regulación española por las Leyes Orgánicas 7/ y 15/2003", *Revista Electrónica de Ciencia Penal y Criminología* 07-05 (2005) http: //criminet. ugr.es/recpc.

– *La criminalidad organizada: aspectos sociales, procesales, policiales*, Madrid, 2005.

TOMAS Y VALIENTE, F. ""In dubio pro reo", libre apreciación de la prueba y presunción de inocencia", en *Revista Española de Derecho Constitucional*, n° 29, 1987, pp. 9 y ss.

VAZQUEZ SOTELO, J.L. *Presunción de inocencia del imputado e íntima convicción del Tribunal*, Barcelona, 1984.

VEGAS TORRES, J. *Presunción de inocencia y prueba en el proceso penal*, Madrid, 1993.

ZARAGOZA AGUADO, J. "Tratamiento penal y procesal de las organizaciones criminales en el Derecho español. Especial referencia al tráfico ilegal de drogas", en AA.VV. *Cuadernos de Derecho Judicial*, n° 5, 2000, CGPJ, Madrid, 2000.

EL NUEVO MARCO NORMATIVO EN LA INVESTIGACIÓN TRANSFRONTERIZA DEL CRIMEN ORGANIZADO[1]

ALICIA GONZÁLEZ MONJE[2]

Sumario: 1. Introducción. 2. La nueva concepción en la investigación penal del crimen organizado. 3. Normativa transnacional en materia de diligencias de investigación. 3.1. La Orden Europea de Investigación: una perspectiva de futuro. 3.1.1. Ámbito de aplicación. 3.1.2. Disposiciones específicas para determinadas medidas de investigación: A) Investigaciones financieras del patrimonio criminal. B) Entrega vigilada o seguimiento de operaciones bancarias o financieras. C) Investigaciones encubiertas. D) Intervención de telecomunicaciones. 3.1.3. Otras medidas de investigación: A) Traslado de detenidos con fines de investigación. B) Comparecencia por medios tecnológicos. 4. Conclusión. 5. Bibliografía.

Resumen: El crimen organizado constituye hoy en día una verdadera amenaza a la seguridad de los Estados. La lucha contra este fenómeno criminológico complejo y proteico ha demostrado que los métodos tradicionales de investigación del delito y averiguación del delincuente devienen ineficaces cuando de criminalidad organizada se habla. En el establecimiento de estándares comunes en la investigación penal en Europa, y como plasmación del principio de reconocimiento mutuo, surge la Directiva 2014/41/CE, por la que se regula la Orden Europea de Investigación en materia penal.

Palabras claves: *crimen organizado, investigación penal, Orden Europea de Investigación.*

---

[1]   El presente trabajo se inserta en el desarrollo del Proyecto de Investigación "Criminalidad organizada transnacional: una amenaza a la seguridad de los Estados democráticos". (DER2013-44228-R), Ministerio de Economía (2014-2016).

[2]   Profesora Asociada Área de Derecho Procesal. Universidad de Salamanca. Juez Sustituta.

806 Alicia González Monje

1. INTRODUCCIÓN

El Consejo de la Unión Europea reconoce como amenazas a la seguridad interior de la Unión el terrorismo, la delincuencia organizada y grave, el tráfico de drogas, el delito cibernético, el tráfico de seres humanos, la explotación sexual de menores y la pornografía infantil, la delincuencia económica y la corrupción, el tráfico de armas y la delincuencia transfronteriza[3].

Como pone de manifiesto GONZÁLEZ CUSSAC[4], nos encontramos en un momento en que "los viejos fenómenos de delincuencia común, particularmente terrorismo y delincuencia organizada, han pasado de ser considerados como simples "riesgos" a la seguridad nacional hasta alcanzar la máxima categoría de "amenaza".

La interrelación entre estos fenómenos es evidente[5], así como sus repercusiones a nivel mundial: según Naciones Unidas[6], en el año

---

[3] Proyecto de Estrategia de Seguridad Interior de la Unión Europea: "Hacia un modelo europeo de seguridad". Nota del Consejo de la UE 5842/2/10, REV 2, JAI 90, de 23 de febrero de 2010. "Los principales riesgos delincuenciales y amenazas a las que se enfrenta hoy Europa, como el terrorismo, la delincuencia organizada y grave, el tráfico de drogas, el delito cibernético, el tráfico de seres humanos, la explotación sexual de menores y la pornografía infantil, la delincuencia económica y la corrupción, el tráfico de armas y la delincuencia transfronteriza, se adaptan muy rápidamente a los cambios en la ciencia y la tecnología, en su intento de aprovecharse ilegalmente y socavar los valores y la prosperidad de nuestras sociedades abiertas".

[4] GONZÁLEZ CUSSAC, José Luis. "Tecnocrimen". En: GONZÁLEZ CUSSAC, José Luis y CUERDA ARNAU, Mª Luisa (Dirs.). *Nuevas amenazas a la seguridad nacional. Terrorismo, criminalidad organizada y tecnologías de la información y la comunicación.* Valencia, Tirant lo Blanch, 2013, p. 208.

[5] Señala Zaragoza Aguado que "la vinculación del tráfico ilícito de drogas con el fenómeno del crimen organizado ha sido tradicionalmente reconocida por las instituciones europeas y una constante en los más importantes informes que se han elaborado al respecto. Basta citar el Informe presentado al Parlamento Europeo el 2-12-91 por la Comisión de Investigación sobre la Difusión de la Delincuencia Organizada vinculada al tráfico ilegal de drogas, y el más reciente Informe sobre la situación de la delincuencia organizada en la Unión Europea presentado en noviembre de 1997 por el Comité K.4 al COREPER (Comité de Representantes Permanentes) y al Consejo de la Unión Europea, en los que continuamente se insiste en que el tráfico de estupefacientes es la actividad más común y la más rentable de cuantas ejecutan los grupos delictivos organizados tanto nacionales como extranjeros". ZARAGOZA AGUADO, Javier. "La cooperación judicial internacional en materia penal en el ámbito de la Unión Europea. Espe-

2009, las ganancias provenientes de la delincuencia se aproximaron a los 2.1 trillones de dólares, lo cual equivale al 3,6% del PIB mundial. A nivel europeo, la versión abierta del *European Union Organised Crime Situation Report* del año 2005 señala que, por ejemplo en Alemania, el beneficio obtenido por las organizaciones criminales alcanzó los 1,34 billones de euros. En España, Europol atribuye a la criminalidad organizada un capital estimado de 1,45 billones de euros e ingresos de un billón de euros[7].

Los productos del crimen son generalmente invertidos en avances técnicos, utilizados para financiar otras actividades delictivas o para creación de empresas legales[8]. Como parte integral de la delincuencia organizada transnacional, se calcula que puede haberse blanqueado por medio del sistema financiero alrededor del 70% de las ganancias ilícitas, pese a lo cual, menos del 1% del producto blanqueado fue interceptado e incautado[9].

---

cial referencia a la materia de las drogas". *Eguzkilore: Cuaderno del Instituto Vasco de Criminología*, San Sebastián, n° 15, 2001, p. 65.

[6]   United Nations Office on Drugs and Crime. *Estimating illicit financial flows resulting from drug trafficking and other transnational organized crimes. Research report.* 2011, pp. 9 y 27. Disponible en: http: // http: //www.unodc.org/documents/data-and-analysis/Studies/Illicit_financial_flows_2011_web.pdf.

[7]   EUROPOL. *2005 European Union Organised Crime Situation Report.* The Hague, 2005, p. 29. Disponible en: http: //www.statewatch.org/news/2005/oct/europol-org-crim-public.pdf.

[8]   Disponible en: https: //www.europol.europa.eu/sites/default/files/publications /1public_full_20_sept.pdf.
En el mismo sentido, señala Pérez Cepeda, que "la tendencia actual de las organizaciones criminales es que evolucionan hacia empresas duales que llevan a cabo, al mismo tiempo, actividades ilegales pero también legales". PÉREZ CEPEDA, Ana Isabel. "Criminalidad de empresa: problemas de autoría y participación". *Revista Penal*, Editorial La Ley, n° 9, 2002; Foffani habla de una *ósmosis sustancial* entre la criminalidad organizada y la criminalidad económica. FOFFANI, Luigi. "Criminalidad organizada y criminalidad económica". *Revista Penal*, Editorial La Ley, n.° 7, 2001.

[9]   UNODC: *Estimating Illicit Financial Flows Resulting from Drug Trafficking.* Disponible en: http: //www.unodc.org/documents/data-and-analysis/Studies/Illicit_financial_flows_2011_web.pdf, *op. cit.*

Los tentáculos de estos grandes fenómenos criminales alcanzan a las grandes esferas del mundo de la política[10], negocios, etc...., en general afectando a instituciones clave en todo el mundo[11]. Se calcula que el coste global de la corrupción asciende, aproximadamente, a un 5% de la economía mundial. Los grupos de la delincuencia organizada utilizan hasta el 30% de su producto en sobornos a policía, fiscales, jueces y administración pública en general "para comprar la exención" de la aplicación de la ley[12].

2. LA NUEVA CONCEPCIÓN EN LA INVESTIGACIÓN PENAL DEL CRIMEN ORGANIZADO

Expuesto lo anterior, no hay duda de que la criminalidad organizada constituye, en palabras de ANARTE BORRALLO[13], "un desafío sin precedentes para el Estado y la Sociedad[14]", habiendo sido

---

[10]　Sobre la corrupción en la estructura del Estado, ver: JIMÉNEZ VILLAREJO, Carlos. "Corrupción y sistema político". En: ARROYO ZAPATERO, Luis y NIETO MARTÍN, Adán. *Fraude y corrupción en el Derecho penal económico europeo. Eurodelitos de corrupción y fraude.* Cuenca, Ediciones de la Universidad de Castilla La Mancha, 2006, pp. 303-410.

[11]　Ver: Informe global de la corrupción 2010. Transparencia Internacional España. Disponible en: http: //www.transparencia.org.es/. Reflejan anualmente los índices de percepción de la corrupción por países, donde evidencian de forma clara la relación entre corrupción y ausencia de desarrollo.

[12]　COM 2003, 317 final, de 28 de mayo de 2003, p. 13.

[13]　ANARTE BORRALLO, Enrique. "Conjeturas sobre la criminalidad organizada". En: FERRÉ OLIVÉ, Juan Carlos y ANARTE BORRALLO, Enrique (Eds.). *Delincuencia organizada. Aspectos penales, procesales y criminológicos.* Servicio de Publicaciones Universidad de Huelva, Huelva, 1999, p. 13.

[14]　En el mismo sentido, el comunicado emitido en la cumbre del G8 del 17 de mayo de 1998 en Birmingham: "La globalización ha sido acompañada por un marcado aumento de la criminalidad internacional que se manifiesta en múltiples formas: el tráfico de sustancias estupefacientes y de armas, el tráfico de seres humanos, el uso de nuevas tecnologías para robar, estafar y eludir la ley, el lavado de las ganancias provenientes de delitos. Estos delitos constituyen una amenaza no solo para los ciudadanos y la misma comunidad, sino que también son una amenaza que socava los fundamentos de la democracia y la economía de la sociedad a través de las inversiones de dinero ilícito por parte de carteles internacionales, la corrupción, el debilitamiento de las instituciones y la desconfianza en el Estado de derecho". VIGNA, Piero L. "La cooperación judicial frente al crimen organi-

descrita por ZÚÑIGA RODRÍGUEZ[15] como "un fenómeno proteico, complejo, sumamente cambiante y, por tanto, difícil de aprehender en concepciones teóricas y, más aún, en leyes penales". El carácter cambiante de este complejo fenómeno criminológico es resaltado en el citado Informe de UNODOC[16], donde expresamente se señala: "Las epidemias de drogas han aparecido y desaparecido, y reaparecido en nuevos entornos. La trata de personas y las corrientes de armas de fuego se han intensificado rápidamente en zonas de conflicto y luego han cedido con la misma rapidez. El fin de la guerra fría, la disminución del número y la gravedad de las guerras civiles y el avance de la globalización han tenido efectos imprevistos en la delincuencia organizada. Probablemente las tendencias futuras se vean afectadas por cambios mundiales en la situación demográfica, la migración, la urbanización, los conflictos y la economía".

Llegando a la conclusión de que "para evitar una visión sesgada, la comunidad internacional debe comprender mejor la forma en que los patrones de la delincuencia organizada transnacional guardan relación con los cambios sociales más amplios[17]".

---

zado". En: YACOBUCCI, Guillermo J. (Coord.). *El crimen organizado. Desafíos y perspectivas en el marco de la globalización*. Editorial Ábaco de Rodolfo Depalma, Buenos Aires, 2005, p. 227.

[15] ZÚÑIGA RODRÍGUEZ, Laura. "Criminalidad organizada, derecho penal y sociedad. Apuntes para el análisis". En: SANZ MULAS, Nieves (Coord.). *El desafío de la criminalidad organizada*. Ed. Comares, Granada, 2006, p. 37.

[16] Informe UNODOC 2010, Sumario ejecutivo (español) *op. cit.* p. 2.

[17] En el mismo sentido, la Exposición de Motivos de la L.O. 5/2010, de 22 de junio, por la que se modifica la Ley Orgánica 10/1995, de 23 de noviembre, del Código Penal: "el fenómeno de la criminalidad organizada atenta directamente contra la base misma de la democracia, puesto que dichas organizaciones, aparte de multiplicar cuantitativamente la potencialidad lesiva de las distintas conductas delictivas llevadas a cabo en su seno o a través de ellas, se caracterizan en el aspecto cualitativo por generar procedimientos e instrumentos complejos específicamente dirigidos a asegurar la impunidad de sus actividades y de sus miembros, y a la ocultación de sus recursos y de los rendimientos de aquéllas, en lo posible dentro de una falsa apariencia de conformidad con la ley, alterando a tal fin el normal funcionamiento de los mercados y de las instituciones, corrompiendo la naturaleza de los negocios jurídicos, e incluso afectando a la gestión y a la capacidad de acción de los órganos del Estado".

En este sentido, destaca SÁNCHEZ GARCÍA DE PAZ[18], como factores de la expansión del crimen organizado contemporáneo, la globalización de la economía, la creación de zonas de libre comercio, la creación de espacios de libre circulación de personas, los avances tecnológicos en los sistemas de comunicación, de transmisión de información y transporte, las crisis y desigualdades económicas.

La lucha contra el crimen organizado trasnacional ha dado lugar a numerosos cambios en el ámbito del derecho internacional en materia penal, todos ellos encaminados a lograr una mayor y eficaz colaboración entre Estados, que permita atajar el imparable desarrollo de este fenómeno criminal que, por sus especiales características[19], representa ya a finales del siglo XX y principios del siglo XXI, una verdadera amenaza para el Estado en sí mismo considerado y para la sociedad en su conjunto.

A pesar de lo manifestado, hay que adecuar la teoría al marco social en el que nos encontramos, que no es otro, que la profunda dificultad en la investigación de fenómenos criminológicos complejos, tradicionalmente asociados al crimen organizado, aunque no necesariamente, pero con importante extensión transfronteriza, y generalmente vinculados a todo tipo de tráficos: armas, sustancias estupefacientes, seres humanos, etc.

---

[18]   SÁNCHEZ GARCÍA DE PAZ, Isabel. "Perfil criminológico de la delincuencia transnacional organizada". En: PÉREZ ÁLVAREZ, Fernando (Ed.). *"Serta"*: *Homenaje a Alexandri Baratta*. Ediciones Universidad de Salamanca, Salamanca, 2004, pp. 662-668.

[19]   La capacidad de actuación de la criminalidad organizada, basada en su ilimitada fuente de recursos, fundamentalmente en lo que a tecnología se refiere, con altos niveles de corrupción que propician complejos entramados organizativos, dificultan la represión de la misma. Para un estudio detallado de la criminalidad organizada, ver a título de ejemplo: CHOCLÁN MONTALVO, José Antonio. *La organización criminal. Tratamiento penal y procesal*. Madrid, Editorial Dykinson S.L., 2000; CASTRESANA FERNÁNDEZ, Carlos. "Corrupción, globalización y delincuencia organizada". En: FABIÁN CAPARRÓS, Eduardo A. y GARCÍA RODRÍGUEZ, Nicolás (Coords.). *La corrupción en un mundo globalizado: análisis interdisciplinar*. Salamanca, Ratio Legis, 2004; ZÚÑIGA RODRÍGUEZ, Laura. *Criminalidad organizada y sistema de derecho penal. Contribución a la determinación del injusto penal de organización criminal*. Granada, Editorial Comares, 2009.

Este panorama ha llevado a algunos autores[20] a considerar que los medios tradicionales de investigación del delito y averiguación del delincuente han devenido ineficaces para los fines perseguidos[21], propugnando la regulación y "legalización" de nuevos medios de investigación criminal, calificados como "proactivos" y "encubiertos[22]", con "nuevos métodos de trabajo policial que muden su foco de atención de una policía reactiva (*reactive policing*) a una policía proactiva (*pro-active policing*), incluyendo el uso de inteligencia estratégica y análisis del crimen[23]".

Es precisamente sobre la base de este contexto donde la lucha contra esta realidad criminológica, omnicomprensiva de otras muchas, alcanza una nueva dimensión[24], y donde la cooperación entre Estados se revela como la piedra angular de la misma[25]. Se hace necesaria la

---

[20]   GÓMEZ DE LIAÑO FONSECA-HERRERO, Marta. *Criminalidad organizada y medios extraordinarios de investigación*. Madrid, Editorial Colex, 2004; GARCÍA SÁNCHEZ, Beatriz. "Medios legales en la persecución de la delincuencia organizada, eficaces y legítimos". En: MORÁN BLANCO, Sagrario, ROPERO CARRASCO, Julia y GARCÍA SÁNCHEZ, Beatriz: *Instrumentos internacionales en la lucha contra la delincuencia organizada*. Madrid, Editorial Dykinson, S.L., 2011, pp. 126-131.

[21]   ZARAGOZA AGUADO, Javier. "Tratamiento penal y procesal de las organizaciones criminales en el Derecho penal español. Especial referencia al tráfico ilegal de drogas". En: *Delitos contra la salud pública y contrabando*. Cuadernos de Derecho Judicial. Consejo General del Poder Judicial, Madrid, 2000, pp. 58-61.

[22]   SÁNCHEZ GARCÍA DE PAZ, Isabel. *La criminalidad organizada. Aspectos penales, procesales, administrativos y policiales*. Madrid, Editorial Dykinson, S.L., 2005, pp. 218-219.

[23]   Recomendación (2001) 11 del Comité de Ministros del Consejo de Europa sobre principios y directrices en la lucha contra el crimen organizado. La Decisión del Consejo, 2000/375/JAI, de 29 de mayo de 2000 —DOCE L 138/1—, relativa a la lucha contra la pornografía infantil en Internet, recoge la necesidad "de que se tomen medidas especiales de investigación".

[24]   En este sentido, se sostiene que la política criminal de la globalización es agresiva con la criminalidad organizada. CHOCLÁN MONTALVO, José Antonio. "Criminalidad organizada. Concepto. La asociación ilícita. Problemas de autoría y participación", *op. cit.* p. 218.

[25]   Sobre los trabajos de UN dirigidos a reforzar la cooperación internacional contra el crimen organizado, ver: BLANCO CORDERO, Isidoro y SÁNCHEZ GARCÍA DE PAZ, Mª Isabel. "Principales instrumentos internacionales (de Naciones Unidas y la Unión Europea) relativos al crimen organizado: La definición de la participación en una organización criminal y los problemas de la aplicación de la ley penal en el espacio". *Revista Penal*, nº 6, 2000.

adecuación a esta realidad de las legislaciones penales y procesales penales[26], dentro de estrategias comunes de lucha contra las actividades de grupos delictivos organizados y operaciones delictivas transfronterizas.

Entre estos medios destacan, la autorización de actividades de vigilancia electrónica de las comunicaciones mediante medios técnicos y de grabación de las conversaciones, así como el seguimiento y videovigilancia de personas; las medidas dirigidas a facilitar las investigaciones financieras en el patrimonio de la organización criminal, mediante el levantamiento del secreto bancario y el establecimiento de obligaciones de colaboración obligatoria de los operadores financieros y de la propia Administración; el uso de la figura del agente encubierto[27] y del agente provocador; los equipos conjuntos de investigación; y, finalmente, la autorización de la circulación o entrega vigilada de determinados efectos delictivos.

3. NORMATIVA TRANSNACIONAL EN MATERIA DE DILIGENCIAS DE INVESTIGACIÓN

La legitimación para el recurso a técnicas especiales de investigación es una tendencia ya consolidada en la política criminal supranacional. El ejemplo paradigmático es la propia Convención de las Naciones Unidas contra la Delincuencia Organizada Trasnacional, hecha en Nueva York el 15 de noviembre de 2000 y firmada en Palermo el 13 de diciembre de 2000[28].

---

[26] La transnacionalización de la delincuencia convive con un proceso de revisión de los esquemas clásicos de enjuiciamiento. PENÍN ALEGRE, Clara. "Nuevos instrumentos de cooperación jurídica internacional con Iberoamérica". En: GONZÁLEZ-CUÉLLAR SERRANO, Nicolás (Dir.): *Investigación y prueba en el proceso penal*. Madrid, Editorial Colex, 2006, p. 384.

[27] La Exposición de Motivos de la L.O. 5/1999 de 13 de enero, de modificación de la Ley de Enjuiciamiento Criminal en materia de perfeccionamiento de la acción investigadora relacionada con el tráfico ilegal de drogas y otras actividades ilícitas graves, justifica el agente encubierto y la entrega vigilada y su inclusión en nuestro ordenamiento jurídico "por la insuficiencia de las técnicas de investigación tradicionales en la lucha contra la criminalidad organizada".. Publicado en: "BOE" n° 12, de 14 de enero de 1999, páginas 1737 a 1739 (3 pp.).

[28] Sobre los trabajos previos de la Convención: VLASSIS, Dimitri. "La Convención de Naciones Unidas contra el crimen transnacional organizado". En: BERDAL,

El propósito de la Convención es promover la cooperación para prevenir y combatir más eficazmente la delincuencia organizada transnacional[29], después de que las convenciones internacionales sobre delitos específicos como el tráfico de drogas, el terrorismo, la corrupción y el blanqueo de capitales hayan allanado el camino para una coordinación más estrecha y una mayor colaboración entre los Estados.

En el marco de asistencia judicial descrito, será posible el recurso a *Técnicas Especiales de Investigación*. Así está previsto expresamente en el art. 20 de la Convención:

1. Siempre que lo permitan los principios fundamentales de su ordenamiento jurídico interno, cada Estado Parte adoptará, dentro de sus posibilidades y en las condiciones prescritas por su derecho interno, las medidas que sean necesarias para permitir el adecuado recurso a la entrega vigilada y, cuando lo considere apropiado, la utilización de otras técnicas especiales de investigación, como la vigilancia electrónica o de otra índole y las operaciones encubiertas, por sus autoridades competentes en su territorio con objeto de combatir eficazmente la delincuencia organizada.

2. A los efectos de investigar los delitos comprendidos en la presente Convención, se alienta a los Estados Parte a que celebren, cuando proceda, acuerdos o arreglos bilaterales o multilaterales apropiados para utilizar esas técnicas especiales de investigación en el contexto de la cooperación en el plano internacional. Esos acuerdos o arreglos se concertarán y ejecutarán respetando plenamente el principio de la igualdad soberana de los Estados y al ponerlos en práctica se cumplirán estrictamente las condiciones en ellos contenidas.

3. De no existir los acuerdos o arreglos mencionados en el párrafo 2 del presente artículo, toda decisión de recurrir a esas técnicas especiales de investigación en el plano internacional se adop-

---

Mats y SERRANO, Mónica (Comps). *Crimen transnacional organizado y seguridad internacional. Cambio y continuidad*. Fondo de Cultura Económica, México, 2005, pp. 131-148.
29   Art. 1 Convención de Palermo.

tará sobre la base de cada caso particular y podrá, cuando sea necesario, tener en cuenta los arreglos financieros y los entendimientos relativos al ejercicio de jurisdicción por los Estados Parte interesados.

4. Toda decisión de recurrir a la entrega vigilada en el plano internacional podrá, con el consentimiento de los Estados Parte interesados, incluir la aplicación de métodos tales como interceptar los bienes, autorizarlos a proseguir intactos o retirarlos o sustituirlos total o parcialmente.

Por vez primera, un instrumento jurídico internacional respalda específicamente el uso de técnicas de investigación como la entrega vigilada, la vigilancia electrónica y las operaciones encubiertas, bajo la denominación de *Técnicas especiales de investigación*.

En la propia Guía Legislativa para la aplicación de la Convención de las Naciones Unidas contra la delincuencia organizada transnacional y sus protocolos de 2004 se reconoce que: "Estas técnicas son especialmente útiles para hacer frente a grupos delictivos organizados complejos debido a los peligros y dificultades inherentes al logro del acceso a sus operaciones y a la reunión de información y pruebas para su utilización en los procesos nacionales, así como para prestar asistencia judicial recíproca a otros Estados Parte. En muchos casos, métodos menos invasivos simplemente no resultarían eficaces, o no podrían llevarse a la práctica sin riesgos inaceptables para los participantes".

Cada Estado Parte debe, por tanto, cuando lo estime apropiado, establecer la vigilancia electrónica y las operaciones encubiertas como técnicas de investigación disponibles en los planos nacional e internacional, y aunque no es obligatorio, en el párrafo 1 del artículo 20, se alienta específicamente a los Estados a recurrir a ella[30].

Señala MOURAZ LÓPEZ[31], que es la especificidad de la investigación criminal en el ámbito de la delincuencia organizada de ámbito

---

[30]   En términos similares se pronuncia la Convención de las Naciones Unidas contra la corrupción, hecha en Nueva York el 31 de octubre de 2003. *BOE* nº 171, de 19 de julio de 2006, páginas 27132 a 27153.

[31]   MOURAZ LÓPEZ, José. "Estupefacientes, delincuencia organizada y corrupción". En: *Curso Virtual sobre cooperación judicial penal en Europa*. Red Euro-

trasnacional, la que impone la adopción, en los marcos procesales nacionales, de unos mecanismos de investigación propios y adecuados a dicha realidad.

Reconociendo la necesidad de que los Estados miembros desarrollen una política penal común en la lucha contra la delincuencia organizada, en el ámbito del Consejo de Europa destaca la Recomendación Rec (2001) 11 del Comité de Ministros sobre principios directrices en la lucha contra el crimen organizado[32].

En concreto, la Recomendación 19 señala que los Estados miembros deben introducir legislación que permita o extienda el uso de medidas de investigación como la vigilancia, la interceptación de comunicaciones, las operaciones encubiertas, las entregas vigiladas y el uso de informantes. Para permitir la aplicación de estas técnicas, los Estados miembros deben proporcionar a los organismos encargados de hacer cumplir la ley la tecnología necesaria y la capacitación adecuada, alentando la recomendación 20 el uso de medios de investigación policial "proactivos".

El control de la delincuencia organizada requiere de métodos que son necesariamente más intrusivos que los tradicionales y la experiencia de aplicación de la ley en muchos países sugiere, que con el fin de fortalecer la capacidad de investigación, reducir el tiempo necesario para construir un caso sólido y reunir pruebas fiables, es necesario contar con información obtenida por medio de la vigilancia electrónica y la interceptación de las telecomunicaciones, las operaciones encubiertas y agentes encubiertos, informantes, arrepentidos, o entrega controlada de drogas o dinero.

Aunque existe un acuerdo general entre los países sobre la necesidad de capacitar a las fuerzas de seguridad a utilizar esos métodos de investigación en la lucha contra el crimen organizado, una serie de diferencias aparecen en su aplicación práctica.

---

pea de Formación Judicial, Escuela Judicial, Consejo General del Poder Judicial, 2010-2011.

32   Disponible el texto en inglés en: https: //wcd.coe.int/com.instranet. InstraServlet?command=com.instranet.CmdBlobGet&InstranetImage=531010 &SecMode=1&DocId=212806&Usage=2. La traducción es mía.

Los Estados deben resolver la difícil cuestión de encontrar un equilibrio entre los beneficios potenciales de los poderes intrusivos para hacer cumplir la ley y la protección de los derechos fundamentales, incluyendo la privacidad, teniendo siempre presente el artículo 8 del Convenio Europeo de Derechos Humanos.

En el choque entre eficacia y derechos, la balanza se ha decantado por la eficacia "en la necesidad de propiciar un equilibrio entre la dialéctica de la seguridad y la de los derechos fundamentales[33]".

3.1. *La orden europea de investigación: una perspectiva de futuro*

El Programa de Estocolmo estipula que debe proseguirse "la creación de un sistema general para obtener pruebas en los casos con dimensión transfronteriza, basado en el principio de reconocimiento mutuo". Lo anterior aparece justificado en el hecho de que "los instrumentos existentes en este ámbito constituyen un sistema fragmentario. Es necesario un nuevo planteamiento, basado en el principio de reconocimiento mutuo, pero que tenga también en cuenta la flexibilidad del sistema tradicional de asistencia judicial. Este nuevo modelo podría tener un alcance más amplio y debería cubrir tantos tipos de pruebas como sea posible, teniendo en cuenta las medidas de que se trate"[34].

Como pone de manifiesto DÍAZ PITA[35], "la investigación y obtención de pruebas para luchar contra la criminalidad organizada transnacional ha sido y es una constante preocupación de la Unión Europea que ha dado lugar a una ingente normativa, compleja y las más de las veces de difícil o nula aplicación práctica".

---

[33] DE URBANO CASTRILLO, Eduardo. "La investigación tecnológica del delito". En: *Los nuevos medios de investigación en el proceso penal. Especial referencia a la tecnovigilancia.* Cuadernos de Derecho Judicial, Madrid, Consejo General del Poder Judicial, 2007.

[34] DO C 115 de 04.05.2010, p. 1.

[35] DÍAZ PITA, Mª Paula. "La orden europea de investigación en materia penal (OEI) y la lucha contra la criminalidad organizada transnacional en la Unión Europea". Observatorio de Criminalidad Organizada Transnacional de la Universidad de Salamanca. Disponible en: http: //crimtrans.usal.es/?q=node/138.

Como plasmación de esa preocupación, en abril de 2010 siete de Estados miembros[36] presentaron una Propuesta de Directiva del Parlamento Europeo y del Consejo relativa al denominado exhorto europeo de investigación en materia penal.

Ya de entrada he de decir que comparto la opinión mantenida por AGUILERA MORALES en cuanto a la terminología utilizada en este instrumento, siendo el término "orden europea de investigación (OEI)" más acorde con "los instrumentos normativos europeos basados en el reconocimiento mutuo", dado el "carácter generalmente vinculante que se liga a su ejecución"[37].

Desde la presentación de la Propuesta de Directiva a la actualidad, han sido numerosos los debates e informes que la misma ha generado, dando lugar a varios textos distintos, algunos de ellos con modificaciones sustanciales[38], hasta que el 3 de abril de 2014 se aprueba finalmente la Directiva 2014/41/CE relativa a la orden europea de investigación en materia penal.

La orden europea de investigación (OEI) será una resolución judicial emitida o validada por una autoridad judicial competente de un Estado miembro ("el Estado de emisión") para llevar a cabo una o varias medidas de investigación en otro Estado miembro ("el Estado de ejecución") con vistas a obtener pruebas con arreglo a las disposiciones de la presente Directiva[39]. La posibilidad de emisión de una OEI se extiende también a la obtención de pruebas que ya están en posesión de la autoridad de ejecución[40], teniendo en cuenta que desde la adopción de las Decisiones Marco 2003/577/JAI del Consejo, de 22 de julio de 2003[41], relativa a la ejecución en la Unión Europea de las

---

36   Austria, Bulgaria, Bélgica, Estonia, Eslovenia, España y Suecia.

37   AGUILERA MORALES, Marien. "El exhorto europeo de investigación: A la búsqueda de la eficacia y la protección de los derechos fundamentales en las investigaciones penales transfronterizas". *Boletín del Ministerio de Justicia*, Madrid, Ministerio de Justicia, n° 2145, Año LXVI, Agosto de 2012, nota al pie n° 3. Disponible en: www.mjusticia.es/bmj.

38   Para ver el trabajo legislativo: http: //www.europarl.europa.eu/oeil/popups/fiche-procedure.do?lang=en&reference=2010/0817%28OLP%29. DÍAZ PITA, Mª Paula. "La orden europea de investigación en materia penal...", *op. cit.*, pp. 2-9.

39   Art. 1.1 Directiva 2014/41/CE.

40   Considerando 7 Directiva 2014/41/CE.

41   DO L 196 de 02.08.03, p. 45.

resoluciones de embargo preventivo de bienes y de aseguramiento de pruebas, y 2008/978/JAI del Consejo, de 18 de diciembre de 2008[42], relativa al exhorto europeo de obtención de pruebas para recabar objetos, documentos y datos destinados a procedimientos en materia penal, resulta evidente que el marco existente para la reunión de pruebas es demasiado fragmentario y complicado[43].

Para dar solución a esta cuestión, la Directiva 2014/41/CE del Parlamento Europeo y del Consejo de 3 de abril de 2014 está llamada a sustituir toda la normativa existente en la materia, con un claro propósito unificador. El objetivo de la iniciativa de OEI es crear un único instrumento eficaz y flexible para obtener pruebas localizadas en otro Estado miembro en el marco de los procedimientos penales, pero que tenga también en cuenta la flexibilidad del sistema tradicional de asistencia judicial.

Este novedoso instrumento normativo entrará en vigor el 22 de mayo de 2017, fecha límite para que los Estados miembros adopten las medidas necesarias para dar cumplimiento a la presente Directiva[44].

3.1.1. Ámbito de aplicación

El art. 3 de la Directiva marca el ámbito de aplicación de la misma al señalar que "La OEI comprenderá todas las medidas de investigación con excepción de la creación de un equipo conjunto de investigación y la obtención de pruebas en dicho equipo[45]". La razón de la exclusión de dicha medida la apunta el Considerando 8 cuando señala que "la creación de un equipo conjunto de investigación y la obtención de pruebas en dicho equipo requieren normas específicas que se atienden mejor por separado", aunque lo cierto es que la creación de equipos conjuntos de investigación encuentra su fundamento en la

---

[42]　DO L 350 de 30.12.08, p. 72.

[43]　Así ha sido puesto de manifiesto también por la doctrina. Por todos, GRANDE MARLASKA-GÓMEZ, Fernando y DEL POZO PÉREZ, Marta. "La obtención de fuentes de prueba en la Unión Europea y su validez en el proceso penal español". *RGDE*, 24 (2011), p. 36. Disponible en: http: //www.iustel.com.

[44]　Art. 36 Directiva 2014/41/CE.

[45]　Seguirán rigiéndose por la Decisión Marco 2002/465/JAI, de 13 de junio, sobre equipos conjuntos de investigación.

autonomía de la voluntad de los Estados miembros que lo forman y no en el principio de reconocimiento mutuo[46].

En cuanto a los tipos de procedimientos para los que puede emitirse la OEI, el art. 4 especifica los siguientes:

a) en relación con los procedimientos penales incoados por una autoridad judicial, o que puedan entablarse ante una autoridad judicial, por hechos constitutivos de delito con arreglo al Derecho interno del Estado de emisión;

b) en los procedimientos incoados por autoridades administrativas por hechos tipificados en el Derecho interno del Estado de emisión por ser infracciones de disposiciones legales, y cuando la decisión pueda dar lugar a un procedimiento ante una autoridad jurisdiccional competente, en particular, en materia penal[47];

c) en los procedimientos incoados por autoridades judiciales por hechos tipificados en el Derecho interno del Estado de emisión por ser infracciones de disposiciones legales, y cuando la decisión pueda dar lugar a un procedimiento ante un órgano jurisdiccional competente, en particular, en materia penal;

d) en relación con los procedimientos mencionados en las letras a), b) y c) que se refieran a delitos o infracciones por los cuales una persona jurídica pueda ser considerada responsable o ser castigada en el Estado de emisión.

---

[46]   BACHMAIER WINTER, Lorena. "Prueba transnacional penal en Europa. La Directiva 2014/41 relativa a la Orden Europea de Investigación". *RGDE*, 36 (2015), p. 5.

[47]   Señala MARTÍNEZ GARCÍA que "Tal vez se trata éste de un concepto difícil de comprender para nosotros, pues nuestro ordenamiento tiene bien diferenciadas estas áreas y procedimientos y tiene mayor sentido en aquellos ordenamientos donde el proceso administrativo ocupa una mayor dimensión procesal, como ámbito sancionador que linda con el proceso penal. En tal sentido no nos es de aplicación por la razón de que nuestro proceso administrativo da lugar a un recurso ante lo contencioso administrativo y no en un proceso penal". MARTÍNEZ GARCÍA, Elena: *Orden Europea de Investigación. Actos de investigación, ilicitud de la prueba y cooperación judicial transfronteriza*, Tirant lo Blanch, Valencia, 2016, p. 50.

Por último, destacar que la Directiva no será de aplicación a Dinamarca[48] ni Irlanda[49], aunque sí será de aplicación al Reino Unido[50]. Establecido el marco genérico de aplicación de la OEI y partiendo de la referencia general que la misma hace a "todas las medidas de investigación[51]", con la excepción ya reseñada, la Directiva opta por establecer normas adicionales para determinados tipos de medidas de investigación, aunque resaltando que la OEI establece un régimen único para la obtención de pruebas[52].

Estas medidas de investigación, que han merecido una regulación específica dentro de la Directiva, son precisamente las que la normativa supranacional ha calificado como técnicas especiales de investigación y que se revelan como esenciales en la lucha contra la criminalidad organizada transnacional.

3.1.2. Disposiciones específicas para determinadas medidas de investigación

A) Investigaciones financieras del patrimonio criminal

El art. 26 permite la emisión de una OEI para determinar si una persona física o jurídica, objeto de procedimiento penal, es titular o posee el control de una o más cuentas, del tipo que sea, en un banco o entidad financiera distinta a un banco[53] localizado en el territorio

---

[48]   De conformidad con los artículos 1 y 2 del Protocolo n° 22 sobre la posición de Dinamarca, anejo al TUE y al TFUE. Considerando 45 de la Directiva 2014/41/CE.

[49]   De conformidad con los artículos 1, 2 y 4 *bis*, apartado 1 del Protocolo n° 21 sobre la posición del Reino Unido y de Irlanda respecto del espacio de libertad, seguridad y justicia anejo al TUE y al TFUE y sin perjuicio del artículo 4 de dicho Protocolo. Considerando 44 de la Directiva 2014/41/CE.

[50]   De conformidad con el artículo 3 del Protocolo n° 21 sobre la posición del Reino Unido y de Irlanda respecto del espacio de libertad, seguridad y justicia anejo al TUE y al TFUE, el Reino Unido ha notificado su deseo de participar en la adopción y aplicación de la presente Directiva. Considerando 43 de la Directiva 2014/41/CE.

[51]   Art. 3 Directiva 2014/41/CE.

[52]   Considerando 24 Directiva 2014/41/CE.

[53]   Considerando 28 Directiva 2014/41/CE: En los casos en que en la presente Directiva se haga referencia a las entidades financieras, dicha referencia deberá

del Estado de ejecución, y en caso afirmativo, obtener del Estado de ejecución, los datos de las cuentas identificadas.

Deberá interpretarse esta posibilidad en sentido amplio, como referida no solo a quienes sean investigados o acusados, sino también a cualquier persona respecto de la cual las autoridades competentes consideren necesaria dicha información en el curso de procedimientos penales[54].

Así mismo, cuando se emita una OEI para obtener los "datos" de una cuenta especificada, se debe entender que los "datos" incluyen al menos el nombre y el domicilio del titular, los pormenores de los poderes de representación otorgados sobre esa cuenta y cualesquiera otros detalles o documentos que haya suministrado el titular en el momento de la apertura de la cuenta y que obren todavía en poder del banco.

En la OEI, la autoridad de emisión indicará las razones por las que considera que la información solicitada puede ser fundamental para el procedimiento penal de que se trate y las razones por las que supone que la cuenta se encuentra en algún banco del Estado de ejecución, y siempre que cuente con dicha información, de qué banco o bancos se trata. También incluirá en la OEI cualquier información de la que disponga que pueda facilitar su ejecución.

Igualmente, el art. 27 prevé la posibilidad de que se pueda emitir una OEI para obtener los datos de cuentas bancarias específicas, así como de las operaciones bancarias y operaciones financieras efectuadas por entidades financieras no bancarias, que se hayan efectuado o vayan a efectuarse dentro de un plazo concreto por medio de una o más cuentas indicadas en la OEI, con inclusión de los datos de toda cuenta remitente o receptora.

---

interpretarse con arreglo a la definición pertinente del artículo 3 de la Directiva 2005/60/CE del Parlamento Europeo y del Consejo de 26 de octubre de 2005, relativa a la prevención de la utilización del sistema financiero para el blanqueo de capitales y para la financiación del terrorismo. DO L 309 de 25.11.2005.

54   Considerando 27 Directiva 2014/41/CE.

B) *Entrega vigilada o seguimiento de operaciones bancarias o financieras*[55]

La Directiva contempla especificaciones concretas para las medidas de investigación que impliquen la obtención de pruebas en tiempo real, de manera continua y durante un determinado período de tiempo, como la entrega vigilada en el territorio del Estado de ejecución, o el seguimiento de operaciones bancarias u otras operaciones financieras efectuadas a través de una o más cuentas. Parece incluir, por tanto, técnicas como la monitorización en tiempo real de las operaciones realizadas desde una determinada cuenta, así como el supuesto tradicional de circulación o entrega vigilada de determinados efectos[56].

Se exige que la autoridad de emisión indicará las razones por las que estima que la información solicitada es pertinente para el procedimiento penal en cuestión. En estos casos, las disposiciones prácticas en relación con la medida de entrega vigilada, y en cualquier otro en que sea necesario, se acordarán entre los Estados de emisión y de ejecución, si bien, la competencia para actuar, dirigir y controlar las operaciones relacionadas con la ejecución de la OEI recaerán en las autoridades competentes del Estado de ejecución.

Se amplían los motivos de denegación de la ejecución, además de los recogidos en el art. 11[57], a los casos en que la medida en cuestión no estuviera autorizada en casos internos similares.

---

[55]   Art. 28 Directiva 2014/41/CE.

[56]   Definida en el art. 1.g) de la Convención de las Naciones Unidas contra el tráfico ilícito de estupefacientes y sustancias sicotrópicas, hecha en Viena el 20 de diciembre de 1988, como "la técnica consistente en dejar que remesas ilícitas o sospechosas de estupefacientes, sustancias sicotrópicas, sustancias que figuran en el cuadro I o el cuadro II anexos a la presente Convención o sustancias por las que se hayan sustituido las anteriormente mencionadas, salgan del territorio de uno o más países, lo atraviesen o entren en él, con el conocimiento y bajo la supervisión de sus autoridades competentes, con el fin de identificar a las personas involucradas en la comisión de delitos tipificados de conformidad con el párrafo 1 del artículo 3 de la presente Convención". En el mismo sentido el art. 263 bis LECrim.

[57]   Art. 11 Directiva 2014/41/CE: "Sin perjuicio del artículo 1, apartado 4, se podrá denegar el reconocimiento o la ejecución de una OEI en el Estado de ejecución: a) cuando exista una inmunidad o privilegio en el Derecho del Estado de ejecución que haga imposible ejecutar la OEI, o normas sobre determinación y limitación de la responsabilidad penal en relación con la libertad de la prensa y

En la OEI, la autoridad de emisión indicará las razones por las que estima que la información solicitada es pertinente para el procedimiento penal en cuestión.

C) Investigaciones encubiertas[58]

Podrá emitirse una OEI con el fin de solicitar al Estado de ejecución que colabore con el Estado de emisión para la realización de investigaciones de actividades delictivas por parte de agentes que actúen infiltrados o con una identidad falsa. Se legitima en este precepto la

---

la libertad de expresión en otros medios de comunicación que imposibiliten su ejecución;

b) cuando la ejecución de la OEI pudiera lesionar, en un caso concreto, intereses esenciales de seguridad nacional, comprometer a la fuente de la información, o implicar la utilización de información clasificada relacionada con determinadas actividades de inteligencia;

c) cuando la OEI haya sido emitida para los procedimientos contemplados en el artículo 4, letras b) y c), y la medida de investigación no estuviese autorizada, con arreglo al Derecho del Estado de ejecución, para un caso interno similar;

d) cuando la ejecución de la OEI fuera contraria al principio de *ne bis in idem*;

e) cuando la OEI se refiera a un delito que presuntamente ha sido cometido fuera del territorio del Estado de emisión y total o parcialmente en el territorio del Estado de ejecución, y la conducta en relación con la cual se emite la OEI no sea constitutiva de delito en el Estado de ejecución;

f) cuando existan motivos fundados para creer que la ejecución de la medida de investigación indicada en la OEI sería incompatible con las obligaciones del Estado miembro de ejecución de conformidad con el artículo 6 del TUE y de la Carta;

g) cuando la conducta que dio origen a la emisión de la OEI no sea constitutiva de delito con arreglo al Derecho del Estado de ejecución, y no esté recogida en las categorías de delitos que figuran en el anexo D, conforme a lo indicado por la autoridad de emisión en la OEI, si en el Estado de emisión es punible con una pena o medida de seguridad privativas de libertad de un máximo de al menos tres años, o

h) cuando el uso de la medida de investigación indicada en la OEI esté limitado, con arreglo al Derecho del Estado de ejecución, a una lista o categoría de delitos, o a delitos castigados con penas de a partir de un determinado umbral que no alcance el delito a que se refiere la OEI".

[58]   Art. 29 Directiva 2014/41/CE.

utilización de la figura del agente encubierto[59], de gran utilidad en la investigación de complejos entramados criminales.

Las investigaciones encubiertas se realizarán de conformidad con el Derecho y los procedimientos del Estado miembro en cuyo territorio se practiquen, al que también corresponden la competencia de actuación, la dirección y el control de las operaciones relacionadas con las la investigaciones encubiertas. No obstante, ambos Estados, de emisión y de ejecución, acordarán la duración de la investigación encubierta, las condiciones concretas de la misma y el régimen jurídico de los agentes de que se trate, ateniéndose a sus respectivos Derechos internos y procedimientos nacionales. En el caso de no alcanzar acuerdo sobre los extremos mencionados, el Estado de ejecución podrá denegar el reconocimiento y ejecución de la OEI solicitada.

D) Intervención de telecomunicaciones

La importancia de una medida de investigación como la intervención de las comunicaciones, la hacen merecedora de una regulación específica en el Capítulo V de la Directiva 2014/41/CE, y ello, a mi entender, no sólo por ser una medida con un alto nivel de injerencia en los derechos fundamentales de los ciudadanos, sino también por su elevado nivel de eficacia en las investigaciones de fenómenos criminales complejos como el crimen organizado.

Sobre la base del carácter integrador y unificador que inspira el contenido de la Directiva, la regulación que en ella se contiene en materia de intervención de comunicaciones, vendrá a sustituir a la prevista, también con carácter específico en el Convenio de Asistencia

---

[59] Sobre el agente encubierto y su problemática, entre otros, GASCÓN INCHAUSTI, Fernando: *Infiltración policial y agente encubierto*, Comares, Granada 2001; DEL POZO PÉREZ, Marta: "El agente encubierto como medio de investigación procesal en el ámbito de la cooperación jurídica internacional". En: MARTÍN DÍAZ, Fernando (Coord.), *Constitución Europea: Aspectos históricos, administrativos y procesales*, Tórculo, Santiago de Compostela, 2006, pp. 271-328; CADIÑANOS ANTÓN, Carlos Ramón: "Aspectos fundamentales en torno al agente encubierto". En: PÉREZ ÁLVAREZ, Fernando y ZÚÑIGA RODRÍGUEZ, Laura y (Dirs.), *Instrumentos jurídicos y operativos en la lucha contra el tráfico internacional de drogas: memorias del Proyecto I.F.O. Illegal Flow Observation JUST/2011/ISEC/DRUGS/AG/3671*, Aranzadi, Cizur Menor, 2015, pp. 297-308.

Judicial en materia penal entre los Estados miembros de la Unión Europea, hecho en Bruselas de 29 de mayo del 2000[60].

El análisis de la regulación de esta materia contenida en la Directiva 2014/41/CE, en comparación con la contenida en el Convenio 2000[61], en cuanto actualmente en vigor, van a centrar el objeto de este epígrafe.

En consecuencia, el Capítulo V dedica a esta materia dos preceptos, artículos 30 y 31. El artículo 30 prevé la emisión de una OEI para la intervención de comunicaciones con asistencia técnica de otro Estado miembro, prevista para los siguientes supuestos[62]:

a) la transmisión inmediata de las telecomunicaciones al Estado de emisión o

b) la intervención, registro y ulterior transmisión del resultado de la intervención de las telecomunicaciones al Estado de emisión.

En la primera de las modalidades, la transmisión inmediata consiste en dirigir directamente al Estado miembro requirente la telecomunicación intervenida, donde la autoridad competente que haya ordenado la intervención, podrá escucharla y grabarla.

En la segunda modalidad, a mi juicio, es mayor el sacrificio de los derechos individuales, ya que el acceso al contenido de las comunicaciones, va a tener lugar en el Estado requerido, cuyos funcionarios o autoridades van a poder escuchar las conversaciones o comunicaciones, las cuales quedarán grabadas para poder ser puestas, con mayor

---

[60]   Excepto para Dinamarca e Irlanda, a las que seguirá siendo de aplicación la regulación contenida en el Convenio de Asistencia Judicial en materia penal entre los Estados miembros de la Unión Europea de 20 de mayo del 2000.

[61]   GONZÁLEZ MONJE, Alicia: "La interceptación de las comunicaciones en el Convenio de Asistencia Judicial en materia penal entre los Estados miembros de la Unión Europea de 20 de mayo del 2000". En: PÉREZ ÁLVAREZ, Fernando y ZÚÑIGA RODRÍGUEZ, Laura y (Dirs.), *Instrumentos jurídicos y operativos en la lucha contra el tráfico internacional de drogas: memorias del Proyecto I.F.O. Illegal Flow Observation JUST/2011/ISEC/DRUGS/AG/3671*, Aranzadi, Cizur Menor, 2015, pp. 387-401.

[62]   Art. 30.6 Directiva 2014/41/CE: "La autoridad de emisión y la autoridad de ejecución mantendrán consultas con el fin de acordar si la intervención habrá de efectuarse con arreglo a la letra a) o a la letra b)".

o menor periodicidad hasta el final de la intervención y escucha, a disposición de las autoridades del Estado requirente.

Para la ejecución de cualquiera de estas modalidades, la OEI incluirá la siguiente información:

a) aquella que sea necesaria para identificar a la persona objeto de la intervención

b) duración deseada de la intervención y

c) datos técnicos suficientes, en particular el identificador de la persona, a fin de garantizar que pueda ejecutarse la solicitud, entre los que se encuentran, teléfono móvil, fijo, dirección de correo electrónico y conexión a internet, del objeto de la intervención[63].

Añadiendo el punto 4 del mismo precepto que "En la OEI, la autoridad de emisión indicará las razones por las que estima que la medida de investigación indicada es pertinente para el procedimiento penal en cuestión".

Se observa, por tanto, que las posibilidades de cooperación en materia de intervención de las telecomunicaciones no se limitan al contenido de la comunicación, sino que pueden abarcar igualmente la obtención de datos de tráfico y localización correspondiente a tales comunicaciones, lo que permitirá a las autoridades competentes emitir una OEI con vistas a la obtención de datos de telecomunicaciones con menos intrusión en la vida privada.

La autoridad de emisión puede pedir en la solicitud, o durante el curso de la intervención, si tiene motivos particulares para hacerlo, una transcripción, descodificación o desencriptado del registro, siempre que cuente con el acuerdo de la autoridad de ejecución[64].

Sin embargo, según el Considerando 30, "Una OEI emitida con el fin de obtener datos históricos de tráfico y de localización de las telecomunicaciones debe tratarse con arreglo al régimen general de ejecución de la OEI, y podrá considerarse, en función del Derecho nacional del Estado de ejecución, como una medida de investigación coercitiva".

---

[63]   Según la Sección H7, del Anexo B de la Directiva.
[64]   Art. 30.7 Directiva 2014/41/CE.

Cuando haya más de un Estado miembro que esté en situación de proporcionar la asistencia técnica completa necesaria para la misma intervención de telecomunicaciones, la OEI se enviará a uno solo de ellos, y se dará prioridad siempre al Estado miembro en que se encuentre o vaya a encontrarse la persona en cuestión[65]. Se notificará esta circunstancia a los Estados miembros en que se encuentre la persona objeto de intervención de las telecomunicaciones y de los que no se precise asistencia técnica para efectuar la intervención, de conformidad con la presente Directiva. No obstante, cuando no pueda recibirse la asistencia técnica de un solo Estado miembro, se podrá transmitir una OEI a más de un Estado de ejecución[66].

A las causas generales de denegación de la ejecución de una OEI previstas en el art. 11[67], se añade, para esta medida de investigación concreta, una específica consistente en la posibilidad de denegar la ejecución de la intervención de las telecomunicaciones "si la ejecución de la medida en cuestión no estuviera autorizada en casos nacionales similares. El Estado miembro de ejecución podrá supeditar su consentimiento a las condiciones que deberían observarse en un caso nacional de características similares[68]".

Para que la autoridad de ejecución esté en condiciones de evaluar si la medida se autorizaría en un caso interno similar, la autoridad de emisión le debe proporcionar información suficiente, como los datos de la actividad delictiva investigada[69].

Por su parte, el artículo 31 regula el supuesto de *Notificación al Estado miembro en el que se encuentre la persona que sea objeto de los procedimiento penales y cuya asistencia técnica no sea necesaria*, disponiendo que "Cuando, a efectos de llevar a cabo una medida de investigación, la autoridad competente de un Estado miembro ("el Estado miembro que realiza la intervención") autorice la intervención

---

[65]   Art. 30.2 Directiva 2014/41/CE.
[66]   Considerando 31 Directiva 2014/41/CE.
[67]   Para un estudio detallado de las causas de denegación: BACHMAIER WINTER, Lorena. "La propuesta de Directiva europea sobre la orden de investigación penal: valoración crítica de los motivos de denegación". En: *Diario La Ley*, Editorial La Ley, nº 7992, Sección Doctrina, 28 de Diciembre de 2012, Ref. D-460.
[68]   Art. 30.5 Directiva 2014/41/CE.
[69]   Considerando 32 Directiva 2014/41/CE.

de telecomunicaciones, y se utilice la dirección de comunicaciones de la persona que sea objeto de los procedimientos penales que figura en la orden de intervención en el territorio de otro Estado miembro ("el Estado notificado") cuya asistencia técnica no se necesite para llevar a cabo dicha intervención, el Estado miembro que realiza la intervención deberá informar a la autoridad competente del Estado notificado de dicha intervención[70]:

a) antes de la intervención, en aquellos casos en los que la autoridad competente del Estado miembro que realiza la intervención ya esté informada, al ordenar la intervención, de que la persona que sea objeto de los procedimientos penales de la misma se encuentra o se encontrará en el territorio del Estado notificado;

b) durante la intervención o después de ésta, inmediatamente después de tener conocimiento de que la persona objeto de los procedimientos penales de intervención se encuentra, o se ha encontrado durante la intervención, en el territorio del Estado miembro notificado".

Añadiendo el número 3 del art. 31 que, "En los casos en que la intervención no se autorizaría en un caso interno similar, la autoridad competente del Estado miembro notificado podrá notificar sin demora a la autoridad competente del Estado miembro que realiza la intervención, y a más tardar en un plazo de 96 horas desde la recepción de la notificación contemplada en el apartado 1, que:

a) no podrá efectuarse la intervención o que se pondrá fin a la misma; y

b) si fuera necesario, que no podrá utilizarse el posible material ya intervenido mientras la persona que sea objeto de la intervención se encontraba en su territorio, o que sólo podrá utilizarse en las condiciones que aquella especifique. La autoridad competente del Estado miembro notificado informará a la autoridad competente del Estado que realiza la intervención de los motivos de estas condiciones".

Resulta esencial para la eficacia práctica de cualquiera de las modalidades de intervención de telecomunicaciones a las que se refiere

---

[70]   A través del Anexo C, que proporciona la propia Directiva.

la Directiva, la asistencia técnica de los proveedores de servicios que operan en los territorio de los Estados redes y servicios de telecomunicaciones accesibles al público.

Llegado a este punto, podemos decir que la Directiva reproduce el esquema ya contenido en el Convenio 2000, y opta por dedicar un capítulo específico al tratamiento de la intervención de las telecomunicaciones. En el articulado de ese Capítulo V, no se contiene una definición de telecomunicaciones, pero a diferencia del Convenio 2000[71], el Considerando 30 señala que "Las posibilidades de cooperación según las disposiciones sobre intervención de telecomunicaciones no deben limitarse al contenido de la comunicación, sino que pueden abarcar igualmente la obtención de datos de tráfico y localización correspondiente a tales comunicaciones, lo que permitirá a las autoridades competentes emitir una OEI con vistas a la obtención de datos de telecomunicaciones con menos intrusión en la vida privada. Una OEI emitida con el fin de obtener datos históricos de tráfico y de localización de las telecomunicaciones deberá tratarse con arreglo al régimen general de ejecución de la OEI, y podrá considerarse, en función del Derecho nacional del Estado de ejecución, como una medida coercitiva".

Se amplía por tanto el concepto de telecomunicación, para incluir en el mismo no sólo el contenido de la comunicación, sino también los datos de tráfico y de localización, en consonancia con lo ya recogido

---

[71]   Esta omisión no es fortuita; el propio Informe Explicativo del Convenio, aprobado por el Consejo el 30 de noviembre de 2000 (DOCE C 379/7 de 29 de diciembre de 2000), señala que, tras haber estudiado la cuestión, el Consejo ha estimado que no era necesario definir el término "telecomunicaciones", que no se limita estrictamente a las conversaciones telefónicas sino que, por el contrario, debe ser interpretado en su acepción más amplia. Debido a esta indefinición, se sobreentiende que las disposiciones en materia de intervención de telecomunicaciones podrán aplicarse a todas las formas de comunicaciones que permitan las tecnologías actuales y futuras. Amplía así mismo el concepto de intervención, al entender que en la medida de lo posible, es preciso que el Estado miembro requerido transmita también los datos técnicos correspondientes a cada telecomunicación, por ejemplo, el número al que se llama, la hora y duración de la telecomunicación y, en caso de que se disponga de ese dato, el lugar en que se ha emitido o recibido la telecomunicación.

en otros instrumentos normativos emanados en el seno de la Unión
Europea[72] y del Consejo de Europa[73].

Se contemplan en la Directiva los dos grandes sistemas de intervención de las telecomunicaciones, ya contenidos en el art. 18 del
Convenio 2000, esto es, la transmisión inmediata de las telecomunicaciones al Estado de emisión o la intervención, registro y ulterior
transmisión del resultado de la intervención de las telecomunicaciones al Estado de emisión, aunque sin establecer preferencia alguna
entre ellos, y con una regulación significativamente más simple en la
que no se distingue si la persona a investigar se encuentra o no en el
territorio del Estado requirente, requerido o en el de un tercer Estado,
a tenor de lo establecido en el número 2 del art. 30.

---

[72]   Ya la Directiva 97/66/CE, del Parlamento Europeo y del Consejo, de 15 de di-
       ciembre de 1997, relativa al tratamiento de datos personales ya la protección
       de la intimidad en el sector de las telecomunicaciones, en su considerando deci-
       moséptimo se refería al concepto de datos de tráfico como equiparables con el
       de la información concerniente a los datos relativos a los abonados utilizados
       para el establecimiento de llamadas. Posteriormente, la Directiva 2002/58/CE,
       del Parlamento Europeo y del Consejo, de 12 de julio de 2002, relativa al tra-
       tamiento de los datos personales y a la protección de la intimidad en el sector
       de las comunicaciones electrónicas, que deroga la anterior, define en su art. 2.b)
       los datos de tráfico momo "cualquier dato tratado a efectos de la conducción de
       una comunicación a través de una red de comunicaciones electrónicas o a efectos
       de la facturación de las mismas"; por su parte, el art. 2.c) nos proporciona el
       concepto de datos de localización como "cualquier dato tratado en una red de
       comunicaciones electrónicas que indique la posición geográfica del equipo termi-
       nal de un usuario de un servicio de comunicaciones disponible para el público",
       especificando su considerando decimocuarto que como tales se entenderán los
       referentes a latitud, longitud, y altitud del equipo terminal del usuario, dirección
       de la marcha, nivel de precisión de la información, identificación de la célula de
       red en la que aquél esté localizado en el momento u hora en que la información
       de localización ha sido registrada.

[73]   Convenio sobre Cibercriminalidad del Consejo de Europa. Para un examen de
       la materia ver: GONZÁLEZ MONJE, Alicia: "El recurso a técnicas especiales
       de investigación en la lucha contra la ciberdelincuencia. Especial referencia al
       Convenio sobre Ciberdelincuencia del Consejo de Europa, de 23 de noviembre
       de 2001". En: PÉREZ ÁLVAREZ, Fernando y ZÚÑIGA RODRÍGUEZ, Laura
       y (Dirs.), *Instrumentos jurídicos y operativos en la lucha contra el tráfico in-
       ternacional de drogas: memorias del Proyecto I.F.O. Illegal Flow Observation
       JUST/2011/ISEC/DRUGS/AG/3671*, Aranzadi, Cizur Menor, 2015, pp. 263-
       277.

También se mantiene, respecto al Convenio 2000[74], la información necesaria que habrá de incluir toda OEI, si bien teniendo en cuenta que el considerando 32 aclara que "En una OEI que contenga una solicitud de intervención de telecomunicaciones, la autoridad de emisión debe dar a la autoridad de ejecución información suficiente, como los datos de la actividad delictiva investigada, para que la autoridad de ejecución esté en condiciones de evaluar si la medida se autorizaría en un caso interno similar", lo que debe ponerse en relación con las causas de denegación de la ejecución de una OEI[75].

Por otro lado, se mantiene en el Directiva la referencia a "duración deseada de la intervención", a mi entender, en clara contradicción con lo dispuesto en el considerando 21, según el cual, "Son necesarios límites temporales para garantizar que la cooperación entre los Estados miembros en materia penal se lleve a cabo de forma rápida, eficaz y coherente. La resolución de reconocimiento o ejecución, así como la ejecución efectiva de la medida de investigación, deben llevarse a cabo con la misma celeridad y prioridad que las que se adoptan para casos internos similares. Deben establecerse límites temporales para garantizar que una resolución o ejecución se lleve a cabo en un plazo de tiempo razonable o para cumplir las obligaciones de procedimiento en el Estado de emisión". Entiendo que la indeterminación[76] que in-

---

[74]   Art. 18.3 Convenio de Asistencia Judicial en materia penal: "No obstante lo dispuesto en el artículo 14 del Convenio europeo de asistencia judicial y en el artículo 37 del Tratado Benelux, las solicitudes con arreglo al presente artículo incluirán los datos siguientes:
a) autoridad que formula la solicitud;
b) confirmación de que existe un mandamiento o una orden de intervención legal en relación con una investigación penal;
c) información para identificar a la persona objeto de la intervención;
d) conducta delictiva que se investiga;
e) duración deseada de la intervención;
f) si es posible, datos técnicos suficientes, en particular el número pertinente de conexión a la red, a fin de garantizar que pueda ejecutarse la solicitud.

[75]   Ver: BACHMAIER WINTER, Lorena. "La orden europea de investigación y el principio de proporcionalidad", *RGDE*, 25 (2011), p. 15-17.

[76]   Interesante en este punto es la STS 2102/2002, de 13 de diciembre que declara que "no puede ignorarse la complejidad que presenta la investigación de hechos relacionados con la criminalidad organizada, de manera que, en esos casos, bajo la permanente vigilancia y control del Juez, la restricción del derecho fundamental al secreto de las comunicaciones puede mantenerse durante el tiempo necesa-

troduce el término "deseada" podría dar lugar a abusos y violaciones de derechos fundamentales, teniendo en cuenta que estamos ante una diligencia de investigación en la que concurre una singularidad respecto de otras diligencias de investigación intrusivas en los derechos fundamentales, a saber, que la injerencia se lleva a cabo manteniendo al titular de ese derecho en la total ignorancia respecto de la pérdida de amparo del mismo[77].

En consecuencia, sería conveniente que la duración de la intervención sea comunicada previamente en todos los supuestos, no siendo suficiente con señalar un plazo de duración dentro de los límites permitidos, sino que es necesario que ese plazo no sea abusivo ni desproporcionado.

Otra de las novedades es que no se regula el sistema de intervención de telecomunicaciones en el territorio nacional por medio de proveedores de servicios, sí recogido en el art. 19 del Convenio de Asistencia Judicial en materia penal entre los Estados miembros de la Unión Europea del 2000[78].

Por último, se mantiene el muy controvertido sistema de "Notificación al Estado miembro en el que se encuentre la persona que sea objeto de los procedimiento penales y cuya asistencia técnica no sea necesaria", al que dedica el artículo 31, en una regulación prácticamente idéntica a la recogida en el art. 20 del Convenio de Asistencia Judicial en materia penal entre los Estados miembros de la Unión Europea del 2000. En relación a este sistema ya el Informe de la Comisión de Libertades y Derechos de los Ciudadanos, Justicia y Asuntos

rio, al constituir un medio necesario y especialmente útil para la investigación y descubrimiento de los delitos y sus autores".

[77] Circular 1/2013 de la Fiscalía General del Estado, sobre pautas en relación con la diligencia de intervención de las comunicaciones telefónicas.

[78] Se trata de una asistencia meramente técnica, en la que el Estado que cuenta con una estación terrestre en su territorio no participa en absoluto en la intervención, sino que simplemente la hace posible al permitir el acceso a la estación, y son las autoridades del Estado requirente las que practican la intervención. SÁNCHEZ SISCART, José Manuel. "Cooperación Judicial Penal. Exposición del marco normativo. Instituciones, recursos de información y herramientas web. Especial consideración a la herramienta www.prontuario.org". En: *Reconocimiento y ejecución de resoluciones penales en el espacio judicial europeo.* Cuadernos Digitales de Formación, Madrid, Consejo General del Poder Judicial, 2010.

Interiores del Parlamento Europeo de 31 de enero del 2000[79], argumentaba que: "El verdadero problema, sin embargo, lo constituye el artículo 18 (futuro art. 20 del Convenio 2000), en el que se establece la posibilidad de intervenir "personas" en el territorio de otro Estado miembro sin solicitar asistencia técnica de este último. Se entra, aquí, en un verdadero y propio terreno minado en el que, por una parte, existen algunos Estados que quieren mantener la posibilidad de llevar a cabo investigaciones totales en otro Estado, para garantizar la propia seguridad nacional (¿servicios secretos?), negándose a pasar por las horcas caudinas del procedimiento de autorización por parte de la autoridad judicial; por otra, hay Estados que, precisamente para poder controlar tal tipo de investigaciones, quieren supeditar su desarrollo a una autorización previa de la autoridad. Sin embargo, de esta forma se termina reconociendo la posibilidad de recurrir al instrumento técnico de las intervenciones telefónicas también de una manera preventiva, y no sólo a raíz de la comisión de delitos y de la existencia de indicios suficientes contra una persona que pueda estar implicada en la actividad criminal por la cual se emprende la acción".

Como se puede apreciar es una cuestión cuando menos, controvertida. La posibilidad de que un Estado pueda llevar a cabo investigaciones en el territorio de otro Estado, sin pasar por el tamiz de un procedimiento de autorización por parte de una autoridad judicial de éste, me genera serias dudas en torno a la legitimidad de dichas intervenciones en cuanto vulneración de los derechos fundamentales de la persona investigada, entendiendo que este precepto podría abrir un campo sin límites a la actividad de los distintos servicios secretos.

3.1.3. Otras medidas de investigación

Además de lo que en este trabajo hemos denominado "técnicas especiales de investigación", la Directiva 2014/41/CE también contiene disposiciones específicas en otras materias relacionadas con la investigación penal:

---

[79]   Disponible en: http: //www.europarl.europa.eu/sides/getDoc.do?type=REPORT &reference=A5-2000-0019&language=ES, p. 51.

A) *Traslado de detenidos con fines de investigación*

El artículo 22 prevé la posibilidad de emitir una OEI para el traslado temporal de un detenido en el Estado de emisión con el fin de llevar a cabo una medida de investigación encaminada a la obtención de pruebas que requiera su presencia en el territorio del Estado de ejecución.

El traslado se prevé para cualquiera de las fases del procedimiento penal, incluida la de la vista, siempre que sea preciso la participación del detenido a los efectos de obtención de pruebas. No obstante, el Considerando 25 aclara que si se debe trasladar a la persona a otro Estado miembro a efectos de su enjuiciamiento, con inclusión de su puesta a disposición de un órgano jurisdiccional para ser sometida a juicio, deberá emitirse una orden de detención europea de conformidad con la Decisión Marco 2002/584/JAI del Consejo.

El Estado de ejecución podrá denegar la medida en caso de que el detenido no dé su consentimiento o el traslado pueda causar la prolongación de la detención, conforme, por tanto, a los límites temporales de la legislación del Estado de ejecución.

Es posible y más que probable que para el traslado del detenido al Estado de emisión, sea necesario el paso por terceros Estados. La directiva así lo prevé, denominando a ese tercer Estado "Estado miembro de tránsito", a la vez que exige previa petición al mismo, acompañando los documentos que sean necesarios.

La cuestión de qué ocurre si el detenido en cuestión tiene causas pendientes en el Estado de emisión al que va a ser trasladado o en cualquiera de los llamados Estados de tránsito, ha sido prevista en la Directiva, concediendo inmunidad al sujeto detenido. Dicha inmunidad consistirá en que el Estado de emisión no podrá perseguir o detener o someter a cualquier otra restricción de su libertad personal al sujeto por actos o condenas anteriores a su salida del territorio del Estado de ejecución y que no estén especificados en la OEI. No obstante, si el Estado de ejecución decretare su puesta en libertad, podrá ser detenido o aplicársele cualquier otra medida restrictiva de sus derechos por el Estado de emisión o el Estado de tránsito, en los que tenga causas pendientes hay que tener en cuenta que la Directiva pone plazo a la inmunidad concedida: "cuando la persona trasladada, habiendo tenido la oportunidad de regresar durante un período de quince días consecutivos desde la fecha en que su presencia ya no era exigida por las autoridades de emisión, a) haya permanecido, sin embargo, en el territorio, o b) habiéndolo abandonado haya regresado a él[80]".

Por último, se prevé el abono del tiempo de detención en el Estado de emisión, del período de privación de libertad al que esté o vaya a estar sometida la persona en cuestión en el territorio del Estado de ejecución.

Así mismo, se contempla en el art. 23 prevé el supuesto inverso, esto es, el traslado temporal de un detenido en el Estado de emisión con el fin de llevar a cabo una medida de investigación encaminada a la obtención de pruebas que requiera su presencia en el territorio del Estado de ejecución, que se regirá por lo ya dicho anteriormente[81].

B) Comparecencia por medios tecnológicos

El artículo 24 prevé la posibilidad de emitir una OEI para que un investigado o acusado, testigo o perito, que se encuentre en el territorio del Estado de ejecución, puedan ser oídos por videoconferencia[82] u otros medios de transmisión audiovisual.

El Estado de ejecución podrá denegar la OEI, además de por los motivos previstos en el artículo 11, en el caso de que el acusado o investigado no dé su consentimiento, o cuando la ejecución de dicha medida sea contraria a los principios fundamentales del Derecho del Estado de ejecución[83].

Respecto a testigos o peritos, el apartado 7 del artículo 24 establece que "cada Estado miembro tomará las medidas necesarias para

---

[80] Art. 22.9 Directiva 2014/41/CE.
[81] Art. 22. 3 a 9 Directiva 2014/41/CE.
[82] Sistema ya previsto en nuestro ordenamiento interno: art. 731 bis LECrim: "El tribunal, de oficio o a instancia de parte, por razones de utilidad, seguridad o de orden público, así como en aquellos supuestos en que la comparecencia de quien haya de intervenir en cualquier tipo de procedimiento penal como imputado, testigo, perito, o en otra condición resulte gravosa o perjudicial, y, especialmente, cuando se trate de un menor, podrá acordar que su actuación se realice a través de videoconferencia u otro sistema similar que permita la comunicación bidireccional y simultánea de la imagen y el sonido, de acuerdo con lo dispuesto en el apartado 3 del artículo 229 de la Ley Orgánica del Poder Judicial".
[83] Art. 24.2 Directiva 2014/41/CE.

garantizar que, en caso de que la persona que deba ser oída en su territorio con arreglo a lo dispuesto en el presente artículo se niegue a prestar testimonio estando sometida a la obligación de testificar, o no preste testimonio veraz, se le aplique su Derecho interno del mismo modo que si la comparecencia se hubiera celebrado dentro de un procedimiento nacional".

La Directiva regula de manera detallada las reglas por las que ha de regirse la comparecencia, poniendo especial hincapié en el derecho de defensa de toda persona investigada o acusada[84]. Así, se informará a los investigados o acusados con antelación a la comparecencia de los derechos procesales que les asistan, incluido el derecho a no declarar, al amparo de el Derecho del Estado de ejecución y del Estado de emisión. Los testigos y peritos podrán alegar el derecho a no declarar que les asista al amparo del Derecho, ya sea del Estado de ejecución o de emisión y serán informados de este derecho con antelación a la comparecencia.

Durante la declaración estará presente un representante de la autoridad competente del Estado de ejecución, asistida por un intérprete cuando sea necesario, y dicha autoridad se encargará asimismo de identificar a la persona que deba declarar, así como de velar por el respeto de los principios fundamentales del Derecho del Estado de ejecución.

Cuando la autoridad de ejecución considere que durante la comparecencia se están infringiendo principios fundamentales del Derecho del Estado de ejecución, adoptará inmediatamente las medidas necesarias para garantizar la continuación de la comparecencia de conformidad con los citados principios.

---

[84] De aplicación en este punto será lo dispuesto en las Directivas 2010/64/UE, de 20 de octubre de 2010, relativa al derecho a interpretación y a traducción en los procesos penales, y la Directiva 2012/13/UE, de 22 de mayo de 2012, relativa al derecho a la información en los procesos penales. Para ver su transposición al derecho español, GONZÁLEZ MONJE, Alicia: "LO 5/2015, de 27 de abril, por la que se modifican la LECrim y la LOPJ, para transponer la Directiva 2010/64/UE, de 20 de octubre de 2010, relativa al derecho a interpretación y a traducción en los procesos penales, y la Directiva 2012/13/UE, de 22 de mayo de 2012, relativa al derecho a la información en los procesos penales [*BOE* n.º 101, de 28-IV-2015]", *AIS. Ars Iuris Salmanticencis*, 2015, vol. 3, n. 2, pp. 282-285.

La comparecencia será efectuada directamente ante la autoridad competente del Estado de emisión o bajo su dirección, con arreglo a su Derecho interno.

A solicitud del Estado de emisión o de la persona que deba ser oída, el Estado de ejecución se encargará de que ésta sea asistida por un intérprete, si resultase necesario.

Si fuere necesaria la protección de la persona que deba ser oída, el Estado de emisión y el de ejecución convendrán las medidas que fueren necesarias[85].

Finalizada la declaración, la autoridad de ejecución levantará acta de la misma, en que se indicarán la fecha y lugar de la comparecencia, la identidad de la persona oída, la identidad y funciones de cualesquiera otras personas del Estado de ejecución que hayan participado en la comparecencia, el juramento formulado y las condiciones técnicas en las que se haya llevado a cabo la audiencia. La autoridad de ejecución transmitirá el documento a la autoridad de emisión.

Por su parte, el artículo 25 prevé la comparecencia telefónica del perito o testigo, cuando no sea apropiado o posible que la persona a la que se deba oír comparezca personalmente y tras haber examinado otros medios adecuados, siendo de aplicación las normas específicas contenidas en el precepto anterior[86]. Según MARTÍNEZ GARCÍA[87], "este supuesto exige una motivación que justifique la proporcionalidad y adecuación de recurrir a este acto de investigación que —sin imágenes— hace perder ciertos rasgos de seguridad jurídica para las partes o el órgano que interpela al testigo o perito".

---

[85] En España será de aplicación la Ley Orgánica 19/1994, de 23 de diciembre, de protección a testigos y peritos en causas criminales. "BOE" nº 307, de 24 de diciembre de 1994, páginas 38669 a 38671.

[86] Art. 25.2 Directiva 2014/41/CE: "Salvo acuerdo en sentido contrario, se aplicarán, *mutatis mutandis*, a la conferencia telefónica las disposiciones del artículo 24, apartados 3, 5, 6 y 7".

[87] MARTÍNEZ GARCÍA, Elena: *Orden Europea de Investigación, op. cit., p.* 94-95.

4. CONCLUSIÓN

Los convulsos y profundos cambios acaecidos en las últimas décadas del siglo XX y principios del siglo XXI en lo que al desarrollo tecnológico se refiere, han obligado a redefinir el modelo de investigación penal.

La aparición de nuevas formas de criminalidad y la reinvención de las ya existentes en constante evolución para adaptarse a esta nueva sociedad postindustrial, han puesto de manifiesto que los métodos tradicionales de investigación del delito y averiguación del delincuente han devenido ineficaces en la lucha contra las mismas. Se hace necesario evolucionar hacia una nueva concepción en la investigación criminal, a la vez que se fijan los límites necesarios del uso que haga el Estado de las nuevas tecnologías con fines de investigación.

La extensión de las actividades del crimen organizado requiere un cambio en la concepción de la cooperación entre Estados. Debe observarse que si hay algo en que todos los organismos e instrumentos normativos analizados coinciden, es en el profundo cambio de paradigma que aquélla ha supuesto, obligando a revisar concepciones clásicas respecto a la soberanía de los Estados, la cooperación y los medios tradicionales de investigación de los delitos, existiendo unanimidad en que las mismas devienen ineficaces cuando de delincuencia organizada se habla.

La constatación de estas necesidades de adaptación, supera las legislaciones internas de los Estados para trascender al ámbito supranacional, llegando a la conclusión de que la intensificación de la cooperación judicial en materia de investigación penal constituye uno de los grandes retos a nivel europeo y mundial, superando así planteamientos clásicos derivados del principio de territorialidad.

Por ello, no basta con la proclamación de que la asistencia judicial entre Estados sea lo más amplia posible, sino que se hace necesario articular mecanismos concretos que doten de mayor eficacia a la misma.

Sentadas las bases de las políticas criminales comunes en la materia, armonizando el Derecho Penal sustantivo, es el turno del Derecho Procesal Penal con el establecimiento de medidas concretas de investigación del delito y obtención de la prueba. En este campo, la futura Orden Europea de Investigación supone un avance decisivo. Contar con un único instrumento, que a nivel europeo, permita solicitar la práctica de una medida de investigación y la obtención de la prueba derivada de la misma en el territorio de otro Estado, supone un importante paso hacia una lucha eficaz contra la criminalidad transnacional.

La regulación por parte de la Directiva 2014/41/CE de medidas concretas de investigación, que pueden ser solicitadas a través de un formulario estándar, sin duda minimizará la dificultad inherente a toda investigación en la que confluyen elementos transnacionales y en la actualidad sometida al complejo, y en muchos casos excesivamente largo, mecanismo de las comisiones rogatorias.

Hay que reconocerle a la Directiva el indudable mérito que tiene su pretensión unificadora. Establecer unos estándares mínimos para los 26 países firmantes en torno a determinadas medidas de investigación del delito, no es una cuestión fácil, dada la disparidad de los ordenamientos jurídicos procesales de los diferentes Estados de la Unión. Supone así un paso decisivo en el fortalecimiento del principio de reconocimiento mutuo en el campo de la investigación penal en Europa.

No obstante, hay que ser conscientes de que el mayor o menor éxito de este nuevo instrumento normativo, va a depender en gran medida del esfuerzo que realice nuestro legislador en la transposición del mismo, aunque a priori se nos presenta como un instrumento dinamizador de la cooperación judicial penal a nivel europeo.

5. BIBLIOGRAFÍA

AGUILERA MORALES, Marien. "El exhorto europeo de investigación: A la búsqueda de la eficacia y la protección de los derechos fundamentales en las investigaciones penales transfronterizas". *Boletín del Ministerio de Justicia,* Madrid, Ministerio de Justicia, n° 2145, Año LXVI, Agosto de 2012, nota al pie n° 3. Disponible en: www.mjusticia.es/bmj.

ANARTE BORRALLO, Enrique. "Conjeturas sobre la criminalidad organizada". En: FERRÉ OLIVÉ, Juan Carlos y ANARTE BORRALLO, Enrique (Eds.). *Delincuencia organizada. Aspectos penales, procesales y criminológicos.* Servicio de Publicaciones Universidad de Huelva, Huelva, 1999.

BACHMAIER WINTER, Lorena. "La orden europea de investigación y el principio de proporcionalidad", *RGDE,* 25 (2011).

– "La propuesta de Directiva europea sobre la orden de investigación penal: valoración crítica de los motivos de denegación". En: *Diario La Ley*, Editorial La Ley, n° 7992, Sección Doctrina, 28 de Diciembre de 2012, Ref. D-460.

– "Prueba transnacional penal en Europa. La Directiva 2014/41 relativa a la Orden Europea de Investigación". *RGDE*, 36 (2015).

BLANCO CORDERO, Isidoro y SÁNCHEZ GARCÍA DE PAZ, Mª Isabel. "Principales instrumentos internacionales (de Naciones Unidas y la Unión Europea) relativos al crimen organizado: La definición de la participación en una organización criminal y los problemas de la aplicación de la ley penal en el espacio". *Revista Penal*, n° 6, 2000.

CADIÑANOS ANTÓN, Carlos Ramón: "Aspectos fundamentales en torno al agente encubierto". En: PÉREZ ÁLVAREZ, Fernando y ZÚÑIGA RODRÍGUEZ, Laura y (Dirs.), *Instrumentos jurídicos y operativos en la lucha contra el tráfico internacional de drogas: memorias del Proyecto I.F.O. Illegal Flow Observation JUST/2011/ISEC/DRUGS/AG/3671*, Aranzadi, Cizur Menor, 2015.

CASTRESANA FERNÁNDEZ, Carlos. "Corrupción, globalización y delincuencia organizada". En: FABIÁN CAPARRÓS, Eduardo A. y GARCÍA RODRÍGUEZ, Nicolás (Coords.). *La corrupción en un mundo globalizado: análisis interdisciplinar*. Salamanca, Ratio Legis, 2004.

CHOCLÁN MONTALVO, José Antonio. *La organización criminal. Tratamiento penal y procesal*. Madrid, Editorial Dykinson S.L., 2000.

DE URBANO CASTRILLO, Eduardo. "La investigación tecnológica del delito". En: *Los nuevos medios de investigación en el proceso penal. Especial referencia a la tecnovigilancia*. Cuadernos de Derecho Judicial, Madrid, Consejo General del Poder Judicial, 2007.

DEL POZO PÉREZ, Marta: "El agente encubierto como medio de investigación procesal en el ámbito de la cooperación jurídica internacional". En: MARTÍN DIZ, Fernando (Coord.), *Constitución Europea: Aspectos históricos, administrativos y procesales*, Tórculo, Santiago de Compostela, 2006.

DÍAZ PITA, Mª Paula. "La orden europea de investigación en materia penal (OEI) y la lucha contra la criminalidad organizada transnacional en la Unión Europea". Observatorio contra la Criminalidad Organizada Transnacional de la Universidad de Salamanca. Disponible en: http: //crimtrans.usal. es/?q=node/138.

EUROPOL. *2005 European Union Organised Crime Situation Report*. The Hague, 2005, p. 29. Disponible en: http: //www.statewatch.org/news/2005/oct/europol-org-crim-public.pdf.

FOFFANI, Luigi. "Criminalidad organizada y criminalidad económica". *Revista Penal*, Editorial La Ley, n.° 7, 2001.

GARCÍA SÁNCHEZ, Beatriz. "Medios legales en la persecución de la delincuencia organizada, eficaces y legítimos". En: MORÁN BLANCO, Sagrario, ROPERO CARRASCO, Julia y GARCÍA SÁNCHEZ, Beatriz: *Instrumentos in-*

ternacionales en la lucha contra la delincuencia organizada. Madrid, Editorial Dykinson, S.L., 2011.

GASCÓN INCHAUSTI, Fernando: *Infiltración policial y agente encubierto*, Editorial Comares, Granada 2001.

GÓMEZ DE LIAÑO FONSECA-HERRERO, Marta. *Criminalidad organizada y medios extraordinarios de investigación.* Madrid, Editorial Colex, 2004.

GONZÁLEZ CUSSAC, José Luis. "Tecnocrimen". En: GONZÁLEZ CUSSAC, José Luis y CUERDA ARNAU, Mª Luisa (Dirs.). *Nuevas amenazas a la seguridad nacional. Terrorismo, criminalidad organizada y tecnologías de la información y la comunicación.* Valencia, Tirant lo Blanch, 2013.

GONZÁLEZ MONJE, Alicia: "La interceptación de las comunicaciones en el Convenio de Asistencia Judicial en materia penal entre los Estados miembros de la Unión Europea de 20 de mayo del 2000". En: PÉREZ ÁLVAREZ, Fernando y ZÚÑIGA RODRÍGUEZ, Laura y (Dirs.), *Instrumentos jurídicos y operativos en la lucha contra el tráfico internacional de drogas: memorias del Proyecto I.F.O. Illegal Flow Observation JUST/2011/ISEC/DRUGS/ AG/3671*, Aranzadi, Cizur Menor, 2015.

–   "El recurso a técnicas especiales de investigación en la lucha contra la ciberdelincuencia. Especial referencia al Convenio sobre Ciberdelincuencia del Consejo de Europa, de 23 de noviembre de 2001". En: PÉREZ ÁLVAREZ, Fernando y ZÚÑIGA RODRÍGUEZ, Laura y (Dirs.), *Instrumentos jurídicos y operativos en la lucha contra el tráfico internacional de drogas: memorias del Proyecto I.F.O. Illegal Flow Observation JUST/2011/ISEC/ DRUGS/AG/3671*, Aranzadi, Cizur Menor, 2015.

–   "LO 5/2015, de 27 de abril, por la que se modifican la LECrim y la LOPJ, para transponer la Directiva 2010/64/UE, de 20 de octubre de 2010, relativa al derecho a interpretación y a traducción en los procesos penales, y la Directiva 2012/13/UE, de 22 de mayo de 2012, relativa al derecho a la información en los procesos penales [*BOE* n.º 101, de 28-IV-2015]", *AIS. Ars Iuris Salmanticensis*, 2015, vol. 3, n. 2.

GRANDE MARLASKA-GÓMEZ, Fernando y DEL POZO PÉREZ, Marta. "La obtención de fuentes de prueba en la Unión Europea y su validez en el proceso penal español". *RGDE*, 24 (2011).

JIMÉNEZ VILLAREJO, Carlos. "Corrupción y sistema político". En: ARROYO ZAPATERO, Luis y NIETO MARTÍN, Adán. *Fraude y corrupción en el Derecho penal económico europeo. Eurodelitos de corrupción y fraude.* Cuenca, Ediciones de la Universidad de Castilla La Mancha, 2006.

MARTÍNEZ GARCÍA, Elena: *Orden Europea de Investigación. Actos de investigación, ilicitud de la prueba y cooperación judicial transfronteriza*, Tirant lo Blanch, Valencia, 2016.

MOURAZ LÓPEZ, José. "Estupefacientes, delincuencia organizada y corrupción". En: *Curso Virtual sobre cooperación judicial penal en Europa.* Red Europea de Formación Judicial, Escuela Judicial, Consejo General del Poder Judicial, 2010-2011.

PENÍN ALEGRE, Clara. "Nuevos instrumentos de cooperación jurídica internacional con Iberoamérica". En: GONZÁLEZ-CUÉLLAR SERRANO, Nicolás (Dir.): *Investigación y prueba en el proceso penal*. Madrid, Editorial Colex, 2006.

PÉREZ CEPEDA, Ana Isabel. "Criminalidad de empresa: problemas de autoría y participación". *Revista Penal*, Editorial La Ley, n° 9, 2002.

SÁNCHEZ GARCÍA DE PAZ, Isabel. "Perfil criminológico de la delincuencia transnacional organizada". En: PÉREZ ÁLVAREZ, Fernando (Ed.). *"Serta":* *Homenaje a Alexandri Baratta*. Ediciones Universidad de Salamanca, Salamanca, 2004.

– *La criminalidad organizada. Aspectos penales, procesales, administrativos y policiales*. Madrid, Editorial Dykinson, S.L., 2005.

SÁNCHEZ SISCART, José Manuel. "Cooperación Judicial Penal. Exposición del marco normativo. Instituciones, recursos de información y herramientas web. Especial consideración a la herramienta www.prontuario.org". En: *Reconocimiento y ejecución de resoluciones penales en el espacio judicial europeo*. Cuadernos Digitales de Formación, Madrid, Consejo General del Poder Judicial, 2010.

UNODC. *Estimating illicit financial flows resulting from drug trafficking and other transnational organized crimes. Research report*. 2011, pp. 9 y 27. Disponible en: http: // http: //www.unodc.org/documents/data-and-analysis/Studies/Illicit_financial_flows_2011_web.pdf.

VIGNA, Piero L. "La cooperación judicial frente al crimen organizado". En: YACOBUCCI, Guillermo J. (Coord.). *El crimen organizado. Desafíos y perspectivas en el marco de la globalización*. Editorial Ábaco de Rodolfo Depalma, Buenos Aires, 2005.

VLASSIS, Dimitri. "La Convención de Naciones Unidas contra el crimen transnacional organizado". En: BERDAL, Mats y SERRANO, Mónica (Comps). *Crimen transnacional organizado y seguridad internacional. Cambio y continuidad*. Fondo de Cultura Económica, México, 2005.

ZARAGOZA AGUADO, Javier. "Tratamiento penal y procesal de las organizaciones criminales en el Derecho penal español. Especial referencia al tráfico ilegal de drogas". En: *Delitos contra la salud pública y contrabando*. Cuadernos de Derecho Judicial. Consejo General del Poder Judicial, Madrid, 2000.

– "La cooperación judicial internacional en materia penal en el ámbito de la Unión Europea. Especial referencia a la materia de las drogas". *Eguzkilore: Cuaderno del Instituto Vasco de Criminología*, San Sebastián, n° 15, 2001.

ZÚÑIGA RODRÍGUEZ, Laura. "Criminalidad organizada, derecho penal y sociedad. Apuntes para el análisis". En: SANZ MULAS, Nieves (Coord.). *El desafío de la criminalidad organizada*. Ed. Comares, Granada, 2006.

– *Criminalidad organizada y sistema de derecho penal. Contribución a la determinación del injusto penal de organización criminal*. Granada, Editorial Comares, 2009.

EL AGENTE ENCUBIERTO EN EL DERECHO PROCESAL FRANCÉS

JOANA FALXA[1]

Sumario: 1. Introducción. 2. La evolución jurisprudencial inicial de la acción encubierta de los agentes públicos. 2.1. El principio de lealtad de la prueba. 2.2. La distinción entre provocación al delito y provocación a la prueba. 3. El desarrollo de un marco legal para la infiltración. 3.1. Infiltraciones en vivo. 3.2. Infiltraciones a distancia. 4. El procedimiento. 4.1. Reclutamiento. 4.2. Puesta en práctica. 4.3. Prueba obtenida y proceso. 5. Límites: principios rectores del derecho de la prueba. 6. Conclusiones

Resumen: La infiltración, una práctica policial oculta utilizada para la búsqueda de elementos de prueba que permiten demostrar la existencia de una actividad criminal, es un método que se suele tasar de marginal en la actividad procesal y probatoria de las autoridades públicas. Su legalización tardía y la voluntad jurisprudencial de circunscribir la infiltración dentro de un marco restringido en el derecho procesal francés son pruebas del recelo que inspira esta práctica en el ámbito procesal francés, esencialmente por su contradicción con el principio rector de lealtad en la búsqueda de la prueba. Los jueces internos y europeos se esfuerzan para acotar al máximo el marco admisible de la actuación encubierta, desarrollando criterios para distinguir la provocación al delito y la provocación a la prueba, y así garantizar un cierto balance entre las necesidades de la investigación y los derechos de la persona acusada.

Palabras clave: Agente encubierto; Infiltración; Prueba; Principio de lealtad; Derecho a un proceso equitativo; Derecho procesal francés.

1. INTRODUCCIÓN

En un marco internacionalizado y globalizado como es el de la economía y de la sociedad actual, la circulación de las personas, de los bienes y de los activos es cada vez más veloz en una red cada vez

---

[1] Profesora Titular de Derecho penal y Derecho privado en la Université de Guyane (Francia).

más amplia. La criminalidad, como todo fenómeno social, se inscribe en este movimiento de transnacionalización, dificultando todavía más el trabajo de las fuerzas policiales y judiciales en la lucha contra el crimen. Los métodos de investigación se han adaptado y multiplicado con el tiempo: paulatinamente, la legislación ha admitido y desarrollado el uso de técnicas de sonorización de locales, de captación de conexiones, de geolocalización, etc[2]. Sin embargo, en algunas situaciones, la dificultad de obtener las pruebas necesarias ha llevado las autoridades a emplear algunos actos de investigación específicos y a decidir actuar de manera extrema, organizando operaciones de infiltración de entidades o grupos criminales.

La infiltración siempre ha sido objeto de fantasía literaria o cinematográfica: el agente infiltrado, cercano al personaje del espía, es un protagonista perfecto, con su doble vida, sus secretos y su acción contra el crimen, estando a la vez sumergido en ello[3]. Ese Janus (Jano) del crimen es innegablemente novelesco. Pero si bien es un tema privilegiado para la ficción, su estudio académico es más bien escaso en Francia. Con raras excepciones, la mayoría incluidas dentro de estudios o manuales más amplios de derecho procesal general, la bibliografía es prácticamente inexistente en ese ámbito[4]. Los factores explicativos de esa laguna académica son múltiples: en primer lugar,

---

[2]   Véase en este sentido la reciente ley nº 2016-731 del 3 de junio 2016 "*de refuerzo de la lucha contra el crimen organizado, el terrorismo y su financiación, y de mejora de la eficacia y de las garantías del procedimiento penal*". Véase también el comentario de la profesora MATOPOULOU: MATOPOULOU Haritni, *Les nouveaux moyens de preuve au service de la criminalité organisée, JCP G*, 2016, nº 25, pp. 1222-1225.

[3]   En el ámbito cinematográfico, se pueden citar numerosos clásicos: *Serpico*, de Sydney LUMET (1973), *Reservoir Dogs*, de Quentin TARANTINO (1991), *Donnie Brasco*, de Mike NEWELL (1997), *El Lobo*, de Miguel COURTOIS (2004), *Infiltrados*, de Martin SCORSESE (2006), *Promesas del Este*, de David CRONENBERG (2007), etc.

[4]   En comparación, la literatura académica española es relativamente rica: RIFA SOLER José María, "El agente encubierto o infiltrado en la nueva regulación de la LECrim", *Revista del Poder judicial*, nº 55, 1999, pp. 157-188; GASCÓN INCHAUSTI Fernando, *Infiltración policial y "agente encubierto"*, Ed. COMARES, 2001, 327 p.; MOLINA MANSILLA María del Carmen, "El agente encubierto (artículo 282 bis de la LECrim)", *La ley penal: Revista de derecho penal, procesal y penitenciario*, nº 62, 2009, p. 5; EXPÓSITO LÓPEZ Lourdes, "El agente encubierto", *Revista de Derecho UNED*, nº 17, 2015, pp. 251-286;

el carácter secreto de esta actividad (identidad secreta de los agentes, carácter confidencial de las operaciones) lo convierte en un objeto de estudio casi teórico. En segundo lugar, las infiltraciones son operaciones cuantitativamente marginales en la práctica policial, es entonces un objeto de estudio muy aislado. En tercer y último lugar, el carácter excepcional de la infiltración le confiere escasa visibilidad en el estudio de los actos de investigación policial. En este sentido, es un objeto de estudio de difícil aprehensión, incluso para el jurista que se limitaría al estudio de la jurisprudencia y de la legislación vigente en ese ámbito, porque la confrontación de la narración jurídica con la realidad de los hechos deja aparecer toda la complejidad de la acción autorizada de los agentes del Estado al margen de la ley. Aún así, las incitaciones europeas e internacionales a favor del desarrollo de técnicas de investigación especiales como la infiltración son considerables: la recomendación Rec(2001)11 del 19 de septiembre 2001 del Comité de ministros del Consejo de Europa sobre los principios rectores para la lucha contra el crimen organizado, o el artículo 20 del Convenio de las Naciones Unidas contra la criminalidad transnacional, relativo a las técnicas de investigación especiales, invitan los Estados miembros a desarrollar los instrumentos jurídicos para llevar a cabo operaciones de infiltración para luchar contra el crimen organizado.

La infiltración es una práctica policial utilizada para la búsqueda de elementos de prueba que permiten demostrar la existencia de una actividad criminal. Se trata de un método de investigación oculto, que busca garantizar el anonimato de los agentes implicados cuyo objetivo es adentrarse en redes o grupos que se dedican a algún tipo de delito, generalmente cometido en banda organizada. La actuación del agente infiltrado se ubica dentro del marco más amplio de la provocación policial. El derecho procesal penal galo no distingue *a priori* entre el agente provocador y el agente infiltrado. En ambos casos, el principal interrogante es el de la validez de la prueba. En Francia, históricamente, los agentes representantes de la autoridad pública están sometidos al principio de lealtad de la prueba.

LAFONT NICUESA Luis, "El agente encubierto en el proyecto de reforma de la Ley de Enjuiciamiento Criminal", *Diario La Ley*, nº 8580, 2015.

El Decano Bouzat sostenía que *"la Justicia debe inspirar confianza y respeto. Debe llevar su ingrata lucha contra los delincuentes con dignidad: sería difícil entender que usara, para desenmascarar a los malhechores, los medios cuya utilización se les reprocha*[5]*"*. Sus palabras ponen de manifiesto toda la contrariedad que inspira el uso de métodos de investigación especiales por las autoridades públicas, y de modo más específico el recelo suscitado por el uso de la infiltración.

La posición de la infiltración ha evolucionado en el derecho procesal francés: inicialmente oficiosa por su contradicción frontal con el principio de lealtad en la búsqueda de la prueba, principio rector del derecho de la prueba en Francia, la jurisprudencia progresivamente admitió la posibilidad para los agentes de policía judicial de actuar bajo cobertura, dentro de ciertos límites (2). En 1991, una primera ley permitió el uso de este método de investigación en el único ámbito del tráfico de drogas[6]. No fue hasta 2004 que finalmente se aprobó una ley que extendió la práctica a un largo número de delitos realizados en banda organizada[7], hasta finalmente conocer un nuevo desarrollo a partir de 2007 con la posibilidad de realizar infiltraciones *"on line*[8]*"*(3). La ley y el reglamento enmarcan hoy en día este método de investigación, desde el reclutamiento y la formación de los agentes hasta la producción de la prueba obtenida (4). Existen sin embargo numerosas dificultades y límites que no se pueden ocultar, esencialmente derivadas de los principios rectores del derecho de la prueba: principio de lealtad y derecho a un proceso equitativo, este último directamente inspirado de la doctrina del Tribunal europeo de los derechos humanos (TEDH) (5). Las conclusiones de nuestro breve aná-

---

5	BOUZAT Pierre, *La loyauté dans la recherche des preuves*, in *Mélanges L. HUGUENEV*, Ed. Sirey, París, 1964, p. 165.

6	Ley n° 91-1264 del 19 de diciembre de 1991 para el refuerzo de la lucha contra el tráfico de estupefacientes. PRADEL Jean, *Trafic de drogue, provocation délictueuse des agents et permission de la loi*, Recueil Dalloz, 1992, pp. 229-278.

7	Ley n° 2004-204 del 9 de marzo de 2004 para la adaptación de la justicia a las evoluciones de la criminalidad. DE LAMY Bertrand, *Crime organisé, efficacité et diversification de la réponse pénale*, Recueil Dalloz, 2004, pp. 1910-1918.

8	Ley n° 2007-297 del 5 de marzo de 2007 para la prevención de la delincuencia. BOULOC Bernard, *Chronique législative 2007*, *Revue de Science criminelle et de droit pénal comparé*, 2007, n° 3, pp. 573-586.

lisis nos llevarán a un balance mitigado, entre eficacia de los métodos específicos de investigación y riesgos procesales reales (6).

2. LA EVOLUCIÓN JURISPRUDENCIAL INICIAL DE LA ACCIÓN ENCUBIERTA DE LOS AGENTES PÚBLICOS

El derecho de la prueba penal en el sistema jurídico francés está estrechamente relacionado con el principio de lealtad en la búsqueda de la prueba (2.1). Por ello, la aparición de la infiltración como método de investigación se hizo de manera paulatina, bajo el control cauteloso de la Corte de casación francesa, que distinguía escrupulosamente la provocación al delito y la provocación a la prueba (2.2)

2.1. El principio de lealtad de la prueba

Históricamente, en el derecho procesal penal francés, el principio de lealtad de la prueba delimita la actuación de las autoridades públicas en la búsqueda de la prueba penal, trátese de la autoridad judicial (juez de instrucción), de la autoridad fiscal (*"procureur"* o magistrado del *"parquet"* en francés) o de las fuerzas de policía (policía judicial). Se trata de un instrumento de moralización del derecho procesal penal, se aplica en nombre de cierta *"ética judicial*[9]*"*, y algunos lo consideran un principio fundamental en este ámbito. El principio de lealtad en la búsqueda de la prueba se deriva de una doble fundamentación: el respeto de los derechos de la defensa por un lado, y la inquietud por la preservación de la dignidad de la Justicia por otro lado[10]. Según la jurisprudencia, este principio supone la exclusión de las pruebas obtenidas de manera desleal, es decir las que se obtuvieron por fraude, ardid o por medio de una estratagema. Los jueces sancionan la deslealtad cuando consideran que constituye una vulneración del libre albedrío del autor del delito[11]. Es menester subrayar la unilateralidad

---

[9]   PRADEL Jean, *Procédure pénale*, Ed. Cujas, 15va ed., París, 2015, n° 415.
[10]   DE LAMY Bertrand, *De la loyauté en procédure pénale, Brèves remarques sur l'application des règles de la chevalerie à la procédure pénale*, in *Mélanges Pradel*, Ed. Cujas, París, 2006, p. 100.
[11]   En este sentido, PRADEL Jean, *Procédure pénale, op. cit.*, n° 447.

del principio de lealtad: las partes privadas en el proceso penal (defensa y parte civil/víctima) pueden emplear medios de prueba desleales que serán admitidos por los jueces que examinarán su valor probatorio[12]. A modo de ejemplo, se ha admitido en jurisprudencia la utilización del "*testing*", técnica empleada por las asociaciones antirracistas para demostrar las prácticas discriminatorias contra minorías visibles en la entrada de ciertos lugares (discotecas inicialmente)[13].

La primera afirmación de este principio es un ejemplo clásico para los estudiantes en Derecho: el principio de lealtad se aplicó por primera vez en una sentencia *Wilson* de la Corte de casación del 31 de enero de 1888[14]. Un juez de instrucción de hizo pasar por otra persona por teléfono para obtener la confesión del sospechoso en un oscuro asunto de tráfico de medallas y condecoraciones... La Corte de casación consideró que "*el juez V... ha usado un procedimiento que se aleja de las reglas de la lealtad que debe observar toda instrucción judicial y que constituye, por lo tanto, un acto contrario a los deberes y a la dignidad del magistrado*[15]". A partir de esta primera aplicación, la jurisprudencia extendió progresivamente el ámbito de influencia del principio de lealtad de la prueba a las investigaciones policiales, a mediados del siglo XX. Primero se aplicó el principio a los agentes de policía judicial actuando bajo comisión rogatoria del juez de instrucción[16], para luego propagarse a toda la actuación investigadora de la policía judicial[17].

Así, y aún admitiendo la distancia existente entre los medios de los que disponen las autoridades públicas y los particulares, las estrictas exigencias del principio de lealtad que pesan sobre los agentes públicos suponen cada vez una carga más desproporcionada en un mundo en evolución que tiene que lidiar con la internacionalización y la

---

12   Cass. Crim., 15 de junio de 1993: "*Ninguna disposición legal permite a los jueces penales descartar los medios de prueba producidos por las partes bajo el único motivo que hayan sido recogidas de manera ilícita o desleal; sólo les corresponde, conforme el artículo 427 CPP, apreciar su valor probatorio*".
13   Esta práctica fue ulteriormente legalizada por la ley nº 2006-396 del 31 de marzo de 2006 para la igualdad de oportunidades.
14   Cass. Cámaras reunidas, 31 de enero de 1888.
15   *Ibidem.*
16   Cass. Crim., 12 de junio de 1952, *JCP* 1952, II, 7241, J. BROUCHOT.
17   Cass. Crim., 27 de febrero de 1996, nº 95-81.366.

virtualización o digitalización de la criminalidad, y con el desarrollo de medios técnicos que facilitan las actividades ilegales. Frente a esta situación, una distinción ha aparecido en el derecho procesal francés entre, por un lado, la provocación a la prueba (que se admite) y, por otro, la provocación al delito (que está prohibida). Las interrogaciones en cuanto al papel del agente encubierto o infiltrado se ubican dentro de este contexto. Aún considerándose una actuación desleal, la infiltración se admite para permitir la provocación a la prueba, y por consiguiente la persecución y represión de ciertos tipos de delitos. El movimiento de admisión de la infiltración como método de investigación se inició por una evolución jurisprudencial, que abrió el camino al desarrollo ulterior del marco legal correspondiente.

2.2. *La distinción entre provocación al delito y provocación a la prueba*

Tomando en cuenta las necesidades de la investigación policial y las dificultades de la obtención de la prueba en materia de tráfico de drogas, la Corte de casación admite, desde una temprana jurisprudencia, la posibilidad para agentes de policía de participar en las "entregas vigiladas[18]". Rápidamente también admite la realización de operaciones de compra y de infiltración de las redes de tráfico de estupefacientes[19].

Pero la distinción entre la provocación a la prueba y provocación a la infracción sigue rigiendo la lógica jurisprudencial hasta nuestros días en este ámbito. La Corte de casación ha subrayado de manera explícita que la provocación policial al delito caracteriza una doble violación, porque vulnera a la vez el principio de lealtad de la prueba y el derecho a un proceso equitativo amparado por el artículo 6 del Convenio europeo de derechos humanos. Por ello, el juez siempre busca la caracterización precisa de la provocación, para distinguir entre las situaciones desleales y las que autorizan el uso de la prueba recogida. Cuando agentes de policía solicitan un cliente consumidor de drogas para que encargue una entrega de droga, se considera pro-

---

[18]   Cass. Crim., 2 de marzo de 1971, n° 70-91.810.
[19]   Cass. Crim., 16 de marzo de 1972, n° 71-92.513.

vocación a la infracción[20]. A la inversa, la jurisprudencia ha indicado que sólo se considera provocación a la prueba el hecho para unos agentes infiltrados de proceder al pedido de una gran cantidad de droga dentro de una red preexistente y organizada de tráfico de drogas (350 kg de cocaína, entrega realizada con hombres armados)[21]. El criterio determinante para el juez de la ausencia de provocación al delito es la preexistencia de la red de tráfico.

La jurisprudencia ejerce su control en todos los ámbitos de la infiltración policial, por ejemplo en materia de corrupción de funcionario. Así, ha considerado que la actuación policial que conduce un delincuente inactivo desde muchos meses a volver a delinquir *"procede de una maquinación susceptible de determinar la actuación delictiva*[22]*"*. En este caso, el agente se convierte en corruptor. A la inversa, en otro asunto, el juez supremo vaciló en su posición: en una primera decisión[23], consideró que un agente de policía, solicitado varias veces por un abogado y que finalmente grabó una conversación en la que el letrado le proponía dinero a cambio de información, había actuado de manera desleal en el ejercicio de sus funciones. El conjunto de los actos procesales derivados de esta grabación debían, entonces, ser declarados nulos. Pero confrontada a la resistencia del tribunal de apelación, la Corte de casación revisó su posición y estimó finalmente que el agente había actuado como víctima de un delito de corrupción, es decir fuera de sus funciones de policía[24], y que por lo tanto su deslealtad no conllevaba la nulidad del procedimiento. No se trata de una situación de infiltración en sentido estricto: la actuación policial no

---

20   Cass. Crim., 13 de junio de 1989, n° 89-81.388.
21   Cass. Crim., 22 de junio de 1994, n° 92-85.123 et al.
22   Cass. Crim., 27 de febrero de 1996, n° 96-81.366. En esta sentencia, la Corte de casación afirma que no es admisible la prueba obtenida por medio de una *"maquinación susceptible de determinar la actuación delictuosa y que, por esa estratagema, que ha viciado la búsqueda y el establecimiento de la verdad, se ha vulnerado el principio de lealtad de la prueba"*.
23   Cass. Crim., 16 de diciembre de 1997, n° 96-85.589.
24   Cass. Crim., 19 de enero de 1999, n° 98-83.787. Para una crítica de este cambio de opinión, v. DELMAS SAINT-HILAIRE Jean-Pierre, *L'enregistrement par un policier de la conversation qu'il a eue avec un avocat soupçonné d'être le complice de ses clients et fait à l'insu de celui-ci peut constituer une preuve légalement admissible de corruption de fonctionnaire*, Revue de Science Criminelle et de Droit pénal comparé, 1999, n° 3, p. 588.

estaba predeterminada y la reacción del agente fue espontánea, frente a una iniciativa ajena. Esta decisión pone de manifiesto, sin embargo, la diferencia de tratamiento que reserva la jurisprudencia a las autoridades públicas y a las partes privadas en el proceso. Una sentencia ulterior del alto tribunal acabó admitiendo la prueba obtenida por un funcionario de policía en un asunto parecido[25]: el agente había sido solicitado varias veces por delincuentes para la obtención de información a cambio de dinero. Con el aval de su jerarquía, aceptó participar en diferentes encuentros con los delincuentes y simuló aceptar su propuesta de corrupción. El juez consideró que la participación simulada del agente en una actuación ilícita no había viciado el procedimiento en cuanto no había provocado ni determinado la persona a cometer el delito de corrupción activa de funcionario.

Otro terreno en el que la actuación encubierta de la policía ha levantado un debate jurisprudencial es el de los delitos *on-line*, y más precisamente en temas de posesión o difusión de imágenes de pornografía infantil. La tipificación de este último delito en derecho penal francés supone la impresión, grabación o la transmisión de tales imágenes: no basta con la consulta de páginas web con ese tipo de contenidos ilícitos. Pero incluso para demostrar la posesión de imágenes de pornografía infantil, la jurisprudencia rechaza la actuación policial directa o indirecta (por ejemplo por medio de terceros no pertenecientes a las fuerzas de policía) que consista en solicitar la transmisión de tales imágenes[26]. La censura del juez es firme: poco importa que la prueba fuera obtenida por parte de agentes extranjeros sin que los agentes franceses hubieran intervenido de ningún modo: la prueba recogida por agentes de la autoridad pública por medios desleales no

---

[25] Cass. Crim., 23 de noviembre de 1999, n° 99-82.658.

[26] Cass. Crim., 11 de mayo de 2006: los policías pidieron a un tercero que se conectara a un sitio de citas y encuentros haciéndose pasar por un adolescente de 14 años y contactar así con un adulto para proponerle un intercambio de imágenes pornográficas. La Corte de casación consideró que el conjunto del procedimiento y de las pruebas recogidas estaban viciados por esta primera provocación, aunque fuese cometida por un tercero. VERGÈS Etienne, *Provocation policière, loyauté de la preuve et étendue de la nullité procédurale*, AJ Pénal n° 9, 2006, p. 354

se admitirá[27]. Se distingue la provocación al delito, que se deriva en estos casos de la solicitación directa o de la propuesta de conexión, de la provocación a la prueba que admite el juez, por ejemplo en un caso en el que la persona que posee las imágenes de pornografía infantil propone su transmisión a un tercero que avisa a la policía: las fuerzas del orden organizan entonces una entrega, pero no hay incitación al delito según el juez porque la iniciativa ha sido del autor del mismo[28]. En el mismo sentido, en el ámbito de la lucha contra el proxenetismo, el juez ha admitido la prueba recogida por un agente que se había conectado bajo pseudónimo a una mensajería *on-line* para constatar la comisión de un delito de proxenetismo[29]. De modo más ambiguo, la Corte de casación también ha validado la prueba recogida por agentes del FBI en un asunto de *carding* (fraude y estafa con tarjetas de crédito): los agentes americanos habían creado un falso foro de intercambio de información para delincuentes interesados en fraudes de tarjeta bancaria. El objetivo era recoger los datos de los usuarios (dirección IP) para su identificación y su persecución. La información transmitida a los agentes franceses sirvió de base a la investigación de los hechos, posibilitando las acciones penales en contra de dos delincuentes ubicados en suelo francés. En una decisión del 30 de abril 2014[30], los jueces consideraron que la creación del foro, cuyo acceso estaba reservado a los iniciados, no constituía una incitación al delito: los agentes se ceñían a la observación de los intercambios, sin intervenir en ningún momento en las conversaciones de los miembros del foro; los miembros, a su vez, interactuaban por iniciativa propia.

---

[27] Crim. Cass., 7 de febrero de 2007: agentes americanos habían creado una página web falsa de pornografía infantil y habían mandado la información recogida por medio de la web a los agentes franceses. La Corte de casación considera que el procedimiento es desleal y que la prueba obtenida por ese medio debe ser descartada. BUISSON Jacques, *Contrôle de l'éventuelle provocation policière: création d'un site pédo-pornographique par un policier, même étranger*, Revue de Science Criminelle et de Droit pénal comparé, 2008, n° 3, pp. 663-666; DEMARCHI Jean-Raphaël, *La loyauté de la preuve en procédure pénale, outil transnational de protection du justiciable*, Recueil Dalloz, 2007, pp. 2012-2014.

[28] Cass. Crim., 1 de octubre de 2003, n° 03-84.142.

[29] Cass. Crim., 25 de octubre de 2000, n° 00-80.829.

[30] Cass. Crim., 30 de abril 2014, n° 13-88.162.

La jurisprudencia ha marcado, en varios ámbitos, la línea que debe regir la actuación policial en la búsqueda de la prueba. Desde ese punto de partida, se ha desarrollado un marco legal que consiste básicamente en la legalización de la posición jurisprudencial y de las prácticas oficiosas de la policía judicial.

3. EL DESARROLLO DE UN MARCO LEGAL PARA LA INFILTRACIÓN

El desarrollo de un marco legal para las actividades encubiertas de la policía se realizó en distintas etapas, siguiendo un patrón sectorial: la actuación se admite en función del tipo de criminalidad perseguida: primero fue la lucha contra el tráfico de estupefacientes, luego la criminalidad organizada de modo general, para alcanzar finalmente un ámbito relativamente amplio con la extensión de la infiltración a distancia.

3.1. Infiltraciones en vivo

Las infiltraciones en vivo, dentro de su marginalidad, constituyen una de los más antiguos métodos especiales de investigación. El objetivo de estas operaciones es la penetración de un grupo o de una entidad criminal por uno o varios agentes que se adentran en la red como miembros de la misma y participan hasta cierto punto en sus actividades.

La primera ley que autorizó y reguló una forma de infiltración fue la ley nº 91-1264 del 19 de diciembre de 1991 para el refuerzo de la lucha contra el tráfico de estupefacientes[31], que permitió la organización de *"entregas vigiladas"* de drogas dentro de una red preexistente de tráfico. La ley crea los artículos L. 627-7 del Código de Salud pública y 67 bis del Código de Aduanas, que autorizan los agentes de policía judicial y agentes de las aduanas a *"vigilar el transporte de substancias o plantas consideradas como estupefacientes o de productos sacados de la comisión de delitos [relacionados con el tráfico*

---

[31]   PRADEL Jean, *Trafic de drogue, provocation délictueuse des agents et permission de la loi, op. cit.*

de drogas]", después de haber avisado a la fiscalía (*Procureur de la République*). El texto prevé también que los agentes no serán penalmente responsables cuando, con los mismos objetivos, y con la autorización previa del fiscal o del juez de instrucción, adquieran, posean, transporten o repartan esas substancias y esos productos. Lo mismo ocurre cuando los agentes "*ponen a disposición de las personas que cometen delitos de tráfico medios de carácter jurídico, así como medios de transporte, de depósito, de almacenamiento, de conservación y de comunicación*". En ningún caso la actuación de los agentes debe determinar la comisión de dichos delitos. Se incluye además la amnistía de toda actuación policial correspondiente con la descrita en los nuevos textos llevada a cabo antes de la entrada en vigor de la nueva ley. Los avances de la ley son importantes, pero su alcance queda limitado: este primer texto se circunscribe a un ámbito determinado, el tráfico de estupefacientes, y se ciñe a algunos actos acotados con precisión.

La segunda ley que interviene para extender el ámbito de aplicación de la actuación encubierta es la ley nº 2004-204 del 9 de marzo de 2004 para la adaptación de la justicia a las evoluciones de la criminalidad[32]. Con ese texto, el legislador define por primera vez, en el artículo 706-81 de Código Procesal Penal (CPP), la infiltración como "*el hecho, para un agente de policía judicial [especialmente habilitado] y que actúa bajo la responsabilidad de otro oficial que coordina la operación, de vigilar las personas sospechosas de cometer un crimen o un delito haciéndose pasar ante esas personas por uno de sus coautores, cómplices o encubridores*". Las operaciones así definidas tienen un ámbito de aplicación relativamente amplio, siempre y cuando los delitos descritos estén relacionados con la criminalidad en banda organizada. La banda organizada se define, en derecho penal francés, como "*todo grupo formado o todo acuerdo estable en vistas a la preparación, caracterizada por uno o varios hechos materiales, de una o varias infracciones*" (art. 132-71 del Código Penal). La jurisprudencia ha aportado sus propios criterios para enmarcar esta definición, y distinguirla, de manera discutible, de la noción de *asociación de mal-*

---

[32]   DE LAMY Bertrand, *Crime organisé, efficacité et diversification de la réponse pénale, op. cit.*

hechores[33]: en una decisión reciente, ha indicado que el grupo debe actuar de manera premeditada, que la organización de sus miembros debe ser estructurada y que se necesita cierta permanencia del grupo para admitir la existencia de una banda organizada[34]. Cuando el agravante de banda organizada está presente, se puede permitir la aplicación de métodos especiales de investigación[35] como es la infiltración a una gran variedad de delitos, previstos en el artículo 706-73 del CPP. Entre los dieciocho apartados aparecen por ejemplo el homicidio, la tortura o actos de barbarie, el tráfico de estupefacientes, la abducción y el secuestro, los delitos agravados de trata de humanos, los delitos agravados de proxenetismo, los robos, la extorsión agravada, el falseo de moneda, los actos de terrorismo o la contribución a la proliferación de armas de destrucción masiva. Los artículos 706-73-1 y 706-74 del CPP extienden la posibilidad de infiltración a otra serie de delitos cometidos en banda organizada como la estafa, los delitos de disimulación de actividades o de empleados, de trabajo disimulado y a *"los otros crímenes y delitos cometidos en banda organizada"*. Aún teniendo en cuenta la exigencia del agravante de banda organizada, el abanico de posibles actuaciones de las fuerzas de policía ha sido considerablemente ampliado con esta ley, que ha conocido numerosas modificaciones desde su entrada en vigor en 2004, generalmente en el sentido de nuevas extensiones del ámbito operativo de los agentes.

Al lado de las infiltraciones en vivo, el legislador ha autorizado progresivamente la posibilidad de infiltraciones a distancia, que prefiguran métodos de investigación innovadores para hacer frente al desarrollo de nuevas formas de criminalidad.

---

[33] En este sentido, PARIZOT Raphaële, *"Ceci n'est pas une pipe": l'association de malfaiteurs et la bande organisée selon la Cour de cassation*, Recueil Dalloz, 2015, pp. 2541-2543.

[34] Cass. Crim., 8 de julio de 2015.

[35] Libro IV, Título XXV, Capítulo II del CPP, art. 706-80 y siguientes (junio 2016). Los métodos especiales de investigación o procedimientos especiales incluyen, entre otros, la vigilancia (entrega vigilada), la infiltración, la investigación bajo pseudónimo (o infiltración a distancia), la detención policial, los registros, la intercepción de comunicaciones, la sonorización y fijación de imágenes en determinados lugares o vehículos, la captación de datos informáticos, etc.

3.2. Infiltraciones a distancia

La aparición y el desarrollo de una criminalidad típica de Internet ha llevado la policía, y a continuación el legislador, a permitir infiltraciones "*a distancia*": el término oficial es el de "*investigación bajo pseudónimo*" (art. 706-87-1 CPP).

Este método de investigación se autorizó por primera vez con la ley n° 2007-297 del 5 de marzo de 2007 para la prevención de la delincuencia. Se prevé que en el ámbito de las infracciones de naturaleza sexual contra menores y de puesta en peligro de menores[36] o en caso de trata de seres humanos, proxenetismo y prostitución de menores[37] que se produzcan por vía electrónica, las investigaciones bajo pseudónimo se permitirán, siempre y cuando no determinen la actuación de los autores del delito. Concretamente, los agentes destinados en servicios especialmente habilitados pueden, en el marco de una comisión rogatoria o de una investigación abierta y supervisada por la fiscalía, participar bajo pseudónimo a las comunicaciones electrónicas y estar en contacto con personas susceptibles de ser autores de tales delitos. Pueden transmitir, obtener o conservar documentos y ficheros electrónicos de contenido ilícito con el objetivo de recoger la prueba del delito que se esté cometiendo.

La infiltración a distancia es un método en auge, por la obvia correlación entre el incremento de la criminalidad *on-line* y la reactividad penal (legislativa, policial, judicial) correspondiente. Prueba de ello son la expansión rápida del ámbito de aplicación de la investigación bajo pseudónimo así como la multiplicación de los servicios especialmente habilitados para llevar a cabo este tipo de investigaciones.

3.2.1. Expansión del ámbito de aplicación

El movimiento se inició, como bien hemos dicho, con la posibilidad de infiltraciones a distancia en el ámbito de los delitos contra los menores, de trata de seres humanos y de proxenetismo cometidos por vía electrónica. Sin embargo, el método de investigación pronto se aplicó a un amplio abanico de infracciones.

---

[36] Art. 706-47-3 CPP.
[37] Art. 706-35-1 CPP.

La primera ley que intervino en este ámbito después de la ley de 5 de marzo de 2007 fue una ley del 14 de marzo de 2011, ley n° 2011-267 de orientación y programación para la eficacia de la seguridad interior. En su artículo 34, introducía un nuevo artículo 706-25-2 en el Código Procesal Penal, que permitía la investigación bajo pseudónimo para luchar contra la incitación a la discriminación, al odio o a la violencia en contra de una persona o de un grupo de persona por causa de su origen o de su pertenencia o no pertenencia a una etnia, una nación, una raza o una religión determinada. Este delito está previsto en el artículo 24 de la ley del 29 de julio de 1881 relativa a la libertad de la prensa. La medida procesal especial se inscribe dentro del objetivo más amplio de lucha contra el terrorismo y la propagación de mensajes afines. Ulteriormente, la disposición del CPP que autorizaba expresamente la infiltración a distancia para este tipo de delitos fue abrogada[38]. La misma ley creó sin embargo un delito específico de provocación al terrorismo y apología del terrorismo (art. 421-2-5 del Código penal), y a la vez instauró el artículo 706-87-1 CPP que permitía expresamente la infiltración a distancia para este tipo de delitos.

Después de esta primera extensión al campo de la lucha contra la propaganda terrorista, la infiltración a distancia se desplegó hacia ámbitos muy diversos: así, la ley n° 2010-476 del 12 de mayo 2010 para la apertura a la competencia y a la regulación del sector de juegos de dinero y juegos de azar en línea autorizó este tipo de investigación para luchar contra las infracciones cometidas en el marco de los juegos *on-line*[39]. En 2013, la ordenanza n° 2013-1183 del 19 de diciembre introduce la misma posibilidad para luchar contra el tráfico de fármacos por vía electrónica[40].

Por último, la ley del 13 de noviembre 2014 para el refuerzo de las disposiciones relativas a la lucha contra el terrorismo, arriba mencionada, introdujo una sección 2 bis "*De la investigación bajo pseudónimo*" en el Título XXV del Libro IV del CPP. Dicha sección contiene un artículo único: el artículo 706-87-1 CPP, también antes mencionado. Esta disposición, además de delimitar la actuación de los agentes

---

[38] Ley n° 2014-1353 del 13 de noviembre de 2014 para el refuerzo de las disposiciones relativas a la lucha contra el terrorismo.
[39] Art. 59 de la ley n° 2010-476 del 12 de mayo de 2010.
[40] Creando para ello el artículo L. 1435-7-2 del Código de Salud pública.

infiltrados por vía electrónica, extiende el ámbito de aplicación de la investigación bajo pseudónimo al conjunto de los delitos previstos en los artículos 706-72, 706-73 y 706-73-1 del CPP, es decir al conjunto de los delitos cometidos en el marco de la criminalidad organizada, para los cuales también se permite el uso de la infiltración en vivo[41].

Queda de manifiesto una rápida expansión del ámbito de aplicación de la infiltración a distancia como método ineludible de la lucha contra la criminalidad por Internet y por medios electrónicos. Así lo indica también la multiplicación de los servicios designados como competentes por los textos reglamentarios.

3.2.2. Multiplicación de los servicios competentes

La extensión del ámbito de aplicación de la investigación bajo pseudónimo supone a la vez el incremento del número de servicios habilitados para llevar a cabo este tipo de investigaciones. Las sucesivas leyes de extensión de la aplicabilidad de ese método han encomendado a las correspondientes disposiciones reglamentarias la designación de los servicios competentes en este ámbito.

El primer texto relacionado con este tema fue la orden ministerial del 19 de septiembre de 2011[42], tomada para la aplicación del artículo 706-25-2 CPP creado por la ley del 14 de marzo de 2011. Se prevé que serán competentes los agentes especialmente habilitados para la investigación bajo pseudónimo que estén asignados a uno de los servicios siguientes:

– Entre los servicios y unidades que caen bajo el poder de la Dirección central de la policía judicial: el servicio interministerial de asistencia técnica[43]; la Oficina central de lucha contra la criminalidad relacionada con las tecnologías de la información y de la comunicación; la Oficina central para la represión de la grande delincuencia financiera; la direcciones regionales e interregionales de policía judicial.

---

[41]   Ver arriba para el detalle de los delitos.
[42]   Orden ministerial NOR: IOCJ1117663A del 19 de septiembre 2014.
[43]   El Servicio Interministerial de Asistencia Técnica (SIAT) es en realidad, como veremos más adelante, el servicio habilitado para la gestión de toda la actividad encubierta de la policía judicial.

- la Dirección general de la seguridad interior.
- la Dirección de la inteligencia y dirección de la policía judicial de la prefectura de policía.
- Entre los servicios y unidades que caen bajo la jurisdicción de la Dirección general de la gendarmería nacional: la Oficina de lucha antiterrorista de la subdirección de la policía judicial; el servicio técnico de investigación judicial y de documentación; la Oficina central de lucha contra los daños al medioambiente y a la salud pública; la sección de búsquedas; la sección de apoyo judicial.

Si este primer abanico parece ya bastante amplio, las ulteriores reformas legislativas y reglamentarias han alargado la lista de los servicios y de las personas competentes para la investigación bajo pseudónimo. Así, el artículo 59 de la ley de 12 de mayo de 2010 indica que serán habilitados *"los agentes y oficiales de policía judicial designados por el ministerio del Interior y los agentes de aduanas designados por el ministro encargado de las Aduanas"*, sin que dicha designación esté aparentemente subordinada a la pertenencia de los agentes a uno de los servicios anteriormente nombrados. La ordenanza n° 2013-1183 del 19 de diciembre de 2013 a su vez autoriza la actuación encubierta a distancia para los *"inspectores de la agencia regional de salud especialmente habilitados por el ministro de la Justicia, el ministro del Interior y el ministro encargado de la Salud"*. Los métodos de infiltración a distancia parecen deber extenderse fuera de la actuación de la policía judicial en sentido estricto y poder aplicarse en distintos ámbitos de investigación contra delitos de toda índole.

Por último, la orden ministerial del 25 de octubre 2015 ha ensanchado de manera repentina el número de servicios competentes para la investigación bajo pseudónimo, designando un total de 26 tipos de servicios (dentro de los cuales servicios regionales y departamentales, multiplicando *de facto* el número de servicios así nombrados)[44].

La designación masiva de servicios competentes pretende obviamente prevenir situaciones en las que los equipos de investigación se

---

[44]   Art. 1 de la Orden ministerial del 21 de octubre 2015 para la habilitación dentro de servicios especializados de oficiales o agentes de policía judicial que puedan llevar a cabo investigaciones bajo pseudónimo, NOR: INTC1513051A.

enfrenten a la imposibilidad de actuar por razones de competencia: multiplicando los equipos potencialmente habilitados, se permite una mayor difusión de este método de investigación que no queda confinado en ámbitos restringidos y reservados. Pero conviene recordar que la designación masiva no implica la dotación masiva en medios, ni la automática habilitación pertinente de los agentes. Como ocurre de modo recurrente, el legislador y el ejecutivo francés avivan el desequilibrio entre su voluntad de apoyar la acción de las fuerzas del orden y los medios que les otorgan para llevar a cabo su misión. Por ello, aún y cuando el número efectivo de agentes implicados en infiltraciones a distancia haya crecido en los últimos años, no se puede ni se debe deducir tampoco de los textos reglamentarios la generalización de tal práctica.

El marco legal y reglamentario desarrollado para regular la infiltración ha dado lugar a un procedimiento relativamente reglamentado en cuanto a la organización de las operaciones de infiltración.

4. EL PROCEDIMIENTO

Dentro del estudio del procedimiento que enmarca la infiltración, es preciso acercarse primero al reclutamiento de los agentes infiltrados, para luego analizar la puesta en práctica de la infiltración, y por último examinar la presentación, durante el proceso, de la prueba obtenida por esta vía.

4.1. Reclutamiento y habilitación

El reclutamiento de los agentes se hace de modo parecido para ambos tipos de infiltración, en vivo o a distancia.

Para la infiltración en vivo, el artículo 706-81 del CPP indica que los oficiales o agentes designados deben estar especialmente habilitados según algunas condiciones especificadas por decreto. Es el decreto nº 2004-1026 del 29 de septiembre 2004 que prevé las medidas específicas de organización del reclutamiento, de formación y de habilitación de los agentes infiltrados. Las diferentes disposiciones están incluidas en los artículos D. 15-1-1 y siguientes del CPP. Se establece la creación del Servicio Interministerial de Asistencia Técnica (SIAT), conformado por funcionarios de policía, militares de la gendarmería y agentes de las aduanas. Este órgano se dedica a la formación de los agentes infiltrados y a la centralización de la información relativa a las operaciones de infiltración. El artículo D. 15-1-3 CPP precisa que los agentes deben seguir una primera formación organizada por el SIAT, al cabo de la cual los superiores jerárquicos de los agentes (director general de la policía judicial; director general de la gendarmería nacional; director general de las aduanas) deben dar su aval para el reclutamiento oficial de los agentes considerados aptos para el servicio. Una vez el aval otorgado, sólo el fiscal general afectado al tribunal de apelación de París es competente para la habilitación definitiva de los agentes elegidos para formar parte de las operaciones encubiertas.

Para la infiltración a distancia, el procedimiento no dista mucho de lo previsto para la infiltración en vivo. El artículo segundo de la orden ministerial del 25 de octubre 2015 indica con más precisión ese procedimiento de habilitación para los agentes que pertenezcan a los servicios señalados y que sean susceptibles de participar en este tipo de investigación. Los agentes y oficiales deben primero seguir una formación específica en relación con el uso de los métodos de infiltración a distancia. Una vez concluida la formación, los superiores jerárquicos de los agentes deben dar su aval para que el fiscal general del tribunal de apelación de su destino habitual les habilite especialmente.

En ninguno de los casos el texto prevé limitación temporal alguna para dicha habilitación, pero se indica que tanto el aval de los superiores como la habilitación por el fiscal pueden ser retirados en cualquier momento, causando el necesario retiro del agente. Una vez los agentes reclutados y formados, serán susceptibles de participar en operaciones encubiertas.

4.2. Puesta en práctica

El artículo 706-81 CPP define la infiltración como "*el hecho, para un [agente de policía judicial] que actúa bajo la responsabilidad de otro oficial que coordina la operación, de vigilar las personas sospechosas de cometer un crimen o un delito haciéndose pasar ante esas personas por uno de sus coautores, cómplices o encubridores*". La disposición siguiente prevé expresamente la exoneración de responsabilidad penal para los agentes en determinadas situaciones. Se les autoriza la compra, la detención, el transporte y la entrega de sustancias, bienes, productos, documentos o información sacados de la comisión de una infracción o que sirvan a la comisión de una infracción[45]. Se les permite también usar o poner a disposición de las personas que cometen esas infracciones los medios de carácter jurídico o financiero, así como los medios de transporte, de depósito, de alojamiento, de conservación o de telecomunicación necesarios para la comisión de las mismas[46]. Pueden ser facilitadores, pero en ningún caso deben provocar la comisión del delito, y tampoco pueden sobrepasar los límites de su exoneración penal. La misma disposición señala que esta exoneración se puede extender *"a las personas reclutadas por los [agentes de policía judicial] para permitir la realización de esta operación"*. La infiltración siempre estará coordinada por un oficial de policía judicial, que será responsable de su desarrollo.

Toda operación de infiltración debe ser previamente autorizada de manera escrita y motivada por el fiscal general o, en caso de instrucción, por el juez de instrucción[47]. Esta autorización indicará la o las infracciones que justifican el uso de la infiltración, así como la identidad del agente coordinador de la operación[48]. El documento también indica la duración de la autorización, que en ningún caso puede ser superior a cuatro meses. Se puede renovar esta autorización en las mismas condiciones para otro plazo de cuatro meses máximo. El documento se adjuntará a la causa al final de la operación. El magistrado que autoriza la operación también la puede cancelar en cualquier momento, pero en este caso o al final de la operación, la exoneración de responsabilidad penal del agente se prolonga *"el tiempo estrictamente necesario"* para que el agente se pueda retirar sin poner en riesgo su seguridad[49], sin que esta duración pueda exceder cuatro meses, renovables en caso de peligro para el agente.

El desarrollo de la operación se plasmará en un informe redactado por el oficial de policía judicial coordinador de la operación. Ese

---

[45]   Art. 706-82 1° CPP.
[46]   Art. 706-82 2° CPP.
[47]   Art. 706-81 al. 1 CPP.
[48]   Art. 706-83 CPP.
[49]   Art. 706-85 CPP.

informe sólo puede contener elementos estrictamente necesarios a la constatación de la infracción, sin poner en peligro el agente encubierto[50]. Una vez la operación dada por terminada, la prueba recogida podrá ser utilizada en la causa abierta.

4.3. *Prueba obtenida y proceso*

Toda la complejidad de la confrontación entre métodos "desleales" como la infiltración, el principio de lealtad de la prueba y la necesaria protección de la seguridad del agente encubierto se vislumbra en el tratamiento de la prueba obtenida por esta vía ante los tribunales.

El artículo 706-86 CPP empieza por indicar que sólo el agente coordinador de la operación de infiltración puede ser oído en calidad de testigo. Una lectura a contrario conlleva la exclusión de la testificación por el agente encubierto, que parece levantar algunas quejas en caso de cooperación judicial internacional[51]. La disposición legal señala sin embargo que en caso de que el informe del agente coordinador deje entender que la persona imputada está directamente implicada por las constataciones realizadas por un agente infiltrado, la defensa puede solicitar una confrontación con el agente encubierto en las condiciones previstas por el artículo 706-61 CPP, es decir en las mismas condiciones que un testigo protegido: la audición se realiza a través de un dispositivo técnico para permitir una intervención a distancia del agente, y la voz del agente debe ser distorsionada por otro dispositivo. En ningún caso las preguntas hechas al agente deben tener por objeto la revelación de su verdadera identidad.

La protección de la identidad del agente es una preocupación central de la legislación que enmarca la infiltración: esa identidad no debe aparecer en ninguna fase del procedimiento[52]. El texto legal prevé sanciones en caso de revelación de la identidad de un agente encubierto: los autores de tal revelación incurren en una pena de 5 años de prisión y de 75 000 euros de multa. Estas penas serán agravadas cuando

---

[50] Art. 706-81 CPP.
[51] Ver en este sentido otras ponencias presentadas en las jornadas de estudio del CEJ, "La prueba obtenida a través de la infiltración y la delación. El agente encubierto y el confidente", 2 y 3 de junio de 2016.
[52] Art. 706-84 CPP.

las revelaciones hayan dado lugar a violencias y daños físicos para el agente o sus familiares (7 años de prisión y 100 000 euros de multa), y se elevarán hasta 10 años de prisión y 150 000 euros de multa en caso de muerte de alguna de las personas mencionadas[53].

La participación del agente encubierto en el procedimiento es entonces posible, como hemos señalado, pero sólo en ciertos casos determinados, por solicitación de la defensa, y bajo estrictas condiciones de audición. El artículo 706-87 CPP es una prueba más de la dificultad de la admisión de la prueba obtenida por infiltración en el proceso penal. Si bien, como en la mayoría de los casos, los jueces consienten a admitir pruebas desleales o al límite de la deslealtad siempre que hayan sido sometidas a un debate contradictorio[54], en el caso de la infiltración se señala expresamente que ninguna condena puede ser pronunciada sobre la única base de las declaraciones de los agentes encubiertos. Se prevé una excepción, pero sólo en caso de que el agente declare bajo su verdadera identidad. Ahora bien, toda la legislación subraya la necesidad de proteger la identidad del agente, así que la declaración bajo su verdadera identidad será posiblemente una situación muy marginal.

Esta normativa pone de manifiesto el recelo del legislador a otorgar su plena confianza a las pruebas recogidas en operaciones de infiltración, precisamente por la falta de lealtad del procedimiento y por el riesgo de vulneración de los derechos de la persona acusada.

5. LÍMITES: PRINCIPIOS RECTORES DEL DERECHO DE LA PRUEBA

La dificultad principal para la admisión de la prueba obtenida por medio de la infiltración es su incompatibilidad aparente con las exigencias del principio de lealtad y del derecho a un proceso equitativo, protegido por el artículo 6 del Convenio europeo de derechos humanos.

---

[53] La circular CRIM 04-13 G1 del 2 de septiembre 2004 detalla los criterios a tener en cuenta para la determinación de la calificación exacta en cada situación.

[54] DE LAMY Bertrand, *De la loyauté en procédure pénale, Brèves remarques sur l'application des règles de la chevalerie à la procédure pénale, op. cit.*, p. 107.

La jurisprudencia de la Corte de casación acerca del principio de lealtad viene desde antiguo[55], y éste se considera el contrapunto del principio de libertad de la prueba. Desde este punto de vista, las infiltraciones (y todas las demás medidas especiales: geolocalización, sonorización, recogida de datos on-line, etc.) son excepciones al principio de lealtad, toleradas por las necesidades de la investigación, pero bajo un estrecho control del juez a lo largo de toda la operación[56].

Para justificar la admisión de estos medios de prueba, se toma en cuenta la necesaria conciliación entre el principio de alcance moral que constituye el principio de lealtad, y otras exigencias más pragmáticas de la Justicia, como son la imposibilidad de demostrar algunos hechos por otras vías más leales, o la gravedad de la infracción cometida[57]. Pero aún admitiendo la prueba recogida por infiltración, cierta desconfianza sigue trasparaciendo hacia ella: no puede ser única base de una condena si el agente no testifica bajo su verdadera identidad, y todos los textos que regulan la infiltración, sea en vivo o sea a distancia, señalan expresamente la prohibición de toda provocación al delito, cuyo respeto será vigilado con cautela por el juez.

Además del principio de lealtad en la búsqueda de la prueba, el juez supremo francés hace repetidamente referencia al respeto del derecho a un proceso equitativo para rechazar algunos modos de prueba que considera contrarios a cierta "ética judicial". Este derecho está previsto en el sexto artículo del Convenio europeo de derechos humanos e incluye una multitud de derechos que, conjuntamente, participan del objetivo de proceso equitativo.

El primer párrafo del artículo 6 CEDH expone algunas de las condiciones esenciales a la existencia de un proceso equitativo: publicidad de la causa, plazo razonable, independencia e imparcialidad

---

[55]   Ver *supra* 2.1.
[56]   VERGÈS Etienne, *Procédure pénale: Le contrôle graduel des preuves technologiques*, Revue Pénitentiaire et de Droit pénal, 2013, n° 4, pp. 897-905. Ahora bien, ese control se encuentra cada vez más restringido y carece de efectividad, sumergido por el desarrollo de leyes represivas adoptadas en los últimos meses: MATOPOULOU Haritni, *Les nouveaux moyens de preuve au service de la criminalité organisée*, JCP G, 2016, n° 25, pp. 1222-1225.
[57]   DE LAMY Bertrand, *De la loyauté en procédure pénale, Brèves remarques sur l'application des règles de la chevalerie à la procédure pénale*, op. cit., p. 101.

del tribunal, legalidad del tribunal y publicidad de la sentencia (salvo excepciones por razones de orden público). El segundo párrafo proclama el principio de presunción de inocencia para todo acusado, y el tercero prevé las distintas concreciones de los derechos de los acusados: derecho a ser informado de la acusación, derecho a la preparación adecuada de su defensa, derecho a una defensa por sí mismo o por abogado, derecho a testimonios en su favor en mismas condiciones que testimonios contrarios y derecho a un intérprete. A falta de definición en el texto mismo del Convenio, el derecho a un proceso equitativo ha sido calificado de "*ius commune del derecho procesal*[58]", o incluso de "*modelo universal*[59]". Las definiciones son múltiples, algunas adoptando un ángulo casi-idealista de la noción de proceso equitativo[60], cuando otras le dan prioridad al aspecto formal de ese derecho, concebido como un equilibrio entre las partes del proceso, sin por ello abandonar toda referencia al ideal de justicia que impregna la noción[61]. P. IDOUX por ejemplo considera que el proceso equitativo se entiende de "*las garantías que supuestamente conforman la "buena justicia", consideradas en su conjunto*[62]". La autora añade que "*la referencia prioritaria a la idea de igualdad o de equilibrio entre las partes no impide de ningún modo la expresión, mediante los estándares del proceso equitativo, de la aspiración a un ideal de justicia —la presuposición siendo que un proceso equitativo favorece el descubrimiento de la solución justa, que no sólo es tributaria de la legitimidad de las reglas de fondo movilizadas*[63]". El carácter equitativo del proceso resultará de la búsqueda de un cierto equilibrio, muy delicado y movedizo en la realidad, entre las partes al proceso pero también entre los diferentes elementos integrantes de la noción.

---

[58]   SUDRE Frédéric, PICHERAL Caroline (Dir.), *La diffusion du modèle européen du procès équitable*, op. cit., pp. 5-6.

[59]   GUINCHARD Serge et al. (Dir.), *Droit processuel, droits fondamentaux du procès*, 8ª ed., Ed. Dalloz, París, 2015, pp. 496 s.

[60]   PRADEL Jean, CORSTENS Geert, *Droit pénal européen*, 3ra edición, Ed. Dalloz, París, 2009, p. 375.

[61]   GUINCHARD Serge, "Le procès équitable: garantie formelle ou droit substantiel?", in *Philosophie du droit et droit économique: quel dialogue?* Mélanges en l'honneur de Gérard Farjat, Ed. Frison-Roche, París, 1999, p. 139.

[62]   IDOUX Pascale, Jurisclasseur *Liberté, Aspects du droit à un procès équitable* (fasc. 1520), nº 7 (nuestra traducción).

[63]   *Ibidem*.

El juez supremo francés hace referencia al derecho a un proceso equitativo para medir el grado de aceptabilidad de ciertas prácticas probatorias, y en algunos casos sancionar los abusos y los excesos cometidos por la acusación en la búsqueda de la prueba. Pero si el artículo 6 CEDH puede ser un límite a la actividad encubierta, será únicamente en caso de que esta actividad resulte en una provocación al delito que vicie el procedimiento en su conjunto. La lógica es entonces similar a la del principio de lealtad en la búsqueda de la prueba, y así lo manifiesta la jurisprudencia del Tribunal europeo de derechos humanos (TEDH).

El juez europeo recuerda repetidamente en sus sentencias que "*la admisibilidad de las pruebas depende en primer lugar de las reglas de Derecho interno y que, en principio, corresponde a los tribunales nacionales valorar los elementos de prueba que hayan obtenido. La labor del Tribunal consiste en investigar si el procedimiento, considerado en su conjunto, y teniendo en cuenta la forma de obtención de medios de prueba, puede ser considerado equitativo*[64]". Desde una jurisprudencia relativamente reciente, el TEDH admite la infiltración, siempre que tenga un marco jurídico (legal) claro y que esté rodeada de las garantías necesarias[65]. Señala así que "*el Convenio no impide utilizar, en la fase de instrucción, y cuando la naturaleza de la infracción lo justifique, fuentes como confidentes ocultos*[66], *pero el uso posterior de esas fuentes por el juez competente sobre el fondo del asunto para justificar una condena plantea una problemática distinta*". Aún teniendo en cuenta las dificultades de recogida de la prueba en ámbitos complejos como la lucha contra el tráfico de drogas o las actividades de criminalidad organizada en general, "*las exigencias generales*

---

[64] STEDH, 9 de junio de 1998, *Teixeira de Castro c/ Portugal*, §34; anteriormente: STEDH, 23 de abril 1997, *Van Mechelen y otros c/ Paises Bajos*, §50. En el mismo sentido: STEDH (Gran Cámara), 5 de febrero 2008, *Ramanauskas c/ Lituania*, §52.

[65] STEDH, 9 de junio de 1998, *Teixeira de Castro c/ Portugal*, §34; STEDH (Gran Cámara), 5 de febrero 2008, *Ramanauskas c/ Lituania*, §52. De modo general, para la admisibilidad de pruebas obtenidas por medios desleales: STEDH, 12 de julio de 1988, *Schenk c/ Suiza*.

[66] En realidad el asunto trata de infiltración, lo cual aparece en la frase siguiente del juez, que parece aquí poner en un mismo plano la actuación encubierta de la policía y el uso de confidentes. Ver punto siguiente sobre esta cuestión.

de equidad establecidas por el artículo 6 se aplican a los procedimientos relativos a cualquier tipo de infracción penal, de la más simple a la más compleja. El interés público no justifica la utilización de elementos de prueba obtenidos tras una provocación policial[67]". Según la definición del TEDH, la provocación policial se produce cuando *"los agentes implicados —miembros de las fuerzas del orden o personas que intervienen a petición de los mismos— no se limitan a examinar de una manera solamente pasiva la actividad delictiva, pero ejercen sobre la persona observada una influencia susceptible de incitarla a cometer un delito que en otras circunstancias no habría cometido*[68]".

Cuando se le someten casos de infiltración, el TEDH debe determinar si la conducta de los agentes se corresponde con la actuación de un agente infiltrado o si ha desempeñado un papel más determinante en la comisión del delito. Para averiguar la ausencia de provocación al delito, el Tribunal, ya en el asunto *Teixeira de Castro contra Portugal*, examina varios criterios: la preexistencia de una operación de represión coordinada por un magistrado, el pasado delictivo del acusado, la presencia o no de sustancias estupefacientes en el domicilio del acusado, etc. Esta posición jurisprudencial se ha paulatinamente profundizado[69], con la aparición de criterios más precisos que ayudan a distinguir entre la provocación a la prueba, que se admite, y la provocación al delito, que vicia el procedimiento[70]. Los criterios están esencialmente relacionados con la preexistencia de la actividad delincuente[71], con el nivel de presión ejercido sobre las personas acusadas por los agentes previa comisión de la infracción[72], o incluso en algunos casos con la gravedad de la infracción cometida[73]. En el caso

---

[67] STEDH, 9 de junio de 1998, *Teixeira de Castro c/ Portugal*, §35.
[68] STEDH (Gran Cámara), 5 de febrero 2008, *Ramanauskas c/ Lituania*, §55.
[69] DE VALKENEER Christian, *La provocation policière à la lumière de la jurisprudence de la Cour européenne des droits de l'homme-Commentaire de l'arrêt Ramanauskas c/ Lituanie de la CEDH et de quelques décisions récentes*, Revue trimestrielle des droits de l'homme, n° 77, 2009, p. 211-225.
[70] STEDH (Gran Cámara), *Ramanauskas c/ Lituania*, 5 de febrero 2008, §52-53.
[71] STEDH, *Sequeira c/ Portugal*, 6 de mayo 2003 (déc.); *a contrario*, STEDH, *Vanyan c/ Rusia*, 15 de diciembre 2005, §49.
[72] STEDH, *Malininas c/ Lituania*, 1 de julio de 2008, §37; STEDH (Gran Cámara), *Ramanauskas c/ Lituania*, 5 de febrero 2008, §55 y 67.
[73] STEDH, *Miliniene c/ Lituania*, 24 de junio 2008, §38. Para un Resumen útil de los criterios desarrollados por el TEDH: STEDH, *Bannikova c/ Rusia*, 4 de

de considerarse una provocación al delito, el juez insiste en que las actuaciones derivadas del acto contrario al artículo 6 CEDH deben considerarse nulas[74]: *"para que un juicio sea considerado equitativo en el sentido del artículo 6§1 del Convenio, toda prueba obtenida a raíz de una provocación policial al delito debe ser excluida[75]"*.

Además, para que las pruebas recogidas por medio de una infiltración sean admisibles (incluso cuando la operación no constituya una provocación policial que vulnere el artículo 6§1 del Convenio), se deben respetar algunas garantías esenciales a lo largo de todo el procedimiento. Para apreciar el nivel de adecuación del procedimiento con las exigencias del proceso equitativo, el juez verifica la presencia de varios elementos que ratifiquen el respeto de unas garantías mínimas: así, la operación encubierta debe realizarse dentro de un marco legal que respete las exigencias del principio de legalidad (previsibilidad y claridad de la ley)[76]; la operación debe estar dirigida preferentemente por un magistrado[77]; se debe garantizar una cierta compensación por la restricción de los derechos de la parte perseguida (aunque no llegue siempre a la vulneración del artículo 6 CEDH) permitiéndole debatir contradictoriamente los elementos presentados por la acusación[78]. El respeto de estas garantías actúa como un regulador de la tensión causada por la vulneración de los derechos de la defensa en las primeras fases del procedimiento. Además, en caso de protesta por parte del acusado en cuanto a la validez de la prueba recogida por medio de una infiltración litigiosa, el TEDH examina el procedimiento aplicado ante las jurisdicciones internas para asegurarse de que el acusado haya podido presentar y defender sur caso en contra del uso

---

noviembre 2010, §36-50.

[74] Entre otros: STEDH (Gran Cámara), *Edwards y Lewis c/ Reino-Unido*, 27 de octubre 2004, §46-48; STEDH, *Vanyan c/ Rusia*, 15 de diciembre 2005, §46; STEDH, *Khudobin c/ Rusia*, 26 de octubre 2006, § 133; STEDH (Gran Cámara), *Ramanauskas c/ Lituania*, 5 de febrero 2008, §54; STEDH, *Bannikova c/ Rusia*, 4 de noviembre 2010, § 34; STEDH, *Lagutin et al. c/ Rusia*, 27 de abril 2014, §117.

[75] STEDH, *Bannikova c/ Rusia*, 4 de noviembre 2010, §56.

[76] STEDH, *Khudobin c/ Rusia*, 26 de octubre 2006, §135; STEDH, *Lagutin et al. c/ Rusia*, 27 de abril 2014, §119.

[77] *Ibidem.*

[78] STEDH, *Edwards y Lewis c/ Reino-Unido*, 27 de octubre 2004; STEDH, *Jasper c/ Reino-Unido*, 16 de febrero de 2000, §49.

de la prueba cuestionada ante los tribunales[79]. Vigila la aplicación del derecho al juez como garantía integrante del derecho a un proceso equitativo para permitir el restablecimiento de cierto balance dentro del procedimiento. El principio del contradictorio se convierte en un elemento regulador esencial para la corrección eventual de las actuaciones discutibles o criticables llevadas a cabo en fases anteriores del procedimiento.

Para evitar la anulación del conjunto del procedimiento a causa de una sola actuación irregular del agente, la justicia alemana ha desarrollado un instrumento propio de regulación en caso de vulneración de los derechos del acusado a causa de una provocación al delito: el juez pronuncia una pena más leve que en caso de condena habitual, teniendo en cuenta el desequilibrio inicial del procedimiento[80]. La solución ha sido objeto de una amplia reprobación, y el TEDH ha seguido el movimiento crítico, considerando inaceptable la posición de la jurisprudencia alemana[81]. La sanción de una actuación policial contraria al artículo 6 debe ser, en sus palabras, el descarte de las actuaciones llevadas a cabo fuera del marco del proceso equitativo. Finalmente, la solución controvertida parece haber sido abandonada y la posición europea acatada por la jurisprudencia alemana en decisiones ulteriores[82].

6. CONCLUSIONES

La problemática de la prueba recogida por medio de la actuación encubierta es sintomática de la dificultad cada vez más patente de la conciliación entre la efectividad de las investigaciones y el respecto del derecho a un proceso equitativo, entendido en sentido general como garantía de una "buena justicia". El tratamiento recibido en el dere-

---

[79]   STEDH, *Jasper c/ Reino-Unido*, 16 de febrero de 2000, §54 s.; STEDH (Gran Cámara), *Ramanauskas c/ Lituania*, 5 de febrero 2008, §70-71.
[80]   Entre otros, BGH, 11 de diciembre 2013, 5 StR 240/13 (LG Berlín). Para una explicación del procedimiento: SAAS Claire, WEIGEND Thomas, *Chronique de droit pénal constitutionnel allemand*, Revue de Science criminelle et de droit pénal comparé, 2015, n° 3, pp. 723-730.
[81]   STEDH, *Furcht c/Alemania*, 23 de octubre 2010, §46.
[82]   BGH v. 10.6.2015, 2StR 97/14.

cho procesal francés, conforme con la posición jurisprudencial europea, traduce el malestar pero también el pragmatismo del legislador y del juez frente a prácticas *"límites"* de recogida de la prueba.

Los impedimentos a la recogida de la prueba frente a la criminalidad organizada, entre otros ámbitos, conllevan la necesaria adaptación de los medios de búsqueda de la prueba. Sin duda, la infiltración y la información proporcionada por los confidentes son elementos esenciales para sobrepasar las limitaciones de la lucha contra todo tipo de criminalidad oculta, como son los tráficos. Sin embargo, no se deben obviar los riesgos que se derivan de las operaciones encubiertas: riesgos para la seguridad de los agentes implicados, en primer lugar. Riesgos de excesos y de corrupción de los agentes infiltrados o de los agentes en contacto regular con sus confidentes. Los escándalos que han salpicado (hasta se podría decir que han manchado severamente, en algunos casos) los principales servicios y unidades de lucha contra el tráfico de droga en Francia en el último año[83] demuestran toda la dificultad de mantener el equilibrio en las arenas movedizas de la infiltración y de la actuación encubierta. En este sentido, la alimentación masiva de redes de tráfico por algunos agentes de estos servicios, hasta convertirse en unos de los mayores proveedores de sustancias ilícitas, para desmantelar redes de reventa ulterior plantea serias interrogaciones en cuanto a la pertinencia de tales operaciones. Frente a estas graves derivas, las palabras del Decano Bouzat, recordadas en nuestro íncipit, resuenan como una sombría profecía.

7. BIBLIOGRAFÍA

BOUZAT Pierre, *La loyauté dans la recherche des preuves, in Mélanges L. HUGUENEV*, Ed. Sirey, París, 1964, pp. 155-177.
BUISSON Jacques, *Contrôle de l'éventuelle provocation policière: création d'un site pédo-pornographique par un policier, même étranger*, Revue de Science Criminelle et de Droit pénal comparé, 2008, n° 3, pp. 663-666.

---

[83]   En la prensa, entre otros: FENSTEN Emmanuel, "Indics: vingt-deux, v'là les hic", *Libération*, edición del 18 de agosto 2015; BRUEL Benjamin, "Les outils de l'État pour lutter contre le trafic de drogue", *Big Browser*, Blog del periódico *Le Monde*, 23 de mayo 2016; "Stups, un trafic d'État", *Libération*, edición del 23 de mayo 2016.

DE LAMY Bertrand, *Crime organisé, efficacité et diversification de la réponse pénale*, Recueil Dalloz, 2004, pp. 1910-1918.

DE LAMY Bertrand, *De la loyauté en procédure pénale, Brèves remarques sur l'application des règles de la chevalerie à la procédure pénale*, in *Mélanges Pradel*, Ed. Cujas, París, 2006, pp. 97-108.

DELMAS SAINT-HILAIRE Jean-Pierre, *L'enregistrement par un policier de la conversation qu'il a eue avec un avocat soupçonné d'être le complice de ses clients et fait à l'insu de celui-ci peut constituer une preuve légalement admissible de corruption de fonctionnaire*, Revue de Science Criminelle et de Droit pénal comparé, 1999, n° 3, p. 588.

DEMARCHI Jean-Raphaël, *La loyauté de la preuve en procédure pénale, outil transnational de protection du justiciable*, Recueil Dalloz, 2007, pp. 2012-2014.

EXPOSÍTO LÓPEZ Lourdes, "El agente encubierto", Revista de Derecho UNED, n° 17, 2015, pp. 251-286.

GASCÓN INCHAUSTI Fernando, *Infiltración policial y "agente encubierto"*, Ed. COMARES, Granada, 2001, 327 p.

GUINCHARD Serge, *Le procès équitable: garantie formelle ou droit substantiel?*, in *Philosophie du droit et droit économique: quel dialogue? Mélanges en l'honneur de Gérard Farjat*, Ed. Frison-Roche, 1999, pp. 139-174.

GUINCHARD Serge et al. (Dir.), *Droit processuel, droits fondamentaux du procès*, 8ª ed., Ed. Dalloz, París, 2015, 1500 p.

IDOUX Pascale, Jurisclasseur *Liberté, Aspects du droit à un procès équitable* (fascículo 1520).

LAFONT NICUESA Luis, "El agente encubierto en el proyecto de reforma de la Ley de Enjuiciamiento Criminal", Diario La Ley, n° 8580, 2015.

MATOPOULOU Haritni, *Les nouveaux moyens de preuve au service de la criminalité organisée*, JCP G, 2016, n° 25, pp. 1222-1225.

MOLINA MANSILLA María del Carmen, "El agente encubierto (artículo 282 bis de la LECrim)", La ley penal: Revista de derecho penal, procesal y penitenciario, n° 62, 2009, p. 5.

PRADEL Jean, *Procédure pénale*, Ed. Cujas, 18ª ed., París, 2015, 936 p.

PRADEL Jean, *Trafic de drogue, provocation délictueuse des agents et permission de la loi*, Recueil Dalloz, 1992, pp. 229-278.

PRADEL Jean, CORSTENS Geert, *Droit pénal européen*, 3ª edición, Ed. Dalloz, París, 2009, 834 p.

RIFÁ SOLER José María, "El agente encubierto o infiltrado en la nueva regulación de la LECrim", Revista del Poder judicial, n° 55, 1999, pp. 157-188.

SAAS Claire, WEIGEND Thomas, *Chronique de droit pénal constitutionnel allemand*, Revue de Science criminelle et de droit pénal comparé, 2015, n° 3, pp. 723-730.

SUDRE Frédéric, PICHERAL Caroline (Dir.), *La diffusion du modèle européen du procès équitable*, Ed. La Documentation française, París, 2003, 353 p.

VERGÈS Etienne, *Procédure pénale: Le contrôle graduel des preuves technologiques*, Revue Pénitentiaire et de Droit pénal, 2013, n° 4, pp. 897-905.